SECOND EDITION

부정맥 해석
판독의 기술

Arrhythmia Recognition
The Art of Interpretation

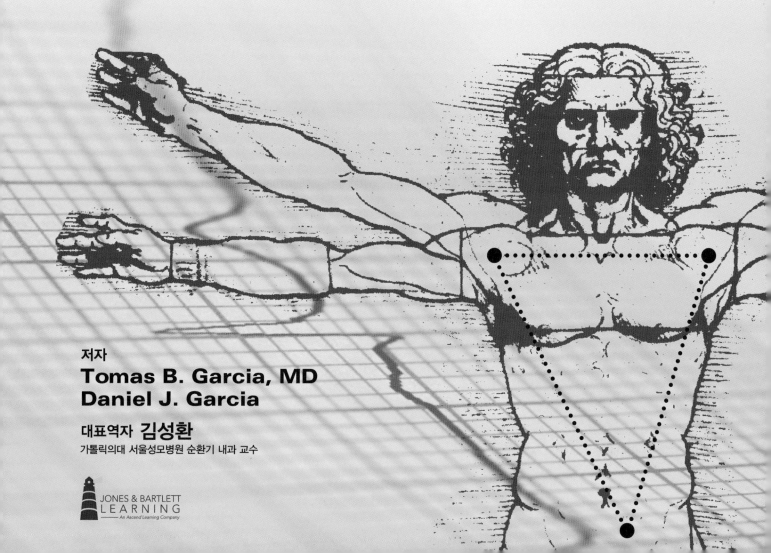

저자
Tomas B. Garcia, MD
Daniel J. Garcia

대표역자 **김성환**
가톨릭의대 서울성모병원 순환기 내과 교수

JONES & BARTLETT
LEARNING
An Ascend Learning Company

부정맥 해석 판독의 기술 ^{2nd}

둘째판 1 쇄 인쇄 | 2020년 11월 11일
둘째판 1 쇄 발행 | 2020년 11월 20일

지 은 이   Tomas B. Garcia, MD, Daniel J. Garcia
대 표 저 자   김성환 (가톨릭의대 서울성모병원 순환기내과 교수)
발 행 인   장주연
출 판 기 획   김도성
책 임 편 집   안경희
편집디자인   조원배
표지디자인   김재욱
제 작 담 당   신상현
발 행 처   군자출판사(주)
　　　　　　등록 제4-139호(1991. 6. 24)
　　　　　　본사 (10881) **파주출판단지** 경기도 파주시 회동길 338(서패동 474-1)
　　　　　　전화 (031) 943-1888　　　팩스 (031) 955-9545
　　　　　　홈페이지 | www.koonja.co.kr

ORIGINAL ENGLISH LANGUAGE EDITION PUBLISHED BY
Jones & Bartlett Learning, LLC
5 Wall Street
Burlington, MA 01803 USA

ARRHYTHMIA RECOGNITION: THE ART OF INTERPRETATION, 2ND EDITION,
TOMAS B. GARCIA AND DANIEL J. GARCIA @ 2020 JONES & BARTLETT
LEARNING, LLC. ALL RIGHTS RESERVED.

ISBN 979-11-5955-620-3

정가 70,000원

Brief Contents

목차

저자 소개

국민의 안녕과 자유를 보호하기 위해 애쓰시는 모든 의료진, 응급 대원, 군인, 소방관 및 공무원 분들께 진심으로 감사드립니다. 신의 축복을 빕니다.

—**Tomas B. Garcia, MD**

Tomas B. Garcia 박사는 Florida International University 대학을 졸업하고, 의대 입학을 준비하는 동안 응급 구조대원 자격증을 받았습니다. 이후 Miami 의과대학을 졸업하고, Jackson Memorial Hospital 에서 인턴과 레지던트(내과와 응급의학)를 마쳤습니다. Brigham and Women's Hospital 및 Grady Memorial Hospital 의 응급의학과에서 진료를 했습니다. 그의 주요 관심 분야는 심장병 환자의 응급 치료입니다. 이러한 주제에 대해 여러 병원에서 강의를 하며, '12-Lead ECG: The Art of Interpretation' 의 3번째 판에 대한 작업 외에도 웹사이트(www.ekgfacts.com)에서 심전도 교육을 하기도 합니다.

아버지였던 Tomas B. Garcia 박사는, 항상 저를 도와주셨고, 가르쳐 주었으며, 바른 길로 인도해주셨습니다. 아버지께서 내게 베풀어주신 것에 대해 정말 감사드립니다. 어머니 Marta Daniel 에게도 감사드립니다. 베풀어주신 따뜻한 사랑에 감사 드립니다. 부모님과 같이 했던 모든 순간을 소중히 기억하겠습니다. 아버지, 어머니······사랑합니다.

— **Daniel J. Garcia**

Daniel J. Garcia는 Barry University 생물학과를 졸업했습니다. 그는 YouTube 교육 시리즈인 'Arrhythmia Recognition, The Art of Education' 의 공동 저자입니다. 그는 현재 Tulane University 의과대학에 다니고 있습니다. 재학 시절 동안 ECG club 을 만들었고, 회장으로 2년째 활동하고 있습니다

교과서를 만들겠다는 결정은 대개 쉬울 수 있습니다. 필요한 독자들이 있고, 어떻게 만들겠다는 생각이 있으면, 교과서를 집필하겠다는 결정을 내릴 수 있습니다. 포괄적인 문장을 작성하는 결정은 쉽습니다. 이러한 의사 결정을 분명하게 하는 것은 구체적인 실행 계획입니다. 감사하게도 많은 분들께서 이러한 과정에서 저를 도와주셨습니다. 가장 먼저 하느님입니다. 내 인생에서 하느님은 저를 꼭 필요한 곳으로 인도해주셨습니다. 내 진심을 다해서 하느님을 믿고, 하느님과 함께 하겠습니다.

Martica에게 특별한 포옹을 하고 싶습니다. 그녀는 나를 돌봐주었고, 편안하게 해주었을 뿐 아니라, 때로는 잘못을 나무라기도 했습니다. 내가 마음을 유지하는데 큰 도움이 되었습니다. 그리고, 내 집필 작업을 도와준 출판사 Jones & Bartlett Learning에도 감사드립니다. 편집자이자 친구인 Carol Brewer Guerrero에게 감사합니다. 그녀의 지칠 줄 모르는 열정으로 내 일을 도와주었습니다. 이러한 열정적인 편집자를 가진 것이 Jones & Bartlett Learning 에게 큰 행운이라고 생각합니다. Lori Mortimer, Kathryn Leeber, Scott Moden, and Troy Liston에게도 너무 감사드립니다. 그들의 전문성과 열정은 이 책을 아름답게 만들어 주었습니다. 그 외 편집자와 제작자에게도 감사합니다. 좋은 책이 나오기 위해서 이 분들의 많은 노력이 있었습니다. 마지막으로 나와 늘 함께 해왔고, 앞으로도 함께 있을 것이며, 내 인생에 가장 중요한 아들 Daniel을 생각합니다. 어머니, 누이, 그 외 모든 Garcia 가족들……사랑합니다. 여러분들은 내 인생의 가장 큰 지지자들입니다.

—Tomas B. Garcia, MD

Robert Conciatori 박사와 그의 아내 Maria에게 감사 드립니다. 이 두 분은 나의 두 번째 부모님이라고 생각합니다. 제게 베풀어주신 모든 것에 깊이 감사드립니다. 선생님께서는 제가 인생, 역사, 예술을 사랑하도록 도와주셨고, 좋은 의사가 될 수 있도록 인도해주셨습니다.

Pedro Lopez 박사님, 당신을 존경합니다. 항상 겸손하고 인간적인 모습을 보여주셨고, 의사라는 직업에 대한 저의 믿음을 굳게 해주셨습니다. 좋은 의사가 되기 위해 항상 노력하겠습니다. 나와 나의 아버지에게 좋은 친구가 되어주셔서 너무 영광입니다. Anthony Conciatori, Christina Vaglica 박사님들께도 감사드립니다. 항상 믿음을 가지고 저에게 영감을 주셨고, 저를 위해 시간과 노력을 아끼지 않으셨습니다. Tulane 대학의 Robert Hendel 박사님께도 감사드립니다. 제가 필요할 때 주저하지 않고 항상 도와 주셨습니다. 저에게 환자 보는 법을 가르쳐주셨고, 심장학의 아름다움에 대해서도 눈 뜨게 해주셨습니다. Tulane 대학교 ECG Club 의 실무 책임자로 일해주시는 Elma LeDoux 박사님께도 감사드립니다. 저희들을 지켜 보시고, 당신의 노력과 지식을 나누는데 주저하지 않으셨습니다. Club 의 모든 분들께도 감사드립니다. 또한, 부회장으로서 역할을 다해주신 Prasad "Prednisone" Akula 에게도 감사 드립니다. 훌륭한 리더일 뿐 아니라, 친한 친구이기도 했습니다. 당신을 통해서 "Qui docet discit", 즉, 가르침을 통해서 배운다는 사실을 깨닫게 되었습니다. Christopher Columbus 고등학교의 Daniel Ciocca 선생님께도 감사 드립니다. 저에게 단지 경제학뿐 아니라 인간 본성에 대한 아름다움을 느낄 수 있게 해주셨습니다. Barry 대학교의 Christoph Hengartner, Leticia Vega, Michael Bill 씨에게도 감사드립니다. 마지막으로 이 책의 편집자인 Carol Brewer Guerrero에게도 매우 감사드립니다. 그 분의 열정과 쉼 없는 노력으로 이 책을 출판할 수가 있었습니다.

—Daniel J. Garcia

이 책을 감수해주신 분들

Renee Andreeff, EdD, PA-C, DFAAPA
D'Youville College
Buffalo, New York

Roxie L. Barnes, RN, MSN, CHSE, CCRN
Indiana University School of Nursing
Bloomington, Indiana

Liz Barrow, RCIS, CEPS
Grossmont College
El Cajon, California

Pamela Brown, RT(R)(M)RCIS
Fortis Institute
Invasive Cardiovascular Technology
Nashville, Tennessee

Alyssa M. Cahoon, MPH, RN, NRP
Milwaukee Area Technical College
Milwaukee, Wisconsin

Jesse A. Coale, DMin, PA-C, DFAAPA
Thomas Jefferson University Physician Assistant
Program; East Falls and New Jersey
Philadelphia, Pennsylvania

Lisa Cooper Colvin, PhD, FACSM, EP-C
San Antonio, Texas

Nicole S. Cournoyer, PA-C
Thomas Jefferson University Physician Assistant
Program, East Falls Campus
Philadelphia, Pennsylvania

Brian J. Coyne, MEd, RCEP
Duke University Hospital
Durham, North Carolina

Ellen L. Cummings, RN, MSN, CNE
GateWay Community College
Phoenix, Arizona

Susan E. Davis, RN, MSN
Colorado Springs, Colorado

Kevin Ferrier, BS, RT(R)(CV)
Polk State College – Cardiovascular Technology Program
Lakeland, Florida

James W. Fogal, MA, NRP
Auburn University
Auburn, Alabama

Elisabeth M. Frails, BSRT, RCIS, MSA
Harry T. Harper School of Cardiac and Vascular
Technology
Augusta, Georgia

Bradford Gildon, MA, BSRT, RT(R)
University of Oklahoma Health Sciences Center
Oklahoma City, Oklahoma

Annette L. Griffin, RN, MSN, MBA
Rhode Island College
Providence, Rhode Island

**Michelle D. Hamilton, MA-APCE, RT(R)(CI)(VI)
(ARRT)**
Austin Community College
Austin, Texas

Leslie Hernandez, EdD, LP, NRP, FP-C, CP-C
University of Texas Health Science Center
San Antonio, Texas

**Megan S. Hunsinger, EdD, MBA, MS, RCIS, RCES,
CRAT, FSICP**
Sentara College of Health Sciences
Chesapeake, Virginia

Belinda C.W. Lee, MICT, RN, MPH
Kapi'olani Community College
Honolulu, Hawaii

Melissa Lefave, DNP, MBA, CRNA
Jackson, Tenneessee

Donna Lester, DNP, ACNP-BC, MS, CC-CNS
Lakeland, Florida
Gainesville, Florida

Michael K. Matheny, BS, NRP, NCEE, PI
Community Health Network
Indianapolis, Indiana

Amanda McDonald, MA, NRP
University of South Alabama
Mobile, Alabama

Kristen McKenna, BS, NRP
University of South Alabama EMS Department
Mobile, Alabama

Matthew S. Ozanich, MHHS, NRP
Director of Pre-Hospital Care
Trumbull Regional Medical Center
Warren, Ohio

**Antoinette A. Tharrett, MSN, RN-BC, CCEMT-P,
NREMT-P, Kentucky Level III Instructor**
Lake Cumberland Regional Hospital
Somerset, Kentucky

Ashley N. Thompson, DNP, AGACNP-BC
University of Florida Health
Gainesville, Florida

Gretchen Tighe, MPAS, PA-C, EMT-PM
Des Moines University
Des Moines, Iowa

서문

부정맥 인식: 해석의 기술

임상의에게 가장 중요한 기술은 심전도를 인식히고 평가하는 능력이다. 이것은 청진기 사용법을 아는 것만큼이나 기본이다. 하지만, 새롭고 발전된 기술에 대한 의존이 증가하면서, 우리의 기본적인 임상 및 진단 능력은 오히려 악화되기 시작했다.

부정맥에 대한 인식은 객관적 기준으로 해야 한다. 비정상 리듬을 구별하고 치료 전략을 세우기 위해 이러한 기준이 필요하다. 그러나 리듬을 평가하는 데 있어 객관적인 기준만이 변수였다면 오래 전에 컴퓨터가 이러한 해석을 맡았을 것이다. 하지만, 컴퓨터에 의한 해석은 지금까지 신뢰할 수 없었다. 왜 일까? 부정맥 인식은 주로 예술이기 때문이다. 컴퓨터는 예술과 잘 어울리지 않는다.

예술을 감상하려면 사려 깊은 생각이 필요하며, 익숙해져야 하고, 많은 시간을 필요로 한다. 우리들 대부분은 심전도에만 그렇게 많은 시간과 노력을 쏟을 수는 없다. 우리는 기본을 튼튼하게 다지기는 커녕 새로운 모든 정보를 따라갈 시간도 모자란다. 게다가, 교수들은 각종 서류작업과 연구비 확보에 점점 더 많은 시간을 소비해야 하고, 따라서 가르치는 데 점점 더 적은 시간을 보낸다.

상심실성 빈맥이 넓은 QRS 빈맥과 함께 나타나는 경우 어려운 과제가 될 수 있지만, 구체적인 치료 프로토콜을 통해 집중적인 치료를 한다면 더 나은 결과를 낳을 것이다.

부정맥에 대한 인식은 의학의 전문 분야 중 하나인 전기생리학의 시작과 함께 한다. 새로운 기술은 새로운 통찰력과 치료법을 가져온다. 교육자로서 우리는 이러한 새로운 사고방식을 정면으로 마주하고 의료교육과 훈련에 대한 새롭고 창의적인 접근법을 마련해야 한다. 이 책은 그저 그런 작은 단계들 중 하나가 되길 바란다.

단지 몇 가지 사실만을 제시하고, 해석하는 방법에 대한 지침이 없는 책들에 의존할 수 없다. 그 이유와 방법을 이해하고 다양한 가능성을 구분할 수 있어야 한다. 알아야 할 지식은 지속적으로 많아지지만, 교육을 위한 시간은 줄어들기 때문에 부정맥을 배우는 전통적인 시스템은 바뀌어야 한다.

리듬 스트립과 심전도 등을 철저히 이해하고 해석하기 위해서는 다음과 같은 세 가시 주요 목표를 염두에 두고 소재에 접근해야 한다.

(1) 부정맥에 대한 객관적 기준을 이해한다.
(2) 관련 기전과 그 하나의 리듬 범주 내에서 부정맥을 이해할 필요가 있다.
(3) 정확한 진단을 위해 심전도 뿐 아니라 병력, 신체 진찰, 검사 결과를 함께 해석할 수 있어야 한다. 심전도 및 리듬 스트립은 진공 상태에서 존재하지 않는다.

우리는 이러한 목표를 충족시키려 노력하였다.

우리는 당신에게 그 하나의 리듬에 대한 객관적 기준을 제공할 것이고, 그리고 나서 각 리듬의 기전에 대해 토론할 것이다. 또한 부정맥의 여러 가지 예를 들어 볼 수 있도록 하겠다.

실제 임상에서 얻어진 스트립을 포함하여 임상 발표의 전체 스펙트럼을 다루는 예를 제공하도록 노력할 것이다.

각 장의 마지막에 모든 것을 간단히 정리하는 개요를 제공할 것이다. 어떤 사실들을 빨리 찾을 필요가 있을 때 도움이 될 것이다.

임상적 원인을 알지 못한 채 부정맥을 해석하는 것은 좋은 방법이 아니다. 각 장의 끝에 감별진단 목록을 제공하여 올바른 임상 방향을 제시하였다.

각 장에서는 빈칸 채우기, 객관식, 예/아니오 질문을 포함하는 복습으로 마무리한다. 이러한 질문의 목적은 중요한 메시지를 다시 강조하기 위한 것이다.

각 섹션은 테스트로 끝난다. 당신은 각각의 리듬 스트립을 풀고 그것들을 이해해야 한다. 테스트가 끝나면, 확인 및 추가 논의를 위해 해설을 참조할 수 있다. 이것은 각 스트립에 대한 자세한 설명을 제공함으로써 여러분의 이해를 강화할 것이다. 즉 설명 없는 정답 제공만 하지 않고 각 스트립을 함께 풀어갈 것이다.

이 책은 내가 가장 좋아하는 두 가지 특징, 즉 이 모든 것을 종합하는 한 장과 두 번의 최종 시험으로 끝을 맺는다. 이 모든 것을 종합하는 장은 해석의 기술을 최대한 강화하는 데 맞춰져 있다. 이 장에서는 리듬을 해석하기 위해 모든 정보를 원하는 대로 평가해야 할 필요성을 강조하려고 노력한다. 이러한 정보의 출처에는 심전도 및 리듬 스트립뿐만 아니라 병력, 신체검진, 검사 결과가 포함된다.

이 책에는 치료 전략을 포함시키지 않았다. 어떤 책이든, 구상하면서부터 인쇄까지 보통 2-3년은 걸리기 때문에 치료방침을 포함하지 않기로 했다. 치료방침은 계속 변화하기 때문이다. 참고문헌을 포함해 의학 교과서에서 찾아낸 대부분의 정보는 책이 출간될 무렵이면 쓸모 없게 된다. 정보의 부족보다 더 위험한 것은 잘못된 정보이다. 우리는 당신이 인터넷에 접속해서 당신이 각 장을 마칠 때 다양한 리듬에 대한 최신 치료 계층을 검토할 것을 권장한다. 이렇게 하면 가장 최신의 정보를 이용할 수 있게 된다.

예술에 대해 조금 더 자세히

내가 의대생들에게 신체 진단을 가르칠 때, 단지 멀리서 환자를 관찰하는 데만 처음 몇 주를 보낸다. 환자와 대화하거나 검사해서는 안 된다. 나는 단지 그들이 한 가지 간단한 질문에 대답할 것을 요구한다. 환자는 아픈가, 안 아픈가? 학생들에게 주어진 시간은 10-15초밖에 없어서 합리적인 대답을 하기 어렵다. 그들의 결정은 그들이 의식적인 관찰을 통해 얻는 정보에 기초하여 이루어져야 한다.

우리는 부정맥 인식을 배우기 위해 동일한 접근 방식을 사용할 것이다. 부정맥을 배우는 유일한 방법은 수천 명의 부정맥을 보고 "몸이 아픈가 안 아픈가?"라는 질문에 대답하는 것이다.

심전도에 사용되는 복잡한 언어는 혼란스럽고 방대하다. 대부분의 사람들은 부정맥에 관한 어려운 교과서를 사서 읽기 시작하다가 금세 포기한다. 가능한 변형을 모두 기술하는 문장을 이해할 수 있으려면 당신은 매우 능숙한 전문가이어야 한다. 우리 대부분은 시각적 효과에 익숙하다. 리듬에 대해 배우는 간단한 방법은 많은 그래픽을 사용하고 각 이상에 대한 다양한 예를 보여줌으로써 여러분이 보고 있는 것에 대한 감각을 발달시키는 것이다. 잠시 후, 여러분은 환자가 아픈지 아닌지를 말할 수 있는 직감을 느끼기 시작할 것이다.

리듬 스트립을 해석하는 방법을 배우는 과정은 공을 던지는 법을 배우는 것과 다르지 않다. 던지기, 궤적, 회전, 정확도에 대해 읽을 수 있지만, 수천 개의 공을 직접 던지는 것을 보지 않는 한, 실제로 공을 던지는 법을 배울 수는 없을 것이다. 같은 방법으로, 당신은 편안해지기 전에 스트립을 가능한 많이 볼 필요가 있다. 이 책을 다 읽으면 용어와 개념에 익숙해질 것이다.

나는 몇 백 명의 학생들로부터 그들이 정말 알아야 할 것을 가르쳐 달라는 요청을 받았다. 나는 그 대답을 짧고 간결한 하나의 진술로 요약할 수 있다: 당신 환자가 그들의 스트립에서 보여준 변화들을 알아야 한다! 당신의 경력에 있어 어느 한 시점에서 무엇이 중요할지 알기 어렵다. 어떤 한 요인이든 환자의 목숨을 앗아갈 수 있고 당신에게 수많은 죄책감과 어쩌면 많은 금전적인 손해를 입힐 것이다! 부정맥의 해석은 당신이 응급구조원, 간호사, 레지던트, 주치의, 심장전문의든 마찬가지다. 대충 살아갈 수 있을 만큼만 배울 수는 없다.

레지던트는 치명적인 부정맥으로 이어질 수 있는 고칼륨혈증의 변화를 알아야 한다. 구급대원이나 간호사가 방실차단이 있는 다소성 심방빈맥이 디곡신 독성과 관련이 있다는 것을 알 필요가 있는가? QT 간격이 긴 환자가 Torsade de pointe를 발생시킬 수 있다는 것을 아는 것이 누구에게 더 중요한가? 그 당시 당신만 있다면 그것은 당신에게 중요하다.

부정맥 해석법 배우기

리듬 스트립과 심전도를 어떻게 이해하는지 알게되는 것은 매우 벅찬 일이지만, 반드시 필요하다.

아버지로 인해 나는 심전도 캘리퍼스와 함께 자랐다. 그리고 학교에 입학할 때 심전도 자를 사용하여 직선을 만들었다. 어릴 때부터 어른들이 심전도에 대해 토론하는 것을 들었던 기억이 나는데, 아버지가 우리 집에서 의료진들을 가르칠 때 나 역시 옆에서 많은 강의를 들었다.

나이가 들어가면서 모든 초보자와 마찬가지로 고군분투했고, 무엇이 효과가 있고 없는지를 배우는 과정에서 어려움을 겪어왔다. 이 배경은 나에게 든든한 기초를 마련해 주었고 또 나에게 뚜렷한 관점을 주었다. '초급자의 관점' 섹션에, 나는 그 과정에서 나에게 도움이 되었던 몇 가지 것들을 정리했고, 당신의 여행을 더 쉽게 할 수 있는 로드맵을 제공하기 위해 노력했다. 자연은 매우 효율적이고 문제를 해결하기 위해 가장 간단한 경로를 택한다. 부정맥 인식 원칙도 마찬가지다. 모든 심장이 본질적이고 개별화된 형태를 갖게 된다는 사실에도 불구하고, 심장은 특정한 기본 원리에 의해 지배된다. 메커니즘을 이해하면 병적인 현상도 이해하게 된다.

우리는 부정맥 인식을 이해하는 과정을 가능한 한 쉽게 만드는 데 온 힘을 쏟고 있다. 기준을 암기하는 것은 왜 그렇게 되는 지 이해하는 것만큼 중요하지 않다. 그러기 위해서는 관련된 메커니즘을 이해하도록 노력해야 한다. 한 번 알아내면 절대 잊지 못할 것이다.

배우면 배울수록 그 단순한 개념의 지혜를 깨닫게 되고, 아주 뛰어난 몇몇 교육자들로부터 교훈을 얻었다. 사실 의학의 기본 원칙인 그 심전도 "비밀"을 당신에게 전해 주길 바란다.

—**Daniel J. Garcia**

역자

© Steve Allen/Brand X Pictures/AlamyImages

(가나다 순)

김성환 가톨릭의대 서울성모병원 순환기내과

김주연 가톨릭의대 의정부성모병원 순환기내과

박정욱 가톨릭의대 서울성모병원 심뇌혈관병원

김태석 가톨릭의대 대전성모병원 심장내과

김용균 울산의대 울산대병원 심장내과

권창희 건국의대 건국대병원 심장혈관내과

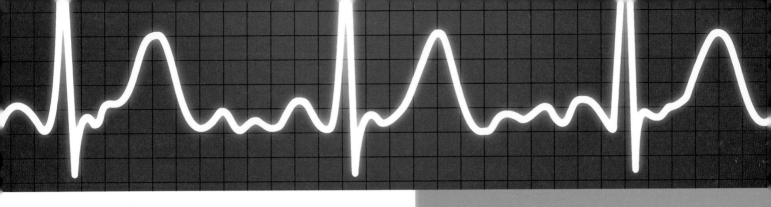

부정맥에 대한 소개

제 1 장

해부와 기본 생리

목표

1. 전면부에서 바라본 심장 구조를 구분할 수 있다.

2. 심장 내부의 구조에 대해 이해한다.

3. 두 가지 순환시스템을 이해한다.

4. 순환시스템의 결함이나 폐쇄가 환자에게 어떤 영향을 미칠지 평가한다.

5. 동맥벽의 근육층의 탄성 특성을 이용하여 혈액이 체순환계를 통과하는 방법을 표시한다.

6. 다양한 임상 시나리오에서 심박출량 방정식을 사용할 수 있다.

7. 심방에 의한 심실의 과다 충만의 개념을 설명하고 그것이 심실 수축력의 증가와 어떻게 관련되는지 설명한다.

8. 빈맥이 심실 충만에 미치는 영향을 분석한다.

9. 동기화된 심장 수축의 생성에 있어 전기 전도 시스템의 역할을 설명한다.

10. 동기화된 심장 수축을 위한 방실 중격의 필요성과 그 역할에 대해 설명한다.

11. 매우 빠른 심방 수축 속도가 심실에 도달하는 것을 방지하기 위한 방실결절의 역할을 이해한다.

12. 심장의 전기 전도 시스템을 설명할 수 있다.

13. 심박 조율 시스템을 이해한다.

14. 네 가지 부정맥 유발 구역을 나열할 수 있다.

초보자들을 위한 교과서

그 분야에 매우 능숙한 사람들이 교과서를 만든다. 그러나 이러한 능숙함은 간혹 초보자들과의 장벽을 만든다. 이러한 장벽은 많은 초보자들을 무력하고, 불안하게 한다. 이 교과서에서는 초보자들에게 다가가서 그들과 공유할 수 있도록 초보자의 관점 박스를 만들었다. 그 주제에 대한 더 깊은 이해를 위해 중요 메시지에 초점을 맞출 것이며, 이 과정을 공유함으로써 학습이 쉽게 되기를 바란다.

이를 위해서 그림의 역할이 매우 중요하다. 그림들은 여러가지 어려운 개념들을 이해하는데 도움이 될 것이다. 예를 들어, 그림 1-5를 보면 혈액이 실제로 어떻게 연결되고 있는 지 이해할 수 있다.

그림 1-9도 마찬가지이다. 후부하의 개념을 이해해 보자. 심장의 수축이 혈액을 체내로 전달하는 것과 혈액이 어떻게 이동하는지는 별개의 개념이다. 그림 9는 좌심실이 수축하여 일정 혈액이 대동맥으로 나가는 것을 보여주고 있다. 이렇게 이동한 혈액은 대동맥을 확장시키고, 그 긴장

이 대동맥 벽의 탄력 근육층의 내부 압력을 증가시킨다. 이 때, 심장 판막은 한쪽 방향으로만 작용하여, 혈액이 심실로 역류하지 못하도록 한다. 이로 인해 압력이 혈액에 작용하여 밀어냄으로서, 체내 순환을 유지한다. 심장의 역할은 대동맥으로 특징 양의 혈액을 뿜어주는 역할만 하고, 대부분의 순환은 그 이후에 일어나게 된다. 동맥 벽의 수동적인 탄성 능력이 혈액을 뇌, 심장, 그리고 나머지 체내로 공급하는 역할을 한다.

이러한 개념을 바탕으로 우리는 수축기, 이완기 혈압을 이해할 수 있다. 수축기 혈압은 동맥이 심장에서 혈액을 받자마자 생기는 압력이며, 혈액을 앞으로 이동시키는 과정을 시작한다. 이완기 혈압은 동맥 벽이 이완 상태에 있을 때의 압력이다.

후부하는 심장이 혈액을 박출할 때 받는 압력으로 정의된다. 만약, 대동맥의 압력이 높다면, 심장은 같은 양의 혈액을 내보내기 위해 더 많은 일을 해야 한다. 적은 양의 혈

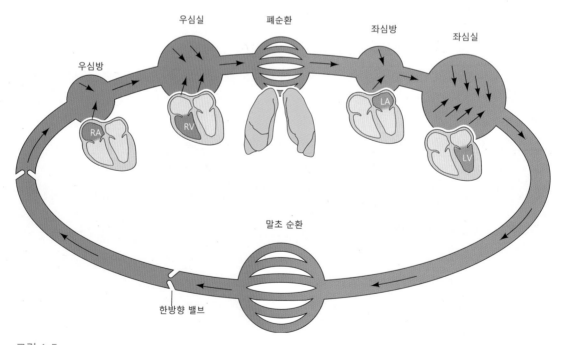

그림 1-5.

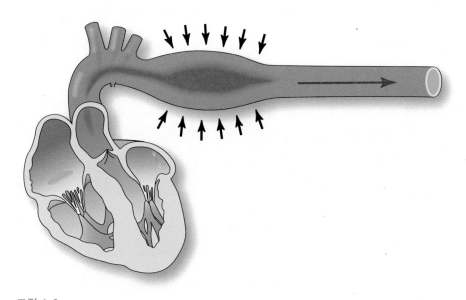

그림 1-9.
© Jones & Bartlett Learning.

액이 심장에서 박출되면, 적은 양의 혈액이 순환을 하게 되고, 심장에 부하가 증가하게 되면, 심실 허혈을 유발하고, 체내 순환 혈액 양이 줄어들게 된다.

"나는 후부하의 개념을 이해할 필요가 없다. 그것을 이해하는 것이 나에게 왜 중요한가?" 라고 말한다면, "당신은 환자에게 약을 처방해 보았는가?" 라고 되물을 수 있을 것이다.

누구든 새로운 주제에 대해 배울 때, 간단하고 기본적인 것들을 먼저 이해해야 한다. 그 이후에 복잡한 것들을 충분히 이해할 수 있다. 기본 개념을 이해하는 것이 95% 를 달성한 것이고, 나머지 5%는 추후 완성하는 단계이다.

Daniel J. Garcia

육안 해부학

여러분이 심전도에 대한 책을 읽고 있는 것을 보면 해부학에 관한 어느 정도의 기본 지식이 있을 것으로 생각된다. 그러나 복습은 결코 나쁘지 않기 때문에 심장의 기본적인 해부학을 살펴본 후 전기 전도 시스템에 대해 알아보고자 한다.

심장은 흉곽의 중앙부에서 아래쪽, 왼쪽, 약간 앞쪽으로 기울어져 위치하고 있다(**그림 1-1**).

이제 심장 자체를 살펴보도록 하자. 먼저 전면부부터 시작하고 그 다음 단면을 볼 것이다.

전면부

전면 시야에는 우심실이 가장 두드러진다(**그림 1-2**). 심실 앞쪽 면의 대부분을 우심실면이 차지하고 있다. 우심실이 시각적으로 두드러지지만 전기적 관점에서는 좌심실이 두드러진다는 것이 중요하다. 4장에서 벡터를 설명할 때 이 부분에 대해 보다 자세히 설명할 것이다.

심장의 단면

그림 1-3은 심장의 단면을 보여 준다. 다음 단락에서 우리는 펌프로서의 심장의 기능과 전기 전도 시스템에 대해 자세히 살펴볼 것이다.

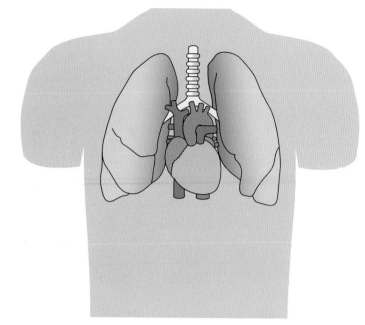

그림 1-1. 흉강 내의 심장위치

© Jones & Bartlett Learning.

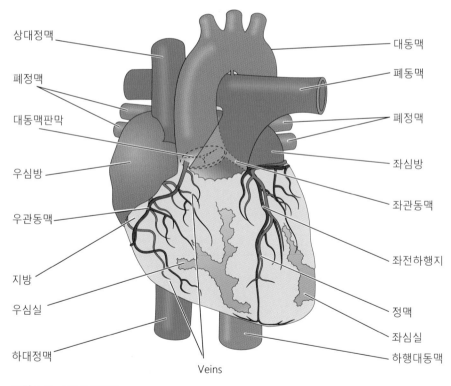

상대정맥
폐정맥
대동맥판막
우심방
우관동맥
지방
우심실
하대정맥
Veins
대동맥
폐동맥
폐정맥
좌심방
좌관동맥
좌전하행지
정맥
좌심실
하행대동맥

그림 1-2. 심장의 전면부

© Jones & Bartlett Learning.

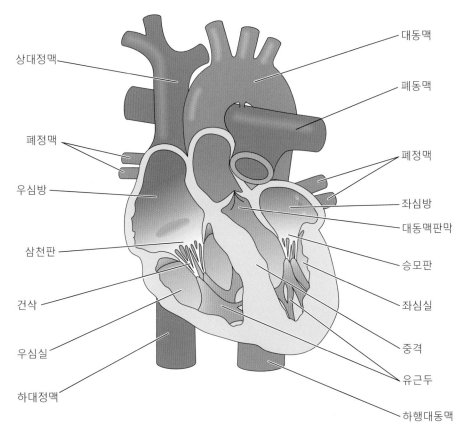

상대정맥

폐정맥

우심방

삼천판

건삭

우심실

하대정맥

대동맥

폐동맥

폐정맥

좌심방

대동맥판막

승모판

좌심실

중격

유근두

하행대동맥

그림 1-3. 심장의 단면

© Jones & Bartlett Learning.

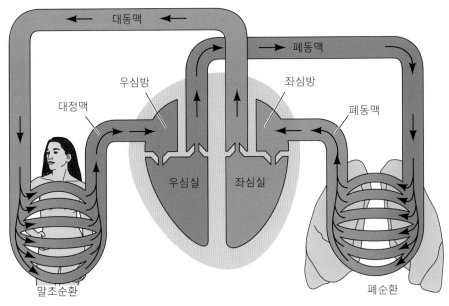

대동맥

우심방

대정맥

폐동맥

좌심방

폐동맥

우심실　좌심실

말초순환

폐순환

그림 1-4. 펌프로서의 심장

© Jones & Bartlett Learning.

펌프로서의 심장

심장은 4개의 주요한 방으로 구성되어 있다. 2개는 심방이고 2개는 심실이다. 심방은 같은 쪽의 심실로 혈액을 보낸다. 좌심실은 말초순환계로 혈액을 보내고, 우심실은 폐순환계로 혈액을 보낸다. 동맥이 심장에서 혈액을 내보내는 동안 정맥은 심장으로 혈액을 운반해 온다. **그림 1-4**에서 보면 이것은 폐쇄된 시스템이다. 이 폐쇄계 내에서 혈류는 순환하면서 폐에서 산소를 취해서 말초조직으로 보낸다. 이것이 매우 복잡한 순환계에 대한 간단한 설명이지만, 지금은 이것만으로도 충분하다.

단순화한 펌프기능

순환계를 서로 연결된 펌프와 파이프 시스템이라고 생각하면 이해가 쉬울 것이다.

그림 1-5를 보면, 연속적인 4개의 펌프가 있음을 볼 수 있다. 처음의 두 개의 작은 펌프는 심방인데, 적은 양의 혈액을 2개의 심실이라는 큰 펌프로 보내는 것이 이들의 목적이다. 두 개의 심실은 크기와 다룰 수 있는 압력의 정도가 다르다. 한 방향 밸브(one way valve) 때문에 혈액의 흐름은 앞으로만 흐른다.

심박출량

혈압은 생명 유지에 결정적인 역할을 한다. 산소와 영양분을 각 세포에 운반하기 위해서는 순환계를 통해 혈액을 공급해야 하는데 혈압은 이 혈액을 운반할 추진력을 제공한다. 그렇다면 인체는 혈압을 어떻게 유지하는가? 능동적인 방법과 수동적인 방법 모두를 사용하여 유지한다. 이 장에서 우선 수동계(passive system)에 대해 알아보고 나서 능동계(active system)를 이야기할 것이다.

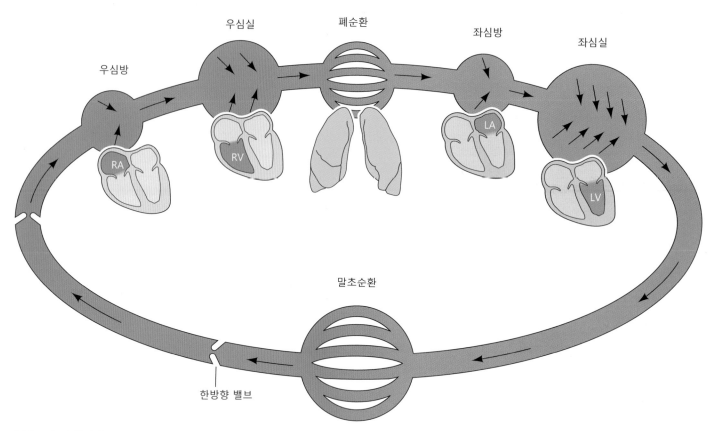

그림 1-5. 순환계의 펌프 기능 개요

© Jones & Bartlett Learning.

수동펌프

액체가 가득 찬 플라스틱이나 구리로 된 단단한 파이프에(**그림 1-6**) 70 mL의 액체를 더 넣는다고 상상해보자. 이렇게 더해진 여분의 액체는 어떠한 변화를 만들어내는가? 파이프 속으로 액체를 넣을 때 마다 내부 압력은 급격하게 증가할 것이다(**그림 1-7**). 이 압력은 파이프의 열려진 한쪽 끝으로 액체를 밀어내어 내압을 낮추려고 할 것이다. 이 시스템은 짧은 관과 강력한 펌프로 구성했을 때 잘 작동할 것이다. 파이프가 길면 길수록 더욱 강한 펌프가 요구된다.

인체의 지방 500 g에는 약 450 m의 배관이 있다(**그림 1-8**). 다른 형태의 조직에서도 비슷할 것이라 짐작할 수 있다.

인체의 전체 혈관계에 존재하는 배관의 총 길이는 아주 길다. 펌프는 이런 배관 시스템 속으로 혈액을 밀어넣어야 하며, 만약에 배관이 경직되어 있다면, 매우 강력한 힘이 필요할 것이다. 그런 강력한 힘이 적혈구, 백혈구, 혈소판에 가해진다고 가정해보자. 혈구들은 파괴될 것이다. 그래서 이런 종류의 시스템을 우리 인체에서 작동할 수 없을 것이다.

딱딱한 관 대신에 인체는 탄력이 있는 관으로 구성되어 있다. 탄력적인 관은 구부러질 수 있어서 우리가 별 어려움

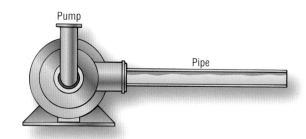

그림 1-6. 단단한 파이프 시스템

© Jones & Bartlett Learning.

그림 1-7. 내부 압력

© Jones & Bartlett Learning.

500 g 의 지방을 위한 450 m 의 배관을 완성하기 위해서 3,940개의 추가적인 루프의 튜브가 필요하다.

그림 1-8. 인체의 지방 500 g에는 각 세포로 혈액을 관류하기 위해 약 450 m 의 혈관을 필요로 한다.

© Jones & Bartlett Learning.

없이 움직일 수 있다. 또한 압축이 가능하기 때문에 외부 근육 운동이 관을 누르거나 짤 수 있게 하여 혈액을 펌프질 하는 것을 돕고 액체를 밀어낸다. 혈관이 가지고 있는 탄성은 심장이 펌프질 할 때마다 여분의 혈액을 축적할 수 있도록, 혈관이 쉽게 확장시킨다(**그림 1-9**).

이제 관내 압력에는 어떤 변화가 발생하게 되는가? 압력은 관내에서는 증가하지만, 혈관이 확장하기 때문에 압력은 좀 더 부드럽게 분산된다. 탄성이 있는 끈을 잡아당기면 어떤 일이 일어나게 되나? 원래 모양으로 돌아가려고 할 것이다. 이렇게 증가된 힘은 혈액에 일정하고 부드러운 압력을 가해서, 높은 압력이나 와류의 발생 없이 앞으로 부드럽게 흐르게 한다(**그림 1-9**). 확장된 동맥벽은 순환계에서 전방으로 혈액을 밀어내는 것을 돕는 추가적인 펌프 역할을 한다.

확장된 탄성 동맥이 정상으로 돌아오려는 느리고 일정한 압력은 순환계에 작용하는 수동적 방식이다. 이제 동맥의 확장을 유발하는 능동적 시스템을 살펴보자.

능동 펌프 작용

혈압은 심장이 혈관으로 매분마다 펌프질하는 혈액의 양에 의해 능동적으로 유지된다. 이것이 심박출량이다. 심박출량은 두 가지 변수로 이루어져 있는데 심박동수와 1회 박출량(stroke volume)이다. 1회 박출량은 심장이 한번 수축할 때 분출하는 혈액량을 말하며, 대략 70 cc 정도를 박출한다.

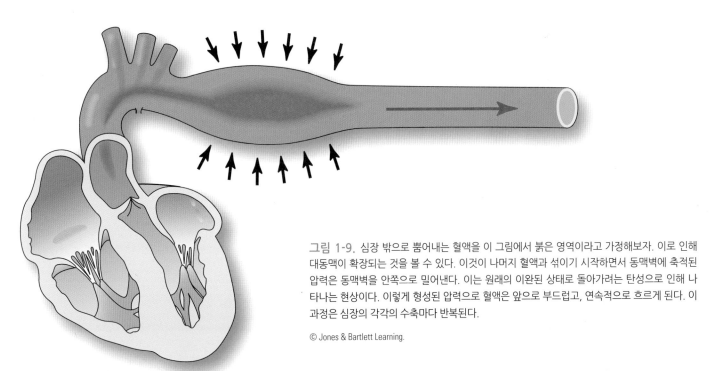

그림 1-9. 심장 밖으로 뿜어내는 혈액을 이 그림에서 붉은 영역이라고 가정해보자. 이로 인해 대동맥이 확장되는 것을 볼 수 있다. 이것이 나머지 혈액과 섞이기 시작하면서 동맥벽에 축적된 압력은 동맥벽을 안쪽으로 밀어낸다. 이는 원래의 이완된 상태로 돌아가려는 탄성으로 인해 나타나는 현상이다. 이렇게 형성된 압력으로 혈액은 앞으로 부드럽고, 연속적으로 흐르게 된다. 이 과정은 심장의 각각의 수축마다 반복된다.

© Jones & Bartlett Learning.

심박동수는 1분당 심장이 박동한 횟수를 의미한다.

심박출량은 수학적으로 심장이 1회 수축에서 분출할 수 있는 혈액량과 1분당 심박동수 곱으로 계산된다. 정리하면:

심박출량(cardiac output) = 1회 박출량(stroke volume) X 심박동수(heart rate)

효과적인 혈역학적 균형을 유지하기 위해, 심박출량은 정상 범위를 유지해야 한다. 적절한 심박출량을 유지하기 위해서는 다음 두 가지 변수를 변화시킴으로써 가능하다. 예를 들어, 1회 심박출량을 40 cc 이라 가정하자(정상 70 cc). 심장의 심박출량을 정상 범위 내로 유지하기 위해서 어떤 방법이 필요한지 짐작할 수 있겠는가? 한 가지 방법은 심박동수를 증가시키는 것이다. 이것은 누군가 상당한 혈액을 손실했을 때(펌프질할 혈액이 줄어들어 1회 심박출량이 감소하는 경우), 빈맥이 보상적으로 발생하는 이유이다. 인체는 심박동수를 증가시켜 심박출량과 혈액의 부족을 만회하려 한다.

이제 1회 심박출량의 개념을 더 자세히 들여다보자. 수축기말 시점은 심실이 동맥계로 심실의 혈액을 막 내보낸 시점이다(**그림 1-10**). 심장은 어떻게 다시 심실을 채울까? 기초 생리학의 내용을 떠올려 보면, 방실 판막이 열리면서 심실로 혈류가 강하게 밀려들어오는 이완 초기에 대부분의 심실 충만이 일어나게 된다(**그림 1-11**). 이것은 이완기의 급속

충만기(rapid filling phase of diastole)로 알려져 있다.

이완기의 급속 충만기 이후, 심실은 혈액으로 가득 채워진다. 이 시점에서 심실이 수축하면 1회 박동량은 대부분의 사람에서 정상 범위의 아랫부분에 해당할 것이다. 왜냐하면 심실이 채워지기는 했지만, 과다 충만하지(overfilled) 않았기 때문이다. 근육 생리에서 잘 알려진 사실과 같이 근육은 어느 정도 신장되었을 때 수축을 가장 효과적으로 하게 된다(추가 정보 상자를 참고). 그렇다면 어떻게 근육 신장이 더 일어나게 하여 심실을 과다 충만하게 할 수 있을까? 수동적인 혈액의 흐름만으로는 그렇게 할 수 없을 것이다. 해답은 심방 수축이다.

그림 1-12를 보면 심방이 이완 중기 동안에 완전히 혈액으로 가득 찬다는 것을 알 수 있다. 심방은 심장으로 일정하게 흘러 들어오는 정맥혈로 채워진다. 이완기 말, 심실이 거의 가득 찼을 때, 심실을 더 가득 채우기 위해 심방이 수축하여 여분의 혈액을 심실로 밀어낸다(**그림 1-13**). 심방 수축에 의해 과다 충만된 심실은 심근을 신장시켜서, 최대의 수축력과 1회 박출량을 만들어낸다. 1회 박출량의 증가는 심박출량의 증가를 의미한다.

여러분은 이 책이 부정맥에 관한 책인데 왜 많은 시간을 기본 생리에 할당하는지에 대해 궁금하게 생각할지도 모르겠다. 그것은 심장 박동수가 심박출량을 유지시키는데 가장

그림 1-10. 이 그림은 수축기말 심장을 나타내고 있다. 심방은 가득 차 있으나, 심실은 비어있다.

© Jones & Bartlett Learning.

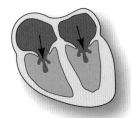

그림 1-11. 확장기 초기에는 방실판막이 열리면서 많은 혈액이 심실로 이동한다. 이는 확장기의 급속 충만기이다.

© Jones & Bartlett Learning.

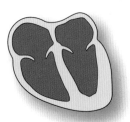

그림 1-12. 확장 중기에 심실은 가득 차지만 심실 근육이 신장되어 있지 않아 과다충만은 일어나지 않는다.

© Jones & Bartlett Learning.

그림 1-13. 심방이 수축하여 추가적인 혈액을 심실로 보내 과다충만을 일으킨다. 심방 수축에 의해 심실 근육이 약간 늘어나면 심박출량을 극대화 시킨다.

© Jones & Bartlett Learning.

근육 장력

근육이 정상 길이일 때(**그림 1-14**), 근육이 생성할 수 있는 장력의 정도는 정해져 있다. 달리 말하면 근육은 단지 그 정도의 장력만 생성한다. 반면, 근육이 늘어나면 생성할 수 있는 장력의 정도가 증가한다(**그림 1-15**). 심근도 마찬가지이다. 만약에 심장의 충만이 혈액의 유입과 같은 수동적 방법으로만 이루어 진다면 심근은 늘어나지 않을 것이다. 심근이 늘어나지 않으면 심장이 수축할 때 사용할 수 있는 힘이 줄어들 것이다(이 현상을 생리학에는 Frank-Staring 법칙이라 한다). 심방 수축은 심장을 좀 더 과다 충만하게 만들며 근육이 늘어나게 되어 결과적으로 심근의 수축을 최대화 시킨다.

그림 1-14. 늘어나지 않은 근육은 늘어난 근육에 비해 장력이 떨어진다.

© Jones & Bartlett Learning.

그림 1-15. 늘어난 근육은 기능이 더 좋다.

© Jones & Bartlett Learning.

중요한 변수이기 때문이다. 앞에서 이야기 했듯이, 심박출량을 유지하는데 있어서 또 다른 중요한 변수는 1회 심박출량이다. 많은 경우에 있어 부정맥은 이러한 변수 모두에 깊은 영향을 미친다. 부정맥의 임상적 영향을 이해하기 위해, 심장의 충만과 심박출량의 개념을 매우 명확하게 이해할 필요가 있다. 우리는 이 책을 공부하는 내내 이 부분으로 되돌아와 참고하게 될 것이다.

이제 심박동수가 어떻게 1회 심박출량에 영향을 미치는지 자세히 살펴보자. 빈맥이 있을 때 심장의 1회 심박출량은 어떻게 될까? 앞서 언급했듯이, 방실 판막이 열린 직후인 급속 충만기에 대부분의 혈액량이 심실로 들어간다(**그림 1-16**). 심실 박동이 매우 빠르면 급속 충만기가 짧아져서 (**그림 1-17**) 심실을 충분히 채울 시간이 없어진다. 이렇게 되면 심실은 과다 충만하지 못하게 된다. 그러면 심실이 수축할 때 밖으로 밀어내는 혈류량은 줄어들게 된다. 즉, 심박출량이 감소한다. 달리 말하면 1회 심박출량이 크게 감소하기 때문에 심박출량이 줄어들게 된다는 것이다. 감소한 심박출량은 혈역학적으로 불안정한 상태를 초래한다. 이것이 빈맥이 위험할 수 있는 이유이다.

전기 전도계

심장의 박동은 근본적으로 생체 전기의 힘이다. 전기 흐름은 어디든 갈 수 있고, 매우 빠르다. 심장에서, 생체 전기가 움직이는 방법은 전기 자극의세포를 통한 직접 전도이다(**그림 1-18**). 이러한 형태의 전도는 속도가 느리고 심장 수축의 부조화를 유발할 수 있다. 이 장에서 우리는 심장의 전기 전도계로 알려진 특화된 세포 집단으로 구성된 특화된

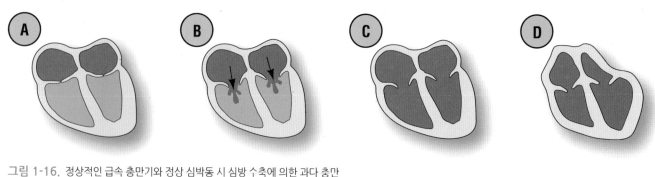

그림 1-16. 정상적인 급속 충만기와 정상 심박동 시 심방 수축에 의한 과다 충만

© Jones & Bartlett Learning.

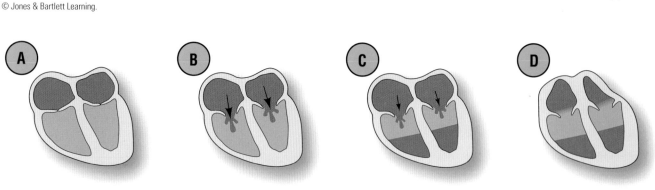

그림 1-17. 손상된 급속 충만기의 예(A-C). 심방 수축에 의해 더해진 소량의 혈액은 심실 내 혈액감소를 극복하기에 충분하지 않다. 결과적으로 심박출량이 감소된다.

© Jones & Bartlett Learning.

시스템에 대해 알아볼 것이다.

앞에서 우리는 심실이 과다 충만하기 위해 심방의 조절된 수축이 필요하다는 점을 이야기하였다. 만약 심방 전체에서 전도가 어떠한 특정한 방법(세포 대 세포 전달, 특화된 전도계 등)으로만 발생한다면, 어떻게 동시에 심방을 탈분극하면서 심실의 탈분극은 억제할 수 있는가(**그림 1-18**)?

만약에 전기 자극이 자유롭게 심방에서 심실로 돌아다닌다면 심방과 심실은 거의 동시에 수축할 것이다. 적절한 심박출량을 위해서는 반드시 심실이 수축하기 전에 심방이 수축해야만 한다. 순차적인 수축 과정이 필요한 이유는 심실이 수축하기 시작하면서 증가한 심실 수축력이 방실 판막을 폐쇄하기 때문이다. 일단 판막이 닫히면, 혈액이 통과할 수 없다. 심방에 의해 박출된 혈액은 심실을 충만시키지 못하고 역류할 것이다.

우리 신체는 문제를 아주 훌륭하게 해결하였다. 먼저 심방과 심실 사이에 비전도성 조직으로 구성된 방실 중격을 만들었다(**그림 1-19**). 이것은 전기 자극이 심실에 이르기 전에 모든 전도를 완전히 차단하여, 마치 심방과 심실 사이의 방화벽과 같은 역할을 한다. 그러나 이것만으로는 완전한 해결책이 될 수 없다. 그렇다면 전기 자극이 어떻게 심실에 도달하는가? 두 번째 훌륭한 해결책인 방실결절을 살펴보자.

심방과 심실 사이의 유일한 전기적 소통은 방실결절이라는 작은 길을 통해 이루어진다(**그림 1-20**). 방실결절은 심방이 기계적 수축을 끝낼 때까지, 심방에서 심실로 가는 전기 자극의 전도 속도를 늦춰준다.

방실결절은 경비가 지키고 있는 건물의 출입구로 생각하면 된다. 먼저 경비가 있는 출입구에 도착하면 일단 멈추어야 한다. 경비는 당신에게 여러가지 질문을 하고 건물 내의 사람에게 연락하여 당신이 들어가도 되는지 물어본 후에 문을 열어줄 것이다. 문지기가 문을 열어줘야 당신의 차가 손상없이 문을 통과할 수 있고, 문지기는 건물 주인의 효율성을 위해 통과 속도를 조절한다. 이것이 심장에서 방실결절이 하는 역할이다. 심방의 전기적 자극이 방실결절에 도달하면 통과하려고 하지만 방실결절은 심실이 준비가 될 때까지 전도를 늦춘다. 심실의 준비가 끝나면, 문이 완전히 열리게 되고 전기 자극이 통과하여 심실을 흥분시킨다. 이러한 방실결절의 감속 기능을 생리적 차단이라고 한다(**그림 1-21**).

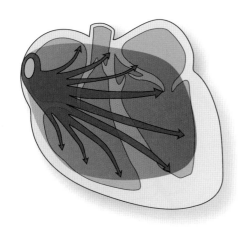

그림 1-18. 심장이 근육 조직으로만 구성되어 있다면, 전기 자극은 어떠한 제제도 받지 않고 심방에서 심실로 이동하여 심방과 심실의 동시수축을 일으킬 것이다.

© Jones & Bartlett Learning.

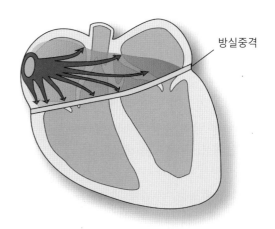

그림 1-19. 방실 중격은 심방과 심실 사이의 비전도성 벽을 의미한다. 만약 방실 중격이 심방과 심실 사이의 전도를 완전히 차단하면 전기 자극은 결코 심실에 도달하지 못할 것이다.

© Jones & Bartlett Learning.

모두가 알고 있듯이 부정맥은 아주 치명적일 수 있다. 왜냐하면, 부정맥은 심장의 비동기화(asynchronous)나 효과가 없는 수축을 유발할 수 있기 때문에 혈역학적으로 위험한 상태가 생길 수 있다. 비동기화된 수축은 심박출량을 감소시키고, 혈압과 조직 내 관류를 감소시킨다. 순환이 멈추고 산소와 영양소의 공급이 차단되면 그것은 곧 죽음을 의미한다. 따라서 방실결절을 통한 순차적이고 질서 정연하며 조절된 전기 자극의 전도는 생명 유지에 필수적이다.

심장의 전기 전도계는 특화된 세포들로 구성되어 있다 (**그림 1-22**). 이들 중의 일부는 심조율을 위해 특화된 세포들이며, 일부는 전기 자극을 전달하도록 분화되어 있다. 우리는 다음 절에서 전도계의 구성을 구분하여 각각의 기능에 대해 더욱 자세히 알아볼 것이다.

전기 전도계의 주요 기능은 전기 자극을 만들고 이것을 유기적으로 나머지 심근에 전송하는 것이다. 이것이 심전도를 기록할 때 전극에서 측정되는 전기적인 에너지를 생성하

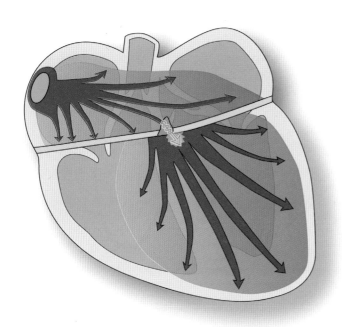

그림 1-20. 방실결절은 심방과 심실사이의 유일한 소통 통로이다. 전기적 자극의 문지기 역할을 한다.

© Jones & Bartlett Learning.

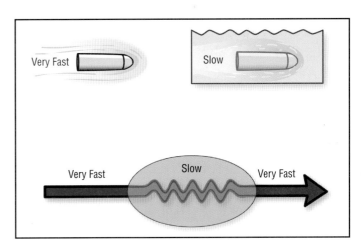

그림 1-21. 총알이 물을 통과하는 것보다 공기 중에서 더 빠르게 움직이는 것처럼 전기 자극은 방실결절을 통과하는 것보다 특화된 전도계와 심근을 통과할때 더 빠르게 움직인다. 방실결절은 자극의 전도를 느리게 하고 생리적인 차단을 유발한다.

© Jones & Bartlett Learning.

는 과정이다(자세한 것은 4장을 참조).

이 특화된 전도 체계는 심장 조직과 섞여 있어서, 현미경 하에서 아주 특수한 염색을 시행하여야만 구분할 수 있다. **그림 1-23**에서 보이는 것처럼, 이러한 체계는 실제로 심장의 벽 안에 존재한다는 것을 명심하라. 심방의 심근 세포는 세포와 세포의 식섭석인 접촉에 의해서 신호를 전달한다. 첫 번째 세포는 두 번째 세포를, 두 번째 세포는 세 번째 세포 자극하는 방식이다. 결절 간 전도로는 동결절에서 방실결절로 전기적인 신호를 전달한다. 퍼킨지 시스템은 심내막의 바로 아래에서 전체 심장을 감싸게 되며, 전도계의 마지막 구성 요소이다. 퍼킨지 세포는 심근 세포를 직접 자극한다.

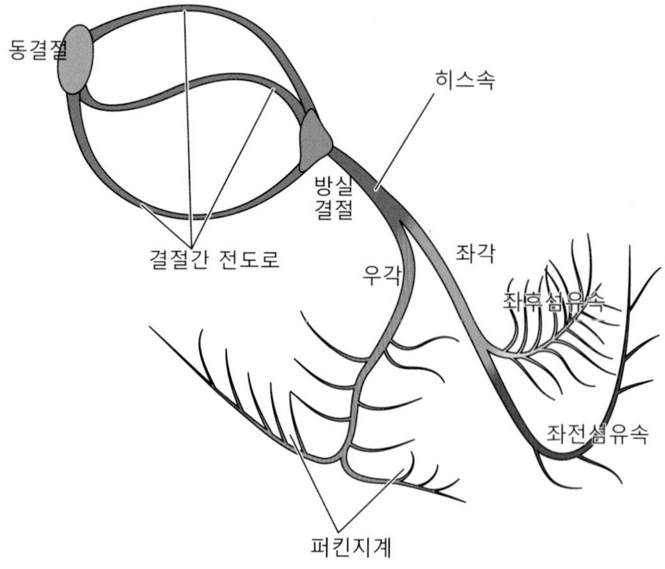

그림 1-22. 전기 전도계
© Jones & Bartlett Learning.

조율 기능

심장의 조율 기능은 무엇이며 왜 필요한가? 조율은 심장이 혈류를 순환하도록 하는 펌프 작용을 의미한다. 심조율은 모든 심장세포들이 특별한 순서로 유기적인 박동을 만들어 효과적인 펌프 작용을 하도록 한다. 심박동기가 박동 속도를 결정하면 다른 모든 세포들이 따르게 된다. 유사한 예를 들어자.

심장의 각 세포들 하나하나가 한 명의 음악가라고 가정해보자. 수십 명의 음악가가 모이면 오케스트라가 되는데 이것이 심장이다. 모든 음악가들이 자신이 내키는대로 연주를 한다면, 이해할 수 없는 뒤섞인 소리를 낼 것이다. 음악가들은 연주 시작을 알리는 박자나 신호가 필요하며 언제 악보를 연주하고 중단해야 하는지와 아름다운 화음을 만들도록 조화를 이룰 수 있게 지시해 주어야 한다. 음악에서 심박동기는 드럼 연주자나 지휘자에 의한 기본 박자이다. 빠른 부분에서 박자는 증가하고, 느린 부분에서는 박자가 느려진

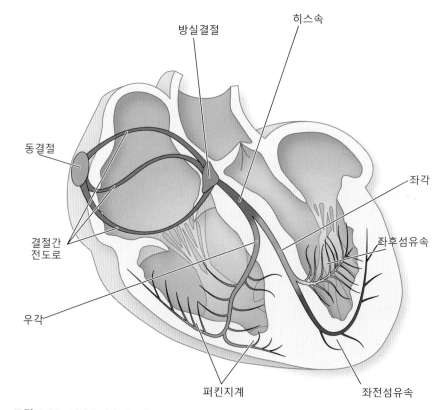

그림 1-23. 심장의 전기 전도계
© Jones & Bartlett Learning.

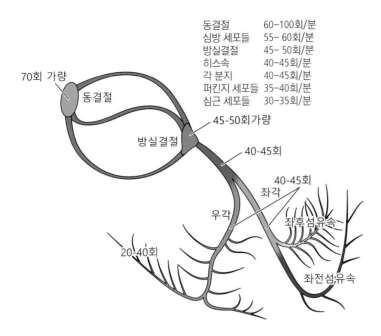

동결절	60-100회/분
심방 세포들	55- 60회/분
방실결절	45- 50회/분
히스속	40-45회/분
각 분지	40-45회/분
퍼킨지 세포들	35-40회/분
심근 세포들	30-35회/분

그림 1-24. 박동 세포의 내제 박동수

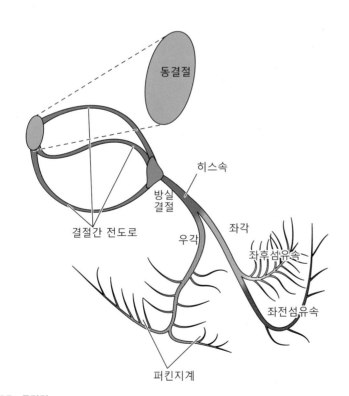

그림 1-25. 동결절

다. 심장에서도 같은 일이 일어난다. 운동하는 동안 심박수가 상승하고 휴식하는 동안은 심박수가 느려진다.

앞에서 이야기했듯이 심장에는 전기적인 신호를 만들고 심장의 조율 기능을 하는 특별한 세포가 있다. 이런 기능을 하는 가장 중요한 영역은 우심방 근육에 위치하는 동결절이다. 신체의 요구에 따라 이곳에서 신경이나, 순환계, 그리고 내분비계에서 받은 정보를 바탕으로 심박동수를 조절한다. 기본적인 심박동수는 분당 60-100회 정도이며, 평균 70회이다.

심조율의 설정

우리 신체에는 항상 보조장치가 있다. 전도계의 모든 세포들은 심박동수를 조절할 수 있는 능력을 가지고 있다(**그림 1-24**). 하지만, 각 세포의 내제된 심박동은 선행하는 세포의 것보다 느리다. 가장 빠른 박동수를 가진 조율기관은 동결절이고 그 다음이 방실결절이다. 가장 빠른 박동수를 가진 조율기가 그 이후의 느린 박동수를 가진 조율기를 매 박동마다 초기화하기 때문에 가장 빠른 조율기가 심박동을 결정하게 된다. 따라서 느린 조율기는 전기 자극을 생성하지 못한다. 만약 보다 빠른 조율기가 어떤 이유로 박동을 생성하지 못하면, 그 다음 빠른 조율기가 대체하여 가능한 정상에 가깝게 심박동을 유지하려 한다.

동결절

심장의 주된 심박동기인 동결절은 상대정맥과 우심방이 만나는 부위에 위치하고 있다(**그림 1-25**). 동결절의 혈액 공급은 59%에서 우관상동맥, 38%는 좌관상동맥에서 기원하고, 3%는 양쪽 모두에서 기원한다.

결절간 전도로

결절간 전도로에는 3가지가 있다. 전방과 중간 그리고 후방이다. 전도로의 주요 목적은 동결절의 전기 자극을 방실결절로 전달해 주는 역할을 한다. 또한, 심방간중격을 통해 전기를 전도하는 Bachman 속이라는 특별한 세포로 구성된 작은 섬유 다발도 있다.

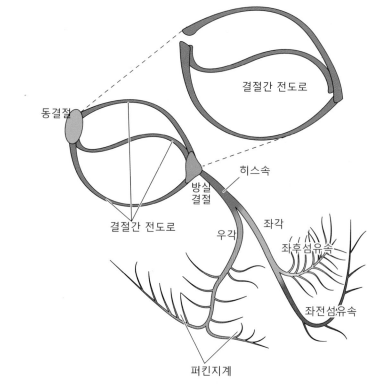

그림 1-26. 결절간 전도로

© Jones & Bartlett Learning.

방실결절

방실결절은 우심방의 심장에서 가장 큰 정맥인 관상정맥동의 입구와 삼첨판 중격엽의 옆에 위치한다. 이것은 심방에서 심실로 가는 전도 속도를 느리게 하며 심방 수축이 일어날 수 있는 충분한 시간을 준다. 이렇게 느려진 전도는 심방이 심실을 과다 충만할 충분한 시간을 만들어, 최대 심박출량을 유지할 수 있게 돕는다. 방실결절은 대부분 우관상 동맥에서 혈액 공급을 받는다.

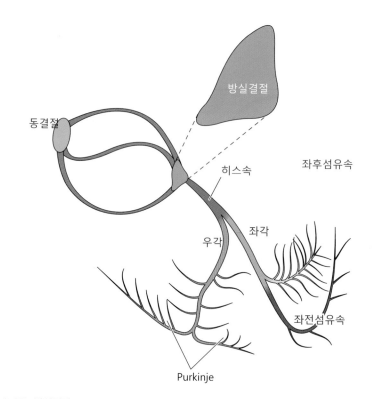

그림 1-27. 방실결절

© Jones & Bartlett Learning.

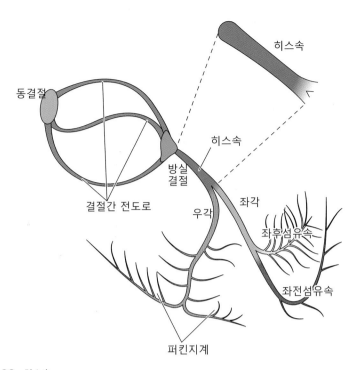

그림 1-28. 히스속

© Jones & Bartlett Learning.

히스속

히스속은 방실결절에서 시작하여 좌각과 우각의 분지로 갈라진다(**그림 1-28**). 부분적으로 우심방의 벽 일부와 심실 중격에서 발견된다. 히스속은 심방과 심실을 연결하는 유일한 통로이다.

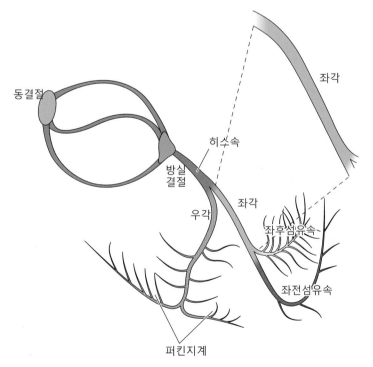

그림 1-29. 좌각

© Jones & Bartlett Learning.

좌각

좌각은 히스속 끝에서 시작하여 심실 중격을 따라 주행한다(**그림 1-29**). 좌각에서 좌심실과 심실 중격의 좌측면의 전기 전도를 지배하는 섬유가 시작한다. 먼저 심실 중격의 윗부분을 지배하는 작은 섬유 다발에 연결되며 이곳이 심실 세포 움직임이 시작되는 곳, 즉 가장 먼저 탈분극 되는 곳이다. 좌각은 좌전섬유속과 좌후섬유속이 갈라지는 곳에서 끝난다.

우각

우각은 히스속에서 시작하고, 우심실과 심실 중격의 우측면의 전기 전도를 지배하는 섬유가 시작한다(**그림 1-30**). 그리고 연결되어있는 퍼킨지 섬유에서 끝난다.

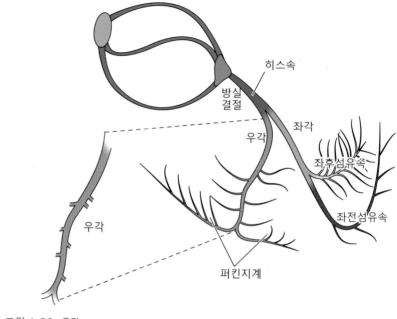

그림 1-30. 우각

© Jones & Bartlett Learning.

좌전섬유속

좌전섬유속은 좌심실을 통과하여 좌심실의 전방과 상방을 지배하는 퍼킨지 세포와 연결되어 있으며(**그림 1-31**), 좌후섬유속에 비해 한 가닥으로 된 속이다.

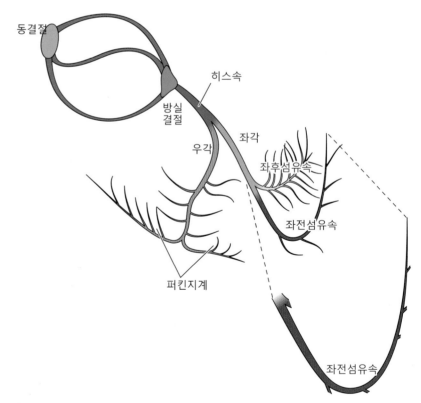

그림 1-31. 좌전섬유속

© Jones & Bartlett Learning.

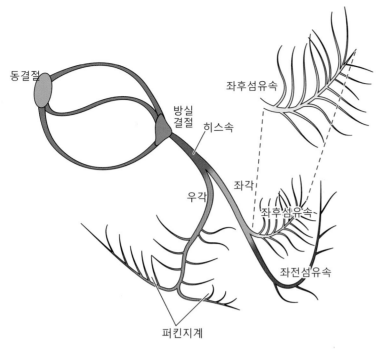

그림 1-32. 좌후섬유속

© Jones & Bartlett Learning.

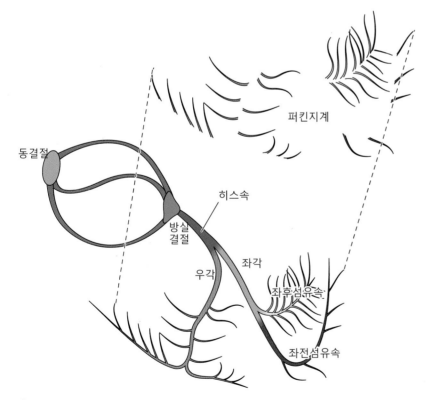

그림 1-33. 퍼킨지계

© Jones & Bartlett Learning.

좌후섬유속

좌후섬유속은 좌심실의 후방과 하방을 지배 하는 퍼킨지 세포까지 연결된 부채 모양의 구조물로서(**그림 1-32**) 매우 넓게 퍼져있기 때문에 한 가닥으로 구성된 좌전섬유속과는 달리 차단하기가 매우 힘들다.

퍼킨지계

퍼킨지계는 심내막 바로 아래에 있는 각각의 세포들로 구성되어 있다(**그림 1-33**). 직접적으로 심근 세포를 자극하여 심실 탈분극을 시작한다.

부정맥과 관련해서 얘기하면, 심장의 해부는 간단해진다. 여러분은 전기 전도에 대해 자세히 알고 또 이해해야 하며 심장에서 부정맥이 잘 발생하는 4군데의 구역이 있다는 것을 알고 있어야 한다(**그림 1-34**).

그 4가지 구역은:

1. 동결절(SA node)
2. 심방(Atrium)
3. 방실결절(AV node)
4. 심실(Ventricle)

처음 3가지 동결절, 심방, 방실결절은 함께 묶어 상심실성으로 분류하는데, 심실 상부의 모든 것을 포함하기 때문이다. 기본적으로 이 책에서 살펴보게 될 대부분의 부정맥은 이 네 구역(**그림 1-35**) 중 한 곳에서 시작한다. 우리는 각각의 율동을 해당 장에서 자세하게 살펴볼 것이다. 지금은 4군데 구역의 개념을 이해하는 것이 중요하다. 37장에서 각각의 부정맥 진단에 초점을 맞추어 이 단원을 다시 복습할 것이다.

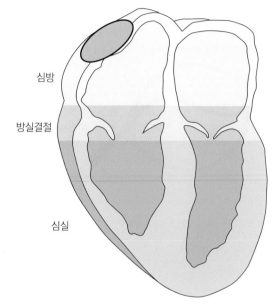

그림 1-34. 네 군데의 부정맥생성 구역

© Jones & Bartlett Learning.

동결절	심방	방실/ 각	심실
동서맥	이소성 심방	접합부 율동, 접합부 이탈율동, 1도 방실 차단	심실성 이탈율동 심실고유 율동 가속성 심실고유 율동
정상 동율동	이소성 심방	가속성 접합부 율동 1도 방실 차단	가속성 심실고유 율동
동빈맥	심방빈맥 심방조동	1도 방실 차단 접합부 빈맥 방실결절회귀 빈맥 방실회귀 빈맥	심실빈맥 Torsades de pointes 다형 심실빈맥 심실 세동
		접합부 기외수축 2도 방실 차단 3도 방실 차단	심실 조기 수축
	심방세동 유주 심방심박동기 다소성 심방빈맥 변이성 심방조동		
	차단을 동반한 발작성 심방빈맥 심방조동	2도 방실 차단 3도 방실 차단	
동방 차단 동방 휴지/정지	심방세동	접합부 접합부 이탈 가속성 접합부 접합부 빈맥 방실결절회귀 빈맥 방실회귀 빈맥	무수축 심실 이탈 심실고유의 가속성 심실고유 심실빈맥 Torsade de pointes 다형 심실빈맥 심실 세동

그림 1-35. 네 군데의 부정맥 생성 부위에 따른 심장의 리듬

© Jones & Bartlett Learning.

단원 복습

1. 시각적으로 우심실은 심장의 앞쪽 면을 차지한다(맞다 / 틀리다).

2. 우심실은 혈액을 말초 순환계로 박출한다(맞다 / 틀리다).

3. 다음의 진술 중에 잘못된 것은?
   A. 심장의 전도 체계는 특별한 세포들로 이루어져 있다.
   B. 전도계는 서로 엉켜서 심장조직으로 들어간다.
   C. 전도계는 특별한 염색 없이 현미경으로 관찰 가능하다.
   D. 결절간 경로는 전기적 자극을 동결절에서 방실결절로 전도한다.

다음을 맞게 배치하시오.

4. _____ 동결절   A. 40-45회/분
5. _____ 심방 세포   B. 30-35회/분
6. _____ 방실결절   C. 60-100회/분
7. _____ 히스속   D. 35-40회/분
8. _____ 퍼킨지 세포   E. 55-60회/분
9. _____ 심근 세포   F. 45-50회/분

10. 방실결절은 혈액 공급을 어디에서 받는가?
    A. 좌전하행지
    B. 후하행지
    C. 우관상동맥
    D. 좌회선동맥
    E. 첫 번째 대각선 동맥

제 2 장

전기 생리

목표

1. 휴지기의 세포외, 세포내 이온의 분포를 이해한다.

2. 세포벽을 통한 이온의 이동 중요성을 이해한다.

3. 세포벽과 관련한 채널과 펌프 등의 용어를 이해한다.

4. 심장 조율 기능과 4기의 세포 활동 전위의 관련성에 대해 설명한다.

5. 심근 세포의 휴지 전위의 중요성을 이해한다.

6. 자율신경계의 두 가지 분류에 대해 이해한다.

7. 두 가지 자율신경계가 신체의 이완과 긴장을 어떻게 조절하는지 이해한다.

8. 교감, 부교감신경계의 화학적 전달자를 이해한다.

9. 생명을 위협하는 허혈성 사건에 교감, 부교감신경계 중 어떠한 것이 임상적으로 더 해로운지 토의한다.

10. 9번 목표를 달성하면, 반대편의 입장에서 토의한다.

초보자들을 위한 교과서

전기 생물학적 에너지와 전기 전도 시스템의 상호작용에 관한 많은 정보들이 알려져 있다. 이로 인해 전기 생리학이라고 알려진 심장 내과의 새로운 하위 분야가 개발되었다. 부정맥이 그 핵심이다.

이번 장에서는 세포막을 통한 이온의 이동과 전기 생물학적 에너지의 생성에 대해 다루고자 한다. 기본적으로 반투과성 막을 통한 양이온 및 음이온의 이동으로 만들어지는 세포의 탈분극과 재분극을 이해해야 한다. 세포간 이동을 통해 세포들의 탈분극이 이루어지며 이어 순차적으로 근육, 결국엔 모든 장기의 탈분극을 유도한다.

세포막에는 다양한 작은 채널이 존재한다. 이 채널들을 통해 많은 양의 이온이 이동을 하게 되고, 탈분극 혹은 재분극을 위한 전압 차이를 만들게 된다. 더 자세한 내용은 생리학 책이나 인터넷을 통해 공부할 수 있다.

유전적으로 정해진 채널도 정상 변이 혹은 비정상 변이로 발현될 수 있다. 비정상 변이는 채널질환을 의미한다.

이러한 변이는 전기생리학 연구를 통해 상당수가 밝혀졌고, 이들 중 많은 것들이 부정맥을 유발할 수 있다. 한 예로, QT 간격의 연장은 Romano-Ward 증후군과 torsade de pointes와 관련이 있다. 다양한 채널질환들이 부정맥과 관련되어 있고, 생명을 위협하는 부정맥을 유발 가능하다.

"나는 부정맥 전문가가 아닌데 나에게 이게 왜 중요하지?"라고 물을 수 있을 것이다. 모든 채널 질환에 대해 알 필요는 없지만, 어느 정도는 이해를 하고 있어야 한다. 부정맥 치료에 있어서 이러한 채널 질환의 이해와 조절은 매우 중요하다. 또한, 유전적 상담 및 모니터링이 수많은 생명을 구하는데 도움을 줄 것이다.

이것을 이해하는 것이 리듬 판독 능력에 영향을 미치지는 않을 것이다. 하지만 환자를 살리는데 많은 도움이 될 것이다. 기전을 이해하는 것은 학문을 이해하는데 있어서 아주 중요하다.

—*Daniel J. Garcia*

들어가며

왜 세포에서의 전기적 활동의 생성과 전해질 변화가 심전도에 미치는 영향에 대해서 알아야 하는 것일까? 심전도가 무엇인지를 이해하기 전에 어떻게 정보를 나타내는 지를 알아야 하기 때문이다. 세포는 전해질을 이용하여 전기를 만든다. 또한 전해질에 대해서도 알아야 하는데 전해질 불균형이 생명을 위협하는 문제를 만들 수 있기 때문이다. 예를 들면, 만약 뾰족하고 높은 T파가 고칼륨혈증의 징후라는 것과 QT 간격의 연장이 저칼슘혈증 또는 저마그네슘혈증의 징후라는 것을 알고 있다면, 치명적인 부정맥이 발생하는 것을 막을 수 있을 것이다. 뾰족한 T파에서 무수축으로 진행하는데 몇 분 걸리지 않는 경우도 있다(고칼륨혈증에서는 전기 자극이 작동을 하지 않는다!). 전해질이 심전도에 미치는 영향에 대해서 조금만 안다면 환자를 살릴 수 있다.

전해질의 이상에 의해 심전도가 어떻게 변화하는지 이해

하기 위해서는 심근세포의 분극과 탈분극 방식에 대해 알아야 하며, 세포가 수축하는 것과 관련된 생화학적 작용 기전에 대해 알아야 한다. 최대한 쉽게 개념을 잡도록 노력할 것이니 조금만 참고 따라오도록 하자. 기초적인 논의만 다룰 것이며 필요하다면 생리학 교과서를 참고하자.

심근 수축의 기전

심장이 여러 개의 연속적인 작은 원통 또는 세포들로 구성되어 있다고 가정하자(**그림 2-1**). 각각의 원통들은 서로 맞물리는 조각으로 결합되어 있다(액틴 그리고 마이오신 단백질). 액틴 분자는 원통벽의 바깥 테두리에 붙어있고, 마이오신 분자는 액틴 분자 사이에 놓여 있다.

원통(세포)들의 바깥쪽은 서로 붙어서 근섬유를 형성한다(**그림 2-2**). 이 밴드는 결합 조직에 의해 서로 나란히 연결되어 판들을 형성하고, 이것은 세포외액이라는 액체로 덮여 있다. 이 밴드들의 주 기능은 수축과 확장이다. 하나의 원통이 수축하면 판 전체는 아주 조금 수축하게 된다. 모든 원통이 수축하면 판 전체가 짧아지게 된다. 모든 원통이 이완되면 판이 원래의 크기로 돌아가게 된다. 이 판들이 배열하여 심장을 구성하는 4개의 방을 형성한다. 위쪽의 두개의 심방과 아래쪽의 크고 두꺼운 두개의 심실로 구성된다

이온의 이동과 극성

원통의 안과 밖의 용액은 물, 염류 그리고 단백질로 구성된다. 각 용액들은 동일하지 않고, 염분과 단백질의 농도가 각각 다르다. 용액에서 염류는 이온이라고 하는 양성과 음성의 극성을 띤 입자로 분해된다(**그림 2-3**). 달리 말하면 이온이란, 용액에서 양성 또는 음성의 극성을 띤 입자를 말한다. 체내에서 주요 양성 이온은 나트륨(Na^+), 칼륨(K^+), 칼슘(Ca^{++})이고, 클로라이드(Cl^-)는 주요 음성 이온이다.

만약 세포가 살아있지 않다면, 원통의 벽(세포막)을 기준

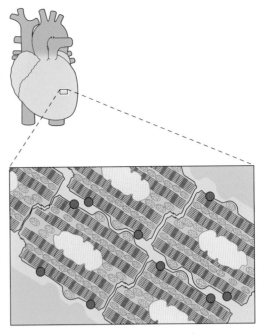

그림 2-2. 원통들이 서로 붙어서 근섬유와 근육판을 형성하게 된다.
© Jones & Bartlett Learning.

으로 양쪽의 모든 이온 농도와 극성은 같을 것이다. 하지만, 살아있는 세포는 세포막 양쪽으로 농도 차이를 유지하고 있다(**그림 2-4**). 세포의 내부는 칼륨 농도가 높고, 외부는 나트륨 농도가 높다. 세포 외부의 높은 양전하는 상대적으로 세포 내부가 더욱 음전하를 띠게 한다. 또한 세포벽 외부에는 칼슘 성분이 더 많고, 이것이 세포 외부가 더 높은 양극성을 띠게 한다. 이러한 세포 내부와 외부의 극성의 차이를 전기적 전위(electrical potential)라고 한다.

극성과 이온은 자연적으로 중성을 유지하려는 경향을 가진다. 세포벽은 완전한 불투과성 막이 아니다. 세포벽은 반투과성이며, 일부 이온이 세포 내외로 이동할 수 있는 작은

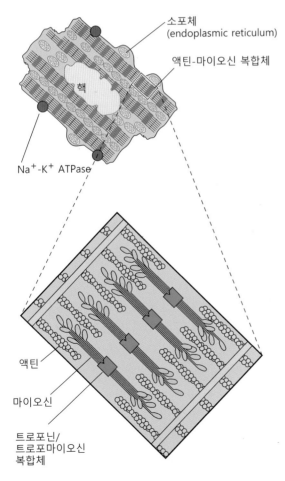

소포체
(endoplasmic reticulum)

액틴-마이오신 복합체

핵

Na^+-K^+ ATPase

액틴

마이오신

트로포닌/
트로포마이오신
복합체

그림 2-1. 심근 세포

© Jones & Bartlett Learning.

NaCl

Cl^-
Na^+
Na^+
Na^+
Cl^-
Cl^-

그림 2-3. 액체 매질에서 염류(鹽類, salt)는 양성과 음성 전위를 띤 이온으로 변환 된다.

© Jones & Bartlett Learning.

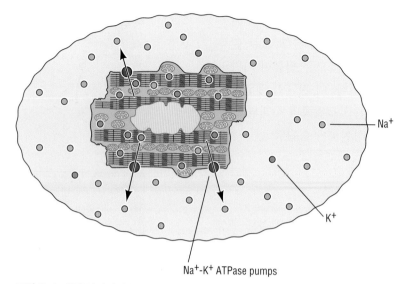

그림 2-4. 원통 안과 밖의 용액은 다르다. 펌프(짙은 파란색 점)는 벽 양쪽에 이온의 적절한 수를 유지한다.

© Jones & Bartlett Learning.

구멍을 가지고 있다. 나트륨은 세포 내로 들어오고, 칼륨은 세포 밖으로 나가려는 자연적인 성질이 있다. 전기적 전위차를 유지하기 위해서 세포는 이온의 자연적인 움직임과 반대로 이온을 밀어내는 특정한 방법을 가지고 있어야 한다. Na^+-K^+ ATPase 펌프를 살펴보자(그림에서 파란 점). 펌프는 능동적으로 이온을 이동시켜서 세포가 안정막 농도와 극성을 유지하게 한다. 펌프는 어떤 방식으로 이온을 이동시키는 것일까? 펌프는 체내의 연료 덩어리인 ATP를 이용하여 세 개의 나트륨 이온(세 개의 양성 전위)을 밖으로 보내고 두 개의 칼륨(두 개의 양성 전위) 이온을 가지고 들어온다. 결과적으로 세포 내부에 비해 세포 외부의 양극성이 더 강해진다. 즉, 외부 용액은 양극성을, 내부 용액은 음극성을 띠게 되는 것이다. 이러한 펌프 기능에 의해서 안정시 심근 세포의 전기적 전위는 대략 -70에서 -90 mV 사이가 된다.

시간이 지나면 몇몇 이온들이 세포로 들어와서 펌프의 효과를 상쇄하기 시작하고, 세포 내부의 음극성은 감소한다(양성을 띤 나트륨 이온들이 세포 내로 스며들어오는 수가 증가하게 된다). 이렇게 천천히 세포의 전기적 전위가 상승하는 것을 활동 전위 제 4기라고 한다(**그림 2-5**).

세포막 채널과 활동 전위 단계

결국에 세포는 더욱 양성 전위를 띠게 되며 새로운 종류의 채널들이 열리게 된다. 이 채널들이 열리는 시점을 역치

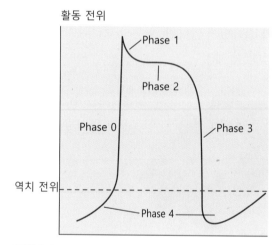

그림 2-5. 근육 세포의 흥분 단계

© Jones & Bartlett Learning.

전위라고 하고, 이 때 작용하는 채널은 나트륨 채널들이다. 이것을 단방향 밸브라고 생각해 보자. 세포내 양전하가 어느 지점에 도달하게 되면 밸브가 열리게 된다. 이것은 단방향 밸브이기 때문에 이온이 세포내로 들어올 수만 있다. 세포 외부에 가장 많은 이온은 무엇인가? 나트륨이다. 세포 내로 나트륨이 유입되면, 세포는 더욱 더 양성을 띠게 되며, 이 주기가 계속 지속된다. 갑작스런 나트륨 이온의 증가는 세포를 점화(fire)한다. 이것이 활동 전위 0기이다(**그림 2-5**). 자극은 세포를 따라 퍼져나가 다음 세포에 영향을 미치게 되고 계속 전달되어 모든 세포들이 자극될 때까지 지속하게 된다. 이것이 탈분극이며, 세포는 더이상 분극을 이루거나

음성 전위를 띄지 못하고 세포외액처럼 양전위를 띄게 된다.

다음 단계에는 세포가 최대 양전하를 띄게 되며, 이를 1기라고 한다. 이 시점에서 소수의 음전하를 가진 염소 이온이 세포내로 들어오면서 나트륨의 세포내 유입을 지연시킨다. 이는 빠른 나트륨 채널에 대한 단방향 밸브를 차단하여, 느린 나트륨 채널 및 칼슘 채널을 개방하여 느린 "안정기(plateau)", 즉 2기를 시작하게 된다. 느린 나트륨 채널은 나트륨 이온의 느린 세포내 유입을 담당하고 빠른 나트륨 채널에는 관여하지 않는다. 칼슘 채널들이 열리고 칼슘이 세포 내로 유입된다. 칼슘은 양전하가 두 개인 이온으로, 2가 양이온이다. 칼슘의 세포내 유입과 나트륨의 세포내 느린 유입은 세포를 탈분극 상태로 유지하는 것을 돕는다.

여기에서 재미있는 현상이 나타난다. 칼슘은 세포가 수축하는데 필요하다. 칼슘은 열쇠와 같은 역할을 하여, 트로포닌과 트로포마이오신 단백질로 구성된 집게를 활성화시킨다. 집게는 두 톱니바퀴 모양의 단백질인 액틴과 마이오신을 서로 끌어 당겨 세포가 수축하게 한다(**그림 2-6**). 칼슘이 없으면 정확한 열쇠 모양이 만들어지지 않기 때문에, 집게 단백질의 자물쇠를 열거나 자유롭게 하지 못하며 액틴과 마이오신 단백질이 서로의 이빨을 교차시킬 수 있을 만큼

가까이 접근시키지 못하게 된다. 칼슘이 많아지면 이러한 집게의 역할이 빨라지며, 수축이 더 오래 지속된다.

다음은 3기이다. 이 기간 동안 소수의 칼륨 채널이 열려서 칼륨이 세포 안에서 밖으로 빠져 나가게 된다. 이 빠른 재분극 시기에는 양이온이 세포 밖으로 이동해서 세포내는 상대적으로 음전하를 띄게 된다(재분극시킨다).

세포가 안정 전위에 도달하게 되면, 이 모든 과정이 다시 시작된다. Na$^+$-K$^+$ ATPase 펌프가 다시 나트륨을 세포 밖으로, 칼륨을 세포 안으로 이동시키고, 이후 세포가 전기적으로 활성화하기 위해서 다시 천천히 역치 전위에 도달하게 된다. 4기에서 각각의 심근 세포들은 그 역치에 도달하는 속도가 각자 다르다는 것을 기억해야 한다. 어느 심근 세포가 가장 빨리 역치 전위에 도달할까? 심장 박동을 유지하는 역할을 하는 동결절 세포들이다. 그 다음이 심방 세포들, 방실결절 세포들, 각섬유(bundle) 세포들, 퍼킨지 세포들, 마지막으로 심실 심근 세포들이다. 이들 세포들이 독립적으로 가지고 있는 박동수가 이전 단계의 세포보다 느린 속도를 가지고 있다는 것이 재미있지 않은가? 이것은 인체의 보호 기전이라는 것을 짐작할 수 있다. 만약 동결절의 모든 세포들이 기능을 못하면, 그 다음으로 빠른 4기를 가지고 있는 심방 세포가 다른 세포들보다 빨리 박동을 시작하여 심장

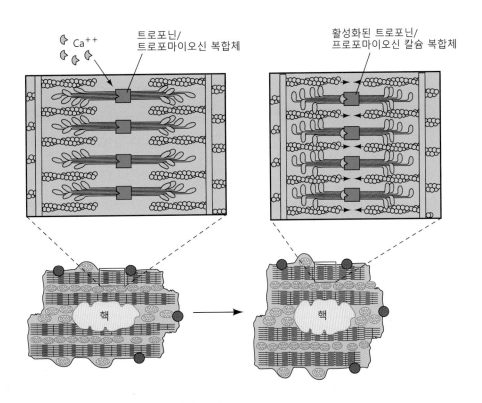

그림 2-6. 액틴과 마이오신 복합체에 대한 칼슘의 역할

설명: 앞으로의 방향

　　마지막으로 수백만의 활동 전위가 심장 전체에서 생성되고 있다고 상상해보자. 개개의 세포들은 대략 분당 70-100회로 탈분극과 분극을 하고 있으며 심장에는 수백만개의 세포들이 존재한다. 이것은 분당 수백만, 수십억 번의 활동 전위가 발생한다는 것을 의미한다. 이는 전기 전도계에 의해 완벽하게 동시에 발생하게 된다. 이러한 집단적인 전기적 방전이 모여서 하나의 커다란 전류를 형성하게 된다. – 이것이 바로 심장의 전기 축이다. 다음 장에서 우리는 심전도 기계가 어떻게 전위를 측정하고, 이것을 심전도파로 어떻게 변환하는지 알아볼 것이다. 또한 어떻게 정상 심장이 몇몇 특징적인 파형과 박동군을 만들어 내는지 알아보고 이런 파형들이 병적인 상태에서 어떻게 변화하는지 살펴볼 것이다.

　　심전도의 기초를 다지는 것은 아주 지루한 일이다. 하지만, 심전도를 진정 올바르게 이해하고 판독하고자 한다면 기초가 아주 중요하다. 단지 율동 기록지를 읽는 것만으로는 충분하지 않다. 이 기록을 유발시킨 원인이 무엇이며 또 이것이 의미하는 병리에 대해 이해하여야 한다. 이렇게 내린 진단은 치료의 방향을 결정하기 위해 사용되며 환자의 생명을 구할 수 있을 것이다.

박동을 만든다. 이런 현상이 필요에 따라 계속 다음 순서로 진행하게 된다.

신경계와 심장의 기능에 대한 서론

　　심장에서 전기 생리학적인 에너지가 어떻게 발생하며 근육이 어떻게 수축하는가에 대해 배웠으므로, 체내의 혈역동학적인 상태를 조절하기 위해 뇌와 심장이 어떻게 교류하는지 알아보도록 하자. 이러한 교류는, 여러 장기 사이에서 화학적 전달자와 수용체를 통하여 정보를 주고받음으로써 이루어진다. 이런 화학적 전달자와 수용체가 작동하는 기전을 이해하는 것과 치료를 위해 어떻게 조절하느냐가 부정맥을 학습하는데 있어 가장 중요하다.

　　해부학적으로 신경계는 중추신경계(뇌와 척수)와 여러 형태의 말초 신경으로 이루어져 있다. 말초 신경계는 몸의 모든 부분에서 오는 감각의 자극을 뇌로 전달하는 구심성 신경(afferent nerve, 라틴어: ad(향하여)+ferre(나르다))과 뇌에서부터 근육과 인체의 다른 기관에 메시지를 전달해 주는 원심성 신경(라틴어: efferent, bring out; 내보내다)으로 나뉜다.

　　기능적으로 신경계는 두 개의 주요 구성으로 나누어진다. 중추 신경계와 말초 신경계이다. 말초신경계는 더욱 세분화 되는데, 이 장의 마지막 부분에서 자세히 살펴볼 것이다(**그림 2-7**).

중추 신경계

　　중추 신경계는 뇌와 척수로 이루어져 있고, 다른 모든 신경계의 작용을 제어하는 기능을 한다. 이해하기 쉽게 중추신경계를 개인용 컴퓨터의 CPU(중앙처리장치)와 같다고 생각해 볼 수도 있다. 컴퓨터의 CPU는 수많은 케이블과 접속 장치 등을 이용해서 들어오고 나가는 정보를 통합하여 연산을 실행한다. 중추신경계는 인체 전체의 다양한 수용체로부터 정보를 입수하고 감각 뉴런을 통해 받은 자극을 해석하고, 결정을 내리고 실행할 행동을 지시한다. 중추신경계의 명령은 운동 신경이나 작동체(effector)를 통해 신체로 되돌아가고 몸 전체에 분포하는 여러 근육과 분비선에서 이것이 실행된다.

　　컴퓨터도 매우 유사한 방법으로 작동한다. CPU는 키보드, 마우스, 디스크 드라이브 등으로부터 오는 자료들을 해석해서 결론을 내리고 인쇄와 같은 출력 작용을 시행한다. 시스템 전체는 구심성, 원심성 신경과 같은 역할을 하는 케이블에 의해 연결되어 있으며, 여러 구성 요소들과 정보를 주고받는다.

말초 신경계

　　말초 신경계는 뇌와 척수를 제외한 모든 신경 조직으로 구성되어 있고, 체성(somatic)신경계와 자율(autonomic)신경계로 세분된다. 이 둘 중에서 심장 기능에 직접적으로 영향을 주는 자율 신경계에 대해서 자세히 살펴볼 것이다.

자율 신경계

　　자율 신경계는 내부 장기(혈관, 심장, 그리고 흉부, 복부, 골반의 장기 등)로부터의 감각 자극을 구심성 자율신경을 통해 뇌로 보낸다. 이러한 자극에 대한 반응은 원심성 자율신경을 타고 각 장기로 되돌아와 심장과 혈관계가 적절하게 반응하도록 하고, 다른 장기들의 기능과 반응을 변화시킨다. 이런 메시지들은 우리의 의식 수준에 도달하지 않고 반사나 자율 반응을 유발하기 때문에 우리는 정보 교환이 일어나는 것을 거의 인식하지 못한다.

　　자율 신경계는 우리가 제어할 수 없고 제어된 작동을 지

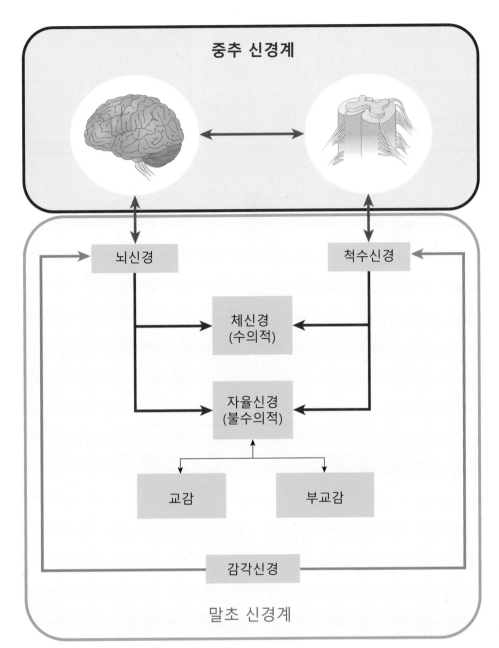

그림 2-7. 인간의 신경계는 중추 신경계와 말초 신경계로 나뉘어져 있다. CNS는 외부 세계로부터 정보를 받아들이고 말초 신경계를 통해 정보에 반응한다. 감각 신경은 환경을 감각하여 그 정보를 말초 신경계의 구심성 부분 (뇌신경과 척수 신경)을 통해서 CNS(녹색의 화살표)로 전달한다. CNS는 다시 말초 신경계의 원심성 부분을 통해서 신체의 각 부분으로 정보를 보내어 환경에 반응하게 한다(파란 화살표). 이러한 반응은 근육의 운동과 자율 신경계(ANS)에 영향을 미친다. ANS는 우리의 내부 장기와 "저항과 도주(fight or flight)"반응을 조절하게 된다.

© Jones & Bartlett Learning.

시하지 못하기 때문에 "자율적" 혹은 불수의적으로 간주한다. 자율신경계는 다시 2가지 하위분류로 나눌 수 있는데, 교감신경계와 부교감신경계이다. 이 두 가지 시스템은 반대의 작용을 가지고 있고 인체를 조절하기 위해 지속적으로 줄다리기 관계에 놓여있다(**그림 2-8**). 교감신경계는 시스템의 "속도 증가"를 시키는 반면, 부교감신경계는 시스템의

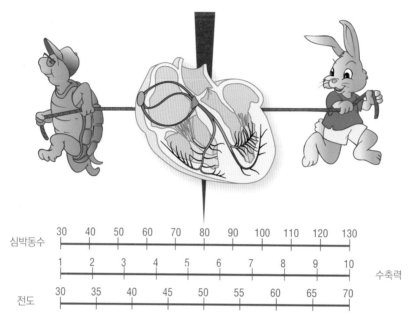

부교감신경은:
1. 박동수를 느리게 한다.
2. 수축력을 감소시킨다.
3. 방실결절을 통한 전도를 느리게 한다.

주된 화학적 전달자 :
아세틸콜린(Acetylcholine)

교감신경은:
1. 박동수를 빠르게 한다.
2. 수축력을 증가시킨다.
3. 방실결절을 통한 전도를 빠르게 한다.

주된 화학적 전달자 :
에피네프린(Epinephrine)

심박동수 30 40 50 60 70 80 90 100 110 120 130

1 2 3 4 5 6 7 8 9 10   수축력

전도 30 35 40 45 50 55 60 65 70

그림 2-8. 교감신경계와 부교감신경계는 자극에 대한 인체의 반응을 최종적으로 조절하기 위해 경쟁하는 지속적인 줄다리기 상태이다.

© Jones & Bartlett Learning.

"속도 하강"을 유도한다.

심장도 다른 주요 장기와 분비선처럼 교감성 자극과 부교감성 자극을 모두 받는다. 교감신경의 자극은 심박동수과 심근의 수축력을 높이고 부교감신경의 자극은 심박동수를 떨어뜨린다. 이 두 가지 상반된 자극 사이의 지속적인 줄다리기는 궁극적으로 심장의 박동수과 수축력을 결정한다.

교감신경계와 심장

교감신경계는 스트레스나 활동 중에 우세하게 작용한다. 스트레스에 대한 반응으로 심박동수과 수축력을 조절하는 것은 주로 교감신경계의 조절에 의해 이루어진다. 교감신경 섬유들은 심방과 심실의 모든 부분들을 자극한다. 교감신경계의 항진은 에피네프린과 노르에피네프린을 포함한 다양

한 화학적 전달 물질 분비를 일으킨다(**그림 2-9**).

에피네프린은 심장의 베타-1 아드레날린 수용체로 알려진 특정한 형태의 수용체를 활성화시키는 교감신경계의 주요 화학적 전달물질이다. 에피네프린은 심박수를 증가시키고(positive chronotropic effect), 전도 속도를 증가시키며(positive dromotropic effect), 심실 근육의 수축력을 증가시킨다(positive inotropic effect). 에피네프린은 4기 활동 전위를 단축시키고 본질적으로 동결절을 포함한 모든 조율세포의 심조율 속도를 증가시킨다.

부교감신경계와 심장

부교감 신경섬유 또한 심방과 심실을 자극하며 특히, 동결절과 방실결절을 자극한다. 중추 신경계에서 심장에 이르

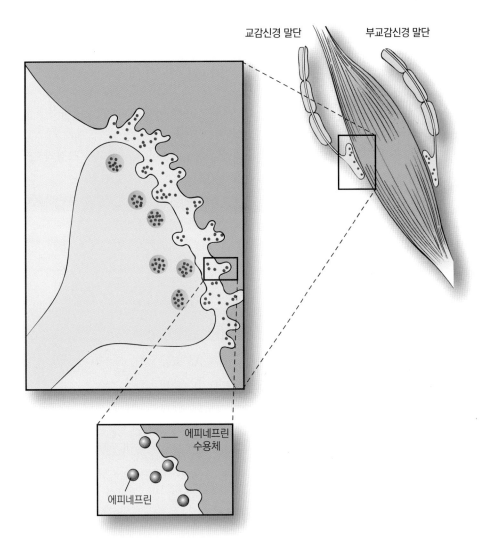

교감신경 말단　　　부교감신경 말단

에피네프린
수용체

에피네프린

그림 2-9. 두 개의 신경 말단은 신경 근육 접합부 말단을 이룬다(신경의 말단과 근육이 만나는 지점). 확대해서 보면 신경 말단에서 화학적인 매개체와 신경 전달 물질로 채워진 조그만 수포(vesicle)들이 세포 사이의 틈으로 분비된다. 이러한 신경 전달 물질이 영향을 미치기 위해서는 틈 사이를 지나 심근 세포의 표면에 있는 수용체에 부착해야 한다.

는 주요 원심로는 미주 신경(10번 뇌신경)이다. 부교감신경계의 주된 신경 전달 물질 혹은 화학적 메신저는 아세틸콜린이다. 아세틸콜린은 시스템의 탈분극 속도를 지연시켜, 심장 세포를 덜 흥분하도록 만든다.

아세틸콜린은 동결절에서 조율 세포들의 점화 속도를 감소시켜 심박동수를 줄인다. 또한 방실결절의 전도 속도를 감소시킨다. 이것은 일시적인 방실 해리를 유발할 수 있다. 방실결절에서 나타난 효과는 때때로 완전 방실 차단을 유발하여, 심방과 심실 사이의 모든 소통을 완전히 차단하게 된다.

이 교과서에서는 자율신경계의 심장 조절을 간단히 소개하였다. 부정맥의 생성과 치료 전략에 관한 자율신경계의 영향은 매우 광범위하다. 다양한 화학 전달 물질과 수용체에 대한 더 많은 지식은 보다 상급 부정맥 교과서나 약리학 교과서를 참고하는 것이 적합할 것이다.

단원 복습

1. 다음 중 틀린 것은?

    A. Na$^+$

    B. K$^-$

    C. Ca^{++}

    D. Cl$^-$

    E. K$^+$

2. 세포내에는 나트륨의 농도가 높다. (맞다 / 틀리다)

3. 세포외에는 칼륨 농도가 높다. (맞다 / 틀리다)

4. 휴지기 심근의 전기적 전위는?

    A. +70 에서 +90 mV

    B. +100 에서 +120 mV

    C. 0에 가깝다.

    D. -70 에서 -90 mV

    E. -100 에서 -120 mV

5. Sodium-potassium ATPase 펌프는 ATP를 써서 두 개의 나트륨 이온을 세포 밖으로 밀어내고, 세포 안으로 한 개의 칼륨 이온을 들여온다. 이렇게 하여 세포내의 음성 전위를 생성한다. (맞다 / 틀리다)

6. 액틴과 마이오신은 심근을 수축시키는 단백질 사슬이다. 어떤 이온이 트로포닌/ 트로포마이오신 복합체가 서로 뭉치게하여 작용하게 만드는 것인가?

    A. 소듐

    B. 칼륨

    C. 칼슘

    D. 마그네슘

    E. 염소

7. 세포는 발화(firing)하기 전에 정상적으로 휴지기에 분극되어 있다. (맞다 / 틀리다)

8. 세포가 활동 전위에 다다르게 되면 발화(firing)한다. 세포는 이러한 과정 동안 분극된다. (맞다 / 틀리다)

9. 다음 중에서 가장 **빠른** 심박동기는?

    A. 동결절

    B. 심방 심근

    C. 방실결절

    D. 각 분지들(bundle branches)

    E. 심실 세포들

10. 분극-탈분극의 전기화학적인 활동은 심전도에 의해서 측정할 수 있다. (맞다 / 틀리다)

11. 중추신경계는 주로 _____를 통해서 심장과 다른 장기를 조절한다.

12. 자율신경계는 ____신경계와 ____신경계로 세분된다.

13. 두 하부 신경계의 지속적인 줄다리기를 통해 인체의 여러 효과가 조절된다. 심장에서 교감신경계는 심박동수를 _____하고, 수축력을 _____ 한다. 한편 부교감신경계는 심박동수를 _____ 하고, 수축력을 _____ 한다.

14. 교감신경계의 주요 화학적 메신저는 _____ 이다.

15. 부교감신경계의 주요 화학적 메신저는 _____ 이다.

16. (   )는 방실결절을 통한 전도속도를 증가시키게 하는 화학적인 메신저이다.

17. _____는 방실결절을 통한 전도속도를 느리게 하는 화학적인 메신저이다.

제 3 장

심전도 종이, 도구와 계산 방법

목표

1. 심전도 종이의 구성을 이해하고, 각 칸의 폭과 속도를 이해한다.
2. 심전도 파형의 통해 폭과 속도를 계산한다.
3. Temporal spacing의 개념을 이해한다.
4. 캘리퍼를 이용할 수 있다.
5. 심전도에서 심박수를 계산할 수 있다.

상자와 크기

심전도는 파형과 구역으로 이루어진다(**그림 3-1**). 심전도는 25 mm/초의 속도로 표시한다. 따라서 각각의 작은 상자는 0.04초를 의미하게 된다. 큰 상자는 5개의 작은 상자로 구성되어 있으므로, 이는 0.2초를 의미하며, 제일 큰 상자는 이의 5개인 1초를 나타낸다.

시간을 보다 쉽게 알아챌 수 있도록 보통 스트립 아래쪽에 3초마다 표식이 되어 있다. 그 이외에도, 환자 이름, 등록 번호 등도 표시된다.

파형이나 구역의 수직 높이를 표시할 때, mm 단위를 이용한다. 예를 들어, 5개의 작은 상자 높이의 파형은 5 mm로 표시한다.

이러한 개념을 익히고 있는 것은 심박수와 파형, 구역의 간격을 파악하는데 매우 유용할 것이다. 리듬 스트립의 모든 단위는 mm나 msec로 측정된다.

예를 들어, 15 mm 높이와 0.06 초의 파형은 심전도 종이에서 15개의 작은 상자 높이, 혹은 3개의 큰 상자 높이로 나타나며, 1.5 작은 상자의 너비로 그려진다.

기준

심전도 스트립의 시작이나 끝에는 기준 상자(calibration box)가 표시되어 있다. 표준은 10 mm 높이의 0.2초 너비이다(**그림 3-2A**). 기준 상자를 통해 표준 포맷으로 찍혔는지 알 수 있다.

간혹, 심전도를 표준의 절반 높이로 측정하기도 한다(**그림 3-2B**). 심전도 파형이 너무 높아 다른 파형과 겹치는 경우, 이런 방법을 사용한다. 계단 같은 기준 상자는 절반 스케일로 측정된 것이다.

다른 기준은, 속도를 50 mm/초로 기록하는 것이다. 이러한 경우, 기준 상자는 0.4초로 표시된다(**그림 3-2C**).

여러 리드의 관계

심전도는 3개 혹은 그 이상의 리드를 동시에 측정하는 경우가 많다. 3개의 리드는 기계에서 선택이 가능하다.

여러 개의 리드를 찍을 때, 수직 선상에 있는 모든 리드는 동시간에 기록된 것임을 알아야 한다. 심전도 위에 빨간 선으로 된 자를 놓았다고 상상해 보자(**그림 3-3**). 자를 움직이는 동안, 자 선상에 있는 모든 순간은 같은 시간이다. 심전도

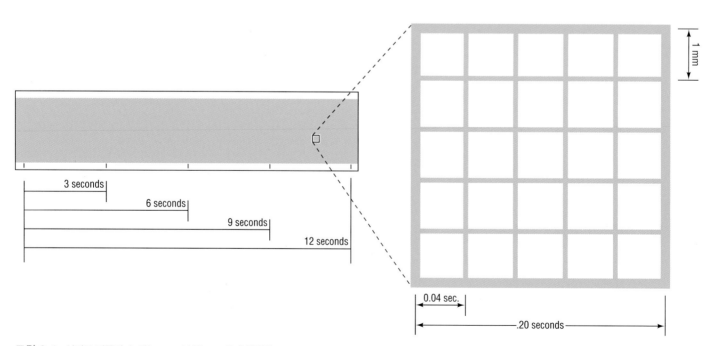

그림 3-1. 심전도 기록지. 높이는 mm, 넓이는 ms로 측정한다.

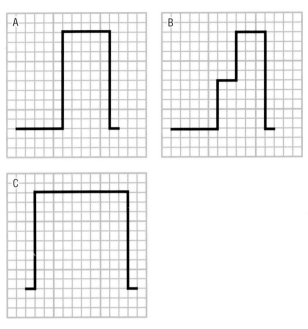

그림 3-2. 3가지 형태의 보정

© Jones & Bartlett Learning.

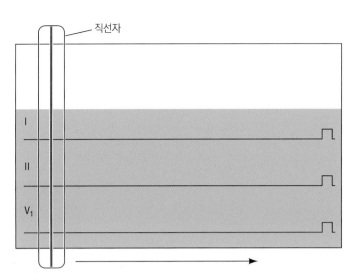

그림 3-3. 빨간선은 시간을 나타낸다. 빨간선과 만나는 사건들은 동시에 발생한 것이다.

© Jones & Bartlett Learning.

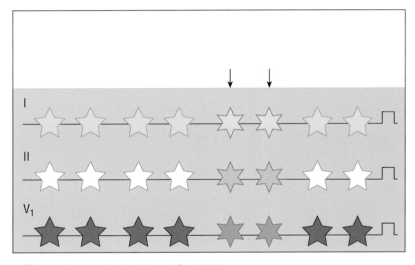

그림 3-4. 다른 종류의 별은 다른 모양을 나타낸다.

© Jones & Bartlett Learning.

기계는 3개나 그 이상의 리드를 동시에 기록할 수 있다. 항상 심전도 종이의 수직 선상에 파형의 끝이 동시에 기록되는지를 확인해야 한다.

왜 temporal spacing이 중요한가?

왜 temporal spacing이 중요한가? **그림 3-4**와 같은 상황을 생각해보자. 간략히 파형을 별로 표시하였다. V₁ 리드의 5번째와 6번째 복합체는 별 모양이 다른 것을 알 수 있다.

만약, 다른 리드에서 6번째 복합체가 잘 보이지 않아도 V₁ 리드를 통해 6번째 복합체가 다름을 알 수 있다. 만약 여러 개의 리드를 얻을 수 없다면, 이러한 정보는 알기 힘들다.

이러한 현상은 최종 진단에 영향을 미칠 것이다. 따라서 temporal spacing 은 리듬, 간격, ST 변화, 조기수축, 이상 전도 등을 판단하는데 매우 중요한 요소이다.

심전도 도구

심전도 판독을 용이하게 하는 여러 도구가 있다(**그림 3-5**).

1. 캘리퍼
2. 심전도 자
3. 직선자(straight edge)

이 단원에서 이것들에 대해 자세히 다룰 것인데, 중요한 것은 이 도구들이 심전도 판독을 쉽게 만들어 줄 수 있지만, 너무 의존해서는 안 된다는 것이다.

캘리퍼 : 임상의의 친구

캘리퍼 사용 없이는 정확히 부정맥을 판독하기 어렵다(**그림 3-6**). 캘리퍼 없이는 간격과 파형을 측정하기 어렵다. 캘리퍼를 통해, 리듬의 규칙성도 파악할 수 있다. 높이와 너비를 표현하는 여러 방식이 있지만, 캘리퍼만큼 정확한 도구는 없다. 캘리퍼를 항상 지니고 있어야 한다.

그러면 캘리퍼를 어떻게 사용할까? 한쪽 핀을 측정하고자 하는 시작점에 두고, 다른 핀을 끝으로 가져간다. 이후 그 너비대로 다른 파트로 이동시켜 높이나 시간을 측정할 수 있다. 다음은 캘리퍼를 사용하는 간단한 방법에 대해서 소개하고자 한다.

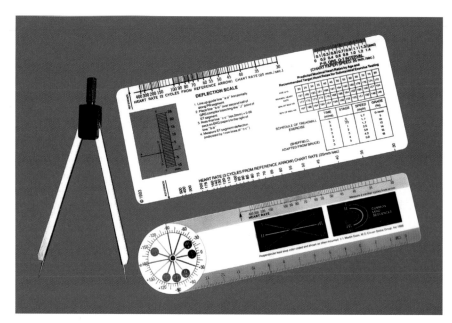

그림 3-5. 캘리퍼와 축바퀴와 직선날을 가진 심전도 자

© Jones & Bartlett Learning.

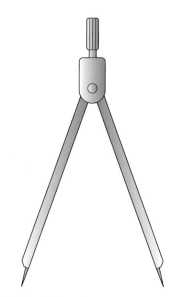

그림 3-6. 캘리퍼를 이용하여 심전도의 거리를 재기

© Jones & Bartlett Learning.

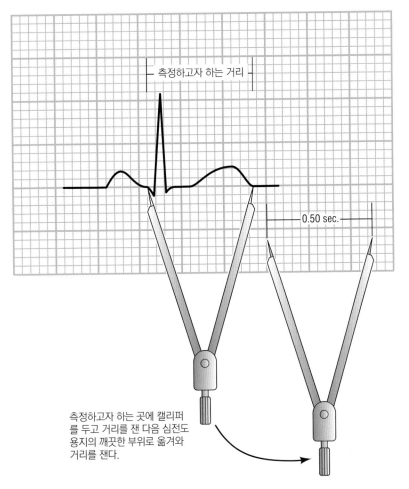

그림 3-7. 전체 군의 넓이는 0.5초이다.

© Jones & Bartlett Learning.

캘리퍼를 어떻게 사용할 것인가?

일단 거리를 측정했으면, 시간을 계산하는 것은 쉽다(**그림 3-7**). 심전도에서 큰 상자는 0.2초이다. 캘리퍼의 거리가 대략 큰상자 2개를 포함하고 있어, 이는 총 0.4초 정도로 보인다. 캘리퍼를 눈금의 시작점으로 옮겨서 보면, 작은 상자가 0.04초이고, 칸수로 계산해 보면 0.5초가 된다.

이번에는, 3개의 심전도 복합체가 같은 간격을 보이는지 살펴보자. 먼저, A와 B의 간격을 측정한다. 그 상태에서, 오른쪽 핀은 고정하고 왼쪽 핀을 같은 간격으로 옮겼을 때, B와 C 가 같은 간격을 보이는지 측정할 수 있다(**그림 3-8**). 우측 핀을 고정한 상태에서 같은 간격임을 알 수 있다. 이를 walking이라고 표현한다.

심박동의 규칙성을 평가하기 위해 캘리퍼를 앞뒤로 움직여 볼 수 있고, 원하는 어느 부분이든 측정이 가능하다. 이 측정 방법은 3도 방실 차단이나 다른 여러 리듬 이상을 확인하는데 유용하다. 캘리퍼를 가지고 연습해 보자.

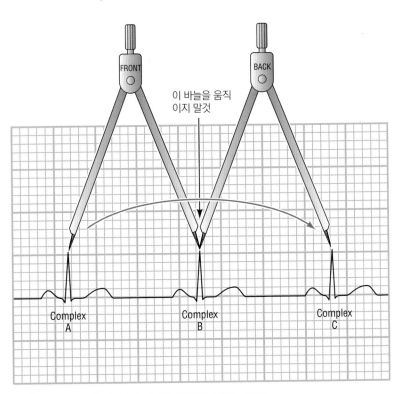

그림 3-8. 캘리퍼를 움직여서 거리를 측정한다. 거리는 같다.

© Jones & Bartlett Learning.

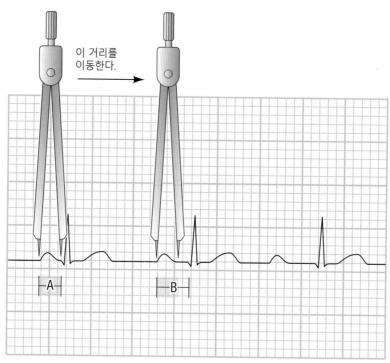

그림 3-9. A 와 B 의 거리는 같지 않다.

© Jones & Bartlett Learning.

너비의 비교

그림 3-9에서 A의 거리와 B의 거리의 차이를 알아보고자 한다. 캘리퍼로 A의 거리를 측정하고, B로 옮겼을 때 같은 간격인지를 확인해 보자.

이 방법은 방실 차단이나 이상맥, 심방 조기 수축, 심실 조기 수축 등을 알아보는데 사용할 수 있다.

심전도 자

심전도 자(**그림 3-10**)는 캘리퍼가 있으면 필요하지 않다. 대부분의 심전도자는 한 쪽은 심박수를, 다른 쪽은 미터로 표시되어 있다. 캘리퍼가 이미 이와 같은 역할을 하고 있다.

REMINDER

항상 캘리퍼를 가지고 다닐 것!

직선자

직선자는 기저선을 측정하여 상승 또는 하강이 있는지 판단하는데 도움이 된다. 좋은 직선자는 가운데 선이 명확하여 모든 부분을 방해 없이 측정할 수 있는 것이 유용하다. 가운데 선은 기저선을 판단하는데 사용할 수 있다.

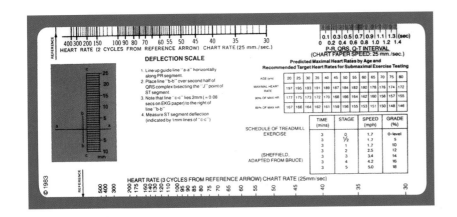

그림 3-10. 직선자

만일 QRS군이 이 상자 내에
들어간다면 정상 너비이다.
만약 벗어나면 각차단이다.

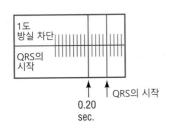

0.20
sec.

0.12 seconds i.d.

그림 3-11. 심전도 직선자

심박수

심박수를 측정할 때 기억할 것은 P파의 속도와 QRS 속도가 다를 수 있다는 것이다. 우선 QRS 속도만을 측정해 보겠다. P파 속도 측정에도 같은 방법을 이용하면 된다.

심박수는 여러가지 방식으로 측정가능하다. 심전도 기계에서 자동으로 심박수가 계산되어 나온다면 그것을 이용하면 된다. 그러나 이 속도가 반드시 정확한 것은 아니다. 계산된 심박수가 이상하다면, 스스로 다시 측정해야 한다. 심박수를 계산하는 한 가지 방법은 자를 이용하는 것이다. 혹은,

심전도 모눈종이를 이용해 직접 계산하는 방법도 있다. 캘리퍼를 이용한 방법도 매우 유용하다.

심박수의 측정

정상맥과 빠른맥

심박수 계산의 가장 쉬운 방법은 **그림 3-12**에 표시된 방법을 이용하는 것이다. QRS 복합체가 진한 모눈 선에서 시작하는 부분을 찾고, **그림 3-13** 이후 다음 QRS 복합체를 보

자. 전통적으로, QRS의 가장 높은 곳을 기준으로 이용하지만 일정한 포인트라면 어디를 기준으로 해도 상관없다. 그 이후에는 두 복합체 사이에 진한 모눈 선을 세는데, **그림 3-12**에 표시된 숫자를 이용한다. (300-150-100-75-60-50) 이 숫자는 기억해 두는 것이 좋다.

다른 방법은, 캘리퍼를 이용해서 꼭지점과 꼭지점의 거리를 측정한다. 이 캘리퍼를 진한 모눈 선으로 옮겨 속도를 측정한다. 이 방법을 이용하면 QRS 꼭지점이 진한 모눈 선에 위치하는 것을 꼭 찾지 않아도 된다.

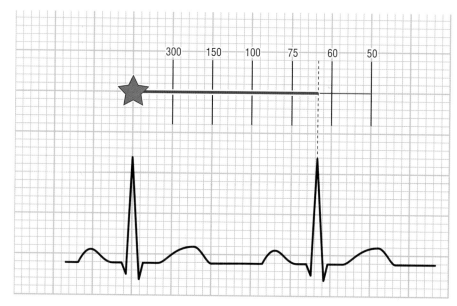

그림 3-12. 심박수는 대략 65-70회 이다.

© Jones & Bartlett Learning.

느린맥

그림 3-14의 개념을 기억하고 있는가? 이 시간 간격을 이용하는 것은 느린맥의 심박수를 계산하는데 유용하다. 이 방법을 어떻게 불규칙 맥이나 느린맥의 심박수를 계산하는데 사용할 수 있을까?

간단하다. 6초 동안 나타난 횟수를 세고 10을 곱한다. 이렇게 하면 60초 동안 몇 회가 뛰었는지 알 수 있다. 12초 동안 나타난 횟수를 세고 5를 곱해도 마찬가지이다. 예를 들어, 6초 동안 3.5번의 사이클이 지나갔으면 10을 곱한 35회가 분당 심박수가 된다.

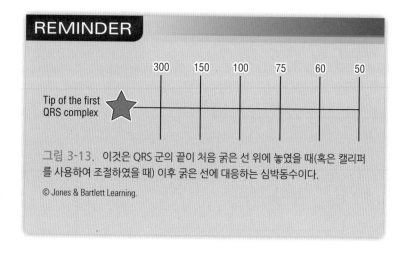

REMINDER

그림 3-13. 이것은 QRS 군의 끝이 처음 굵은 선 위에 놓였을 때(혹은 캘리퍼를 사용하여 조절하였을 때) 이후 굵은 선에 대응하는 심박동수이다.

© Jones & Bartlett Learning.

REMINDER

(6초 동안의 박동군수) X 10 = 심박동수

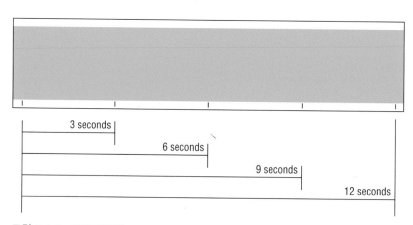

그림 3-14. 심전도 기록지

© Jones & Bartlett Learning.

다음의 심박동수를 계산해보자.

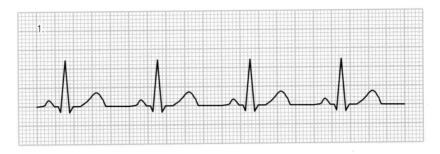

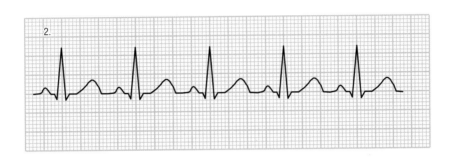

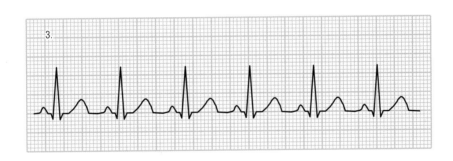

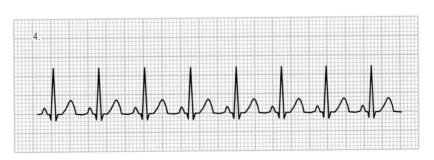

그림 **3-15.** 답: 1. 60회, 2. 75회, 3. 약 80-85회, 4. 약 130회.

From *Arrhythmia Recognition: The Art of Interpretation*, courtesy of Tomas B. Garcia, MD.

심박동수를 계산해보자.

1.

2.

3.

4.

그림 3-16. 답: 1. 율동이 일정하기 때문이 6초 혹은 12초간의 기록지를 이용하여 심박수를 구할 수 있다. (6초동안의 심박동군 횟수) x 10 = 50회
2. 약 3.5박동군 x 10 = 35회
3. 박동이 불규칙적일때는 좀더 정확하게 하기 위해 12초간의 기록지를 사용하여 5를 곱한다. 8개의 박동군 x 5 = 40회
4. 10개의 박동군 x 5 = 50회

단원 복습

1. 심전도 종이의 속도는 보통
   A. 50 mm/sec
   B. 75 mm/sec
   C. 25 cm/sec
   D. 25 mm/sec
   E. 답없음

2. 작은 상자의 간격은
   A. 0.04초
   B. 0.02초
   C. 0.4초
   D. 0.2초
   E. 답없음

3. 심전도의 작은 상자를 측정했을 때
   A. 1 cm, 0.2초
   B. 1 mm , 0.2초
   C. 1 cm , 0.04초
   D. 1 mm , 0.04초
   E. 답 없음

4. 큰 상자는
   A. 5 mm , 0.2초
   B. 1 mm , 0.2초
   C. 5 mm , 0.04초
   D. 1 mm , 0.04초
   E. 답 없음

5. 10개의 작은 상자 높이와 3개의 작은 상자 너비는
   A. 1 mm , 0.3초
   B. 10 mm, 0.12초
   C. 12 mm, 0.3초
   D. 12 mm, 0.1초
   E. 답 없음

6. 2개의 큰 상자와 2개의 작은 상자 거리는
   A. 22 mm
   B. 0.22초
   C. 0.48초
   D. 4.8초
   E. 답 없음

7. 심박수를 계산할 때 기억할 것은
   A. 300-160-90-75-60-50
   B. 300-150-100-75-60-50
   C. 300-130-80-70-60-150
   D. 400-160-100-75-60-50
   E. 답 없음

8. 느린맥의 심박수를 계산할 때, 6초에 몇 번의 콤플렉스가 있는지 세고 그것에 10을 곱한다. (맞다/틀리다)

9. 6초 동안 3.5번이 박동하면 심박수는?
   A. 3.5회/분
   B. 35회/분
   C. 350회/분
   D. 3500회/분
   E. 답 없음

10. 12초에 3.5번이 박동하면 심박수는?
   A. 3.5회/분
   B. 35회/분
   C. 17.5회/분
   D. 175회/분
   E. 답 없음

11. 6초에 5번이 박동하면 심박수는?
   A. 5회/분
   B. 15회/분
   C. 50회/분
   D. 150회/분
   E. 답 없음

제 4 장

벡터와 기본 파

목표

1. 벡터의 개념에 대해 서술한다.
2. 삼차원 공간에서 벡터가 어떻게 작용하는지 이해한다.
3. 벡터가 표면 심전도에서 어떤 파형을 만드는지 이해한다.
4. 전극의 위치에 따라 심전도에서 벡터가 어떻게 표현되는지 이해한다.
5. 사지 리드의 구성을 이해한다.
6. 흉부 리드의 구성을 이해한다.
7. 심전도의 기준선을 이해하고 상승 혹은 하강에 대해 인지한다.
8. 심전도의 여러 파형과 간격에 대해 이해한다.
9. 이상 Q파와 정상 Q파의 정의를 이해한다.
10. 전극에 따른 T 파의 형성을 이해한다.
11. QT 간격과 QTc 간격의 차이를 이해한다.
12. P-P 간격과 R-R 간격을 계산한다.

초보자들을 위한 교과서

심전도의 개념을 이해하기 전에는, 심전도 종이의 선들이 어떤 의미인지 이해하지 못했다. 벡터의 개념을 이해하고 나서야, 그것이 어떤 의미를 갖는지를 알게 되었고, 심전도와 심근세포를 하나의 유닛으로 보게 되었다. 이 단원이 심전도 기초에 도움이 되길 바란다.

심전도를 이해하려면 패턴을 인지하고 벡터를 분석해야 한다. 예를 들어, 심방세동이 심전도에서 어떻게 보이는지 패턴을 기억하면 알 수 있다. 항상 그렇게 간단하면 좋겠지만, 다른 변수가 생기면 문제가 해결되지 않을 수 있다. 만약, 칼륨 수치가 높거나 낮으면 어떻게 될까? 원래 각 차단을 가지고 있다면 어떻게 될까? 이소성 맥인 경우는 어떻게 될까? 변이를 만들 수 있는 요소들은 매우 많다. 20년 정도 지나면 모든 변수를 볼 수 있다고 생각할 수 있지만, 그렇지 않다. 언제나 새롭거나 다른 것이 존재한다.

벡터 분석은 또 다른 방법이 될 수 있다. 각각의 심근 세포가 한 개의 벡터를 생성하는데, 그것이 크기, 방향, 시간을 결정한다. 이 작은 벡터들이 합쳐져서 큰 벡터를 형성하게 된다. 이 모든 것들이 합쳐지면, 좌심방 벡터, 우심방 벡터, 좌심실, 우심실 벡터를 형성하게 된다. 이것들이 합쳐져서 심장의 주된 방향을 형성하고, 이것이 심장의 전기축을 형성하게 된다.

특정 리드로 향하는 양성 벡터는 심전도에서 상향파로 나타난다. 전극에서 멀어지는 벡터는 하향파로 나타난다.

P파는 심방의 활동에 의해 만들어진다. 전형적으로 P파가 어디에서 시작하나? 우심방의 후상방에 위치한 동결절에서 시작한다. 동결절이 탈분극 되면, 전기 흐름은 심방의 아래쪽으로 이동하여 심실을 향하게 된다. 리드 II, III, aVF 가 하방을 향하는 축임을 이해해야 한다. 정상 동결절에서 시작된 심박동이 정상적으로 아래쪽 심실로 이동한다면, 심방의 벡터는 어느 방향을 향하겠는가? 아래 쪽이다. 따라서 정상 P파는 리드 II, III, aVF에서 상향파로 나타난다.

그렇다면 리드 II, III, aVF에서 P파가 하향파로 나타나는 경우는 무엇일까? 그것은 정상 동결절에서 시작된 심박동이 아님을 알 수 있다. 왜냐하면, 그러한 벡터는 상방을 향하는 쪽으로 전기 흐름이 이동해야 하기 때문이다. P파의 가능한 수만가지의 모양을 기억하는 것이 좋은가 아니면 이 간단한 원리를 이해하는 것이 좋은가?

벡터를 이해하면 심전도는 간단해진다. 기전을 이해하는 것이 가장 지름길이다.

—*Daniel J. Garcia*

들어가며

세포마다 고유의 전기적 자극을 만든다고 생각해보자. 이 자극은 그 강도와 방향이 다양하다. 이러한 전기적 자극을 기술하기 위하여 벡터라는 용어를 사용한다. 벡터는 전기적 자극의 강도와 방향을 보여주는 도식적 방법이다. 예를 들어 하나의 세포에서 생성되는 전기적 활성도가 1,000원의 가치를 가지고 있고 방향이 페이지의 위쪽을 향한다고 가정하고 이것을 벡터 A라고 하자(**그림 4-1**). 그리고 또 다른 세포의 전기적 활성도는 2,000원의 가치를 가지고 오른쪽 우측 코너를 향하고 있고 이것을 B라고 하자. 벡터 B는 벡터 A 크기의 두 배가 된다. 짐작할 수 있듯이 심장은 이런 수백만 개의 개별 벡터를 가지고 있다. (**그림 4-2**)

벡터의 덧셈과 뺄셈

벡터는 에너지의 양과 방향을 나타낸다. 같은 방향을 향하면 합해지고 반대 방향을 향하면 상쇄된다. 만약 서로 각도를 형성하면서 만난다면 에너지를 더하거나 상쇄하고 방향도 변하게 된다(**그림 4-3**). 이것이 벡터 수학에 대한 간단한 소개이다. 더 많은 지식은 물리학 교과서를 참고하기 바란다.

심장의 전기축

이제 심장의 심실에서 만들어지는 수백만 개의 벡터를 합해보자. 모든 벡터를 다 더하고 빼고 그리고 방향 변환을 시행한 후에 남은 마지막 벡터가 심실의 전기 축이다(**그림 4-4**). 같은 방식으로 각각의 파형, 분절은 각자의 벡터를 가지고 있다. 이것을 P파 벡터, T파 벡터, ST 분절 벡터, QRS 벡터라고 한다. 심전도는 전극에 흐르는 이러한 벡터를 측정한 것이다. 심전도는 전극이나 유도 아래로 흐르는 주요

그림 4-1. 두 개의 벡터

© Jones & Bartlett Learning.

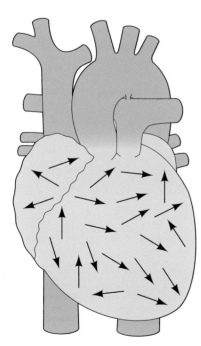

그림 4-2. 심장은 수백만 개의 벡터를 가지고 있다.

© Jones & Bartlett Learning.

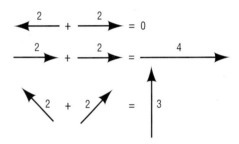

그림 4-3. 벡터를 더하는 예시

© Jones & Bartlett Learning.

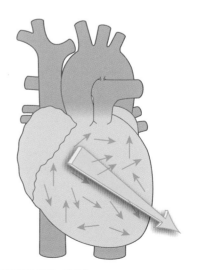

그림 4-4. 심실벡터의 총합=전기축

© Jones & Bartlett Learning.

벡터의 전기적 이동을 전자 공학적으로
표시한 것이다. 다음 페이지에서는 QRS
벡터에 대해서만 논의할 것이다.

전극과 파형

전극은 전극 아래로 흐르는 전기적 활
성을 수신하는 감지 장치이다. 양성의 전
기적 자극이 전극에서 멀어진다면(**그림
4-5A**), 심전도는 그것을 하향파로 표시한
다. 양성 전기 자극이 전극을 향해 다가오
면(**그림 4-5C**) 심전도는 상향파로 기록된
다. 만약 전극이 경로의 중간 부위에 있다
면(**그림 4-5B**) 심전도는 다가오는 전기적
에너지만큼 양성을 보였다가 멀어지는 만
큼 음성을 보이게 된다. 이것은 도플러 현
상과 흡사하다. 구급차가 사이렌 소리를
울리면서 다가올 때 이런 상황과 비슷하
다. 점점 가까워질수록 소리는 커지고 멀
어질수록 소리는 작아진다.

전극은 심장의 사진과 같다.

전극은 벡터의 전기적 활성을 수신하
고 심전도 기계는 그것을 파형으로 전환
시킨다. 각각의 파형 세트를 사진이라고
생각해보자. 전극이나 카메라를 주축에
대해 특정 각도로 여러 개 비치하였다고
가정하면(**그림 4-6**), 우리는 삼차원적 시
각으로 다수의 심장 사진을 얻을 수 있다.
심전도를 이런 방법으로 만든 사진 앨범
으로 생각하면 쉬울 것이다. 좀 더 흥미롭
게 설명하자면, 눈금이 그려진 여러장의
장난감 코끼리 사진을 가지고 있다고 한
다면 머릿속에서 삼차원적으로 합성을 할
수 있겠는가? 당연히 할 수 있을 것이다.
이것이 심전도가 우리에게 제시하는 정보
이다. 심장의 전기 축에 대한 삼차원 사진.
이 사진에서 경색, 비대, 차단과 같은 병적

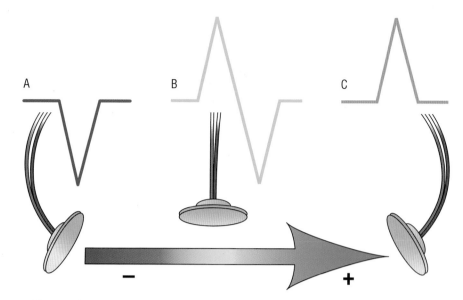

그림 4-5. 전극의 위치에 따라 동일 벡터라도 3가지의 다른 심전도를 보인다.
© Jones & Bartlett Learning.

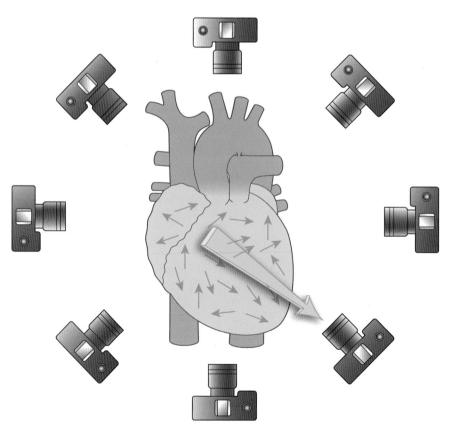

그림 4-6. 각각의 유도는 심장을 각기 다른 각도에서 바라보고 있다.
© Jones & Bartlett Learning.

인 현상에 대한 모든 정보를 얻게 된다.

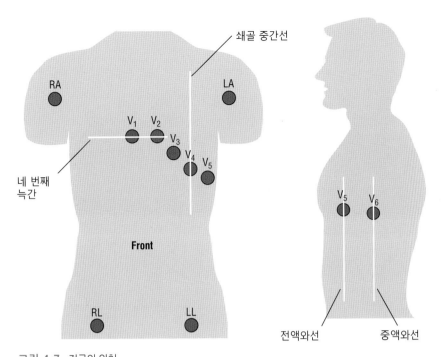

그림 4-7. 전극의 위치

© Jones & Bartlett Learning.

전극의 위치

전극을 어디에 둘 것인가? **그림 4-7**에서 제시한 위치에 부착하면 된다. 사지 유도는 우측 상지, 좌측 상지, 우측 하지와 좌측 하지에 두고 심장에서 최소한 10 cm 이상 떨어져야 한다. 상지의 유도는 심장에서 10 cm 떨어지기만 하면 어깨나 팔들 중 어디에 두든지 상관없다. 하지만 흉부 유도는 정확한 장소에 위치시켜야 한다. V_1과 V_2유도의 위치는 흉골 양측면의 네 번째 늑간에 위치시킨다. 이 위치를 찾기 위해서는 먼저 Louis 각을 확인해야 한다. 이곳은 흉골의 위쪽 1/3 지점에 위치한 혹 같이 튀어나온 구조물이다. 위에서 아래로 흉골을 만지다 보면 확인할 수 있다. 이곳은 제2늑골에 연하고 있으며 이 지점의 바로 아래 공간이 제2늑간이다. 2개의 늑간을 더 내려가면 V_1, V_2 유도의 정확한 위치가 된다. V_4는 쇄골 중간선과 다섯 번째 늑간이 만나는 지점이다. 나머지 위치는 그림을 참고해서 시행한다.

심전도 기계가 전극을 처리하는 방법

심전도 기계는 사지 전극의 양극과 음극을 읽어 심전도 유도 I, Ⅱ, Ⅲ을 만든다 (**그림 4-8**). 다른 말로, 카메라가 양극에 위치하여 아래의 해당 유도를 겨냥한다. 물리학에서 두 개의 벡터가 평행하게 달리고 같은 크기와 극성을 가지는 한, 이 둘은 동일하다. 그러므로 유도의 위치를 **그림 4-8**의 위치에서 심장의 중심을 통과하는 지점으로 옮길 수 있으며 이렇게 해도 벡터는 동일하다(**그림 4-9A**). 심전도 기계는 이러한 복잡한 벡터 처리를 통해, 3개의 추가적인 사지 유도를 제공한다(**그림 4-9B**).

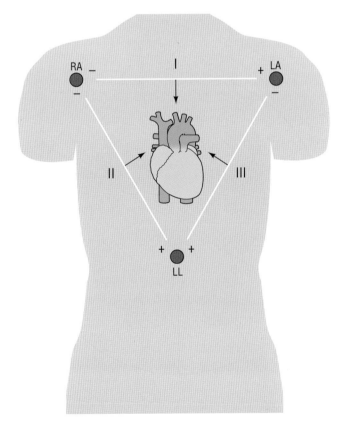

그림 4-8. 유도 I, II, III

© Jones & Bartlett Learning.

두 가지 유도 시스템

6개의 축 시스템

이제 **그림 4-9**의 A와 B를 합쳐보자. 앞의 벡터에 관한 원칙을 적용하면(유도들은 최종적으로 평행하고 같은 극성을 가지는 한 위치를 이동시킬 수 있다) 6개축 시스템을 만들 수 있다(**그림 4-10**). 이를 심장의 중앙을 절단하여 앞쪽 절반과 뒤쪽 절반으로 나누어서 벡터를 분석하는 시스템으로 생각해보자. 마치 귀에서 귀로 인체를 분리하는 유리판이 있다고 생각해 볼 수 있다. 이를 해부학적 용어로 '관상 절단'이라고 한다. 우리가 평가하려는 것은 벡터가 2차원의 유리면에 어떻게 투영되는가 하는 것이지 3차원적인 앞뒤의 심장에 대한 것이 아니라는 것을 명심하자.

6개의 축 시스템은 6개의 사지 유도로 구성되어 있다: I, II, III, aVR, aVL, 그리고 aVF. 전통적으로 양극성 유도의 끝에 각각의 이름을 표시한다(**그림 4-10**). 그러므로 유도 I의 양극은 원반의 오른쪽이고 aVF의 양극은 아래쪽이다. 또한 각 유도는 30도 각도로 떨어져 있다. 이것은 심장의 축을 논의하는 데 매우 유용하다.

흉부 유도 시스템

가슴에 위치한 흉부 유도를 기억하는가? 이 유도는 사지 유도와 수직을 이루는 면에 위치한다. 이번에는 유리판이 인체를 심장의 중심을 관통하여 상하 절반으로 나눈다고 생각해 보자. 이것이 횡단면(transverse plane)이다. 이렇게 하여 6개의 흉부 전극을 통해 6개의 유도를 얻을 수 있다(**그림 4-11**).

기본 박동

여기까지 왔으면 실제로 일부의 심전도 판독을 할 준비가 되었다. 판독은 심전도의 모든 선이 어떤 의미를 가지는지 관

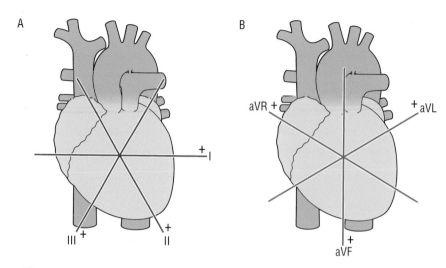

그림 4-9. 벡터 처리로 3개의 추가 유도를 얻을 수 있다.

© Jones & Bartlett Learning.

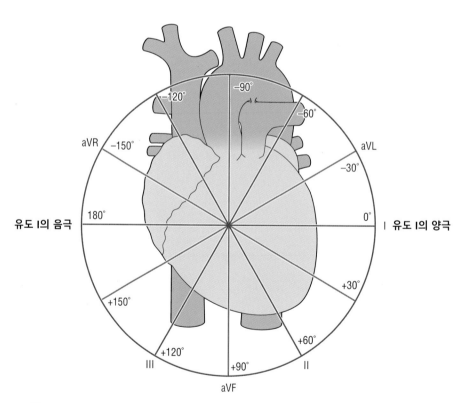

그림 4-10. 6개의 축 시스템

© Jones & Bartlett Learning.

찰하는 것으로부터 시작한다. 기본 박동부터 시작해보자. 이것은 심전도에서 나타나는 하나의 심주기이다. 우리는 박동군을 각각의 구성 요소로 나누어 볼 것이다. 이 장에서는 각 구성 요소에 관련된 개념에 대해서만 소개하고 2편에서 실제적인 사례와 임상에서 볼 수 있는 다양한 변화를 소개할 것이다.

기본 요소의 소개

그림 4-12는 심전도군의 기본 요소를 보여주고 있다. 기본 용어의 정의를 먼저 알아보자. 파형(wave)은 기준선으로부터의 굴절을(deflection) 말하며 심장의 특정 사건을 반영한다. 예를 들어 P파는 심방의 탈분극을 나타낸다. 분절(segment)은 심전도의 군(complex)의 특정 부분이다. 예로 P파의 끝 부분부터 Q파의 시작 부분까지를 PR 분절이라고 한다. 간격(interval)은 두 심장 사건 사이의 시간 거리이다. P파의 시작부터 QRS군의 시작까지를 PR간격이라 한다. PR 간격과 PR 분절을 혼돈하지 않도록 주의해야 한다. **그림 4-12**에 제시한 파형 이외에 언급되지 않았던 것이 R'파와 U파이다. 이것은 나중에 각각 설명하겠다. 추가적으로 R-R간격, P-P간격 등을 다룰 것이다. 기본 용어에 대한 정의를 확실히 이해하여야 혼돈을 방지할 수 있다. **그림 4-12**에 파형과 분절을 색으로 표시해 놓았으며 간격은 쉽게 구별할 수 있게 검은 글자로 표기되어 있다.

파형의 명명법

파형이라는 것은 심방의 탈분극, 심방의 재분극, 심실의 탈분극, 심실의 재분극, 히스속을 통한 전기의 전도 등과 같은 심장에서 일어나는 전기적 현상을 반영하는 것이다. 파형은 단독으로 또는 고립되어, 양성 또는 음성의 편향을 나타낸다. 이상성(biphasic) 편향이라는 것은 양성과 음

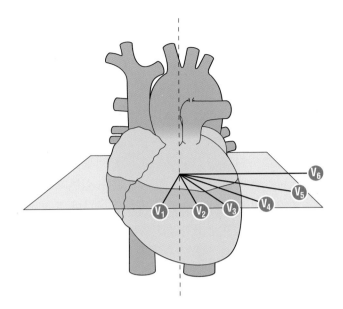

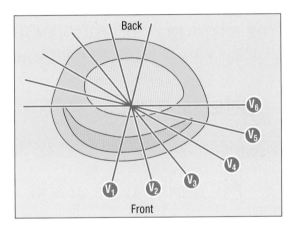

그림 4-11. 6개의 흉부유도

© Jones & Bartlett Learning.

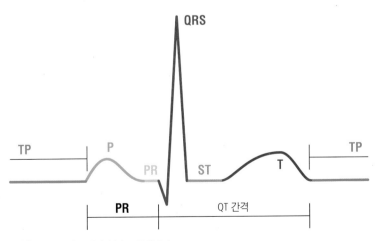

그림 4-12. 기본적인 심전도 구성요소

© Jones & Bartlett Learning.

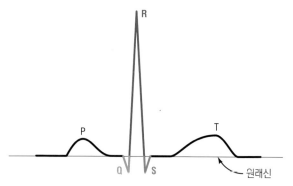

그림 4-13. qRs 복합체

© Jones & Bartlett Learning.

성의 요소 모두가 존재하는 것이고 조합(combination)은 다수의 양성과 음성의 구성 요소를 가지는 것을 말한다. 파형은 기준선에서의 편향을 말한다. 기준선이란 앞뒤의 TP 분절을 서로 연결한 선이라고 생각하면 된다.

그림 4-13에서 이것이 무엇을 의미하는지 살펴보자. QRS군은 2개 이상의 파형이 합쳐진 것이다. 이 파형들을 정확히 표기하기 위해 크기와 위치, 그리고 편향의 방향에 따라 명칭을 부여한다. QRS군에서 깊거나 큰 파형은 대문자로 표시한다: Q, R, S, R'. 작은 파형은 소문자로 표시한다: q, r, s, r'. 그러므로 **그림 4-13**의 예는 qRs 파라고 할 수 있다. 하지만 이러한 표준적인 방법은 엄격하게 사용되지 않고, 간

단히 대문자로만 표기하는 경우가 많다. 그러나 이 책에서는 대문자와 소문자를 사용한 표준 명명법을 따를 것이다.

R'과 S' 파형

학습의 흥미를 좀 더 유발하기 위해 QRS파에 대한 문제들을 살펴보자. QRS군에 발생한 변화는 괴상한 형태의 QRS군을 만들게 되며 만약 파형들의 방향이 변하고 기준선을 지나가면 다른 명칭으로 불리게 된다. 이런 파형을 X'파라고 하지만 이런 X파는 실제의 파형은 아니며, R 또는 S파를 의미하는 단어이다. R'과 S'파는 QRS군내의 추가적인 파형을 말한다. 정의상, P파 이후의 첫 하향파를 Q 파라고 정의한다. P파 이후 첫 상향파를 R파라고 한다. S파는 R파 이후의 첫 하향 파형을 말하는데 혼란스런 경우를 만들기도 한다. 만약 또다른 상향의 요소가 있는 경우 R' 파라고 하며 그 다음 음성 요소가 나타나면 S' 파라고 하고 S'이후에 나타나는 상향파를 R"파라고 읽는다. **그림 4-14**에 보기를 참고하자.

심전도군의 구성 요소

P파

P파는 일반적으로 TP 분절 이후에 처음 나타나는 파형이

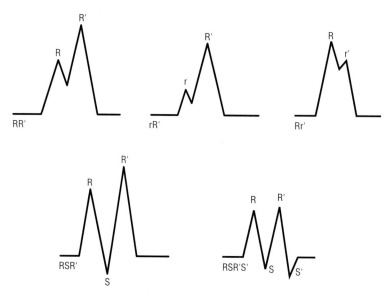

그림 4-14. R'과 S'복합체(윗줄의 그림은 S파를 포함하고 있지 않다. S파는 음성파나 기준선보다 밑으로 떨어지는 파형에만 명명한다. 그러나 원래선 밑으로 내려가는 것과 관계없이 파임이 있는(notched R wave) R파에서 아래로 굴절된 파형을 S 파로 언급하는 경우가 많다. 이 논리를 따르자면, 두번째 피크를 R'파로 명명해야 한다. 정의상 맞지 않지만, 일반적으로 이렇게 명명한다.)

© Jones & Bartlett Learning.

다(**그림 4-15**). 이것은 심방의 전기적 탈분극을 나타낸다. P 파는 동결절이 흥분하기 시작하면서 생성된다. 이것은 세가지 결절간 전도로, Bachman bundle, 심방의 심근 세포를 통한 전기 자극의 전도를 포함한다. P파의 폭은 정상 성인에서 0.08에서 0.11초 사이로 다양하다. P파의 축은 대개 좌측 하방을 향하며 전기 자극이 방실결절과 심방이로 이동하는 방향이다.

Tp파

Tp파는 심방의 재분극을 의미하며 P파와 반대 방향이다(**그림 4-16**). 보통 QRS파와 동시에 나타나고 강력한 QRS 파에 묻혀 버리기 때문에 잘 보이지 않는다. 그러나 가끔 P 파 이후에 QRS파가 나타나지 않는 경우 볼 수 있다. 이런 경우로는 전도되지 않은 심방 조기 박동, 방실 해리 등에서 나타난다. 또한 PR 분절의 하강 혹은 매우 빠른 동빈맥으로 인한 ST 분절의 하강이 있을 경우 관찰할 수 있다. 이것은 심주기에서 QRS가 일찍 나타나기 때문에 Tp파(만약 하향이면)가 ST 분절을 잡아당겨서 ST 분절 하강처럼 보인다.

PR 분절

PR 분절은 P파의 끝에서부터 QRS군의 시작 지점까지의 시간 거리를 말한다(**그림 4-17**). 대개 기준선에 위치하여 정상적으로 기준 선보다 0.8 mm 이내의 하강이 있을 수 있다. 이보다 더 깊은 하강은 병적 이상이 있는 것이다. 병적인 하강은

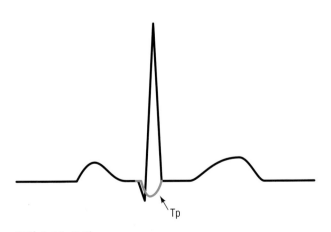

그림 4-15. P파
P파가 나타내는 심장사건 : 심방의 탈분극
정상 간격 : 0.08~0.11초
축 : 0도에서 +75도, 좌하방

© Jones & Bartlett Learning.

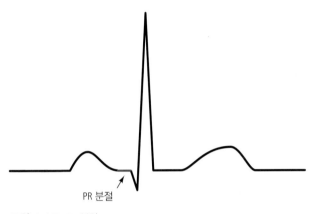

그림 4-17. PR 분절
PR 분절이 나타내는 심장사건 : 방실결절, His속, 각분지, 퍼킨지계의 탈분극

© Jones & Bartlett Learning.

그림 4-16. Tp파
Tp파가 나타내는 심장사건 : 심방의 재분극
정상 간격 : 일반적으로 보이지 않음
파형의 방향 : P파의 반대방향

© Jones & Bartlett Learning.

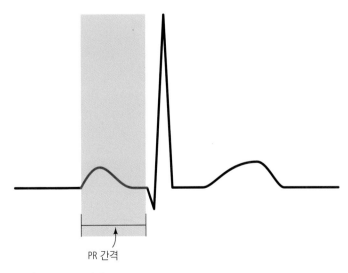

그림 4-18. PR 간격
PR 간격이 나타내는 심장사건 : 자극의 시작, 심방 탈분극, 재분극, 방실결절 자극, 히스속 자극, 각분지, 퍼킨지계 자극
정상 간격 : 0.11 ~ 0.2초

© Jones & Bartlett Learning.

심낭염과 심방의 경색(드물게 발생하지만)에서 볼 수 있다.

PR 간격

PR 간격은 P파의 시작부터 QRS 시작까지의 시간을 말한다(**그림 4-18**). 앞에서 언급한 P파와 PR 분절을 포함한다. PR 간격은 동결절의 전기 자극 생성 순간부터 심실 탈분극 시작 순간까지 모든 현상을 포함한다. 정상 간격은 0.12초에서 0.2초이다. 만약 PR 간격이 0.11초보다 짧으면, 짧아진 것으로 간주한다. PR 간격이 0.2초 보다 느리면 1도 방실 차단이다. PR 간격은 더 느려질 수 있으며 때로는 0.4초 이상이 되기도 한다. PQ 간격이라는 용어는 때로는 QRS군의 시작이 Q파인 경우 PR간격을 PQ로 바꿔서 사용하기도 한다.

QRS 군

QRS군은 심실의 탈분극을 나타내며 두개 혹은 그 이상의 파형으로 구성되어 있다(**그림 4-19**). 각각의 파형은 고유의 명칭이 있다. 주요 구성 요소는 Q, R, S파이다. 합의에 의해서 Q파는 P파 이후의 첫 음성 파형이고 Q파는 있을 수도 없을 수도 있다. R파는 P파 이후의 첫 상향 편위(deflection)이며, 만약 Q파가 없는 경우에는 QRS파에서 가장 먼저 나타나는 파형이다. R파 이후의 첫 하향 편위는 S파이다. QRS군에 부가적인 구성 요소가 존재한다면 프라임파(prime wave)라고 명명한다(**그림 4-14**를 참조할 것).

Q파의 중요성

Q파는 양성일 수 있지만 심근 조직 괴사의 징후일 수도 있다. 너비가 0.03초 이상이거나 그 크기가 R파의 높이의 1/3보다 크거나 같은 경우 병적인 것으로 본다(**그림 4-20**). 위의 이 두가지 기준을 모두 만족한다면, 관련된 심근 영역의 심근 경색을 시사한다. 그렇지 않다면 유의한 Q파가 아니다(**그림 4-21**). 유의성이 없는 Q파는 주로 I, aVL, V6 유도에서 관찰되며 이는 심장 중격의 신경 지배 때문에 보이게 된다. 이를 중격 Q파(septal Q)라고 정의한다.

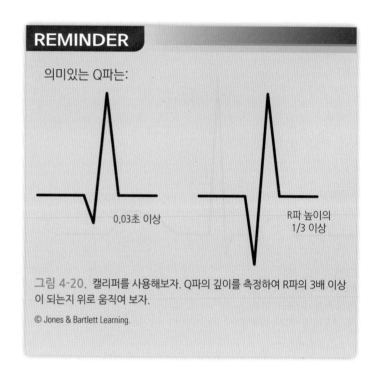

REMINDER

의미있는 Q파는:

0.03초 이상

R파 높이의 1/3 이상

그림 4-20. 캘리퍼를 사용해보자. Q파의 깊이를 측정하여 R파의 3배 이상이 되는지 위로 움직여 보자.

© Jones & Bartlett Learning.

QRS 파

그림 4-19. QRS 복합체
QRS 군이 나타내는 심장사건 : 심실 탈분극
정상 간격 : 0.06~0.11초
축 : -30도에서 +105도, 좌하방

© Jones & Bartlett Learning.

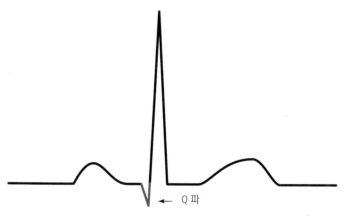

Q 파

그림 4-21. 유의하지 않은 Q파

© Jones & Bartlett Learning.

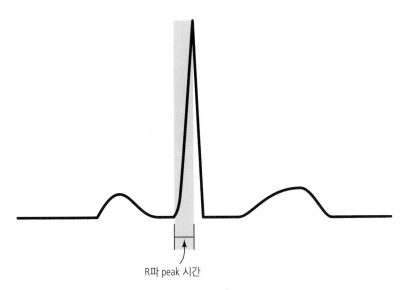

그림 4-22. R파 peak시간
R파 peak시간의 정상 상한선 :
우측 흉부유도 = 0.035초
좌측 흉부유도 = 0.045초

© Jones & Bartlett Learning.

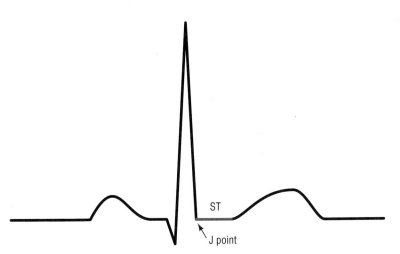

그림 4-23. J 포인트
ST 분절이 나타내는 심장사건 : 심실의 탈분극과 재분극 사이에 전기적 중립시기
정상 위치 : 기저선의 위치
축 : 좌하방

© Jones & Bartlett Learning.

R파 peak시간

　내부 편향 (intrinsicoid deflection)으로 알려져 있는 R파의 peak time은 QRS군의 시작 지점부터 R파가 하향으로 변하는 시점까지 측정한 것이며 Q파를 포함하지 않고 R파부터 시작하는 유도에서 측정한다(**그림 4-22**). 이것은 심내막의 퍼킨지계부터 전극 바로 아래에서 위치한 심외막의 표면까지 전기적 자극이 퍼지는데 걸리는 시간을 의미한다.

　우심실이 좌심실보다 벽의 두께가 얇기 때문에 내부 편향은 우측 흉부 유도 V_1-V_2에서 짧게 나타난다(0.035초까지). 흉부 유도 V_5-V_6에서는 좌심실의 두께로 인해 길어진다(0.045초). 그렇다면 어떤 경우에 내부 편향이 연장되는지 짐작할 수 있겠는가? 만약 내부 편향이 길어진 경우, 이것은 심실비대와 같이 심근이 두꺼워진 경우거나 좌각차단과 같은 심실내 전도 지연으로 인해 그 부위로 전도되는 시간이 길어지기 때문이다.

ST 분절

　ST 분절은 심전도 주기에서 QRS군의 끝부터 T파 시작까지의 부분이다. QRS군이 끝나고 ST 분절이 시작하는 곳을 J 포인트라고 한다(**그림 4-23**). 많은 경우, ST 분절의 상승으로 인해 선명한 J 포인트를 구별할 수 없다. ST 분절은 대개 기준선을 따라 관찰된다. 그러나 정상인에서 사지유도에서 기준선보다 1 mm까지 올라갈 수 있으며 어떤 경우에는 우측 흉부유도에서 3 mm까지 상승하는 경우도 있다. 이것은 좌심실 비대나 조기 재분극 패턴에 의해 나타날 수 있다.

　ST 분절 상승과 정상 변이에 대해 알아보았고, 이는 매우 중요하여 앞으로 여러 번 더 듣게 될 것이다. 증상이 있는 환자의 모든 ST 분절 상승은 의미있는 것으로 생각해야 하며, 원인이 규명될 때까지 심근의 손상이나 경색을 의미한다고 생각해야 한다. 급성심근경색증을 정상 변이로 오인하는 실수를 저지르면 안된다! 혈전용해제 투여의 적응증(2개 연속하는 유도에서 1 mm의 상승)을 만족하지 않는 ST 분절의 상승이라도 이것이 양성이라고 생각하면 안 된다. 이런 경우에도 강력하게 의심을 하고 이전 심전도와 비교해봐야 한다.

ST 분절은 심장의 전기적 중립 상태를 의미한다. 심실은 탈분극(QRS군)과 재분극(T파) 사이에 있다. 기계적으로는 심근이 심실의 피를 밖으로 보내기 위해 수축을 유지하는 기간을 의미한다. 심실이 단 0.12초 동안만 수축한다면 아주 적은 양의 혈액만 박출될 것이라고 충분히 상상할 수 있을 것이다.

T파

T파는 심실의 재분극을 나타낸다(**그림 4-24**). 양성이든 음성이든 ST분절 이후에 나타나는 것이며 QRS군과 같은 방향으로 시작해야 한다.

왜 T파는 QRS군과 같은 방향으로 나타날까? 만약 T파가 재분극을 나타내는 것이라면 QRS와 반대로 나타나야 하지 않을까? 이 문제를 해결하기 위해 심실 흥분의 개념으로 돌아가보자. 퍼킨지 시스템은 심내막에 위치하고 있기 때문에 전기적 탈분극은 심내막에서 심외막으로 진행된다(**그림 4-25**, 위쪽 화살표).

먼저 탈분극한 세포가 먼저 재분극을 시작해야 하는 것이 당연하기 때문에 재분극이 같은 방향으로 일어날 것이라고 생각할 수 있지만, 실제로 그렇지 않다. 수축기 동안 심내막에 발생하는 압력의 증가에 의해서 재분극파는 반대방향, 즉 심외막에서 심내막으로 진행하게 된다(**그림 4-25**, 아래 화살표). 유도로부터 멀어지는 음성파는 -재분극은 음성파임- 양성파가 다가오는 것과 같은 파형을 나타낸다. 그러므로 정상적인 T파는 QRS파와 같은

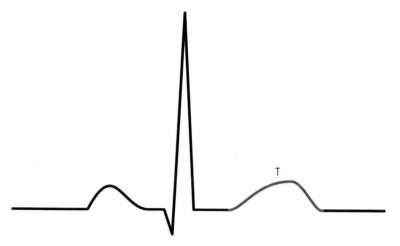

그림 4-24. T파
T파가 나타내는 심장사건 : 심실의 재분극
축 : 좌하방, QRS 축과 비슷함
© Jones & Bartlett Learning.

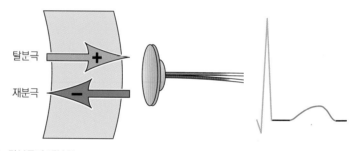

그림 4-25. 탈분극과 재분극
© Jones & Bartlett Learning.

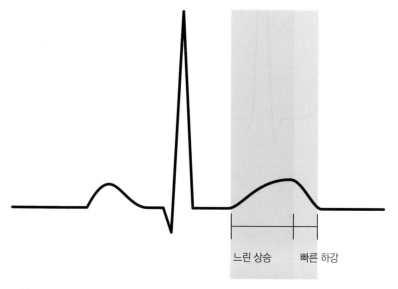

느린 상승　빠른 하강

그림 4-26. T파의 느린 상승과 빠른 하강
© Jones & Bartlett Learning.

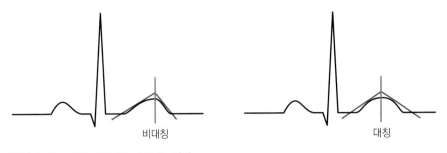

비대칭   대칭

그림 4-27. T파의 대칭성을 평가하는 방법

© Jones & Bartlett Learning.

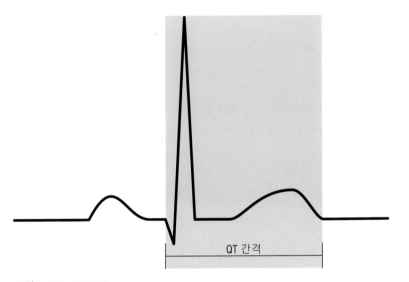

QT 간격

그림 4-28. QT 간격

QT 간격이 나타내는 심장사건 : 심실의 수축과 관련된 모든 사건
정상 간격 : 심박수에 따라 다양하다. 대부분 R-R 간격의 반을 넘지 않는다.l

© Jones & Bartlett Learning.

REMINDER

정상 간격 : 410~420 ms
연장된 QTc : 450 ms (남성), 460 ms (여성)
매우 연장된 QTc : 500 ms 이상
짧아진 QTc : 390 ms 이하
공식 : Bazett's formula: $QTc = QT/\sqrt{RR}$
Fridericia's formula: $QTc = QT/\sqrt[3]{RR}$ (cube root)
Framingham formula: $QTc = QT + 0.154 (1 - RR)$
Hodges formula: $QTc = QT + 1.75 (heart\ rate - 60)$

방향이어야 한다. 그러나 특정한 병적 상태에서는 예외가 있을 수 있다.

T파는 비대칭이어야 한다. 첫 부분은 상승이나 하강이 천천히 증가하며 뒷부분은 보다 빨리 움직인다(**그림 4-26**). T파의 대칭성을 평가하는 방법은(만약 ST 분절이 상승되어 있다면 ST 분절을 배제하고) T파의 최고점에서 기준선까지 수직으로 선을 그어서 양쪽의 대칭성을 비교하는 것이다(**그림 4-27**). 대칭적인 T파는 정상일 수 있지만 대개는 병적 상태의 징후이다.

QT 간격

QT 간격은 QRS군, ST 분절, T파를 포함하는 심전도군의 구간이다. 즉 Q파의 시작점부터 T파가 끝나는 지점까지이다(**그림 4-28**). 심실의 수축기에 발생하는 모든 사건, 즉 심실의 탈분극의 시작부터 재분극 끝까지를 모두 포함한다. QT 간격은 심박수, 전해질이상, 나이, 성별에 따라 달라진다. QT 간격의 연장은 부정맥, 특히 Torsade de Pointes의 전조이다. 이 부정맥은 흔히 발생하지는 않지만 매우 치명적이다. QT 간격은 선행하는 R-R 간격(2개의 선행하는 R파의 정점 사이의 간격)의 1/2보다 짧아야 한다. QT 간격의 유의성을 평가하는 여러 방법이 있지만, 가장 유용한 것이 QTc를 평가하는 것이다.

QTc 간격

QTc 간격은 보정된 QT 간격을 의미한다. 무엇을 보정한다는 말인가? 심박수이다. 심박수가 감소하면 QT 간격이 늘어나게 되고 반대로 심박수가 증가하면 QT 간격은 짧아진다. 이로 인해 정상 QT 간격이 어느 정도인지 알기가 어렵게 된다. 그래서 QTc 간격을 계산하여 0.45초 이하이거나, 남자에서 450 ms, 여자에서 460 ms 이하인 경우 정상으로 간주한다. 이 이상인 경우 연장되어 있다고 정의한다. 또한, 0.5초 이상의 QTc는 매우 비정상이며, 치명적인 부정맥이 발생할 가능성을 염두하여야 한다. 이러한 경우, 즉시 환자 상태를 평가하고 특히 증상이 있을 경우 지체없이 조치를 취해야 한다.

QTc 간격이 늘어나는 경우를 살펴 보았는데, QTc가 반대로 짧아지면 어떻게 될까? 0.39초 이하의 QTc 는 짧아진 것으로 간주하며, 이러한 경우 짧은 QT 증후군이 있는지 평가가 필요하다. 짧은 QT 증후군은 상염색체 유전 질환으로 채널 질환을 유발한다(세포막을 통한 전해질 이동을 조절하는 채널의 이상). 짧은 QT 증후군은 QT 간격이 390 ms 이하로 짧으면서, 심박수에 영향을 받지 않고, 높은 T파를 보이고, 구조적 심질환을 보이지 않는 특징을 갖는다. 증상은 심계항진이나 실신으로 나타날 수 있다. 가장 중요한 점은 급사를 동반할 수 있다는 점이다. 이러한 심전도 소견을 보이면, 심장 내과 전문의와 상담을 하고 증상이 있다면 적극적인 모니터링이 필요하다.

QTc를 계산하는 일반적인 공식은 reminder 상자에 표시되어 있다. 각각의 공식은 장단점이 있다. 4개의 일반적인 공식을 써 놓았다. 대부분의 심전도 기계는 자동으로 QTc 간격을 계산하여 준다. 하지만, 이것이 정확한 지는 직접 계산해 보는 것이 좋다.

U파

U파는 간간히 T파 이후와 다음 P파 이전에 나타나는 작고 평평한 파형이다(**그림 4-29**). U파의 생성과 관련해 심실의 탈분극 혹은 심내막의 재분극 등 여러 이론들이 있다. 하지만 누구도 정확한 이유를 알지 못한다. 정상에서도 나타날 수 있으며, 특히 서맥이 있을 경우 가능하다. 저칼륨혈증에서도 나타난다. 중요한 점은 U파가 있는 경우 고칼륨혈증의 가능성은 없다는 것이다. 이 이외에 유일하게 임상적으로 중요한 점은 가끔씩 QT 간격 측정시 오류를 초래하게

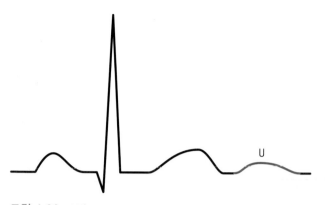

그림 4-29. U파
U파가 나타내는 심장사건 : 알려지지 않음
중요점 : voltage가 작고 T파와 같은 방향을 보인다.
임상적인 유용성 : 일반적으로 양성(benign), 가장 중요한 점은 저칼륨혈증의 소견일 가능성이다.
© Jones & Bartlett Learning.

한다는 것이다. 심전도 기계가 QT 간격을 측정할 때 U파를 포함하기 때문에 실제보다 길게 측정되는 경우가 있다.

기타 간격

몇 개의 추가적인 간격이 있는데, 가장 흔한 두 가지만 언급할 것이다. 그 첫 째는 R-R 간격으로 두 개의 연속된 QRS 군의(가장 높은 지점의) 간격을 말한다(**그림 4-30**). 율동을 평가할 때 이 간격을 자주 측정한다. 규칙적인 율동이라 함은 일정한 R-R 간격을 가지고 있는 것을 의미한다.

또 하나는 P-P 간격으로 P파와 그 다음 P파 사이의 간격이다(**그림 4-30**). 율동 이상이 있는 환자를 평가하는데 유용하게 사용된다. 예를 들어 Wenckebach형 2도 방실 차단, 심방 조동, 3도 방실 차단을 진단하는데 도움이 된다. 이들 율동 이상은 책의 후반에서 토의할 것이다.

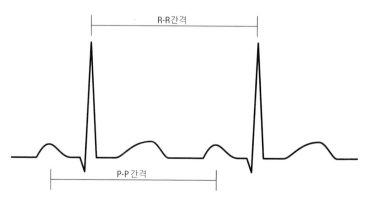

그림 4-30. P-P 간격과 R-R 간격

© Jones & Bartlett Learning.

임 상 적 요 점

> 심전도의 실제 기준선은 한 개의 군의 TP로부터 다른 군의 TP까지 그은 선이다. PR 분절은 반드시 이 선 위에 있어야 하지만 많은 경우 그렇지 않다. 기준선에서의 변동은 병적인 소견일 가능성을 내포한다.

단원 복습

1. 다음 중 옳은 것은?
   A. 벡터는 전기 자극의 강도를 보여주는 도식적인 방법이다.
   B. 벡터는 전기 자극의 방향을 보여주는 도식적인 방법이다.
   C. 둘 다 맞다.
   D. 둘 다 틀리다.

2. 심장의 전기 축은 심실의 탈분극을 만들어내는 모든 벡터들의 합이 반영된 벡터이다. (맞다 / 틀리다)

3. 다음 중 틀린 것은?
   A. 전극은 그 아래에서 일어나는 전기적 활동을 수신하는 감지 장치이다.
   B. 유도를 향하여 이동하는 양성의 전기파는 심전도에서 상향파로 나타난다.
   C. 유도로부터 멀어지는 양성 전기파는 심전도에서 하향파로 나타난다.
   D. 유도를 향하여 이동하는 양성 전기파는 심전도에서 등전위로 나타난다.

4. 전기 유도는 특정 지점에서 전기 축의 사진을 찍는 카메라와 같다. 12 유도 심전도는 12개의 유도에서 체계적인 형태로 "사진"을 찍은 사진 앨범과 같다.
   (맞다 / 틀리다)

5. 기준선은 한 군의 _____과 따라오는 _____사이에 그은 선이다.
   A. PR 분절 - PR 분절
   B. P의 시작점- 다음 P의 시작점
   C. TP 분절- TP 분절
   D. QT 간격- QT 간격
   E. 어느 것도 아님

6. P파는 심방의 재분극과 심방 심근 세포의 신경 지배를 반영한다. (맞다 / 틀리다)

7. PR 분절과 PR 간격은 똑같은 시간 구조를 반영한다. (맞다 / 틀리다)

8. PR 간격의 정상은 _____ 초이다.
   A. 0.08 - 0.10
   B. 0.11 - 0.15
   C. 0.11 - 0.20
   D. 0.20 - 0.24
   E. 답없음

9. QRS 간격의 정상은 _____ 초이다.
   A. 0.06 - 0.08
   B. 0.06 - 0.11
   C. 0.08 - 0.14
   D. 0.12 - 0.20
   E. 답없음

10. 의미 있는 Q파는?
    A. 0.03초(작은 모는 눈금 하나) 이상으로 넓을 경우
    B. R파의 1/3 보다 깊을 경우
    C. 둘 다 맞다.
    D. 둘 다 틀리다.
    E. 답없음.

11. T파는 심실의 재분극을 반영한다. (맞다 / 틀리다)

12. T파는 일반적으로 비대칭이다. (맞다 / 틀리다)

13. QT는 선행하는 R-R간격의 절반보다 길어야 한다. (맞다 / 틀리다)

14. U 파는 T파 다음에 나타나고, 다음 P파 이전에 나타나는 작고 평평한 파이다. (맞다 / 틀리다)

참고문헌

1. Rautaharju PM, Surawicz B, Gettes LS. AHA/ACCF/HRS recommendations for the standardization and interpretation of the electrocardiogram. Part IV: the ST segment, T and U waves, and the QT interval. *JACC.* 2009;53(11):982-991.

12 유도 심전도의 소개

목표

1. ECG 에서 관찰되는 여러 유도에 대해 이해한다. 사지 유도와 흉부 유도에 대해 이해한다.

2. 심장을 3차원적으로 이해한다.

3. 사지 유도와 흉부 유도를 통해 심장의 벡터를 구성하는 법을 이해한다.

4. 12 유도 심전도에서 전기 축을 계산하고 중요성을 인지한다.

5. 각차단의 의미를 파악하고 중요성을 인지한다.

6. 우각차단의 진단 기준을 이해한다.

7. 좌각차단의 진단 기준을 이해한다.

들어가며

부정맥의 인지는 기본 심전도에 기초한다. 기본 심전도 해석에서 얻은 기초 정보 없이 부정맥을 이해하고 다룬다는 것은 사실상 불가능하다. 이것이 사람들이 부정맥을 이해는 하지만 여전히 실제 심전도에서 진단을 놓치는 이유일 것이다.

이 단원에서 우리는 심전도의 기본을 알아볼 것이다. 우선 부정맥을 인지하고 해석하는데 관련된 지식에 중점을 둘 것이다. 심장의 삼차원적인 그림과 심장의 전기축(P파축을 포함), 그리고 좌각차단 및 우각차단에 대해 알아보고자 한다.

심전도의 삼차원적 능력 및 전기축에 대해서 다룰 것이다. 심전도에 나타나는 P-파는 P-파축의 도형적 표현이며, QRS군은 주 심실축의 도형적 표현이다. 마지막으로 우각차단 및 좌각차단의 형태를 논의할 것인데, 이는 심전도에서 편위 전도 형태를 유발하는 것이 설명 가능하기 때문이다. 만약 각차단이 어떻게 형성되는지를 이해한다면 심실군이 어떻게 형성되는지 그리고 편위전도가 어떻게 발생하는지 그리고 형태에 어떤 영향을 미치는지를 훨씬 이해하기 쉬울 것이다.

이 단원의 끝에 다다르면 심전도를 완전히 해석할 수는 없겠지만 많은 지식을 얻게될 것이고 임상에서 어떻게 이 지식을 적용할지를 알게 될 것이다. 이 책을 공부하면서 부정맥을 판독하는 능력이 강해질 것이고 각각의 병적인 과정들이 좀 더 선명하게 머릿속에 들어올 것이다.

기본 정보

전형적인 심전도 양식부터 논의를 시작해 보자. **그림 5-1**은 대부분의 심전도 기기에서 사용하는 여러 유도들이 표시된 표준 양식을 보여준다. 하지만 심전도 기기 회사에 따라 많은 차이가 있을 수 있다. 근무하는 병원에서 어떤 양식을 사용하는지 익숙해져야 한다.

어떤 양식은 맨 아래에 율동 기록지를 포함하지 않는 경우도 있다. 이것은 심전도 판독에 있어 큰 불이익으로 작용할 것이라 생각한다. 또 어떤 양식은 율동 기록지는 있지만 위에 있는 박동군들과의 시간적 연관성을 나타내지 못하는 경우도 있다. 즉, 율동 기록지 일직선의 복합체들이 율동 기

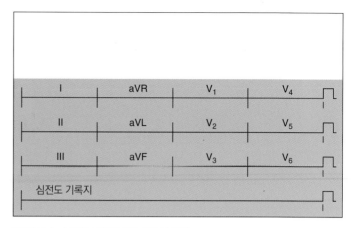

그림 5-1. 심전도 기록지에서 유도의 위치

록과 시간적으로 일치하지 않는다는 것이다. 보통 율동 기록지를 보고 어느 것이 편위 전도된 박동인지 살핀다. 그리고 난 후 심전도의 위쪽 부분을 관찰하여 편위 전도된 박동을 확인한다. 만약 율동 기록지와 각각의 유도들 사이에 시간적 개연성 없는 심전도에서는 정상과 편위 전도된 박동을 감별하기 어렵다.

4단원에서 심전도 유도가 어떻게 카메라와 같은지 보았다. 모든 심전도는 다른 카메라 앵글 또는 유도로부터 전기적인 이벤트의 복수의 사진을 찍는 것으로 비유할 수 있다. 12 유도 심전도에는 12개의 유도가 있다. 이것은 우리가 12가지의 다양한 앵글로 심장을 바라본다는 것을 의미한다. 전기적 활동을 다양한 각도로 살펴봄으로써 심장을 삼차원적인 그림으로 구성하고 다양한 구역 안의 정확한 병적 위치를 짚어낼 수 있게 한다.

그림 5-2에서 보듯이, 사지 유도(유도 I, II, III, aVR, aVL, 그리고 aVF)와 흉부 유도(유도 V_1부터 V_6까지)를 합쳐 하나의 기능적 체계로 전환할 수 있다. 심장을 나누는 이 두 개의 단면으로 앞서 언급한 3차원적 그림을 그려낼 수 있다. 임상적으로 이러한 정보를 사용하여 다양한 심근경색증 위치를 찾아내는 예를 살펴보자.

환자가 하벽 심근경색증이 발생했다고 가정해보자. 그렇다면 심전도 상에서 어떤 변화가 생길까? **그림 5-2**를 보자. 심장의 밑바닥을 향하는 유도는 무엇인가? II, III, aVF 유도이다! 만약 심전도상 II, III, aVF 유도에서 급성 심근경색증에 합당한 소견이 있다면 하벽 심근 경색이라는 것을 알 수 있다. 벌써 실력이 늘어난 것을 느낄 것이다. 이제 심전도가

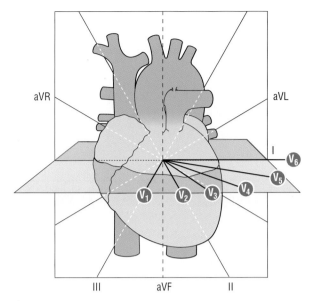

그림 5-2. 3차원상의 유도들

© Jones & Bartlett Learning.

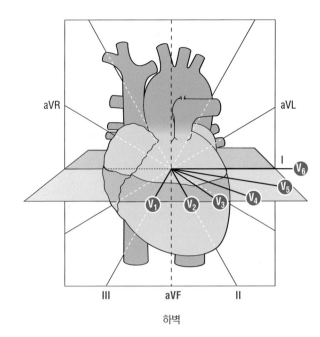

하벽

그림 5-3. 하벽의 구역 나누기

© Jones & Bartlett Learning.

V_1과 V_2 유도의 변화를 보여준다고 가정하자. 이것은 중격부를 따라 달린다- 그래서 중격벽 심근경색증이다. V_3와 V_4는 대개 전벽부이다(전벽부경색). 외측벽 유도들은 Ⅰ, aVL, V_5, V_6이다. 감이 오는가? 이제 각각에 대해 살펴보자.

구역 나누기: 하벽

Ⅱ, Ⅲ, aVF 유도에서 이상이 있는 심전도를 보았다고 하자. 상기 패턴을 기억하고 있지 못하면 이러한 변화가 발생한 곳이 어떤 위치에 해당하는지 알지 못한다.

이 패턴을 기억하기 위해 더 논리적인 방법이 필요하다(인간은 단순 암기의 90%를 잊어버린다). 만약 6개축 시스템과 흉부 유도에 대해서 알고 있다면 질문에 주어진 유도의 이상이 심장의 하벽에 발생한 현상임을 알 수 있다(**그림 5-3**). 허혈이나 경색의 변화가 심전도상 위의 영역에서 발생하면 환자가 하벽 허혈이나 경색이 있는지 진단할 수가 있는 것이다. 이 시스템을 잘 이해하고 있으면 심전도 이해에 도움이 된다.

기타 구역 나누기

이러한 접근법을 통하여 전벽부, 중격, 외측벽을 규명할 수 있고(**그림 5-4**), 하외측벽과 같이 한 군데 이상에서 발생하는 변화도 알 수 있다. 이것은 하벽과 외측부를 모두 침범

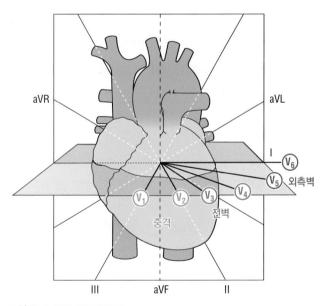

그림 5-4. 기타 구역의 위치

© Jones & Bartlett Learning.

한 경우를 말한다. 어떤 유도가 침범되었는지 알겠는가? (답은 **그림 5-5**)

심전도 기기가 이와 같이 심장의 논리적인 3차원 그림을 제공한다면 좋겠지만 불행하게도 인생은 그렇게 호락호락하지 않다. 우리는 12 유도가 그려진 평면의 심전도를 보고 스스로 삼차원적인 그림을 그려야 한다(**그림 5-6**). 그나마

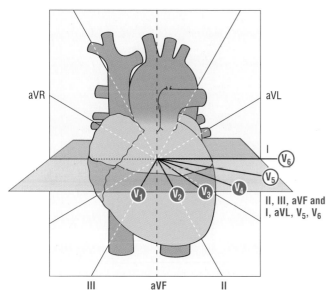

그림 5-5. 한 구역 이상의 위치

© Jones & Bartlett Learning.

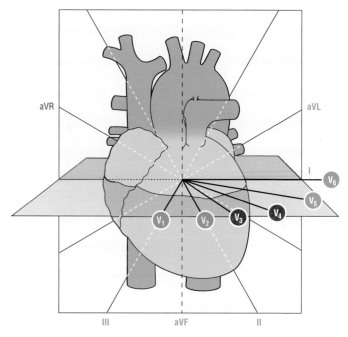

전벽 = V_3 to V_4

하벽 = II, III, aVF

외측벽 = I, aVL,V_5 to V_6

중격 = V_1 to V_2

그림 5-6. 심장 구역에 따른 심전도 유도의 분류

© Jones & Bartlett Learning.

다행인 것은 심전도 유도들이 구역에 따라 설정되어 있다는 것이다. 각 지역을 각각 색으로 구역을 나누어 심장의 어느 부분이 심전도의 어느 유도에 대응하는지 쉽게 나타내었다(**그림 5-7**). 몇 분간 시간을 내어 두 가지 그림을 비교해보도록 하자.

앞에서 언급하였듯이 이것은 심전도의 아주 선택적인 소개이다. 위에서 언급한 정보들은 부정맥 치료와 관리에 필수적인데, 심전도의 특정 파형의 형태를 평가할 때 어디를 보아야 하는지 이해하고 있어야 하기 때문이다. P파를 예로 들어보자. 삼차원적으로, 어떤 유도에서 가장 P파가 잘 보일 것이라고 기대하는가? 우선 생각해야 하는 것은 P파가 어디서 유래하는지이다. P파는 동결절에서 유래해서 바깥쪽으로 심방을 따라 주행한다. 동결절과 가장 가까운 유도는 V_1이고, 따라서 V_1은 P파가 가장 잘 보이는 유도이다. P파가 궁금하다면 V_1 유도를 살펴보아야 한다.

이와 같이, 전체 12 유도 심전도를 부정맥 평가의 도구로 사용하면 새로운 세

I	aVR	V_1	V_4
외측벽		중격	전벽
II	aVL	V_2	V_5
하벽	상외측벽	중격	외측벽
III	aVF	V_3	V_6
하벽	하벽	전벽	외측벽

그림 5-7. 심장의 여러 부위가 각 유도와 어떻게 연관되어 있는지를 색깔로 표시하였다.

© Jones & Bartlett Learning.

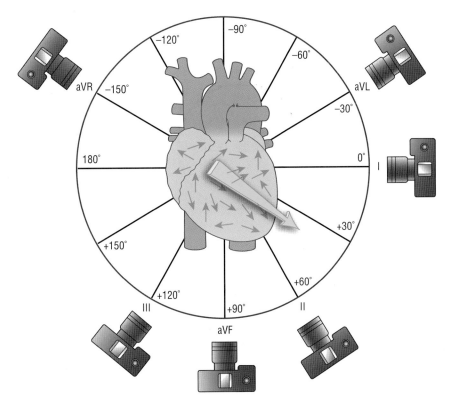

그림 5-8. 유도의 위치는 벡터의 방향을 결정한다.

© Jones & Bartlett Learning.

계가 눈앞에 열린다. 특정 유도에서 명확히 보이는 파형과 이벤트들이 있으며 전체 12 유도를 잘 사용하면 정확한 진단들 내리는데 많은 도움이 된다. 이제 전기축으로 넘어가도록 하자.

전기축

이제까지 전기축의 개념에 대해서 여러 단원에서 언급하였다. 심전도의 모든 것들이 전기적인 축과 각각의 유도에 나타난 도형적 묘사와 연관이 있다. 이 단원을 시작하기 전에 4장으로 돌아가 벡터에 대해서 복습하도록 하자.

전기축은 개개의 심실세포들에 의해 형성되는 활동 전위 벡터의 총합을 나타낸 것이다. 우리가 직접 심실 축을 측정할 수는 없으나 대신 각각의 전극 아래에 지나는 벡터의 방향을 보고 전기축을 측정할 수 있다. 각 유도에서 만들어진 "그림"이 축에 대한 다른 시각을 제공하며 이것이 **그림 5-8** 에서 나타난 것과 같은 3차원적 모양과 관련이 있다. 이 그림들이 어떠한지 관찰함과 동시에 어느 위치에서 측정한 것인지 알고 있으므로 벡터를 종합할 수 있다.

임상적 축을 어떻게 사용하는지 살펴보자. 한 심실에 비

대가 있다고 가정하자. 이 심실은 심실의 전기축을 변화시켜 문제를 진단하는데 도움을 준다. 심근경색증이 있는 구역을 생각해보자. 괴사된 부분에서는 전기적 활성이 없기 때문에 전기축이 확실히 변하게 된다. 만약 전기 전도계의 일부에 병소가 있거나 차단되었으면 심실의 전기축은 변할 것이다.

이제 심실의 전기축에 대해서 알아보자. 박동군의 파형과 간격도 각각 전기축을 만든다는 것을 기억하자. 이들의 상호작용 형태가 병적 상태를 반영한다.

부정맥을 파악하는데 있어서 우리는 P파의 축을 광범위하게 사용하고자 한다(8장의 예를 참고). 심실의 축을 계산하는 것과 똑같은 방법으로 P파의 축을 계산할 수 있다. 간단하게 심실의 축을 살펴볼 것인데 P파보다 훨씬 큰 파형인 QRS군을 가지고 논의하는 것이 개념을 훨씬 쉽게 이해할 수 있기 때문이다.

전기축을 어떻게 계산할까?

심실 전기축의 방향과 강도를 계산하는 방법에는 여러가지가 있다. 우선 이해하기 쉽고 사용하기도 편한 시스템에

대해 이야기하겠다. 6개 축 시스템을 사분면으로 나누어 심실의 전기축이 정확히 어느 사분면에 들어가는지 결정하는 방법을 보여줄 것이다

6개 축 시스템은 6개 유도를 모두 포함한 원으로 표현된다. 전체 원은 중첩되는 6개의 유도로 구성되어 있다는 것을 기억하는가? (기억이 나지 않으면 4장을 복습할 것) 각 유도는 **그림 5-9**와 같이 양성 반원과 음성 반원으로 구성되어 있다. 간단하게 양성을 나타내는 부분에 색과 유도로 표시하였다. 흰색과 표시가 없는 부분은 음성이다.

각 유도의 양성과 음성을 나눈 선에 90° 각도를 가진 유도를 확인할 수 있을 것이다. 이 유도는 등전위 유도이며, 이것의 의미는 이 선을 따라서는 양성도 음성도 아니라는 것이다(**그림 5-9**의 빨간색 표기). 각각의 유도는 그 유도에 해당하는 등전위 유도를 가지고 있다. 유도 Ⅰ은 유도 aVF와 등전위 관계이며, Ⅱ는 aVL, Ⅲ은 aVR과 등전위 관계이며 역의 관계도 역시 같다. 이러한 등전위에 대한 개념은 10°내외로 유도를 분리할 때 유용하다.

심전도에서 양성 벡터는 더 높거나 더 양성을 나타낸다. 음성 벡터는 깊고 더 아래로 향한 파형을 나타낸다(**그림 5-10**). 한 유도가 음성보다는 조금이라도 양성이라면 양성으로 취급해야 한다. 비슷하게 조금이라도 음성을 보이면 음성으로 취급한다.

한 유도가 등전위를 보인다는 것은 양성과 음성 부분의 크기가 같다는 것이다. 심실의 축은 하나밖에 없기 때문에 심전도에서는 등전위를 나타내는 유도는 하나밖에 없다. 나머지는 양성 또는 음성을 보여야 한다.

우리가 6개 축 시스템에서 벡터를 표기할 때, 벡터가 정말 조금 양성을 보여도 원의 양성 이분면에 존재하며, 마찬가지로

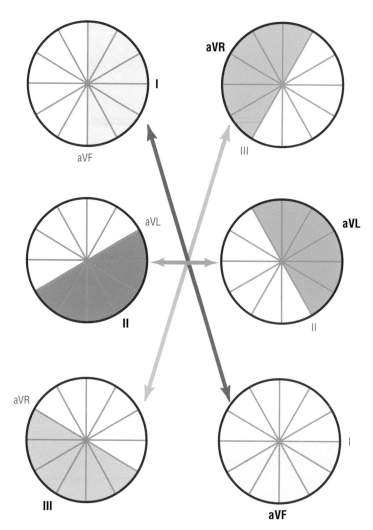

그림 5-9. 유도와 그 등전위 파트너

© Jones & Bartlett Learning.

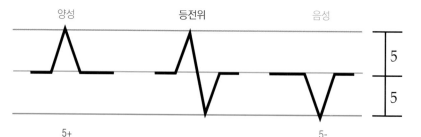

그림 5-10. QRS 군의 양전위 유도, 등전위 유도 그리고 음전위 유도

© Jones & Bartlett Learning.

어떤 음성 파형도 원의 음성 이분면에 나타나게 된다. 만약 정확히 등전위 유도라면 벡터는 등전위 유도에 위치하게 된다. 이렇게 되면 이제 약간의 문제가 생기게 된다. 벡터는 양성 혹은 음성 방향 중 하나를 가리키게 된다. 이 양쪽 다 문제가 되는 유도에서 볼 때는 정확하게 등전위에 해당하게 된다. 어떻게 이 딜레마를 해결할 것인가? 이 시점에서 다시 심전도로 돌아가서 등전위 유도의 QRS군을 관찰하라. 이것이 양성이면 벡터는 등전위 유도의 양성쪽을 향할 것이며, 만약 QRS군이 음성이면 벡터는 음성쪽을 향할 것이다. 이것이 두 개의 유도를 가지고 벡터를 판별하는 방법이다. 이것은 중요하지만 정확하게 이해하기 어렵다. 예를 들어 **그림 5-11**을 보게 되면 벡터 A, B, C는 유도 Ⅰ에서 모두 양성이고 D, E, F는 모두 음성이다.

벡터와 심전도가 어떻게 서로 연관되어 있는지를 이해하겠는가? 벡터는 보이지 않기 때문에 QRS군을 이용하여 각 유도에서 이것들이 양성 혹은 음성을 나타내는 것을 이용하여 심실축의 정확한 방향을 계산하게 된다. 이제 어떻게 방향을 360°에서 90°사분면 중 하나로 줄이는지 알아보자.

12유도 심전도를 보면 축이 어디를 가리키는지 모른다. 방향을 구별하기 위해서 유도 Ⅰ과 유도 aVF를 살펴보자(이 유도들은 상대에 대해 등전위이다). 우선 유도 Ⅰ을 보고 이것이 양성인지 음성인지 확인하자. 지금 이것이 얼마나 음성이고 양성인지 걱정하지 않아도 된다. 원의 어느쪽에 있는지만 알면 된다. 만약 양성이면 **그림 5-12A**에서 유도의 파란 부분 또는 양성 부분이며, 음성이면 흰색 부분 또는 음성부분이다. 그 다음 유도 aVF를 보자. 같은 방법으로 이것이 aVF에서 양성 혹은 음성인가? **그림 5-12B**에서 노란색 또는 흰색으로 가라. 노란색과 푸른색이 혼합되면 초록색이 된다는 것을 알고 있다. 이 두 원을 중첩하여서 4사분면의

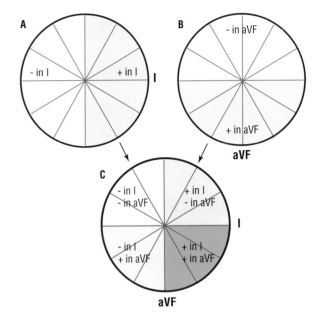

그림 5-12. 축의 방향을 결정하기
© Jones & Bartlett Learning.

원을 만들게 된다. **그림 5-12C**와 같이 흰색 하나, 푸른색 하나, 노란색 하나, 초록색 하나의 분면을 만들게 된다.

양성 음성을 말하는 것보다는 양성 유도는 높이가 깊이보다 큰 것이고 ↑로 표시하고 음성 유도는 깊이가 높이보다 큰 것이고 ↓으로 표시하는 것이 훨씬 유용하다. 이것을 이용하면 심전도군 요소의 높이를 수학적으로 표시할 필요가 없다.

12 유도 심전도에서 유도 Ⅰ이 양성이고 유도 aVF가 양성이라고 하자. 여기에 만족하는 사분면은 정상 사사분면이다 (**그림 5-13**). 쉽지 않은가? 다음 단계는 10도 이내로 전기축을 분리하는 것이다. 그러나 지금은 사분면을 결정하는 첫 걸음을 하고 있다.

유도 Ⅰ과 aVF만을 사용하여 6개 축 시스템을 사분면으

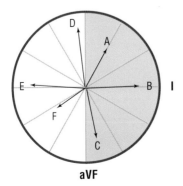

그림 5-11. 6개의 축 시스템에서 양과 음의 벡터
© Jones & Bartlett Learning.

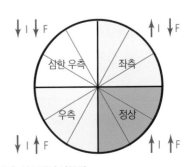

그림 5-13. 6개 축 시스템의 사분면
© Jones & Bartlett Learning.

로 분리하는 것을 살펴보았다. 이제 **그림 5-13**과 같이 각 사분면을 쉽게 알 수 있도록 정상, 좌측, 우측, 심한 우측으로 이름을 붙여보자.

이것은 우리가 실제 축을 정확하게 계산하는데 매우 도움이 된다(**그림 5-14**). 정상 사사분면을 벗어나면 비정상이다(실제로 징싱은 −20°에서 +100°이며 0°에서 +90°이 아니다). 만약 축이 좌측 1/4에 존재한다면, 좌측 편위라고 하며, 우측 1/4 혹은 심한 우측 1/4에 있다면 우측 편위라고 한다.

각차단

이 섹션은 각차단의 개념에 대해 토의하며 연관된 심전도 규칙에 대한 실제적인 이해를 도울 것이다.

우선 전기 전도계를 다시 복습하도록 하자(**그림 5-15**). 히스속(His bundle)이 좌각(left bundle)과 우각(right bundle)으로 나뉘는 것을 잘 봐두자. 좌각 섬유는 다시 좌전섬유속 및 그리고 좌후섬유속으로 나누어진다. 그리고 우각과 두 개의 섬유속은 점점 작은 가지를 내어 네트워크를 형성하여 퍼킨지 시스템(Purkinje system)을 형성한다(**그림 5-16**). 퍼킨지 시스템은 대부분 심실 세포를 동시에 자극하게 된다.

그림 5-16을 보자. 심실을 3차원 구조물로 보기보다는 평면으로 생각하기 바란다. 시스템을 평면으로 간주하는것이 이해가 쉽기 때문이다.

전도 체계가 어떻게 심장의 구역을 지배하는지 잘 보아두도록 하자. 좌전섬유속은 좌심실의 위쪽과 앞쪽면을, 좌후섬유속은 좌심실의 아래쪽과 뒤쪽면을 지배한다. 우각은 중격의 일부와 우심실을 지배한다.

하지만 각기 다른 시스템이 중첩되는

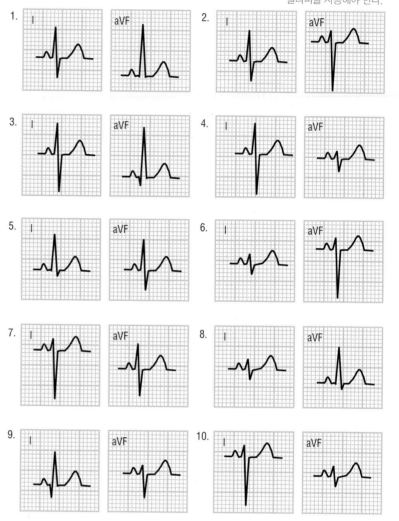

빠른 복습

몇 가지 예를 보자

캘리퍼를 사용해야 한다.

그림 5-14. 4분면을 계산하는 심전도들

From *Arrhythmia Recognition: The Art of Interpretation*, courtesy of Tomas B. Garcia, MD.

1. 정상 **2.** 좌측 **3.** 심한 우측 **4.** 정상 **5.** 정상 **6.** 좌측(−90°) **7.** 심한우측 **8.** 정상(90°) **9.** 좌측 **10.** 우측(180°)

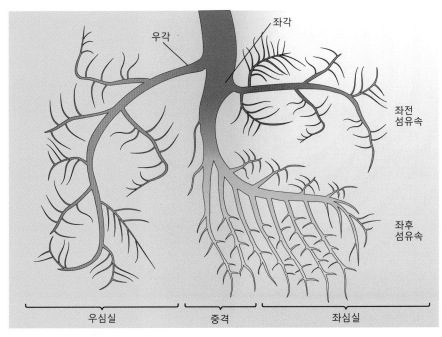

그림 5-15. 심장과 전기전도계
© Jones & Bartlett Learning.

그림 5-16. 전기 전도계의 상세도
© Jones & Bartlett Learning.

곳이 있다는 것을 알아두자. 중첩은 중격과 두 섬유의 가장자리에 두드러진다.

한 쪽이 차단되면 어떻게 될까?

지금 환자가 심근경색증이나 다른 이유로 전도 체계가 파괴되거나 차단된 사태가 발생했다고 가정해보자(**그림 5-17**). 정상적으로 작동하는 시스템은 항상 하던 대로 정상 경로를 따라 자극을 전달할 것이다. 그러면 이 정상적인 섬유에 의해 지배받는 심장의 구역은 즉시 흥분하고 조화로운 형태로 움직일 것이다. 하지만 차단된 부분으로 지배받는 심장 구역은 정상적인 신호를 받지 못한다. 대신에 그 부분은 느린 세포 대 세포 자극의 직접 전도에 의해 탈분극되며, 중격을 따라 시작하여 관련된 부위로 파장이 파도처럼 퍼져 나가게 된다(**그림 5-18**).

그림 5-18을 좀 더 자세히 보자. 자극은 정상적으로 좌각을 타고 내려간다. 따라서 좌각에 지배를 받는 좌심실과 중격의 일부가 정상적으로 흥분하게 된다. 하지만 나머지 중격과 우심실은 느린 세포 대 세포 경로에 의해 탈분극하게 된다.

짐작할 수 있듯이 이런 심실 탈분극 방식은 심전도상에서 이상한 모양의 복합체로 나타나게 된다. QRS군의 너비가 증가하게 되는데, 느린 세포간 전도는 해당 심장 부분을 탈분극하는데 더 긴 시간을 필요로 하기 때문이다. 이 결과로 QRS군이 0.12초 이상으로 넓어지는 것이다.

형태도 달라지게 되는데, QRS군의 형태는 탈분극과 재분극 동안의 심장 벡터의 심전도적 표현이다. 이 때 차단이 발생함으로서 원래 없었던 느리게 움직이는 벡터를 만들게 되는 것이다. 덧붙여서 좌각이 흥분된 후에 이것이 발생하면, 그 느린 벡터는 저항을 받지 않는다. 이 여분의 그리고 저항이 없는 벡터는 극적으로 QRS 군의 형태를 바꾸게 된다.

우각차단

주요 형태

앞에서 우리는 QRS군의 넓이와 형태가 정상과 다르다는 것을 언급했었다. 좋은 소식은 이러한 각차단은 오직 두 가지밖에 없다는 것이다. 우각차단 그리고 좌각차단이다. 먼저 우각차단부터 시작한다(**그림 5-19**).

우각차단은 우각의 시작 부분에서의 차단으로 발생한다. 왼쪽 심장은 정상적으로 탈분극하기 때문에 초기 QRS는 정상 형태로 시작한다. 즉, 0.04에서 0.08초의 초기 QRS군은 깨끗하고 정상적인 형태를 가지며 일반적으로 예측하는 방향으로 정확히 나타난다.

하지만 QRS군의 끝은 다르다. **그림 5-20**의 4번 벡터 때문에 넓고 이상한 모양을 그리게 되는 것이다. 이렇게 느리고 저항이 없는 벡터는 유도 Ⅰ과 V_6에서 느리고 분명치 않은 S파형으로 나타난다. 이것은 벡터 4번이 오른쪽을 향하고 있고 유도 Ⅰ과 V_6에서 멀어져 나가기 때문이다.

유도 V_1에서의 패턴은 약간 다르다. 여기서 V_1은 중격의 탈분극을 반영해서 작은 r파형을 만들어낸다. 다음은 벡터 2번과 3번이 만드는 S파형이다. 하지만 벡터 4번의 반대 작용이 시작되기 때문에 S 파형은 완전하지 못하다. 잠시 후, 벡터 4번이 저항을 받지 않으면서 크게 나타나게 된다. 다시 한 번, V_1에 크고 저항이 없는 벡터가 다가와서 매우 큰 R' 파형이 나타난다. 이것은 우각차단 심전도의 V_1에서 rsR'나 RSR'형태가 나타나는 이유이다. 이것이 바로 많은 사람들이 이 QRS군을 "토끼 귀"라고 부르는 이유다(**그림 5-21**).

각차단에는 두 개의 주요 형태가 있다고 하였지만 실제로는 차단된 장소, 느리게 탈분극하는 파의 방향 등등에 따라 수

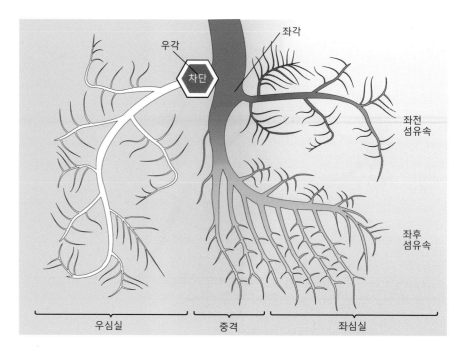

그림 5-17. 각차단

© Jones & Bartlett Learning.

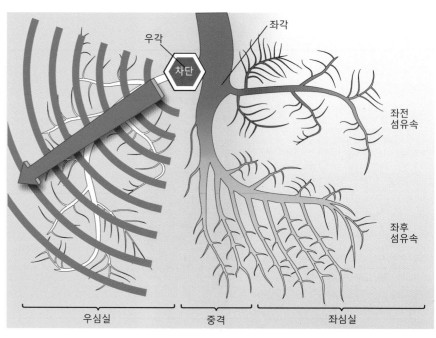

그림 5-18. 각차단에 의한 느린 탈분극

© Jones & Bartlett Learning.

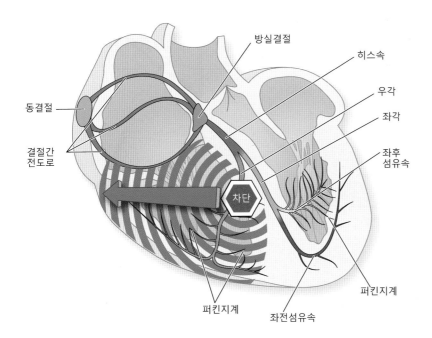

그림 5-19. 우각차단

© Jones & Bartlett Learning.

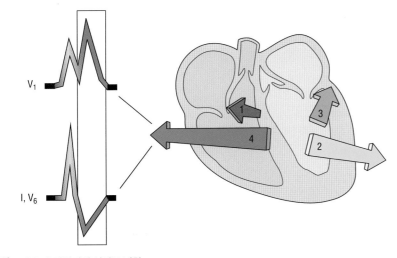

그림 5-20. 우각차단의 심전도 변화

© Jones & Bartlett Learning.

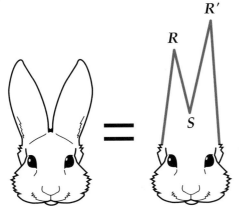

그림 5-21. V₁에서 우각차단의 RSR`군단

© Jones & Bartlett Learning.

백만개의 작은 형태 변화를 보인다. 결과적으로 이 세상의 토끼 귀들이 수많은 형태를 가지고 있듯이 RSR' 그리고 분명치 않은 S파형이 수만 개의 다른 모양으로 보일 수 있다(**그림 5-22**).

이것이 우리에게 다음과 같은 귀중한 지혜를 깨닫게 한다 : 우각차단을 진단하기 위해 토끼 귀에 의존하지 마라! 때때로 유도 V_1에서의 QRS군은 전혀 토끼 귀처럼 보이지 않고 단지 큰 R파형이나 작은 혹을 가지는 R파형으로 보일 수 있다. 그래서 명백한 토끼귀가 보이지 않을때, 우각차단을 놓칠 수 있고 심전도를 해석하는데 치명적인 착오를 불러 일으킬 수 있다. 우각차단을 진단하지 못하여 환자가 사망하거나 고소당하기도 한다.

유도 V_1을 관찰하는데 있어서 가장 중요한 것은 항상 양성군이라는 것이다. 우각차단이 있다면 -다시 반복한다- 음성군은 절대로 볼 수 없다는 것이다. 왜냐하면 이것은 반대가 없는 벡터이므로 명확하게 양성군으로만 나타나기 때문이다.

V_1의 양성군 이외에 우각차단을 진단하기 위해 살펴보아야 하는 것은 무엇인가? 바로 유도 I과 V_6에서 관찰되는 분명치 않은 S파형이다. 항상 분명치 않은 S파형을 탐색하자. 이것은 RSR' 군보다 일관된 경향이 있다. 이는 다른 책들에서 토끼 귀에 의존하라고 권장하는 것과는 반대이다. 만약 QRS군이 0.12초보다 길면 분명치 않은 S파와 함께 V_1에 양성군이 있는지 관찰하라. 확실한 토끼 귀 모양이 있다면 더욱 진단이 쉬울 것이다.

우각차단의 진단 기준

심전도의 박동수를 계산할 때 간격을 측정하는 것에 익숙해져야 한다. 항상 가장 넓은 유도를 측정하여야 한다. 만약 0.12초와 같거나 보다 넓은 QRS군이 있다면 각차단을 생각해 볼 수 있다.

다음 단계로 찾아볼 것은 I과 V₆에서의 불분명한(slurred) S파형이다. 만약 S 파형이 QRS군의 첫 부분보다 뚱뚱하고 모양이 불분명한 S파형이면 그것은 우각차단이라고 확신해도 좋다.

이제 V₁을 살펴보자. 모양에 상관없이 양성군이 있다면 확실히 우각차단을 발견한 것이다. 이 방법은 간단하고도 빠르며 매우 정확하다! **그림 5-23**에 우각차단을 확인하는 순서를 요약하였다. 아래의 리스트는 3가지 진단 기준이며 **그림 5-24**는 이것을 심전도 삽화로 나타내었다.

1. QRS 연장 ≥ 0.12초
   불분명한(slurred) S파형(I과 V₆)
   유도 V₁의 RSR' 패턴

좌각차단

다음 문구를 기억하기 바란다. 규칙적인 율동을 가진 심전도를 보면서 "어머나 정말로 괴상한 심전도네!"하였다면 아마도 좌각차단을 보고있는 것이다. 좌각차단은 QRS군이 항상 0.12 초 이상이다. 그렇다면 어떤 요소가 그토록 심전도를 이상하게 만드는 것인가? 좌각차단은 단일 형태의 박동군으로 구성되며(모두 상향이든지 모두 하향이던지) ST 하강이나 상승이 있고 넓은 T파형이 있을 것이다. T파형은 항상 반대방향일 것이다(discordant). 이것은 QRS 마지막 부분과 T파가 전기적으로 서로 다른 방향이라는 것을 뜻한다. 다시 말해서 QRS군이 양성이면 T파는 음성이고, 그 반대도 역시 그렇다. 만약 서로 같은 방향을 가리킨다면 이것은 '일치'라고 한다. 이것은 어떤 병적인 상태가 진행

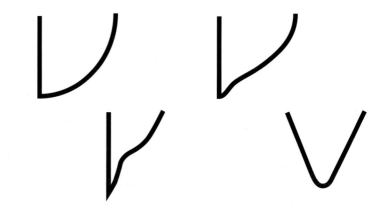

그림 5-22. 여러가지 모양의 불분명한(slurred) S 파

© Jones & Bartlett Learning.

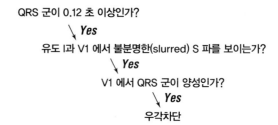

그림 5-23. 우각차단의 진단 과정

© Jones & Bartlett Learning.

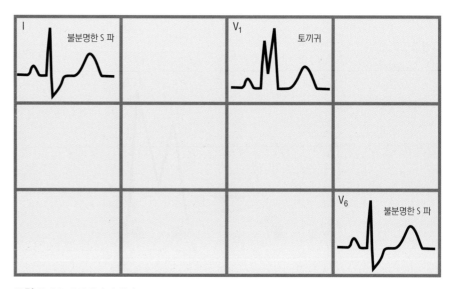

그림 5-24. 우각차단의 심전도

© Jones & Bartlett Learning.

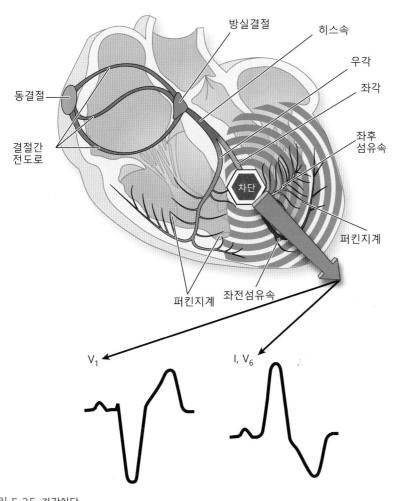

그림 5-25. 좌각차단

© Jones & Bartlett Learning.

설명

좌각차단의 형태는 허공으로 던져진 돌과 같다. 항상 올라가거나 떨어진다.

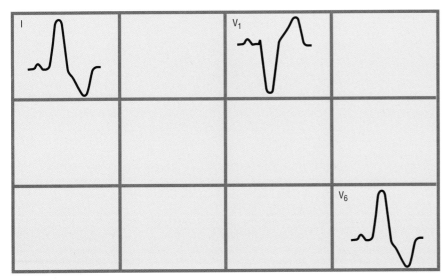

그림 5-26. 좌각차단의 심전도

© Jones & Bartlett Learning.

하고 있다는 것이다. 이런 모든 것들의 결과가 "노트르담의 꼽추" 심전도이다.

좌각차단을 일으키는 병변은 좌각의 차단이나, 좌각의 양쪽 섬유속 차단이 생긴 경우이다. 이런 차단이 발생하면 우각으로 전기 전도가 먼저 흐르게 된다. 심실의 탈분극은 세포 대 세포 전도에 의해 오른쪽에서 왼쪽으로 발생한다(**그림 5-25**). 좌심실이 너무 크고 전도가 지연되기 때문에 0.12초 이상이 기준이며 우각차단처럼 초기 파형이 날카롭지 않다. 이러한 느린 전도와 예리하지 않은 벡터에 의해서 좌각차단에서 전형적으로 나타나는 넓고 단일한 형태의 QRS군을 만든다. 벡터가 우측에서 좌측으로 진행하므로 유도 V_1, V_2에서 QRS는 하향을 보이고 Ⅰ, V_5, V_6에서는 상향을 보인다. 다시 말해, V_1과 V_6의 QRS군은 모두 하향 혹은 상향을 나타낸다(**그림 5-25**)(노트: V_1과 V_2에서는 우각의 전도에 의해서 발생하는 초기 벡터에 의해서 작은 r파를 보일 수 있다).

우각에서 생기는 벡터는 작고, 좌심실의 큰 벡터에 의해서 상쇄되기 때문에 QRS군의 모양은 사람들마다 비슷하다. 그래서 우각차단 보다는 쉽게 인식할 수 있다. V_1과 V_6의 형태를 기억해 두자. QRS군이 넓고, 단일한 형태이며, 모두 상향 혹은 하향인 경우, 좌각 차단을 확인한 것이다!

좌각차단의 진단기준

우각차단처럼 좌각차단에도 3가지 주요 진단 기준이 있다(**그림 5-26**).

1. 기간 ≥ 0.12초
2. 유도 Ⅰ과 V_6에서 Q파가 없는 단일 형태의 넓은 R파
3. 유도 V_1의 단형의 넓은 S파; 작은 r파를 가지는 경우도 있음

인생에서 확실한 것은 없듯이 심전도 파형에도 확실한 모양은 없다. 대개 앞에서 언급했듯이 모든 좌각차단은 서로 비슷하다 -다른 어떤 타입의 심전도보다 박동군의 형태가 비슷하다. 그러나, 몇몇의 복합체들은 다양한 작은 차이점들이 있을 수 있다. 예들 들어 R파는 V₆에서 "파임(notch)"을 가질 수 있다(**그림 5-27**). 이것은 RSR' 패턴으로 가끔 잘못 받아들여지기도 하지만, RSR'이 아니다! 토끼 귀 모양은 RBBB와 관련이 있고 V₁에서 나타나지 V₆에서 나타나지 않는다는 것을 기억하라.

또한 V₁에서 R파의 크기에도 다양성이 나타날 수 있다. 예를 들어, R파가 0.03초 미만으로 좁을 수 있다(**그림 5-27**). 넓은 R파는 이전의 후벽 심근경색증의 징후일 수 있다. 이에 관하여는 나중에 언급할 것이다.

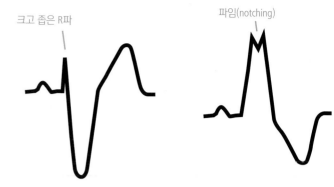

그림 5-27. 정상으로부터의 몇 가지 변이들이다. 변이는 여기 두 가지 그림에 한정되지 않는다.

© Jones & Bartlett Learning.

단원 복습

1. 전체 심전도는?

   A. 3초의 길이다.

   B. 6초의 길이다.

   C. 9초의 길이다.

   D. 여러가지이다.

   E. 아무것도 아니다.

2. 전기축이라 함은 심실 근육세포의 모든 활동 전위 벡터의 합이다. (맞다 / 틀리다)

3. 정상 사분면을 언급할 때 옳은 것은?

   A. 유도 I에서 양성이다.

   B. 유도 aVF에서 양성이다.

   C. 둘 다 맞다.

   D. 둘 다 틀리다.

4. 좌측 사분면에 대하여 언급할 때 옳은 것은?

   A. 유도 I은 음성이다.

   B. 유도 aVF는 양성이다.

   C. 둘 다 맞다.

   D. 둘 다 틀리다.

5. 우측 사분면에 대하여 언급할 때 옳은 것은?

   A. 유도 I은 음성이다.

   B. 유도 aVF는 음성이다.

   C. 둘 다 맞다.

   D. 둘 다 틀리다.

6. 극단적 우측 사분면에 대해서 언급할 때 옳은 것은?

   A. 유도 I 은 음성이다.

   B. 유도 aVF 는 음성이다.

   C. 둘 다 맞다.

   D. 둘 다 틀리다.

7. RSR' 군은 모두 형태가 비슷하기 때문에 우각차단을 진단하는데 필요한 것은 V1에서 이것이 있음을 확인하는 것뿐이다. (맞다 / 틀리다)

8. 우각차단 진단의 주요 세 가지 진단 기준은?

   A. QRS ≥ 0.12초

   B. I, V6 에서의 불분명한 S파

   C. V1에서 RSR'

   D. 세 가지 모두 맞다.

   E. 세 가지 모두 다 아니다.

9. 우각차단에서 V₁ 혹은 V₂에서 음성군이 있을 수 있다. (맞다 / 틀리다)

10. 좌각 차단의 주요 진단 기준에 포함되는 것은?

    A. QRS ≥ 0.12초

    B. 유도 I, V₆에서의 넓고 단일 형태의 S파

    C. V₁에서의 넓고 단일 형태의 R파

    D. 모두 맞다.

    E. 모두 다 아니다.

제 6 장

그 밖의 심전도 소견들

목표

1. 허상과(artifact) 실제 병소를 구분 가능해야 한다.
2. 조기수축에 대해 이해한다.
3. 이탈 박동에 대해 이해한다.
4. 실제 리듬 이상과 다른 사건에 의한 불규칙 리듬을 구분한다.
5. 이소성 맥박의 근원을 찾는다.
6. 편향 전위의 여러가지 예들을 이해한다.
7. 융합(Fusion)의 개념을 이해한다.

이 단원에서, 두 가지 주제에 집중할 것이다. (1) 벡터와 형태 (2) 융합(fusion) 의 개념

이 두 개념 모두 벡터와 관련이 있다. 나머지 개념들은 이해하기 쉬울 것이다. 벡터의 분석에 대한 강의는 종종 얼 버무리고 넘어가는 경우가 많은데, 우리는 그러한 오류를 범하지 않을 것이다.

벡터와 형태

4 장에서 벡터의 개념에 대해 소개하였다. 이는 전기적 힘의 합으로 나타난다. 이를 통해, 정상 P파의 모양과 심방 이소성 맥의 차이를 쉽게 알 수 있었다. 이 단원에서도 벡터를 다룰 것인데, 기억해야 할 것은 같은 곳에서 시작하는 파형은 같은 모양을 갖는다는 것이다. 다른 모양을 보인 다는 것은, 다른 곳에서 기인했거나 방향이 다른 경우가 될 것이다.

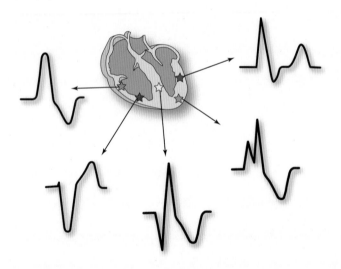

그림 6-19
© Jones & Bartlett Learning.

그림 6-19를 보자. 이 그림에서 다양한 이소성 심실맥 의 여러 모양을 보여주고 있다. 모두 심근세포에서 기인하 기 때문에, 정상 전도로를 통해 전도가 이루어지지는 않는 다. 따라서, 파형은 넓어지고 세포 대 세포로 전달되기 때 문에 탈분극되는데 더 많은 시간이 걸린다. 따라서 파형의 모양도 이상해진다. 동기화가 없다는 것은 심전도 모양만 이상하게 만드는 것이 아니라, 심근 수축 자체도 뒤뚱거리 게 만든다. 이로 인해 심근 수축력 또한 감소할 수 있다.

중요한 점은 : 이소성 맥은 항상 양성질환에서만 보이는 것이 아니다.

융합군

융합은 전형적으로 2개의 전기 자극이 동시에 나타날 때 보이게 된다. 이 2개의 자극이 서로 경쟁하여 기계에 동 시에 기록되게 된다. 기계는 2개를 동시에 표기할 수 없기 때문에, 2개의 자극을 융합하여 보여주게 된다. 보통 2개 의 자극이 다른 곳에서 나타날 때 보여진다. P on T 현상이 그 예이다. 심실의 재분극이 심방의 수축과 동시에 일어나 면, P 파는 T파에 묻혀서 나타날 것이다.

융합은 기계적인 수축이 동시에 일어날 때 보인다. 정상 전도로를 통한 전기 자극과, 이소성 심실에서 기인한 전기 자극이 동시에 일어날 때, 융합으로 나타나게 된다.

기억할 점은 : 융합군에서 어떠한 일이 벌어지고 있는지 항상 이해해야 한다. 양성 질환부터 치명적인 질환까지 있 을 수 있다.

—*Daniel J. Garcia*

들어가며

우리가 실제 환자의 심전도를 보고 각각의 부정맥에 대해 깊이 있게 배우기 전에, 지속적으로 필요하게 될 몇몇 개념들에 대해 살펴보자. 우리는 일반적인 용어를 사용함으로서 이러한 이슈를 다루고 심전도 평가를 최대한 단순화 시킬 것이다.

많은 책에서 특정한 율동 기록지를 보여주면서 이러한 주제들을 이야기하고 있다. 이 책에서는 심전도 율동 기록지를 분석하면서 일상적으로 볼 수 있는 주제들을 알아보고, 그런 다음 드문 주제들을 알아볼 것이다. 몇몇 일반적인 율동들이 이해하기 쉽지 않을 수도 있지만 구별할 수 있도록 하는 것이 필요하다.

이 장에서 포함하는 주제에는 허상(artifact), 조기박동, 여러 종류의 휴지기, 이소성 병소, 회귀, 편위전도(aberrancy)들을 포함한다. 이 장에서는 단지 소개만 하고 넘어간다는 것을 유념하기 바란다. 각각의 주제들의 세부사항은 이 책의 임상적인 부분에서 다루어질 것이다.

허상

허상은 환자의 생체전기적인 자극 이외에 심전도나 율동 기록지의 기준선에 나타나는 거짓 이상이다(**그림 6-1**). 이런 이상 반응의 원인은 환자 신체 일부의 움직임, 전기 유도의 움직임, 근육 경련, 외부 전기 장비에 의한 방해 등이 될 수 있다.

많은 경우에 허상은 쉽게 식별되고 배제된다. 그러나 때로는 허상이 환자의 율동이나 부정맥으로 잘못 인식될 수 있다. 이런 경우에 율동을 오진하게끔 하여 부적절하고, 때로는 위험하며, 불필요한 치료가 시행되기도 한다.

그림 6-2와 같이 전체 율동 기록지가 허상으로 나타날 수 있다. 이런 경우에 임상의는 심실빈맥으로 알려진 아주 위험한 부정맥으로 쉽게 오진할 수도 있다. 때로는 허상이 **그림 6-3**처럼 아주 짧은 시간 동안만 나타날 수도 있다. 그런 율동 이상을 간단하게 확인하기 위한 방법은 모니터에 표시되고 있는 유도를 바꾸는 것이다. 종종 허상은 오로지 한 유도에서만 나타나기 때문이다. 만약 의문이 남는다면, '부정

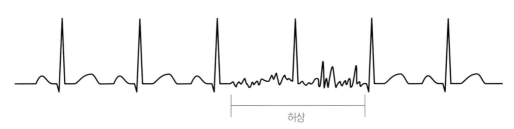

그림 6-1. 유도의 전선이 움직여서 만들어진 허상으로 인해 율동을 잘못 진단할 수 있다.
© Jones & Bartlett Learning.

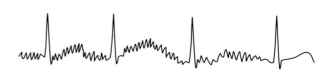

그림 6-3. 가전제품의 간섭이 허상의 원인이 되었다. 기계를 끈 후에 기저선이 정상으로 돌아왔다.
© Jones & Bartlett Learning.

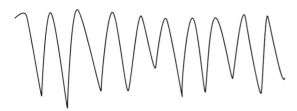

그림 6-2. 이 환자는 아이와 레슬링을 하고 있었다. 유도의 움직임때문에 환자에게 심실빈맥이 있는 것처럼 보인다. 환자가 움직임을 멈추었을 때 정상 율동으로 돌아왔다.
© Jones & Bartlett Learning.

그림 6-4. **이 환자는 무수축 상태가 아니다.** 유도가 흉부에서 떨어졌다. 이상할 때는 환자를 관찰해 보자. 심장 무수축 상태로 앉아 있거나 음식을 먹을 수는 없다. 항상 부정맥의 동반소견을 살펴야 한다.
© Jones & Bartlett Learning.

맥의 동반 소견들'(**그림 6-4**)을 생각하자. 부정맥 발생 시 아무런 징조가 없는 경우는 없기 때문이다. 행동의 방향을 결정하기 전에, 환자의 상태와 임상적인 양상을 살펴보도록 한다.

어떤 것이 허상이고 어떤 것이 율동의 정상적인 형태인지 말할 수 있는 쉬운 방법은 없다. 불행하게도, 이런 요령을 체득하기 위해서는 율동 기록지 판독에 많은 시간과 경험이 필요하나. 시혜라는 난어는 항상 무엇이 비성상인가를 살펴보고 이점에 집중하는 것이다. 보통 그것이 정답이 존재 하는 곳이다. 단지 그것이 허상이라 할지라도 말이다.

조기 박동군

조기 박동군은 예정보다 일찍 발생하는 것을 말한다. 박동군이 율동 기록지에 나타나야 할 곳에 비해 미리 혹은 조기에 나타나는 것이다. 조기 박동군은 율동의 운율을 깨뜨린다. **그림 6-5**를 보자. 조기 박동군을 발견할 수 있는가? 그것은 기록지의 여섯 번째 노란 직사각형으로 표시되어 있다.

조기 박동군은 그 기원이 동결절, 심방, 접합부, 심실일수가 있다. 박동군의 모양은 그 기원 위치를 반영한다.

우리가 조기성이란 주제를 이야기하면서 규칙적인 간격으로 재발되는 조기 박동군과 관련되어 자주 보게 되는 몇몇 용어들이 있다. 만약 조기 박동군이 매 두 번째 박동마다 나타난다면, 우리는 이런 형태를 이단맥(bigeminy)이라고 부른다(**그림 6-6**). 만약 조기 박동군이 매 세 번째 박동마다 나타난다면, 우리는 그것을 삼단맥(trigeminy)이라고 부른다. 또한 쉽게 짐작할 수 있는 것처럼 네 번째 박동마다 나타나는 것은 사단맥(quadrigeminy) 이다. 이런 율동들의 일반적인 경향은 조기 박동군의 일련의 반복적인 발생이다.

이탈 박동군과 율동

이탈 박동군은 조기 박동군의 반대말이다. 율동의 운율에서 늦게 발생한다(**그림 6-8**). 이탈 박동군의 발생에 대해 이해하기 위해서는 모든 심장 조직이 잠재적인 심박동기 기능을 수행할 수 있다는 것을 기억해야 한다. 동결절은 가장 빠른 박동 주기를 가지며, 심실 근육이 가장 느리다(**그림 6-9**). 어떤 이유로 인해 1차 박동기가 작동하지 않을 때, 다음 박동기가 그 주된 역할을 이어받을 것이다.

이러한 고장에 대한 안전장치가 있는 심조율체계가 존재

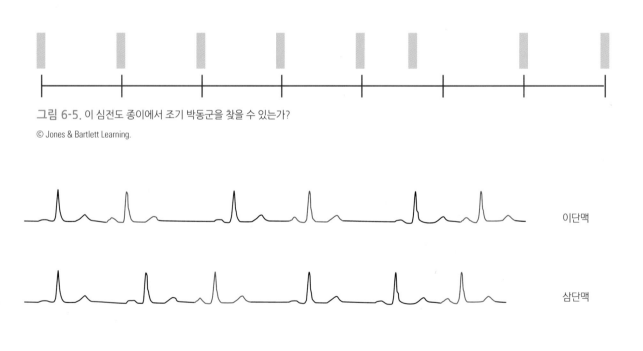

그림 6-5. 이 심전도 종이에서 조기 박동군을 찾을 수 있는가?
© Jones & Bartlett Learning.

이단맥

삼단맥

사단맥

그림 6-6. 상심실성 이단맥, 삼단맥, 사단맥의 예시
© Jones & Bartlett Learning.

부정맥과 사건

이 시점에서 몇 가지 용어를 되짚어 볼 필요가 있다. 심장 율동이란 심장의 박동군이 발생하는 율동(cadence) 혹은 연속(sequence)을 말한다. 심장의 율동은 정상 혹은 비정상일 수 있으며 이것이 반드시 병적인 과정을 의미하는 것은 아니다. 정상적으로 동결절은 조율기 역할을 하며 자극이 정상 전기전도계를 따라 내려가서 심방과 심실을 순차적으로 자극한다.

부정맥이란 병적인 성격을 가진 심장 율동을 말하며, 정상적인 과정과 다르게 생성되고 전달되는 것이다. 부정맥은 동결절 이외에서 발생할 수 있으며, 정상 전도체계 이외에 다른 경로를 통해서도 전달된다. 심박동수는 정상범위를 벗어날 수 있으며, 혈역학적 안정적이기도 하며, 혹은 불안정한 상태를 만들기도 한다. 빠르거나 혹은 느리고, 넓은 군이거나 혹은 좁은 군이다.

우리는 원래 율동을 순간적으로 변화시키는 심장 사건의 율동과 일반적인 율동과의 차이를 이해해야 한다. 명확하게 판독 가능하고 규칙적인 운율을 가진 기록지를 가지고 있다고 가정해 보자. 갑자기 심장의 다른 조율기가 흥분하여 조기에 점화

된다. 율동의 운율은 이 사건에 의해서 변경되지만 새로운 부정맥은 아니다(**그림 6-7**). 이것은 조기 박동군을 가지는 정상적인 율동이다. 하나의 사건은 율동이 아니라는 것을 항상 기억해 두도록 하자.

왜 이런 구분을 할 필요가 있을까? 대개 초보 임상의들은 율동 그 자체가 아니라 사건에 집중하는 경향이 있다. 보통 혈역동학적 위험을 야기하는것은 부정맥이지 하나의 사건이 아니다. 다른 경우를 예로 들어 생각해보자. 응급의학과는 외상환자의 치료에 관여하게 되는데, 외상환자들 중에 시각적으로 가장 인상적인 것 중에 하나가 두피 열상이다. 대개 얼굴을 타고 흐르는 출혈을 야기하며 매우 극적으로 보인다. 그러나 얼마나 많은 사람들이 사실상 두피 열상으로 사망하는가? 아주 아주 드물다. 반면에 간의 열상은 시각적으로 인상적이지 않지만 종종 사망의 원인이 된다. 임상의들은 일견 극적으로 보이는 두피 열상을 제쳐주고 환자를 사망에 이르게 할 수 있는 둔상에 대해 집중할 필요가 있다. 부정맥 또한 같은 방식의 접근 방법이 필요하다. 율동에 집중하고 하나의 사건은 인식만 하고 있으면 된다.

사건

그림 6-7.

© Jones & Bartlett Learning.

하는 이유는 만약 하나의 박동기가 작동하지 않으면 다른 박동기가 심장이 계속해서 뛰도록 하여 심정지로 인해 사망하지 않게 하기 위해서이다. 이탈박동군은 주 율동을 담당하는 박동기가 작동하지 않아서 다음 것으로 그 역할이 넘어가서 나타난다. 이것은 하나의 박동만 발생할 수도 있고 필요한 만큼 상당한 기간 동안 발생할 수도 있다.

이탈율동은 주 박동기가 긴 시간 동안 작동하지 못할 때 발생한다. 그러면 다음 박동기가 심장 조율 기능을 이어 받

아서 수행할 것이다.

이소성 병소와 모양

기본 박동에 대해서는 4장에서 깊이 다루었다. 이번 장에서는 심장에서 박동군이 기원한 위치에 따른 다양한 모양에 대해 다룰 것이다. 박동군의 주 조율기의 위치 혹은 초점이 박동군의 형태를 결정한다. **그림 6-10**에서 특정 병소

그림 6-8. 이탈 박동군

© Jones & Bartlett Learning.

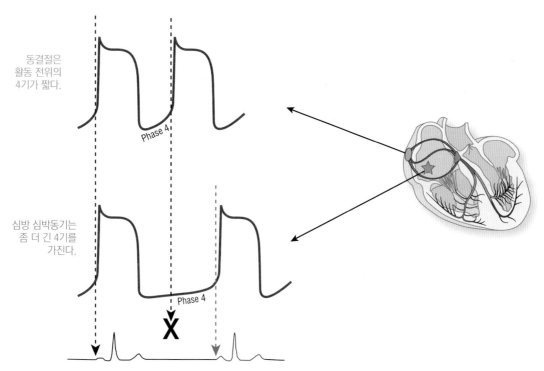

그림 6-9. 심방의 심박동기가 예정된 시점에 박동을 하지 않았을 때, 다음 심박동기가 스케줄에 따라 심박동을 만든다. 이것이 이탈박동군을 만든다. (파란 화살표)

© Jones & Bartlett Learning.

(focus)의 위치와 그와 연관된 형태적 특징에 대한 전반적인 개념에 대해 알아보도록 하자.

심전도 박동군의 형태에 영향을 미치는 요소들은 많다.

그 중 주된 것은 실질적인 조율기의 위치와 심장 전체에 탈분극을 야기하는 자극의 전달 경로이다. 이들 주제는 다음 장에서 훨씬 세부적으로 논의될 것이지만, 지금은 개관만

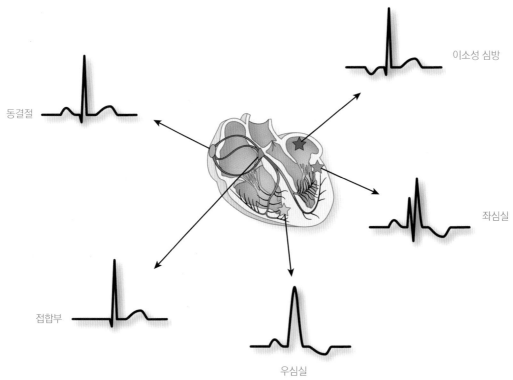

그림 6-10. 이소성 병소와 각각의 박동군 형태

© Jones & Bartlett Learning.

살펴보도록 하자.

이소성 심방 지점은 P파의 변화로 나타난다. 4장의 내용을 기억해보면, 전극을 향해서 오는 양성 벡터는 심전도에서 양성파로 나타나며(**그림 6-11**), 전극의 반대 방향을 향하는 양성 벡터는 심전도에서 음성파로 해석된다(**그림 6-12**). 벡터는 형태를 지시한다. 심장에서 탈분극파의 방향은 벡터의 방향과 크기로 나타난다.

이소성 병소가 조율기로 작동하게 되면 주 심방 벡터의(p wave axis) 크기와 각도가 동결절에서 기인한 것과 다를 것이다. 간단하게, **그림 6-12**는 좌심방의 하부에서 기원하여 상방, 후방 그리고 우측으로 주행하는 벡터를 관찰할 수 있다. 이 벡터는 Ⅱ, Ⅲ, aVF에서 보면 멀어져 가는 것이고 완전 음성이나 역위된 P파로 보일 것이다. 다양한 이소성 조율기가 가능하며 따라서 매우 많은 수의 P파 형태가 가능하다. 임상적으로 중요한 것은 이소성 P파가 동성 P파와는 형태학적으로 모두 다르다는 것이다. 이러한 차이점을 찾아내는 것이 올바른 진단의 열쇠이다.

이제, 방실결절을 알아보자. 박동군의 일차적인 조율기로서 방실결절이 작동하면 다음 두 가지 중 하나가 발생한다.: (1) P파가 없다. 혹은 (2) Ⅱ, Ⅲ, aVF에서 P파가 항상 역위이다.

1장에서 우리는 방실결절이 심방과 심실 사이의 유일한 연결 통로라는 것을 알아 보았다. 만약에 방실결절이 없었다면 심방과 심실은 실질적으로 완전히 서로를 염두에 두지 않고 따로 따로 기능을 하였을 것이다. 방실결절은 앞뒤로 진행하는 자극 전달을 담당한다. 문이 열리면서 자극이 심방과 심실사이에서 앞뒤로 전달되고, 문이 닫히면 이 둘 사이에 자극 전달이

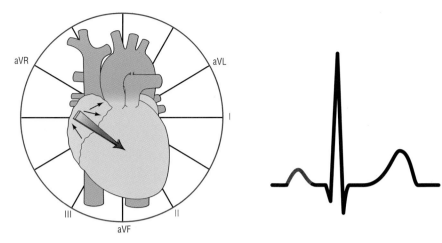

그림 6-11. 이 그림에서 P파의 벡터는 아래쪽으로, 뒤로, 그리고 왼쪽으로 향하고 있다. 유도 I과 II는 이를 향해서 다가오는 양성 벡터를 보이게 되므로, 양성 P 파로 나타난다.

© Jones & Bartlett Learning.

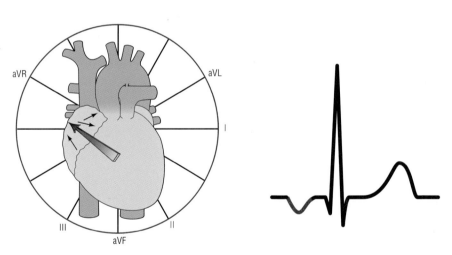

그림 6-12. 이 그림에서는 P파의 벡터는 위쪽, 뒤, 오른쪽을 향하고 있다. 유도 I과 II에서 멀어지는 방향의 벡터로, P파는 음성으로 나타난다.

© Jones & Bartlett Learning.

차단되는 것을 알아보았다.

이제, A와 V구역으로 나뉜 양쪽 측면에 물을 담은 크고 텅 빈 용기 하나가 있다고 가정해보자(**그림 6-13**). 둘 사이에 물이 뒤로 이동하는 것을 막는 댐 같은 역할을 하는 벽이 가운데에 있다. 댐은 그 구역들 간에 물이 앞뒤로 이동하도록 개방할 수 있는 두 개의 문이 있는 중앙 잠금 장치가 있다. 2개의 문 사이의 잠금 장치를 물로 채운다고 가정해보자(**그림 6-14**). 만약 오른쪽에서 문을 열면 무슨 일이 발생하겠는가? 물은 V구역으로 흐를 것이며 A구역은 건조하며 V구역에서 일어나는 홍수에 대해 인식하지 못할 것이다.

이와 같은 일이 방실결절이 일차 박동기로 작용할 때 발생할 수 있다. 접합부 지점에서 자극 이 시작되며 이것은 잠금 장치를 물로 채우는 것과 동일한 맥락이다. 다음 단계에서 문의 오른쪽이 열리고 V 구역이 물로 채워지는 것이다(**그림 6-15**). 접합부에서 기시한 자극은 전기 전도 경로 아래로 전달되어 심실의 정상적인 탈분극을 유도한다(**그림 6-16**). 이것은 심전도 상에서 P파가 없는 정상 모양의 QRS군으로 나타난다. 방실결절이 자극을 심방으로 역행전도하지 않기 때문에 P파는 나타나지 않는 것이다. 이를 다르게 비유하자면, 문의 왼쪽은 열리지 않은 것이다.

이는 방실결절이 접합부에서 발생한 자극이 심방 내로 거꾸로 전달되는 것을 허락하지 않을 때 발생하는 것이다. 이것은 하나의 가능성이고 이제 또 다른 가능성에 관심을 돌려보자.

잠금 장치에 있는 두 개의 문이 동시에 열린다고 가정해보자. 잠금 장치 내의 물은 어떻게 되겠는가? 동시에 두 개의 구역으로 흐를 것이다(**그림 6-17**). 접합부 병소가 조율기로 작동할 때, P파와 QRS군은 동시에 둘 다 형성되어 P파는 묻혀 버릴 것이다(**그림 6-18**). QRS군의 형태는 약간 변하거나 혹은 정상으로 나타날 것이다.

만약 접합부가 방실결절의 심방 측에 더욱 근접에 있다면 심방 내로의 역전도가 심실 탈분극보다 더 빨리 발생할 것이고 P파는 심주기에서 더 빨리 나타나게 될 것이다. 이것은 형태적으로 짧은 PR간격을 야기한다.

심실의 이소성 병소

우리는 심방의 이소성 병소들과 방실결절이 1차 심조율기로 작동하는 경우 어떻게 박동군들의 형태 변화가 야기되는지 살펴보았다. 이제 심실이 이소성 병소로 작동할 때는 어떤 일들이 발생하는지 알아보자.

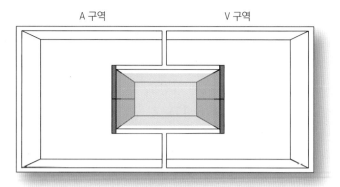

그림 6-13. 중간 잠금장치와 중간에 2개의 문이 있는 큰 컨테이너가 있다. 문과 잠금장치는 컨테이너 양쪽의 통제된 소통을 하게 한다.

© Jones & Bartlett Learning.

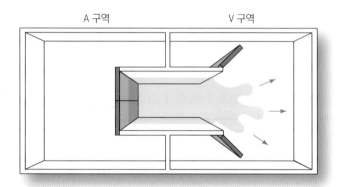

그림 6-14. 만일 컨테이너의 중간에 있는 잠금 장치가 물로 차 있고 오른쪽 문이 열린다면, 물은 아마도 V 구역으로 흘러들어 구역 전체에 골고루 퍼질 것이다.

© Jones & Bartlett Learning.

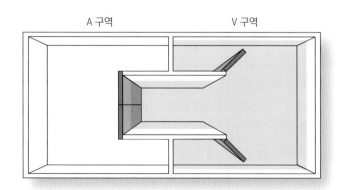

그림 6-15. 우측 문이 열리고 내용물이 나와 V 구역을 채우게 된다.

© Jones & Bartlett Learning.

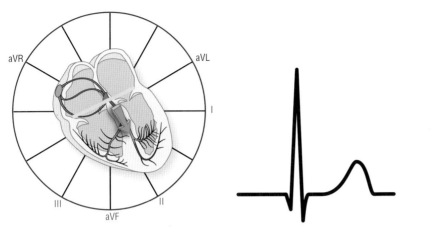

그림 6-16. 접합부 병소에서 기원한 자극은 정상적인 전도체계를 통해 전도된다. 심실은 정상적으로 탈분극되어 정상 형태의 QRS군을 만든다.

© Jones & Bartlett Learning.

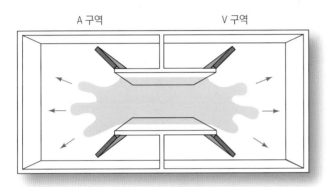

그림 6-17. 잠금장치의 양쪽 문이 동시에 열린다고 생각해보자. 물은 양쪽 방으로 동시에 흘러 들어가게 된다. 방실결절에서는 이 같은 현상이 발생하면 P파가 빨리 발생하거나 혹은 QRS군과 동시에 발생하게 된다(QRS군에 P파가 묻히게 된다).

© Jones & Bartlett Learning.

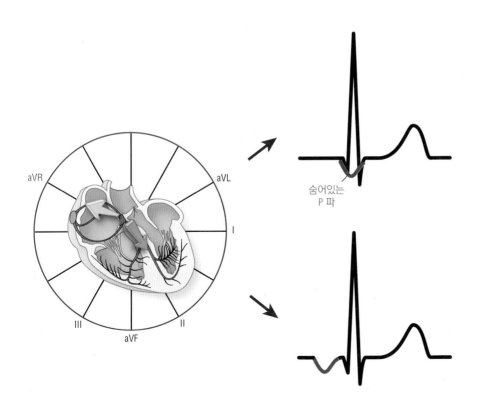

숨어있는
P 파

첫 번째 알아두어야 하는 것은 심실의 어떠한 이소성 병소라도 매우 넓고, 이상하게 보이는 QRS군을 생성할 수 있다는 것이다(**그림 6-19**). 덧붙여서 심실의 병소 위치는 형태를 변화시키는 고유의 방식이 있다. 심전도 형태는 벡터에 의해서 결정된다는 것을 숙지하고 있다면 이러한 변화들은 더욱 쉽게 이해할 수 있을 것이다. 어떻게 이런 현상이 발생하는지 살펴보자.

이 책에서 배웠던 정보와 상상력을 동원하여 그 과정을 풀어내 보도록 하자. 심실이 정상적으로 어떻게 탈분극 되는가? 자극은 전기 전도 경로를 타고 내려와, 히스속, 좌우각 분지로 전달되며, 최종적으로 퍼킨지 시스템에 도달한다. 퍼킨지 시스템은 다음으로 인접한 근섬유를 자극한다. 여기서부터는 하나의 근섬유가 인접한 다른 근섬유를 자극하고 이후의 나머지 심실 탈분극은 세포 대 세포의 직접 자극으로 발생한다. 첫 번째 근섬유 세트에 의한 조직적이고 연속적인 자극이 좌심실과 우심실에 동시에 나타나게 되면, 심실 탈분극 과정의 시간을 줄이고, 정상적이고 보기 좋은 QRS군을 만들게 된다. 이소성 병소가 일차 심박동기로 작용하는 경우에는 어떤 일이 일어날까? 전기전도계의 자극이 동시에 일어나서 양측 심실이 동시에 탈분극을 일으키는가? 정답은 '아니오'이다. 이소성 심실 병소에서 자극이 발생하면 단지 이소성 병소와 직접 연

그림 6-18. 만약 접합부 병소가 박동군의 주요 심조율기로 작동하게 되면, PR 간격은 짧아지게 되거나 혹은 QRS군에 묻히게 될 것이다. P파의 형태는 유도 II, III, aVF에서는 뒤집혀 보이는데, 이는 접합부 박동군에서 심방으로 역행성 전도에 의해 벡터가 형성되기 때문이다.

© Jones & Bartlett Learning.

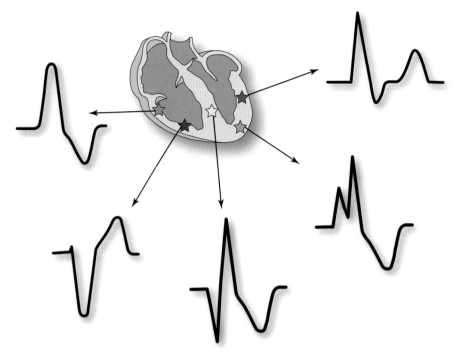

그림 6-19. 심실성 이소성 병소에서 심박동이 생성되는 경우, 넓고 이상한 모양의 QRS군을 만들어낸다. 여러 가지 모양의 QRS 모양을 그림에 보여주고 있는데, 실질적인 QRS 모양은 이소성 병소의 위치에 의해 완벽히 예측할 수는 없다. 또한 유도에 따라서도 형태가 다르게 나타난다.

© Jones & Bartlett Learning.

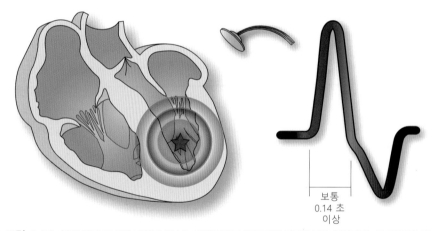

그림 6-20. 붉은 별로 표시된 과민한 병소는 심박동기로 작용하여 전기자극을 형성한다. 이 탈분극파는 세포 대 세포의 직접 전달에 의해 퍼져나가 양측 심실에 전달된다. 탈분극파와 박동군의 색깔 구분을 주의 깊게 살펴보자.

© Jones & Bartlett Learning.

결되어 있는 인접 세포만이 탈분극하게 된다. 이 세포들이 자극을 만들면 단지 주변의 근섬유만 다시 흥분되며 이것이 반복된다. 이것을 세포 대 세포의 직접 자극 과정이라 하며 동시적인 기계적 수축을 일으키지 못한다. **그림 6-20**에서 세포 대 세포 탈분극 파는 이소성 병소에서 외부로 방출되는 동심성 파형들로 표시하였다.

그렇다면 이런 세포-대-세포의 직접 전달이 일어나면 심전도 상에서 심실 탈분극 파형의 모양은 어떻게 되는가? 모양은 벡터에 따라 다르겠지만, 분명히 느린 전도에 의한 넓은 파형으로 나타난다. 탈분극파의 동시적인 전도는 보기 좋고, 깔끔한 QRS군을 형성한다는 것을 명심하자. 이소성 병소는 매우 느린 비동시적인 탈분극을 유발시킨다. 심전도

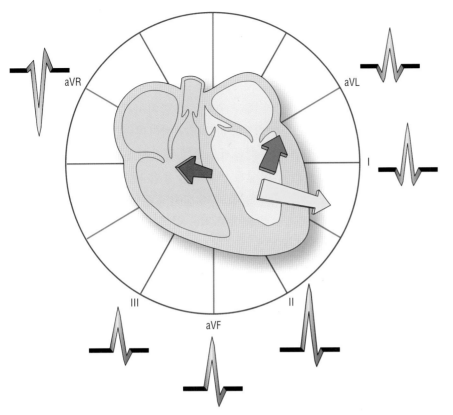

그림 6-21. 전기 전도계에 의한 심실의 동시 탈분극은 3개의 주된 벡터를 만들어 낸다. 첫 번째는 Q파, 두 번째는 노란색 화살표인 R파, 세 번째는 파란색 화살표인 S파를 만들어 낸다. 이 3가지 벡터는 QRS군에 각각의 색으로 나타냈다.

© Jones & Bartlett Learning.

그림 6-22. 홍수로 불어난 물이 가로막힌 곳을 건들이게 된다. 물은 필히 막힌 곳 주변의 길을 찾아내서 난류와 느리고 비정상적인 흐름을 만들어 낸다.

© Jones & Bartlett Learning.

에서 시간은 수평 방향으로 표시됨으로 박동군은 넓은 모양을 나타내게 된다.

이제 왜 파형이 기이하게 나타나는지 알아보자. 정상적인 상황에서는 양쪽 심실에서 동시에 탈분극이 일어나면 거의 동시에 3개의 벡터가 형성된다(**그림 6-21**). 이러한 벡터들은 ECG상에서 QRS군을 형성한다. Q파, R파, S파. 심실 조율기에서 자극이 만들어지면, 3개의 동일한 특징적 벡터를 만들게 되는가? 아니면 아무렇게나 나타나는 벡터의 시리즈로 나타나는가? 답은 아무렇게나 배열된 모양이다. 이러한 벡터들의 어떻게 시간적으로 정렬하는가에 따라 QRS군의 최종적인 형태를 결정하게 된다.

편위전도

심전도에서 편위전도는 심장 탈분극을 일으키기 위해서 비정상 경로를 따라 흐르는 전기적 자극과 연관이 있다. 예를 들면 이전에 우리가 다루었던 심방과 심실 이소성 병소는 편위전도를 한다. 이 용어의 또 다른 측면의 의미는 박동군이 정상 전기 전도로를 따라 부분적으로 전도되다가 어떠한 전도 장애에 의해 편위전도를 하게 되는 것이다. 이번 주제에 대해 자세히 살펴보자.

만약에 건조한 강바닥이 있다고 가정해보자. 갑자기 큰 폭풍이 몰려와 홍수가 일어났다. 불어나는 물은 저항이 가장 낮은 경로인 마른 강바닥으로 흐를 것이다(**그림 6-22**). 이제 비버가 이전에 강바닥을 가로질러 댐을 쌓아 놓았다고 가정해보자. 물이 흐르다가 비버 댐과 부딪히면 어떤 현상이 발생하겠는가? 물의 흐름은 댐에 부딪힐 것이고 막힌 곳을 지나서 가능한 경로로 흐를 것이다. 정상적인 강바닥을 흐르는 것처럼 폐쇄된 곳의 물의 흐름도 부드럽게 흘러 갈수 있을까? 아니다,

왜냐하면 물은 수백만 개의 장애물을 지나야 하며, 높은 곳 등을 지나면서 계속 방향을 바꿔서 흘러가야 하기 때문이다. 이러한 흐름은 난류가 되고 충분한 에너지를 가졌다 할지라도 정상적으로 흐르는 층류보다 실제로는 훨씬 느리다. 요약하자면, 막히기 전에 물의 흐름은 부드럽고 빠르게 흐르지만, 일단 막힌 곳을 만나게 되면 그 주변으로 다른 길을 찾게 되어 느리고, 거친 물결이 발생하게 된다.

이와 비슷한 과정이 심장에서 가끔씩 일어난다(**그림 6-23**). 가장 흔한 각본은 다음과 같다. 정상 전기 자극이 전기전도계를 통해 지나가고 있다. 갑자기 자극이 불응기(일시적으로 전도가 되지 않는 경우)에 있는 부분을 자극하게 되면, 거기서부터 직접 세포 대 세포 사이의 전도를 하면서 계속 전도한다. 이전에 이소성 병소에 대해서 언급했듯이, 세포 대 세포 전도는 느리고 비정상 벡터를 나타낸다. 느린 자극의 전도는 넓은 박동군을 유발한다. 편위 벡터는 박동군의 형태적 차이를 가져온다. 그래서 많은 경우 이웃한 박동군과 비슷한 정상적인 모양으로 시작하다가 갑자기 변화가 생겨서 결국에는 완전히 다른 형태로 나타나게 된다.

융합

태어나기 전 우리의 특징적인 유전인자는 모계 유전인자의 일부와 부계 유전인자의 일부를 받아서 만들어졌다. 즉 본질적으로 우리는 양쪽 부모의 유전인자의 융합체인 것이다. 한 부모보다 다른 부모를 더 닮을 수 있으나 결코 한쪽과

같을 수 없다. 이러한 개념을 숙지하고 읽어가도록 하자.

이 장에서 우리는 앞으로 책 전체에서 계속해서 반복적으로 나오게 될 융합의 개념에 대해 이야기할 것이다. 융합은 시간적으로 거의 동시 또는 동시에 발생하는 두 가지 또는 그 이상의 파나 벡터들이 합쳐지거나 혼합되는 것이다. 최종적으로 양쪽의 파형이나 벡터의 특징을 모두 가지고 있지만, 결코 형태학적으로는 똑같지 않은 파형이 만들어진다. 따라서 이렇게 만들어진 융합 박동군들은 나머지 기록지에서 보이는 양쪽 원래 심전도 모양과 형태적으로 다르며 각각의 정보를 더하여 최종 결과물을 만들어 낸다.

사실 융합은 하나의 이름을 가진 두 가지 다른 심전도적 현상이며 이것은 초심자에게 심전도상의 혼란을 야기한다. 첫 번째는 각기 다른 두 박동군으로부터 발생한 파형의 융합이거나 독립된 심전도적 합이다. 예로 T파와 그 다음 나오는 QRS군을 기시하는 P파의 융합이 있다. 이런 경우는 책의 후반에서 길게 다룰 P파가 묻히는 현상을 만들어 낸다. 이러한 형태의 융합은 조기 박동 혹은 빠른 율동에서 잘 발생하고 심전도에 명백하게 잘 나타난다.

두 번째 형태의 융합은 동시에 발생한 두 개의 진체 박동군이 실질적으로 융합한 경우이다. 이러한 융합의 한 가지 예는 심방이나 심실 또는 둘다에서 발생한 2개의 다른 이소성 병소가 동시에 조율 작용을 할 때 발생한다. 이 결과는 양쪽에서 탈분극파가 형성되고 결국 서로 충돌한다는 것이다. 이러한 융합의 결과로 형성된 박동군은 훨씬 감별하기 어렵고, 때로는 완전히 이소성 박동으로 착각하기 쉽다.

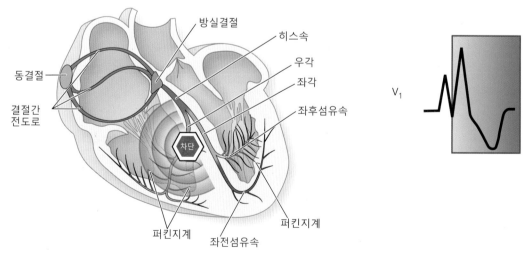

그림 6-23. 전기 자극이 우각의 불응기때 전달되면 자극은 직접적인 세포 대 세포 전달을 통하여 나머지 우심실로 퍼져 나가게 된다. 이것은 처음에는 정상적으로 시작하지만 매우 이상한 모양으로 끝나는 박동군을 형성하게 된다.

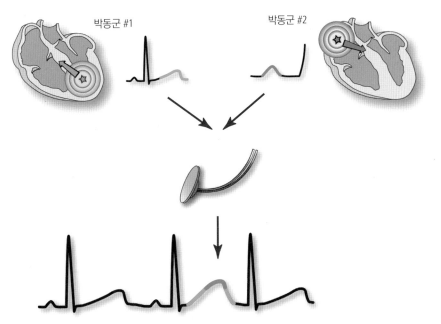

그림 6-24. 묻혀 있는 P파들. 두 가지 다른 파형이 동시에 발생하였는데 하나는 박동군 #1의 심실 재분극 파이고(파란 벡터) 다른 하나는 박동군 #2의 심방 탈분극 파이다(초록색 벡터). 이 두 가지 벡터의 합이 심전도의 융합군이다. 두 파형의 융합은 율동 기록지에 T파의 형태를 변화시킨다.

© Jones & Bartlett Learning.

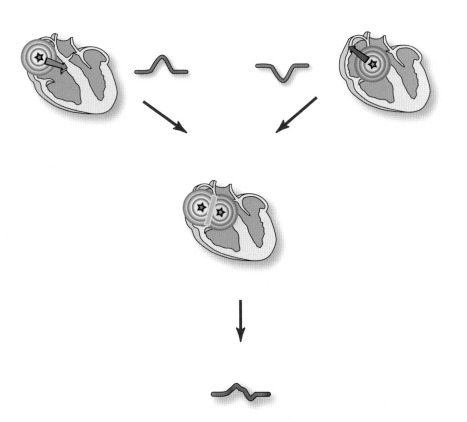

그림 6-25. 두 가지 탈분극 파형이 동시에 발생하였고, 하나는 동결절, 다른 하나는 이소성 심방 병소에서 발생하였다. 최종 결과는 융합군으로 나타나고 이는 두 가지 개별 파형의 특성을 모두 가지게 된다.

© Jones & Bartlett Learning.

주의할 것은, 우리는 다른 책에서 이런 방식으로 융합을 분류하는 것을 보지 못하였다. 그러나 이 문제는 심전도와 부정맥 해석을 배우기 시작하는 학생들이 항상 질문하는 것이다. 저자는 이렇게 분류하는 것이 두 가지 개념을 쉽게 익히는 방법이라고 생각한다.

고립된 심전도 형태의 융합

일전에 이러한 형태의 융합에 대해 언급한 적이 있는데, 묻힌 P파와 그것이 어떻게(P파가 실제 묻힌 위치에 따른) T파 또는 QRS군의 모양을 변화시키는지 알아보았다. 그러나 이러한 형태의 융합은 사실 심전도상의 현상일 뿐이란 걸 알기 바란다. 이것은 하나의 박동군에서 발생한 두 가지 파형의 물리적 융합이 아니라 실상은 두 개의 다른 박동군에서 유래한 파형들의 일부가 심전도 상으로 더해진 것일 따름이다(**그림 6-24**).

다시 말하자면, 이런 종류의 고립된 융합에서 나타나는 두 파형의 융합은 각기 다른 사건들이 같은 시점에 일어나 단지 기록지 위에서 발생한다는 것이다. 이것의 결론은 두 개의 전기적 벡터가 단지 심전도에서 상호작용하여 나타난다는 것이다. 그러나 하나의 벡터의 힘이 다른 벡터의 실제적 형태에 영향을 미치는 것이 아니다. 단지 심전도에서 그 힘이 더하여 지는 것뿐이다.

실질적인 융합

융합의 다른 형태는 파동이 심장에서 합쳐지고 융합될 때 나타난다. 이 경우 심전도 유도는 이 정보를 받아들여 기록지에 전사한다. 이것은 앞에서 언급한 고립된 심전도 상의 융합과 다르다. 우리는 이것을 구분하기 위하여, '실제적 융합'이라고 부른다. **그림 6-25**에서 이런 예를 볼 수 있다. 2개의 심방의 병소에서 동시에 자극이 발생하였다.

동결절에서 기원한 박동군이 있다고 가정해보자(**그림 6-25**, 녹색 벡터). 탈분극파는 동결절에서 시작하고 정상적으로 심방 전체로 퍼진다. 이러한 탈분극파는 정상 P파를 만든다. 이제 심방 또는 방실 접합부(**그림 6-25**, 파란 벡터)에서 시작한 탈분극파가 있다고 생각해보자. 이 파형은 동결절에서 이미 탈분극파가 오고 있기 때문에 알 수 있는 방법이 없다. 이 파는 동성 P파와는 다른 모양으로 비정상적인 P파의 축을 가지며 역위된 P파로 나타난다.

결국, 두 개의 파가 서로 충돌하여 소멸한다. 하지만 그렇게 되기 전에 어떠한 심전도 형태를 만들게 된다. 문제는 정확히 같은 시간에 이러한 파들이 발생한다는 것이다. 심전도적으로 이러한 파들은 서로 융합하고 혼합하여 동성 파형과 이소성 파형의 일부 특징을 모두 가지는 군을 형성하게 된다. 융합 파형이 두 개의 원파형과 얼마나 닮았는가 하는 것은 두 개의 파형의 발생 시점과 심전도 유도와의 거리에 달려 있다. 일찍 탈분극된 파는 최종 융합파의 초기 형태에 가장 가까울 것이다. 중기와 말기도 같은 특성을 보여 준다.

이와 같은 융합의 개념은 정상적으로 전도한 심방군(complex)과 이소성 심실군(complex)이 융합될 때 혹은 접합부 박동군과 이소성 심실군(complex)과의 융합에서도 적용된다(**그림 6-26, 27**). 심방성 P파와 접합부 이소성 심박동기 사이의 융합군들(complexes)은 흔하며 실제 환자 심전도를 검사할 경우 몇몇 예를 볼 수 있을 것이다.

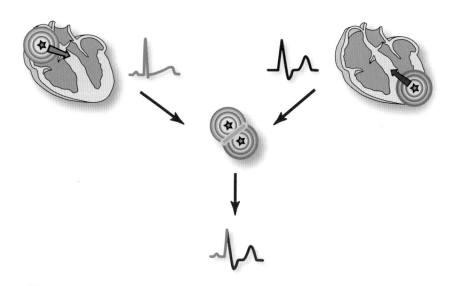

그림 6-26. 동결절에서 발생하여 방실결절을 거쳐 심실로 전파되는 파형과, 심실 이소성 병소에서 형성된 파형 두 개가 동시에 발생하였다. 최종 결과는 융합 박동군을 형성하게 되고, 이는 각 파형의 특징을 모두 가지고 있다. 융합은 P파에서는 일어나지 않고 QRS군에서만 일어났다는 점에 유의하자.

© Jones & Bartlett Learning.

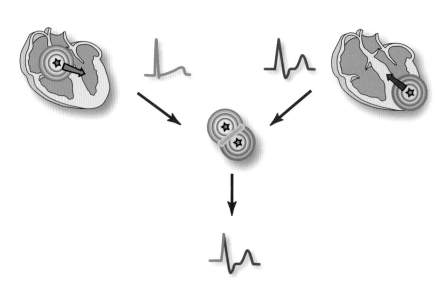

그림 6-27. 방실결절과 심실의 이소성 병소에서 두개의 탈분극이 동시에 발생하였다. 이는 융합 QRS군을 형성한다. 융합군은 두 가지 파형의 특징을 모두 가지며, 그림 6-26과 다르게 P파가 관찰되지 않는다.

© Jones & Bartlett Learning.

단원 복습

1. 박동군과 관련된 허상(artifact)은 원래 율동으로부터 임의의 시점이나 간격에 나타난다. (맞다 / 틀리다)

2. 허상 발생과 흔하게 관련이 있는 것들은? (해당하는 것을 모두 고르시오.)
   A. 심방 조기 수축
   B. 유도 전선의 움직임
   C. 심실율동
   D. 근육의 떨림
   E. 외부 전기 기구에 의한 간섭

3. 허상은 심부정맥의 정확한 진단에 있어서 진단적 오류가 흔하게 발생할 수 있게 한다. (맞다 / 틀리다)

4. 병실에 들어왔을 때 환자의 심장 모니터가 일직선을 보여주고 있고 환자는 자신의 친구와 함께 앉아서 이야기하고 있다. 가장 흔한 원인은?
   A. 심장 마비
   B. 미세 심실세동
   C. 흉부 유도가 떨어질 경우
   D. 환자가 인조인간

5. 조기 박동군은 원래 율동의 박자로 예측되는 시간 이전에 나타난 박동군을 말한다. (맞다 / 틀리다)

6. 조기 박동군은 어디에서 기원할 수 있는가?
   A. 동결절
   B. 심방 근육 조직
   C. 방실결절
   D. 심실
   E. 모두 다

7. 이탈박동군(escape complex)은 원래 율동 박자에 의한 시점보다 늦게 발생한다. 그것은 주 심박동기가 맥박을 만들지 못하는 경우, 심장의 박동기 체계와 전기전도계에서 다음 순서로 가능한 박동기로 대체되면서 나타난다. (맞다 / 틀리다)

8. 이탈율동은 주 심박동기가 작동하지 못하고 이것이 상당한 기간 동안 지속하는 경우 박동기 체계의 다음으로 가능한 박동기가 오랜 기간 동안 떠맡는 경우이다. 이것은 생존하기 위한 보호 기능이다. (맞다 / 틀리다)

9. 박동군의 모양을 결정하는 2개의 주된 요소는?
   A. 시작 장소나 박동기의 위치
   B. 발생한 생체전기 자극의 크기
   C. 전기 자극이 심장 내에서 이동하는 전달 경로
   D. 환자의 의식 수준
   E. A와 C

10. 이소성 P파는 동성 P와는 모든 면에서 다른 형태를 가지고 있다. (맞다 / 틀리다)

11. 방실결절의 근처에서 발생한 이소성 심방 박동기의 P파 형태는 다음과 같다.
    A. II, III, 그리고 aVF 유도에서 위로 향한다.
    B. V₁에서 위로 향한다.
    C. II, III, 그리고 aVF에서 역위되어 있다.
    D. V₁에서 역위되어 있다.

12. 방실결절에서 발생한 이소성 박동군은 심방으로 역행성 전도를 하거나 역행 전도가 차단되어 심방의 탈분극을 실제 일으키지 못할 수 있다. (맞다 / 틀리다)

13. 이소성 심실군의 모양은 항상 폭이 좁고 정상 동율동의 형태와 조금 다른 모양을 띤다. (맞다 / 틀리다)

14. 전기 자극은 전기전도계를 통해서 정상적으로 아래로 전도되다가 자극 이동에 불응기인 어떤 위치에 부딪힐 수 있다. 그 후 자극의 주행은 장애물이 있는 자리에서부터 세포 대 세포 전도를 통해서 계속 편위전도하게 된다. 결론적으로 시작 시에는 정상적인 형태를 보이다가 갑자기 변화하는 편위전도군이 될 수 있다. (맞다 / 틀리다)

제 7 장

리듬 스트립을 어떻게 판독할 것인가?

목표

1. 부정맥에 대해 평가해야 할 10가지 주요 질문을 나열한다.

2. 이러한 질문들이 어떻게 특정 부정맥을 감별해내는 데 도움이 되는지 토론한다.

3. 부정맥 판독의 굳건한 기초를 다지기 위해 이전 단원에서 학습한 정보를 바탕으로 제시된 다양한 리듬에 10 가지 질문 접근법을 적용한다.

4. 부정맥 판독에 있어서 심전도와 임상 상황과의 연관성의 중요성을 이해한다.

5. 부정맥 유발 영역을 기준으로 진단 체계를 분류한다.

작가의 말

지금까지 공부한 것으로 모든 심전도를 판독하기는 어렵다. 각각의 리듬을 보고 설명에 제시된 세부사항을 이해해라. 그리고 나서, 개별적인 학습 목표에 달성하기 위해 대답해야 할 일련의 질문들을 만들어 내라.

들어가며

이 책의 초판부터 리듬 스트립을 어떻게 판독하느냐에 대한 접근법을 다루어 달라는 많은 요청이 있었다. 독자의 요청에 따라, 이 단원은 그러한 접근에 대해 다루도록 하겠다.

리듬을 이해하지 않고 부정맥 판독에 대한 접근법을 만드는 것은, 기화기가 무엇인지 또는 왜 존재하는지 알기 전에 문제를 식별하는 시스템을 자동차 정비사에게 제공하는 것과 같다는 점을 기억해라. 따라서, 우리는 이 주제를 두 가지 영역으로 정리할 것이다. 이 단원에서 리듬 스트립을 판독하기 위한 10개의 질문에 대해 소개할 것이며, 40장에서 심층적으로 다시 다루게 될 것이다.

10개의 질문을 리뷰한 후에, 모든 리듬에 대한 간단한 시놉시스를 제공할 것이다. 부정맥에 대해서 아는 것이 없다면, 처음에는 벅찰 수 있지만, 곧 이해할 수 있을 것이다. 1단원을 다시 복습한 이후에 리듬을 다시 보면 이해에 도움이 될 것이다.

일단 이러한 기초에 익숙해지면, 각각의 리듬은 각론에서 다루게 될 것이다. 각론은 내용을 짧게, 이해를 돕기 위한 예제들을 위주로 알기 쉽게 설명하였다.

10개의 질문들

부정맥에 접근할 때 생각해야 할 10개의 질문들에 대해 다루어 보겠다. 논리적인 문제에 있어서 자신의 생각을 정리하기 위해서는 이러한 질문을 순차적으로 하는 것이 중요하다. 이를 위해 우리는 **그림 7-1**에서 심전도 복합체를 설명하였다.

일반적인 질문들

1. 이 리듬이 빠른가? 느린가?

가장 중요한 요소 중 하나가 심박수이다. 심박수를 계산하는 것은 어렵지 않다(3장을 참고). 모든 리듬이 항상 세 가지 분류 중 하나에 속한다는 것을 알아야 한다.

1. 느린 맥: 심박수가 분당 60회 미만이면 느린맥으로 간주한다. 이러한 리듬을 서맥이라고 칭한다.
2. 정상 맥: 심박수가 분당 60~99 사이면 정상으로 간주한다.

3. 빠른 맥 : 심박수가 100회 이상이면 빠른맥으로 간주한다.

2. 리듬이 규칙적인가 불규칙적인가? 만약 불규칙하다면, 규칙적 불규칙성을 갖는가, 불규칙적 불규칙성을 보이는가?

P파와 QRS군이 같은 간격으로 규칙성을 갖는지, 혹은 다른 간격으로 일부 혹은 모든 맥박이 불규칙성을 갖는지 보자. 이 방법으로 리듬판독의 경우의 수를 많이 좁힐 수 있다.

만약, 리듬이 불규칙하다면 추가적인 질문을 해볼 수 있다. 그것이 규칙적 불규칙성을(regularly irregular) 갖는가 완전한 불규칙성을(irregularly irregular) 보이는가? 처음에는 이 문구가 혼란스러울 수 있다. 불규칙적인 심전도군들의 패턴이 규칙적으로 나타난다면 이는 규칙적 불규칙성이라고 정의한다. 일례로, 매 3번째 리듬군마다 빠르게 나오는 경우가 있다. 따라서 각 군의 간격은 길고-길고-짧을 것이며, 이러한 반복적인 패턴은 예측 가능하지만 불규칙한 리듬이 된다.

불규칙적 불규칙성은 패턴이 없다. 모든 간격이 제각각이며, 반복되지 않는다. 다행히도, 불규칙적 불규칙성을 갖는 리듬은 세 가지 밖에 없다 : 심방세동, 유주 심방 조율 , 그리고 다소성 심방 빈맥이다. 이것들의 차이에 대해 기억하고 있어야 한다.

P파와 관련된 질문들

3. P파가 관찰되는가?

P파의 존재 여부가 리듬을 판독하는데 주요 포인트가 된다. P파가 존재한다는 것은 리듬이 심방 혹은 상심실에서 기원한 것이라는걸 알 수 있다.

P파를 식별하는 것이 쉬운 일이라고 생각할 수 있다. 하지만 P파가 다른 파형에 숨어있거나, 특정 리드에서는 보이지 않을 수도 있어서 P파를 찾아내는 일이 어려운 경우가 많다. 주의 깊게 잘 관찰하고, 여러 복합체들간의 작은 차이를 감별하는 것이 필요하다.

4. 모든 P파가 같은 모양인가?

P파의 존재는 같은 심조율 부위에서 기원한다는 의미와

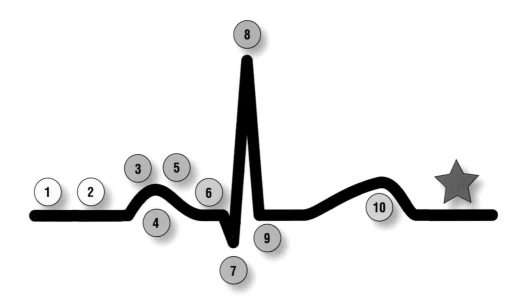

10개의 질문들

1. 이 리듬이 빠른가? 느린가?

2. 리듬이 규칙적인가? 불규칙적인가?

3. P파가 관찰되는가?

4. 모든 P파가 같은 모양인가?

5. P파가 유도 II에서 양성인가?

6. PR 간격이 정상이고 일정한가?

7. P:QRS비율이 어떻게 되는가?

8. QRS 군이 좁은가? 넓은가?

9. QRS 군이 그룹을 형성하는가?

10. 탈락 박동은 없는가?

 이러한 질문들을 모두 엮어서 생각해보자.

그림 7-1. 율동 기록지를 판독할때 생각해야할 10가지 질문들이다. 각각의 질문을 심전도에 숫자로 표시하였다. 예를 들어, 질문 3 : "P파가 관찰되는가?" 질문은 바로 P파 위에 표시하였다.

© Jones & Bartlett Learning.

같다. 같은 P파는 방실 차단이 없는 한, 같은 PR 간격을 갖는다. P파가 같지 않다면, 두 가지 가능성이 있는데: (1) 추가적인 심조율 부위가 있거나, (2) P파와 겹쳐있는 다른 파형이 존재하는 경우이다. (예를 들면, T파형이 P파와 동시에 나타난 경우) 모두 다른 PR 간격을 갖는 3-4개 이상의 다른 P파는 다소성 심방빈맥으로 정의한다.

5. 모든 QRS군에 P파가 존재하는가?

이 질문은 P파와 QRS군의 관계에 대한 질문이다. 각각의 P파가 모두 QRS군을 만드는가? 빠진 P파는 없는가? P파와 QRS 콤플렉스의 비율이 1:1인가 혹은 그 이상인가? 이 비율이 1:1을 만드는 전도가 정상이다. 만약, QRS군보다 P파의 개수가 많으면, 방실 차단을 생각해 보아야 한다. 전도 비율이 2:1, 3:1, 3:2 혹은 다른 조합을 보일 수 있다. 같은 스트립 안에서도 다른 조합의 전도 비율을 보일 수 있다.

6. PR 간격은 일정한가?

PR 간격에 영향을 미치는 많은 변수들이 있다. 일부는 4장에서 다루었고, 좀더 자세히 8장에서 다룰 예정이다.

PR 간격의 독립적 구성요소에 영향을 줄 수 있는 것 이외에도, PR 간격에 영향을 미치는 변수는 심박동기에서 심실 세포까지 광범위하다. 거리가 길수록, PR 간격을 길어진다. 이러한 상황은 주로 이소성 심조율이 QRS를 만들 때 흔히 관찰된다. 예로, 심방 조기 수축, 접합부 조기 수축, 심실 조기 수축이 있다.

탈분극 경로가 길면, PR 간격이 길어진다. 따라서 구조 심질환을 갖는 환자는 탈분극 시간이 길어 PR 간격이 길어진다.

또한, 방실 차단이 있는 경우 PR 간격이 길어질 수 있다. 방실결절의 기능에 영향을 미치는 외부 요인 역시 PR 간격을 변화시킬 수 있다. 약물, 호르몬, 항산화작용, 관상동맥 질환, 여러 전신 질환들이 영향을 미칠 수 있다.

QRS군과 관련된 질문들

7. P파와 QRS군이 서로 연계성을 갖는가?

QRS군 앞에 있는 P파가 QRS군의 형성에 관련이 있는가? 이것에 대한 해답은 전체 박동이 정상 심박동인지, 조기 박동인지, 경한 방실 차단에 의한 것인지 감별할 수 있게 도와준다. 심실빈맥의 진단에는 융합박동 및 포획박동이 진단에 중요하다. 이 경우 융합 또는 포획박동의 선행하는 P파는 QRS군과 관련이 있다. 하지만 다른 QRS군들은 P파와 분리되어 있다.

8. QRS군의 모양이 좁은가 넓은가?

좁은 QRS군은 전도가 정상 방실결절/ 퍼킨지 네트워크를 통한다는 것을 나타낸다. 이런 박동은 접합부 박동을 포함하는 심실상성 율동에서 흔히 발견된다. 넓은 QRS군은 전기적 파형이 정상 전도계를 통하지 않고, 심장의 특정 부위에서 세포 대 세포의 직접 전도에 의해 전기 자극이 전도되면 발생한다. 이런 넓은 QRS군은 심실조기박동, 편위전도 박동들, 심실빈맥, 그리고 각차단에서 나타난다.

넓은 QRS를 만드는 다른 경우도 있는데, 원래 그러한 변화를 가지고 있는 경우 그렇게 보일 수 있다. 예를 들어, 이미 각차단이 있는 경우, 어떠한 부정맥이 생겨도 넓은 QRS 군을 보일 것이다. 일부 전해질 이상 시에도 넓은 QRS 군이나 간격 이상을 보일 수 있다.

9. QRS군이 그룹을 형성하는가?

그룹을 형성하는 것은 2형 방실 차단에서 주로 보인다. 그룹을 형성하는 리듬 스트립을 본다면 방실 차단을 항상 떠올려야 한다.

조기 박동 역시 그룹을 형성하게 된다. 이단맥(한 개의 정상 박동 뒤로 조기박동이 따라 오는 것이 반복되어 나타나는 것), 삼단맥(두개의 정상 박동 뒤에 조기박동이 나타나는 것)과 같은 경우이다. P파 모양과 PR 간격이 다르게 보이는 것으로 조기 심방수축을 감별할 수 있다.

10. 탈락 박동이 있는가?

2형 방실 차단에서 탈락 박동을 관찰할 수 있다. 탈락 박동이 있다면 우선적으로 고려해야 한다.

탈락 박동은 동결절에 이상이 있을 시에도 보일 수 있다. 마지막으로, 조기박동이 휴지기에 떨어졌을 때, 심실로 전도가 진행되지 않아 탈락 박동을 보일 수 있다.

마지막으로 숙지하여야 할 내용

문제 풀이에 접근하는 방식을 알아보자. 나는 문제는 길고 복잡한데 답은 간단한 책을 싫어했다. 문제 풀이 과정이 없는 책은 정말 실망스러웠다. 이 책에서는 복잡한 문제에 대하 단순히 답만 제시하는 형식은 지양하려 한다. 예를 들어 심실빈맥을 판독하는 데 많은 시간과 노력이 필요하며 이에 대한 충분한 설명 과정이 필요하다.

율동지를 해석할때 진단명만 배우는 것이 아닌 의견을 공식화 하고 생각과 근거를 다른 사람과 공유하는 것이 필요하다. 이 책에서 이러한 사고 과정을 자세히 다루고자 한다. 이 런 내용이 유익한 정보가 되길 바란다.

10개의 질문에 대해 보았고, 이를 실제 리듬 판독에 적용해 보자.

앞으로 이 형식을 사용하여 모든 율동지를 판독해 볼 것이다. 요점을 정리하기 위해 각 문항별로 정리 표를 만들었다. 이것을 스스로 채워 나가 스스로 율동지를 판독하는 방법을 터득할 수 있도록 한다.

각각의 율동들
상심실성 리듬
정상 동율동

심전도 1

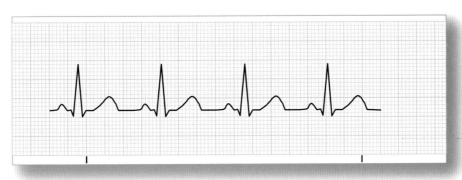

From *Arrhythmia Recognition: The Art of Interpretation*, courtesy of Tomas B. Garcia, MD.

박동수 :	60-100회/분	PR 간격 :	정상
규칙성 :	규칙적	QRS 폭 :	정상
P파 :	있음	그룹화 :	없음
P:QRS비 :	1:1	탈락 박동 :	없음

심전도 1은 동결절이 심조율을 하는 정상 리듬을 나타낸다. 간격이 모두 일정하고 정상 범위에 있어야 한다. 간격이 정상 심박수 범위를 벗어나지만, 여전히 동결절이 심조율을 하는 리듬은 동성 리듬이라고 한다.

동부정맥

심전도 2

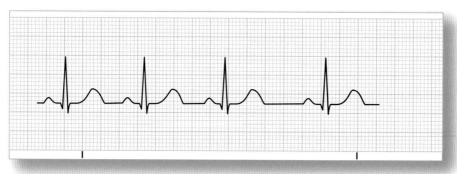

From *Arrhythmia Recognition: The Art of Interpretation*, courtesy of Tomas B. Garcia, MD.

박동수 :	60-100회/분	PR 간격 :	정상
규칙성 :	호흡에 따라 변화	QRS 폭 :	정상
P파 :	정상	그룹화 :	없음
P:QRS비 :	1:1	탈락 박동 :	없음

심전도 2는 정상 호흡에 따른 변화를 나타낸다. 호기 시 느려지고, 흡기 시 빨라진다. 흡기 시에는 흉강내 압력이 낮아져서 정맥의 환류가 증가하여 심박수가 증가한다. PR 간격은 같고, TP 간격이 호흡에 따라 달라지게 된다.

동서맥

심전도 3

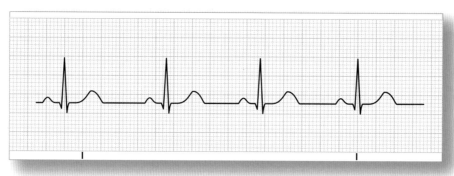

From *Arrhythmia Recognition: The Art of Interpretation*, courtesy of Tomas B. Garcia, MD.

박동수 :	60회/분 이하	PR 간격 :	정상이거나 조금 연장
규칙성 :	규칙적	QRS 폭 :	정상이거나 조금 연장
P파 :	있음	그룹화 :	없음
P:QRS비 :	1:1	탈락 박동 :	없음

심전도 3은, 박동수가 분당 60회 미만을 보인다. 맥박의 기원은 동결절 혹은 심방의 심박동기에서 발생한다. 이러한 맥박은 미주신경이 활성화하여 결절의 속도를 느리게 하거나, 베타 차단제 같은 약제의 사용, 혹은 운동선수에서 정상적으로 나타나기도 한다. QRS군, PR 간격, QTc간격은 약간 늘어날 수 있으나 정상 범위를 벗어나지 않는다. 예를 들어, PR 간격이 늘어나도 정상 최대 범위인 0.2초를 넘지는 않는다.

동빈맥

심전도 4

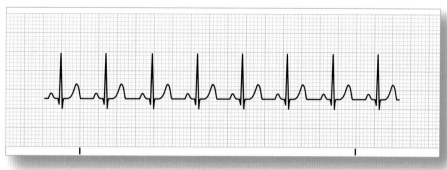

From *Arrhythmia Recognition: The Art of Interpretation*, courtesy of Tomas B. Garcia, MD.

박동수 :	100회/분 초과	PR 간격 :	정상이거나 조금 짧음
규칙성 :	규칙적	QRS 폭 :	정상이거나 조금 짧음
P파 :	있음	그룹화 :	없음
P:QRS비 :	1:1	탈락 박동 :	없음

심전도 4와 같은 맥박은 약제나 운동, 저산소증, 혈액량 감소, 출혈, 산혈증과 같은 심박출량의 증가를 요구하는 상황에서 생길 수 있다.

동휴지/정지

심전도 5

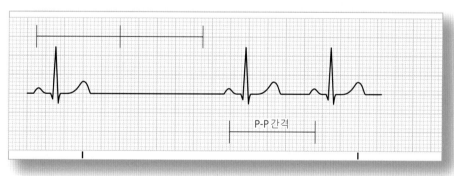

P-P 간격

From *Arrhythmia Recognition: The Art of Interpretation*, courtesy of Tomas B. Garcia, MD.

박동수 :	다양함	PR 간격 :	정상
규칙성 :	불규칙적	QRS 폭 :	정상
P파 :	휴지/정지 시를 제외하고는 존재	그룹화 :	없음
P:QRS비 :	1:1	탈락 박동 :	없음

동정지는 동조율이 없는 동안의 다양한 시간간격을 의미한다. 정지 간격은 정상 P-P 간격의 배수가 되지 않는다. (P-P 간격의 배수가 되는 경우는 동방차단이라고 한다.) 동정지는 좀더 긴 정지이며, 동정지가 얼마나 길어야 한다는 기준은 없다.

동방 차단

심전도 6

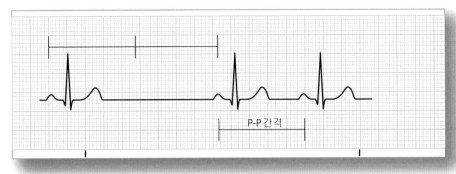

From *Arrhythmia Recognition: The Art of Interpretation*, courtesy of Tomas B. Garcia, MD.

박동수 :	다양함	PR 간격 :	정상
규칙성 :	불규칙적	QRS 폭 :	정상
P파 :	탈락 박동이 있는 경우를 제외하고 존재	그룹화 :	없음
P:QRS비 :	1:1	탈락 박동 :	있음

심전도 6, 차단은 P-P 간격의 배수만큼 발생한다. 탈락 박동이 발생한 후, 이전 사이클과 같이 정상적으로 심박동이 진행한다. 정상적인 조율세포에서 전도되지 않은 박동이 발생하여 생긴다.

심방 조기 박동

심전도 7

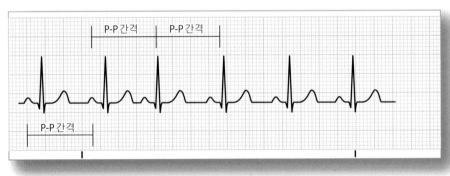

From *Arrhythmia Recognition: The Art of Interpretation*, courtesy of Tomas B. Garcia, MD.

박동수 :	원래 박동에 좌우됨	PR 간격 :	심방조기박동이 있는 경우 다양하며, 다른 곳은 정상
규칙성 :	불규칙적	QRS 폭 :	정상
P파 :	있음; 심방조기박동의 경우 모양이 다를 수 있음	그룹화 :	가끔 나타남
P:QRS비 :	1:1	탈락 박동 :	없음

심방 조기 박동은 다른 심방 조율 세포가 동결절보다 빨리 작용할 때 나타난다. 박동군이 기존의 간격보다 빠르게 나타난다. 조기 박동은 동결절을 초기화하고, 조기박동 이후의 정지는 보상되지 않는다. 원래 리듬이 변하고, 같은 형태의 템포로 진행하지 않는다. 이러한 비보상인 박동은 정상 P-P 간격의 2배보다 짧다.

국소성 심방 빈맥

심전도 8

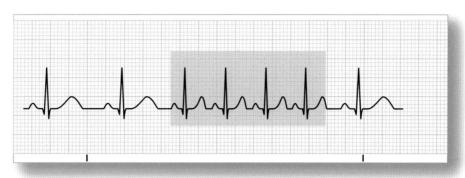

From *Arrhythmia Recognition: The Art of Interpretation*, courtesy of Tomas B. Garcia, MD.

박동수 :	100-200회/분	PR 간격 :	이소성 기원은 다른 간격을 가짐
규칙성 :	규칙적	QRS 폭 :	정상: 그러나 가끔 편위전도를 할 수 있음
P파 :	이소성 박동의 모양은 다름	그룹화 :	없음
P:QRS비 :	1:1	탈락 박동 :	없음

국소 심방 빈맥은 이소성 심방에서 원래 동율동보다 박동이 빠르게 나타날 때 보인다. P파와 PR 간격은 이소성 심방조율기에서 리듬이 만들어지기 때문에 다르게 보인다. 대개 장기간 지속되지는 않는다. 심박수가 빨라지기 때문에 ST 와 T파의 이상이 일시적으로 관찰되기도 한다.

유주 심방 조율

심전도 9

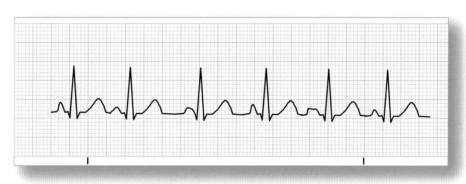

From *Arrhythmia Recognition: The Art of Interpretation*, courtesy of Tomas B. Garcia, MD.

박동수 :	100회/분	PR 간격 :	병소의 위치
규칙성 :	완전히 불규칙적	QRS 폭 :	정상
P파 :	최소한 3개의 다른 형태	그룹화 :	없음
P:QRS비 :	1:1	탈락 박동 :	없음

유주 심방 조율은 여러 개의 심방조율 세포들이 각자 고유의 심박수로 박동을 만들어 발생하는 불규칙적 불규칙한 율동이다. 따라서 심전도에 적어도 세 가지 이상의 다른 형태의 P파와 그에 따라 달라진 PR 간격이 나타난다. 각각 다른 곳에서 발생하기 때문에, 다른 P파 축을 보인다. 거리가 멀수록, PR 간격이 길어지고, P파 전기축이 다양하여 P파의 모양도 다양하게 나타난다.

다소성 심방 빈맥

심전도 10

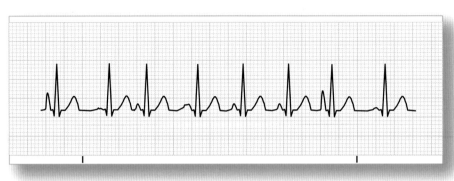

From *Arrhythmia Recognition: The Art of Interpretation*, courtesy of Tomas B. Garcia, MD.

박동수 :	100회/분 초과	PR 간격 :	다양
규칙성 :	완전히 불규칙적	QRS 폭 :	정상
P파 :	최소한 3개의 다른 형태	그룹화 :	없음
P:QRS비 :	1:1	탈락 박동 :	없음

다소성 심방 빈맥은 유주 심방 조율의 빈맥 버젼이다. 다소성 심방빈맥과 유주 심방 조율은 둘다 심한 폐질환 환자에게 잘 나타난다. 빈맥은 심혈관계 불안정을 유발할 수 있으며, 반드시 치료해야 한다. 치료는 원인질환을 교정하는 방향으로 시행해야 한다.

심방 조동

심전도 11

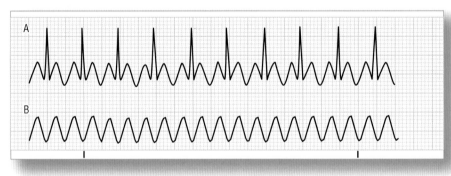

From *Arrhythmia Recognition: The Art of Interpretation*, courtesy of Tomas B. Garcia, MD.

박동수 :	심방 박동수는 보통 250-350 회/분 심실 박동수는 보통 125-175 회/분	PR 간격 :	다양
규칙성 :	보통 규칙적, 그러나 다양할 수 있음	QRS 폭 :	정상
P파 :	톱니(saw tooth) 모양, "F파"	그룹화 :	없음
P:QRS비 :	다양, 가장 많은 경우 2:1	탈락 박동 :	없음

F파는 톱니 모양이다(B에는 F파의 모양을 관찰하기 위해 QRS군을 삭제한 그림이다). QRS 박동은 주로 규칙적이고, P-P 간격의 배수로 나타난다. 일반적인 P파와 QRS 비율은 2:1 이다(F파 2개당 QRS 한 개가 있다). 하지만 심실 반응은 3:1, 4:1 또는 그 이상으로 느려질 수 있다. 간혹 심실 박동이 불규칙할 때도 있다. 드물게, 완전히 다양한 심실반응을 보이는 경우도 있는데, 이러한 경우를 다양한 심실반응을 보이는 심방조동이라고 부른다.

마지막으로 모든 12유도에서 톱니 모양을 보이지 않을 수 있기 때문에, 심실 박동수가 150회 가량 되는 경우에 언제나 2:1 심실 반응을 보이는 심방조동의 F파가 숨어있지 않은지 찾아보자.

심방세동

심전도 12

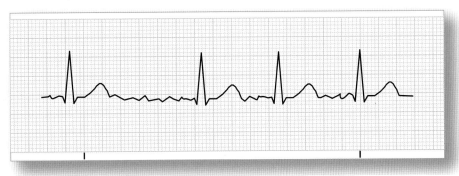

From *Arrhythmia Recognition: The Art of Interpretation*, courtesy of Tomas B. Garcia, MD.

박동수 :	다양함. 심실 반응은 빠르거나 느릴 수 있음.	PR 간격 :	없음
규칙성 :	완전히 불규칙	QRS 폭 :	정상
P파 :	없음. 혼란스러운 심방 활동(chaotic atrial activity)	그룹화 :	없음
P:QRS비 :	없음	탈락 박동 :	없음

　　심방세동은 심방의 수많은 조율 세포들이 완전이 무질서한 형태로 박동을 생성한다. 따라서, 명확한 P파가 관찰되지 않고, QRS군은 완전히 불규칙한 형태를 보인다. 심실 박동수는 조율 생성에 의해 발생하는 박동이 간헐적으로 전도되면서 발생한다. 심실로의 전도가 한 위치에서 조율되는 것이 아니기 때문에 그 간격이 완전히 불규칙적이다.

접합부 조기 수축

심전도 13

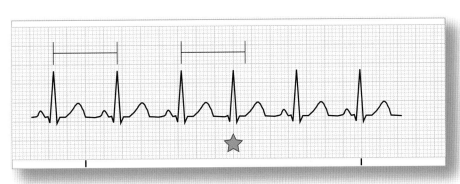

From *Arrhythmia Recognition: The Art of Interpretation*, courtesy of Tomas B. Garcia, MD.

박동수 :	원래 율동에 따름	PR 간격 :	없음, 짧거나, 혹은 역행성; 만약 있다면 심방이 심실을 자극하는 것을 의미하지 않음
규칙성 :	불규칙적	QRS 폭 :	정상
P파 :	다양(없음, 전향적, 혹은 역행성)	그룹화 :	보통 없음, 그러나 발생 가능함
P:QRS비 :	없음, 혹은 전향적 혹은 역행성이면 1:1	탈락 박동 :	없음

　　접합부 조기 수축은 방실결절에서 박동이 조기에 발생하는 것이다. 심실로의 전달이 정상 전도로를 통해 이루어지기 때문에, QRS 군은 다른 박동과 동일한 모양을 보인다. 접합부 조기 수축은 주로 산발적으로 발생하나, 규칙적이나 그룹지어 보이기도 한다. 정방향 혹은 역방향 전도 P파를 관찰할 수 있다. 정방향 P파는 QRS 앞에 나타난다. PR 간격은 매우 짧고 P파의 전기축이 비정상 적이다(II, III, aVF에서 역위 P파를 보이는 경우가 많다). 역방향 P파는 QRS 뒤에 나타난다.

접합부 이탈 박동

심전도 14

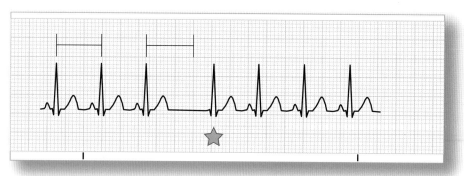

From *Arrhythmia Recognition: The Art of Interpretation*, courtesy of Tomas B. Garcia, MD.

박동수 :	원래 율동에 따름	PR 간격 :	없음. 짧거나, 혹은 역행성; 만약 있다면 심방이 심실을 자극하는 것을 의미하지 않음
규칙성 :	불규칙적	QRS 폭 :	정상
P파 :	다양(없음, 전향적, 혹은 역행성)	그룹화 :	없음
P:QRS비 :	없음, 혹은 전향적 혹은 역행성이면 1:1	탈락 박동 :	있음

이탈 박동은 정상 조율세포에서 박동을 만들지 못하는 경우 차선의 조율세포에서 박동이 발생하여 심박동을 대치하기 때문에 발생한다. 방실결절의 조율세포에서 정상 조율세포가 박동을 만들지 못한 것을 감지하고, 이후 방실결절의 조율세포가 역치 전위에 도달하면, 전기 자극을 생성하게 된다. 선행 박동과 이탈 박동 사이의 간격은 언제나 정상 P-P 간격보다 길다.

접합부 율동

심전도 15

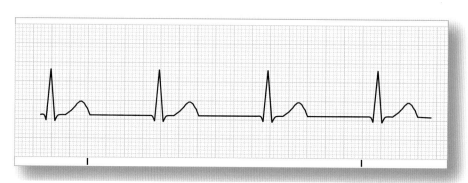

From *Arrhythmia Recognition: The Art of Interpretation*, courtesy of Tomas B. Garcia, MD.

박동수 :	40-60회/분	PR 간격 :	없음. 짧거나, 혹은 역행성; 만약 있다면 심방이 심실을 자극하는 것을 의미하지 않음
규칙성 :	규칙적	QRS 폭 :	정상
P파 :	다양(없음, 전향적, 역행성)	그룹화 :	없음
P:QRS비 :	없음. 혹은 전향적 혹은 역행성이면 1:1	탈락 박동 :	없음

접합부 율동은 정상 심방 혹은 동결절의 심조율 기능이 상실되었을 때 이탈 율동으로 발생하게 된다. 또한, 방실 해리나 3도 방실 차단의 경우에도 나타날 수 있다.

가속성 접합부 율동
심전도 16

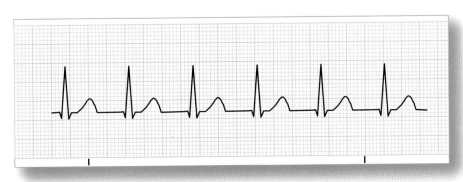

From *Arrhythmia Recognition: The Art of Interpretation*, courtesy of Tomas B. Garcia, MD.

박동수 :	60-100회/분	PR 간격 :	없음. 짧거나, 혹은 역행성; 만약 있다면 심방이 심실을 자극하는 것을 의미하지 않음
규칙성 :	규칙적	QRS 폭 :	정상
P파 :	다양함(없음, 순방향의, 역방향의)	그룹화 :	없음
P:QRS비 :	없음. 혹은 순방향 혹은 역방향이면 1:1	탈락 박동 :	없음

접합부 조율기에서 발생하는 율동으로 정상 조율세포보다 심박수가 빨라서 조율 생성 기능을 넘어서서 생기는 박동이다. 정상 접합부 율동보다 심박동수가 빠르며, 분당 60-100회의 속도를 보인다. 만약 100회보다 빠르면, 접합부 빈맥이라고 명명한다. 다른 접합부 박동과 마찬가지로 P파는 없을 수도 있고 순방향 혹은 역방향 전도를 보이기도 한다.

심실 율동
심실 조기 수축
심전도 17

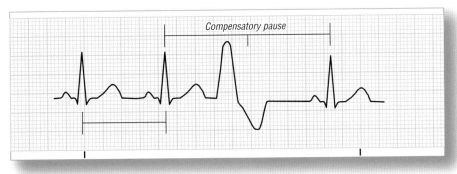

From *Arrhythmia Recognition: The Art of Interpretation*, courtesy of Tomas B. Garcia, MD.

박동수 :	원래 율동에 따름	PR 간격 :	없음
규칙성 :	불규칙적	QRS 폭 :	넓음(≥0.12초), 이상한 형태
P파 :	심실 조기수축에는 없음	그룹화 :	보통 없음
P:QRS비 :	심실 조기수축에는 P파가 없음	탈락 박동 :	없음

심실 조기 수축은 심실 세포에서 조기 박동이 발생한 것이다. 심실 박동기가 정상 동결절이나 상심실성 조율 세포보다 빨리 박동을 생성해서 생기며, 조기수축 이후 정상 박동이 발생하더라도 심실이 불응기(재분극이 되지 않았거나 박동을 만들수 없는 상태)에 있기 때문에 정상적인 시간에 수축하지 못한다. 그러나 기본 조율 간격은 변하지 않기 때문에, 심실 조기 박동 이후 박동은 정해진 시간에 나타난다. 이를 대상성 휴지라고 한다.

심실 이탈 박동

심전도 18

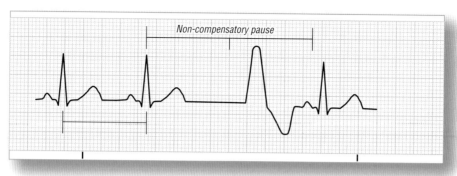

From *Arrhythmia Recognition: The Art of Interpretation*, courtesy of Tomas B. Garcia, MD.

박동수 :	원래 율동에 따름	PR 간격 :	없음
규칙성 :	불규칙적	QRS 폭 :	넓음(≥0.12초), 이상한 형태
P파 :	심실 조기수축에는 없음	그룹화 :	없음
P:QRS비 :	심실 조기수축에는 없음	탈락 박동 :	없음

　　심실 이탈박동은 접합부 이탈 박동과 유사하나, 기원이 심실이다. 정상 조율기가 작동하지 않기 때문에 휴지기는 비대상성이다. 이후에 조율기는 새로운 주기로 재설정 되기 때문에, 심박동수가 달라지기도 한다.

심실 고유 율동

심전도 19

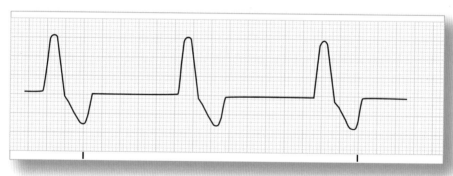

From *Arrhythmia Recognition: The Art of Interpretation*, courtesy of Tomas B. Garcia, MD.

박동수 :	20-40회/분	PR 간격 :	없음
규칙성 :	규칙적	QRS 폭 :	넓음(≥0.12초), 이상한 형태
P파 :	없음	그룹화 :	없음
P:QRS비 :	없음	탈락 박동 :	없음

　　심실 고유 율동은 심실이 심장의 일차적인 조율기의 역할을 하는 경우 발생한다. QRS군은 넓고 이상한 모양을 보이며, 심실의 어느 부분에서 발생하는지 반영한다. 이 리듬은 그 자체로 발생하기도 하지만, 방실해리나 3도 방실 차단의 결과로 나타나기도 한다(후자의 경우는 P파를 가지는 동율동이 존재한다).

임 상 적 요 점

치료에 대해 언급하고 싶지는 않지만, 주의할 점은 : 이 율동을 항부정맥제로 치료하면 안 된다. 만약 마지막 심조율기 마저 없애버리면 어떻게 되겠는가? 무수축이 발생한다.

가속성 심실 고유 율동

심전도 20

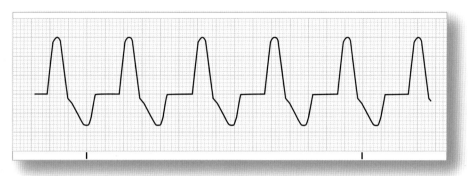

From *Arrhythmia Recognition: The Art of Interpretation*, courtesy of Tomas B. Garcia, MD.

박동수 :	50-100회/분	PR 간격 :	없음
규칙성 :	규칙적	QRS 폭 :	넓음(≥0.12초). 이상함
P파 :	없음	그룹화 :	없음
P:QRS비 :	없음	탈락 박동 :	없음

심전도 20은 심실 고유 율동의 빠른 형태이다. 일반적으로 P파가 동반되지 않고 조율은 심실에서 만들게 된다. 그러나 방실해리 또는 3도 방실 차단에서는 P파가 존재할 수 있다.

심실빈맥

심전도 21

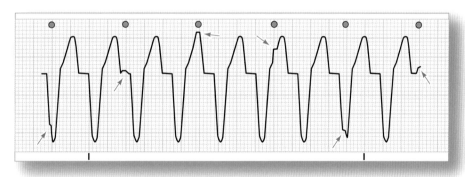

From *Arrhythmia Recognition: The Art of Interpretation*, courtesy of Tomas B. Garcia, MD.

박동수 :	110-250회/분	PR 간격 :	없음
규칙성 :	규칙적	QRS 폭 :	넓음. 이상함
P파 :	해리된 심방 박동	그룹화 :	없음
P:QRS비 :	다양	탈락 박동 :	없음

심실빈맥은 대체로 기존의 심방 박동과 상관없는 아주 빠른 심실박동이다. 심전도 21에서 규칙적인 간격으로 나타나는 QRS 모양의 불규칙성을 관찰할 수 있을 것이다. 이러한 모양의 불규칙성을 유발하는 것은 원래의 동성 박동이다 (파란 점은 동성 박동을, 화살표는 모양의 불규칙성을 의미한다). 심실빈맥에 대한 많은 진단 기준이 있는데, 지금부터 알아보자.

포획박동 및 융합박동

가끔씩 동성 박동이 정상 심실의 전도 시스템을 통해 심실을 자극할 수 있는 시점에 떨어지는 경우가 있다. 이것은 융합박동을 형성하는데(심전도 22) 비정상 심실 박동과 정상 QRS군의 형태 중간을 띄게 된다. 이런 종류의 복합체는 글자 그대로 동결절과 심실 조율기에 의한 2개의 조율기로 인해 발생한다. 심실의 두 영역이 동시에 자극되기 때문에 그 결과는 융합 복합체로 나타나고 두 가지의 특징을 조금씩 가지게 된다. 예를 들어, 푸른색과 노란색을 섞으면 초록색이 된다. 융합박동은 초록색과 같다. 이것은 두 박동군의 융합이다.

한편, 포획박동은 동성박동에 의해 완전히 지배되어 환자의 정상 복합체와 구별할 수 없다. 왜 정상박동 대신에 포획박동이라고 부르는 것일까? 포획박동은 심실빈맥이라고 하는 혼돈의 상황에서 발생하고, 동성박동이 매우 짧은 몇 1/1000초 동안의 기회를 포착해서 "포획" 혹은 방실결절을 통하여 자극을 전달하여 심장의 정상 전도체계를 통하여 심실을 탈분극시키기 때문이다.

융합박동과 포획박동은 심실빈맥의 특징이다; 만약 기록지가 충분히 길다면 흔하게 관찰할 수 있다. 이런 유형의 복합체가 넓은 복합체 빈맥과 함께 동반된다면 심실빈맥이라고 진단할 수 있다.

기타 심실빈맥의 진단 기준

추가적인 진단 기준에 대해 좀 더 살펴 보자. 명칭까지 기억할 필요는 없지만 브루가다와 조셉슨 징후(심전도 23)에 대해 반드시 알아야 한다. 브루가다 징후는 심실빈맥에서 볼 수 있다. R파로부터 S파의 바닥까지의 간격이 ≥ 0.10초이다. Josephson의 징후는 S파의 낮은 지점의 가까운 곳에 작게 튀어나온 것(notching)이 있다. 이 두 가지가 심실빈맥의 또 다른 기준이다.

심실빈맥의 몇몇 추가적인 특징은 전체 QRS 폭이 ≥0.16초, 모든 전흉부(V_1-V_6) 유도의 음성화(negativity)이다. 왜 이렇게 심실빈맥에 많은 시간을 할애해야 하는가? 그것은 생명을 위협하는 부정맥이고 최고의 환경에서도 진단하기가 힘들기 때문이다.

임 상 적 　요 점

어떤 넓은 QRS군 빈맥을 마주하게 되면, 다른 강력한 증거가 없는 한 심실빈맥으로 간주하고 치료해야 한다. 편이 전도가 있는 상심실성 빈맥으로 생각하지 마라. 흔한 실수 이면서 위험한 결과를 초래할 수 있다.

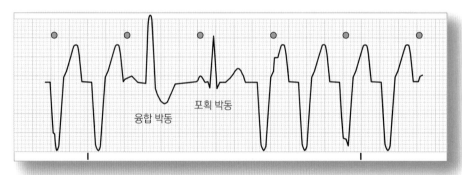

심전도 22 심실빈맥에서 융합박동과 포획박동

From *Arrhythmia Recognition: The Art of Interpretation*, courtesy of Tomas B. Garcia, MD.

REMINDER

심실빈맥의 진단기준 :
- 넓은 QRS군 빈맥
- 방실 해리
- 포획박동, 융합박동
- 흉부 유도의 모든 군이 음성 인경우
- QRS 간격이 0.16초 이상
- 조셉슨 징후와 브루가다 징후

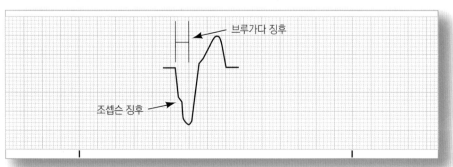

심전도 23 심실빈맥에서 브루가다 징후와 조셉슨 징후

From *Arrhythmia Recognition: The Art of Interpretation*, courtesy of Tomas B. Garcia, MD.

Torsades de Pointes

심전도 24

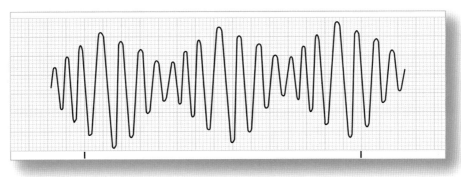

From *Arrhythmia Recognition: The Art of Interpretation*, courtesy of Tomas B. Garcia, MD.

박동수 :	200-250 회/분	PR 간격 :	없음
규칙성 :	불규칙적	QRS 폭 :	다양
P파 :	없음	그룹화 :	다양한 사인파 패턴(sinusoidal pattern)
P:QRS비 :	없음	탈락 박동 :	없음

Torsade de Pointes는 QT 간격이 늘어난 경우에 발생한다. 이것은 물결이 치는, 사인 곡선 모양이며 QRS군의 축이 양성에서 음성으로 다시 반대로 돌아가는 무질서한 양상이다(Torsade de Pointes라는 말은 점들이 꼬인다는 뜻이다).

이 부정맥은 정상 동율동이나 심실 세동으로 진행할 수 있다. 이러한 율동은 사망의 전조 증상이기 때문에 매우 조심해야 한다.

심실 조동

심전도 25

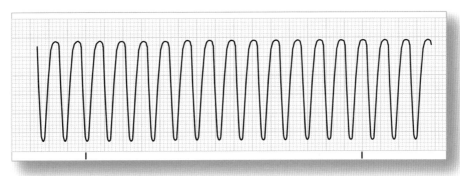

From *Arrhythmia Recognition: The Art of Interpretation*, courtesy of Tomas B. Garcia, MD.

박동수 :	150-300 회/분	PR 간격 :	없음
규칙성 :	규칙적	QRS 폭 :	넓음. 이상함
P파 :	없음	그룹화 :	없음
P:QRS비 :	없음	탈락 박동 :	없음

심실조동은 매우 빠른 심실빈맥이다. QRS군, T파, 혹은 ST 분절을 더 이상 구별할 수 없을 때 심실조동이라 할 수 있다. 이러한 박동은 너무나 빠르기 때문에 거의 대부분 파형들이 합쳐지고 구별할 수 없는 매끈한 사인 곡선 양상을 띤다.

임 상 적 요 점

300회/분의 빠르기의 심실조동을 발견하면 심방조동의 1:1 전도가 동반된 Wolf-Parkinson-White syndrome (WPW)의 가능성에 대해 생각해야 한다(지금은 별다른 의미가 없을 것이지만 나중에 가면 알 수 있다).

심실 세동

심전도 26

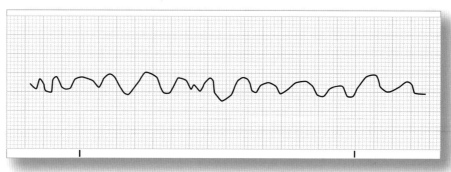

From *Arrhythmia Recognition: The Art of Interpretation*, courtesy of Tomas B. Garcia, MD.

박동수 :	불확실함(indeterminate)	PR 간격 :	없음
규칙성 :	혼돈스런 리듬	QRS 폭 :	없음
P파 :	없음	그룹화 :	없음
P:QRS비 :	없음	탈락 박동 :	맥박이 더 이상 없다!

만약 심장의 혼돈을 그리려고 한다면 바로 이 심전도이다. 심실 조율기들 모두가 혼란스럽게 그들 각자의 조율기를 가동시킨다. 그 결과 수많은 심장의 소구역이 동시에 점화(firing)하지만 조직화된 활동을 만들지 못한다.

임상적 요점

만약 환자가 괜찮아 보이고 눈을 뜨고 당신을 바로 쳐다본다면, 유도 전선이 떨어져서 생긴 허상이지 실제 심실세동은 아니다.

방실 차단

1도 방실 차단

심전도 27

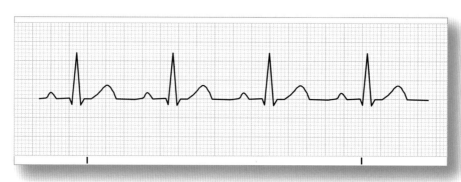

From *Arrhythmia Recognition: The Art of Interpretation*, courtesy of Tomas B. Garcia, MD.

박동수 :	원래 율동에 따름	PR 간격 :	연장 〉0.20초
규칙성 :	규칙적	QRS 폭 :	정상
P파 :	정상	그룹화 :	없음
P:QRS비 :	1;1	탈락 박동 :	없음

1도 방실 차단은 방실결절에서 발생한 긴 생리적 차단에 의해 발생한다. 가능한 원인으로는 약물치료, 미주신경 자극, 질병 등이 있다. PR 간격은 0.20초보다 길다.

설명

차단이라는 단어에 주의해야 한다. 여기서 다루는 율동의 장애는 방실결절 차단이다. 또한 다른 현상으로서 각차단(bundle branch block)이 있다.

2도 방실 차단, Mobitz I

심전도 28

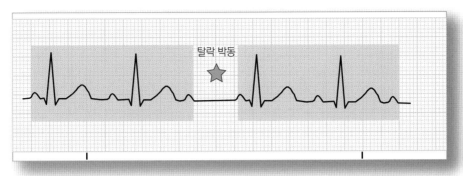

From *Arrhythmia Recognition: The Art of Interpretation*, courtesy of Tomas B. Garcia, MD.

박동수 :	원래 율동에 따름	PR 간격 :	다양
규칙성 :	규칙적으로 불규칙	QRS 폭 :	정상
P파 :	있음	그룹화 :	있음 그리고 다양함(심전도 7-28 푸른색 음영)
P:QRS비 :	다양, 2:1, 3:2, 4:3, 5:4 등등	탈락 박동 :	있음

Mobitz I은 또한 Wenckebach로 잘 알려져 있다. 그것은 긴 불응기를 가진 병든 방실결절에 의해 발생한다. 그 결과로 탈락 박동이 발생하기까지 박동군의 PR 간격이 점차 길

어진다. 탈락 박동이 발생하면 주기가 다시 시작된다. 한편으로, R-R간격은 각각의 박동에서 점점 짧아진다.

2도 방실 차단, Mobitz II

심전도 29

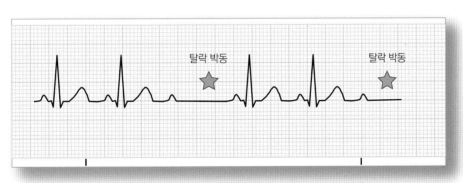

From *Arrhythmia Recognition: The Art of Interpretation*, courtesy of Tomas B. Garcia, MD.

박동수 :	원래 율동에 따름	PR 간격 :	정상
규칙성 :	규칙적으로 불규칙	QRS 폭 :	정상
P파 :	정상	그룹화 :	있음 그리고 다양함
P:QRS비 :	X:X-1;특히, 3:2, 4:3, 5:4 등등. 드물지만 비율이 변할 수 있음	탈락 박동 :	있음

Mobitz II에는, 각 그룹 사이에 탈락 박동이 있는 박동군의 그룹이 존재한다. 핵심은 PR 간격은 모든 전도된 박동에서 같다는 것이다. 이 리듬은 병든 방실결절에 의해 발생하고, 이는 완전 방실 차단이라는 더 나쁜 리듬으로 가는 전조현상이다.

임 상 적 요 점

P파와 QRS군이 2:1의 비율을 보인다면 무엇일까? Mobitz I 혹은 Mobitz II 일까? 답을 말할수 없다. 이 예는 2:1 2도 방실 차단이다. I 형과 II 형을 구분할 수 없기 때문에 더 안 좋은 부정맥으로 간주해야 한다. Mobitz II. 환자의 생명에 대해 과도하게 신중을 기하는 것은 잘못된 것이 아니다.

3도 방실 차단

심전도 30

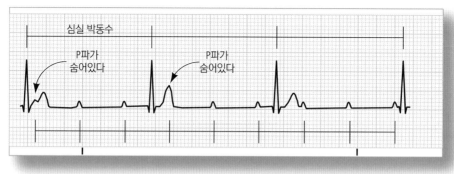

From *Arrhythmia Recognition: The Art of Interpretation*, courtesy of Tomas B. Garcia, MD.

박동수 :	원래(동성) 리듬과 이탈 리듬사이에 분리된 박동수를 가짐, 서로 서로 해리(dissociated)되어 있음	PR 간격 :	다양, 패턴이 없음
규칙성 :	규칙적, 그러나 P 박동수와 QRS 박동수는 다름	QRS 폭 :	정상 또는 넓음
P파 :	있음	그룹화 :	없음
P:QRS비 :	다양	탈락 박동 :	없음

심전도 30은 방실결절의 완전한 차단이다. 심방과 심실은 각각 분리되어 수축한다. 말하자면 각자의 드러머에 맞춰서 움직인다. 동율동은 서맥, 정상, 빈맥이 가능하다. 이탈 율동은 접합부 또는 심실 둘 다 가능하고 모양은 다양할 것이다.

설명

만약 QRS 숫자만큼 P파가 존재하면서 서로 해리되어 있으면 그것은 3도 방실 차단보다는 방실 해리(AV dissociation)로 부른다.

단원 복습

1. 동 부정맥은 정상적인 호흡에 의한 변이이다. (맞다/틀리다)

2. 125회/분의 규칙적인 율동 그리고 각각의 QRS 앞에 선행하는 P파가 있는 것은:

   A. 동성 서맥

   B. 정상 동율동

   C. 이소성 심방빈맥

   D. 심방조동

   E. 동성 빈맥

3. 율동 기록지에서 하나의 박동군이 완전히 빠지지만 기저 율동은 변하지 않고, P-P 혹은 R-R간격이 똑같이 유지되면(탈락 박동은 제외하고) 이것은 보기로 알려져 있다.

   A. 동성 서맥

   B. 심방 이탈박동

   C. 동성 휴지

   D. 동방 차단

   E. 접합부 이탈박동

4. 완전히 불규칙적인 분당 65회의 율동이고, 적어도 3개의 상이한 P파와 PR 간격이 있는 경우는?

   A. 심방세동

   B. 유주성 심방빈맥

   C. 다소성 심방빈맥

   D. 심방조동

   E. 가속성 심실고유 율동

5. 심방조동에서 조동파는 250-350회/분의 박동수를 가진다. (맞다/틀리다)

6. 심방세동은 완전히 불규칙적인 율동이며, 어떠한 유도에서도 P파를 구별할 수가 없다. (맞다/틀리다)

7. 완전히 불규칙적인 율동이 분당 195회이며 P파가 보이지 않을 경우는?

   A. 빠른 심실 반응을 동반한 심방세동

   B. 다소성 심방빈맥

   C. 심방조동

   D. 이소성 심방빈맥

   E. 가속성 심실 고유 율동

8. 가속성 접합부율동은 접합부율동이 분당 100회 이상인 경우이다. (맞다/틀리다)

9. 심실 고유 율동은 원발성 심박동기로 심실이 작용하여 발생한다. 보통의 심박수는 20-40 회/분이다. (맞다/틀리다)

10. 심실빈맥은 다음을 동반한다.

    A. 포획 박동들

    B. 융합 박동들

    C. 둘 다.

    D. 어느 것도 아님

11. 넓은 군 빈맥은 특정 부정맥으로 진단되기 전까지는 반드시 심실빈맥으로 간주하고 치료해야 한다. (맞다/틀리다)

12. 심실세동에서 기록지를 자세히 관찰하면 구별할 수 있는 박동군들이 있다. (맞다/틀리다)

13. 그룹화된 율동으로 PR 간격이 하나의 맥박이 빠질 때까지 계속 길어지는 것은?

    A. 유주심방조율기

    B. 1도 심장 차단

    C. 2도 방실 차단, Mobitz I

    D. 2도 방실 차단, Mobitz II

    E. 3도 심장 차단

14. 그룹화된 율동으로 규칙적 혹은 다양하게 QRS군의 이탈이 관찰되는 것은?

    A. 유주심방조율기

    B. 1도 심장 차단

    C. 2도 방실 차단, Mobitz I

    D. 2도 방실 차단, Mobitz II

    E. 3도 심장 차단

15. 심방과 심실의 조율기가 해리되어 있으며 심방의 박동이 심실보다 빠를 경우는?

    A. 유주심방조율기

    B. 1도 심장 차단

    C. 2도 방실 차단, Mobitz I

    D. 2도 방실 차단, Mobitz II

    E. 3도 심장 차단

동율동

제 8 장

정상 동율동

목표

1. 초보자들을 위한 교과서 부분을 읽은 이후에, 정상 동율동이 리듬을 이해하는데 가장 중요한 요소라는 것을 이해한다.

2. 동율동의 여러 개념들의 유사성, 차이점, 기원 등에 대해 이해한다

3. 정상 전도로와 심전도 군의 형성에 대해 기술한다.

4. PR 간격 사이에 일어나는 일들에 대해 나열한다.

5. 절대적, 상대적 휴지기에 대해 기술하고 부정맥을 형성하는 기전에 대해 이해한다.

6. 부정맥과 관련된 규칙성의 3가지 주요 범주를 열거한다.

7. 완전히 불규칙한 리듬의 임상적 및 진단적 중요성에 대해 토론한다.

8. 정상 동율동을 정확히 감별할 수 있다.

초보자들을 위한 교과서

벡터에 대해 알아보고 벡터가 심전도 모양 형성에 어떻게 관여하는지에 대해 알아보자. 모든 심근세포가 개개의 벡터를 형성하고, 이것들이 합쳐져 모양, 크기, 방향을 형성하게 된다. 이 개개의 벡터들이 수학적으로 합쳐져서 큰 벡터를 형성하게 된다. 이것들이 우리가 최종적으로 보게 되는 심전도 군의 벡터이다.

초심자 때는, 대부분의 심장이 비슷하다고 가정을 한다. 하지만 실제로 심장마다 무게, 벽두께, 판막의 크기, 전부하·후부하의 변화, 심방, 중격, 심실중격, 심장의 각도 등이 모두 다르다. 근본적으로는, 나이와 병리적인 변화가 각각의 모양을 다르게 한다. 당신의 18세 때의 심전도와 65세 때의 심전도는 다를 것이다. 심장은 지문처럼 다양하고, 독특하다. 따라서 각각의 다른 모양과 벡터를 심전도 스트립에 표현하게 된다.

초심자의 입장에서, 대부분 사람들이 정상 동율동을 눈여겨 보지 않는다. 이것은 큰 실수이다. 정상이 어떻게 생겼는지 이해하지 못한다면, 어떻게 이상이 있는걸 알 수 있겠는가?

나의 아버지는 그가 의과대학생 시절 이야기를 종종 회상한다. 큰 각진 머리와 몰린 눈, 큰 귀를 가진 이상하게 생긴 한 남자가 외래에 들어왔다. 전공의는 유전성 질환에 대해 찾아보자고 하였다. 하지만 아무도 알지 못했다. 그때, 문이 열리고 똑같이 생긴 그의 엄마가 들어왔다. 추후에 물어보았을때, 그는 유전 질환은 없다고 하였다. 그 환자는, 그저 특이하게 생긴 사람이었다. 단순히 부모님을 닮은 것이었다.

심전도에서도, 정상에서 병적인 소견까지 다양한 소견을 마주할 수 있다. 심전도가 특이하게 보일 수 있지만, 그것이 다 병적인 소견은 아니다. 따라서 정상 심전도를 판독하는데 많은 시간을 들여야 한다. P파가 II, II, aVF에서 양성인가? PR 간격이 얼마나 길어지거나 짧아졌는가? 이상한 큰 혹은 작은 파형은 없는가? 과도한 ST 상승 혹은 하강은 없는가? 만약 있다면, 어떤 리드에 있는가? T파의 이상은 없는가? 스트립이 기본 속도로 찍혀 있는가? 크기는 적당한가? 모든 군의 간격은 정상 범위에 있는가?

리듬 스트립을 심장 안에서 리듬적으로 일어나고 있는 일의 동영상으로 생각해 보라. 2초 전 혹은 후에 어떤 일이 일어날 것인지 알 수 없다. 따라서 환자의 전체를 보는 것이 중요하다. 이전의 심전도 기록이 있다면, 그것들을 다시 리뷰하고 그 환자의 소견이 정상인지를 판별해야 한다.

흑백론을 주장하는 사람들이 있다. 하지만 실상에는 단정지어서 말할 수 있는 것이 매우 적다. 지금 보고 있는 심전도가 정상 동율동인지를 판별할 수 있는 모든 도구를 이용해라.

이 장의 궁극적인 목적은, 부정맥의 시작과 끝을 자세히 관찰하는 것이다. 정상 동율동이 부정맥으로 변하는 순간에 많은 정보를 얻을 수 있다.

중요 메시지:

- 정상 동율동은 다른 모든 소견들과 비교할 수 있는 기본 소견이다.
- 정상 동율동은 다양하게 나타날 수 있다.
- 이전의 심전도를 비교하는 것은 매우 중요하다.
- 정상 동율동에서 부정맥으로 전환되는 시점을 관찰하는 것은 부정맥 판독과 기전에 대해 이해하는 데 매우 중요하다.

—Daniel J. Garcia

동율동 서론

동율동 군은 한 가지 공통점이 있는데, 모두가 동결절에서 기원하는 것이다. 서론의 목적은 이 책 전반에서 계속해서 쓰이는 용어와 기초를 알려주기 위함이다. 각기 다른 동율동에 대해 앞으로 아주 세밀하게 다룰 것이다.

정의에 의하면, 동결절에서 기원한 모든 박동군과 한 환자의 모든 P파는 형태학적으로 동일해야 한다. 더욱이 모든 자극은 정상 전도계를 통해서 내려오기 때문에 PR 간격은 모든 박동군 사이에서 동일해야 한다.

모든 동율동은 2가지 공통적인 특징이 있다(**그림 8-1**).

1. 모든 P파는 동일하다
2. 모든 PR 간격은 같다

심박동수, 규칙성, 형태와 같은 것들은 실제적인 율동, 그리고 환자 개개인의 해부, 병리 그리고 다양한 신경 호르몬 상태에 따라 달라진다.

이 시점에서 몇 가지 일반적인 용어에 대해 논의할 필요가 있다. 대부분의 사람의 정상 심박동수는 분당 60에서 100회이다. 율동 기록지에서 규칙적이며 심박동수가 분당 60에서 100회이면서 일정한 PR 간격과 일정한 P파의 형태를 가지는 경우, 정상 동율동이라고 한다. 이것은 간략한 정의인데 왜냐하면 만족해야 할 다른 기준들이 존재하기 때문이다. 하지만 이 간략한 정의로 현재는 충분하다. 만약 심박동이 불규칙하지만 동율동의 정의에 들어갈 경우 이것을 동부정맥이라고 부른다.

서맥은 느린 율동을 말하며. 일반적으로 분당 60회 이하이다. 따라서, 동서맥은 분당 60회 이하이면서 동율동의 정의를 만족시키는 율동이다. 빈맥은 분당 100회 이상의 빠른 율동이다. 다시 한 번 말하면, 동빈맥은 동율동의 조건을 만족시키면서 분당 100회 이상의 율동이다.

규칙적인 동율동은 빠른 것부터 속도가 느린 하나의 스펙트럼이라고 생각해 주기 바란다(**그림 8-2**). 왜냐하면 기본적으로 이 3가지는 동일한데 단지 심박수만이 다르기 때문이다. 임상적인 중요성은 경사도의 색깔로 강조하였다. 초록색은 임상적으로 중요하지 않다. 빨강색은 위험 지역들을 표시하며, 일반적으로 율동이 너무 빠르거나 너무 느린

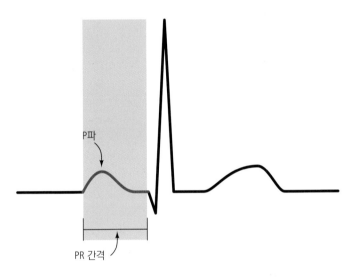

그림 8-1. 모든 동율동에서 P파는 동일하다.

© Jones & Bartlett Learning.

<60 회/분	60–100회/분	>100 회/분
동서맥	정상 동율동	동 빈맥

그림 8-2. 규칙적인 동율동 - 동서맥, 정상동율동, 동빈맥은 심박수에 따라 구분된다. 녹색은 임상적으로 정상 범위이고 빨간 색은 위험 범위이다.

© Jones & Bartlett Learning.

경우 관류 및 심장의 기능에 장애가 올 수 있다.

동율동의 특징들은 **표 8-1**에 요약되어 있다.

정상 동율동

정상 동율동은 심장이 정상적으로 기능하는 율동이다. 이것은 부정맥이 아니다. 심장의 기능 상태는 정상이며 병적이지 않기 때문이다. 심장이 정상 동율동의 상태에 있으면 심장 근육의 조화로운 수축과 이완이 이루어지고, 이를 위한 자동성, 탈분극, 그리고 재분극이 반복된다.

대부분의 교과서는 이 주제를 소개하기 위해서 단지 몇 개의 단락을 할애한다. 그러나 우리는 더욱 자세하게 소개할 예정이다. 왜냐하면 부정맥의 인지의 기본이 되기 때문이다. 이런 것들이 어떻게 그리고 왜 일어나는지를 이해하는 것은 더욱 복잡한 부정맥들을 이해하는데 큰 도움을 줄

것이다.

심전도의 형성

어떻게 전통적인 심전도의 형태가 만들어지는지 살펴봄으로써 정상 동율동을 알아보도록 하자. 그림에서 탈분극은 빨간색으로 퍼져나가는 파로 표시하였다. 재분극 과정은 파란색으로 퍼져나가는 파로 표시하였다. 이것이 연속적인 과정임을 잊지 말도록 하자. 동결절은 자동능때문에 실제적인 휴지기나 비활성기가 없으며, 주기는 계속 반복하게 된다. **그림 8-3**은 전기 전도계를 설명해 주고 있다.

정상 동율동의 빈도는 분당 60에서 100 사이이다. 관습적으로 분당 60회 이하의 율동은 서맥으로 간주하고 100회 이상의 율동은 빈맥으로 간주한다.

표 8-1. 동율동의 특성	
정상 동율동	• 분당 60에서 100회 • 모든 P파는 동일하다 • 모든 PR 간격은 동일하다 • 규칙적인 심장 박동수
동서맥	• 분당 60회보다 느리다 • 모든 P파는 동일하다 • 모든 PR 간격은 동일하다
동빈맥	• 분당 100회보다 빠르다 • 모든 P파는 동일하다 • 모든 PR 간격은 동일하다
동부정맥	• 정상 박동수, 서맥, 빈맥일 수도 있다 • 모든 P파는 동일하다 • 모든 PR 간격은 동일하다 • 불규칙한 심박수

© Jones & Bartlett Learning.

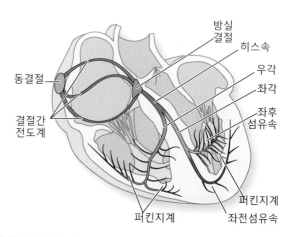

그림 8-3. 전기 전도계

© Jones & Bartlett Learning.

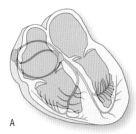

그림 8-4A. 기준선 구간
© Jones & Bartlett Learning.

주기 #1 (**그림 8-4A**): 기준선은 대부분의 심장 근육이 휴식을 취하고 있는 기간이다. 하지만 동결절은 자동능의 과정을 거치고 있으며, 역치에 도달하여 서서히 탈분극되면 세포들이 새로운 심장 주기를 시작하기 위해 점화하게 된다.

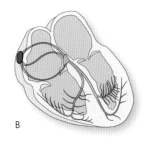
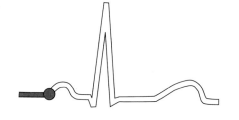

그림 8-4B. 동결절의 점화
© Jones & Bartlett Learning.

주기 #2 (**그림 8-4B**): 이 지점에서 동결절은 점화하고, 그 전도는 결절간 경로를 통해서 방실결절까지 전달된다. 측정 가능한 벡터를 형성할 만큼 탈분극한 근육세포가 없기 때문에 이 기간은 심전도상 중성이다.

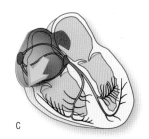
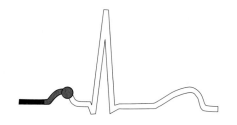

그림 8-4C. 우심방 탈분극
© Jones & Bartlett Learning.

주기 #3 (**그림 8-4C**): 우심방은 현재 탈분극되어 있다. 이것은 오른쪽, 약간 앞쪽으로 그리고 아래로 향하는 벡터를 만든다(노란색 벡터). 또한, 기타의 것들도 일어난다(다음 페이지의 추가 정보를 볼 것). 방실결절은 생리적인 차단을 유발하는 주된 기능을 수행할 것이다.

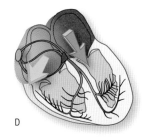
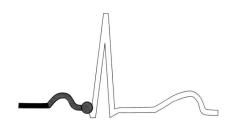

그림 8-4D. 좌심방 탈분극
© Jones & Bartlett Learning.

주기 #4 (**그림 8-4D**): 양 심방은 완전히 탈분극되어 있다. 동결절과 주변의 지역들은 재분극하기 시작한다. 좌심방의 벡터는 왼쪽, 아래쪽 그리고 약간 뒤로 향한다(파란색 벡터).

주기 #5 (**그림 8-4E**): 이 시점은 좌심방의 탈분극이 대부분 완전히 진행된 상태이다. 그리고 우심방의 재분극도 적절히 잘 이루어진 상태이다.

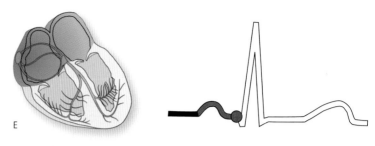

그림 8-4E. 심방 탈분극 종료
© Jones & Bartlett Learning.

한가지 더

정상 동율동

정의상으로 동결절은 정상 동율동시 심장의 일차 조율기이다. 한 개의 조율기만이 작동하기 때문에 P파는 동일할 것이다. 더욱이, 방실결절에 이르는 거리와 경로는 같기 때문에 PR 간격은 정상이고 일정하여야 한다.

자극은 항상 동결절에서 시작되어 심방을 탈분극하기 위해 아래쪽으로 움직임으로, 정상 동율동에서 벡터는 항상 하방을 가리킨다. **그림 8-5**에서 우심방의 벡터(노란색)와 좌심방의 벡터(파란색)들은 하방으로, 직접적으로 여섯 개 축 체계의 II, III, aVF 유도를 향하고 있다. 유도를 향하는 양성 벡터는 심전도상에서 양성파로 나타난다. 이것은 심전도에서 P파는 반드시 언제나 유도 II, III, aVF에서 상향임을 의미한다. 만일 P파가 유도 II, III, aVF에 음성이라면 율동은 정상 동율동일 수가 없고 이소성 조율기가 있어

야만 한다(대부분의 경우 이소성 심방 혹은 접합부 심박동기이다).

PR 간격은 심장 주기에서 매우 바쁜 시기를 나타낸다. 심방, 방실결절, 히스속, 각분지들(bundle branches), 그리고 퍼킨지 시스템이 탈분극하여 자극을 전도하는 시기이다(**그림 8-6**). 더욱이 방실결절은 생리적인 차단이라는, 자극을 순간적으로 느리게 전도하는 주된 기능을 수행한다. 자극을 지연시키는 것은 매우 중요한데, 이는 심실 충만을 최대로 하기 위해서 심방의 기계적인 수축을 조절하는 것이다. 만일 이러한 차단이 없으면 심방과 심실은 동시에 수축하게 된다.

만약 PR 간격이 0.12에서 0.20초 사이이면 PR 간격은 정상으로 간주한다. 만일 0.11초 이하이면 단축된 것이며, 0.21초 이상이면 연장된 것이다. 어떤 저자는 0.20초를 경계성 연장으로 간주한다.

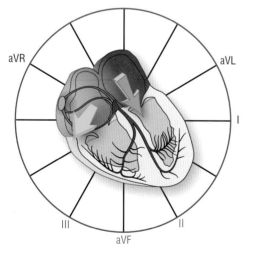

그림 8-5. 정상 동율동에서 심방의 벡터는 아래쪽으로 향한다.
© Jones & Bartlett Learning.

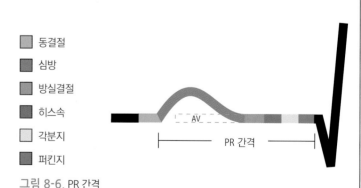

동결절
심방
방실결절
히스속
각분지
퍼킨지

그림 8-6. PR 간격
© Jones & Bartlett Learning.

주기 #6 (**그림 8-4F**): 재분극은 심방의 대부분에 걸쳐서 시작된다. 생리적인 차단은 거의 완료되어 자극이 심실로 곧 진행하려고 한다.

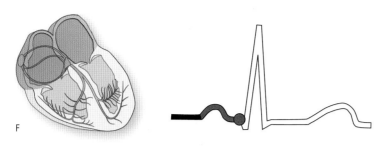

그림 8-4F. 대부분의 심방에서 재분극이 시작됨
© Jones & Bartlett Learning.

주기#7 (**그림 8-4G**): 생리적 차단은 끝나고 자극은 히스속, 좌우 각들, 섬유속, 그리고 퍼킨지계를 통해서 진행된다. 자극은 대부분 심내막을 통해서 진행한다. 자극은 심내막의 표면에서 심외막의 표면으로 진행될 것이다.

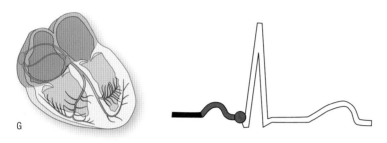

그림 8-4G. 전기 자극이 히스속을 지나 좌각, 우각, 퍼킨지계로 진행
© Jones & Bartlett Learning.

주기 #8 (**그림 8-4H**): 심실에서 최초로 탈분극되는 부위는 상부 중격이다. 이것은 좌에서 우로 탈분극하여 작은 벡터(분홍색 벡터)를 만들며 심전도에서 중격 Q파로 나타난다.

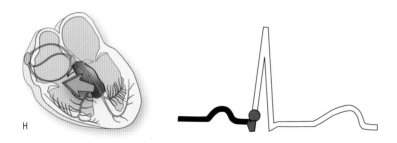

그림 8-4H. 심실 중격의 위쪽이 탈분극되기 시작
© Jones & Bartlett Learning.

주기 #9 (**그림 8-4I**): 좌심실의 주요 부위의 탈분극은 큰 벡터(노란색 벡터)를 만든다. 이것은 아래쪽, 뒤, 그리고 후방을 향한다. 이것은 그림에서 커다란 R파를 형성한다.

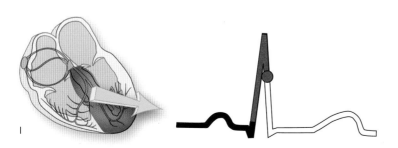

그림 8-4I. 심실의 주요 부위가 탈분극되어 R파를 생성
© Jones & Bartlett Learning.

주기 #10 (**그림 8-4J**): 마지막으로 탈분극하는 좌심실의 부위는 위쪽과 뒤쪽이다. 그림과 같은 방향으로 나아가는 양성 탈분극파는 심전도에서 QRS군 마지막 부분 또는 S파를 나타내는 벡터(파란색 벡터)를 유발할 것이다.

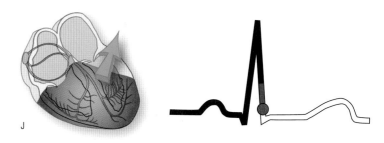

그림 8-4J. S파에서 탈분극의 마지막이 발생함
© Jones & Bartlett Learning.

주기 #11 (**그림 8-4K**): 이 시점에서 양심실의 탈분극이 완료된다. QRS군이 완성되었다. 양심실의 탈분극이 정상 전도계에 의해 일어났기 때문에 QRS군의 기간은 정상이다. 정상 QRS군의 간격은 0.06 - 0.11초 사이이다.

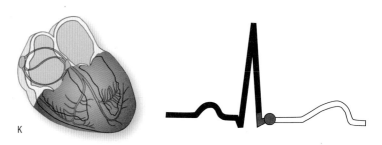

그림 8-4K. 양측 심실이 완전이 탈분극 되면서 QRS가 완성됨
© Jones & Bartlett Learning.

주기 #12 (**그림 8-4L**): 이 기간은 심실들의 탈분극이 끝나고, 재분극을 시작하는 시기이다. 심실의 재분극은 T파를 형성한다(추가 정보 상자를 볼 것.).

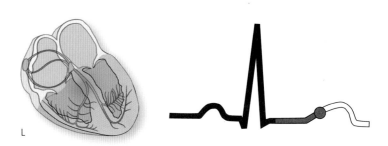

그림 8-4L. 심실이 탈분극을 마치고 재분극하기 시작하고 T파가 시작됨
© Jones & Bartlett Learning.

한가지 더

절대적 불응기

T파의 초기 부분은 절대적 불응기로 알려진 기간이다. **그림 8-4L**와 주기 12의 심장 그림을 보면 대부분의 심실은 여전히 탈분극 상태이다(분홍색으로 표기된 영역). 이런 영역들은 새로운 자극에 대해서 불응일 것이다. 달리 말하면, 이 심실영역들은 여전히 탈분극되어(더 양성이다) 있기 때문에 활성화될 수 없고, 새로운 자극을 전달할 수도 없다. 비슷한 상황으로, 대포를 생각해 보자. 장전된 대포는 방아쇠를 당기면 쉽게 발사될 것이다. 그러나 만일 대포가 충분히 재장전되기 전에 다시 방아쇠를 당기면, 방아쇠를 당긴다고 할지라도 두 번째 발사는 일어나지 않을 것이다.

단지 작은 국소 영역만 완전한 재분극을 이룰 것이며(**그림 8-7**에서 파란 세포들과 이전의 그림에서 파란색 영역으로 표시되어 있다.) 다른 자극에 반응할 수 있을 것이다. 더 많은 세포들이 재분극한다면 이것이 문제를 야기할 수 있을 것이다. 다음 추가 정보 상자에서 이것을 알아볼 것이다.

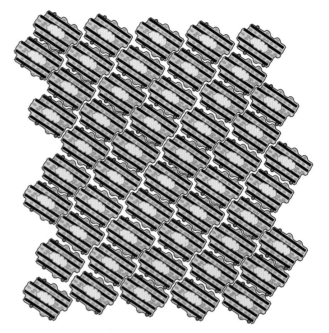

그림 8-7. 일부의 세포만이 완전히 재분극되어 또 다른 자극을 맞이할 준비가 되어 있다.

© Jones & Bartlett Learning.

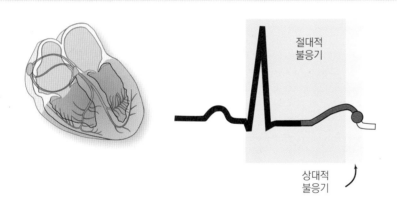

그림 8-4M. T파의 마지막 부분은 상대적 불응기이다.

© Jones & Bartlett Learning.

주기 #13 (**그림 8-4M**): 이제 T파는 심전도에 잘 나타나게 된다. 이 부분은 T파의 마지막 부분으로서 아래로 향하는 파형이다(파랑 지역). 이것은 상대적인 불응기로 알려진 기간을 나타낸다(다음 페이지의 추가 정보 상자를 참조 할 것).

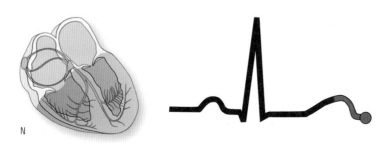

그림 8-4N. 마지막 단계. 이 단계에서 심장은 이완된다.

© Jones & Bartlett Learning.

주기 #14 (**그림 8-4N**): 이제 마지막 단계이다. 심장은 이 시점에서 이완된다. 그러나 모든 세포들의 자동능은 계속된다. 정상 동율동에서 동결절이 심장의 주된 가장 빠른 심박동기이기 때문에 자동능에 의한 심조율 기능을 획득한 것이다. 심장이 정상적으로 작동한다면, 이 과정은 계속적으로 반복될 것이다.

상대적 불응기

상대적 불응기에는 더욱더 많은 세포들이 재분극되어 절대적 불응기보다 자극을 더 받아드릴 준비가 되어 있다. 그 결과로 자극의 전달이 일어날 수 있지만, 종종 우회 경로에 의해 자극 전달이 발생한다. 경우에 따라서 **그림 8-8**과 같이 순환 경로가 만들어진다. 이런 경우는 빨강색 별로 표시된 심박조율 세포에서 조기 심실 박동군이 만들어지면서, 이 자극은 그 후 서서히 직접적인 세포 대 세포간의 전달을 통해 심장의 구획을

둘러가면서 진행하게 된다. 전달이 매우 느리게 일어나기 때문에 자극이 본래의 심박동을 만든 지역에 도달하면 이 지역은 다시 재분극되어 있을 것이다. 이것은 자극을 다시 받을 준비가 되어 있다는 것을 의미한다. 이런 종류의 원형운동은 심각한 부정맥을 초래하며, 심실빈맥을 위한 준비과정을 의미한다. 차후에 이것에 대해 더 많은 시간을 할애할 것이다. 이것은 T파의 절대적 그리고 상대적 불응기에 대한 간단한 소개일 뿐이다.

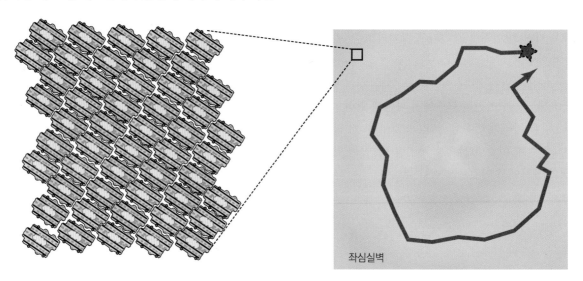

그림 8-8. 심실 조기수축이 발생하면, 전도가 느려져서 원조 박동기 부위에 도달하면 그 부위는 또 다시 재분극되어 있을 것이다.

규칙성

정상 동율동은 규칙적인 율동이다. 여기에서 우리가 말하려고 하는 것은 복합체들이 서로서로 규칙적이고 일정한 간격을 유지한다는 것이다. 비슷한 상황을 가정해 보면, 가로등이 길의 양쪽을 따라 어떻게 설치되어 있는지 생각해보자. 불빛들은 규칙적으로 설치되어 있고 길을 따라 각자 일정한 간격에 위치하고 있다.

왜 이런 규칙성들이 일어나는가? 이런 이유를 이해하기 위해서는 자동능의 개념과 2장의 활동 전위 4기로 다시 돌아가야만 한다.

제4 구간은 심박동 조율세포들이 음전하 재분극 상태에 서부터 매우 느리게 지속적으로 탈분극하는 시기이며 역치

전위에 도달하면 세포가 박동을 만드는 시기이다. 이런 느린, 점진적인 4기의 특징이 심장 세포에서 심박 조율기능을 만드는 방법이다. 제4기의 주기는 매우 일정하며 특정한 세포의 종류에 따른 조율 속도를 결정하게 한다.

정상적인 상태에서 동결절은 심장 세포들 중 가장 **빠른** 4기를 가지고 있으며 심장의 주 심박조율기로서 기능을 수행한다. 정의상 정상 동율동은 동결절이 박동수를 설정하는 주요 조율기로서 작용하는 것이다. 속도는 대부분의 경우 매우 규칙적이다. 가끔씩 약간의 시간 변이가 있기는 한다. 0.16초까지의 변화는 가끔 일어날 수 있으며 이정도는 정상으로 간주한다(**그림 8-9**). 이런 경우 P파 모양이 동일하며 PR 간격은 통상적인 박동들과 같아야 한다.

율동 기록지나 심전도에서 거리는 심전도군의 한 지점에

서 다음 군의 상응하는 한 지점까지의 거리로 측정한다. 이 거리를 나머지 박동군에 옮겨보자. 만약 거리가 같거나 근접하다면 율동이 규칙적이라고 간주한다.

전통적으로 가장 흔히 측정하는 거리는 R-R간격이다(**그림 8-10**). 이것은 하나의 QRS군의 꼭대기에서 다음 박동의 꼭대기까지의 거리이다. QRS의 꼭대기는 쉽게 찾을 수 있고 캘리퍼의 핀으로 쉽게 찍을 수 있기 때문이다.

동일하게 사용되는 측정법은 P-P간격이다(**그림 8-11**). R-R 간격과 동일한 방법으로 측정할 수 있다. 그러나 R파의 꼭대기를 이용하는 대신 P파의 시작점 또는 꼭대기를 이용한다.

정의상, 율동은 규칙적, 규칙적으로 불규칙적, 혹은 완전히 불규칙적이어야 한다. 우리는 규칙성에 대해 위에서 살펴보았다. 이제, 불규칙성의 주제에 관심을 가져보자.

규칙적 불규칙 리듬

불규칙성에 대해 논의하려면, 우리는 원래 율동을 순간적으로 변화시키는 심장의 사건이 동반된 율동과 정상 율동 간의 차이를 이해해야 한다. 선명한 정상 동율동의 기록지

를 가지고 있다고 가정해 보자. 간편하게 **그림 8-12**에서 금색 막대가 각 복합체를 나타낸다고 하자. 갑자기 심장안의 다른 조율기가 흥분하여 일찍 박동을 만들기 시작하였다. 두 번째 심박조율기에 의해 만들어진 P파와 QRS군의 모양은 주변의 다른 복합체의 나머지 부분들과 다르고 일찍 나타난다. 이런 심장의 사건을 표시하기 위해 **그림 8-12**에 파란 원을 사용하였다. 이 새로운 율동은 새 이름을 가지는가? 대답은 아니요이다. 이 율동은 (   )을 동반한 정상 동율동이라고 한다(빈칸은 각 사건의 명칭에 의해 채워질 것이다). 예를 들면, 환자가 심실 조기수축을 동반한 정상 동율동을 가졌다고 말할 것이다.

이것은 규칙적으로 불규칙적인 율동의 예이다. 더욱 확실히 이해하기 위하여 이 용어를 좀 더 세분화해보자. "규칙적으로"라는 첫 번째 용어는 기본적인 율동이 규칙적이라는 것을 강조한다. 이것은 이 책에 나오는 규칙적인 율동들 중 어느 것이나 가능하지만 반드시 규칙적인 율동이어야 한다는 것이다. 두 번째 단어는 정상 리듬 내에 발생하거나 혹은 리듬 사이에서 일어나는 비정상적인 사건을 의미한다. 그

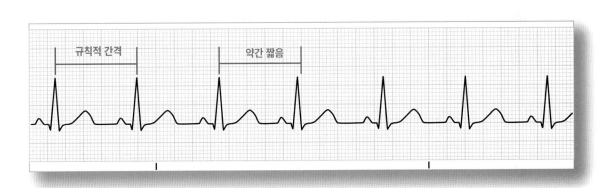

그림 8-9. 네 번째 박동군은 약간 불규칙하다. 약간 일찍 나타났으나 다른 심박동과 같은 P파, PR 간격을 갖는다. 이것은 정상 동율동이다.

From *Arrhythmia Recognition: The Art of Interpretation*, courtesy of Tomas B. Garcia, MD.

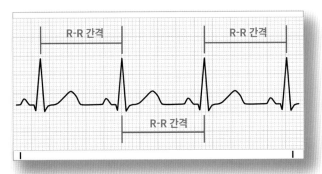

그림 8-10. R-R 간격은 가장 많이 측정하는 거리이다. QRS군의 끝을 구별하기 쉽기 때문이다.

From *Arrhythmia Recognition: The Art of Interpretation*, courtesy of Tomas B. Garcia, MD.

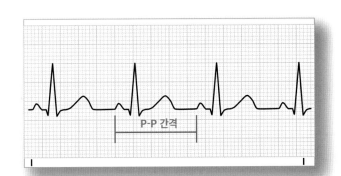

그림 8-11. P-P 간격도 거리를 측정하는데 사용될 수 있다.

From *Arrhythmia Recognition: The Art of Interpretation*, courtesy of Tomas B. Garcia, MD.

불규칙성은 한두번 일어나거나 기록하는 동안 다양한 간격으로 반복될 것이다(**그림 8-13**).

어떤 경우에 심장의 이벤트는 본래의 규칙적인 율동의 박동수를 변화시킬 수 있지만 그 다음 율동은 여전히 규칙적일 것이다. **그림 8-14**를 보자. 그림의 시작점은 정상적이며, 느리고, 규칙적인 리듬을 가지고 있다. 이후에 심장에 사건이 발생하였다. 그 후, 원래 심박동수나 심박동기는 변하였지만 리듬은 여전히 규칙적이다. 이것은 여전히 규칙적으로 불규칙한 율동으로 여겨지며 많은 환자에서 흔히 일어난다. 우리는 이 율동 각각의 구성을 구분하여 언급할 것이다. 예를 들면 심실조기박동을 동반한 정상 동율동 후에 동빈맥이 나타난다고 기술한다.

완전히 불규칙적 리듬

율동이 완전히 무질서하고 어떠한 규칙성도 찾을 수 없을 때 우리는 완전히 불규칙적 율동이라고 말한다. 박동들의 박자가 완전히 우연하게 나타나기 때문에 발견하기가 쉽다. 게다가 P파와 PR 간격이, 만약 존재한다면, 거의 모두 형태가 다를 것이다.

율동이 어떻게 완전히 무질서할 수 있을까? 각각의 고유한 속도로 점화하는 세 가지 다른 심방의 심박동기를 가진 경우를 생각해 보자. **그림 8-15**에서, 우리는 A,B,C 세 가지 다른 심방조율기에서 기원한 율동을 구별해 낼 수 있다. 간단하게 각각의 심방조율기에 의해 발생한 박동을 각기 다른 색깔을 사용하여 표시하였다.

그렇게 어렵지 않다. 세 가지 심장조율기 각각의 율동을

그림 8-12. 정상 동율동이 어떤 사건에 의해 방해받는 예시이다. 이후에 다시 정상 동율동이 회복되었다. 각각의 수직 막대는 박동군을 의미한다.

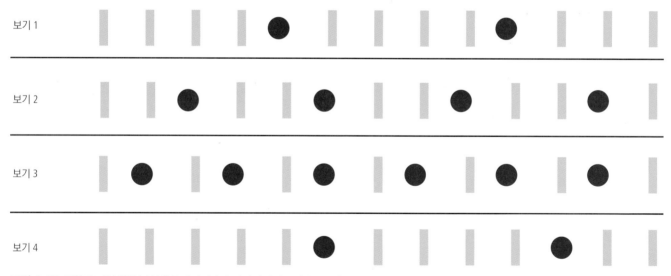

보기 1

보기 2

보기 3

보기 4

그림 8-13. 규칙적으로 불규칙적인 율동의 예시이다. 사건에 의해 본래의 정상 율동의 박자는 변하지 않는다.

리듬 #1   사건   리듬 #2

그림 8-14. 정상 동율동이 사건에 영향을 받아 동성 빈맥으로 바뀌었다.

선명하게 표시할 수 있고 쉽게 구분할 수 있다. 각각의 표시는 전체 심박동군, 즉 P파, PR 간격, ST-T파들을 의미한다. 각각의 P파와 PR 간격이 다를 수 있다는 것을 유의하자. 그렇게 해도 여전히 큰 문제는 없다 - 쉽게 시각화할 수 있다.

그러면, 세 가지 심박동 조율기 모두가 같은 심장에서 동시에 박동을 만들며 각각의 고유한 속도로 박동이 계속된다고 하자. 기록지가 어떻게 보일지 추측할 수 있겠는가?

어떤 박동은 완전 불응기에 떨어지므로 전도되지 않고, 어떤 박동들은 명확하지 않은 이유로 전도되지 않으며, 우리는 이 세 가지 심박동기의 최종 결과물을 논리적으로 추측할 수 있다(**그림 8-16**). 보다시피, 마지막 최종 결과지는 어떠한 R-R 간격도 반복적으로 나타나지 않는다. 이 기록지는 무질서의 전형적인 모양이며 완전히 불규칙한 율동에서 보이는 완전히 일정치 않은 패턴을 보여준다.

더 복잡하게 생각해 보면, 어떤 박동들은 합쳐져서 완전히 새로운 심전도군의 형태와 완전히 다른 R-R 간격을 형성하게 된다는 것을 기억할 필요가 있다. 복잡성을 더 부여하면, 세 가지보다 네 가지 심박동기가 있다고 생각해보자. 다섯 가지 또는 여섯 가지 심박동기라면 어떻게 되겠는가? 그러면 완전히 불규칙한 율동에서 발견되는 복잡성을 상상할 수 있을 것이다. 운좋게도, 완전히 불규칙한 율동에는 세 가지만 있다: 유주심방조율기, 다소성 심방빈맥, 심방세동. 책 중간에 각각에 대한 세부사항을 토의할 것이다. 여기에서는 간단히 소개만 하도록 한다.

정상 동율동이 어떻게 형성되는지 자세히 살펴보았다. 그리고 정상 동율동의 몇 가지 원리들을 잘 살펴 볼 수 있었다. 예를 들면 규칙성이다. 그러면, 실제로 몇 가지 기록지를 볼 차례이다. 이 책에서 각각의 율동들의 다양한 사례를 살펴볼 것이다. 가장 빠른 범위의 예와 가장 느린 범위, 양성의 군을 가지는 경우, 음성의 군들을 가지는 경우를 보여줄 것이다. 각각의 기록지에 앞서 배웠던 개념을 적용하는 것 중요하다. 이 개념들은 기억할 필요가 있다.

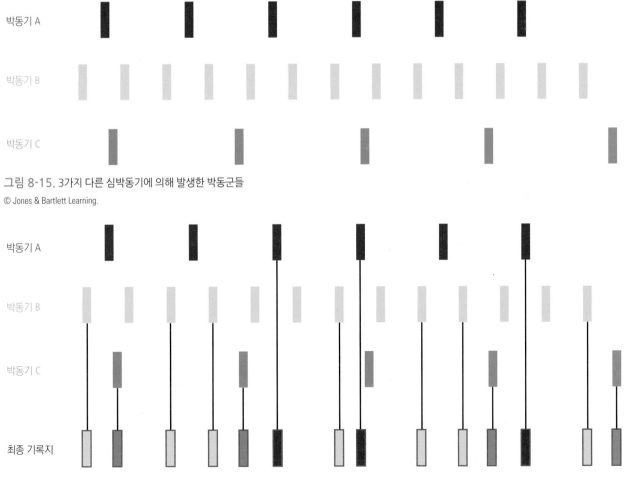

그림 8-15. 3가지 다른 심박동기에 의해 발생한 박동군들
© Jones & Bartlett Learning.

그림 8-16. 3개의 다른 심박동기가 있는 율동 기록지의 예시
© Jones & Bartlett Learning.

명명법

용어와 관련된 작은 문제

많은 저자들이 정상 동율동은 QRS군의 넓이가 0.12초 이하가 되어야 한다고 말한다. 이들은 넓은 QRS군이 있는 율동을 묘사할 때 정상 농율농보다는 규칙적 동율동이라는 용어를 사용

하지만 많은 사람들이 용어를 혼용하여 사용한다.

이 책에서는, 어떤 율동이 정상 동율동이기 위해서는 QRS군의 넓이가 정상 범위 안에 있어야 한다는 매우 엄격한 규정을 따르기로 하였다. 비정상적인 넓이의 QRS군일때는 동율동이나 규칙적인 동율동이라고 기술한다. 임상적으로, 해결해야할 가장 중요한 점은 우선 왜 QRS군이 넓어졌냐는 것이다.

P파와 PR 간격의 미세한 변이

P파의 형태와 PR 형태에 대해 확실히 해야 할 것이 있다. 같은 동결절에서 시작한 박동도 약간의 P파와 PR 간격의 차이를 보일 수 있다는 사실은 전기 생리학적 검사를 통해 알려져 있다 (**그림 8-17**). 이는, 동결절이 한 개의 세포나 작은 부분이 아니라, 꽤 긴 방추 모양의 구조물이기 때문이다. 조율 세포는 동

결절 내에서도 다양할 수 있다. 그리고 이러한 미묘한 차이가 P파의 미세한 형태 차이나 PR 간격의 차이를 야기할 수 있다. 우리가 이 책에서 "똑같다" 라고 말한 것은, 그것들이 하나의 구역이라고 말할 정도로 비슷하기 때문이다. 동결절의 바깥에 위치한 신박동기는 명백한 형태의 차이를 야기한다.

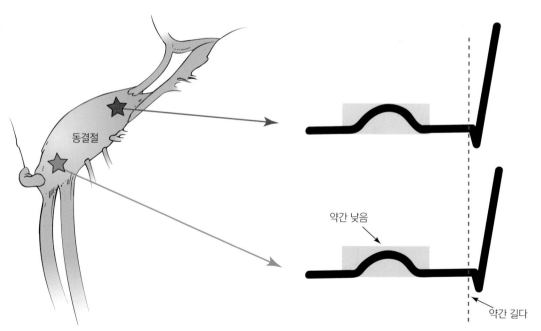

그림 8-17. 같은 동결절에서 시작되는 P파와 PR 간격 사이에도 미묘한 형태의 차이가 있을 수 있다.

© Jones & Bartlett Learning.

심전도 스트립

심전도 1

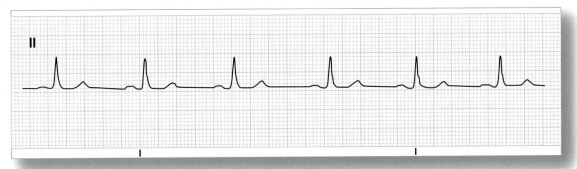

From *Arrhythmia Recognition: The Art of Interpretation*, courtesy of Tomas B. Garcia, MD.

심전도 1은 스펙트럼상 느린 범위에 있는 정상 동율동의 전형적인 예이다. 분당 60회를 약간 넘는다. 정상 동율동의 기준인 분당 60-100회에 간신히 해당한다. P파는 모두 같은 모양이고 PR 간격도 모두 같다. 이것은 율동을 결정하는데 중요하다. 왜냐하면 모든 박동군들이 같은 심박동기 내에서 기원함을 의미하기 때문이다. 이 경우는 동결절이다. P-P 간격은 같고 율동은 매우 규칙적이다. QRS군은 0.12초보다 짧고 형태적으로 비슷하다. 이것은 모두 정상 동율동의 기준을 만족한다.

심전도 2

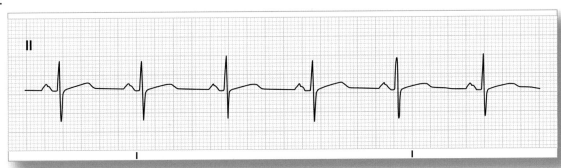

From *Arrhythmia Recognition: The Art of Interpretation*, courtesy of Tomas B. Garcia, MD.

박동수 :	분당 약 60회를 조금 상회	PR 간격 :	정상, 일치함
규칙성 :	규칙적	QRS 폭 :	정상
P파 :	있음	리듬 :	정상 동율동

심전도 2는 정상 동율동의 모든 특징을 보여준다. QRS군은 비교적 등전위(음과 양이 같은 크기)이다. QRS군의 방향은 어떤 경우에도 정상 동율동의 진단에 들어가지 않지만 지금은 너무 걱정하지 않아도 된다.

심전도 3

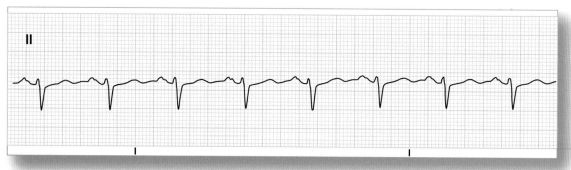

From *Arrhythmia Recognition: The Art of Interpretation*, courtesy of Tomas B. Garcia, MD.

박동수 :	분당 약 80회를 조금 상회	PR 간격 :	정상, 일치함
규칙성 :	규칙적	QRS 폭 :	정상
P파 :	있음	리듬 :	정상 동율동

이 심전도도 정상 동율동이다. 이 경우에 모든 QRS군이 음의 방향이다. 다시 한 번 말하지만 QRS군의 방향은 진단에 들어가지 않는다. P파는 양봉성(notched)이지만 정상 소견이다.

심전도 4

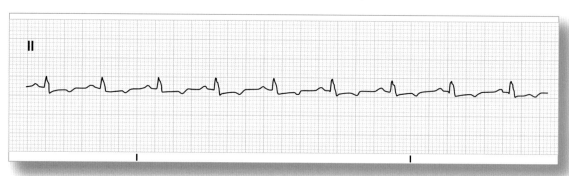

From *Arrhythmia Recognition: The Art of Interpretation*, courtesy of Tomas B. Garcia, MD.

박동수 :	분당 약 95회 내외	PR 간격 :	정상, 일치함
규칙성 :	규칙적	QRS 폭 :	정상
P파 :	있음	리듬 :	정상 동율동

이번에는 QRS군이 아주 작은 예를 보여주기로 하겠다. QRS군의 크기 또는 T파의 역위에 현혹되지 마라 - 여전히 정상 동율동이다. 율동 기록지의 작은 박동군들로 기준을 만족할 수는 없다. 결정을 내리기 위해서는 전체 심전도가 필요하다.

심전도 5

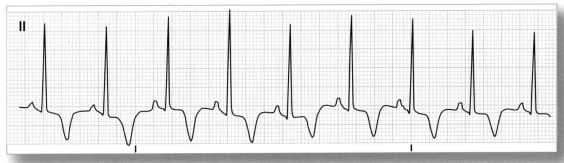

From *Arrhythmia Recognition: The Art of Interpretation*, courtesy of Tomas B. Garcia, MD.

박동수 :	분당 약 100회를 조금 상회	PR 간격 : 정상, 일치함
규칙성 :	규칙적	QRS 폭 : 정상
P파 :	있음	리듬 : 정상 동율동

상당히 높은 QRS군과 깊게 역위된 T파를 보여준다. 그러나 리듬은 정상이다. 박동군의 크기 또는 다른 병리 때문에 정확한 율동을 결정하는데 혼동되지 마라. 실제 심장의 이상을 확인하기 위해서는 율동 기록지 이외에 전체 12유도 심전도가 필요하다.

심전도 6

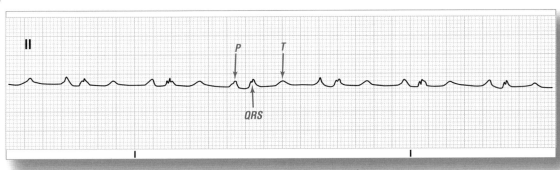

From *Arrhythmia Recognition: The Art of Interpretation*, courtesy of Tomas B. Garcia, MD.

박동수 :	분당 약 65회를 조금 상회	PR 간격 : 정상, 일치함
규칙성 :	규칙적	QRS 폭 : 정상
P파 :	있음	리듬 : 정상 동율동

이제 처음으로 변화구를 던져 보려고 한다. 심전도 6은 매우 작은 QRS군을 보여준다. 쉽게 파악 가능하도록 P파 QRS군, T파에 표시를 하여 쉽게 알아볼 수 있게 하였다. 몇몇 P파의 형태는 약간 불규칙적이다. 여러 개의 심박조율기가 작동하고 있는 것을 나타내는 것일까? 대답은 아니다. PR 간격은 같고 율동은 매우 규칙적이다. 상이한 심박동기는 규칙성, P파 형태, PR 간격을 변화시킨다는 것을 명심하자. 이것은 정상 동율동이다.

정상 동율동이 좀더 빈맥이 될 때
심전도 7

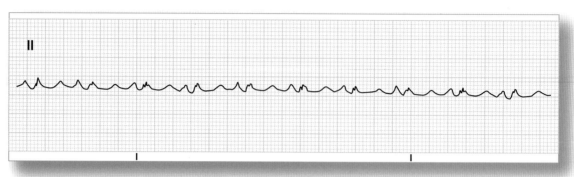

From *Arrhythmia Recognition: The Art of Interpretation*, courtesy of Tomas B. Garcia, MD.

심전도 7에서, 가장 최악의 시나리오가 실현되었다. 이것은 앞의 심전도 6과 같은 환자의 것이다. 하지만 빈맥이 더 심해졌다. 이제 어느 것이 P파인지, QRS군, T파인지 결정하기 어렵게 되었다. 알고 있는 지식을 가지고 추측해 볼 수 있지만 생명이 위험한 상태에서는 매우 위험한 행동이다. 무엇이 무엇인지 쉽게 알 수 있는 방법을 찾을 수 있겠는가?

가장 쉬운 방법은 유도를 바꾸고 거기에서 좀 더 식별가능한 심전도 파를 얻는 것이다. 다른 방법으로는 다른

유도와 동시에 기록된 율동 기록지를 보는 것이다. **그림 8-18**을 보자. 여기에는 두 개의 유도가 동시에 기록되었다. 유도 III에서 QRS군이 더 잘 구분이 되며, 심전도파의 여러 요소를 더 쉽게 확인할 수 있다. 이제 유도 III의 명확한 QRS군에서 가상의 선을 그어 대응하는 유도 II의 지점을 찾는다. 그 대응점이 유도 II의 QRS군일 것이다. 다음의 명확한 QRS군도 이렇게 찾아 캘리퍼로 둘 사이의 간격을 잰다. 이제 캘리퍼를 움직여서 이들 위로 지나가면 다른 모든 QRS군을 확인할 수 있을 것이다. 이렇게 하면 유

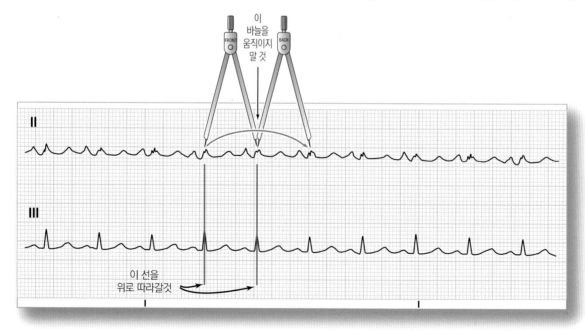

그림 8-18. 박동군을 구분하기 어려울때는 다른 유도의 박동군을 보자. 각 요소를 더 명확하게 구분할 수 있고 박동군을 좀더 정확하게 측정 가능하다.

From *Arrhythmia Recognition: The Art of Interpretation*, courtesy of Tomas B. Garcia, MD.

도 II에서도 율동을 확인할 수 있다.

여기에서 중요한 점은, 일반적인 견해와 달리 항상 유도 II가 율동을 확인하기 위해 가장 좋은 유도는 아니라는 것이다. 그럼 어느 것이 가장 좋을까? 대답은 환자마다 다르다는 것이다. 몇몇의 환자에서는 유도 II일수도 있고 다른 사람에서는 V₁ 또는 다른 사람에서는 aVL일 수도 있다. 꼭 기억해야할 것은 복잡한 부정맥을 판독하려고 한다면 여러 유도 심전도 혹은 12 유도가 다 있는 완전한 심전도를 얻어야 한다. 이렇게 하면 좀 더 쉽고 안전하게 판독할 수 있다.

한가지 더

요점 : 정상 동율동

1. 심방, 심실 박동수는 분당 60에서 100회 사이이다.
2. 율동은 규칙적이다.
3. 모든 P파는 동일하다.
4. PR 간격은 정상이고 모두 동일하여야 한다.
5. QRS 폭은 정상이다. (만약 QRS군이 넓고 그러나 다른 기준을 모두 만족할 때, 리듬은 정상 율동이 아니라 동율동이라 한다.)
6. P-P 또는 P-R간격은 모두 동일하다
7. P파 모양과 PR의 매우 작은 불규칙성은 정상 동율동의 정상 범위 이내이다.

단원 복습

1. 정의에 의하면 모든 동율동은 _____ 결절에서 기원한다.

2. 다음 중 정상 동율동에 맞는 것은?

   A. 모든 P파는 똑같다.

   B. aVL에서 P파들은 항상 양성이어야 한다.

   C. PR 간격은 같아야 한다.

   D. 가끔씩 다른 것보다 많이 짧은 간격은 정상으로 간주 될 수 있다.

3. 동서맥의 심방 박동수는 분당 _____ 회이다.

4. 정상 동율동의 심방 박동수는 분당 _____ 와 _____ 회 사이이다.

5. 동빈맥의 심방 박동수는 분당 _____ 회이다.

6. P파는 심방의 탈분극에 의해서 만들어진다. 동결절의 탈분극은 그것 자체로 심전도상에서 보이지 않는다. (맞다/틀리다)

7. 정상 동율동에서 혼합된 심방 벡터의 주요 방향이 어디로 향하는가? (하나를 고르시오)

   A. 앞쪽

   B. 뒤쪽

   C. 아래쪽

   D. 위쪽

8. 정상 동율동에서 P파는 유도 _____ 와 유도 _____ 에서 항상 상향이다.

9. PR 간격의 길이는?

   A. 0.12초보다 작다

   B. 0.10-0.2초 사이이다.

   C. 0.12- 0.20초 사이이다.

   D. 0. 20초 이상이다.

10. 생리적 차단은 자극이 심방에서 방실결절을 통해서 심실로 갈 때 발생하는 정상적인 느려짐 혹은 지연을 말한다. 이러한 지연은 심방과 심실의 조화로운 수축을 위해서 매우 중요하다. 생리적 차단이 없다면 심방과 심실은 동시에 수축하게 될 것이다. (맞다/틀리다)

11. PR 간격 동안 심방, 방실결절, 히스속, 그리고 각분지들, 퍼킨지 시스템이 동시에 점화된다. (맞다/틀리다)

12. 정상 동율동에서 QRS군의 넓이는?

    A. 0.06 초 보다 작다

    B. 0.06-0.11초 사이

    C. 0.06-0.12초 사이

    D. 0.12초 보다 크다

13. 절대적 불응기는 다른 자극이 전달될 수도 있는 심장 주기의 부분을 말한다. (맞다/틀리다)

14. 상대적 불응기 동안에 심장의 조직은 재분극 과정에 있다. 이 기간에 일찍 발생하는 자극은 심장을 흥분시킬 수 있어서 수축을 유발한다. (맞다/틀리다)

15. 가끔 상대적 불응기에 발생한 원형 경로는 복잡한 부정맥을 야기하기도 한다. (맞다/틀리다)

16. 정상 동율동은?

    A. 규칙적이다.

    B. 규칙적으로 불규칙적이다.

    C. 완전히 불규칙적이다.

    D. 부정맥이다.

17. 정상 동율동에서 간격이 같아야 하는 것은? (모두 고르시오)

    A. PR 간격

    B. QRS 간격

    C. P-P 간격

    D. R-R 간격

18. 정상 동율동에서 P-P 간격은 ____ 초 혹은 심전도 종이에서 ____ 큰 블록 이상 길어서는 안 된다.

19. P파와 PR 간격의 아주 미묘한 변이는 정상 동율동에서 받아들 여질 수 있다. (맞다/틀리다)

20. 각각의 환자에서 부정맥을 판독하기 위해 가장 좋은 유도는?

    A. 유도 I

    B. 유도 II

    C. 유도 V_1

    D. 가장 좋은 유도는 환자마다 다르다.

제 9 장

동서맥

목표

1. 정상 동율동과 동서맥 사이의 생리학적, 형태적 변화를 이해한다.
2. 동서맥을 유발할 수 있는 임상적 상황이나 환경에 대해 나열한다.
3. 심전도에서 동서맥을 정확히 구분한다.

들어가며

동서맥은 동결절에서 기원하는 리듬이 분당 60회 이하의 심박수를 보일 때 명명한다. **그림 9-1**을 보면, 왼편 혹은 동율동 스펙트럼의 느린 끝에 놓여 있는 것을 볼 수 있다. 동서맥은 QRS군이 0.12초보다 짧지 않아도 된다는 점만 제외하고는 정상 동율동의 특징을 모두 가지고 있다. P파와 PR 간격은 형태와 간격이 같아야 한다.

그러면, 정상 동율동과 동서맥의 차이점은 무엇인가? 해답은 세포 활동전위의 4기 간격에 있다(개념을 재확인하기 위해 **그림 9-2**와 2단원을 참고할 것). 동서맥에서, 동결절은 정상 동율동보다 더 느리게 맥을 만든다. 이것은 세포들의 자동화가 일시적으로 지연되고, 또한 4기의 기간이 길고 느려지는 것이다. 심전도에서 4기는 TP 분절에 해당된다(**그림 9-3**). 자동화가 느려질수록, TP 분절은 더 길어지고 반대의 상황도 마찬가지다.

동서맥은 정상 동율동과 동일한 뚜렷한 심전도 파들을 가지지만, 보다 긴 TP 분절에 의해서 쉽게 구별가능하다. 다시 말하자면, P파, PR 간격, QRS군 모두가 동일하다. 반면에 서맥의 QT간격과 T파의 기간은 연장된 재분극에 의해 조금 길어질 것이다.

그림 9-1. 동성 맥박의 범위

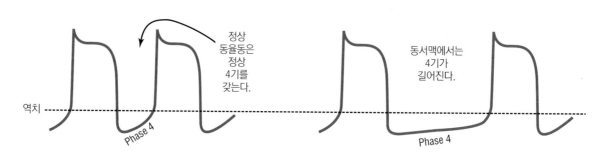

그림 9-2. 동서맥에서는 4기가 길어진다.

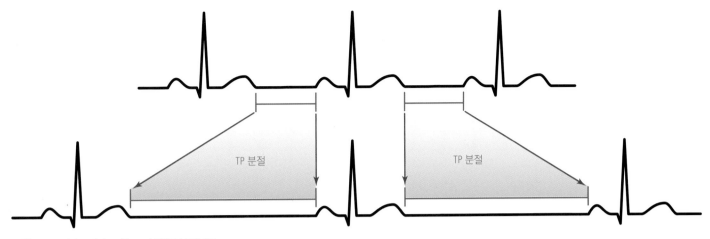

그림 9-3. 심전도에서 4기는 TP 분절로 나타난다.

© Jones & Bartlett Learning.

동서맥을 응급 상황으로 생각해야 할 경우는 언제인가?

동서맥은 이와 연관되어 심한 혈역학적 위기가 발생했을 때 심장 응급으로 간주해야 한다. 만약 환자가 저혈압이거나 흉통, 발한, 의식에 문제가 있거나 다른 어떤 문제가 있다면, 심박동은 전기적으로나(심박동기를 사용함으로써) 약리학적으로(아트로핀이나 카테콜라민성 약품 즉 에피네프린, 노르에피네프린, 혹은 도파민을 사용함으로써) 상승시켜야

한다.

대부분의 환자들은 큰 어려움 없이 분당 50-60회 사이의 심박동을 견딜수 있다. 동서맥은 심박동수가 분당 50회 이하로 떨어지는 경우 임상적으로 중요하게 된다. 왜냐하면 박동이 느리면 느릴수록 심박출량이 더 낮아지기 때문이다 (심박출량 = 심박동수 × 일회박출량). 그러나 정상적인 상황에서, 심박동이 40회 정도로 느린 경우도 잘 훈련된 운동선수나 수면 중인 환자의 경우는 정상일 수 있다.

부정맥 정리

동서맥

박동수 :	<60회/분
규칙성 :	규칙적
P파 :	있음
형태 :	동일
II, III, aVF에서 상향 :	상향
P: QRS 비 :	1:1
PR 간격 :	정상, 일정
QRS 폭 :	정상이거나 넓음
그룹화 :	없음
탈락 박동 :	없음

감별진단

동서맥

1. 증가한 미주 신경 긴장도
   a. 구토
   b. 경동맥동 마사지
2. 심근경색증
3. 뇌압상승
4. 저산소혈증 감소된 호흡
5. 저체온
6. 갑상선 저하증
7. 약 : 베타차단제, 칼슘채널 차단제, 아미오다론, 디지탈리스
8. 동기능 부전증후군
9. 전해질 이상
10. 운동선수들
11. 원인 미상

심전도 스트립

심전도 1

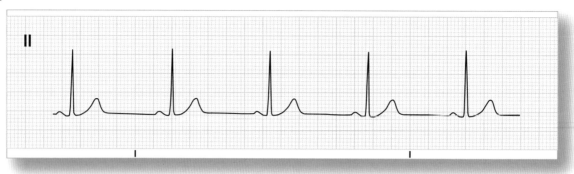

From *Arrhythmia Recognition: The Art of Interpretation*, courtesy of Tomas B. Garcia, MD.

박동수 :	분당 60회 보다 조금 느림	PR 간격 :	정상, 일정
규칙성 :	규칙적	QRS 폭 :	정상
P파 :	있음	리듬 :	동서맥

심전도 1은 동서맥의 매우 좋은 예이다. 각각의 박동군 사이가 연장되어 있고 평평한 TP 분절을 보이고 있다. 파형은 모두 정상적인 간격과 형태를 보인다. 유도 II에서 상향의 P파가 보이고 P파의 축은 정상이다.

심전도 2

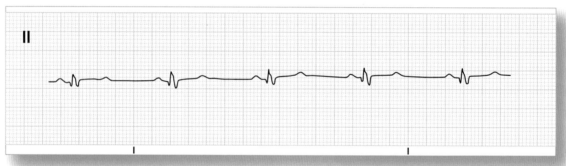

From *Arrhythmia Recognition: The Art of Interpretation*, courtesy of Tomas B. Garcia, MD.

박동수 :	분당 약 55회	PR 간격 :	정상, 일정
규칙성 :	규칙적	QRS 폭 :	정상
P파 :	있음	리듬 :	동서맥

심전도 2에서 첫 번째로 눈에 띄는 것은 상대적으로 작은 QRS군의 크기이다. 그러나 간격과 파형은 모두 정상이다. QRS 간격만이 조금 넓어져 있다. 자세히 보면, 약 0.11초이며 정상범위 내에 있다는 것을 알 수 있다. 여기서도 P파는 유도 II에서 상향이다. 이 율동은 동서맥이다. 만약 QRS군이 0.12초보다 더 넓어져 있다면 우리는 두 가지 가능성을 생각해 볼 수 있다. (1) 편위전도된 QRS군을 가지는 동서맥 (2) 각차단이 있는 동서맥. 이전의 심전도와 비교해 보는 것이 편위전도에 대한 답을 얻는데 도움을 줄 것이다. 전체 심전도가 각차단을 쉽게 구별하도록 도움을 줄 것이다. 만약 각차단이 새로 발생한 것이라면 이전 심전도와 비교하는 것이 진단하는데 도움이 된다.

심전도 3

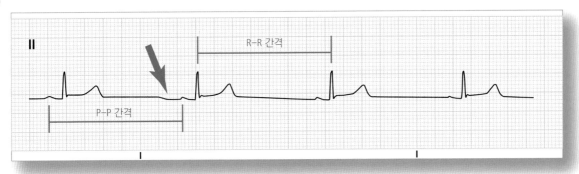

From *Arrhythmia Recognition: The Art of Interpretation*, courtesy of Tomas B. Garcia, MD.

박동수 :	분당 45회보다 조금 느림	PR 간격 :	정상, 일정
규칙성 :	규칙적	QRS 폭 :	정상
P파 :	있음	리듬 :	동서맥

심전도 3은 박동군은 정상적이나 매우 느린 박동수를 볼 수 있다. 흘깃 보아도 명백히 동서맥이다. 비록 이 진단이 적당하다 할지라도 진단 기준에는 조금 모호하다. 두 번째 P파를 보자. 모양이 다른가? 조금 다르다. 심방 조기 수축(PAC)이 될 수 있겠는가? 답은 P-P간격과 R-R간격이 전체에 걸쳐서 똑같기 때문에 아니다. 만약 이 박동군이 심방 조기 수축이라면, 비정상적인 P파와 그에 상응하는 QRS군이 예상되는 시점보다 더 빨리 나타나야 한다. 그러나 P파는 제때에 정확히 나타났다. 그러면, P파의 모양이 다른 원인은 무엇일까? P파 바로 앞을 보자. 기준선보다 살짝 패인 부분이 있다 (파란 화살표). 이 패인 부분은 P파를 파괴하여 2개로 나누었으며 뒤쪽 절반은 정상이다. 패인 부분은 환자나 유도가 움직여 생성된 것일 것이다. 이 패인 부분은 이소성 P파가 아니라 P파의 형태 변화를 유발하였다. 진단의 열쇠는 규칙성과 모든 심전도군들 사이의 유사성이다. 항상 병리 현상과 같이 동반되는 소견들을 살펴보아야 한다. 만약 동반 소견이 없다면 다른 질환을 생각해야 한다.

심전도 4

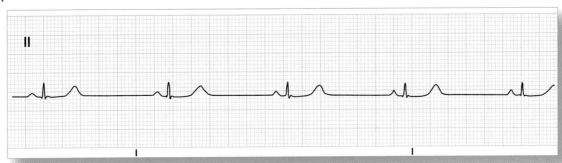

From *Arrhythmia Recognition: The Art of Interpretation*, courtesy of Tomas B. Garcia, MD.

박동수 :	분당 약 45회	PR 간격 :	정상, 일정
규칙성 :	규칙적	QRS 폭 :	정상
P파 :	있음	리듬 :	동서맥

심전도 4는 매우 작은 QRS군을 보여준다. 심박동수는 분당 45회로 매우 느리다. P파, PR 간격, QRS군은 형태와 기간이 유사하다. 이것은 동서맥의 다른 예이다. 심한 서맥이 있거나 혈역학적 부전이 있는 환자에 대해서는 임상적인 평가를 시행해야 한다.

심전도 5

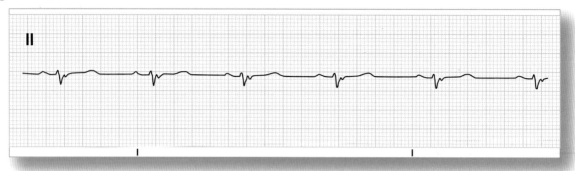

From *Arrhythmia Recognition: The Art of Interpretation*, courtesy of Tomas B. Garcia, MD.

박동수 :	분당 60회보다 조금 느림	PR 간격 :	정상, 일정
규칙성 :	규칙적	QRS 폭 :	정상
P파 :	있음	리듬 :	동서맥

심전도 5는 동서맥의 모든 진단 기준에 부합한다. QRS군을 측정해 본다면 0.12초보다 넓다. 편위전도나 기타 넓은 QRS군의 원인을 감별하기 위한 조사가 필요할 것이다. 이전의 심전도와 비교해보면, 환자가 오랜 기간 동안 우각 차단과 좌전 섬유속차단을 동반한 2섬유속 차단이 있었던 것을 알수 있다. P파는 이전의 심전도에서 발견된 것과 동일해서, 율동은 동서맥이다.

심전도 6

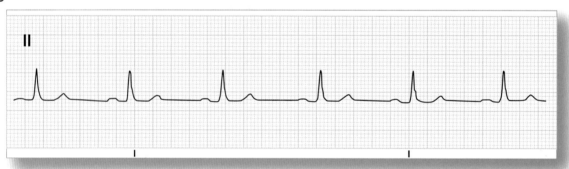

From *Arrhythmia Recognition: The Art of Interpretation*, courtesy of Tomas B. Garcia, MD.

박동수 :	분당 60회보다 조금 느림	PR 간격 :	연장, 일정
규칙성 :	규칙적	QRS 폭 :	정상
P파 :	있음	리듬 :	동서맥

심전도 6에서 특별한 점을 인지할 수 있겠는가? 그렇지 못했다면, 다시 돌아가서 시간을 들여서 모든 간격들은 측정해 보도록 한다. 환자는 명백히 분당 60회 이하의 심박동수를 가지고 있고 P파는 유도 II에서 상향이다. QRS군은 0.12초가 안되며 정상이다. 문제는 PR 간격이다. PR 간격은 0.20초 이상으로 연장되어 있다(큰 블록 하나). 지금은 단지 이 문제를 인식하고 기록하면 된다. 나중에 방실 차단에 대해서 배우고 나면, 이것이 1도 방실 차단을 동반한 동서맥인 것을 알 수 있다.

단원 복습

1. 동서맥에서의 주된 심박동기는?

   A. 동결절

   B. 이소성 심방

   C. 방실결절

   D. a이거나 b

2. 동서맥에서 심방 박동수는 분당 60회 _____ 이어야 한다.

3. 동서맥에서 주된 심박동기는 천천히 점화하게 된다. 어떤 환자는 이렇게 느린 심박동이 정상일 수 있다. 운동선수 혹은 수면 중인 환자에서 정상적으로 관찰할 수 있다. (맞다/틀리다)

4. 동서맥에서 전체 박동군은 넓고 이것이 심박수를 느리게 한다. (맞다/틀리다)

5. 동서맥에서 느려진 전위는 어느 기인가?

   A. 1기

   B. 2기

   C. 3기

   D. 4기

6. 조금 길어진 QT간격과 QTc 는 동서맥에서 정상으로 간주될 수 있다. (맞다/틀리다)

7. 동서맥에서 주로 길어지는 간격은?

   A. PR 간격

   B. QRS 간격

   C. QT 간격

   D. QTc

8. P파는 모든 동성 맥박에서 유도 ___, ___ 그리고 ___ 에서 상향이어야 한다.

9. 심근 경색은 동서맥을 일으킬 수 있다. (맞다/틀리다)

10. 심근 경색 환자에서 혈역학적으로 중요한 동서맥은 치료하지 않아야 한다. 왜냐하면, 환자의 허혈이 좋아지면 자동적으로 좋아지기 때문이다. (맞다/틀리다)

제 10 장

동빈맥

목표

1. 동빈맥을 정의하고, 동빈맥과 정상 동율동의 차이를 서술한다.
2. 자율 신경계의 두 가지 기능에 의한 심박수 조절에 대해 이해한다.
3. 전기적 교대(Electrical alternans)의 임상적 중요성에 대해 이해한다.
4. Tp파를 정의하고, 심전도에서 보이는 형태학적 차이를 이해한다.
5. 정상 동율동과 동빈맥에서 발생할 수 있는 심전도군의 형태학적 차이를 이해한다.
6. 최대 심박수를 계산하기 위한 공식을 이해한다.
7. 동빈맥을 유발할 수 있는 임상 상황에 대해 이해한다.
8. 심전도에서 동빈맥을 정확히 구분한다.

초보자들을 위한 교과서

동빈맥은 어떤 경우에 구별하기 매우 어려운 리듬이다. 이는 여러 형태로 나타날 수 있는 부정맥의 카멜레온과 같다.

정의는 간단하다. 동빈맥은 빠른 동성맥으로 분당 100회 이상의 심박수를 보이며, 보통은 160회 이하이다. 간혹 220회까지 빨라질 수도 있다. 더 빠를수록, 더욱더 카멜레온과 같은 성향을 보인다. 형태의 변화는 주로 심박수가 빨라져서 나타나며, PR 간격, QRS, QT 간격은 짧아진다. 매우 빠른 맥에서는 P파가 이전 T파에 묻혀서 안보이기도 한다. 마치 방실결절 회귀성 빈맥과 비슷한 모양을 보인다.

다른 형태는, 빠른 심박수에서 불응기에 의해 우각차단이 나타날 수 있고, 이는 편위전도를 나타내는데, 심실 빈맥과 구분이 어려울 수 있다.

최대 심박수는 다음 공식으로 계산할 수 있다 : 최대 심박수 = 220 – 나이. 일반적으로, 젊고, 건강한 환자들은 꽤 높은 심박수도 견딜 수 있다. 그러나 60세의 환자의 최대 심박수는 위의 공식으로 계산해 보면 160회이다. 이 역시 건강한 60세의 환자라면 잘 견딜 수 있다. 그러나, 만약 이

환자가 좌관상동맥의 95% 협착이 있다면 혹은 심각한 빈혈이 있다면 어떨까? 이러한 경우 심장 보상능력이 매우 낮아 안정시 160회의 맥박은 사망을 이르게 할 수 있다. 고혈압으로 인해 좌심실벽 비후가 있다면 어떨까? 심실 충만시간이 짧아짐으로 인해 심박출량의 지하를 초래할 것이다. 심박출량의 저하는 많은 합병증을 유발하고 심하면 사망에 이르게 한다.

나의 아버지가 종종 하시던 말씀이 있다. 항상 일어나는 모든 일들을 함께 보아라. 리듬 이상이나 합병증과 동시에 환자에게 일어나는 다른 일들을 관찰해라. 그것은 대표적인 질병, 사망등을 예측할 수 있는 요소이다. 60세 환자의 심박수가 160회이면, 그 환자의 상태를 관찰해 보아라. 호흡은 적절한지? 청색증은 없는지? 의식은 있는지? 소변은 나오는지? 흉통은 없는지? 호흡곤란이나 심계항진이 있는시? 더 많은 질문들이 있지만 여기까지만 하겠다. 이 질문들에 해당하는 상태라면, 원래 질환을 빨리 치료해야 한다. 단순히 동빈맥이니까 괜찮다라고 말하면 안된다.

—*Daniel J. Garcia*

들어가며

동빈맥은 동결절에서 기인한 분당 100회 이상의 빠른 리듬이다. **그림 10-1**에서 보면 동성 스펙트럼의 오른쪽, 혹은 빠른 말단에 위치하는 것을 볼 수 있다. 대부분의 경우, 동빈맥은 분당 100회에서 160회 사이지만 220회만큼 빠른 경우도 있다. 빠른 박동수의 동빈맥은 진단하기 어려워지며 상심실성 빈맥과 혼동될 수 있다. 이런 폭이 좁은 QRS군 빈맥

<60 회/분	60 to 100 회/분	>100 회/분
동서맥	정상 동율동	동빈맥

그림 10-1. 동성 맥박의 범위

© Jones & Bartlett Learning.

의 감별진단은 27장에서 자세히 다룰 것이다.

어떤 환자든지 심박수는 자율 신경계인 교감신경과 부교 감신경의 끊임없는 줄다리기에 의해 결정된다(**그림 10-2**). 부교감신경이 지배적이면 율동은 느려지며 교감신경이 지배적이면 율동은 빨라진다. 교감신경 항진의 효과는 박동수를 넘어서 QRS군의 사소한 형태학적 차이를 야기하기도 한다. 이로 인해 빈맥과 연관된 변화인지 병적 양상의 변화 인지를 구별하는데 어려움이 생긴다.

형태학적으로, 동빈맥은 심박동수가 빠르다는 것과 QRS 의 기준 폭(QRS군이 0.12 초 이상일 수 있다)을 제외하고는 정상 동율동과 같다. 위에서 언급한 바와 같이 교감신경 항진은 심전도상 각 파형의 모양에 어떤 변화를 일으킨다. 교감신경 항진은 대부분의 조직에서 전기자극의 통과 시간을 빠르게 하여 전도율을 변화시킨다. 일반적으로 P파의 폭도 이런 빨라진 전도 시간에 의해 한 방향 또는 다른 방향으로 영향을 받는다. 보통 P파의 진폭은 감소한다. 그러나 몇몇 경우에 실제로 증가할 수 있다.

교감신경 항진은 또한 방실결절을 통한 전도 시간을 빠르게 한다. 이런 빠른 전도로 PR 간격의 길이는 상당히 감소하게 된다. 그러나 이 간격은 여전히 정상 범위로 여겨지는 0.12초와 0.20초 사이에 있다.

QRS군은 대개 동빈맥 그 자체에 의해서는 영향을 받지 않는다. 그러나 모든 빈맥에서 동반될 수 있는 두 가지 병리적 상태가 동빈맥에서 관찰될 수 있다. : 심박수-연관 편위전도(rate-related aberrancy)와 전기적 교대(electrical alternans)이다.

간략하게 복습해 보면 심박수-연관 편위전도는 전도계의 불응기가 완전히 끝나기 전에 전기적 자극이 도착해서 심실 내에서 편위적으로 전도된 것을 말한다. 전기 자극은 이런 불응기에 있는 지역에서 세포 대 세포의 직접 전달로 진행되어야 하며 느리고 비정상적인 QRS군을 야기하게 된다. 이에 관한 전체적인 토의는 6장을 참고하기 바란다.

전기적 교대는 QRS군의 크기와 폭의 변화이다. 이러한 크기의 변화는 각각의 박동이나 연속된 박동군에서 일어날 수 있다(**그림 10-3**).

짧게 말하면 전기적 교대의 가장 흔한 원인은 빈맥성 리듬이다. 심장의 빠른 기계적 수축으로 심실 전기축의 방향이 변동하게 되는 것이다(**그림 10-4**). 이러한 변동은 심실

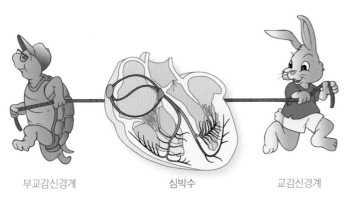

부교감신경계   심박수   교감신경계

그림 10-2. 교감신경계와 부교감신경계가 줄다리기를 하면서 심박수를 결정한다.

© Jones & Bartlett Learning.

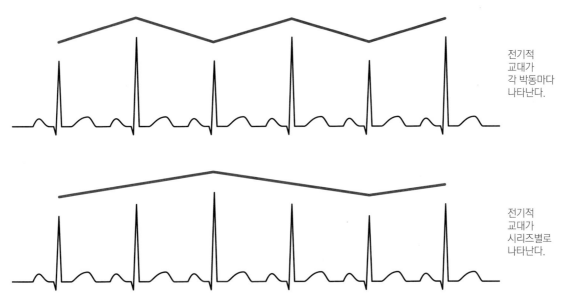

전기적 교대가 각 박동마다 나타난다.

전기적 교대가 시리즈별로 나타난다.

그림 10-3. 전기적 교대는 각각의 박동별로 혹은 시리즈 별로 나타날 수 있다.

© Jones & Bartlett Learning.

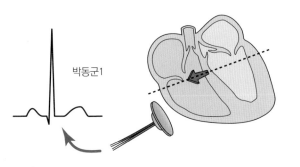

벡터가 직접적으로
전극을 향하면 파의
높이는 커진다.

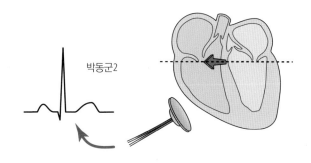

그림 10-4. 전기축이 앞뒤로 움직이면, 박동군의 크기가 변화하게 된다. - 선기석 교대
© Jones & Bartlett Learning.

전기축이 직접적으로 한 순간 전극으로 다가 왔다가 다음 순간에는 전극에서 멀어지면서 QRS군의 크기가 변하게 된다. 전기적 교대는 심낭 삼출, 심낭 압전, (내과적 응급) 그리고 호흡 변화에서도 볼 수 있다. 이것에 대한 토의는 이 책의 범위를 벗어남으로 동반 텍스트인 12-Lead 심전도: Art of Interpretation by Garcia and Holtz를 참고하기 바란다.

여러 빈맥에서 ST 분절은 하강할 것이다. 동빈맥에서도 이러한 변화가 나타난다. ST 하강은 다양한 이유가 있는데: 심방의 재분극파, TP파, 상대적 심내막 허혈, 실질적인 심내막의 허혈, 혹은 숨겨진 P파 등이 그 이유이다. 어떤 종류의 ST 하강이던 그 상황을 평가하기 위해서는 매번 전체 12 유도 심전도를 얻는 것이 현명하다. 이는 말 그대로 당신과 당신의 환자를 심장마비로부터 구할 수 있는 길이다.

Tp파는 4장에서 언급했고 **그림 10-5**에 있다. 복습해 보면 심방의 재분극에 의해 일어나는 음의 파형이며 대개는 QRS군에 묻혀 보이지 않는다. 심실 탈분극과 관련된 전기적 힘은 상대적으로 작은 심방 재분극의 전기적 힘을 압도함으로써 심전도상에 보이지 않게 된다. 빈맥에서 QRS파는 짧아진 PR 간격으로 인해 더 빨리 나타나서, 결국 Tp파는

약간의 ST 분절 하강으로 보이게 된다(**그림 10-6**).

심장의 심내막은 어느 빈맥에서든 상대적으로 혹은 실제로 저관류되고 이것이 ST 하강을 일으킬 수 있다. 심내막은 상대적으로 혈액 공급이 부족할 수 있는데 빈맥일 때 심장은 더 빠르고 강하게 수축하기 때문이다. 이때 더 많은 산소를 요구하게 된다. 대부분 심내막 조직은 적절한 양의 산소를 받지만 증가된 부하를 보상할 만큼 충분한 양은 아니어서 상대적 허혈이 일어난다. 심내막은 또한 경색이 일어나지 않더라도 실제 허혈을 경험할 수 있다. 뒷부분에서 자세히 다루겠지만 빈맥은 심박출량을 심하게 감소시킬 수 있다. 심박출량 감소의 의미는 심장이 가장 많은 산소를 필요로 할 때 부족한 산소를 받는다는 말인데 그 결과 실제적인 허혈이 발생한다.

직접적인 심내막하 손상에 더하여, 급성 심근경색증은 심전도상 반대편 유도에 ST 분절의 하강을 유발하게 된다. 이것을 급성 심근경색증의 상대 변화(reciprocal changes)라 한다(자세한 내용은 12-lead 심전도를 참고하기 바란다.).

후반의 단원들에서 다루겠지만 특정 빈맥들은 QRS군보다 P파의 개수가 더 많다. 심방 조동이 한 예인데 이런 빈맥

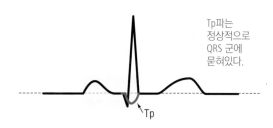

Tp파는
정상적으로
QRS 군에
묻혀있다.

그림 10-5. TP파
© Jones & Bartlett Learning.

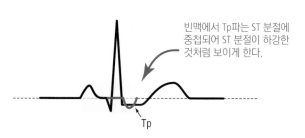

빈맥에서 Tp파는 ST 분절에
중첩되어 ST 분절이 하강한
것처럼 보이게 한다.

그림 10-6. 빈맥에서는 TP파가 간혹 ST 분절의 하강으로 보일 수 있다.
© Jones & Bartlett Learning.

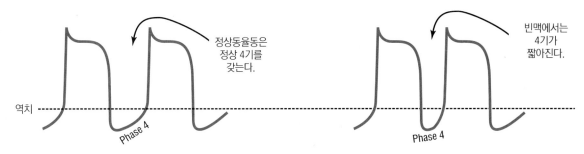

그림 10-7. 동빈맥에서 4기는 짧아진다.

© Jones & Bartlett Learning.

에서 F파가 때로는 QRS, ST 분절, 혹은 T파에 묻히거나 위에 겹치기도 한다. 이런 파형들이 겹쳐진 결과는 그 각각의 방향과 정확한 위치에 달려있다. 음성 P파가 ST분절에 바로 떨어지게 되면 ST 분절의 하방 굴절로 보일 수 있다.

이제 심전도에 필요한 것으로 돌아가자. 알다시피 ST 하강의 원인은 양성에서부터 생명을 위협하는 경우까지 다양하다. 그러므로 심조율 기록지에서 ST 하강을 보이는 경우 반드시 12 유도 심전도 전체를 얻어 생명을 위협하는 경우들을 분리하고 판별해야 한다.

QT 간격 또한 스트레스 기간 동안의 교감신경 흥분에 의해 변화될 수 있다. 그 결과로 동빈맥 동안 QT 간격은 매우 짧아진다. 빈맥의 속도에 비례하여 짧아지는데 속도가 빠르면 빠를수록 QT는 짧아진다. 그래서 단순히 QT를 측정할 경우 심박수에 따라 차이가 있으므로 QTc를 만들게 되었다. 이는 QT 간격의 길이에 대한 심박수의 영향을 배제하기 위해 나온 것이다. 자세한 내용은 4장을 참고하라.

그러나 동서맥에서와 같이, 교감성 자극에 의해 가장 영향을 많이 받는 부분은 활동 전위의 4기이며 또한 심전도 상 표시되는 부분은 TP 분절이다. 회상해 보면 동서맥은 자동능을 늦추고 TP 분절을 늘어뜨린다. 동빈맥에서는 교감성 자극 때문에 반대의 영향을 볼 수 있다. 4기가 끝나는 시간은 굉장히 짧아지며 TP 분절도 따라서 더 짧아진다(**그림 10-7과 8**).

동빈맥은 쉽게 진단할 수 있는데 왜냐하면 정상동율동과 동일하고 또 구별된 군들을 가지고 짧은 TP 분절에 의해 구분되기 때문이다(**그림 10-8**). 다시 한 번 주지하기를, P파, PR 간격, QRS군은 모두(앞에 언급한 변화를 제외하고) 동일하다.

임상적 의미

앞서 언급했듯이 심박수는 자율 신경계의 분지인 교감신경과 부교감신경의 줄다리기에 의해 결정된다. 부교감신경이 지배적이면 리듬은 느려질 것이고 교감신경이 지배적이

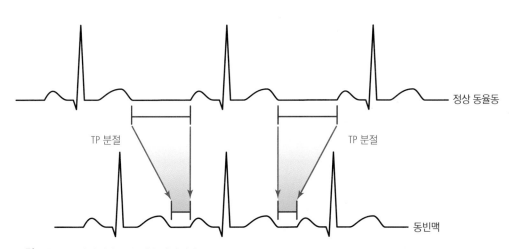

그림 10-8. 동빈맥에서 TP 분절은 짧아진다.

© Jones & Bartlett Learning.

면 리듬은 빨라진다. 동빈맥은 따라서 자율신경 스트레스에 대한 생리적인 반응이지 병적인 것으로 여기면 안 된다.

심박출량은 심박동수 곱하기 1회 박출량(한 번의 수축에 의해 뿜어지는 혈액의 양)으로 계산한다. 1회 박출량은 심장의 수동적 및 능동적 과정에 의한 기계적 충만에 의존한다. 심장의 수동적 충만은 방실 판막이 열리면서 심방에서 심실로 혈액이 흘러 들어간다. 심방은 능동적인 기계적 수축으로 심실을 과충만시킨다. 이 과정은 이미 충만한 심실 내로 심방에 남아 있는 내용물을 밀어내는 것으로, 심방 반동(atrial kick)이라 한다.

빈맥은 1회 박출량에 영향을 미칠 만큼 빨라지면 심박출량 감소를 야기하게 된다. 빈맥은 이완기가 짧아져서 수동적 충만시간을 감소시키고, 심방 반동에 의해 박출되는 혈액량을 감소시킨다. 즉, 심실을 채우기 위해 필요한 시간이 심박동수가 빨라짐에 따라 감소하게 된다. 이렇게 감소된 박출율은 1회 박출량을 감소시키고 이것이 다시 심박출량을 감소시키며 혈압을 낮추게 된다.

일반적으로 빈맥은 심장 자체의 선천적인 문제 또는 심장을 둘러싼 환경의 문제에 의해 일어나는 율동의 이상이다. 동빈맥은 앞서 보다시피, 심장 자체의 문제로 인한 것이 아니라(대부분의 경우에서) 교감신경 활동을 자극하는 여러 스트레스 요인에 의해 일어나는 것이다. 그래서 우리는 빈맥을 치료하는데 원래 원인을 치료해야지 리듬 자체를 치료하지는 않는다. 다시 말하면, 동빈맥을 유발하는 것을 찾아서 치료하는 것이지 빈맥 자체를 치료하는 것은 아니다.

몇 가지 예를 보자. 발열은 동빈맥을 일으킬 수 있다. 우리는 열이 있는 환자에서 propranolol 등의 베타 차단제를 주어야 할까? 당연히 아니다. 단순히 acetaminophen을 줘서 열을 좀 떨어뜨리면 된다. 저산소증은 동빈맥을 일으킨다. 어떻게 치료할 것인가? 산소를 보충해 주면 된다. 만일 심근경색증이 있다면 우리는 심박수를 낮추기 위해 베타 차단제를 주어야 할까? 그렇다! 금기가 없는 한 주어야 한다. 왜냐하면, 빈맥은 심근의 산소 요구량을 증가시키고 이런 상황이 심장 상태를 악화시킬 수 있기 때문이다. 베타 차단제를 빈맥의 치료를 위해 사용하는 것이 아니라 심근을 보호하기 위해 사용한다는 것을 주지해야 한다. 이 경우의 빈맥을 어떻게 치료할 것인가? 경색을 멈추자.

이것은 다른 빈맥성 율동을 토의하기 전에 반드시 이해하고 있어야 하는 아주 중요한 개념이다. 보통은 직접적으로 빈맥에 대해 임상적 관심이나 치료를 집중하여야 한다. 그러나 동빈맥은 이런 법칙에서 예외이다. 율동을 교정할 것이 아니라 원인을 치료해야 한다.

임상적 특징

심박수

이 장의 처음에서 언급한 것처럼 동빈맥의 심박수는 분당 100회 이상이다. 일반적으로 대부분의 환자에서 분당 101 에서 160회 사이인데 이 범위의 빈맥 자체는 어떠한 특이적 문제도 일으키지 않는다. 하지만 동빈맥의 심박수가 200회/분을 넘어가고 드문 경우 220회/분까지 이르게 되는데, 이런 심박수에서는 이 율동이 임상적, 진단적 혼란을 야기하게 된다. 우리는 36장에서 넓은 QRS군 빈맥의 감별 진단에 대해서 살펴 볼 것이고 지금은 판별하기 어렵지 않은 전형적인 모양들에 대해서 집중할 것이다.

일반적으로 정상으로 간주될 수 있는 최대 심박동수는 다음의 공식으로 구할 수 있다.

$$최대\ 심박동수 = 220회/분 - 나이(연수)$$

예를 들면 20세 남자의 최대 심박동수는 200회/분이다 (220회/ 분-나이 20세=200회/분).

이 이상은 비정상으로 간주해야 되고 이 범위를 넘는 어떤 것도 비정상이며, 추가적 검사와 진단이 필요하다.

최대 심박동수는 보통 운동이나 특정한 활동을 통해 도달하게 된다. 운동선수나 젊은이들은 빠른 심박동수를 쉽게 견딜 수 있다. 그러나 노인 환자이거나 심장에 병변을 가진 사람은 자신의 최대 심박동수 가까이 쉽게 견딜 수 없다. 운이 좋게도 대부분의 환자들에게 있어서 자신의 최대 심박동수까지 도달하지 않는데 왜냐하면 전기 전도계에 어떤 병변이 있어서 이를 제한하기 때문이다.

부정맥 정리	
동빈맥	
박동수 :	> 100회/분
규칙성 :	규칙적
P파 :	있음
형태 :	동일
II, III, aVF에서 상향 :	상향
P: QRS 비 :	1:1
PR 간격 :	정상, 일정
QRS 폭 :	정상 혹은 넓음
그룹화 :	없음
탈락 박동 :	없음

감별진단
동빈맥
1. 운동
2. 불안 혹은 스트레스
3. 열
4. 저산소증 혹은 저환기
5. 고체온증
6. 저혈압
7. 약물 : 베타수용체 자극제, 카페인, 알코올, 항 콜린제
8. 빈혈
9. 갑상선 기능항진증
10. 울혈성 심부전
11. 급성 심근 경색
12. 교감신경을 자극하는 모든 것

심전도 스트립

심전도 1

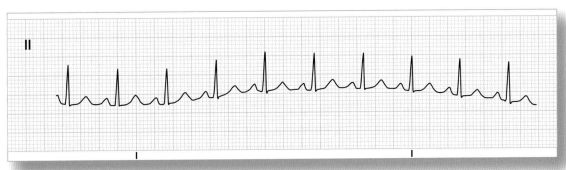

From *Arrhythmia Recognition: The Art of Interpretation*, courtesy of Tomas B. Garcia, MD.

박동수 :	분당 약 110회	PR 간격 :	정상, 일정
규칙성 :	규칙적	QRS 폭 :	정상
P파 :	있음	리듬 :	동빈맥

　심전도 1은 원래선이 일정하지 않지만 동빈맥의 진단 기준을 모두 갖고 있다. 일정치 않은 원래선을 전기적 교대맥과 혼돈하지 않도록 주의해야 한다. 전기적 교대맥은 QRS 군의 높이에 변화가 있는 것이다. 일정하지 않은 원래선에서 QRS군은 모두 높이가 같다.

심전도 2

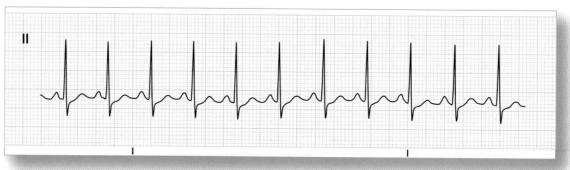

From *Arrhythmia Recognition: The Art of Interpretation*, courtesy of Tomas B. Garcia, MD.

박동수 :	분당 약 130회	PR 간격 :	정상, 일정
규칙성 :	규칙적	QRS 폭 :	정상
P파 :	있음	리듬 :	동빈맥

심전도 2는 전형적인 동빈맥이다. ST 분절의 경미한 하강을 주목할 것. 이것은 심방 재분극파나 Tp파, 빈맥으로 인한 약간의 심내막 허혈, 혹은 다른 이유 때문일 것이다. 율동기록지에서 주요한 이상 소견을 발견하면 가능한 원인을 찾기 위해 전체 심전도를 얻어야 한다. 이 사례에서 최악의 시나리오는 ST 분절 하강이 외측벽의 급성 심근경색증에 의한 하부 유도의 상대변화인 경우이다.

심전도 3

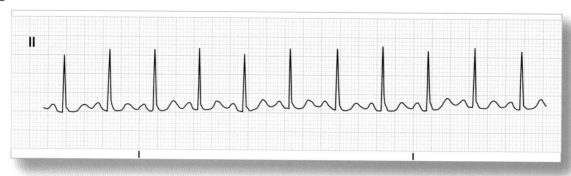

From *Arrhythmia Recognition: The Art of Interpretation*, courtesy of Tomas B. Garcia, MD.

박동수 :	분당 약 120회	PR 간격 :	정상, 일정
규칙성 :	규칙적	QRS 폭 :	정상
P파 :	있음	리듬 :	동빈맥

심전도 3은 전형적인 동빈맥이다. 쉽게 찾을 수 있는 P파가 있으며 형태적으로 약간의 불규칙성이 있다. 이 불규칙성은 충분히 알아볼만 하지만 이소성 심박동기에 의한 것일 정도는 아니다.

심전도 4

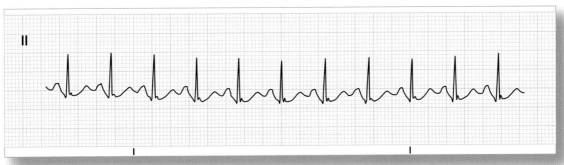

From *Arrhythmia Recognition: The Art of Interpretation*, courtesy of Tomas B. Garcia, MD.

박동수 :	분당 약 125회	PR 간격 :	정상, 일정
규칙성 :	규칙적	QRS 폭 :	정상
P파 :	있음	리듬 :	동빈맥

심전도 4 또한 꽤 전형적인 동빈맥이다. T파와 P파가 서로 부딪히는 것에 주의하자. 이는 TP 분절이 없기 때문이다. 이런 경우 PR 간격의 원래부를 율동기록지의 원래선으로 이용할 필요가 있다. 이것을 원래선으로 보면 P파의 높이가 극적이다. 그러나 율동기록지만 보고 심방 확장이라 단정하면 안 된다. 이 진단을 내리기 위해서는 12유도 심전도가 필요하다.

심전도 5

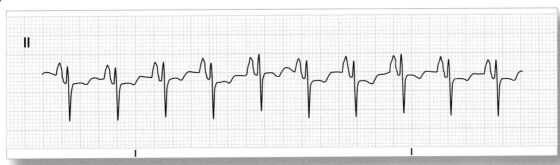

From *Arrhythmia Recognition: The Art of Interpretation*, courtesy of Tomas B. Garcia, MD.

박동수 :	분당 약 115회	PR 간격 :	정상, 일정
규칙성 :	규칙적	QRS 폭 :	정상
P파 :	있음	리듬 :	동빈맥

심전도 5는 다시 한번, 동빈맥이다. 크고 현저한 P파, 평평한 ST분절, T파 역위를 볼 수 있다. 평평한 ST분절, T파 역위는 허혈이 있음을 나타낸다. 이 율동 기록지만 보고 할 수 있는 말은 단지 '허혈이 의심된다'이고 추가 조사를 위해서는 반드시 12유도 심전도가 필요하다. 항상 의심을 하면 속지 않을 것이다.

심전도 6

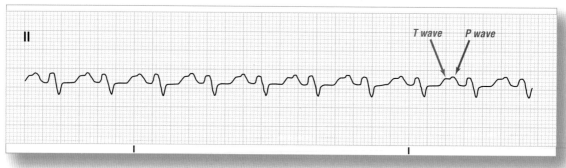

From *Arrhythmia Recognition: The Art of Interpretation*, courtesy of Tomas B. Garcia, MD.

박동수 :	100회/분을 조금 상회	PR 간격 :	정상, 일정
규칙성 :	규칙적	QRS 폭 :	넓다≥0.12초
P파 :	있음	리듬 :	동빈맥

심전도 6은 문제의 심전도이다. 2가지 이유가 있는데 첫째로 QRS군이 0.12초보다 넓다. 늘어난 간격의 원인으로 각차단, 편위전도, 심실 박동군 등을 고려해야 한다. 둘째로 T파와 P파가 서로 붙어있는 것인데, QRS군 전에 P파가 있고 P파와 QRS가 1대1로 대응하는 것으로 보아 심실 박동군은 쉽게 배제할 수 있을 것이다. 12유도에서 이 환자는 동빈맥과 우각차단으로 밝혀졌다.

심전도 7

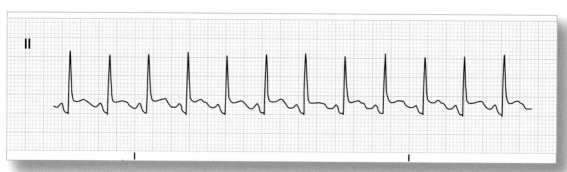

From *Arrhythmia Recognition: The Art of Interpretation*, courtesy of Tomas B. Garcia, MD.

박동수 :	135회/분을 조금 상회	PR 간격 :	정상, 일정
규칙성 :	규칙적	QRS 폭 :	정상
P파 :	있음	리듬 :	동빈맥

심전도 7은 각각의 QRS군 전에 명확한 P파를 보여주고 있고. 심박수는 100회/분을 상회하여, 동빈맥에 합당하다. 다시 한번 말하지만, 한 부분의 심전도 율동지만 보고 어떠한 진단도 내리지 않는 것이 좋다. 단지 추가 조사를 위한 근거가 될 뿐이다. 위 심전도 조율지에서 다른 이상한 점은 없는가? 가장 이상한 것은 명확한 ST 분절의 상승이다. 급성 심근경색증일까? 혈전 용해제를 투여해야 될까? 답은 12유도 심전도를 보아야 한다는 것이다. ST 분절의 상승은 심근경색증 때문일 수도 있지만 심낭염의 가능성도 있다. 급성 심근경색증 환자에게 혈전 용해제를 투여하는 것은 금기가 없는 한 좋은 생각이다. 하지만, 심낭염을 가진 환자에게 혈전 용해제는 출혈성 심낭 압전을 일으켜 사망에 이르게 할 수 있다.

그래서 12유도 심전도가 강력히 요구되며, 치료는 환자의 병력, 이학적 소견, 그리고 심전도에 근거해서 이루어져야 한다. 이 환자는 사실 하벽 심근경색증이었다. 빠르고 확실한 조치는 좋은 결과를 가져올 것이다.

핵심은 율동 기록지는 부정맥을 인지하는 단순한 도구 이상으로 사용될 수 있다는 것이다. 율동 기록지를 볼 때 전체를 해석하고, 이것은 단지 심전도의 한 유도일 뿐임을 기억해야 한다. 그리고 나서 병력, 이학적 소견 그리고 다른 진단적 검사들의 정보를 종합하여 이 모든 상황에 대한 최상의 임상적 진단을 도출하도록 한다.

단원 복습

1. 동빈맥에서 심박수는 _____회/분 이상이어야 한다.

2. 동빈맥에서 심박수는 보통 __에서 __회/분 사이이다. 하지만 ___회/분까지 올라갈 수도 있고 드문 경우에는 ____회/분까지 올라 갈 수 있다.

3. 최대 심박동수는 ___회/분 – 나이(년수) 이다.

4. 동빈맥은 부교감신경계의 주된 작용에 의해 일어난다. (맞다 / 틀리다)

5. 넓은 QRS군은 동빈맥에서 있을 수 있다. (맞다 / 틀리다)

6. 교감신경 흥분은 방실결절을 통한 전도 시간을 빠르게 하고, 이로 인해 간격을 좁게 한다. 하지만 간격은 여전히 정상 범위인 0.12초와 0.20초 사이에 존재한다.

7. 전기적 교대는 심전도상에서 QRS군의 ____ 변화를 말한다.

8. 전기적 교대 진단을 위해서는 반드시 매 심박동마다 존재하여야 한다. (맞다 / 틀리다)

9. 다음 중에 전기적 교대를 이끌 수 있는 것은?

    A. 빈맥

    B. 심근경색증

    C. 심낭 삼출

    D. 심낭염

    E. A와 C가 맞다.

    F. B와 D가 맞다.

10. ST 분절은 빈맥에서 하강할 수 있다. 가능한 이유는?

    A. TP파나 심방 재분극

    B. 상대적 심내막 허혈

    C. 실제적 심내막 허혈

    D. 묻혀진 P파

    E. 모두 다

11. 동빈맥은 활동 전위에서 상당히 짧아진 4기를 가지고 있다. 이 것은 심전도상에서 짧은 분절을 의미한다.

12. 동빈맥은 병리적인 리듬으로 간주하면 안 되고 자율 신경계의 자극에 대한 생리적인 반응으로 여겨야 한다. (맞다 / 틀리다)

13. 동빈맥의 치료는 _____

14. 빈맥은 이완기 동안의 수동적 충만 시간을 _____. 이것은 일회 심박출량의 _____를 가져오게 되고, 이 것은 다시 심박출량의 _____를 가져온다.

15. 동빈맥의 감별 진단은?

    A. 운동

    B. 열

    C. 코카인

    D. 빈혈

    E. 심부전

    F. 모두다

16. 동빈맥의 심전도에서 TP 분절이 완전히 안 보이는 것이 흔하다. (맞다 / 틀리다)

17. 급성 심근경색증에서 빈맥은 심근에 산소 요구량을 늘려서 더욱 더 큰 해를 미친다. 이 경우 심장의 심박수를 베타 차단제로 늦추는 것이 임상적으로 적절하다(다른 금기 사항이 없거나 경감 사유가 없는 한). (맞다 / 틀리다)

18. 열이 있는 경우 혈역학적으로 안정된 동빈맥의 주된 치료는 베타 차단제이다. (맞다 / 틀리다)

19. 동빈맥은 항상 혈역학적으로 정상 범주이다. (맞다 / 틀리다)

20. 동빈맥의 치료에 동기화 동율동전환이 포함된다. (맞다 / 틀리다)

제 11 장

동부정맥

목표

1. 정상 동율동의 변이와 동부정맥을 구분한다.
2. 호흡에 따른 동부정맥의 개념과 임상적 중요성에 대해 이해한다.
3. 비호흡성 동부정맥의 개념을 이해하고 이의 임상적 중요성에 대해 이해한다.
4. 2가지 종류의 동부정맥을 정확히 판독한다.

들어가며

정상 동율동은 아주 규칙적인 리듬이다. 신체의 메트로놈으로써 동결절은 심박동을 정확하게 유지하고 규칙적으로 뛰게 한다. 그러나 어떤 현상이 모든 환자에게 똑같이 나타나는 경우는 거의 없다.

정상적으로 일어나는 동성 박동은 약간의 불규칙성을 띨 수 있다. 그 변이싱은 기록지 전체에서 정상 동율농의 경우 0.16초(작은 칸으로 4칸) 이상은 일어나지 않는다. 그러나 동결절에서 정상적으로 기원한 박동에서 불규칙성이 0.16초 이상 다양하게 일어나는 경우가 있다. 이러한 불규칙한 리듬을 동부정맥이라고 한다.

동부정맥은 구별하기 아주 쉽다. 간격이 점차적으로 넓어지거나 좁아지기 때문이다. 그러나 어떤 경우에서는 분명하지 않을 수 있다. 이런 경우를 대비해 진단을 위해 필요한 특이성을 알아놓는 것이 좋겠다. 아래의 추가정보 박스에 동부정맥을 확실히 판별하는 방법이 있다.

동부정맥에는 2종류가 있다. 정상적인 환경에서 일어나는 호흡성 혹은 주기성 변이와 병적인 상태에서만 발견되는 비호흡성 혹은 비주기성 변이이다.

한가지 더

동부정맥 판독법

가장 짧은 PP 간격을 구하고 가장 긴 PP 간격을 구한다

(그림 11-1). 이 두 간격의 차이는 0.16초를 넘으면 이 리듬은 동부정맥이다.

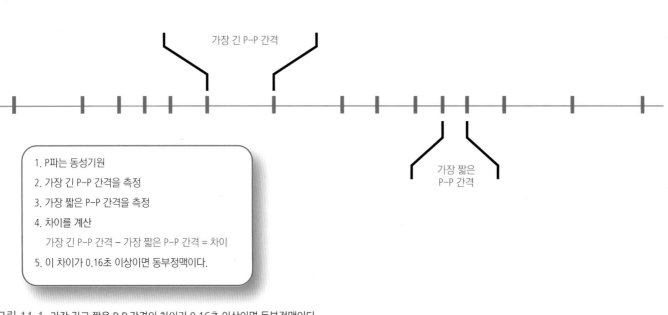

가장 긴 P–P 간격

가장 짧은
P–P 간격

1. P파는 동성기원
2. 가장 긴 P–P 간격을 측정
3. 가장 짧은 P–P 간격을 측정
4. 차이를 계산
   가장 긴 P–P 간격 – 가장 짧은 P–P 간격 = 차이
5. 이 차이가 0.16초 이상이면 동부정맥이다.

그림 11-1. 가장 길고 짧은 P-P 간격의 차이가 0.16초 이상이면 동부정맥이다.

호흡성 동부정맥

우리가 호흡할 때 흉벽은 대장간에서 사용되는 풀무처럼 작용한다(**그림 11-2**). 흡기와 함께 폐는 팽창하고 흉강내 압력은 감소한다. 기체와 액체는 압력이 높은 곳에서 낮은 곳으로 흐른다. 따라서 공기는 흉벽을 확장시킬 때 폐로 들어가게 되는데 이는 고압지역(몸밖에 있는 공기)에서 저압지역(흡기 시의 폐 내의 공간)으로의 이동이 일어나는 것이다. 공기의 움직임은 수동적이지만 흉벽의 움직임은 능동적이고 개인에 의해 조절된다. 공기뿐만 아니라 사지와 복부로부터의 혈액 또한 압력 차를 따라 우리 몸에서 우측 심장으로 이동한다.

흡기 시 흉강 내로 들어온 증가한 혈액양은 우심실을 더 충만시키고 더 많은 혈액을 박출하게 한다. 증가된 혈액은

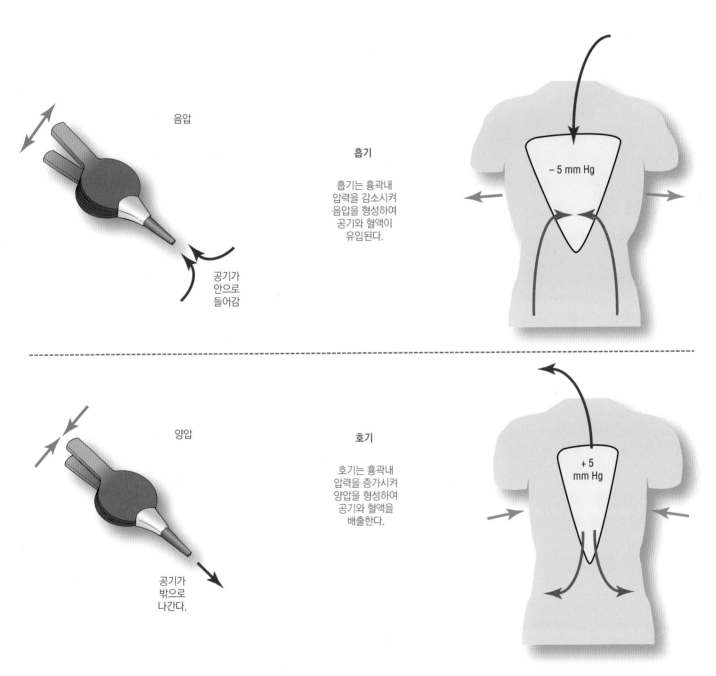

음압

흡기
흡기는 흉곽내 압력을 감소시켜 음압을 형성하여 공기와 혈액이 유입된다.

− 5 mm Hg

공기가 안으로 들어감

양압

호기
호기는 흉곽내 압력을 증가시켜 양압을 형성하여 공기와 혈액을 배출한다.

+ 5 mm Hg

공기가 밖으로 나간다.

그림 11-2. 흡기와 호기

© Jones & Bartlett Learning.

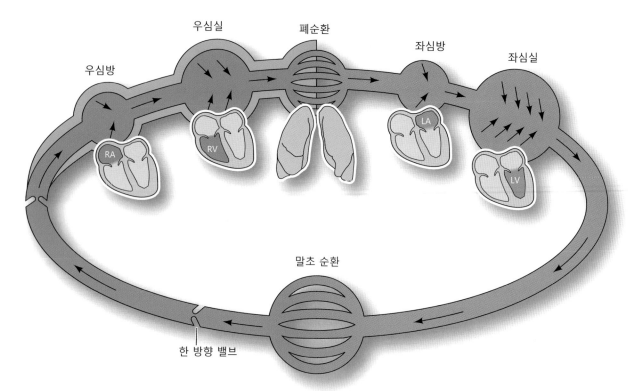

그림 11-3. 초록색 부분은 흡기에 의해 흉강내에 들어온 여분의 혈액을 나타낸다. 폐순환 혈액의 흐름을 주목하자.
© Jones & Bartlett Learning.

우심방으로 들어가 baroreceptor(심장의 팽창과 압력을 측정하는 수용체)를 자극하게 되고, 미주 신경을 억제하게 된다. 결과적으로 심박수가 약간 상승하고, 흉강내 증가된 혈액을 이동시키는 것을 돕는다.

호기시에는 횡경막이 이완하고 흉부쪽으로 밀어내서, 흉강내압이 증가하게 된다. 우심방의 압력은 감소하고 baroreceptor가 억제 기능을 하지 않아, 정상적으로 반응하게 된다. 즉, 상대적으로 심박수 감소를 초래하고 흉부에서 혈액이 빠져 나오는 것을 감소시킨다.

우심방에 집중해 보자. 좌심방 반응은 거의 보이지 않는데, **그림 11-3**의 초록색처럼 혈액이 폐 내에 머물러 있기 때문이다.

위에서 언급된 모든 변화는 호흡 주기의 수초 내에 일어난다. 미주 신경 항진에 의한 일시적인 심박수의 변화는 심전도나 조율 기록지에 잘 나타난다(**그림 11-4**). 호흡성 동부정맥이 맥박이 느릴 때나 평소 맥박이 느린 운동선수에서 잘 보인다.

동부정맥은 또한 어린이에서 흔하고, 크면 사라진다. 일반적으로 맥박이 빨라지면 없어지는 경향이 있는데, 예를 들어 아트로핀을 투여하였을 때나 운동 중일 때이다.

호흡성 혹은 주기성의 동부정맥은 정상의 변이이며 병적인 부정맥이 아니다.

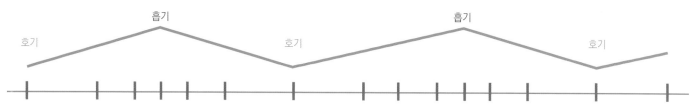

그림 11-4. 초록색 선은 심전도의 원래선을 나타낸다. 파란 선은 각각의 심전도군을 표시하였다. 호흡 주기에 따라 심박동수가 빨라지고 느려지는 것을 주목하자.
© Jones & Bartlett Learning.

비호흡성 혹은 비주기성 동부정맥

동부정맥의 두 번째 종류는 비호흡성 혹은 비주기성 형태이다. 이런 형태는 호흡 주기나 다른 생리학적인 현상과 동반하지 않는다. 자발적으로 발생하고 뚜렷한 패턴이 없이 P-P 간격은 전반적으로 무작위적이며 점진적인 박동수의 증가나 감소도 없다.

호흡성 동부정맥과는 반대로 비호흡성 동부정맥은 나이 많은 사람이나 심각한 허혈성 심질환 또는 구조적 이상이 있는 환자에서 발생한다. 이 형태의 동부정맥은 병적인 상태와 관련있기 때문에 진짜 부정맥으로 생각하여야 하고 정상 변이로 생각해선 안 된다. 이것이 치료가 필요하거나 응급상황이라는 것을 의미하지는 않지만 주의를 가지고 이런 환자에게 접근해야 한다. 환자가 어떠한 동반 증상을 호소한다면 주의깊게 살펴야 한다.

임상적 요점

동부정맥과 관련된 가장 큰 문제는, 비호흡성 동부정맥의 경우, 다발성 심방 조기수축으로 종종 오진된다는 것이다. 반대로 심방 조기수축이 많은 심전도는 종종 동부정맥으로 생각되기도 한다(**그림 11-5**). 동부정맥으로 진단하기 전에 다발성 심방 조기수축의 가능성을 항상 고려해야 한다.

동부정맥 패턴은 심방 조기수축으로 깨질 수 있다. 이런 이벤트는 동부정맥에 의해 유발된 원래의 불규칙성을 더 악화시킨다. 어떤 경우에 호흡성 동부정맥이 비호흡성 변이형 동부정맥처럼 보이기도 한다(**그림 11-6**).

> ### 한가지 더
>
> ## 동결절의 위치 변화
>
> 동결절 안에서 호흡 동안에 주 심박동기의 일시적인 변화가 있다. 동결절은 큰 말발굽과 같은 구조라는 것을 기억하자. 심박동기의 위치는 미주 신경 자극에 따라 일시적으로 변할 수 있다. 이는 몇몇 동부정맥 환자의 심전도에서 볼 수 있는 P파 모양과 PR 간격의 작은 변화를 설명해준다.

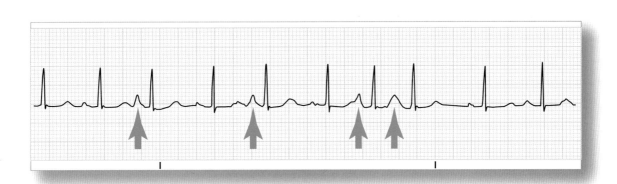

그림 11-5. 리듬의 불규칙성을 주목하자. 초록색으로 표시된 P 파는 심방 조기수축이다.

호흡성 동부정맥

심방 조기수축을 동반한 호흡성 동부정맥

그림 11-6. 적절한 위치에 발생한 사건(심방 조기수축)이 호흡성 동부정맥을 어떻게 변화시키는지 주목하자.

부정맥 정리

동서맥

박동수 :	보통 분당 60-100회 내외, 그러나 더 빠르거나 느릴 수 있음
규칙성 :	규칙적으로 불규칙, 그러나 완전히 불규칙적일 수 있음.
P파 :	있음. 동성 기원
형태 :	전체적으로 동일
II, III, aVF에서 상향 :	상향
P: QRS 비 :	1:1
PR 간격 :	정상, 일정
QRS 폭 :	정상 또는 넓음
그룹화 :	없음
탈락 박동 :	없음

설명

동부정맥은 비교적 느리고 호흡에 따른 심박수의 변화가 생기는데 수초가 걸리기 때문에 이 장에서는 율동 기록지를 길게 보여줄 것이다. 기록지를 원래 크기대로 보는 것이 이상 율동 진단을 정확히 배우는데 중요하다.

때때로, 상황이 허락하면 원래 크기로 심전도를 보여줄 것이다. 다음은 실제 기록지 그대로 보여주기 위해 풀사이즈 심전도를 가로방향으로 제시하였다.

심전도 스트립

심전도 1

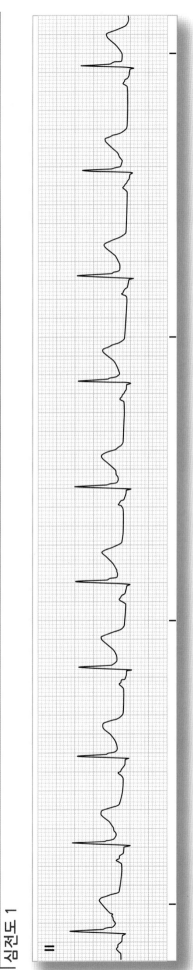

박동수 :	분당 50-60회		PR 간격 :	정상, 일정
규칙성 :	규칙적으로 불규칙		QRS 폭 :	정상
P파 :	있음		그룹화 :	없음
형태:	정상		탈락 박동 :	없음
축:	정상		리듬 :	동부정맥
P:QRS 비 :	1:1			

심전도 1은 호흡성 동부정맥의 전형이다. 기록지를 통틀어 조율이 점진적으로 빨라지고 느려진다(호흡성 변이를 완전히 평가하려면 보다 긴 기록지가 필요하다). 전반적으로 P파의 양상이 약간 불규칙하게 관찰된다. 이는 동부정맥에서 일반적으로 관찰되는데 가끔 다른 리듬 이상과 혼동할 수 있다.

심전도 2

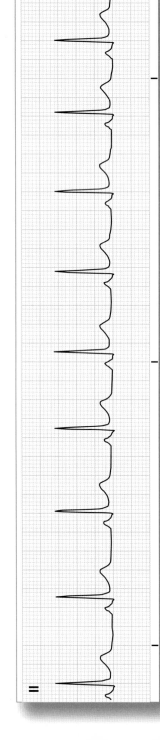

박동수 :	분당 약 60회	PR 간격 :	정상, 일정
규칙성 :	규칙적으로 불규칙	QRS 폭 :	정상
P파 : :	있음	그룹화 :	없음
형태:	정상	탈락 박동 :	없음
축:	정상	리듬 :	동부정맥
P:QRS 비 :	1:1		

다시 한번 **심전도 2**는 동부정맥의 호흡성 변이형의 전형이다. 얼핏 보기에도 심박수의 점진적인 증가와 감소가 매우 명백하다. 이런 율동을 규칙적으로 불규칙하다고 기술한다. 그 이유는 심박수의 점진적인 변화가 지속적으로 반복되고 예측 가능하기 때문이다. 따라서 심박수의 변화는 규칙적이고 정상적인 호흡 주기와 상당하게 연계되어 있다.

심전도 3

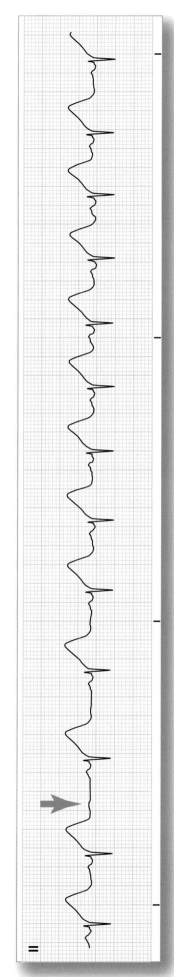

From *Arrhythmia Recognition: The Art of Interpretation,* courtesy of Tomas B. Garcia, MD.

박동수 :	분당 약 65회
규칙성 :	규칙적으로 불규칙
P파 :	
형태:	있음
	정상
축:	정상
P:QRS 비 :	1:1

PR 간격 :	정상, 일정
QRS 폭 :	정상
그룹화 :	없음
덜럭 박동 :	없음
리듬 :	동부정맥

이쯤 되면 쉽게 이 심전도가 호흡성 동부정맥임을 알아 보아야 한다. 예를 들어 ST분절은 매우 상승해 있고 또 평평 하다. 이는 하벽의 심근 경색 가능성이 있다. 이런 심조율 기 록지를 본다면 경색 가능성을 조사하기 위해 12-유도 심전 도를 반드시 시행해야 한다. 조율지를 이용하여 리듬 이외 의 것에 대해 진단을 내리는 것은 위험천만한 일임을 기억 하자. 항상 심전도 전체가 필요하다!

이 심전도에서 또 다른 흥미로운 것은 녹색 화살표 아래 의 작은 파이다. 다른 박동군 이후에도 비슷한 몇 개의 파를 이 나타난다. 이것은 전도되지 않는 또 다른 P파가 아니다. 이들은 U파이며 몇몇 환자에게는 정상적으로 나타날 수 있 다. 하혈도 U파의 원인일 수 있다. P파에 묻히기 때문에 잘 안 보일 수 있다.

심전도 4

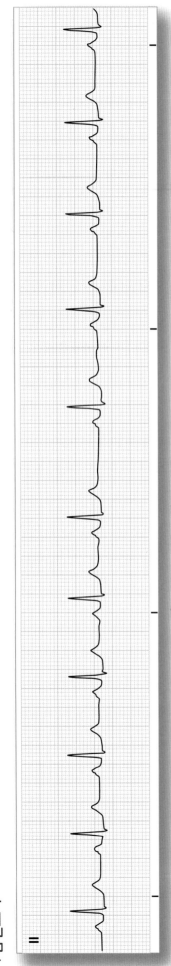

From *Arrhythmia Recognition: The Art of Interpretation*, courtesy of Tomas B. Garcia, MD.

박동수 :	분당 약 55회		PR 간격 :	정상, 일정
규칙성 :	규칙적으로 불규칙		QRS 폭 :	정상
P파:			그룹화 :	없음
형태:	있음		탈락 박동 :	없음
축:	정상		리듬 :	동부정맥
	정상			
P:QRS 비 :	1:1			

점진적으로 맥이 느려졌다가 빨라지는 호흡성 동부정맥이다. 중앙에 있는 좀 더 긴 휴지기를 주의하자. 이것은 율동의 전체 부분이며 증상이 있거나 휴지기가 매우 길지 않으면 심박동기 적응증이 되지 않는다. 너무 길다는 것은 어느 정도일까? 그것은 환자증상에 근거해서 임상적 결정을 내려야 한다.

여기서 ST 분절의 미약한 하강이 나타나고 하강은 평평한 형태이다. 상승이건 하강이건 간에 평평한 ST 분절의 변화는 허혈일 수 있다. 이 문제를 좀 더 알아보기 위해서는 전체 심전도를 검사하는 것이 좋겠다.

심전도 5

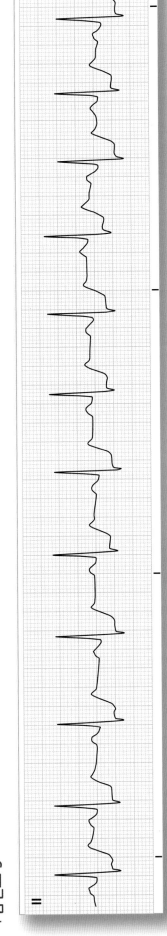

II

박동수 :	분당 약 60회
규칙성 :	규칙적으로 불규칙
P파 :	있음
형태:	정상
축:	정상
P:QRS 비 :	1:1

PR 간격 :	정상, 일정
QRS 폭 :	정상
그룹화 :	없음
탈락 박동 :	없음
리듬 :	동부정맥

심전도 5를 쭉 훑어보고 앞아맞히기란 꽤 어렵다. 심박수의 점진적인 증가와 감소를 짚어내기 위해 캘리퍼가 유용할 것이다. 이 심전도는 호흡성 동부정맥이다.

ST 분절들은 하강한 모양이고, 형태가 좋지 않다. 전체 12 유도 심전도가 유용할 것이다. 광범위한 심근 경색이 의심되는 환자는 매우 조심스럽게 접근해야 한다.

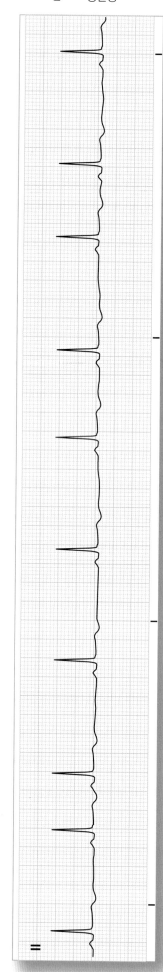

From Arrhythmia Recognition: The Art of Interpretation, courtesy of Tomas B. Garcia, MD.

박동수 :	분당 약 50회	PR 간격 :	정상, 일정
규칙성 :	규칙적으로 불규칙	QRS 폭 :	정상
P파 :	있음	그룹화 :	없음
형태 :	정상	탈락 박동 :	없음
축 :	정상	리듬 :	동부정맥
P:QRS 비 :	1:1		

심전도 6은 상당히 여러운 어려운 리듬이다. 12초 길이의 기록지에 있는 박동수를 확인한 후 5를 곱하면 분당 50회를 얻을 수 있다. 리듬은 불규칙하지지만, 캘리퍼를 이용해 보면 P-P간격이 여러 군데서 같은 것을 알 수 있다(심전도 7 참조). 이제 P파를 관찰해 보면 모두 같은데 이는 다발성 심방 조기수축이 아님을 시사한다. PR 간격도 모두 일정함으로 모든 박동군이 같은 심박동기에서 기인한다는 것을 의미한다. 불규칙성, 같은 P파, 정상적인 P파의 파형, 같은 PR 간격은 모두 비호흡성 동부정맥의 특징이다.

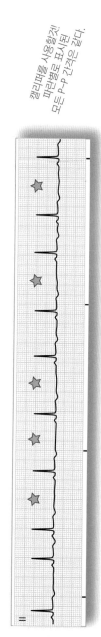

F그림 11-7. 파련별로 표시한 P-P 간격.

캘리퍼를 사용힜짓!
파련별로 표시된
모든 P-P 간격은 같다.

© Jones & Bartlett Learning.

단원 복습

1. 정상 동율동은 심전도군의 규칙성에서 약간의 변이를 가질 수 있 다. 그러나 가장 긴 간격과 가장 짧은 간격 의 차이는 0.16 초를 넘지는 못한다. (맞다 / 틀리다)

2. 동부정맥은 각 박동군 간의 규칙성에 0.16 초 이상의 변이가 있는 동기원의 율동을 말한다. (맞다 / 틀리다)

3. 동부정맥에는 2가지가 있다.

    A. 호흡성 혹은 주기성 동부정맥

    B. 순환기성 혹은 일시적인 동부정맥

    C. 비호흡성 혹은 비주기성 동부정맥

    D. a와 b가 맞다.

    E. a와 c가 맞다.

4. 호흡성 동부정맥은 다음에 보기에 의해 유발된다.

    A. 뇌혈류의 감소

    B. 일시적인 미주 신경 항진

    C. 카테콜아민의 과도한 분비

    D. 흡기 시 좌측 심장으로의 증가된 혈류

    E. 위의 모두

5. 호흡성 동부정맥은 정상 변이이다. (맞다 / 틀리다)

6. 다음과 같을 때 심박수는 정상적으로 빨라진다.

    A. 흡기

    B. 호기

    C. 모두

    D. 아무것도 아님

7. 다음의 경우 호흡성 동부정맥이 정상적으로 나타날 수 있다.

    A. 청소년

    B. 노인환자

    C. 운동선수

    D. 심근 경색 환자

    E. a 와 c가 맞다.

    F. b 와 d가 맞다.

8. 동부정맥을 진단하기 전에 항상 다른 가능성을 고려해야 한다. 왜냐하면, 종종 다발성 PVCs가 동부정맥으로 오인되기 때문이다. (맞다 / 틀리다).

제 12 장

동방 차단, 동휴지, 동정지

목표

1. 동방 차단을 정의한다.
2. 동휴지를 정의한다.
3. 동정지를 정의한다.
4. 동방 차단, 동휴지, 동정지의 차이를 이해한다.
5. 동방 차단, 동휴지, 동정지의 차이를 기억하기 위한 요령을 만든다.
6. 심전도에서 동방 차단, 동휴지, 동정지를 진단한다.

초보자들을 위한 교과서

이 단원에서는 동방 차단과 동휴지에 대해 다룰 것이다. '동방'이라는 단어는 동결절 및 그 주위의 구조물을 말한다. 동방 차단이나 동휴지가 생기려면, 동결절 혹은 그 주위의 구조물들이 병적이거나 허혈이 존재하거나 혹은 일부 불응기여야 한다. 동방 차단은 동결절에서 심방으로 전도 차단이 일어난 상태를 의미한다. 동성결절이 차단되면, 심장의 다른 곳에서 2차 심박동기가 작동하게 되거나 박동이 빠지게 된다. 심방의 탈분극이 일어나지 않으면, P 파가 발생하지 않는다. 다음 동성 결절이 재설정되지 않고 전기 자극을 내보내면 박동기, P 파는 정상 P-P 간격의 배수로 나타난다.

동휴지는 동성 박동기의 전도가 한동안 멈춘 것을 의미한다. 일단 심방으로 전기 자극이 도달하면, 박동을 만들게 된다. 이러한 현상은 정상 P-P 간격의 배수로 나타나지 않는다. 이것이 차단이 아닌 중지라고 정의하는 이유이다. 동휴지는 두 가지 특징을 다 가지고 있다. 따라서 정확히 P-P 간격의 배수는 아니다. 차이점은 정지 시간이 길다는 점이다. 심박동이 없는 것은 심각한 혈역학적 문제를 일으킬 수 있다. 일반적으로 병적인 혹은 스트레스 받는 동결절이 원인이다.

이제, 각차단에 대해서 논의해 보자. 1장에서 다룬 것처럼, 두 가지 주된 각차단이 있다. 좌각은 전 섬유속과 그 좌후 섬유속으로 구분된다. 6장에서 어떻게 생리학적, 해부학적 차단에 대해서 살펴보았다. 이 '차단'은 특정 전도계의 전기 전도를 억제하고, 다른 루트를 형성하여 넓고 이상한 편위 전도를 만들게 된다. 이러한 형태는 좌각차단, 우각차단, 좌전 반차단, 좌후 반차단으로 알려져 있다.

'차단'이라는 말을 할 때, 어떠한 것을 의미하는지 다시 되새겨야 한다.

—*Daniel J. Garcia*

들어가며

동방 차단, 동휴지, 동정지. 이 세 가지 율동에서 동성 박동기는 작동을 하지만 전기적 자극은 심방 조직을 탈분극하지 못한다. 그 결과 이 3가지 부정맥은 P파를 만들어내지 못한다. 게다가, 심방의 심근세포와 전기전도계가 탈분극되지 않기 때문에 나머지 심장 조직 역시 탈분극되지 않는다. 결과적으로 QRS군, ST 분절, T파도 볼 수 없다.

동방 차단의 경우 동결절은 완전히 차단되거나 자극 전도가 막히게 된다. 동휴지, 동정지는 전기 자극의 전도가 한동안 멈춘 것이다.

동결절 주위에 질병이 있을 경우 흔히 발생한다. 이런 상태를 동기능 부전 증후군이라고 하는데 이 장의 끝부분에 시간을 내어 살펴볼 것이다.

동방 차단

이름이 암시하는 것처럼 동방 차단은 동결절에서 발생한 전기 신호가 심방으로 전달되지 못하는 경우를 말한다.

차단은 한 개나 두 개, 또는 그 이상의 리듬이 빠지는 것을 말하며, 그 증거는 휴지 기간이 정상 P-P 간격의 정확한 배수로 나타나는 것이다(**그림 12-1**). 차단은 동성 심박동기가 그 아래서 일어나는 차단과 무관하게 본래 가지고 있는 심박수로 계속 자극을 만들기 때문에 정확히 P-P 간격의 배수로 나타나게 된다. 그러다가 하나의 동성 자극이 심방의 심근을 포획하게 되면 동방 차단이 끝나게 된다.

그림 12-1을 보면, 동성 심박동기가 원래 가지고 있는 박동수로 심장이 정상 동율동으로 뛰다가 갑자기 자극 중의 하나가 점화는 되었지만(빨간 X) 이 탈분극파가 심방 조직에 닿지 못하고, P, QRS, T파를 형성시키지 못하는 것을 볼 수 있다(보라색 박동군). 그러나 동성 박동 혹은 율동은 차단과 무관하게 예정대로 계속 점화한다. 휴지 기간은 정확히 P-P 간격의 2배이고 만일 2개의 박동군이 차단되면 휴지 기간은 3배가 될 것이다. 핵심은 휴지 기간이 정확하게 P-P 간격의 배수와 같다는 것이다(**그림 12-2**).

이런 동방 차단과 유사하게 보이면서 흔히 발생하는 것이 한 가지 있는데 바로 차단된 조기심방수축이다(13장 참고). 이소성 심방 심박동기가 심방을 탈분극시키지만, 지나치게 빠른 경우, 방실결절에서 막혀 심실에는 도달하지 못하다. 최종 결과 P파는 있지만 QRS나 T파는 볼 수 없다. 가끔 P파가 이전의 T파 위에 떨어지거나 합쳐지기도 한다. 하지만 심방 조기수축의 경우 방실 차단 여부와 상관없이, 항상 P파가 있다는 것을 명심하자. 동방 차단의 경우 전기 자극이 심방에 도달하지 않기 때문에 P파를 만들 수 있는 심방의 탈분극이 일어나지 않는다.

동방 차단은 심전도에서 간헐적으로 관찰될 수 있고, 또는 심한 동서맥으로 오인될 수도 있다(**그림 12-3**). 이런 경우 긴 심전도를 얻는 것이 진단에 매우 도움이 된다.

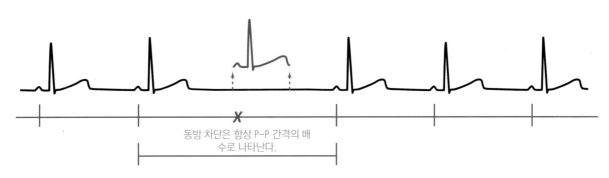

동방 차단은 항상 P–P 간격의 배수로 나타난다.

그림 12-1. 동방 차단은 동결절이 심방으로 자극을 전달하는 과정이 완전히 막혔으나 심박동기 자체는 영향을 받지 않은 상태에서 발생한다. 이런 이유로 원래의 율동 박자는 영향을 받지 않는다. 동방 차단은 항상 P-P 간격의 배수로 나타난다. 이 심전도에서는 동방 차단이 정상 P-P 간격의 두 배로 나타났다.

© Jones & Bartlett Learning.

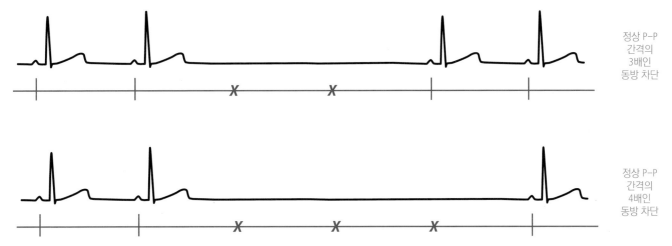

정상 P–P 간격의 3배인 동방 차단

정상 P–P 간격의 4배인 동방 차단

그림 12-2. 동방 차단의 다른 예시. 위의 심전도는 두 번의 연속적인 동성 자극이 차단되어 심방에 이르지 못하였다. 아래 심전도는 세 번의 연속적인 동성 자극이 차단되어 심방에 이르지 못하였다. 휴지 기간이 항상 P-P 간격의 배수임을 명심하자.

© Jones & Bartlett Learning.

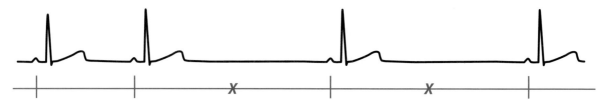

그림 12-3. 두 개의 비연속적 동방 차단. 기록지의 중간과 끝만 관찰할 경우 동서맥으로 오인하기 쉽다. 차단의 한 가지 실마리는 동서맥의 경우 맥박이 서서히 느려지며 위와 같이 갑자기 발생하지 않는다는 것이다.

© Jones & Bartlett Learning.

동휴지와 동정지

동휴지는 동결절에서 동성 자극 형성의 지연으로 일어난다. 동휴지는 리듬 기록지에서 박동군들의 사이에 좀 더 긴 휴지기로 표현된다(**그림 12-4**). 다시 말해 동휴지는 심전도상 긴 P-P 간격으로 표현된다.

동휴지는 정상적인 P-P 간격의 정확한 배수로 일어나지 않는다. 왜냐하면 지연이 동결절에서 보통 일어나기 때문이다. 동결절이 휴지기 후에 다시 작동하면 심박수는 휴지기 발생 이전과 같거나 달라질 수 있다.

동정지는 보다 긴 심방 자극 형성의 지연으로 일어난다(**그림 12-5**). 심전도는 동정지의 휴지기 동안 동방 차단이 나타날 경우 적절한 해석을 내려주기 부족한 면이 있다. 한

가지 사실만 분명한데 동정지는 길어질 수 있으나 정상 P-P 간격의 정확한 배수는 아니다.

어디서 어디까지가 동휴지고 동정지인지 그 기준점이 분명하지 않다. 어디까지가 동휴지고 어디서부터 동정지인지에 대한 분명한 일치된 의견은 없다. 기본적으로 우리는 경험적 법칙을 적용하는데, 만약 휴지가 정상 P-P 간격의 3배보다 짧으면(적어도 전도되지 않은 군이 2개), 이것을 동휴지라 부른다. 그리고 휴지가 정상 P-P 간격의 3배보다 길면 동정지라 부르는데 이런 방식이 옳은 것일까? 글쎄다, 정답을 아는 사람이 없기 때문에 아무도 맞다 틀리다 할 수 없다. 이 방식은 전적으로 임의적이긴 하나, 우리의 목적에는 유용하다.

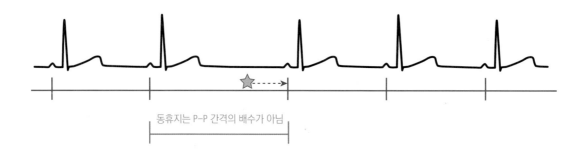

동휴지는 P–P 간격의 배수가 아님

그림 12-4. 동휴지는 동결절이 탈분극파 생성을 실패하거나 지연되는 것을 의미한다. 이 심전도에서 정상 동결절의 점화 시기는 핑크별로 나타낸 시점이다. 실제 박동은 이보다 지연되어 나타났다. 결과적으로 정상 P, QRS, T파가 제시간에 나타나지 않는다. 동휴지는 P-P 간격의 배수로 나타나지 않는다.

© Jones & Bartlett Learning.

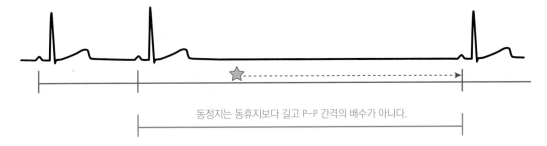

동정지는 동휴지보다 길고 P–P 간격의 배수가 아니다.

그림 12-5. 동정지는 동결절이 탈분극파 형성을 실패하거나 지연되는 것을 의미하는데, 동휴지보다 간격이 훨씬 더 긴 경우를 의미한다. 결과적으로 P, QRS, T 파들이 제 시간에 형성되지 않는다. 동정지는 P-P 간격의 배수가 아니다.

© Jones & Bartlett Learning.

추가 정보

동기능 부전 증후군

아직 이와 연관된 많은 리듬에 대해 많이 다루지 않았기 때문에 지금 시점에서 동기능 부전 증후군과 같은 복잡한 주제를 다루기란 어렵다. 이런 이유로 이 부분을 추가 정보 상자에 두기로 하였다. 이 부분을 건너뛴 뒤 다른 섹션들을 공부한 다음 돌아오거나 리듬 이상에 관한 7장을 빠르게 훑어본 다음 다시 봐도 된다.

동기능 부전 증후군은 병든 동결절을 가진 환자에서 볼 수 있는 일련의 부정맥들을 이르는 말이다. 병든 결절은 매우 느린 서맥, 뚜렷한 동부정맥, 동방 차단, 동휴지, 동정지 등을 유발할 수 있다. 또한 매우 느림 서맥과 매우 빠른 빈맥 사이를 자주 왔다 갔다 하게 된다(이것은 동기능 부전 증후군의 변형으로 서맥-빈맥 증후군이라고 한다.).

동결절의 기능 장애에 더해, 이 같은 결과를 만든 동일

한 병태가 방실결절과 나머지 전도계에도 영향을 미친다. 이로 인해 방실 차단, 접합부 이탈율동, 만성 심방세동을 형성하게 된다.

이후 부정맥은 여러 가지 조합으로 발전할 수 있으나 모든 환자들이 이것을 드러내지는 않는다. 전형적으로 이 증후군은 환자의 피로감, 운동을 못 견디는 것, 울혈성 심부전과 같은 증상으로 나타나고 심전도상이나 리듬 기록지에서 위에서 언급된 리듬들이 나타날 때 의심하게 된다. 이 증후군의 증명과 발현 양상은 24시간 활동 심전도를 통해 보통 이루어지게 된다.

가장 일반적인 동기능 부전 증후군의 치료는 빈맥의 발생과 위중한 빈맥을 막기 위한 항부정맥제(예: procainamide, digoxin) 투여와 서맥과 동방 차단을 조절하기 위한 인공 심박동기를 삽입하는 것이다.

부정맥 정리

동방 차단, 동휴지, 동정지

박동수:	이들은 단독 혹은 다발성 현상이다.
규칙성:	사건을 동반한 규칙적
P파:	전도 차단 혹은 지연
형태:	적용할 수 없음
II, III, aVF에서 상향:	적용할 수 없음
P: QRS 비:	적용할 수 없음
PR 간격:	적용할 수 없음
QRS 폭:	적용할 수 없음
그룹화:	없음
탈락 박동:	있음

감별진단

동방 차단, 동휴지, 동정지

1. 동기능 부전 증후군
2. 관상동맥질환, 하벽 심근 경색
3. 경동맥 팽대 과민 증후군(Hypersensitive carotid sinus syndrome)
4. 약물: digoxin, 항부정맥제재 등
5. Digoxin 중독
6. 심근염
7. 전해질 이상
8. 특발성

상기 리스트는 가능한 모든 원인은 아니지만 가장 흔한 원인들을 포함한다.

심전도 스트립

심전도 1

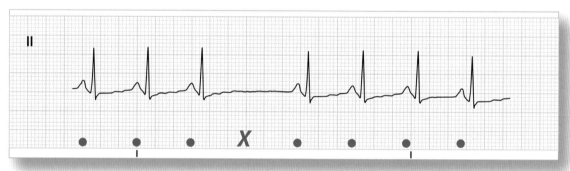

From *Arrhythmia Recognition: The Art of Interpretation*, courtesy of Tomas B. Garcia, MD.

박동수:	분당 약 100회	PR 간격:	정상, 사건은 제외
규칙성:	규칙적, 사건은 제외	QRS 폭:	정상
P파: 　형태: 　축:	정상, 사건은 제외 정상 정상	그룹화:	없음
		탈락 박동:	있음
P:QRS 비:	1:1, 사건은 제외	리듬:	동방 차단을 동반한 동빈맥

　동빈맥 환자의 심전도이다. 중간에 하나의 동방 차단이 보이는데, 이 휴지 기간은 기록지의 다른 부분에서 측정한 정상 P-P 간격의 정확한 2배 길이이다.

심전도 2

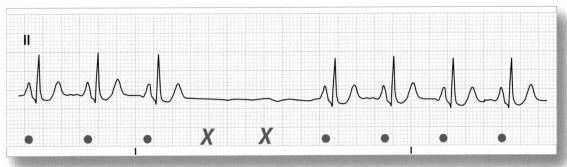

From *Arrhythmia Recognition: The Art of Interpretation*, courtesy of Tomas B. Garcia, MD.

박동수:	분당 약 92회	PR 간격:	정상, 사건은 제외
규칙성:	규칙적, 사건은 제외	QRS 폭:	정상

P파:
  형태:
  축:
	정상, 사건은 제외
	정상
	정상
		그룹화:	없음

		탈락 박동:	있음
P:QRS 비:	1:1, 사건은 제외	리듬:	동방 차단을 동반한 동율동

심전도 2는 동율동인데 도중에, 측정 결과, 정확히 정상 P-P 간격의 3배인 긴 휴지가 생겼다. 이 예제는 2번의 동성 자극이 차단된 것이다. 동방 차단은 심방에 전도되는 과정에서 하나, 둘 또는 그 이상의 동성 자극이 차단되어 발생할 수 있다.

심전도 3

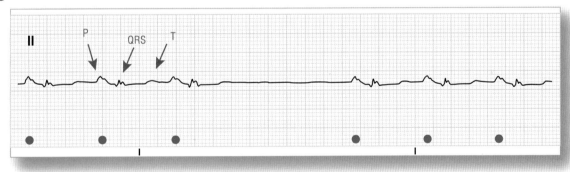

From *Arrhythmia Recognition: The Art of Interpretation*, courtesy of Tomas B. Garcia, MD.

박동수:	분당 약 76회	PR 간격:	정상, 사건은 제외
규칙성:	규칙적, 사건은 제외	QRS 폭:	넓음

P파:
  형태:
  축:
	정상, 사건은 제외
	정상
	정상
		그룹화:	없음

		탈락 박동:	있음
P:QRS 비:	1:1, 사건은 제외	리듬:	동휴지(sinus pause)를 동반한 동율동

심전도 3은 매우 작은 QRS군을 가진 동율동을 보여주고 있다. P, QRS와 T파를 보기 쉽게 표시해 두었다. QRS군은 0.12초보다 늘어나 있다. 용지의 중간쯤에서 환자는 정상 P-P 간격의 2배보다 긴, 연장된 휴지기를 보인다. 이 예제가 바로 동휴지이다.

심전도 4

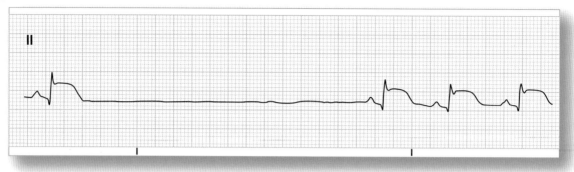

From *Arrhythmia Recognition: The Art of Interpretation*, courtesy of Tomas B. Garcia, MD.

박동수:	분당 약 80회	**PR 간격:**	정상, 사건은 제외
규칙성:	규칙적, 사건은 제외	**QRS 폭:**	넓음
P파: 　**형태:** 　**축:**	정상, 사건은 제외 정상 정상	**그룹화:**	없음
		탈락 박동:	있음
P:QRS 비:	1:1, 사건은 제외	**리듬:**	동정지(sinus arrest)를 동반한 동빈맥

　심전도 4는 원래 율동이 동율동인 환자의 심전도를 보여주고 있다. 이 환자는 정상 P-P 간격보다 4배 이상 연장된, 매우 긴 휴지기를 보여주고 있다. 이것이 동정지의 예이다. 이 심전도에서 매우 특징적인 ST 분절 상승을 볼 수 있다.

급성 심근경색의 가능성을 진단하기 위해 전체 12 유도 심전도 시행이 요구되며 심근경색의 가능성과 동정지가 있기 때문에 환자의 혈역학적 상태를 평가하기 위한 임상적 연관성 확인이 필요하다.

단원 복습

1. 동방 차단, 동휴지, 동정지는 하나의 큰 공통점을 가지고 있다.
    　_____파의 부재이다.

2. 동방 차단은 _____의 심근을 탈분극하거나 포획할 수 있는 탈분극파가 완전히 차단되거나 기능부전인 경우를 말한다.

3. 동방 차단은 결코 3개의 주기까지 지속 될 수 없다.
    (맞다 / 틀리다)

4. 동방 차단의 유의한 특징은 휴지 기간이 항상 정상 _____의 배수라는 것이다.

5. 동성 심박동기는 동방 차단이 발생하면 초기화된다 (reset). (맞다 / 틀리다).

6. _____는 동방 차단으로 오해될 수 있다. 다음 중에 가장 알맞은 것은?

A. 동부정맥

B. 동빈맥

C. 접합부 이탈율동

D. 심방 조기수축

7. 동성 _____은 동결절에서 동성 자극의 형성이 지연 될 때 발생한다.

8. 동성 _____은 심방 자극 형성이 좀 더 길게 지연될 때 발생한다.

9. 동정지는 동휴지(sinus pause)와 차단의 어떠한 조합에 의해서도 발생하다. 모든 경우에 극단적으로 긴 지연을 만들어낸다. (맞다 / 틀리다)

10. 동휴지와 동정지는 어느 것도 정상 P-P 간격의 정확한 배수를 나타내지 않는다. (맞다 / 틀리다)

2편 자율 학습

저자 노트

용지 속도가 25 mm/sec로 설정되어 있으면, 정규 리듬 스트립에서 간격을 계산할 수 있다. 그러나 리듬 스트립이 12 유도 심전도 검사에 사용되는 일반적인 표준에 따라 보정되지 않기 때문에 확인하기 이전에는 익숙한 방법으로 해서는 안된다. 여기서는 교육적인 목적과 교정된 스트립을 사용했기 때문에 파형을 분석할 것이다. 우선, 주로 리듬에 집중하고 12 유도 심전도를 그 환자에게 시행해야 할 지 생각해보라.

점검: 심전도 1

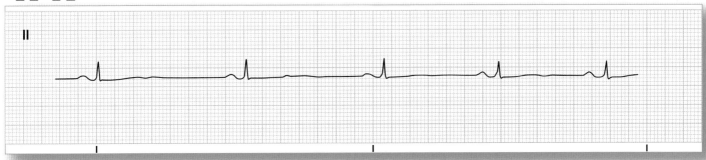

From *Arrhythmia Recognition: The Art of Interpretation*, courtesy of Tomas B. Garcia, MD.

박동수 :	PR간격 :	설명 :	
규칙성 :	QRS 폭 :		
P파 : 　형태: 　축:	그룹화 :		
	탈락 박동 :		
P:QRS 비 :	리듬 :		

점검: 심전도 2

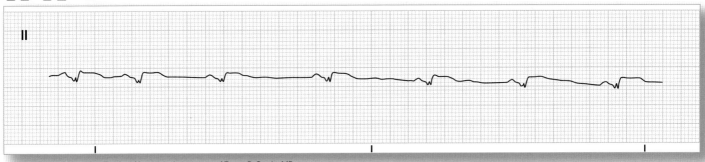

From *Arrhythmia Recognition: The Art of Interpretation*, courtesy of Tomas B. Garcia, MD.

박동수 :	PR간격 :	설명 :	
규칙성 :	QRS 폭 :		
P파 : 　형태: 　축:	그룹화 :		
	탈락 박동 :		
P:QRS 비 :	리듬 :		

점검: 심전도 3

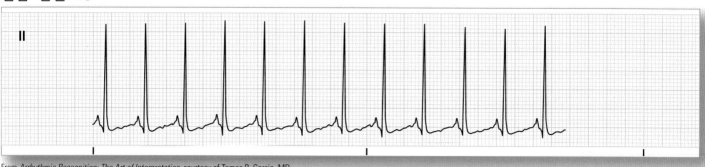

From *Arrhythmia Recognition: The Art of Interpretation*, courtesy of Tomas B. Garcia, MD.

박동수 :	PR간격 :	설명:	
규칙성 :	QRS 폭 :		

P파 :
  형태:
  축:
	그룹화 :		

	탈락 박동 :		
P:QRS 비 :	리듬 :		

점검: 심전도 4

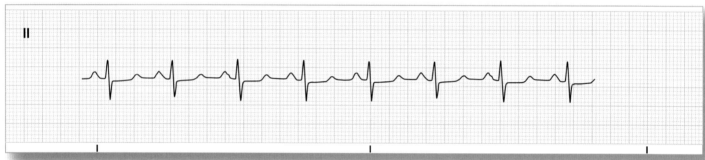

From *Arrhythmia Recognition: The Art of Interpretation*, courtesy of Tomas B. Garcia, MD.

박동수 :	PR간격 :	설명:	
규칙성 :	QRS 폭 :		

P파 :
  형태:
  축:
	그룹화 :		

	탈락 박동 :		
P:QRS 비 :	리듬 :		

점검: 심전도 5

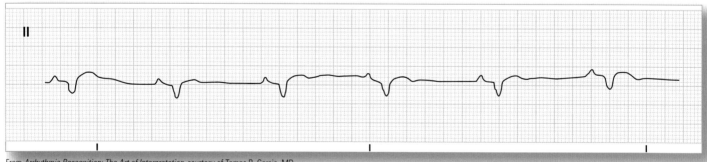

From *Arrhythmia Recognition: The Art of Interpretation*, courtesy of Tomas B. Garcia, MD.

박동수 :	PR간격 :	설명:	
규칙성 :	QRS 폭 :		

P파 :
  형태:
  축:
	그룹화 :		

	탈락 박동 :		
P:QRS 비 :	리듬 :		

점검: 심전도 6

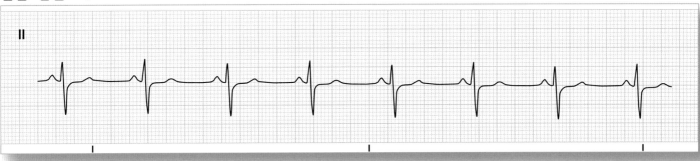

From *Arrhythmia Recognition: The Art of Interpretation*, courtesy of Tomas B. Garcia, MD.

박동수 :	PR간격 :	설명:
규칙성 :	QRS 폭 :	

P파 :
  형태:
  축:
	그룹화 :	

	탈락 박동 :	
P:QRS 비 :	리듬 :	

점검: 심전도 7

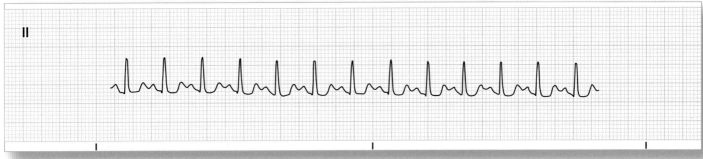

From *Arrhythmia Recognition: The Art of Interpretation*, courtesy of Tomas B. Garcia, MD.

박동수 :	PR간격 :	설명:
규칙성 :	QRS 폭 :	

P파 :
  형태:
  축:
	그룹화 :	

	탈락 박동 :	
P:QRS 비 :	리듬 :	

점검: 심전도 8

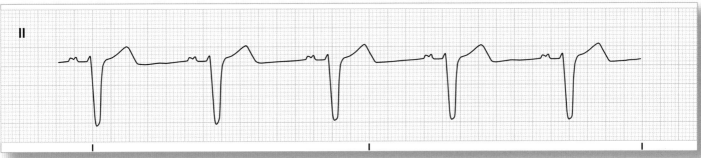

From *Arrhythmia Recognition: The Art of Interpretation*, courtesy of Tomas B. Garcia, MD.

박동수 :	PR간격 :	설명:
규칙성 :	QRS 폭 :	

P파 :
  형태:
  축:
	그룹화 :	

	탈락 박동 :	
P:QRS 비 :	리듬 :	

점검: 심전도 9

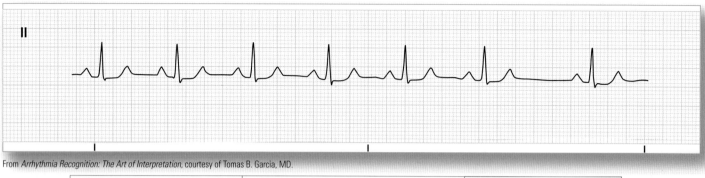

From *Arrhythmia Recognition: The Art of Interpretation*, courtesy of Tomas B. Garcia, MD.

박동수 :	PR간격 :	설명:
규칙성 :	QRS 폭 :	
P파 : 　형태: 　축:	그룹화 :	
	탈락 박동 :	
P:QRS 비 :	리듬 :	

점검: 심전도 10

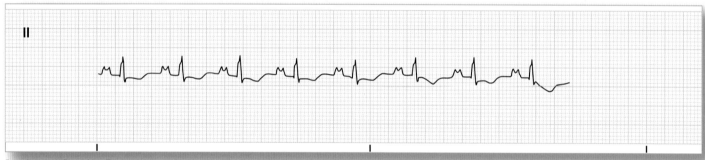

From *Arrhythmia Recognition: The Art of Interpretation*, courtesy of Tomas B. Garcia, MD.

박동수 :	PR간격 :	설명:
규칙성 :	QRS 폭 :	
P파 : 　형태: 　축:	그룹화 :	
	탈락 박동 :	
P:QRS 비 :	리듬 :	

점검: 심전도 11

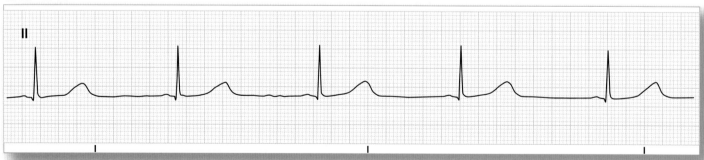

From *Arrhythmia Recognition: The Art of Interpretation*, courtesy of Tomas B. Garcia, MD.

박동수 :	PR간격 :	설명:
규칙성 :	QRS 폭 :	
P파 : 　형태: 　축:	그룹화 :	
	탈락 박동 :	
P:QRS 비 :	리듬 :	

점검: 심전도 12

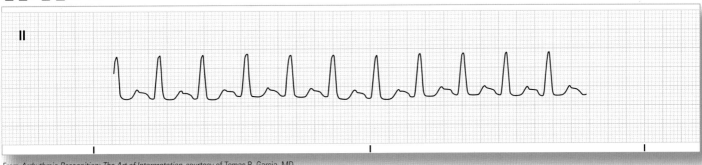

From *Arrhythmia Recognition: The Art of Interpretation*, courtesy of Tomas B. Garcia, MD.

박동수 :	PR간격 :	설명:
규칙성 :	QRS 폭 :	
P파 : 　형태: 　축:	그룹화 :	
	탈락 박동 :	
P:QRS 비 :	리듬 :	

점검: 심전도 13

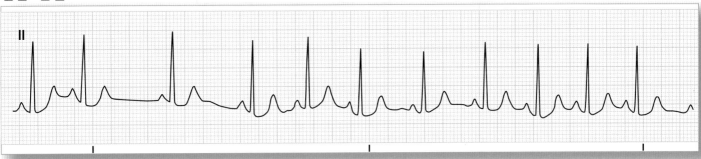

From *Arrhythmia Recognition: The Art of Interpretation*, courtesy of Tomas B. Garcia, MD.

박동수 :	PR간격 :	설명:
규칙성 :	QRS 폭 :	
P파 : 　형태: 　축:	그룹화 :	
	탈락 박동 :	
P:QRS 비 :	리듬 :	

점검: 심전도 14

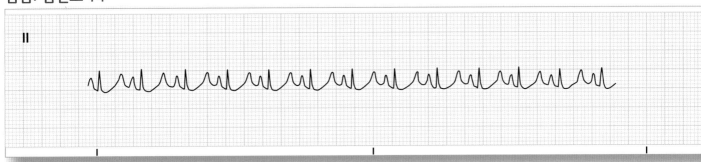

From *Arrhythmia Recognition: The Art of Interpretation*, courtesy of Tomas B. Garcia, MD.

박동수 :	PR간격 :	설명:
규칙성 :	QRS 폭 :	
P파 : 　형태: 　축:	그룹화 :	
	탈락 박동 :	
P:QRS 비 :	리듬 :	

점검: 심전도 15

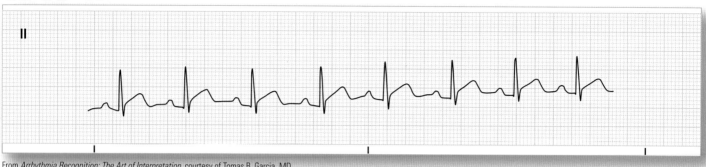

From *Arrhythmia Recognition: The Art of Interpretation*, courtesy of Tomas B. Garcia, MD.

박동수 :	PR간격 :	설명 :
규칙성 :	QRS 폭 :	
P파 : 　형태: 　축:	그룹화 :	
	탈락 박동 :	
P:QRS 비 :	리듬 :	

점검: 심전도 16

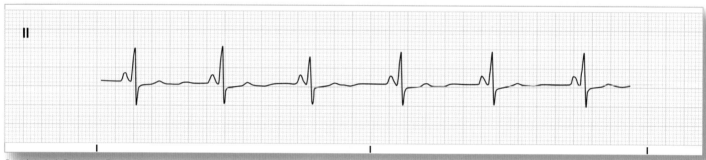

From *Arrhythmia Recognition: The Art of Interpretation*, courtesy of Tomas B. Garcia, MD.

박동수 :	PR간격 :	설명 :
규칙성 :	QRS 폭 :	
P파 : 　형태: 　축:	그룹화 :	
	탈락 박동 :	
P:QRS 비 :	리듬 :	

점검: 심전도 17

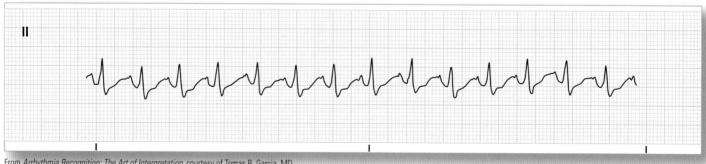

From *Arrhythmia Recognition: The Art of Interpretation*, courtesy of Tomas B. Garcia, MD.

박동수 :	PR간격 :	설명 :
규칙성 :	QRS 폭 :	
P파 : 　형태: 　축:	그룹화 :	
	탈락 박동 :	
P:QRS 비 :	리듬 :	

점검: 심전도 18

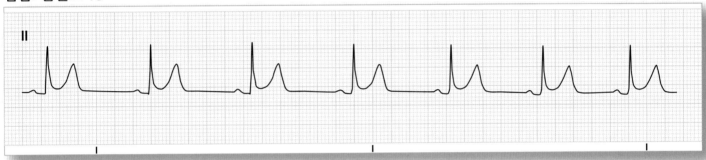

From *Arrhythmia Recognition: The Art of Interpretation*, courtesy of Tomas B. Garcia, MD.

박동수 :	PR간격 :	설명:
규칙성 :	QRS 폭 :	
P파 :　형태:　축:	그룹화 :　탈락 박동 :	
P:QRS 비 :	리듬 :	

점검: 심전도 19

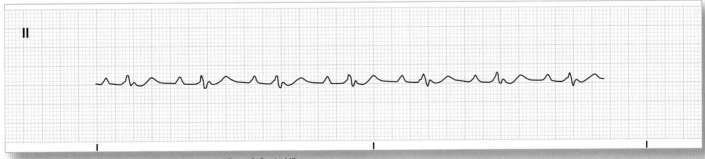

From *Arrhythmia Recognition: The Art of Interpretation*, courtesy of Tomas B. Garcia, MD.

박동수 :	PR간격 :	설명
규칙성 :	QRS 폭 :	
P파 :　형태:　축:	그룹화 :　탈락 박동 :	
P:QRS 비 :	리듬 :	

점검: 심전도 20

From *Arrhythmia Recognition: The Art of Interpretation*, courtesy of Tomas B. Garcia, MD.

박동수 :	PR간격 :	설명:
규칙성 :	QRS 폭 :	
P파 :　형태:　축:	그룹화 :　탈락 박동 :	
P:QRS 비 :	리듬 :	

2편 자율 학습 해설

점검: 심전도 1

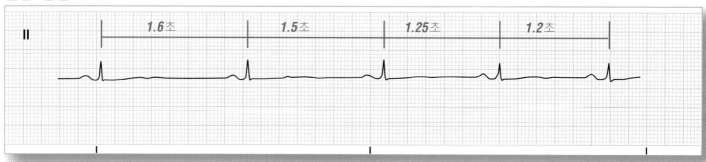

From *Arrhythmia Recognition: The Art of Interpretation*, courtesy of Tomas B. Garcia, MD.

박동수 :	분당 약 30회 중반에서 40회	PR간격 :	정상, 일정
규칙성 :	규칙적으로 불규칙	QRS 폭 :	정상
P파 :	있음	그룹화 :	없음
형태:	상향		
축:	정상	탈락 박동 :	없음
P:QRS 비 : 1:1		리듬 :	동 부정맥

토의:

이 심전도는 명백한 서맥이다. 맥박은 30회 중반에서 40회 후반 사이에서 변화하고 있다. 하지만 그냥 단순한 서맥이 아니다. R-R간격은 천천히 감소하지만 P-R간격은 정확히 똑같다. P파의 형태는 기록지 전체를 통하여 변하지 않고 있다.

QRS파형은 모두 같고 모두 정상 간격이다. 진단은 동부정맥이다. 이후에 더 찍은 기록지에는 기대했던 것처럼 리듬이 전형적으로 느려졌다가 빨라지는 양상을 보여준다. 이 환자의 서맥은 지속되었지만 혈역학적으로 안정적이었다.

점검: 심전도 2

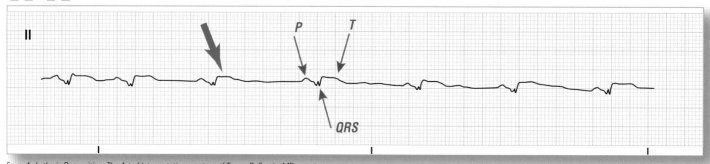

From *Arrhythmia Recognition: The Art of Interpretation*, courtesy of Tomas B. Garcia, MD.

박동수 :	분당 약 50회에서 70회	PR간격 :	정상, 일정
규칙성 :	규칙적으로 불규칙	QRS 폭 :	정상
P파 :	있음	그룹화 :	없음
형태:	상향		
축:	정상	탈락 박동 :	없음
P:QRS 비 :		리듬 :	동부정맥

토의:

위 심전도에 캘리퍼를 대어보면 리듬이 매우 불규칙함을 알게 될 것이다. 사실 속도가 완벽하게 불규칙하게 불규칙적이다. P파의 모양은 전 기록지를 통해 모두 같고 PR간격은 변하지 않는다. 이것이 완전히 불규칙적인 리듬의 가장 흔한 원인들을 배제한다. 이 소견으로 볼 때 진단은 동부정맥이다.

이번 문제에는 흥미로운 소견이 더 있다. 바로 ST 분절이 평평하게 상승한 것이다(파란 화살표). 시행한 12유도 ECG에서 율동 기록지를 찍을 당시 환자가 급성 심근경색임을 알 수 있었다. 언제나 의심해 보아야 한다!!

점검: 심전도 3

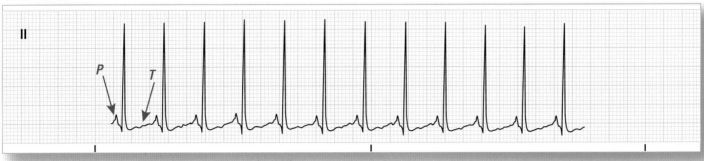

From *Arrhythmia Recognition: The Art of Interpretation*, courtesy of Tomas B. Garcia, MD.

박동수 :	분당 약 135회	PR간격 :	짧음, 일정
규칙성 :	규칙적	QRS 폭 :	정상
P파 : 　형태 : 　축 :	있음 상향 정상	그룹화 :	없음
		탈락 박동 :	없음
P:QRS 비 : 1:1		리듬 :	동빈맥

토의:

　이 리듬 기록지는 꽤 빠른 빈맥을 보여주고 있다. 그러나 이보다 더 흥미로운 것은 이 환자에서 매우 큰 QRS파를 보이고 있다는 것이다. 이렇게 아주 높은 QRS파가 가능한 몇 가지 원인들을 열거하면 젊은 사람, 심근비대, 심근병증 등이다.

　T파는 이 유도에서 등전위이고 거의 보이지 않는다. P파는 높고 뾰족하며 이러한 모양이 전 기록지를 걸쳐 유지되고 있다. PR 간격은 일정하지만 0.08초 정도로 짧아져 있다.

점검: 심전도 4

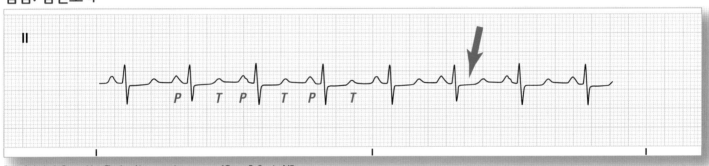

From *Arrhythmia Recognition: The Art of Interpretation*, courtesy of Tomas B. Garcia, MD.

박동수 :	분당 약 85회	PR간격 :	정상, 일정
규칙성 :	규칙적	QRS 폭 :	정상
P파 : 　형태 : 　축 :	있음 상향 정상	그룹화 :	없음
		탈락 박동 :	없음
P:QRS 비 : 1:1		리듬 :	정상 동율동

토의:

　이 기록지에서 P파와 T파를 혼동하지 않도록 주의해야 할 것이다. 각각의 파에 대한 조심스러운 구별은 이름을 잘못 붙임으로써 발생되는 문제를 예방하는데 도움이 된다. 3번째와 7번째 P파에서 이상한 점을 발견하였는가? 2개의 모양이 서로 조금씩 다르다. 하지만 PR간격이 동일하고 율동의 박자가 파의 모양에 따라 변화하지 않으므로 이소성 박동이 아니다.

　아마도 동결절내의 심박동기의 위치가 조금씩 변화함으로 일어나는 것 같다. 이에 따른 다른 임상적 중요성은 없었다. 반면에 ST 하강(파란 화살표) 및 연장되어 있는 QT간격은 12 유도 심전도로 반드시 평가해야 한다.

점검: 심전도 5

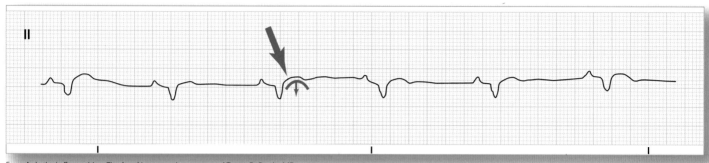

From *Arrhythmia Recognition: The Art of Interpretation*, courtesy of Tomas B. Garcia, MD.

박동수 :	분당 약 50회	PR간격 :	정상, 일정
규칙성 :	규칙적	QRS 폭 :	정상
P파 : 형태: 축:	있음 상향 정상	그룹화 :	없음
		탈락 박동 :	없음
P:QRS 비 :	1:1	리듬 :	동서맥

토의:

이 기록지는 동서맥을 나타낸다. 여기서 리듬의 박자가 조금씩 변화하고 있지만 정상 범위내의 0.12초의 상한선 내에 있다. 모든 P파는 동일한 PR간격과 함께 같은 기본 형태를 가지고 있다. PR 간격은 0.20 초의 경계선에 있다. P파의 모양이 약간씩 다른 것은 기저선이 정확히 직선이 아니기

때문이다.

QRS파형은 정상범위 내에 있으며 서로 유사한 형태를 나타내고 있다. ST 분절은 상승해 있고 볼록한 모양을 하고 있다(파란 화살표). 이런 ST 분절은 심근 허혈이나 경색에서 흔히 볼 수 있으며 이 환자에서 서맥의 원인일 가능성이 있다. 12유도 ECG의 평가가 필요하다.

점검: 심전도 6

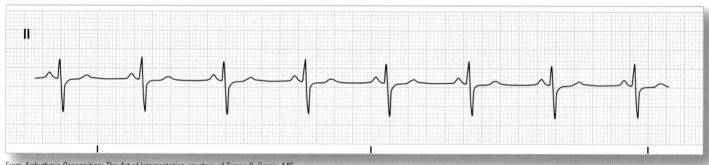

From *Arrhythmia Recognition: The Art of Interpretation*, courtesy of Tomas B. Garcia, MD.

박동수 :	분당 약 65회	PR간격 :	정상, 일정
규칙성 :	규칙적	QRS 폭 :	정상
P파 : 형태: 축:	있음 상향 정상	그룹화 :	없음
		탈락 박동 :	없음
P:QRS 비 :	1:1	리듬 :	정상 동율동

토의:

이것은 정상 동율동을 보여주는 좋은 예이다. 동일한 P파 형태 와 전 기록지에 걸쳐서 같은 PR간격이 반복된다. QRS파는 형태와 기간에서 정상 범위 내에 있다. 약간의 ST 분절의 하강이 보이 는데 이는 기록지 자체의 문제로 볼 수 있다.

앞에서 언급했듯이 전체 12 유도에서 보이지 않는 약간

의 비정상 소견이 율동 기록지에서 보일 수 있는 것으로 악명이 높다.

만약 이 점에 대하여 의문점이 있거나 환자가 다른 증상을 호소할 경우 전체 12 유도 ECG를 시행하여 확인할 필요가 있다.

점검: 심전도 7

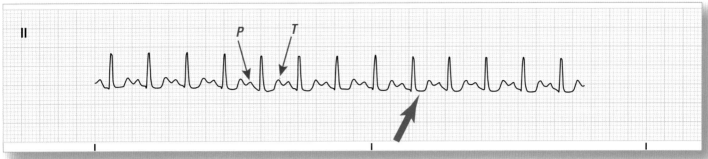

From *Arrhythmia Recognition: The Art of Interpretation*, courtesy of Tomas B. Garcia, MD.

박동수 :	분당 약 145회	PR간격 :	정상, 일정
규칙성 :	규칙적	QRS 폭 :	정상
P파 : 　형태: 　축:	있음 상향 정상	그룹화 :	없음
		탈락 박동 :	없음
P:QRS 비 : 1:1		리듬 :	동빈맥

토의:

상기 율동 기록지는 매우 빠른 동빈맥이다. P파가 전체적으로 치솟아 있으며 형태는 동일하다. PR간격은 정상범위 내에 있으며 일치한다. 진단을 어렵게 할 만한 묻힌 P파는 보이지 않는다. QRS간격은 정상 범위이고 동빈맥을 나타낸다.

ST 분절 하강을 파란 화살표로 표시하였다. ST 분절 하강은 빈맥에서 흔하며 반드시 허혈을 의미하지는 않는다. 임상과의 연관성과 환자의 프레젠테이션이 필요하고 또 하강의 여러 위험한 원인들에 대한 배제가 필요하다.

점검: 심전도 8

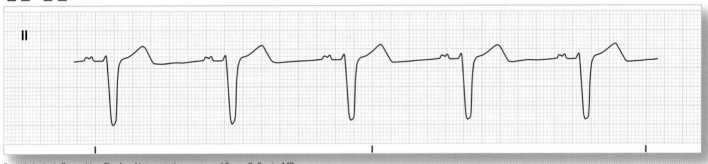

From *Arrhythmia Recognition: The Art of Interpretation*, courtesy of Tomas B. Garcia, MD.

박동수 :	분당 약 45회	PR간격 :	정상, 일정
규칙성 :	규칙적으로 불규칙	QRS 폭 :	정상
P파 : 　형태: 　축:	있음 상향 정상	그룹화 :	없음
		탈락 박동 :	없음
P:QRS 비 : 1:1		리듬 :	동서맥

토의:

리듬은 전형적인 동서맥의 특징을 나타낸다. P파는 유사한 양상을 보이며 PR간격도 정상 범위이며 일정하다. QRS파는 넓은데 각차단으로 인한 것이다. 이전 심전도와의 비교가 정확한 진단에 도움이 된다.

P파가 이중 봉우리 모양을 보이는데 12유도 심전도에서도 나타난다면 좌심방에 이상이 있을 가능성이 있다. 다시 한 번 말하지만, 리듬 기록지에 나타난 심전도 파형을 조사할 때는 매우 조심해야한다.

점검: 심전도 9

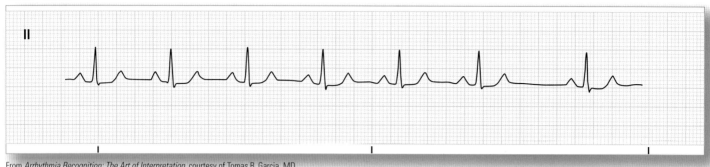

From *Arrhythmia Recognition: The Art of Interpretation*, courtesy of Tomas B. Garcia, MD.

박동수 :	분당 약 70회	PR간격 :	정상, 일정
규칙성 :	규칙적이나 사건을 동반함	QRS 폭 :	정상
P파 : 형태 : 축 :	있음 상향 정상	그룹화 :	없음
		탈락 박동 :	없음
P:QRS 비 : 1:1		리듬 :	동중지를 동반한 동율동

토의:

이 기록지는 하나의 이벤트를 동반한 규칙적인 율동이다. P파의 형태는 일정하며, 유도 II에서 상향파이며, PR간격은 일정하다. 6번째 파형에서 율동의 박자가 어긋나 보이는데

정상범위이며 그 이후 약간 긴 휴지기가 관찰된다.

휴지기 이후에 동일한 P파와 PR간격이 나타난다. 이 휴지기는 동결절에서 전달되는 신호가 늦춰졌기 때문이며 이는 동중지를 일으킨다.

점검: 심전도 10

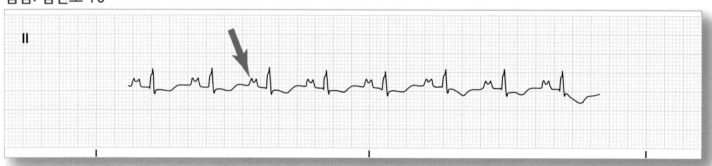

From *Arrhythmia Recognition: The Art of Interpretation*, courtesy of Tomas B. Garcia, MD.

박동수 :	분당 약 90회	PR간격 :	연장
규칙성 :	규칙적	QRS 폭 :	정상
P파 : 형태 : 축 :	있음 상향 정상	그룹화 :	없음
		탈락 박동 :	없음
P:QRS 비 : 1:1		리듬 :	동율동(아래의 토의를 참고할 것)

토의:

2개의 봉우리와 홈이 있는 저명한 P파를 볼 수 있다(파란 화살표). P파의 형태는 전 기록지를 통해서 일관적으로 유지된다. PR 간격은 0.2초 보다 약간 연장되어 있다(1도 방실 차단은 28장에서 다룰 것임). QRS파의 너비는 정상이다. ST분절 하강이 있고 T파도 뒤집어져 있다.

이 소견에 대한 임상과의 연관과 보다 정확한 진단을 위해 12 유도 심전도가 필요하다.

보다 해석의 완벽을 기한다면, PR이 연장되어 있기 때문에 정상 동율동이라 볼 수는 없지만 간단하게 그렇게 부르기로 한다. 대신 1도 방실 차단을 동반한 동율동이라고 해야 정확하다.

점검: 심전도 11

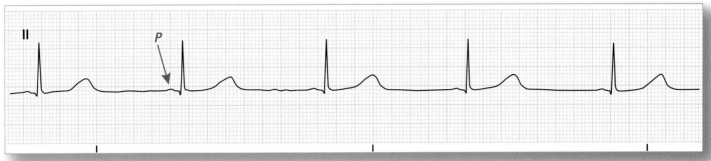

From *Arrhythmia Recognition: The Art of Interpretation*, courtesy of Tomas B. Garcia, MD.

박동수 :	분당 약 40회 전후	PR간격 :	정상, 일정
규칙성 :	규칙적	QRS 폭 :	정상
P파 : 　형태: 　축:	있음 상향 정상	그룹화 :	없음
		탈락 박동 :	없음
P:QRS 비 :	1:1	리듬 :	동서맥

토의:

　P파는 저명하지 않지만 유도 II에서 상향이며 기록지 전체에서 계속 유지되고 있다. PR간격은 정상 범주 이내이며 일정하다.

　심박수는 40 회/분이다. 종합하여 볼 때 리듬은 동서맥이다.

점검: 심전도 12

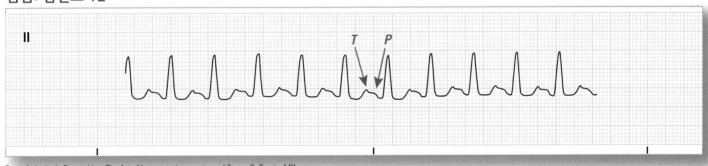

From *Arrhythmia Recognition: The Art of Interpretation*, courtesy of Tomas B. Garcia, MD.

박동수 :	분당 약 125회	PR간격 :	정상, 일정
규칙성 :	규칙적	QRS 폭 :	넓음
P파 : 　형태: 　축:	있음 상향 정상	그룹화 :	없음
		탈락 박동 :	없음
P:QRS 비 :	1:1	리듬 :	동빈맥

토의:

　이번 문제는 판독이 꽤나 어려운 심전도이다. 이런 혼란의 이유는 T파와 P파가 가까이 융합되어 있기 때문이다. 파형의 근접 융합에는 2개의 주요 원인이 있다. (1) 빈맥은 전형적으로 TP 분절을 짧게 만든다. (2) 환자는 넓은 QRS파를(이미 존재하고 있는 각차단) 가지고 있다. 이 간격의 연장은 T파가 정상적인 위치보다 늦게 나타나게 된다.

　결과적으로 TP분절이 거의 보이지 않게 되고 T파와 P파가 서로 중첩되는 것이다. T파와 P파의 화살표 사이에 가상의 수직선을 그어보면 아마 각각의 파를 보다 명확하게 구분하는데 도움이 될 것이다. 기록지는 동빈맥과 일치하며 125회/분 정도이다. ST 분절 하강은 빈맥 때문이나, 임상 증상과 심전도의 연관이 필요하다.

점검: 심전도 13

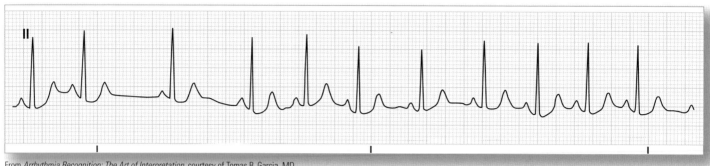

From *Arrhythmia Recognition: The Art of Interpretation*, courtesy of Tomas B. Garcia, MD.

박동수 :	분당 약 100회 전후	PR간격 :	정상, 일정
규칙성 :	규칙적으로 불규칙	QRS 폭 :	정상
P파 : 형태: 축:	있음 상향 정상	그룹화 :	없음
		탈락 박동 :	없음
P:QRS 비 : 1:1		리듬 :	동부정맥

토의:

이 심전도는 확실히 불규칙하다. 리듬 기록지 전체의 동일한 P파와 PR간격을 볼 때, 동부정맥으로 진단할 수 있다.

기저선이 이리저리 변할 경우에는 좀 더 시간을 들여 세심히 들여다볼 필요가 있다.

조기 박동이나 이소성 박동이(ectopic complex) 심전도의 허상(artifact)이나 흔들리는 기저선에 숨어버릴 수 있다. 만약 리듬에 대해 의문점이 든다면 보다 긴 기록지를 얻거나 환자의 유도를 재조정하는 것으로 문제점이 해결되기도 한다.

점검: 심전도 14

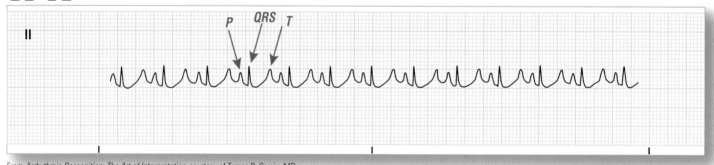

From *Arrhythmia Recognition: The Art of Interpretation*, courtesy of Tomas B. Garcia, MD.

박동수 :	분당 약 130회	PR간격 :	정상, 일정
규칙성 :	규칙적	QRS 폭 :	정상
P파 : 형태: 축:	있음 상향 정상	그룹화 :	없음
		탈락 박동 :	없음
P:QRS 비 : 1:1		리듬 :	동빈맥

토의:

여기서는 꽤나 연장된 QT간격을 볼 수 있다. 그러나 P파와 T파가 명확히 구분되어 있다. 캘리퍼를 이용해서 각각의 파들을 측정해본다면 보다 명확히 구분된다.

상대적으로 낮은 QRS파 때문에 혼란스럽게 느낄 수도 있다. 이럴 경우에는 유도를 바꾸거나 12유도 심전도를 찍어보는 것이 문제 해결에 도움이 될 것이다.

점검: 심전도 15

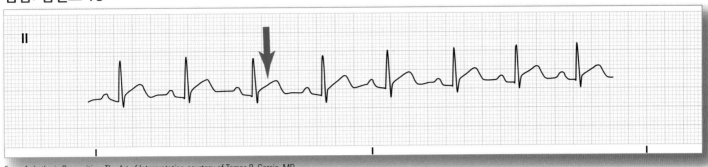

From *Arrhythmia Recognition: The Art of Interpretation*, courtesy of Tomas B. Garcia, MD.

박동수 :	분당 80회 전후	PR간격 :	정상, 일정
규칙성 :	규칙적	QRS 폭 :	정상
P파 :	있음	그룹화 :	없음
형태:	상향		
축:	정상	탈락 박동 :	없음
P:QRS 비 : 1:1		리듬 :	정상 동율동

토의:

이 기록지도 기저선이 흔들리고 있다. 그러나 이 경우에는, 판독에 별로 영향을 미치지 않는다. P파가 명백히 보이고 전체적으로 동일한 형태로 나타난다. 또한 유도 II에서 상향파이고 PR간격은 일정해서 전형적인 정상 동율동임을 알 수 있다.

혹시 ST분절의 이상 소견을 파악하였나?(파란 화살표) ST분절은 상승해 있고 평평하다. 이런 ST 분절 이상은 심근허혈이나 손상을 동반할 수 있는 변화이다. 임상적인 소견과 12유도 심전도를 응급으로 알아보아야 한다.

점검: 심전도 16

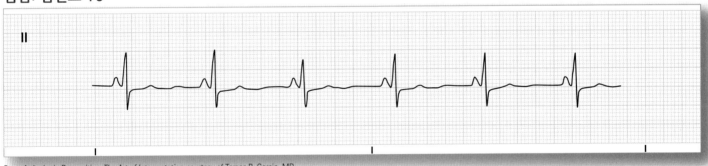

From *Arrhythmia Recognition: The Art of Interpretation*, courtesy of Tomas B. Garcia, MD.

박동수 :	분당 약 60회를 조금 상회	PR간격 :	정상, 일정
규칙성 :	규칙적	QRS 폭 :	정상
P파 :	있음	그룹화 :	없음
형태:	상향		
축:	정상	탈락 박동 :	없음
P:QRS 비 : 1:1		리듬 :	정상 동율동

토의:

이 리듬 기록지는 또다른 정상 동율동의 예이다. 심박수는 60회를 조금 넘고 있으며 정상범위이다. PR간격이 약간 짧다는 느낌을 줄 것이다. 그러나 정확히 측정해 보면 0.12 초 정도이며 이는 정상범위이다.

이 기록지에서도 약간의 ST 분절하강을 나타낸다. 임상적 연관성과 심전도적 평가가 필요하다.

점검: 심전도 17

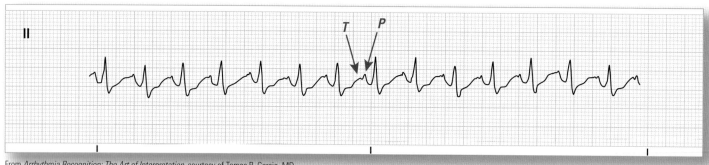

From *Arrhythmia Recognition: The Art of Interpretation*, courtesy of Tomas B. Garcia, MD.

박동수 :	분당 약 140회 전후	PR간격 :	정상, 일정
규칙성 :	규칙적	QRS 폭 :	넓음
P파 : 　형태 : 　축 :	있음 상향 정상	그룹화 :	없음
		탈락 박동 :	없음
P:QRS 비 :	1:1	리듬 :	동빈맥

토의:

　판독이 어려운 경우이다. QRS파의 끝과 다음 번 시작 사이의 부분을 주의 깊게 살펴보자. 보다 자세히 관찰 하기위해 돋보기를 사용해도 된다. 아마 구별 가능한 P파를 볼 수 있지만 바로 앞의 T파에 기의 묻혀 있는 P파를 볼 수 있나.

　140회/분의 심박수, 일정한 P파 형태와 PR간격으로 동빈맥을 진단 가능하다. QRS의 넓이는(0.12초 보다 긴) 율동에 영향을 미치지 않는다. 여전히 동빈맥이다.

점검: 심전도 18

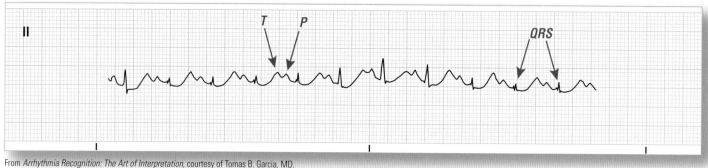

From *Arrhythmia Recognition: The Art of Interpretation*, courtesy of Tomas B. Garcia, MD.

박동수 :	분당 약 120회를 조금 상회	PR간격 :	정상, 일정
규칙성 :	규칙적	QRS 폭 :	정상
P파 : 　형태 : 　축 :	있음 상향 정상	그룹화 :	없음
		탈락 박동 :	없음
P:QRS 비 :	1:1	리듬 :	동빈맥

토의:

　QT간격 연장과 P on T 현상을 보여주는 또 한 가지의 예를 보여주려고 한다. 왜냐면 꽤 어려운 심전도 소견이기 때문이다. 이 기록지의 각각의 파형들은 보다 잘 구별 가능하여 진단에 있어 도움이 된다. P파가 유도 II에서 모두 상향이며 모양은 전 기록지를 통해서 일정하다. PR간격도 일정하다.

　QRS파는 높이가 모두 다르고 이는 빈맥에서 자주 보는 소견이다. 이를 전기적 교대라고 하며(electrical alternans) 많은 빈맥에서 정상적으로 나타난다. 또한 ST 분절 하강이 발견된다. 이런 이상 소견과 동빈맥의 원인을 규명하기 위해 임상상황과 심전도의 연관에 대한 평가가 필요하다.

점검: 심전도 19

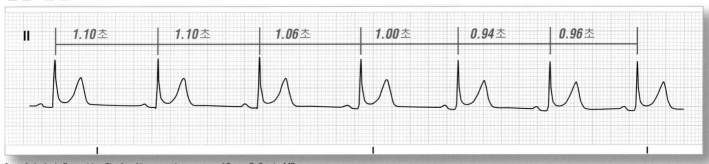

From *Arrhythmia Recognition: The Art of Interpretation*, courtesy of Tomas B. Garcia, MD.

박동수 :	분당 약 55회	PR간격 :	정상, 일정
규칙성 :	규칙적으로 불규칙	QRS 폭 :	정상
P파 : 　형태 : 　축 :	있음 상향 정상	그룹화 :	없음
		탈락 박동 :	없음
P:QRS 비 : 1:1		리듬 :	동부정맥

토의:

만약 여러분이 날카로운 눈이나 캘리퍼를 사용하지 않는다면 각각의 박동군 사이에서 나타나는 약간의 좁아짐을 찾아내지 못할 것이다. 이 기록지에서의 키포인트는 처음 2개와 마지막 2개의 박동군 간의 차이이다. 이 차이는 0.16초 이상 되는데 이상 소견이라 할 수 있다.

보다 긴 기록지에서 보면 환자의 호흡에 따른 간격차이가 보다 명확해진다. 심전도를 공부했다고 하는 사람이라면 약간의 PR하강과 ST 분절의 푹 떠진(scooping) 형태는 빠른 재분극 패턴이나 초기 심막염이라는 것을 알 수 있어야 한다.

점검: 심전도 20

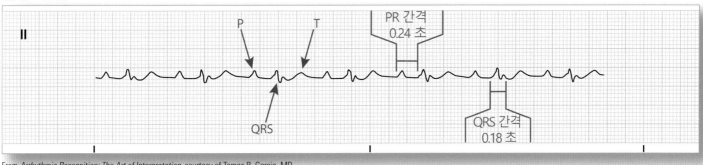

From *Arrhythmia Recognition: The Art of Interpretation*, courtesy of Tomas B. Garcia, MD.

박동수 :	분당 약 75회	PR간격 :	연장
규칙성 :	규칙적	QRS 폭 :	넓음
P파 : 　형태 : 　축 :	있음 상향 정상	그룹화 :	없음
		탈락 박동 :	없음
P:QRS 비 : 1:1		리듬 :	동율동

토의:

좀 어려운 심전도를 제시해보겠다. 위 리듬 기록지를 보면 (1) QRS파의 작은 진너비와 모양은 판독을 하는데 있어 혼란을 겪을 수 있으며, (2) PR간격이 0.24초로 연장되어 있고, (3) QRS파는 0.12초 이상 늘어나 있다. 정상 동율동에 대한 기준을 다시 상기해보라. 모든 간격이 정상범위이어야

한다는 것을 알 것이다. 위 환자는 길어진 PR 간격과 – 나중에 살펴볼 이야기지만 1도 방실 차단이다.- 넓은 QRS 파를 가지고 있다. 이것은 동율동이라고 할 수 있지만 '정상' 동율동은 아니다. 명명하는 방법에서의 미묘한 차이는 많은 임상 의사나 저자들에 의해 무시되고 있지만 정확한 명명이 필요할 수 있다

심방 율동

제 13 장

심방 조기수축

목표

1. 심방 조기수축을 정의하고 형태학적 특징에 대해 서술한다.
2. P파의 전기축을 계산하는 방법을 이해하고 필요성을 인지한다.
3. 이소성 심방 기원의 위치에 따라 PR 간격이 길어지는 이유를 설명한다.
4. 대상성, 비대상성 휴지를 비교한다.
5. 대상성, 비대상성 휴지의 부정맥을 진단하는데 있어서 진단적 가치를 이해한다.
6. 편위 전도된 심방 조기수축이 어떻게 왜 일어나는지 이해한다.
7. 묻힌 P파에 대해 정의하고 융합이 어떤 모양을 띄는지 이해한다.
8. 차단된 심방 조기수축이 이전의 T파에 떨어지는 모양을 이해한다.
9. 심방 조기수축을 형성하는 임상적 상황을 이해한다.
10. 심전도에서 심방 조기수축을 진단한다.

초보자들을 위한 교과서

초보자부터 중급 이상까지 독자에게 도움이 될 개념을 소개하기 위해 이러한 초심자의 관점을 사용하고 있다. 가장 중요한 개념은 감별진단이다.

앞서 언급한 것처럼, 흑백론으로 정의되는 것은 매우 소수이다. 대부분은 회색 영역에 있고, 이는 어떤 색도 될 수 있다. 임상의학에서는, 실수를 줄이려고 노력해야 하며, 이러한 실수가 많은 질병 및 사망을 증가시킬 수 있다.

이러한 실수를 줄이기 위해서는, 우리는 감별 진단을 나열해야 한다. 기본적으로 다음과 같은 과정을 거쳐야 한다. 우선 케이스의 과거력, 이학적 검사, 혈액 검사 등을 먼저 알아본다. 그 이후 가능한 모든 질환을 나열한다. 그 리스트를 가지고 모든 것을 평가해서 정확한 진단을 알아내고 그것을 다음 가능한 진단과 분리하는 과정이 필요하다.

목 통증에 대한 예를 들어보자. 목이 아프다고 오는 경우에 우리는 보통 감기나 바이러스를 떠올린다. 그러나 그건 우리의 생각이고, 이러한 환자들이 사망하는 경우도 많다. 감별 진단은 매우 여러가지이다. 가능한 감별 진단으로는 편도선염, 인두, 감염성 단핵증, 임질, 이물질, 감염증, 농양, 악성 종양 등이 있다. 감별 진단을 생각한 후에, 환자의 과거력이나 이학적 소견, 추가적인 검사를 통해 좁혀나갈 수 있다.

가장 중요한 요소는 과거력과 이학직 검사를 통한 진난이다. 환자가 호소하는 주요 사항들을 나열하고, 이에 따른 감별 진단들을 작성한다. 그리고 다시 돌아가서 감별 진단 리스트를 확인해보자. 이러한 과정을 통해 진단을 추려 나갈 수 있다. 이를 심전도 판독에도 이용해보자.

이러한 방법을 이용해서 부정맥을 인지하는데 감별 진단에 도움이 될 수 있다. 이러한 방법을 최대한 활용할 때, 정확한 진단을 하고 실수를 줄이는 방법이 될 것이다. 심전도, 이전 조율기록지, 과거력, 가족력 등 최대한 다른 정보들을 이용해야 한다. 그것들을 생각해 내지 못하면 절대로 진단할 수 없다.

—*Daniel J. Garcia*

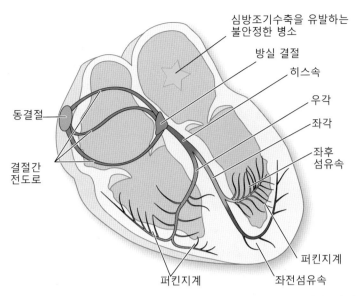

그림 13-1. 노란 별표로 표시한 불안정한 병소는 심박동기로 작용해서 예상되는 시간보다 더 빠르게 자극을 만들어 낸다. 그림 13-2에 나타난 심방 조기수축의 전형적 특징이다.

© Jones & Bartlett Learning.

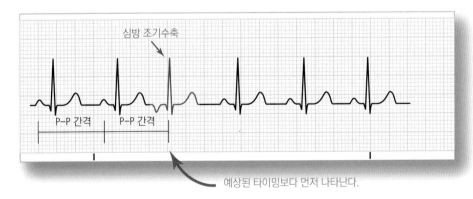

그림 13-2. 이소성 박동은 원래의 규칙적 리듬을 깨뜨리게 된다. 심방 조기수축은 동결절에서 기원하는 맥이 아니므로 예상된 시간보다 P-P 간격이 짧게 나타나고, P파의 형태와 PR 간격도 다르게 나타난다.

© Jones & Bartlett Learning.

들어가며

심방 조기수축은 동결절이 아닌 다른 심방내 병소에서 기원하는 예정보다 일찍 나타나는 자극 혹은 박동군을 의미한다(**그림 13-1**). 심방 조기수축은 특징적으로 다른 심방 조직보다 더 과민한 심방의 국소 영역에서 발생한다(**그림 13-2**). 이 과민성은 심방 내 특정 부위의 잠재적 이소성 병소의 고유 조율 박동수를 상승시켜, 결과적으로 동결절보다 먼저 전기 자극이 발생하도록 한다.

심방 조기수축은 보통 임상적으로 중요하지 않다. 이것들은 가끔씩 발생하며, 심장의 기계적 수축의 미묘한 타이밍의 변화는 대개 유의한 혈역학적 변화를 야기하지 않기 때문이다. 그러나 특정한 상황(잦은 심방 조기수축, 판막장애, 심부전 등)에서는 조기 박동군들에 의한 부적절한 심실 충만은 경미하지만 임상적으로 중요한 심박출량과 혈압의 변화를 일으킨다. 이러한 혈역학적 변화는 생명에 유의한 지장을 주지는 않으나 경미한 두통, 심계항진, 가슴 떨림과 같은 느낌을 만들 수 있다.

앞서 8장에서 우리는 어떻게 정상 동율동이 형성되는지 알아보았다. 규칙적인 리듬은 가장 빠른 심박동기인 동결절에서 만들어진다(**그림 13-3**). 동결절에서 기인한 전기적 신호의 안정성은 심전도에서 일관된 P-P 간격을 나타낸다. 또한 P파가 항상 동결절에서 기인하기 때문에 정상 동성맥(NSR)의 P파는 모두 같은 모양을 나타내고 유도 II, III, aVF에서 모두 상향이다.

정상적으로 심방 조직의 심조율

기능은 동결절보다 느리게(대부분 분당 55-60회) 되어있다. 그 결과 더 빠른 동성 자극이 노란 별로 표시된 다른 기원의 전기 자극을 상쇄시키며, 지속적으로 심박동 기능을 초기화하여 결국에는 점화되지 않게 만든다(**그림 13-4**).

그러나 가끔 심방의 이소성 병소가 과민해지고 일찍 점화된다. 이러한 조기 자극은 심장의 조기수축을 일으켜 심방 조기수축을 유발한다(**그림 13-5**). 심방 조기수축에 의한 자극은 동성 자극과는 다른 방향과 경로로 움직이며 이 경우 탈분극파는 위쪽과 왼쪽으로 움직인다.

이소성 병소의 탈분극에 의한 비정상적인 벡터는 다른 형태의 P파를 만든다(**그림 13-6**). P파와 더불어 PR 간격도 다른 전달 경로로 인해 변하게 된다. 심방 조기수축 이후, 동결절은 본연의 임무인 주 심박동기로서의 역할을 다시 맡게 된다.

일단 방실결절로 전달된 전기적 자극은 심실 부위에서는 전기 전도계를 따라서 정상적으로 전도된다. 이것은 정상 동율동에서 볼 수 있는 정상적이고 좁은 QRS군을 만든다. 이 법칙의 유일한 예외는 이전에 존재하는 각차단, 일부 전해질 이상 또는 여전히 불응기인 곳에 전기 자극이 일찍 도달하여 전도계를 타고 전달되지 못하기 때문에 발생하는 일부 편위전도 등에서 나타난다. 나중에 이 같은 율

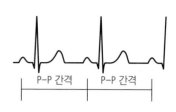

그림 13-3. 동결절은 정상적으로 리듬을 만들어내며, 일정한 P-P 간격을 만든다.

© Jones & Bartlett Learning.

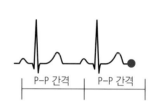

그림 13-4. 동결절이 이소성 병소보다 더 빨리 점화하면, 이소성 맥박은 나타나지 않는다.

© Jones & Bartlett Learning.

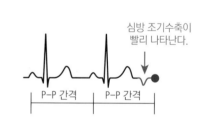

그림 13-5. 이소성 병소가 먼저 점화하게 되면, 심방은 예상된 시간보다 먼저 수축하게 되고 이것이 심방 조기수축을 형성한다.

© Jones & Bartlett Learning.

설명

위에서 언급한 내용에 덧붙여 심방 조기수축의 형성은 부정맥 진단을 위한 기본적인 개념을 더 자세히 조사하게 한다. 여기에는 P파 축, PR 간격, 휴지, 편위 등을 포함한다. 이들은 부정맥 분석에 있어 중대한 개념이며, 이런 원리에 대한 빈틈없는 이해가 여러분의 지속적인 성공을 위해 필수적이다.

필수 암기 노트

명칭과 관련된 문제에 대해 명확하게 할 필요가 있다. 오늘날의 문헌에는 조기에 수축하는 심방군을 서술하는 많은 용어들이 쓰이고 있다. 여기에는 심방 조기수축, 조기 심방 탈분극, 심방 조기수축, 또 심방 조기 탈분극 등 이름 만도 다수이다. 현재 어느 명칭이 이 현상에 대해 가장 좋은지에 관해 동의된 바는 없다. 우리는 오래되었지만, 친근한 용어인 심방 조기수축(atrial premature contraction, APC)으로 쓰려고 한다. 위에서 언급한 모든 용어들이 사실 똑같은 심전도 현상을 말하고 있다.

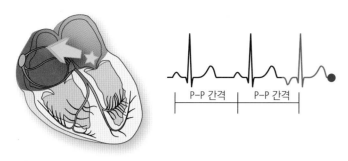

그림13-6. 이소성 병소가 심방 조기수축을 만들고, P파의 모양이 바뀐다.
© Jones & Bartlett Learning.

동 기록지가 나올 때 좀 더 자세히 알아보고 지금은 심방 조기수축은 보통 정상적인 QRS군을 가진다는 것만 기억하자.

P파의 축

4장과 5장에서 심장의 전기 축의 개념에 대해 알아보았다. 심실내 각각의 심근세포는 고유하고 작은 전기적 벡터를 형성한다(**그림 13-7**). 심장의 전기 축은 이런 작은 벡터들을 모두 합하였을 때 보이는 주 벡터인 것이다.

그럼 전기축이 왜 중요할까? 심전도 기계와 모니터는 개개의 작은 벡터들을 측정하지는 못한다. 그냥 짧은 시간 내에 합산된 하나의 벡터를 측정할 뿐이다. 심실의 경우 이 벡터는 전기축이 된다.

전극은 개개의 위치에서 나오는 벡터를 찍는 각 지점에서의 카메라와 같다고 생각해보자(**그림 13-7**). 전극은 자기 쪽으로 향하는 벡터를 양성파로 나타낸다. 더불어 자신에게서 멀어지는 벡터는 음성파로 나타낸다(**그림 13-8**). 벡터는 심전도에서 상이한 양극 또는 음극으로 나타나기 때문에 방향, 진폭, 벡터의 지속 시간은 아주 중요하다. 시간에 따른 벡터의 양상들이 심전도에서 최종적인 모양인 파형으로 나타난다.

심방에서도 심근 세포의 탈분극 동안에 동일한 벡터의 형성이 일어난다. 심방의 심근세포는 개개의 벡터를 형성하고 합쳐져 하나의 커다란 벡터를 형성한다. 이 커다란 벡터는 P파의 축으로 알려져 있다(**그림 13-9**). 정확한 P파의 축을 계산하는 것은 12 유도 심전도에 속하는 영역이며, 심실의 축을 구하는 것보다 복잡하다. 그러나 매우 쉽고 간결한 방법이기 때문에 부정맥을 분석하는데 있어 P파 축은 매우 중요하다. 특정한 유도들과의 연관이 있다.

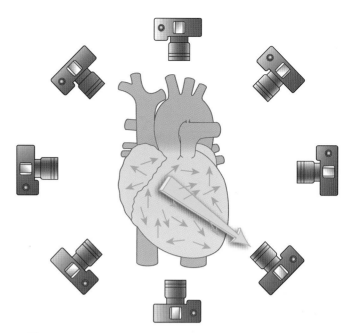

그림13-7. 각 유도는 카메라와 같다.
© Jones & Bartlett Learning.

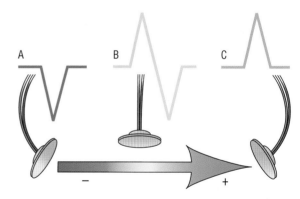

그림 13-8. 유도를 향해 다가오는 양성파는 상향파를 만든다. 유도로부터 멀어지는 양성파는 하향파를 만들어 낸다.
© Jones & Bartlett Learning.

어느 하나의 유도에서 P파의 심전도적 표현은 P파의 축을 보는 그 고유의 특정 지점에 의해 좌우된다. 예를 들면, P파의 축이 하방을 향하고, 전방으로 그리고 좌측으로 향해 있다면 P파는 유도 I, II 에서 양성으로 나타날 것이다(**그림 13-9**). 반면에 벡터가 상방, 후방, 그리고 우측을 향한다면 P파는 유도 I, II에서 음성으로 나타날 것이다(**그림 13-10**). P파의 길이나 기간은 심방 탈분극 과정의 기간 즉, 그 벡터의 길이에 따라 다르다.

이렇게 가능한 조합이 무수히 많음을 명심하고, 거기에

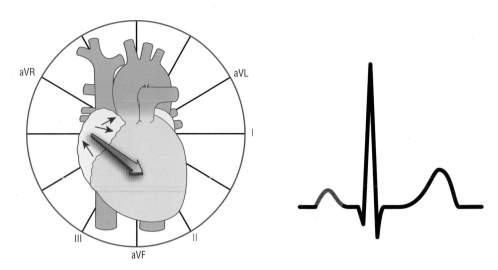

그림 13-9. 이 예시에서 P파의 벡터는 하방, 전방 그리고 좌측을 향하고 있다. 따라서 유도 I 과 II 로 다가오는 파형을 보이므로, 심전도에서 양성 P파로 나타난다.

© Jones & Bartlett Learning.

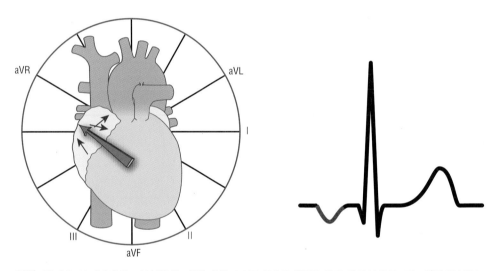

그림 13-10. 이 예시에서 P파의 벡터는 상방, 후방 그리고 우측을 향하고 있다. 따라서 유도 I 과 II 에서 멀어지는 파형을 보이므로, 심전도에서 음성 P파로 나타난다.

© Jones & Bartlett Learning.

따라서 P파의 모양도 다양하다는 것을 기억하자. 각각의 심근세포는 고유의 3차원적인 위치를 가지고 있기 때문에, 각각의 세포는 고유의 벡터, 탈분극파 고유의 시작 및 전파, 따라서 그에 따른 고유의 P파 형태를 가지게 된다.

자, 이제 심방 조기수축으로 돌아가 보자. 심방 조기수축의 정의에 따르면 이는 이소성 병소에서 기인한다. 심방 조기수축에서 P파의 모양과 PR 간격은 항상 동결절에서 기인한 것과는 다르다. 이러한 형태상 차이점이 이소성 P파의 유무를 확인하는 중요한 임상적 근거가 된다. 하지만, P파는

또 다른 중요한 진단적 근거를 제공해 준다. 여러 유도에서 P파의 방향이 그것이다.

이전에 우리는 동결절에서 기인한 벡터는 하방과 좌측으로 향한다고 언급했었다(**그림 13-11**). 이로 인해 유도 II, III, aVF에서 상향의 P파가 생긴다(정확하게 말하자면, P파는 12 유도 심전도에서 유도 I, II, aVF, V_1, V_5, V_6에서 항상 상향을 만들고 aVR에서 하향을 만든다). 동결절은 심장의 위쪽 끝에 있고 탈분극파와 이것의 합산 벡터는 아래를 향하기 때문에 이 유도들에서 P파는 상향이다. 그러므로 이

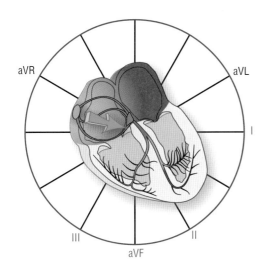

그림13-11. 동결절과 P파의 벡터. 이 그림은 P파의 벡터를 파란색 화살표로 나타내었고, 이는 하방, 좌측을 향하고 있다. 이들은 유도 I과 II로 향하는 벡터를 갖는다. 유도를 향해가는 파형은 상향파로 나타난다. 동결절에서 기원하는 박동은 하방, 좌측을 향하기 때문에 유도 I, II, III, aVF, V₅, V₆에서 상향파를 보인다.

© Jones & Bartlett Learning.

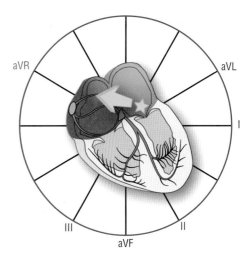

그림13-12. 이소성 병소와 P파의 벡터. 이 그림은 P파의 벡터를 노란색 화살표로 표시하였고 이는 상방, 우측을 향하고 있다. 유도 aVR에서만 다가오는 양성극을 보이므로, 유도 I, II, III, aVF 에서는 하향파로 나타난다.

© Jones & Bartlett Learning.

것이 정상 P파의 벡터, 더 전문적으로는 P파의 축 방향이 된다.

자 이제 심방 조기수축을 유발하는 이소성 심박동기를 가지고 있다고 가정 해보자. 이 심방 조기수축의 P파 축은 이소성 조율기의 위치에 달려있다. **그림 13-12**에서 보는 것처럼, 예제의 노란색 구역은 빨리 점화하는 과민성 포커스를 표시한다. 이 영역에서 탈분극파가 나오면 상방, 전방 그리고 우측을 향하는 P파 벡터를 만든다. P파가 유도 I, II, III 그리고 aVF에서 상향파일까? 답은 '아니다'이다. 벡터가 이들 유도에서 멀어지기 때문에 P파는 음성이다.

중요 쟁점과 P파의 축에 관한 내용들이 쉽게 아래 두 문장으로 정리된다. 만약 동결절에서 박동군이 시작되면 P파는 항상 유도 I, II, III 그리고 aVF에서 양성이다. 이것의 반대는 심전도의 진단에 있어서 중요한 규칙의 하나를 우리에게 알려준다.

만약 P파가 유도 I, II, aVF, V₁, V₅, V₆에서 상향이 아니고 aVR에서 하향이 아니면, P파는 반드시 이소성 병소에서 기인한다.

이소성 병소는 심방내, 혹은 아래쪽(방실결절이나 심실에서의 역행성 전도로 심방이 자극되는 경우) 어느 곳이라도 가능하다.

그러나 위의 진술에서 특별히 주의해야할 사항이 있다. 많은 경우 유도 II, III, aVF에서 상향인 이소성 심방 심박동기가 있다. 이것은 이소성 병소가 동결절과 인접하거나 우심방의 상방부를 따라 위치하면 발생할 수 있다. 이런 이소성 병소는 여전히 하방으로 향하는 벡터를 보여줄 것이고 그 결과 율동 기록지에서 유도 II에 상향의 P파를 만들게 된다. 그러나 유도 I, II, aVF 또는 V₅, V₆에서의 음성 P파는 이소성 병소에서 기인한 것이다.

짐작해 볼 수 있는 것과 같이 P파의 축은 율동의 이상을 감별 진단하는데 아주 중요하다. 비정상적인 P파의 축이면 자동적으로 이소성 심방율동, 혹은 방실결절이나 그 이하에서 발생해 심방으로 역행성으로 퍼지는 율동을 생각해야 한다. 시간을 내서 이런 개념을 확실하고 완전하게 이해하도록 하라. 왜냐하면 앞으로도 이 개념에 대해 책의 나머지 부분에서 반복적으로 강조할 것이기 때문이다.

심방 조기수축과 PR 간격

PR 간격은 몇 가지 구성요소로 이루어진다(**그림 13-13**). 여기에는 심방이 완전히 탈분극을 마치는 시간과 방실결절에서 일어나는 생리적 차단, 히스속, 각, 그리고 마지막으로 퍼킨지 세포를 통해 나가는 시간들로 구성된다. **그림 13-13**을 보자, 동결절에서 방실결절까지 탈분극시키는데 소요되는 이동 시간이 괄호로 표시되어 있다. 전기 자극이 방실결절까지 도달하면 생리적 차단의 휴지기가 시작된다. 이는 방실결절 조직이 고유하게 가지고 있는 정해진 시간 간격으로, 이 기간이 끝나기 전까지 방실결절 조직은 전기 자극을 통과시켜 주지 않는다.

그렇다면, 이것이 심방 조기수축과 무슨 연관이 있는가? 자, 괄호안의 시간 간격은 이소성 심박동기의 위치에 의해

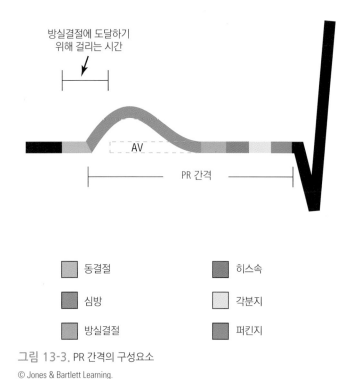

그림 13-3. PR 간격의 구성요소

© Jones & Bartlett Learning.

영향을 받는다. 만약 그 심박동기의 위치가 방실결절에서 가깝다면, 탈분극파가 방실결절에 도달하는데 걸리는 시간은 짧아질 것이다. 그래서 이 시간이 짧아질 수록 전체적인 PR 간격은 더 짧아질 것이다. 만약 심박동기의 위치가 동결절에서 방실결절까지의 거리보다도 방실결절로부터 더 멀다면, 탈분극파는 방실결절로 도착하는데 더 오래 걸리며, 그 결과 PR 간격은 길어진다. 예를 보기로 하자.

그림 13-14에서 이소성 심박동기는 방실결절에서 우측 심방에 가깝다. 그렇다면 이 환자에 있어 동성 박동시의 PR 간격 보다 심방 조기수축 동안의 PR 간격은 어떻게 될 것으로 예상하는가? 짧아질까 느려질까? 거리가 짧으니 당연히 PR 간격도 짧을 것이다. 심방 조기수축의 P파 축은 상방, 전방 그리고 좌측을 향하고 있다. 그렇다면 여기서 발생한 심방 조기수축의 P파는 유도 II에서 어떻게 보일 것으로 예상되는가? 아마도 히향피기 니다날 것이다.

그림 13-15에서 이소성 심박동기는 좌심방 그리고, 방실결절로부터 꽤 멀리 떨어져 있다. 그렇다면 심방 조기수축의 PR 간격이 정상 동율동보다 더 길 것이라고 예상할 수 있다. 또한 예상 가능한데로 심빙 조기수축의 P파는 유도 II에서 상향파이다. 이것이 상하향파(biphasic)인 것에 대해서는 걱정하지 말자, 중요하지 않다. 중요한 것은 P파가 유도 II에서 양성이라는 것이다. 이 보기에서 P파 축은 별로 도움이 되지 않는다. 그러나 심방 조기수축의 빠른 도착, 상이한 P파의 모양과 PR 간격은 모든 면에서 심방 조기수축이라는 사실을 나타낸다. 어쨌든 유도 I 또는 V_5, V_6의 심전도는 음성 P파를 보여줄 것이다.

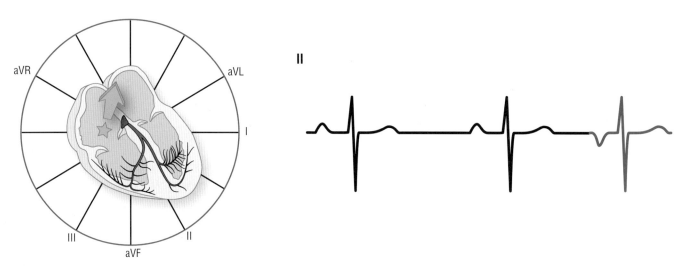

그림 13-14. 짧은 PR 간격을 갖는 심방 조기수축

© Jones & Bartlett Learning.

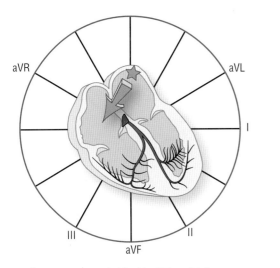

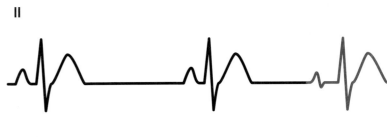

그림 13-15. 긴 PR 간격을 갖는 심방 조기수축

© Jones & Bartlett Learning.

휴지

의사로 일하는 동안 여러 진단적 딜레마에 맞닥뜨리게 될 것이다. 왜냐하면 심전도 양상이 어떤 하나의 부정맥의 양상을 보임과 동시에 또 다른 가능성을 시사하는 특징을 가지고 있을 수 있기 때문이다. 이런 경우 두 개의 가능성을 구별하기 위해서 머릿속에 알고 있는 모든 감별 방법들을 적용하고 싶을 것이다. 조기수축군 뒤에 바로 나타나는 휴지의 종류가 바로 그러한 감별 방법 중에 하나이다. 운 좋게도, 알고 있어야 할 휴지의 종류는 단지 2개뿐이다. 대상성 휴지와 비대상성 휴지이다.

이 두 가지 종류의 휴지를 이해하는 중요한 열쇠는 재분극 4기(**그림 13-16**)에 대한 개념과, 심박동기의 초기화이다. 2장을 다시 떠올려 보자. 4기 재분극이란 이온의 느린 유입으로 야기되는, 세포가 역치 전위로 가는 점진적 탈분극 과정이다. 이것이 심장세포가 가진 조율 기능의 기본 원리이다. 4기의 전위 상승 속도는 심장의 세포 타입에 따라 다르며 여기에 따라 각 세포들의 고유의 조율 속도가 결정된다(**그림 13-17**).

이해를 위해, 이제 동결절 안의 세포를 하나 따로 떼어내 살펴보자. 이 세포는 연속적인 4기 탈분극 과정을 통과하고 있고, 역치에 도달하기만 하면 점화한다(**그림 13-18**). 갑자기, 세포들을 예정 시간보다 일찍 자극하는 예상 외의 탈분극파가 있기도 한다(예를 들어 심방 조기수축, 녹색 별표로 표시). 절대적 불응기에 있지 않은 한 세포는 즉시 흥분하게 된다. 조기수축이 있은 후 세포는 이전처럼 4기 탈분극을 지속한다. 그러나 주의할 점은 리듬의 규칙성이 변한다는 것

 활동 전위

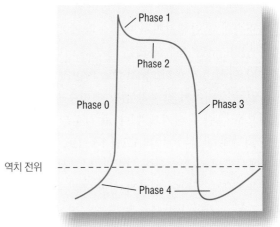

그림 13-16. 활동전위

© Jones & Bartlett Learning.

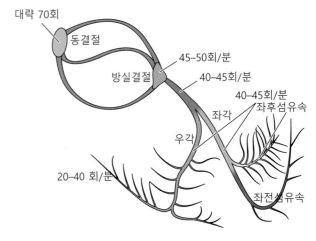

그림 13-17. 여러 부위의 심박동기 박동수

© Jones & Bartlett Learning.

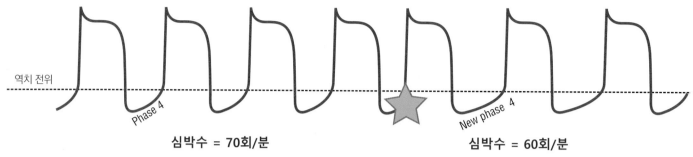

심박수 = 70회/분   심박수 = 60회/분

그림 13-18. 조기박동의 빠른 탈분극

© Jones & Bartlett Learning.

이다. 심박동기는 조기수축에 의해 다시 초기화되어 새로 시작한 박동수는 이전과 같을 수도 있고 다를 수도 있다(빨라지거나 느려지거나).

다른 방향으로도 생각해 보기 위해 우리의 일상생활에서 흔히 일어날 수 있는 일들을 생각해 보자. 돈이나 숫자같은 것을 셀 때 다른 사람이 다른 숫자를 말하면 어떻게 되는가? 갑자기 머릿속이 혼란해지면서 머릿속의 숫자가 생각나지 않을 때가 있다. 이럴 경우 우리는 대부분 어떻게 할까? 대개 처음부터 다시 시작한다. 동결절도 마찬가지다. 스스로 조율하고 있는 상태에서 갑자기 심방 조기수축이 발생하면 조기 방전으로 혼란에 빠지게 된다. 동결절은 다시 초기화하고 새로 시작하게 되는 것이다(**그림 13-19**).

심전도에서도 똑같은 일들이 일어난다. 우선 말끔하고 규칙적인 동율동으로 심장이 뛰다가 심방 조기수축이 발생하여 심박동기를 초기화하고 새로운 동율동 박동수가 출현하게 된다. 심방 조기수축을 포함하는 휴지와 심방 조기수축 직후의 간격은 우리가 이 장에서 초점을 맞추어야 할 진단적 포인트이다. 만약 동결절이 탈분극되고 재시작되었다면, 심방 조기수축과 휴지를 포함한 간격은 정확하게 정상 P-P간격 배수가 아닐 수 있다. 이런 경우의 휴지를 비대상성 휴지

라 한다. 만약 동결절이 초기화되지 않았다면 휴지기는 규칙적인 P-P간격의 정확한 2배로 나타날 것이고, 아마 여러분들은 동결절이 초기화되지 않았다는 것을 알 수 있을 것이다. 이러한 종류의 휴지는 대상성 휴지로 알려져 있다.

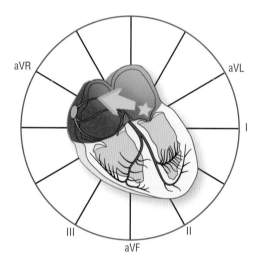

그림 13-19. 심방 조기수축에서 시작한 탈분극은 동결절을 바로 탈분극하게 한다. 이는 심박동기를 초기화하여 이전의 박동수와 같거나, 빠르거나 느려질 수 있다.

© Jones & Bartlett Learning.

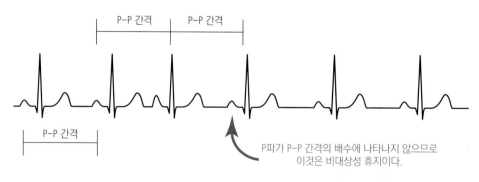

P파가 P-P 간격의 배수에 나타나지 않으므로 이것은 비대상성 휴지이다.

그림 13-20. 비대상성 휴지

© Jones & Bartlett Learning.

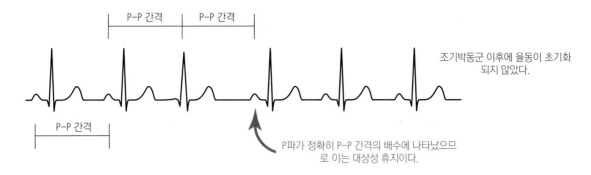

P-P 간격　P-P 간격

P-P 간격

조기박동군 이후에 율동이 초기화
되지 않았다.

P파가 정확히 P-P 간격의 배수에 나타났으므
로 이는 대상성 휴지이다.

그림 13-21. 대상성 휴지
© Jones & Bartlett Learning.

먼저, 비대상성 휴지에 대해 알아보자. 비대상성 휴지에서 휴지는 정상 P-P간격의 배수가 아니다(**그림 13-20**). 이는 동결절의 재시작으로 인해 다시 박동을 개시하기까지의 시간이 다양하기 때문이다. 비대상성 휴지의 열쇠는 바로 이 동결절의 재시작이다. 동결절은 보통 심방 조기수축에 의해 재시작된다(접합부 조기수축과 PVC도 또한 비대상성 휴지를 만들 수 있는데 다만 방실결절에서 심방으로 역으로 진행하는 자극이 심방을 탈분극시킬 수 있어야 한다. 어쨌든 매번 생기는 일은 아니다). 명심해야 할 점은, 비대상성 휴지는 보통 심방 조기수축과 연관지어 생각해야 한다는 것이다.

이제 대상성 휴지로 논의를 옮겨보자(**그림 13-21**). 대상성 휴지에서는 동결절이 초기화되지 않는다. 동결절은 정상 공간에 독립적으로 존재하며 조기 흥분과는 큰 관계가 없다. 심방 탈분극파가 완전히 동결절을 피하기는 매우 드문 일이다. 그러나 방실결절이나 심실에서 발생한 자극이 심방으로의 역행성 전도 없이 이런 경우를 유발할 수도 있다.

대상성 휴지를 다룰 때 명심할 점은, 심방과 심실은 서로 다른 세계에 있으면서 방실결절이 유일한 연결 통로라는 사실이다. 또한 방실결절은 심방과 심실 사이의 문지기 역할을 한다. 이렇듯이 방실결절은 순방향의 전도만 가능하도록 만들어져서 역방향의 전도는 허용하지 않는다. 방실결절은 자극이 심실로 쉽게 이동하도록 하지만 심방으로의 역전도는 전혀 다른 문제다. 역행성 전도가 결절을 통과하는 것은 잠깐 동안만 가능하다.

만약 방실결절이 심방으로의 역행성 전도를 허용하지 않는다면 심방은 이런 것을 전혀 모를 것이다. 마치 딴 나라에서 일어난 이야기로 들릴 것이다. 단지 뉴스를 통해서만 무슨 일이 일어났는지 알 수 있다. 만약 어떤 일에 대해 알지 못하면 반응도 할 수 없는 것과 마찬가지로 동결절도 그러하다. 만일 자극에 의해 탈분극되지 않는다면, 동결절은 초기화되지 않고 원래의 규칙적이고 방해받지 않은 리듬으로 작동할 것이다(**그림 13-22**).

대상성 휴지는 조기 자극이 동결절을 초기화하지 못할 때 발생 한다. 따라서 조기 자극과 다음 휴지 기간의 시간 간격은 정상적인 P-P간격의 배수이다. 왜냐하면, 동결절이 초기화되지 않기 때문이다. 흔히 동성 P파가 조기수축군과 동반되거나 합쳐진 것을 보게 된다. 대상성 휴지는 보통 조기 접합부 박동 혹은 심실 조기수축들과 동반되어 잘 나타나나 심방 조기수축과는 잘 동반되지 않는다. 기억하고 있을 만한 진단적 도구라고 생각한다.

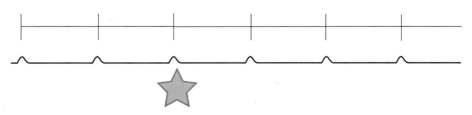

그림 13-22. 이 율동지는 심방의 활동만을 기록하였다. 율동은 지속적으로 규칙적이고, 초록색 별로 표시한 조기박동군은 동결절에 영향을 미치지 못한다.

© Jones & Bartlett Learning.

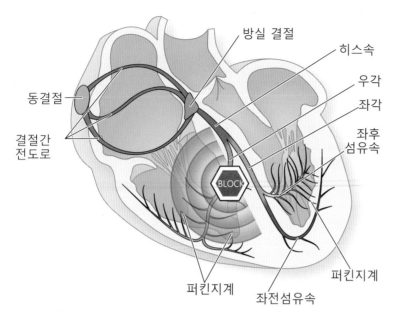

그림 13-23. 우각이 불응기에 있는 동안 전기자극이 도달하게 되면, 우심실은 세포 대 세포 전달로 자극이 전파된다.

© Jones & Bartlett Learning.

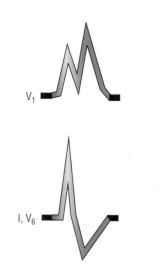

그림 13-24. 우각차단패턴은 우심실을 통한 느린 전도에 의해 발생한다.

© Jones & Bartlett Learning.

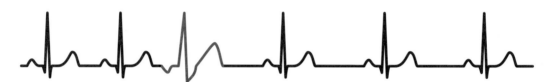

그림 13-25. 이 율동지는 유도 II 에서 나타난 전형적인 심방 조기수축을 보여준다. 심방 조기수축은 우각차단형태의 편위전도를 형성한다.

© Jones & Bartlett Learning.

심방 조기수축과 편위전도

6 장에서 편위전도를 약간 다루었다. 그러나 이 시점에서 조금 복습하고 넘어가더라도 별문제는 없을 것이다. 심방 조기수축은 일반적으로 QRS군의 어떠한 편위전도와도 연관성이 없다. 이에 대한 주요인은 대부분의 심방 조기수축이 심실의 전기 전도계가 완전히 재분극하여 불응기를 피하도록 넉넉한 시간을 허용하기 때문이다. 그러나 종종 굉장히 일찍 발생하여 그러한 문제를 일으키는 심방 조기수축을 마주하게 될 것이다.

가장 흔한 패턴의 편위전도는 우각차단의 형태이다(**그림 13-23**). 이것은 우각이 가장 긴 불응기를 가지고 있기 때문이다. 자극이 불응 지역에 도달하게 되면, 느린 세포 대 세포 전도에 의해 심실을 통과해야 한다. 이런 느린 전도는 QRS가 넓어지게 만들고 더욱 편위전도를 하게 된다(**그림 13-24, 그림 13-25**).

좌각 차단 형태는 흔하지 않으나 발생할 수 있다. 이는 주로 환자의 심장의 구조적 이상 또는 허혈성 심질환과 연관이 있다.

숨어있는 심방 조기수축

PAC는 심전도 기록지의 다른 파나 복합군과 마찬가지로, 또 다른 파나 복합군에 겹쳐질 수 있다.

이런 현상이 발생하면 숨겨진 것을 찾아내기가 어려울 수 있다. 이런 종류의 진단적 함정에 대하여 알아보자.

T 위에 떨어진 P

가끔씩, 심방 조기수축의 P파는 바로 정확하게 앞의 T파 위에 떨어질 것이다. 대부분의 경우 이 두 파는 쉽게 구분된다(**그림 13-26**). 그러나 종종, P파의 존재는 T파를 이상성

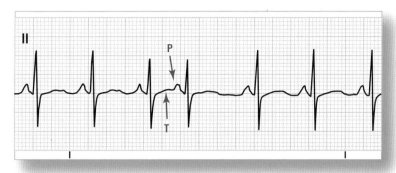

그림 13-26. P파가 이전 T파와 겹쳐져 있다. 이 예에서, P파는 쉽게 관찰할 수 있고, 이전 박동군의 T파에 명확하게 겹쳐져 있는 것을 알 수 있다.

From *Arrhythmia Recognition: The Art of Interpretation*, courtesy of Tomas B. Garcia, MD.

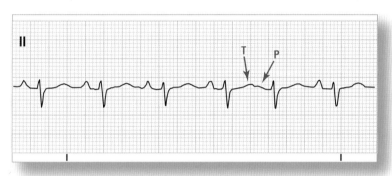

그림 13-27. P파는 이전 T파와 겹쳐져 있다. 이 예에서는 P파는 이전 T파에 섞인 것처럼 보이고, T파가 양봉성으로 나타난다. 이러한 경우는 심방 조기수축을 찾아내기 어려우며, 자세한 관찰이 필요하다.

From *Arrhythmia Recognition: The Art of Interpretation*, courtesy of Tomas B. Garcia, MD.

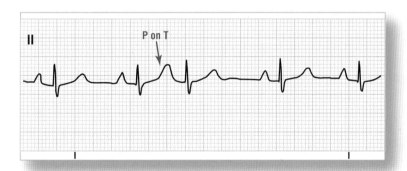

그림 13-28. P파는 이전 T파와 겹쳐져 있다. 이 예에서 P파가 T파와 더해져서 더 높고, 폭이 넓은 T파를 형성한다. 이는 흔하게 발생하는데, 접합부 조기수축과 혼돈하기 쉽다. 부정맥을 판독할때는 항상 두 개의 파가 융합했을 가능성을 인지하여야 한다.

From *Arrhythmia Recognition: The Art of Interpretation*, courtesy of Tomas B. Garcia, MD.

(biphasic)파 또는 양봉성(humped)으로 보이게 한다(**그림 13-27**). 다른 한편으로, P파와 T파는 완전히 융합하여 구분이 안 되기도 한다. 이런 경우에, P파의 존재는 아래에 놓인 T파에 P파가 더하여 주는 높이 또는 넓이로 추정될 수는 있다(**그림 13-28**).

숨겨진 또는 부분적으로 가려진 P파를 찾는 열쇠는 조율지를 자세히 살펴보는 것이다. 각각의 파형을 살펴보고, 주위의 형제 자매군과 비교하여 형태에서 큰 차이를 가진 것을 찾아내자. 만약 보통과 다른 것을 발견하면 그 지역을 자세히 평가하도록 한다. 심전도 혹은 부정맥을 판독하는데

있어 중요한 열쇠는 비정상적인 부분에 놓여있을 것이다.

차단된 심방 조기수축

심방 조기수축이 심실 탈분극을 실패했을 경우 차단된 심방 조기수축 또는 비전도된 심방 조기수축으로 알려져 있다. 어떤 경우 심방 조기수축에서 시작한 심방 자극의 전도는 방실결절에서 차단될 수 있다. 짐작할 수 있겠지만 차단된 심방 조기수축은 진단하기가 매우 어렵다. 다시 한 번 강조하는데 휴지기에 선행하는 심전도의 파형을 세심하게 평

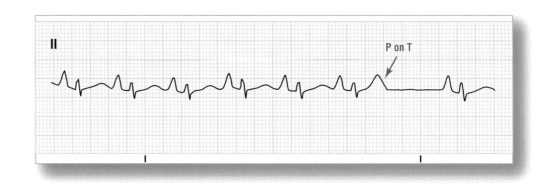

그림 13-29. 차단된 P파. 이 예에서 T파와 P파가 융합되어 하나의 커다란 파형을 형성하고 있다. 동반된 휴지는 심실의 탈분극이 일어나지 못해서 발생한 것이다.

From *Arrhythmia Recognition: The Art of Interpretation*, courtesy of Tomas B. Garcia, MD.

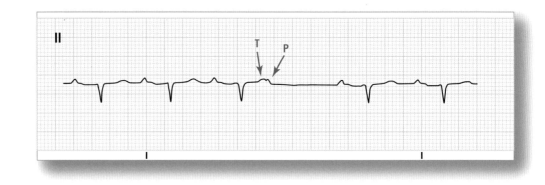

그림 13-30. 차단된 P파. 이 율동지에 표시된 T파는 양봉성 형태를 보이고 있다. 이어서 보이는 휴지를 자세히 관찰하다 보면, 다른 T파와 다른 점을 관찰할 수 있다. 이는 차단된 심방 조기수축의 P파와 T파가 융합된 것이다.

From *Arrhythmia Recognition: The Art of Interpretation*, courtesy of Tomas B. Garcia, MD.

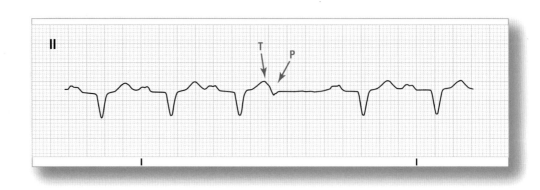

그림 13-31. 차단된 P파. 휴지에 선행하는 형태가 다른 T파를 관찰할 수 있다. 다른 형태의 T파는 뒤집어진 P파와 합쳐져서 나타나는 것이고, 차단된 심방 조기수축이다.

From *Arrhythmia Recognition: The Art of Interpretation*, courtesy of Tomas B. Garcia, MD.

가함으로써 진단을 할 수 있다(**그림 13-29**에서 **31**).

차단된 심방 조기수축이 자주 발생할 경우 혈역학적 부전을 일으킬 수 있다. 조심스러운 모니터링, 원인 인자의 제거 또는 치료는 이런 경우에 있어 매우 중요하다.

부정맥 정리

심방 조기수축

박동수 :	하나의 박동군
규칙성 :	사건을 동반한 규칙적
P파 :	존재
형태 :	발생 시 마다 다름
II, III, aVF에서 상향 :	발생 시 마다 다양함
P: QRS 비 :	1:1
PR 간격 :	발생 시 마다 다름
QRS 폭 :	정상
그룹화 :	없음
탈락 박동 :	없음

감별진단

심방 조기수축

1. 원인 미상이며 양성
2. 불안
3. 피로
4. 약 : 니코틴 알코올, 카페인 등등
5. 심방의 확장
6. 심장 질환
7. 전해질 이상

심방 조기수축의 원인은 매우 많으며, 위에 나열한 것이 모두는 아니다. 대개 심방 조기수축은 양성이며, 드물지만 혈압을 떨어뜨리는 경우도 있을 수 있다.

심전도 스트립

심전도 1

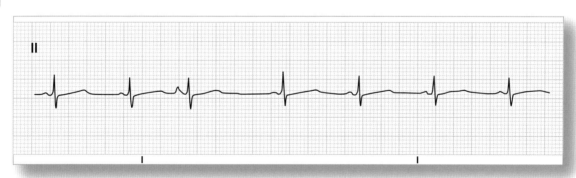

From *Arrhythmia Recognition: The Art of Interpretation*, courtesy of Tomas B. Garcia, MD.

박동수 :	분당 약 75회/분	PR 간격 :	사건에서 다름
규칙성 :	사건을 동반하며 규칙적	QRS 폭 :	정상

P파 :
  형태:
  축:
	있음
	정상
	정상
		그룹화 :	없음

		탈락 박동 :	있음
P:QRS 비 : 1:1		리듬 :	심방 조기수축을 동반한 동율동

이 기록지에서 하나의 심방 조기수축에 의해서 규칙적인 동율동이 일시적으로 깨어지는 것을 볼 수 있다. 세 번째 군은 예상보다 조기에 도달하였고, 상이한 P파의 모양과 PR 간격을 보여준다. 이는 모든 면에서 심방 조기수축의 기준에 부합한다. 캘리퍼를 이용해 보면 심방 조기수축이 대상성 휴지와 관련된 경우라는 것을 알 수 있을 것이다.

심전도 2

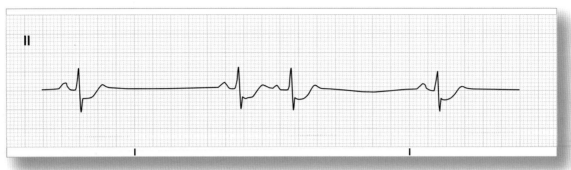

II

From *Arrhythmia Recognition: The Art of Interpretation*, courtesy of Tomas B. Garcia, MD.

박동수 :	분당 약 30회/분	PR 간격 :	사건에서 다름
규칙성 :	사건을 동반하며 규칙적	QRS 폭 :	정상
P파 : 　형태: 　축:	있음 정상 정상	그룹화 :	없음
		탈락 박동 :	있음
P:QRS 비 :	1:1	리듬 :	심방 조기수축을 동반한 동서맥

　여기서 우리는 매우 심한 동서맥을 볼 수 있다. 세 번째 군이 심방 조기수축이다. 상이한 P파의 형태와 PR 간격, 조기수축, 비대상성 휴지에 의해 쉽게 구분이 된다. 심각한 시

맥의 이유는 아마도 경색과 관련되어 있을 것이다. 평평하며 심한 ST 분절의 하강이 관찰된다. 응급으로 환자의 심전도를 찍음과 동시에 인공 심박동기를 준비하여야 한다.

심전도 3

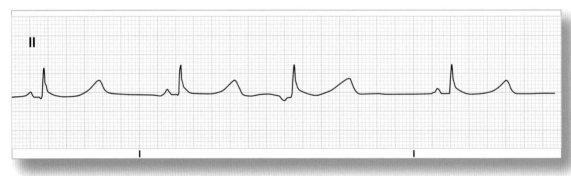

II

From *Arrhythmia Recognition: The Art of Interpretation*, courtesy of Tomas B. Garcia, MD.

박동수 :	분당 약 40회/분	PR 간격 :	사건에서 다름
규칙성 :	사건을 동반하며 규칙적	QRS 폭 :	정상
P파 : 　형태: 　축:	있음 사건에서 역위 사건에서 비정상	그룹화 :	없음
		탈락 박동 :	있음
P:QRS 비 :	1:1	리듬 :	심방 조기수축을 동반한 동서맥

　동서맥과 함께 하나의 심방 조기수축을 보여주고 있다. 심방 조기수축은 기록지상 세 번째 군이다. 뒤집어진 P파와

조기에 나타난 박동군을 주목하자. 이 심방 조기수축은 대상성 휴지를 동반하고 있다

심전도 4

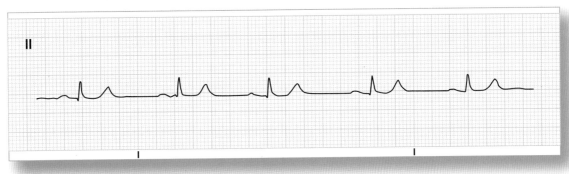

From *Arrhythmia Recognition: The Art of Interpretation*, courtesy of Tomas B. Garcia, MD.

박동수 :	분당 약 55회/분	PR 간격 :	사건에서 다름
규칙성 :	사건과 함께 규칙적	QRS 폭 :	정상
P파 :	있음	그룹화 :	없음
형태:	사건에서 다름	탈락 박동 :	있음
축:	정상		
P:QRS 비 : 1:1		리듬 :	심방 조기수축을 동반한 동서맥

동서맥과 동반된 심방 조기수축이다. 그러나 훨씬 더 애매한 소견을 보인다. 일견 율동이 규칙적인 것 같으나 캘리퍼를 사용하면, 세 번째 군이 심방 조기수축임을 알 수 있다. 상이한 형태와 PR 간격이 관찰된다. 예상한 대로 휴지는 비대상성 휴지이다. 동부정맥과 혼동하지 말 것. 더 긴 기록지가 이상 소견을 감별하는데 도움이 될 것이다.

심전도 5

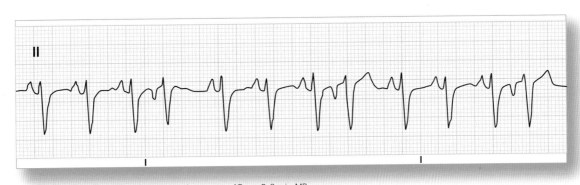

From *Arrhythmia Recognition: The Art of Interpretation*, courtesy of Tomas B. Garcia, MD.

박동수 :	분당 약 120회/분	PR 간격 :	정상, 일정
규칙성 :	다발성 사건들을 동반한 규칙적	QRS 폭 :	정상
P파 :	있음	그룹화 :	없음
형태:	사건에서 역위	탈락 박동 :	없음
축:	사건에서 비정상		
P:QRS 비 : 1:1		리듬 :	빈번한 심방 조기수축을 동반한 동빈맥

이 기록지는 분당 120회의 동빈맥과 연관된 빈번한 심방 조기수축을 보여준다. 심방 조기수축은 네 번째 박동마다 매번 일어나며, 정확히 상심실성 사단맥을 만든다. 용어 또한 이런 종류의 율동과 일치한다. 심방 조기수축과 관련있는 뒤집어진 P파, 그리고 비대상성 휴지기도 볼 수 있다.

심전도 6

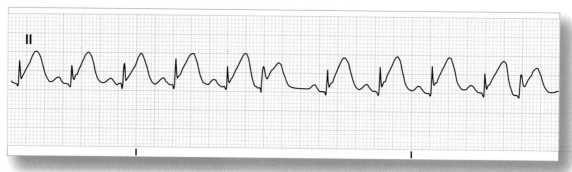

From *Arrhythmia Recognition: The Art of Interpretation*, courtesy of Tomas B. Garcia, MD.

박동수 :	분당 100회를 조금 상회	PR 간격 :	사건에서 다름
규칙성 :	다발성 사건들을 동반한 규칙적	QRS 폭 :	정상
P파 : 형태: 축:	있음 사건에서 다름 적용 불가	그룹화 :	없음
		탈락 박동 :	있음
P:QRS 비 : 1:1		리듬 :	빈번한 심방 조기수축을 동반한 동빈맥

이 환자는 상당한 ST 분절 상승 소견을 보이는 급성 심근경색을 경험하고 있다. 원래 율동은 빈번한 심방 조기수축을 동반한 동빈맥이다. 심방 조기수축은 아마도 급성 심근경색증으로 인한 심근의 과민성 때문에 나타난 것이다. 그러나 다른 가능성도 배제할 필요가 있다. 예를 들면 약제, 저산소증, 울혈성 심부전인데 이런 원인은 반드시 배제되어야 하며, 즉시 치료해야 한다. 반드시 기억하고 있어야 하는 사실은 이런 경우 심방 조기수축 자체가 아니라 그 원래 원인에 대한 치료가 필요하다는 것이다.

심전도 7

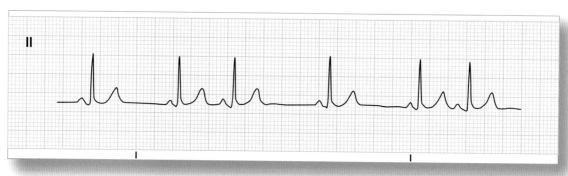

From *Arrhythmia Recognition: The Art of Interpretation*, courtesy of Tomas B. Garcia, MD.

박동수 :	분당 60회를 조금 상회	PR 간격 :	사건에서 다름
규칙성 :	다발성 사건들을 동반한 규칙적	QRS 폭 :	정상
P파 : 형태: 축:	있음 사건에서 다름 정상	그룹화 :	없음
		탈락 박동 :	있음
P:QRS 비 : 1:1		리듬 :	빈번한 심방 조기수축을 동반한 동율동

이 기록지는 빈번한 심방 조기수축과 함께 정상 동율동을 보인다. 이것은 실질적으로 세 번째 박동이 심방 조기수축인 상심실성 3단맥이다. 다시 한 번 강조하는데, 이것을 동부정맥이나 나중에 배울 2도 방실 차단이라고 오진하지 말도록 하자.

심전도 8

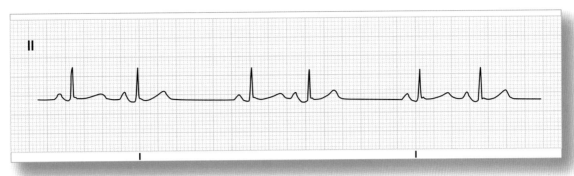

From *Arrhythmia Recognition: The Art of Interpretation*, courtesy of Tomas B. Garcia, MD.

박동수 :	분당 60회 조금 상회	PR 간격 :	사건에서 다름
규칙성 :	다발성 사건들을 동반한 규칙적	QRS 폭 :	정상
P파 :	있음	그룹화 :	없음
형태:	사건에서 다름		
축:	정상	탈락 박동 :	없음
P:QRS 비 :	1:1	리듬 :	빈번한 심방 조기수축을 동반한 동율동

이 율동을 무엇으로 진단할까? 박동군이 하나 걸러 하나는 심방 조기수축이다. 쉽게 동율동과 동반된 빈번한 심방 조기수축이라고 판독할 수 있고 이것이 정답이다. 그러나 좀 더 정확한 진단은 심방 조기수축으로 인한 상심실성 이단맥이 동반된 동율동이다. 이런 형태의 심전도를 접했을 때 6초 길이의 기록지 안에 있는 박동군의 개수를 세어 10을 곱하면 심박수를 구할 수 있다.

단원 복습

1. 심방 조기수축을 유발하는 심박동기는 _____에서 발견된다.

2. 심방 조기수축은 보통 임상적 의미를 가지며 그래서 즉시 주의를 기울여야 한다. (맞다 / 틀리다)

3. 심방 조직의 내재 박동수는
   A. 70-80회/분
   B. 65-70회/분
   C. 60-65회/분
   D. 55-60회/분
   E. 50-55회/분

4. 심방 조기수축 이후에 동결절은 심박동기의 기능을 넘겨받는다. 하지만 다른 심박수로 재설정될 수 있다. (맞다 / 틀리다)

5. P파는 심방 탈분극의 심진도직 반영이나. 각각의 심근세포는 스스로의 조그마한 벡터를 가진다. 이들이 합쳐지면서 _____를 형성한다.

6. 방실결절을 향해 가는 P파의 벡터는(하방으로) 유도 II, III, aVF에서 P파가 _____으로 보인다.

7. 방실결절로부터 멀어지는 P파는(상방으로) 유도 II III aVF에서 _____으로 보인다.

8. 심방으로의 역행성 전도를 동반한 접합부 조기수축은 유도 II에서 P파는 상향파로 보인다. (맞다 / 틀리다)

9. 유도 II에서 뒤집어진 P파를 볼 때마다 심방, 방실결절, 심실에서의 이소성 심박동기를 생각해야 한다. (맞다 / 틀리다)

10. 심방 조기수축에서 PR 간격은?
    A. 예상보다 짧아진다.
    B. 예상보다 길어진다.
    C. 길어질 수도 짧아질 수도 있다.

11. 탈분극파가 방실결절에 도달하기까지 이동 경로가 길면 길수록 PR 간격은 길어진다. (맞다 / 틀리다)

12. 특정 부위의 심장 조직이 가지고 있는 심조율 기능은 각각 내재된 4기 탈분극의 속도에 달려 있다. (맞다 / 틀리다)

13. 심방 조기수축(APC)은 조직을 조기에 탈분극시킴으로써 동결절이 그 심조율 횟수를 _____하게 만든다.

14. P-P 간격의 정확한 배수의 휴지기가 조기 박동과 동반되면 이것을 다음이라 한다.
    A. 대상성 휴지
    B. 경쟁적 휴지
    C. 비대상성 휴지
    D. 비경쟁적 휴지
    E. 어느 것도 아님

15. P-P 간격의 정확한 배수가 아닌 휴지기가 조기 박동과 동반되면 이것을 다음이라 한다.
    A. 대상성 휴지
    B. 경쟁적 휴지
    C. 비대상성 휴지
    D. 비경쟁적 휴지
    E. 어느 것도 아님

16. 심방 조기수축은 비대상성 휴지와 연관되어 있다. 왜냐하면 동결절이 조기 심방 탈분극파에 의해 초기화되기 때문이다. (맞다 / 틀리다)

17. 편위전도된 심방 조기수축은 일반적으로 다음을 가지고 있는 QRS파를 가진다.
    A. 좌각차단형태
    B. 우각차단형태
    C. 심실내 전도 지연
    D. 어느 것도 아님

18. 심방 조기수축의 P파는 항상 명확하게 구별된다. (맞다 / 틀리다)

19. 인접한 T파와 P파는 가끔씩 같이 나타나서 이상한 모양으로 보이기도 하고 실제적으로 합쳐지기도 한다. (맞다 / 틀리다)

20. 가끔씩 심방 조기수축에서 심실로의 전도가 차단되기도 한다. 이럴 경우 심방 조기수축의 P파는 볼 수 있지만 QRS와 T파는 보이지 않게 된다. 이런 형상이 발생할 때 차단된 PAC라고 한다. (맞다 / 틀리다)

제 14 장

이소성 심방율동

목표

1. 이소성 심방율동을 정의하고 형태적 특징을 서술한다.
2. 우심방에서 기원하는 이소성 심방율동과 정상 동율동의 형태학적 차이를 비교한다.
3. 심방에서 기원한 맥박과 방실결절에서 기원한 맥박의 PR 간격 차이를 서술한다.
4. 이소성 심방율동을 유발하는 임상 상황에 대해 나열한다.
5. 심전도에서 이소성 심방율동을 진단한다.

들어가며

이소성 심방율동은 일시적으로 이소성 병소가 심장의 주된 심박동기로 기능할 때 발생하는 율동이다. 이소성 심박동기에 의한 심박수는 분당 100회 미만이어야 하고 PR 간격은 정상범위이거나 약간 연장된다. QRS 간격과 모양은 정상 동율동과 같아야 하며 방실결절 또는 심실을 통과하는 자극의 편위전도, 전해질 이상, 이미 존재하는 각차단이 있는 경우는 다를 수 있다.

보통 이소성 심방율동은 심박수가 정상 범위 내에 있기 때문에 혈역학적 의미는 없다. 위에 언급한 대로, 심방은 수축을 잘하며 PR 간격은 정상이거나 약간 연장된다. 이런 요건들로 인해 심실이 가득차게 해주며, 순차적인 수축과 이완이 적절한 선에서 이루어지게 된다.

이 율동은 심각한 구조적 심장질환을 갖고 있거나 정상인 환자에서도 발견될 수 있고 보통 일시적이다. 그러나 재발도 가능하며 비교적 흔하다. 이소성 심방율동은 보통 24시간 활동 심전도에서 잘 발견된다. 치료는 환자의 증상과 혈역학적 상태를 근거로 하는 것이 정석이다. 이 율동은 보통 양성이지만 추가적인 진단적 조사를 위해 심장 전문의에게 의뢰하도록 한다.

진단적 과제

그림 14-1에서 이소성 P파의 진단은 유도 II에서 역전된 P파가 존재하면 간단히 진단할 수 있다. 13장에서 여러 번 보았듯이, 이소성 P파와 동성 P파의 형태적 차이는 거의 없다. 예를 들어, **그림 14-2**를 보자. 만약 이 기록지를 당신이 건네받았다면 정상 동율동이라고 말하지 않겠는가? 모두 정상 동율동의 진단 기준과 일치한다, 그렇지 않은가? 정확한 진단을

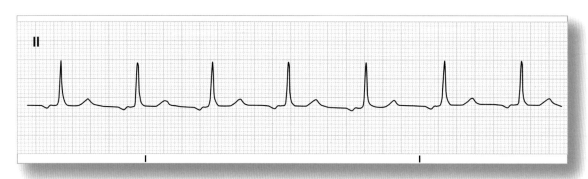

그림 14-1. 이 율동지는 전형적인 이소성 심방율동을 나타내고 있다. : 이소성 P파의 형태, 박동수는 100회 이하, 정상 혹은 약간 연장된 PR 간격과 정상 QRS 형태를 갖는다.

From *Arrhythmia Recognition: The Art of Interpretation*, courtesy of Tomas B. Garcia, MD.

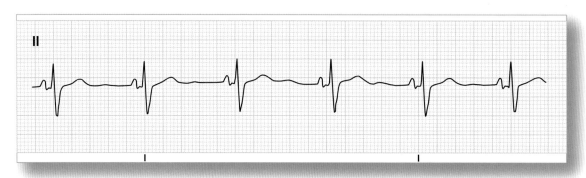

그림 14-2. 이 기록지는 그림 14-1의 기록지가 없었다면 이소성 심방율동으로 진단하기 어렵다. 다른 형태의 P파 모양과 PR 간격에 주의하자.

From *Arrhythmia Recognition: The Art of Interpretation*, courtesy of Tomas B. Garcia, MD.

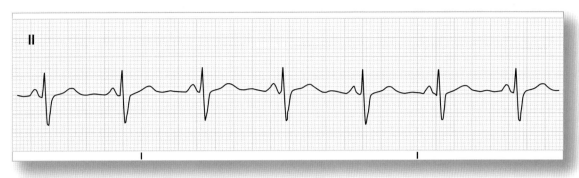

그림 14-3. 정상 동율동일때의 P파 형태와 PR 간격을 나타내는 율동지이다.

분명하게 내리는 것이 실로 진단적 난제가 될 것이다.

많은 경우에 부가적인 임상적 또는 심전도적 정보 없이 이소성 심방율동을 진단하는 것은 정말로 어렵다. 가끔은 간단하고도 훌륭한 예전 방식을 따르는게 좋을 때도 있다. 어쨌든 판독 과정에 도움이 될 여러 단서들이 있기 마련이다. 이 장의 나머지 부분은 이 단서들과 그것들을 인지하는 방법에 대해 알아볼 것이다.

힌트 #1: 새 기록지를 이전 심전도나 기록지와 항상 비교하자.

상식적으로 이소성 심방율동의 P파 모양은 정상 동율동에서 볼 수 있는 것과 다를 것이다(13장에서 이소성 P파의 형태적 차이의 기원에 대해 토론하였다. 잘 기억이 안 나면 빨리 복습하자). 많은 경우에 이소성 P파는 명확하고 또 쉽게 확인된다. 하지만, 경우에 따라서 이소성 P파 모양이 정상 P파의 모양과 아주 비슷할 수 있다. 이런 경우에 이전 심전도나 정상 동율동이 이소성 심방율동으로 전환되는 경우를 보여주는 기록지가 유일하게 이를 확인시켜 주기도 한다.

그림 14-2를 보자. 이 율동 기록지 하나만 보면 쉽사리 정상 동율동으로 잘못 진단할 수 있다. 운이 좋게도, 환자의 예전 기록지를 찾을 수 있었다(**그림 14-3**). 두 기록지에서 P파의 모양과 PR 간격의 미묘하지만 중요한 차이점에 주목하자(**그림 14-4**). 두 기록지를 비교할 수 없었다면 아마도

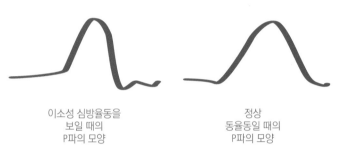

이소성 심방율동을 / 정상 / 보일 때의 / 동율동일 때의 / P파의 모양 / P파의 모양

그림 14-4. 그림 14-2와 14-3의 P파를 확대해 보면 명확히 모양이 다름을 알 수 있다.

진단하기가 불가능했을 것이다.

힌트 #2: P파의 모양과 PR 간격을 항상 평가하자.

뒤집어진 P파는 두 가지 상황에서 나타날 수 있다: (1) 심방의 하부나 원위부에 이소성 곳이 있을 때, (2) 방실결절 또는 심실에서부터 심방으로 P파가 역전도할 때이다. 심방의 하부나 원위부의 이소성 곳에 대한 개념은 13장에서 살펴보았고, 여기서는 간단히 리뷰만 하고 넘어간다. 이 장에서는 방실결절에서 나온 P파가 역전도하는 개념에 대해 소개할 것이다. 이 주제는 책 뒷부분에서 보다 자세히 다룰 것이다.

기억할지 모르지만, 방실 중격 가까이 있는 하부 이소성 곳에서 탈분극피가 발생하면 심방 상방을 향해 위로 퍼져 나갈 것이다(**그림 14-5**). 이 탈분극파는 유도 II, III, 그리고

aVF로부터 멀어지는 방향의 벡터를 일으
키며 이들 유도에서 하향 P파로 기록된다.
이 탈분극파는 방실결절의 생리적 차단을
지나야 하기 때문에, PR 간격은 정상이거
나 동성 박동군과 약간 차이가 있다. 정상
또는 정상에 근접한 PR 간격의 개념은 역
전된 P파를 포함한 율동의 기원을 감별 진
단하는데 있어 결정석인 것이다.

　이제 하부 이소성 심방 심박동기가 역
전된 P파를 어떻게 일으키는지 이해했으
므로 방실결절을 통한 역전도에 대해 주
목해보자. 특정 상황에서 모든 심장 조직
은 일차 심박동기로써 작용할 수 있다는
것을 유념하자. 방실결절도 이 규칙의 예
외가 아니다. 방실결절이 일차 심박동기
로써 기능하는 경우가 많이 있는데 방실
결절이 주요 심박동기로 기능할 때 그 리
듬을 방실접합부 율동(junctional rhythm)
이라고 부른다. 4장에서 방실접합부 율동
에 대해 설명하겠지만 지금은 방실결절로
부터의 역행성 전도에 대해서만 알아보도
록 하겠다.

　방실결절로부터 기원하는 심전도군을
머릿속에 그려보도록 한다. 탈분극파가
어느 방향으로 퍼져 가는가? 자극은 최초
발생 지점에서 바깥쪽으로 원형으로 퍼
져나갈 것이다(**그림 14-6**). 심실의 경우
에는 정상 전도와 같이 전기 전도계를 따
라 하방으로 진행할 것이다. 이러면 보기

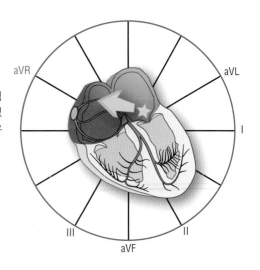

그림 14-5. 이소성 곳과 P파의 벡터. 이 그림
에서 P파의 벡터를 노란색 화살표로 표시하였
다. 벡터는 유도 aVR을 향하고 있고 따라서 유
도 II, III, aVF에서 하향파로 나타난다.

© Jones & Bartlett Learning.

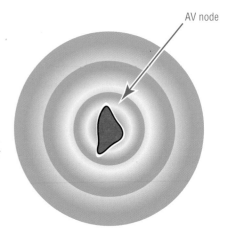

그림 14-6. 방실결절에서 기원한 탈분극파. 방실
결절에서 시작된 탈분극파는 모두 바깥쪽을 향한
다.

© Jones & Bartlett Learning.

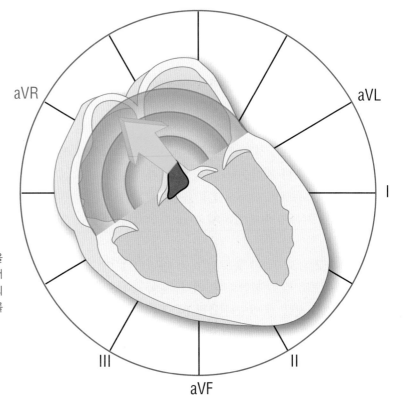

그림 14-7. P파의 역행성 전도. 탈분극파는 심방의 세포대 세포 전달을
통해 전도되어 위쪽을 향하는 벡터를 만들어낸다. 이는 유도 II, III, aVF에서
하향파를 형성한다. 전기 자극이 방실결절에서 심방을 향해 거꾸로 전달되
므로, 역행성 전도라고 한다. 이 전기자극은 심실로는 정상 전기 전도계를
따라 전도된다.

© Jones & Bartlett Learning.

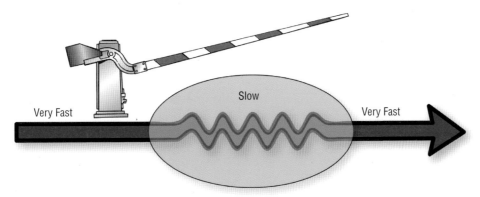

그림 14-8. 방실결절은 심방과 심실 사이의 문지기 역할을 한다. 심방 자극은 심실로 가기 전에 방실결절의 생리적 차단을 거쳐야 한다.

© Jones & Bartlett Learning.

좋고 날씬한 QRS군을 만들게 된다. 심방은 어떠한가? 자극이 심방을 통해 위로, 바깥쪽으로 퍼져나갈 것이고 유도 II, III, aVF으로부터 상향으로 멀어지는 벡터를 형성한다(**그림 14-7**).

그러면 왜 방실 접합부 박동군과 역전된 P파의 개념을 이 시점에서 소개하는가? 왜냐하면 형태에만 근거해서 역전된 P파의 출처가 심방인지 방실결절인지 설명하기가 거의 불가능하기 때문이다. 올바른 판독을 하기 위해서는, "동반 소견"을 찾을 필요가 있다. 이때 PR 간격을 보아야 한다. 일반적으로, 역전된 P파를 갖는 박동군에서 PR 간격이 0.12초 이상이면, 심방 기원이라고 간주한다. PR 간격이 0.12초 미만이면, 이 박동군은 방실결절에서 기원했다고 간주한다. 이것은 아주 중요한 정보로 자주 쓰이면서도 꼭 필요한 것이다.

1장에서, 생리적 차단을 유발하는 방실결절의 역할에 대해 언급하였다(**그림 14-8**). 자극이 심방에서 기원했다고 가정해 보자. 이 전기 자극은 심실로 이동하기 전에 방실결절에 의한 생리적 차단을 겪게 된다. 이 생리적 차단으로 인해 PR 간격은 정상 또는 약간 증가된 범위로 진행할 것이다.

이제 자극이 방실결절 부위에서 기원했다고 가정해 보자. 이 자극이 심방으로 가기 위해 생리적 차단을 지나야 할까? 대부분 그렇지 않다. 생리적 차단은 전기 자극이 심방에서 심실로 이동할 때만 작용하여 전도를 느리게 한다. 역행 방향의 전도 속도를 늦추는 데는 작용하지 않는다. 자극은 거의 동시에 심방과 심실로 퍼져나갈 것이다(**그림 14-9**). PR 간격은 정상보다 짧아지거나 P파가 QRS군 내에 파묻히게 된다.

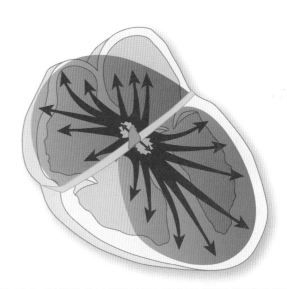

그림 14-9. 방실결절에서 시작된 자극은 대부분의 생리적 차단을 우회해서 PR 간격이 매우 짧아지거나 거의 보이지 않게 된다.

© Jones & Bartlett Learning.

이 토론의 핵심은 유도 II, III, aVF에 역전된 P파가 있다면 진단하기 전에 PR 간격을 잘 살펴보아 추가적인 정보를 확인해야 한다는 것이다. 만일 PR 간격이 정상이거나 길어져 있다면(0.12초 이상), 자극이 심방에서 기원했다고 볼 수 있고 그 리듬을 이소성 심방율동이라고 한다. PR 간격이 정상보다 짧으면 아마도 방실결절에서 기원했을 것이고 다른 것으로 진단되기 전까지 방실 접합부율동이라고 불릴 것이다.

부정맥 정리

이소성 심방율동

박동수 :	100회/분 이하
규칙성 :	규칙적
P파 :	있음
형태 :	동율동과 다름
II, III, aVF에서 상향 :	일부에서
P: QRS 비 :	1:1
PR 간격 :	정상 혹은 연장
QRS 폭 :	정상
그룹화 :	없음
탈락 박동 :	없음

감별진단

이소성 심방율동

1. 원인 미상 혹은 양성의
2. 불안
3. 약물 : 니코틴, 알코올, 카페인 등등
4. 기질적 심질환
5. 전해질 이상

이 목록이 모든 원인을 포함하지는 않음

심전도 스트립

심전도 1

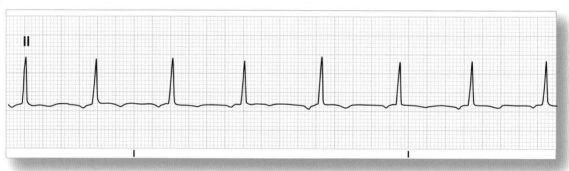

From *Arrhythmia Recognition: The Art of Interpretation*, courtesy of Tomas B. Garcia, MD.

박동수 :	분당 약 75회	PR 간격 :	정상, 일정
규칙성 :	규칙적	QRS 폭 :	정상
P파 :	있음	그룹화 :	없음
형태 :	역위	탈락 박동 :	없음
축 :	비정상		
P:QRS 비 :	1:1	리듬 :	이소성 심방율동

이 기록지는 이소성 심방율동의 전형적인 사례이다. 먼저 심박수를 살펴보면 분당 약 75회임을 알 수 있다. 다음에 P파의 모양을 보자. 유도 II에서 P파가 역전된 것을 쉽게 알아볼 수 있으며 육안적으로 비정상이다. 역전된 P파는 정상 동율동의 가능성을 배제할 수 있다.

역전된 P파는 방실 접합부율동과 이소성 심방율동 모두에서 나타날 수 있기 때문에 감별을 해야 한다. 진단을 돕기 위해서 PR 간격을 살펴보자. 이 환자는 PR 간격이 정상 범위에 있으므로 이소성 심방율동 쪽으로 진단한다.

심전도 2

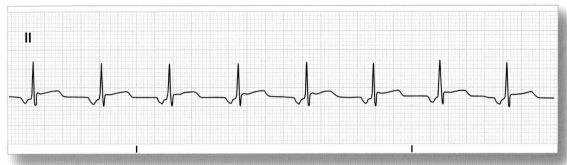

From *Arrhythmia Recognition: The Art of Interpretation*, courtesy of Tomas B. Garcia, MD.

박동수 :	분당 약 80회	PR 간격 :	정상, 일정
규칙성 :	규칙적	QRS 폭 :	정상
P파 : 형태 : 축 :	있음 역위 비정상	그룹화 :	없음
		탈락 박동 :	없음
P:QRS 비 : 1:1		리듬 :	이소성 심방율동

이 율동 기록지 또한 이소성 심방율동의 좋은 예이다. 상기와 같은 논리적 과정을 따라 역전된 P파와 정상 PR 간격을 가지고 진단내릴 수 있다. 이 환자에게서 정식 12-유도 심전도를 얻어야 하는가? 그렇다. 비정상 율동이 존재하고 ST 분절의 상승이 있기 때문에 반드시 시행해야 한다. 환자에게 미안한 것보다 안전한 것이 더 낫다는 점을 명심할 것!

심전도 3

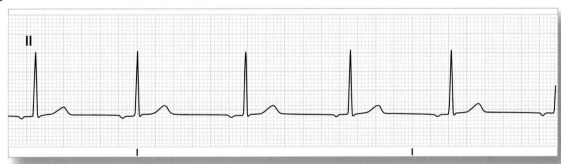

From *Arrhythmia Recognition: The Art of Interpretation*, courtesy of Tomas B. Garcia, MD.

박동수 :	분당 약 50회	PR 간격 :	정상, 일정
규칙성 :	규칙적	QRS 폭 :	정상
P파 : 형태 : 축 :	있음 역위 비정상	그룹화 :	없음
		탈락 박동 :	없음
P:QRS 비 : 1:1		리듬 :	이소성 심방율동

이 기록지는 앞에 나온 것보다 더 많은 문제점을 갖고 있다. 왜냐하면 심박동수가 분당 50-55회 정도로 너무 느리기 때문이다. 심박수에서 접합부율동과 아주 잘 맞는데 보통 이정도 범위이기 때문이다. 또 한 번 고마운 것은 PR 간격이 정상인 점이다. 정상 PR 간격으로 인해 이소성 심방율동이 더 적절한 진단이 된다. 약물 투여가 가끔씩 심각한 서맥을 유발하므로 이에 대한 조사와 또 다른 가능성에 대해 잘 살펴보아야 한다.

심전도 4

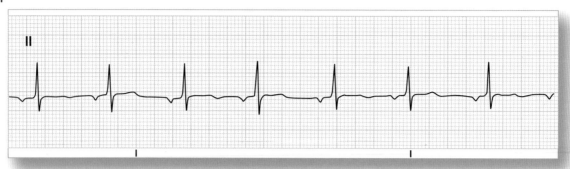

From *Arrhythmia Recognition: The Art of Interpretation*, courtesy of Tomas B. Garcia, MD.

박동수:	분당 약 75회	PR 간격:	정상, 일정
규칙성:	규칙적	QRS 폭:	정상
P파: 형태: 축:	있음 역위 비정상	그룹화:	없음
		탈락 박동:	없음
P:QRS 비: 1:1		리듬:	이소성 심방율동

역전된 P파와 정상 PR 간격으로 이 심전도의 진단을 내릴 수 있다. 이제는 이소성 심방율동의 가능성에 좀 더 무게를 둘 수 있어야 한다. 하지만 심증을 확인하고 진단을 확진하기 위해서 이전 심전도를 확보하는데 항상 노력해야 한다는 것을 명심하자.

심전도 5

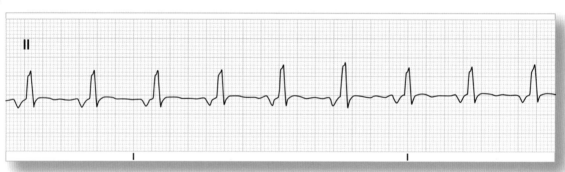

From *Arrhythmia Recognition: The Art of Interpretation*, courtesy of Tomas B. Garcia, MD.

박동수:	분당 약 85회	PR 간격:	정상, 일정
규칙성:	규칙적	QRS 폭:	정상
P파: 형태: 축:	있음 역위 비정상	그룹화:	없음
		탈락 박동:	없음
P:QRS 비: 1:1		리듬:	이소성 심방율동

이 기록지에서 QRS군이 넓게 보이기 때문에 약간 어려울 수 있다. 그런데 정말 그럴까? 캘리퍼로 신중하게 측정해보면 QRS 군이 0.12초보다 넓지 않다는 것을 알 수 있다. 그러므로 역전된 P파, 정상 PR 간격, 정상 QRS군에 의

해 이소성 심방율동으로 정확한 진단을 내릴 수 있다. 항상 그렇듯이 이전 심전도나 율동 기록지와 비교해 보면 심증을 확진하는데 매우 도움이 된다.

이제 QRS군이 0.12초보다 더 넓다고 가정해보자. 이런

경우에는 어떻게 해야 할까? 가장 먼저 환자가 과거에 어떤 종류의 각차단이 있었는지 확인한다. 그 다음 가능성은 심실로 가거나 심실을 통과할 때 그리고 환자 심박동수의 변화와 관련하여 편위전도가 발생하는 것이다. 또한 편위전도는 허혈이나 전도계의 병변으로 인한 해당부위의 불응기 연장으로 유발될 수도 있다. 전해질 불균형은 종종 편위전도나 율동 이상을 초래한다. 이런 가능성들을 다 배제한 후에도, 이와 비슷한 모양을 유발할 수 있는 율동이 있지만 그것은 책의 뒷 부분에서 다루도록 하겠다.

단원 복습

1. 이소성 심방율동의 주요 심박동기는 심방의 하부에서 발견되며 항상 방실결절 주위에 있다. (맞다 / 틀리다)

2. 이소성 심방율동의 P파의 형태는 II, III, aVF 유도에서 항상 뒤집혀있다. (맞다 / 틀리다)

3. 이소성 심방율동에서 유도 II, III, aVF에서 기록되는 P파의 모양은 다음과 같다.

   A. 역위

   B. 상향파

   C. 동성 P파와 항상 다르다.

   D. 모두

4. 간단하게 이소성 심방율동의 PR 간격은?

   A. 0.12초와 같거나 길다.

   B. 항상 0.12초보다 짧다.

   C. 연장돼 있을 것이다.

   D. A 와 C

5. QRS 형태와 간격은 정상 동율동일 때와 이소성 심방율동일 때 같아야 한다. 하지만 가끔씩 박동수와 관련된 편이전도가 생길 수 있다. (맞다 / 틀리다).

6. 만약에 환자가 기본적으로 좌각차단이나 우각차단 때문에 넓은 QRS군을 가지고 있다면 이소성 심방율동에서도 똑같은 각차단의 소견을 보인다. (맞다 / 틀리다)

7. 이소성 심방율동은 P파의 형태에 의해서 쉽게 진단된다. (맞다 / 틀리다)

8. 다음 중 어느 것이 이소성 심방율동의 진단에 유용하나?

   A. PR 분절

   B. P파의 형태

   C. QT 간격

   D. PR 간격

   E. B 와 D

바르게 연결되는 것을 찾으시오

9. 역위된 P파, PR 간격이 0.20초

   A. 이소성 심방율동

   B. 방실 접합부율동

   C. 정상 동율동

10. 역위된 P파, PR 간격이 0.1초

    A. 이소성 심방율동

    B. 방실 접합부율동

    C. 정상 동율동

제 15 장

국소성 심방빈맥

목표

1. 국소성 심방빈맥을 정의하고, 형태학적 특성에 대해 기술
2. 부정맥의 warm up 기간에 대해 기술
3. 유발된 이벤트를 정의
4. 심방빈맥을 유발할 수 있는 임상 상황에 대해 나열
5. 심전도에서 국소성 심방빈맥을 진단

국소성 심방빈맥은 좁은 박동군 상심실성 빈맥에서 일정 부분을 차지하고 있다. 하지만, 임상의에게 얼마나 많은 심방빈맥을 진단하였는지 묻는다면, 매우 적다고 할 것이다. 국소성 심방빈맥은 오진이 되는 경우가 흔하다. 왜 그렇게 오진 되는 경우가 많은가? 13장에서 보았듯이, 그것에 대해 고려하지 않으면 진단할 수 없다. 항상 감별 진단을 만들어야 한다.

이 장에서 다루겠지만, 이 리듬의 심방과 심실의 박동수는 분당 100회에서 200회 사이이다. 하지만 간혹 250회까지 빨라지기도 한다. P파는 원래선에 분리되어 관찰된다. 종종 P파가 묻혀져서 잘 보이지 않을 때가 있다. 여러 개의 유도를 관찰하는 것이 P파를 찾아내는데 도움이 된다. 어떠한 유도가 이소성 P파를 찾는데 가장 좋을까? 종종 유도 II 나 V₁ 에서 가장 잘 관찰되나, 심방의 벡터에 따라 달라질 수 있다. 매우 빠른 빈맥에서는, 박동군을 구분하기 어려울 때가 많다. 심전도 속도를 항상 25 mm/s 로 보지 않아도 된다. 간혹 형태가 50 mm/s 로 늘렸을 때 더 잘 관찰되기도 한다.

몇몇 임상의들은 심박수가 임상적으로 의미 있다고 생각하지 않는다. 하지만 이는 잘못된 생각이다. 어떠한 리듬에서도 빈맥 자체가 혈역학석 상애를 발생시킬 수 있다. 심박수가 250회 가량 되는 것을 두고 보는 것은 잘못된 생각이다.

다음 장에서 우리는 국소성 심방빈맥과 방실 차단을 소개할 것이다. 주로 2:1 방실 차단이 발생한다. 이는 디곡신 독성과 관련이 있다. 방실 차단을 동반한 국소성 심방빈맥을 마주한다면, 디곡신 독성을 떠올려야 한다. 이 상황은 내과적 응급 상황이다.

국소성 심방빈맥은 상심실성 빈맥의 15% 가량을 차지하며, 진단이 어렵지만 맞춤형 치료 전략을 가지고 주의를 기울여야 한다.

—*Daniel J. Garcia*

들어가며

전기생리학적 검사가 보편적으로 사용되기 전까지, 국소성 심방빈맥은 임상의에게 일종의 딜레마였다. 이 부정맥의 원인에 대한 이견이 존재했었다. 하나는 동결절의 영향과 상관 없이 미세 회귀 경로(2 cm 미만)에 의해서 부정맥이 촉발된다고 믿었다. 다른 하나는 율동이 이소성 곳의 자동능이 증가되어 발생한다고 믿었다. 이런 논쟁의 결과로 부정맥을 기술하기 위해 많은 용어가 탄생하게 되었다. 이러한 용어에는 이소성 심방빈맥, 발작성 심방빈맥, 심방내 회귀성 상심실성 빈맥, 동결절 회귀성 상심실성 빈맥, 자동 심방빈맥 등으로 불렸다. 이런 수많은 용어들로 인해 율동과 그 명명에 대해 지속적인 혼란이 발생하게 되었다.

결국에는 두 가지 이론이 다 맞는 것으로 판명되었다. 율동은 미세 회귀 기전에 의해서 유발되기도 하였고, 가끔은 이소성 심박동기의 증가된 자동능에 의해 야기되었다. 그러나 심전도상에서 그것을 구분하기는 쉽지 않다. 이 부정맥의 용어가 국소성 심방빈맥으로 정해진 이유이다.

일반적으로, 성인의 경우 국소성 심방빈맥은 모든 규칙적인 좁은 QRS군 상심실성 빈맥의 약 5-15%를 점유하고 있으며 소아에서 좀 더 높은 비율을 나타낸다. 유발 기전이 알려진 경우를 보면 회귀에 의한 경우가 자동능으로 인한 것보다 약간 많다. 남녀 사이의 유병률 차이는 동일하다.

기본적으로 국소성 심방빈맥은 이소성 심방 율동이 분당 100회를 넘는 것이다. 주로 발작성으로 나타나며, 스스로 없어진다. 이소성 심방 율동 파트에서 다루었던 모든 특징들이 이번 빈맥에도 적용된다(**그림 15-1**). 중요 포인트의 요약은 다음과 같다.

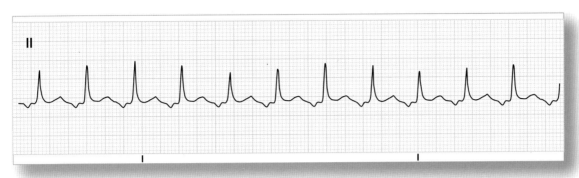

그림 15-1. 이 율동지에서는 이소성 심방빈맥의 전형적인 특징을 모두 나타내고 있다. 이소성 P파의 형태, 100 회 이상, 정상 혹은 약간 연장된 PR 간격, 정상 QRS 모양, 약간의 QRS 전위 변화(전기적 교대)가 보인다. 교대맥은 여러가지 빈맥에서 흔히 보일 수 있다.

From *Arrhythmia Recognition: The Art of Interpretation*, courtesy of Tomas B. Garcia, MD.

1. 심방 박동수는 보통 분당 100회에서 200회 사이이며 250회까지 이를 수도 있다.
2. 정상 동성 P파와는 다른 형태를 가진 이소성 P파가 존재한다.
3. P파와 QRS의 비는 1:1 이다.
4. PR 간격은 정상이거나 약간 연장될 수 있다.
5. 규칙적인 율동이다.
6. QRS군은 편위전도나 각차단이 없을 경우 정상 폭이며 정상 동율동에서 볼 수 있는 것과 같다.
7. 이차적 ST와 T파의 이상은 빈맥으로 인해 발생할 수 있다.

율동은 일시적이거나 지속적이던지 혹은 끊이지 않고 계속될 수 있다. 일시적 발생은 짧은 시간 안에 세 개나 그 이상의 박동군이 나타나는 경우이다. 만약 율동이 30초 이상 지속되면 지속성으로 간주한다. 만약에 율동이 정지되지 않거나 관찰 시간의 대부분 존재할 경우 지속성(incessant)으로 간주할 수 있다.

일시적 현상은 일반인군에서 상당히 흔하며, 주로 분당 약 150회 정도로 나타나며 비교적 양성이다. 지속성 빈맥은 드물며 만약 치료를 하지 않으면 심각한 울혈성 심부전증이나 심근병증에 이를 수도 있다. 통상적으로, 모든 비정상적인 율동은 추가적인 진단적 조사 및 가능한 치료를 위해 반드시 의뢰하여야 한다. 혈역학적인 영향을 미치는 모든 율동은 응급으로 약물 치료나 율동전환 / 제세동 등의 치료가 필요하다.

빈맥은 대개 규칙적이다. '대개' 라고 말하는 것은 대다수 빈맥의 초기 발생은 어느 정도의 불규칙성을 가지고 있기 때문이다. 이는 많은 종류의 빈맥에서 발견된다. 빈맥을 이제 막 시동을 건 엔진처럼 생각해보자. 빈맥은 정상 페이스로 뛰기 전까지 약간의 워밍업이 필요하다. 심장, 특히 이소성 초점은 같은 형태의 워밍업 기간이 필요하다. 국소성 심방빈맥의 초기 발생 시기에는 워밍업 시간이 짧고, 주로 주기 박동에 의해 유발된다. 짧은 워밍업 시간 때문에 심박수는 빠르게 증가하고 마침내 빈맥의 "순항 속도"에 이르게 된다.

첫 번째 단락에서 언급하였듯이, P파의 형태는 동율동에서 나타나는 형태와 언제나 다르다. 유도 II, III, aVF에서 뒤집어진 P파가 나타나는 경우 진단이 명확하고 또 쉬울 것이다(유도 II, III, aVF에서 뒤집어진 P파와 정상 또는 연장된 PR 간격은 달리 진단되기 전까지 이소성 심방 박동으로 생각한다). 그러나 가끔씩 이소성 P와 동성 P파의 형태적 차이가 아주 작은 경우도 있다. 유능한 임상의도 비교 가능한 이전의 율동 기록지 혹은 심전도 없이, 기록지 단독으로만 있는 경우 완전히 불가능한 것은 아니지만, P파의 모양만으로는 이소성 P파를 판독하기 어려운 때가 자주 있다. 이전 기록지와 비교 가능한 경우 항상 동성 P파와 비교하여 여러 유도에서 이소성 P파가 넓고, 크고, 움푹 파이고, 이상성

(biphasic) 또는 조금이나마 다른 것을 찾아낼 수 있다.

　P파의 형태에 관하여 마지막으로 한마디만 한다면, 만약 운이 좋아서 빈맥의 발생 시점을 잡아낸 경우 주로 심방 조기수축에 의해 시작됨을 알 수 있을 것이다. 심방 조기수축을 유발하는 P파의 형태와 빈맥 자체에서 발견되는 P파는 동일하거나 매우 유사하다(**그림 15-2**). 그 이유는 두 경우에 있어서 과민한 이소성 곳이 같기 때문이다. 시작점의 P파의 형태는 상심실성 빈맥의 정확한 율동을 확인하는데 매우 유용한 도구이다.

　빈맥 동안에 방실결절을 통한 전도는 정상이거나, 연장되어 있다. 그러나 이것은 모든 경우에서 직접적으로 정상적이거나 또는 연장된 PR 간격으로 해석되지는 않는다. 13장과 14장에서 논의하였듯이 이소성 곳의 위치나, 회귀 회로 또한 PR 간격의 길이에 영향을 미치기 때문이다. 만약, 방실결절 근처에 기시부나 회귀 회로가 있다면 PR 간격은 예상보다 더 짧아질 것이다. 그 반대도 마찬가지이다. 그래서 여러 가지 요소의 조합으로 인해, 같은 환자의 동성 박동군과 비교해, 이소성 박동군의 PR 간격은 짧거나, 혹은 같거나, 연장될 수 있다.

　간혹 빈맥의 심박수는 방실결절이 자극을 전송할 수 있는 속도를 넘어선다. 이런 현상이 발생하면 방실결절은 심실로 넘어가는 전도를 일부 차단하게 된다. 이것을 방실 차단이 존재한다고 말한다(방실 차단에 대해서는 추후에 더 자세히 토의할 것이다). 국소성 심방빈맥의 경우, 심방은 빈맥이나 심실 박동수는 정상 범위 안에 있을 수 있다. 전통적으로 방실결절 차단이 있는 국소성 심방빈맥은 차단이 동반된 발작성 심방빈맥이라고 부르기도 한다. 다음 장에서 이 특별한 경우에 대하여 깊이 살펴볼 것이다. 지금은 그 존재만 알고 있도록 한다.

　QRS군은 모양과 기간이 모두 정상이다. 단 예외는 빈맥으로 인해 박동수와 연관된 편위전도가 발생하거나 기존에 가지고 있던 각차단이 있는 경우이다. 전해질 불균형도 또한 QRS군의 연장을 일으키기도 한다. 전기적 교대도 가끔씩 나타난다. 이것은 전형적으로 빈맥 때문이지 다른 병적인 원래질환으로 인한 것은 아니다.

　ST 분절은 흔히 하강할 수 있으며 2 mm 이상 하강하기도 하여 허혈성처럼 보이기도 한다. ST 분절은 빈맥의 종료와 동시에 원래선으로 복귀해야 한다. ST 분절의 변화에 대해서는 항상 고도이 주의를 가지고 접근해야 한다. 흰지의 임상적 상태와 혈역학적 상태는 심전도를 판독하는데 있어서 중요한 요소임을 항상 명심하자.

　임상적으로 환자는 이 빈맥을 잘 견디는데 이것은 심실 박동수가 다른 빈맥보다 느리기 때문이다. 방실 차단은 매우 빠른 심방 박동수에서 자주 보이며, 적절한 혈역학적 수치 유지를 돕는다. 성인에 있어 재발하는 경향이 있고 완치를 위해서는 도자 절제술이 필요하기도 하다.

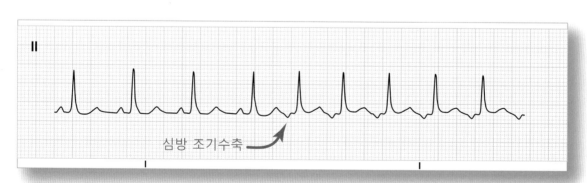

심방 조기수축

그림 15-2. 이 리듬은 정상 동율동으로 시작한다. 그림에서 PAC 로 표시된 것은 역위된 P파를 나타내고 있으며, 이것이 이소성 심방빈맥을 유도하며 심방 조기수축과 같은 형태의 P파를 보이고 있다. 이는 이소성 심방빈맥의 전형적인 특징이다.

From *Arrhythmia Recognition: The Art of Interpretation*, courtesy of Tomas B. Garcia, MD.

이소성 심방빈맥

박동수 :	분당 100회에서 200회 사이. 250회 까지 가능
규칙성 :	규칙적
P파 :	존재
형태 :	상이함
II, III, aVF에서 상향 :	가끔씩
P: QRS 비 :	1:1 ; 방실 차단이 발생할 수 있음
PR 간격 :	정상, 연장
QRS 폭 :	정상
그룹화 :	없음
탈락 박동 :	없음

이소성 심방빈맥

1. 원인 미상
2. 심근병증
3. 심장 판막 질환
4. 심근 경색
5. COPD와 폐질환
6. 디곡신 중독 독성
7. 다른 약물 : theophylline
8. 도자 절제술 이후 혹은 수술

상기 목록은 이소성 심방빈맥의 흔한 원인에 대해 열거하였지만 전체를 포함하지는 않는다.

심전도 스트립

심전도 1

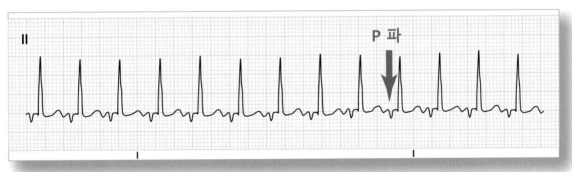

From *Arrhythmia Recognition: The Art of Interpretation*, courtesy of Tomas B. Garcia, MD.

박동수 :	분당 약 135회	PR 간격 :	정상, 일정
규칙성 :	규칙적	QRS 폭 :	정상

P파 :
  형태 :
  축 :
	있음
	역위
	비정상
		그룹화 :	없음

		탈락 박동 :	없음
P:QRS 비 : 1:1		리듬 :	이소성 심방빈맥

심전도 1은 저명한 빈맥을 가진 환자에서 유도 II의 뒤집어진 P파를 관찰할 수 있다. 이런 소견들은 국소성 심방빈맥과 일치한다. QRS군은 정상 넓이이며, 다소의 ST 분절 하강이 있다. ST 분절 하강은 빈맥과 연관된 것이지만 허혈이 이번 빈맥의 원래 원인이 아님을 확인하기 위한 임상적인 고려가 반드시 필요하다. 급성 심근경색증은 성인에서 국소성 심방빈맥을 유발할 수 있다.

심전도 2

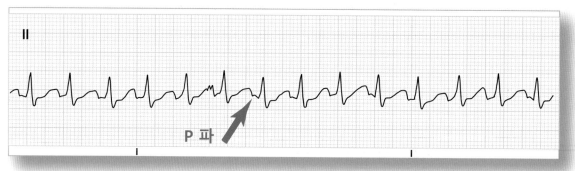

From *Arrhythmia Recognition: The Art of Interpretation*, courtesy of Tomas B. Garcia, MD.

박동수 :	분당 약 140회	PR 간격 :	정상, 일정
규칙성 :	규칙적	QRS 폭 :	정상

P파 :
  형태 :
  축 :
	있음
	역위
	비정상
		그룹화 :
		
		탈락 박동 :
			없음
			
			없음

P:QRS 비 : 1:1		리듬 :	이소성 심방빈맥

이 기록지에서 P파를 찾아내기가 꽤 어렵다. 잘 살펴보면 T파의 끝에 갑자기 푹 꺼지면서 작게 뒤집어진 부분이 보일 것이다. 이는 뒤집어진 P파가 T파 속에 묻혀있는 것이다. 이는 몇몇 박동군에서 잘 나타나 있는데 예를 들면, 마지막 박동군에서 볼 수 있다. 규칙적인 율동과 일관성 있게 뒤집어진 소견은 국소성 심방빈맥을 시사하는 소견이다. 이 환자의 정상 동율동 기록지와 비교해보면 P파의 형태 변형을 확인할 수 있다.

심전도 3

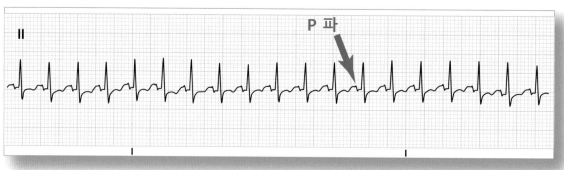

From *Arrhythmia Recognition: The Art of Interpretation*, courtesy of Tomas B. Garcia, MD.

박동수 :	분당 약 190회	PR 간격 :	정상, 일정
규칙성 :	규칙적	QRS 폭 :	정상

P파 :
  형태 :
  축 :
	있음
	역위
	비정상
		그룹화 :
		
		탈락 박동 :
			없음
			
			없음

P:QRS 비 : 1:1		리듬 :	이소성 심방빈맥

이번에는 굉장히 빠른 빈맥이다. 속도가 너무 빨라서 P파가 T파 속으로 거의 묻혀버렸다. 그러나 이 P파는 이상성이다(돋보기를 통하여 확대해보는 것이 좋은 방법이다). 이렇게 빠른 박동수는 국소성 심방빈맥에서 보기 힘들 것이다. 왜냐하면 심박수가 빨라질수록 방실결절에서 차단을 유발하기 때문이다. 다음 장에서 살펴볼 것이지만, 빠른 심방 박동이 방실결절에서 차단되어 보다 느린 심실 박동수를 유도하는 것은 빠른 국소성 심방빈맥의 경우 더 일반적이다.

심전도 4

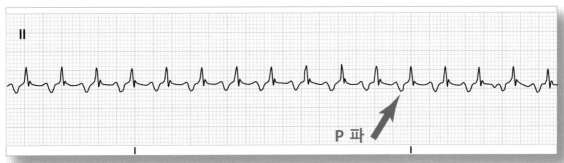

From *Arrhythmia Recognition: The Art of Interpretation,* courtesy of Tomas B. Garcia, MD.

박동수 :	분당 약 155회	PR 간격 :	정상, 일정
규칙성 :	규칙적	QRS 폭 :	정상
P파 : 　형태 : 　축 :	있음 역위 비정상	그룹화 :	없음
		탈락 박동 :	없음
P:QRS 비 : 1:1		리듬 :	이소성 심방빈맥

　이 국소성 심방빈맥은 분당 약 155회의 빠른 심박수를 보여준다. 이 케이스에서 뒤집어진 P파를 볼 수 있다. P파의 바로 앞의 양성파는 끝이 잘린 T파이다. 묻혀진 P파는 빈맥의 속도가 빨라짐에 따라 발생 빈도도 더 많아진다. 연장된 PR 간격으로 인해 더 P파가 묻혀져 보일 수 있다.

심전도 5

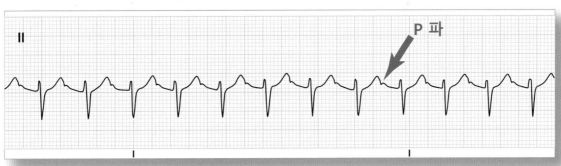

From *Arrhythmia Recognition: The Art of Interpretation,* courtesy of Tomas B. Garcia, MD.

박동수 :	분당 약 120회	PR 간격 :	정상, 일정
규칙성 :	규칙적	QRS 폭 :	정상
P파 : 　형태 : 　축 :	있음 역위 비정상	그룹화 :	없음
		탈락 박동 :	없음
P:QRS 비 : 1:1		리듬 :	이소성 심방빈맥

　심전도 5는 좁은 QRS군 빈맥이다. P파가 저명하게 보이진 않지만 자세히 살펴보면 T파의 마지막에 작게 뒤집힌 홈이 있다. 이것이 묻혀진 P파이다. PR 간격은 정상이다.

심전도 6

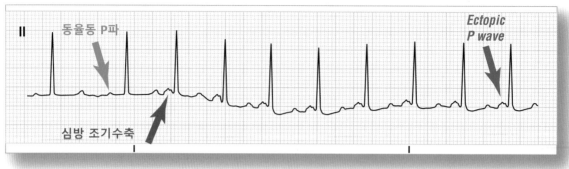

동율동 P파

Ectopic
P wave

심방 조기수축

From *Arrhythmia Recognition: The Art of Interpretation*, courtesy of Tomas B. Garcia, MD.

박동수 :	분당 약 115회	PR 간격 :	정상, 일정
규칙성 :	규칙적	QRS 폭 :	정상
P파 : 　형태 : 　축 :	있음 역위 비정상	그룹화 :	없음
		탈락 박동 :	없음
P:QRS 비 : 1:1		리듬 :	이소성 심방빈맥

심전도 6은 국소성 심방빈맥의 발생을 보여준다. 기록지의 시작에(녹색 화살표) 정상 동율동의 P파 형태를 잘 살펴보자. 그리고 빈맥을 유발하는 심방 조기수축이(분홍색 화살표) 있다. 빈맥 내의 이소성 P파(파란 화살)와 심방 조기수축의 P파가 같은 모양임을 알 수 있다. 만약에 운이 좋아서 이렇게 빈맥의 발생을 심전도로 기록할 수 있다면 율동을 판별하는데 있어서 이것이 국소성 심방빈맥 발생의 일반적인 형태임을 알 수 있을 것이다.

단원 복습

1. 이소성 심방빈맥은 다음에 의해서 유지된다.
   A. 동결절
   B. 이소성 심방 병소
   C. 방실결절
   D. 회귀성 운동
   E. b와 d

2. 이소성 심방빈맥은 보통 조기 심방수축에 의해 발생된다. 전형적으로 조기 심방수축의 P파와 빈맥에서의 P파는 똑같은 모양이다. (맞다 / 틀리다)

3. 발작성 심방빈맥은 이소성 심방 심박동기에 의해 유발된 동일한 빠른 율동을 표현하는 또 다른 용어이다. (맞다 / 틀리다)

4. 이소성 심방빈맥은 상심실성 빈맥의 약 _____% 를 차지한다.
   A. 5
   B. 10
   C. 15
   D. 20

5. 만일 심방 박동수가 분당 230회 이상이면, 이 리듬은 이소성 심방 심박동기에 의해 만들어 질 수 없다. (맞다 / 틀리다)

6. 발생 초기의 이소성 심방빈맥은 약간 불규칙적일 수도 있다. (맞다 / 틀리다)

7. 이소성 심방빈맥에서 이차성 ST 분절 하강이 발생할 수 있다. (맞다 / 틀리다)

8. ST 분절의 하강은 항상 빈맥에 의한 것이므로 허혈의 가능성은 없다. (맞다 / 틀리다)

9. 이소성 심방빈맥은 항상 양성 질환이고 결코 응급 치료를 필요로 하지 않는다. (맞다 / 틀리다)

10. 다음의 경우에는 이소성 심방빈맥을 일으킬 수도 있다.
    A. 디곡신 중독
    B. 심근경색증
    C. 심근병증
    D. 만성 폐쇄성 폐질환과 폐질환
    E. 위의 모두 다.

제 16 장

차단을 동반한 국소성 심방빈맥

목표

1. 차단을 동반한 국소성 심방빈맥을 정의하고 진단 기준에 대해 나열한다.

2. 차단을 동반한 국소성 심방빈맥에 보이는 차단의 종류에 대해 서술하고 매우 빠른 빈맥을 예방하기 위한 심장의 억제 기능에 대해 이해한다.

3. 차단을 동반한 국소성 심방빈맥에서 발생할 수 있는 혈역학적 장애에 대해 이해하고, 임상적 불안정을 유발하는 기전에 대해 설명한다.

4. 추가적인 유도나 12유도 심전도의 필요성에 대해 토의. 차단을 동반한 국소성 심방빈맥을 유도 II 만 가지고 진단할 때 발생할 수 있는 문제점 고려한다.

5. 차단을 동반한 심방빈맥과 유사한 부정맥을 나열한다.

6. 차단을 동반한 국소성 심방빈맥을 야기할 수 있는 감별 진단에 대해 생각해 보고, 생명을 위협할 수 있는 상황에 대해 인지한다.

7. TP 분절 근처에 존재하는 P파의 임상적 중요성에 대해 서술한다.

8. 차단을 동반한 국소성 심방빈맥을 유발할 수 있는 임상적 상황에 대해 이해한다.

9. 심전도에서 차단을 동반한 국소성 심방빈맥을 진단한다.

들어가며

이 장에서 다룰 내용은 사실 앞장의 연속이다. 그렇다면 이렇게 같은 토픽을 왜 2개로 나누어 놓았을까? 그 이유는, 주제가 조금 다르기도 하고 진단에 있어 차이점이 있기 때문이다. 특히 이것은 유도에 매우 의존적이며 P파는 가끔씩 유도 II에서 확인이 불가능하다. 또한 차단을 동반한 국소성 심방빈맥은 심방조동 또는 다른 상심실성 빈맥으로 잘못 인식되기도 한다. 그리고 이런 부정맥들은 모두가 다른 치료 방향을 가지고 있다. 차단을 동반한 국소성 심방빈맥을 정확하게 판별하는 것이 다양한 유발인자들을 유추하게 되어 환자의 생명을 구하는 데 도움이 될 것이다.

전통적으로 차단을 동반한 국소성 심방빈맥은 차단을 동반한 발작성 심방빈맥으로 알려져 있다. 이 용어는 많은 임상의사들에 의해 최근까지도 자주 쓰이고 있다. 다른 명칭들은 변하였는데 왜 이것은 아직 그대로일까? '차단을 동반한 발작성 심방빈맥'이 차단을 동반한 국소성 심방빈맥 보다 더 익숙해서일 것이다. 어쨌든 두 가지 용어에 대해 익숙해져서 같은 임상적 실체를 지칭한다고 이해하도록 하자. 하여간 이 2개의 심전도 진단으로 판단되면 디곡신 중독 환자의 가능성을 생각하여야 한다. 이 부정맥은 거의 디곡신 중독 환자에서만 특징적으로 발생하는 경향이 있다. 이런 이유로 모든 임상이나 심전도 초보자 및 전문가에게 있어 이를 진단하는 것이 매우 중요하다.

이 장에서 우리는 국소성 심방빈맥의 진단 기준에 대하여 토의하지 않을 것이다. 진단 기준은 앞장에 있으니 필요하면 찾아보도록 한다. 이 장에서는 차단과 부정맥 판독에 대하여 집중하고자 한다.

진단 기준

차단을 동반한 국소성 심방빈맥의 진단적 기준은 아래와 같다(**그림 16-1**).

1. 150에서 250회/분 사이의 국소성 심방빈맥(드물지만 더 빠를 수 있음)
2. 모든 유도에서 이소성 P파 사이에 등전위 원래선으로 복귀
3. 2도나 3도의 방실 차단

우리는 분당 100에서 200회 사이의 빠른 심방 전기 자극에 의해 발생하는 것이 국소성 심방빈맥이라는 것을 알고 있다(250회/분까지 상승할 수 있고 드물게 더 빠를 수도 있다). 차단을 동반한 국소성 심방빈맥은 이런 범주의 빠른 끝 자락에 위치하며 분당 약 150에서 250회이나 드문 경우 더 빠를 수도 있다. 지금까지 우리는 각각의 P파가 QRS를 유발하는 것만 보아왔다. 이제는 하나 이상의 P파가 QRS를 유도하는 것에 대해 이야기 할 것이다.

6장에서 보았듯이, 심장은 매우 빨리 뛰는 것을 좋아하지 않는다는 것은 증명된 사실이며 특히 심실에서 그러하다. 왜냐하면 매우 빠른 심실 박동에서는 심실을 적절하게 충만할 시간적 여유가 없기 때문이다. 방실 판막이 열리면서 혈액이 심실로 밀려들어가는 이완기 동안 심실 충만의 대부분이 이루어진다는 것을 생리학 시간에 배웠을 것이다(**그림 16-2**, A와 B). 이것은 이완기의 급속 충만기로 알려져 있다. 이완기의 마지막 시점에 심실이 거의 다 찼을 때 심방이 수축하여 약간의 혈액을 심실로 보내 과충만하게 한다(**그림**

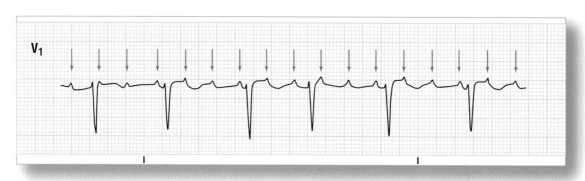

그림 16-1. 다양한 차단을 동반한 이소성 심방빈맥. P파를 쉽게 판별하기 위해 파란색 화살표로 표시하였다.

From *Arrhythmia Recognition: The Art of Interpretation*, courtesy of Tomas B. Garcia, MD.

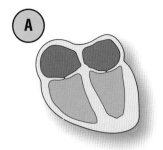
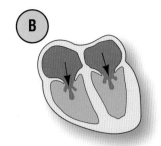
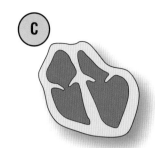

그림 16-2. 급속 충만기와 심방 수축에 의한 과충만

© Jones & Bartlett Learning.

16-2C). 이 과충만은 심장근육을 팽창시키고, 수축력을 증가시키는데 도움을 준다. 결과적으로 대동맥으로 강력하게 혈액을 뿜어주어 혈압을 유지하게 된다. 이런 기계적 과정은 시간을 요하는데 빠른 빈맥에서는 이 시간이 부족하게 된다.

그렇다면 밀려오는 심방 자극의 빠른 맹공으로부터 심실은 어떻게 자신을 보호할 수가 있을까? 붙박이 문지기인 방실결절이 과도한 자극으로부터 심실을 보호한다. 차단된 심방 자극에 의해서 주어진 여유 시간은 충분히 심실을 채울수 있게 해서 심박출량을 유지하게 된다. 추가적인 심방 자극이 심실을 과충만시킬 수 있을까? 그렇게 할 수 없는 이유는 심방이 최대 용량을 채우지 못함으로 심실로 박출하는 혈액의 양이 소량이기 때문이다. 그래서 방실 차단은 매우 빠른 국소성 심방빈맥의 방어 기전이며 신체의 생존 도구이다.

차단을 동반한 국소성 심방빈맥은 항상 2도 또는 3도의 방실 차단과 연관되어 있다. 1도 방실 차단은 심실이 적절하게 충만하기 위해 필요한 시간을 충족시키지 못하는데 Wenckebach 1형 2도 방실 차단 또는 2형 2도 방실 차단에서는 가능하다.

차단을 동반한 국소성 심방빈맥을 말로 설명하는 것은 동빈맥을 기술하는 것보다 좀 더 복잡하다. 방실 차단은 심방 박동수와 심실 박동수를 다르게 한다. 게다가 심방이든, 심실이든 율동은 규칙적일 수도 불규칙적일 수도 있다. 이런 복잡한 율동을 올바르게 기술하는 방법은 심방의 율동을 먼저 기술하고 그 다음 심실을 기술하는 것이다. 그래서 다음과 같이 판독할 수 있다. 분당 (   )회의 속도를 가진 국소성 심방빈맥과 동반된(2도/3도/다양한) 방실 차단이 (2:1/3:1/등등)의 심실 전도가 발생하여(규칙적/불규칙적)인 분당 (   )회의 심실 박동을 가진다라고 기술할 수 있다 (방실 차단에 대한 토의는 28장을 참고).

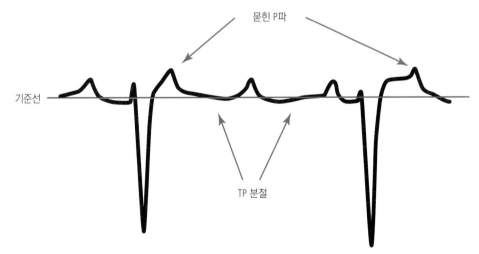

그림 16-3. 차단을 동반한 국소성 심방빈맥의 P파. P파는 작게 관찰되며, P-P 간격동안 기준선으로 돌아온다. 이 그림에는 숨겨진 P파가 2개 있는데 하나는 QRS 군 직후에, 다른 하나는 ST 분절 안에서 관찰된다.

© Jones & Bartlett Learning.

차단을 동반한 국소성 심방빈맥의 P파들

그림 16-1과 3의 P파를 자세히 보자. 각각의 P파가 분리된 것을 볼 수 있다. P파는 기록지의 원래선 분절들에 의해 둘러싸여 있다. 이 규칙의 예외는 다른 파 안에 매몰된 경우이다. P파는 QRS군, ST 분절, T파 안에 묻힐 수 있다.

이 중요한 진단적 포인트를 되짚어 보자면, 차단을 동반한 국소성 심방빈맥의 P파는 분리된 존재로 각각의 P파들 사이에서 정상 원래선이 놓이게 된다. 이 포인트는 심방조동과 국소성 심방빈맥을 어떻게 감별할 것인가를 토의할 때 중요하다.

P파를 분석할 때, P파의 벡터로 인해 각각의 유도에서 기록되는 형태가 상이함을 꼭 명심해야 한다. 이것의 임상적 의미는 개별 환자에서 어느 유도가 P파를 제일 잘 관찰할 수 있는지 알 수 없다는 것이다. P파의 벡터는 각각의 환자에서 모두 다르다. 어떤 환자에서는 유도 I에서 상향이며 잘 관찰되는 것과 동시에 aVF에서는 등전위이며 심전도상 나타나지 않을 수 있다. 그러나 또 다른 환자에서는 그 반대가 될 수도 있다. 어찌되었던 간에 일반적으로 P파를 가장 잘 볼 수 있고 평가할 수 있는 유도를 하나만 꼽으라면 V₁ 유도가

되겠다. 여기에 대해 좀 더 자세히 알아 보자.

유도 II 의 문제

그림 16-4를 보자. 무슨 율동인가? 기록지 전체에서 구분 가능한 P파가 보이지 않는다. 율동은 완전히 불규칙적이고 박동수는 정상 범위에 있다. QRS군은 정상인데 ST 분절에 미미한 비특이적 변화가 있다. 기존에 알고 있던 부정맥에 대한 배경지식을 가지고, 이 기록지만 보면 아마도 심방세동이라 말할 수 있다. 맞을 수도 있지만 그것이 정답일까?

이제, 같은 환자에서 얻은 아래의 기록지를 보자(**그림 16-5**). 2개의 율동이 너무나 다르게 보이는 원인을 설명할 수 있겠는가? 대답은 각각의 유도에 있다. **그림 16-4**는 유도 II 이고 **그림 16-5**는 유도 V₁이다. V₁에서 찍은 기록지에는 P파가 명백히 기록되어 있다. P파는 되풀이 되고, 복제되며 일정하다. 그래서 심방세동의 가능성을 완전히 날려버린다.

그렇다면 무슨 리듬인가? 주어진 정보를 차분히 그리고 순서에 따라 조사해 보자. 앞에 언급하였듯이, P파는 규칙적이다. 게다가 매우 **빠르다**. 이것은 심방빈맥이 확실하다. 이제, 이 P파는 동성 P파의 형태와 일치하는가? 이런 합당한

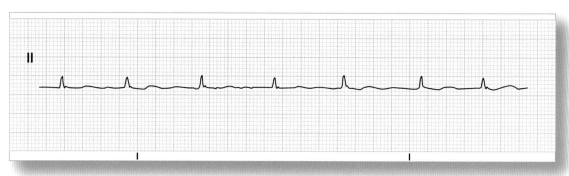

그림 16-4. 이 리듬은 무엇인가?

From *Arrhythmia Recognition: The Art of Interpretation*, courtesy of Tomas B. Garcia, MD.

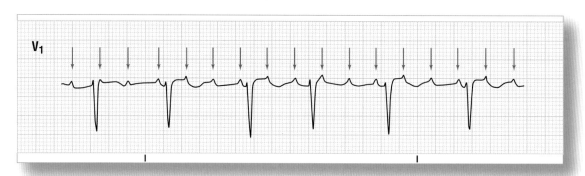

그림 16-5. 무슨 리듬인가? 유도 II 에서는 잘 관찰되지 않던 P파가 V₁ 에서는 명확히 구분된다.

From *Arrhythmia Recognition: The Art of Interpretation*, courtesy of Tomas B. Garcia, MD.

의문에 대해 답하기 위해서는 과거의 심전도가 필요한데, 일단 다르다고 생각하고 계속 진행해 보자.

심방은 얼마나 빠를 수 있는가? 심방 박동수는 약 200회/분이다! 동빈맥의 일반적인 박동수는 100-160회/분 사이이며 220회/분까지도 보고되기는 하였다. 이것은 동빈맥 스펙트럼의 빠른쪽 끝에 위치한다. 국소성 심방빈맥은 주로 100에서 200회/분 사이이다. 그러나 박동수가 250회/분에 이르는 것도 드물지 않다. 그러므로 국소성 심방빈맥이 보다 근접한 대답이 될 것 같다. 하지만 확신할 수 없다.

유도 II에서 P파가 상향인가? P파는 정상적으로 유도 II에서 상향이다. 왜냐하면 정상 심방 탈분극 파는 유도 I, II를 향해서 이동하기 때문이다(**그림 16-6**). **그림 16-1**에서 P파는 유도 II와 등전위이다. 이는 최소한 심방의 P파 축이 정상이 아니라는 것을 의미한다. 달리 말하자면 P파가 이소성 곳에서 시작했을 가능성이 높다. 이런 정보들과 박동수를 종합해보면, 국소성 심방빈맥의 가능성이 점차 높아진다. 이전 기록지의 동성 P파 형태가 이를 확증할 것이다.

차단을 동반한 국소성 심방빈맥에 있어 유도 II의 문제점에 대한 토의를 마치기 위해 중요한 임상적 요점을 보도록 하자. 보통 심방빈맥에 대한 심실 반응은 일정하다. 그러나 **그림 16-4와 5**에서의 심실 반응은 불규칙하다. 이것은 다양한 방실 차단 때문에 일어난다(전체적 토론 내용은 28장을 참고). 만약 유도 II의 P파가 등전위 또는 작은 진폭이라면 기록지의 형태는 노련한 임상의라 할지라도 심방세동으로 쉽사리 잘못 진단할 수 있다. 비정상 율동에 접근할 때, 특히 차단이 동반된 국소성 심방빈맥은 항상 고도의 의심을 가지고 판독해야 한다.

또한 차단을 동반한 국소성 심방빈맥에 대해 명심해야 할 임상적 요점은 많은 경우에서 디곡신 중독과 연관되어 있다는 것이다. 오늘날 디곡신은 일차적 사용이 무엇인가? 주로 만성 심방세동을 조절하기 위하여 쓰인다. 만약 **그림 16-4**와 같은 기록지를 본다면 바로 심방세동으로 진단 내릴 것이고 다시 한 번 생각해보지 않을 것이다. 그리고 치료의 일환으로 실제 환자에게 더 많은 디곡신을 처방할 것이다. 만약 환자의 율동이 디지탈리스 중독에 의해서 차단을 동반한 국소성 심방빈맥이었다면 이것이 치명적인 실수라는 것을 상상할 수 있을 것이다. 디지탈리스 중독 환자에게 더 많은 디지탈리스를 주는 것은 불난 집에 기름을 붓는 것과 마찬가지다.

이 장에서 꼭 기억하고 넘어가야 할 것은 유도 II만 가지고 율동을 진단하는데 의존하지 말라는 것인데, 특히나 차단을 동반한 국소성 심방빈맥에서는 더욱 그렇다. 만약 P파가 등전위이거나 작은 진폭이라면 진단을 놓칠 수 있는 확률이 매우 높아질 수 있다. 환자의 율동 변화를 관찰할 때, 특히 디곡신을 복용하고 있는 환자의 경우에, 12유도 심전도 전체를 얻어야 하며, 율동을 바르게 분석하기 위하여 모든 유도를 살펴보아야 한다.

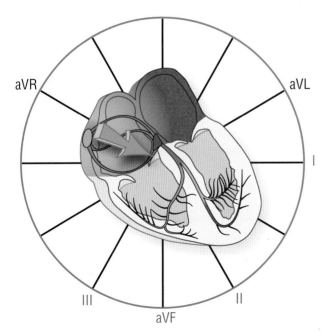

그림 16-6. 동결절과 P파의 축. 이 그림에서 P파의 축은 파란색 화살표로 표시하였고 이는 하방, 좌측을 향하고 있다. 이는 유도 I, II를 향하는 벡터로 이들 유도에서 상향파를 나타낸다. 동결절에서 기원한 자극은 하방, 좌측으로만 이동할 수 있어서 P파는 유도 I, II, III, aVF, V₅, V₆에서 상향파로 나타난다.

부정맥 정리

차단을 동반한 이소성 심방빈맥

박동수 :	심방 150-250회/분. 다양한 심실 박동수
규칙성 :	규칙적 혹은 규칙적으로 불규칙적
P파 :	존재
형태 :	상이함
II, III, aVF에서 상향 :	가끔씩
P: QRS 비 :	방실 차단 형태에 따라 다양
PR 간격 :	방실 차단 형태에 따라 다양
QRS 폭 :	정상
그룹화 :	일반적으로 없음
탈락 박동 :	있음

감별진단

차단을 동반한 이소성 심방빈맥
1. 디곡신 중독
2. 진행된 심질환. 허혈성 심근병증 등등
3. 체내 칼륨 완전 소진
4. 만성 폐쇄성 폐질환

임 상 적 요 점

만약 2개의 QRS군들 사이 중간 부위에 있는 P파를 발견하면, 묻혀있는 P파부터 찾아보아야 한다. 매우 긴 PR 간격은 2:1 차단을 동반한 부정맥보다 그 빈도가 훨씬 적다.

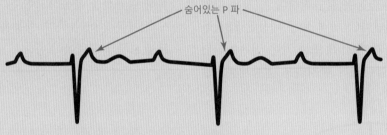

숨어있는 P 파

그림 16-7. 이것은 1도 방실 차단을 동반한 동율동이 아니다.

© Jones & Bartlett Learning.

쉬운 방법은 다음과 같다.

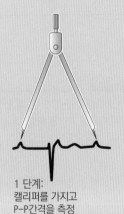

P-P 간격의 절반

1 단계:
캘리퍼를 가지고 P-P간격을 측정

2 단계:
심전도 용지를 이용하여 이 길이의 절반을 구함

3 단계:
묻혀있는 P파를 확인

그림 16-8. 묻혀있는 P파를 찾아내는 방법

© Jones & Bartlett Learning.

심전도 스트립

심전도 1

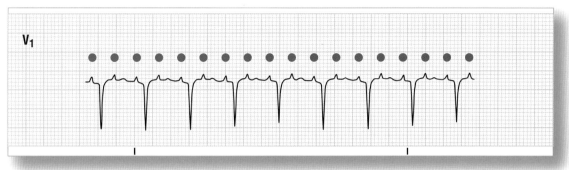

From *Arrhythmia Recognition: The Art of Interpretation*, courtesy of Tomas B. Garcia, MD.

박동수 :	심방: 분당 약 240–250회 심실: 분당 약 120회	PR 간격 :	다양함
규칙성 :	규칙적	QRS 폭 :	정상
P파 : 형태 : 축 :	있음 V₁ 유도에서 상향 알 수 없음	그룹화 :	없음
		탈락 박동 :	있음
P:QRS 비 : 2:1		리듬 :	차단을 동반한 이소성 심방빈맥

심전도 1은 V₁에서 측정한 것이다. 유도 II는 판독하는데 별로 도움이 되지 않는다. 이것은 2:1 방실 차단을 동반한 국소성 심방빈맥이다. 심방과 심실의 율동은 기록지 전체에서 규칙적이다. QRS군들은 정상적인 형태이며 빈맥으로 인한 전기적 교대가 미약하게 보이고 있다. 여기서 파란 점은 P파를 나타낸다.

심전도 2

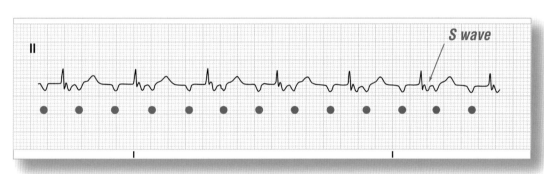

From *Arrhythmia Recognition: The Art of Interpretation*, courtesy of Tomas B. Garcia, MD.

박동수 :	심방: 분당 약 145회 심실: 분당 약 72회	PR 간격 :	규칙적
규칙성 :	규칙적	QRS 폭 :	정상; 0.11 초
P파 : 형태 : 축 :	있음 역위 비정상	그룹화 :	없음
		탈락 박동 :	있음
P:QRS 비 : 2:1		리듬 :	차단을 동반한 이소성 심방빈맥

일견 이 기록지는 매우 긴 PR 간격을 가진 동율동처럼 보인다. 그러나 뒤집어진 P파(파란 점으로 표시)를 주목하자. 이것은 P파가 이소성임을 의미한다. 임상의 진주에서 언급하였듯이 PR 간격이 매우 연장되어 있을 때 묻혀 있는 P파가 있는지 확인해야 한다. 확실히 QRS군의 S파의 끝에 묻혀진 P파가 있다. 이 환자에서는 유도 II가 P파를 관찰하는데 가장 좋다.

심전도 3

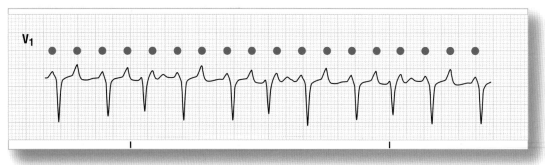

From *Arrhythmia Recognition: The Art of Interpretation*, courtesy of Tomas B. Garcia, MD.

박동수 :	심방: 분당 200회를 조금 상회 심실: 분당 약 120회	PR 간격 :	다양함
규칙성 :	규칙적으로 불규칙	QRS 폭 :	정상
P파 : 　형태 : 　축 :	있음 V₁ 유도에서 상향 알 수 없음	그룹화 :	없음
		탈락 박동 :	있음
P:QRS 비 : 다양함		리듬 :	차단을 동반한 이소성 심방빈맥

　이것은 V₁에서 기록한 심전도이다. P파는 규칙적이나 심실 반응은 다양한 방실 차단으로 인하여 불규칙적이다. 이것은 차단을 동반한 국소성 심방빈맥에서 추측하듯이 P파들 사이 분절은 원래선으로 돌아간다. 다소의 전기적 교대를 보이는데 빈맥 그 자체 때문일 것이다. 미세한 QRS 형태 변화도 관찰되는데 이는 P파들과의 융합으로 인한 것이다.

심전도 4

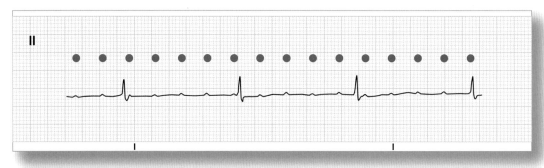

From *Arrhythmia Recognition: The Art of Interpretation*, courtesy of Tomas B. Garcia, MD.

박동수 :	심방: 분당 약 200회 심실: 분당 약 45회	PR 간격 :	다양함
규칙성 :	규칙적	QRS 폭 :	정상
P파 : 　형태 : 　축 :	있음 상향 정상	그룹화 :	없음
		탈락 박동 :	있음
P:QRS 비 : 다양함		리듬 :	차단을 동반한 이소성 심방빈맥

　이 심전도는 이 책의 첫 번째 3도 방실 차단의 예이다. 지금까지 기록지는 Type II 2도 방실 차단 혹은 다양한 방실 차단을 보여주었다. 여기서 볼 수 있는 것은 QRS군은 좁고 규칙적이나 완전히 P파와 해리되어 있다는 것이다. 이 심전도 진단은 다음과 같이 기술할 수 있다: 완전 3도 방실 차단과 약 45회/분의 접합부 이탈율동이 동반된 약 200회/분의 이소성 심방빈맥

심전도 5

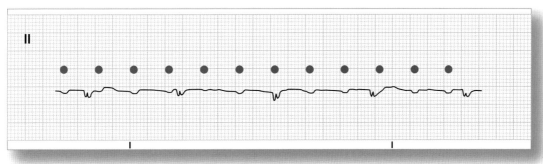

From *Arrhythmia Recognition: The Art of Interpretation*, courtesy of Tomas B. Garcia, MD.

박동수 :	심방: 분당 약 150회 심실: 분당 약 55회	PR 간격 :	다양함
규칙성 :	규칙적	QRS 폭 :	정상
P파 : 　형태 : 　축 :	있음 상향 정상	그룹화 :	없음
		탈락 박동 :	있음
P:QRS 비 :	다양함	리듬 :	차단을 동반한 이소성 심방빈맥

이 기록지는 규칙적 심실 반응을 보이는 완전 3도 방실 차단을 보여준다. 이 QRS군은 유도 II에서 정상 폭의 범위 안에 있어 접합부 이탈율동으로 생각된다. 그러나 이것이 심실 박동군들이 아니라는 것을 확인하기 위해 다른 유도상의 QRS군을 측정하는 것이 필요하다. 만약 어느 것이라도 0.12초를 넘는다면 심실 이탈율동이라 할 수 있다.

심전도 6

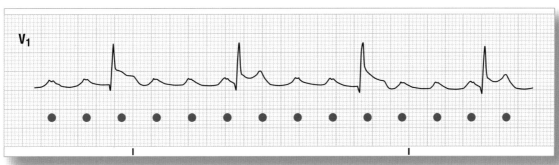

From *Arrhythmia Recognition: The Art of Interpretation*, courtesy of Tomas B. Garcia, MD.

박동수 :	심방: 분당 약 160회 심실: 분당 약 45회	PR 간격 :	다양함
규칙성 :	규칙적	QRS 폭 :	정상
P파 : 　형태 : 　축 :	있음 상향 알 수 없음	그룹화 :	없음
		탈락 박동 :	있음
P:QRS 비 :	다양함	리듬 :	차단을 동반한 이소성 심방빈맥

이것은 3도 방실 차단과 접합부 이탈율동이 동반된 국소성 심방빈맥이다. 유도 V₁에서의 ST 분절의 상승에 주목하자. 이것은 육안적으로 비정상이다. 이것은 묻혀진 P파 때문이 아니다. P파는 단지 첫 번째와 세 번째에서만 ST 분절에 묻혀있다. 두 번째 그리고 네 번째 T파는 P파와의 융합 때문에 다른 것들보다 더 뾰족하고 더 크다. 이 환자의 부정맥 원인은 아마도 급성 심근경색증일 것이다. 12 유도 심전도를 응급으로 시행하도록 해야 한다.

단원 복습

1. 차단을 동반한 국소성 심방빈맥과 바꾸어 사용할 수 있는 일반적인 용어는?

    A. 차단을 동반한 빠른 심방빈맥(RAT with block)

    B. 차단을 동반한 갑상선 중독성 다소성 심방빈맥 (MATT with AV block)

    C. Juvenile atrial coronary killer with block (JACK with block)

    D. 차단을 동반한 발작성 심방빈맥(PAT with block)

2. Focal AT with block은 일반적으로 양성의 율동이다. (맞다 / 틀리다)

3. 차단을 동반한 이소성 심방빈맥의 일반적인 심박동수는

    A. 100-150회/분의 심방 박동수

    B. 150-250회/분의 심방 박동수

    C. 80-120회/분의 심실 박동수

    D. 방실 차단에 따른 다양한 박동수

    E. B와 D

4. 차단을 동반한 이소성 심방빈맥의 이소성 P파는 어떤 유도에서는 쉽게 놓칠 수 있다. 이들은 P-P간격 사이가 원래선으로 돌아가는 특징이 있다. (맞다 / 틀리다)

5. 묻혀있는 P파는 차단을 동반한 이소성 심방빈맥에서 드물다. (맞다 / 틀리다)

6. 다음 중 틀린 것은?

    A. 차단을 동반한 이소성 심방빈맥은 1도 방실 차단과 동반될 수 있다.

    B. 차단을 동반한 이소성 심방빈맥은 type I 2도 방실 차단과 동반될 수 있다.

    C. 차단을 동반한 이소성 심방빈맥은 type II 2도 방실 차단과 동반될 수 있다.

    D. 차단을 동반한 이소성 심방빈맥은 3도 방실 차단과 동반될 수 있다.

    E. 차단을 동반한 이소성 심방빈맥은 다양한 방실 차단과 동반될 수 있다.

7. 방실 차단은 심장을 보호하는 작용을 하기도 한다. (맞다 / 틀리다)

8. 차난을 동반한 이소성 심방빈맥에서 심방 박동들은 항상 규칙적이거나 거의 규칙적이다. 심실 반응은 방실 차단의 정도에 따라서 규칙적이거나 불규칙적이다. (맞다 / 틀리다)

9. 차단을 동반한 이소성 심방빈맥에서 묻혀 있는 P파는 유도 V_1에서 항상 명확하게 볼수있다. (맞다 / 틀리다)

10. 모든 율동의 이상을 확인하기 위해서는 유도 II 만 보면 된다. (맞다 / 틀리다)

제 17 장

유주 심방 박동기

목표

1. 유주 심방 박동기를 정의하고, 진단 기준을 나열한다.

2. 유주 심방 박동기의 두 가지 형태학적 변이를 비교하고, 가장 흔한 변이 설명한다.

3. 완전히 불규칙적 율동의 형성을 서술한다.

4. 유주 심방 박동기를 유발할 수 있는 임상적 상황에 대해 나열한다.

5. 심전도에서 유주 심방 박동기의 두 가지 형태를 진단한다.

초보자들을 위한 교과서

이 책에서 규칙성에 대한 개념을 알아보았고 각 율동의 감별진단 작성의 중요성에 대해 보았다. 이 장에서는 감별 진단을 다루기 위한 규칙성에 대해 알아보고자 한다.

규칙성을 판단할 때 가장 먼저 규칙적인가 불규칙적인 가를 보아야 한다. 본능적으로 우리는 많은 생각을 하지 않아도 규칙적인지 판단할 수 있다. 다음 과정은 좀더 복잡한데, 만약 율동이 불규칙적이라면, 규칙적 불규칙인가 완전히 불규칙적인가를 알아보아야 한다. 규칙적 불규칙한 율동은 원래의 규칙적인 패턴이 있고 몇 개의 불규칙한 맥박이 있다. 완전히 불규칙적 율동은 특정 패턴이나 규칙성이 없고, 무질서하다. 이러한 무질서한 율동은 여러 개의 박동기가 동시에 작동할 때 관찰할 수 있다.

규칙성과 불규칙성의 개념은 초심자에게 혼란스러울 수 있다. 예를 들어, 음악과 춤의 규칙성과 비슷하다. 밴드가 음악을 연주할 때 드러머에 의해 박자가 정해진다. 모든 구성이 이 박자를 바탕으로 이루어진다. 결과적으로 춤추기 좋다.

규칙적 불규칙성 율동은 춤추는데 약간의 노력이 필요한데, 이는 메트로놈 같은 규칙적인 박자가 아니기 때문이다. 기본적으로 규칙적인 박자를 갖지만, 특정 이벤트에 의해 방해받을 때가 있다. 간단하고 예측 가능할수록 춤추기가 더 좋을 것이다.

완전히 불규칙적인 율동은 특정한 라임조차 없다. 이 음악은 듣기 싫고 춤추기가 거의 불가능하다. 순차적인 생각이나 움직임이 이러한 리듬에서는 거의 불가능하다.

완전히 불규칙적 율동은 3가지로 나누어 볼 수 있다. 유주 심방 조율기, 다형성 심방빈맥 그리고 심방세동이다. 완전히 불규칙적 율동을 보았다면 우선 이 세 가지를 떠올려라.

8장에서 다룬 정상 동율동, 동서맥, 동빈맥이 60회와 100회의 2개의 임의의 경계로 나누어짐을 기억하고 있는가? 이 논리를 완전히 불규칙적 율동에 적용해보자. 유주

심방 박동기는 3개 혹은 그 이상의 P파를 갖는 완전히 불규칙적 맥박으로 심박수는 100회 미만을 보인다. 이 맥박에서 적어도 3개의 박동기가 심방에 퍼져 있는 것을 알 수 있다. 이 상황에서 3개 혹은 이상의 P파 형태를 보이며, 각각의 PR 간격과 각자의 고유 심박수로 박동하게 된다.

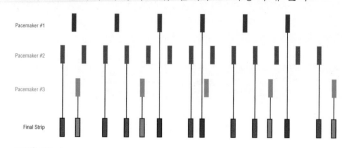

그림 17-4.
© Jones & Bartlett Learning.

심전도 기계는 여러 박동기를 판독하기 위해 노력한다. 결과적으로 이러한 여러 개의 심박수는 불규칙한 맥박으로 나타나게 된다. P on T 현상이 흔히 관찰된다. **그림 17-4**에서 보는 것처럼 3개의 서로 다른 박동기를 생각해보자. 만약, 독립적이라면 각각의 박동기는 각자의 고유 심박수를 보일 것이다. 심방 조기수축이 동결절을 리셋하고, 이 이소성 맥박들이 동결절을 연속적으로 재설정하는 것을 기억하자. 3개 혹은 이상의 심박수가 겹쳐져서 특정한 규칙성을 전혀 찾을 수가 없다.

동율동에서 보았던 것처럼, 심박수는 다른 상황, 예를 들면 폐질환 등에 의해 영향을 받는다. 이소성 맥박이 빠르게 작용하면, 심박수가 100회 이상도 빨라질 수 있다. 이러한 율동은 다형성 심방빈맥으로 정의한다. 추후에 다루겠지만, 수많은 박동기들이 존재하며, 각각의 P파는 휴지기에 도달하기 전의 매우 적은 부분에서만 심방을 포획할 수 있다. 기계적으로, 이러한 상황이 심방 근육을 수만 번의 개별 수축을 하게 만들고, 따라서 능동적 펌핑이 일어날 수 없다. 이러한 리듬을 심방세동이라고 한다.

이 세 가지 율동은 기전은 비슷하다. 진단이 임상적으로 어떤 의미를 갖는가? 율동 기록지를 보자. 율동이 완전히

불규칙적인 것을 알 수 있다. 즉시, 유주 심방 박동기, 다형성 심방빈맥 또는 심방세동인가? 라고 생각할 수 있고 다음으로 P파가 있는가? 를 생각해야 한다. P파가 없다면 심방세동이다. P파가 있으면 진단은 유주 심방 박동기 혹은 다형성 심방빈맥일 것이다. 심박수는 어떠한가? 만약 100회보다 느리면 진단은 유주 심방 박동기가 된다. 100회 이상이면 다형성 심방빈맥으로 진단한다.

—Daniel J. Garcia

들어가며

13장에서 우리는 다발성 혹은 빈발성 심방 조기수축을 살펴보았다. 그런 심전도의 기본적인 형태는 항상 원래에 기본적인 율동(정상 동율동, 동서맥, 동빈맥)이 있고, 심방 조기수축은 이런 규칙성을 깨뜨리며 가끔씩 발생하는 "이벤트"라는 것이다.

이번 장에서는 무작위로 발생하는 이소성 심방 박동군에 의해 유발되는 두 개의 완전히 불규칙적인 율동 중 그 첫 번째를 살펴볼 것이다. 이 두 개의 율동에는 유주 심방 박동기와 다발성 심방빈맥이 있다.

유주 심방 박동기에 대해 깊게 들어가기에 앞서, 용어 문제를 분명히 해야 한다. 유주 심방 박동기의 고전적 정의와 실제 임상에서 일어나는 것 사이에 혼란이 존재한다. 우리는 이 2가지 "주제의 변주"에 대해 따로 논의할 것이고, 그렇게 하는 것이 각각의 특징을 이해하는데 더 쉽기 때문이다. 유주성 심방 박동기라는 같은 용어로 양쪽의 심전도를 기술하는 것에 유의하자.

유주 심방 박동기 : 고전적 정의

전통적으로, 유주 심방 박동기는 동결절과 이소성 박동기 사이에서 박동 기능이 왔다 갔다 할 때 나타난다고 생각하였다. 이런 결과로 기록된 심전도는 박동군들의 규칙성에 약간의 변화를 보이면서 다양한 P파 모양을 나타내는 특징이 있다. 이는 동부정맥과 매우 유사하나 P파의 모양이 다양하다는 것에서 차이가 있다.

실제로 이러한 형태의 유주 심방 박동기는 동결절 자체 내에서 박동기 위치가 진동하기 때문이라는 것을 알고 있다. 130 페이지를 기억해 보면, 정상 동율동의 P파는 모양이 약간씩 다를 수도 있으며 그 이유는 심방 자극의 기원점이 약간씩 다르기 때문이다(**그림 17-1**). 유주 심방 박동기의 전통적인 정의는 이런 기전이 과장된 것이라 할 수 있다.

동결절은 심방 내의 기다란 구조물이다. 호흡으로 인해 호흡성 변화나 대사성 변화가 올 수 있고 이것은 자극을 실제적으로 만들어내는 주된 심박동기 부위에 일시적인 기복을 가지고 올 수 있다. 율동 기록지에서 심박수가 빠른 경우(흡기 시)에는 박동 부위가 결절의 위쪽 끝 부분에서 일어나고 그 결과로 P파는 높아지고 PR 간격은 길어진다. 율동이 느린 부분(호기 시)에서는 박동 부위가 결절 아래로 이동하고 P파도 낮아지며 PR 간격도 짧아진다. 이 설명은 왜 고전적 정의의 유주 심방 박동기에서 율동이 동부정맥과 유사한지를 보여준다(**그림 17-2**). 이것은 기본적으로 동일 과정의 과장된 반응일 뿐이다.

유주 심방 박동기 : 임상적 변이

위에서 언급한 유주 심방 박동기라는 전통적 정의에 부합하는 경우에 더하여, 일상적인 임상에서 더 흔하게 일어나지만 공식명칭을 가지지 못하는 또 다른 변이가 있다. 임상적으로 유주 심방 박동기는 각각의 심박수로 작동하는 여러개(3개 이상)의 이소성 심방 박동기에 의한 완전히 불규칙적인 율동을 말한다. 그 결과로 율동은 기본적인 규칙성이 없고 완전히 혼돈상태이다. 그러나 유주 심방 박동기의 심박수는 항상 분당 100회/분 미만인 것에 유의하여야 한다.

이런 유형은 심방 비대나 호흡기 질환(예:COPD)을 가진 환자에게 나타나기 때문에 전통적 양상보다 흔하게 관찰된다. 이런 임상적 상황은 일상 업무에서 비교적 흔하기 때문에 이런 율동 이상은 비교적 흔히 접할 수 있다. 임상가들은

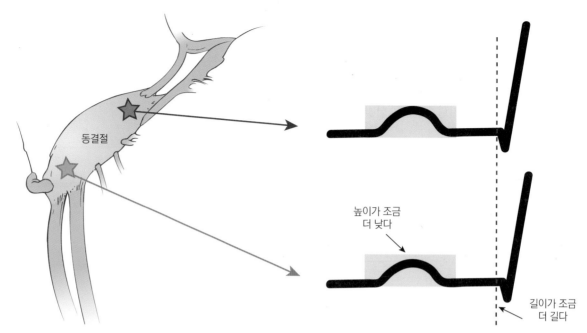

동결절

높이가 조금
더 낮다

길이가 조금
더 길다

그림 17-1. 정상 동율동의 P파는 심방 자극 기원의 위치가 약간씩 달라짐에 따라 형태상으로 약간 다르게 나타날 수 있다.

© Jones & Bartlett Learning.

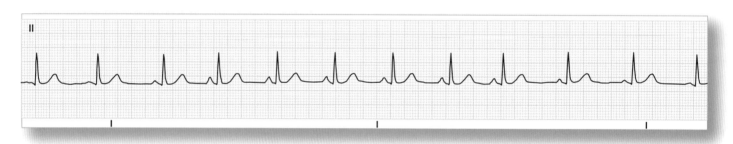

그림 17-2. 유주 심방 박동기

From *Arrhythmia Recognition: The Art of Interpretation*, courtesy of Tomas B. Garcia, MD.

이 부정맥을 이름지어야 했기 때문에 이것을 유주 심방 박동기라고 하였다.

이 부정맥이 어떻게 발생하고 율동 기록지에서 또 어떻게 보이는가? 우리는 이미 6장에서 규칙성에 대해 토의하면서 이런 정보들을 일부 살펴 보았으나, 이 개념에 대해 다시 한 번 재검토해 볼 필요가 있다.

이런 유형의 유주 심방 박동기는 적어도 3개의 심방 박동기가 작동할 때 발생한다. 13장에서 토의한 것처럼 각각의 심방 박동기는 심방 내에 고유의 3차원적 위치가 있다. 이런 위치 관계 때문에 각각의 P파 모양이나, PR 간격이 나타나며, 독특한 심전도 형태가 나타난다(**그림 17-3**).

이러한 차이 외에도, 각각의 위치는 특징적인 박동수를 가진다. 이제 이 3개의 심박동기들을 개별적으로 추적한다고 가정해보자. **그림 17-4**에서 보면, 각각의 박동군들을 단

순화를 위해 고유한 색깔이 있는 작은 직사각형 모양으로 나타내었다. 개별적인 심박동기는 고유의 심박수를 가지고 있음을 볼 수 있다. 그러나 실제적 동시적 박동군들은 서로를 상쇄시키기도 한다. **그림 17-4** 아래의 종합한 율동 기록지가 그 결과를 보여준다.

이런 유형의 유주 심박동기의 혼돈 상태를 가중시키는 두 가지 요소에 대해 아직 언급하지 않았는데 그것은 과민성과 융합이다. 고유의 심박동기 박동수에 추가하여, 앞에 이야기 한 임상상태에서 이소성 심방 기원은 전형적으로 과민한 경향이 많다. 앞서 보았다시피 과민함은 조기 박동군을 유도하고 나아가 율동의 규칙성을 변화시킨다. 박동군의 여러 구성 요소들의 융합이나 박동군들 사이의 융합도 발생하는데 이로 인해 유주 심방 박동기의 빈발성 편위전도와 기묘한 융합파들을 구성하게 되는 것이다.

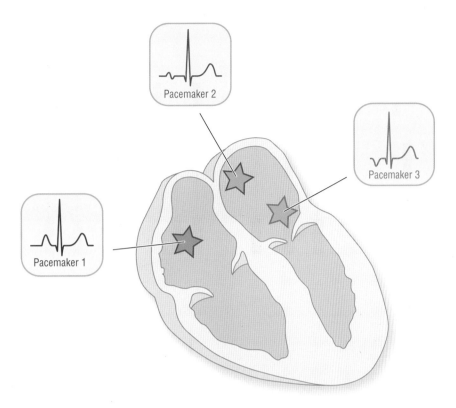

그림 **17-3.** 3개 이상의 다른 위치의 심박동기가 유주 심방 심박동기를 형성하기 위해 작동한다. 각 각의 위치는 각기 다른 형태의 P파와 PR 간격을 나타낸다.

© Jones & Bartlett Learning.

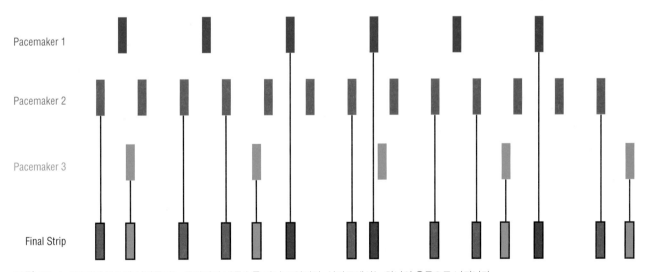

그림 **17-4.** 3가지의 이소성 심박동기는 독립적인 박동수를 지니고 있지만, 심전도에서는 하나의 율동으로 나타난다.

© Jones & Bartlett Learning.

그림 17-5의 최종 율동 기록지는 이러한 유주 심방 박동 기의 전형적인 패턴을 보여준다. 그러므로 유주 심방 박동 기의 정의는 다음과 같다.

심실 박동수가 분당 100회 미만이며 완전히 불규칙적인 율동으로, 기록지상에 고유의 PR 간격을 가지는 3개 이상의 상이한 P파 형태를 보이는 율동이다. 빈번한 조기 심방 수축 과는 달리 원래의 규칙적 율동이 없는 것이 특징이다.

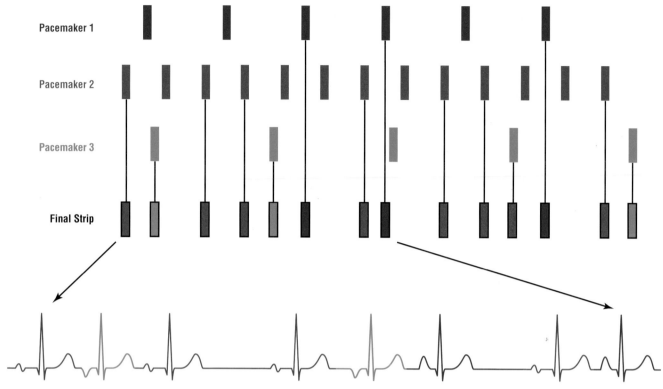

그림 17-5. 율동에 규칙성이 전혀 없는 것을 알 수 있다. 실제로 과민함과 융합파는 분석을 더 어렵게 만든다.

© Jones & Bartlett Learning.

부정맥 정리

유주 심방 박동기(Wandering Atrial Pacemaker)

박동수 :	분당 100회 미만
규칙성 :	완전히 불규칙적
P파 :	있음
형태 :	다양함
II, III, aVF에서 상향 :	가끔씩
P : QRS 비 :	1:1
PR 간격 :	다양함
QRS 폭 :	정상 혹은 넓음
그룹화 :	없음
탈락 박동 :	가끔씩

감별진단

유주 심방 박동기(Wandering Atrial Pacemaker)

1. COPD
2. 호흡 부전
3. 심방 비대
4. 전해질 이상
5. 약물 : 니코틴, 술 카페인 등등

상기 목록은 모든 가능한 원인을 포함하지 않는다.

심전도 스트립

심전도 1

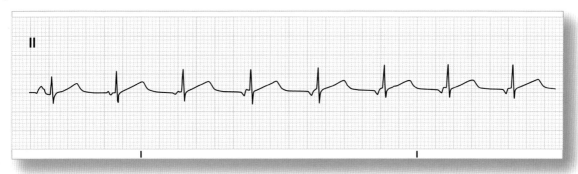

From *Arrhythmia Recognition: The Art of Interpretation*, courtesy of Tomas B. Garcia, MD.

박동수 :	분당 85회 주위	PR 간격 :	다양함
규칙성 :	완전히 불규칙적	QRS 폭 :	정상

P파 :
  형태 :
  축 :
	있음
	다양함
	다양함
		그룹화 :	없음

		탈락 박동 :	있음
P:QRS 비 : 1:1		리듬 :	유주 심방 박동기

심전도 1은 유주 심방 박동기의 고전적 변화를 나타낸다. 상향이다가 뒤집어진 형태의 느리고 점진적인 변화를 하는 P파에 주목해보자. 더 긴 기록지에서는 심박동기들 사이에서 변이가 왔다 갔다 하는 것을 볼 수 있다. 여기서 QRS군과 T파는 같은 모양이다. 빠른 박동수에서 간간이 나타나는 편위전도는 관찰되지 않고 있다.

심전도 2

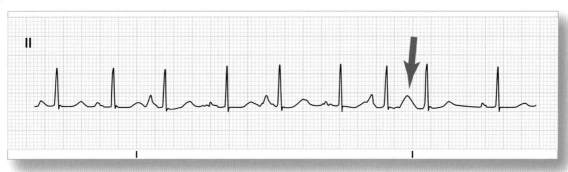

From *Arrhythmia Recognition: The Art of Interpretation*, courtesy of Tomas B. Garcia, MD.

박동수 :	분당 90회 후반	PR 간격 :	다양함
규칙성 :	완전히 불규칙적	QRS 폭 :	정상

P파 :
  형태 :
  축 :
	있음
	다양함
	다양함
		그룹화 :	없음

		탈락 박동 :	없음
P:QRS 비 : 1:1		리듬 :	유주 심방 박동기

위의 기록지는 완전히 불규칙적이면서 3개 이상의 상이한 P파 형태를 볼 수 있다. 사실 처음에 연속되는 3개의 P파만 보아도 형태와 PR 간격이 다른 것을 볼 수 있다. 이것은 유주 심방 박동기의 전형적인 예이다. 파란 화살표로 강조한 지점을 살펴보면 앞서 나온 T파와 뒤따라 나오는 군의 P파가 융합한 것으로 이전에 논의한 P파가 묻히는 현상이다.

심전도 3

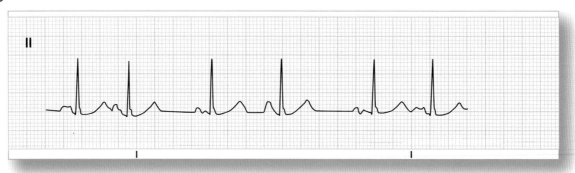

From *Arrhythmia Recognition: The Art of Interpretation*, courtesy of Tomas B. Garcia, MD.

박동수 :	분당 70회에서 80회 주위	PR 간격 :	다양함
규칙성 :	완전히 불규칙적	QRS 폭 :	정상
P파 :	있음	그룹화 :	없음
형태 :	다양함		
축 :	다양함	탈락 박동 :	없음
P:QRS 비 :	1:1	리듬 :	유주 심방 박동기

위 기록지에서 상이한 P파의 형태와 PR 간격을 구별해 내는 것은 쉽다. 적어도 3개의 상이한 P파 형태를 포함한 완전히 불규칙적인 율동으로 임상적인 진단은 유주 심방 박동기이다.

심전도 4

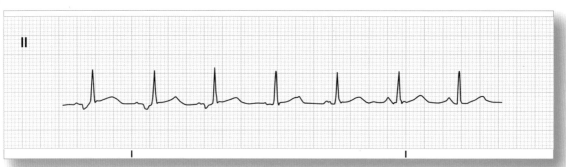

From *Arrhythmia Recognition: The Art of Interpretation*, courtesy of Tomas B. Garcia, MD.

박동수 :	분당 90회 주위	PR 간격 :	다양함
규칙성 :	완전히 불규칙적	QRS 폭 :	정상
P파 :	있음	그룹화 :	없음
형태 :	다양함		
축 :	다양함	탈락 박동 :	없음
P:QRS 비 :	1:1	리듬 :	유주 심방 박동기

위 기록지는 유주 심방 박동기의 고전적인 형태이다. 앞부분의 음성의 P파 형태에서 기록지 끝 부분의 정상적인 형태로의 P파의 느린 변화에 주목하자. 조심할 것은, 정상 동율동의 이전 심전도와 비교해 보기 전까지는 어떤 P파도 동성 P파와 유사하다고 말할 수 없다는 것이다.

심전도 5

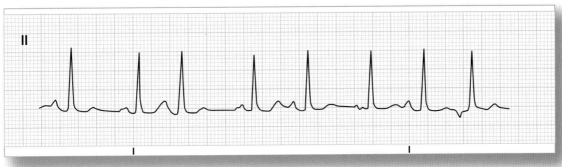

From *Arrhythmia Recognition: The Art of Interpretation*, courtesy of Tomas B. Garcia, MD.

박동수 :	분당 90회 후반	PR 간격 :	다양함
규칙성 :	완전히 불규칙적	QRS 폭 :	정상
P파 : 　형태 : 　축 :	있음 다양함 다양함	그룹화 :	없음
		탈락 박동 :	없음
P:QRS 비 : 1:1		리듬 :	유주 심방 박동기

　　상이한 P파의 형태와 PR 간격을 포함한 완전히 불규칙적인 율동이 있다. 적어도 3개의 상이한 P파 형태가 있으므로 유주 심방 박동기라고 말할 수 있다. 두 번째 군의 T파와 세 번째 군의 P파가 합쳐졌다. 하나의 비정상적인 T파가 기록지에서 보이면 묻혀진 P파에 대해 꼭 생각해야 한다.

심전도 6

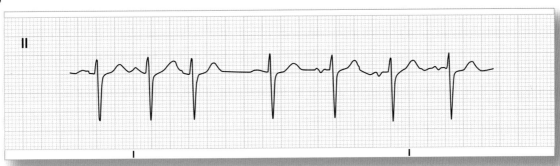

From *Arrhythmia Recognition: The Art of Interpretation*, courtesy of Tomas B. Garcia, MD.

박동수 :	분당 90회 후반	PR 간격 :	다양함
규칙성 :	완전히 불규칙적	QRS 폭 :	정상
P파 : 　형태 : 　축 :	있음 다양함 다양함	그룹화 :	없음
		탈락 박동 :	없음
P:QRS 비 : 1:1		리듬 :	유주 심방 박동기

　　위 기록지는 아주 명확한 유주 심방 박동기이다. 3번째 P파는 두번째 군의 T파에 묻혀 있다.

단원 복습

1. 유주 심방 박동기(wandering atrial pacemaker)는 3개의 _____ 리듬 중 하나이다.

2. 3개의 완전히 불규칙적인 율동을 모두 고르시오.

   A. 유주 심방 박동기 wandering atrial pacemaker

   B. 심방 조기수축 PAC

   C. 다소성 심방빈맥 Multifocal atrial tachycardia

   D. 심방세동 Atrial fibrillation

   E. 가속성 접합부 Accelerated junctional

3. 호흡으로 인한 호흡 변이와 대사 변화는 동결절 내의 실제적인 주요 자극 발생 부위를 일시적으로 요동치게 할 수 있다. (맞다 / 틀리다)

4. 임상적으로 유주 심방 박동기(wandering atrial pacemaker)는 고유의 박동수로 흥분하는 여러 개의(또는 더 많은) 이소성 심방 박동기에 의해 형성된 완전히 불규칙적인 율동이다.

5. 유주 심방 박동기와 일반적으로 연관성이 있는 것을 고르시오

   A. 젊은 환자

   B. 고령 환자

   C. 만성 폐쇄성 폐질환

   D. 방실결절 기능이상

   E. 동성 서맥 증후군

6. 고전적인 유주 심방 박동기는 동 부정맥과 자주 혼동된다. (맞다 / 틀리다)

7. 항상 단지 3개의 이소성 심방 박동 병소 만이 유주 심방 박동기와 관련되어 있다. (맞다 / 틀리다)

8. 유주 심방 박동기에서 박동군들마다 다른 파는 무엇인가?

   A. P파

   B. QRS군

   C. PR 간격

   D. QT 간격

   E. A 와 C 둘 다

9. 유주 심방 박동기는 완전히 ____한 율동이다.

10. 다소성 심방빈맥의 평균 심방 박동수는 100회/분 보다 _____ 다.

제 18 장

다소성 심방빈맥

목표

1. 다소성 심방빈맥을 정의하고 진단 기준에 대해 나열한다.
2. 유주 심방 박동기와 다소성 심방빈맥의 진단 기준을 비교한다.
3. 유주 심방 박동기와 다소성 심방빈맥의 복잡성에 대해 토의한다.
4. 다소성 심방빈맥을 유발할 수 있는 임상 상황에 대해 나열한다.
5. 심전도에서 다소성 심방빈맥을 진단한다.

들어가며

앞장에서 유주 심방 박동기의 기본적인 원리를 이해하였으므로, 이제는 유사한 관계에 있는 다소성 심방빈맥에 대해 알아보도록 하겠다. 정상 동율동과 동빈맥의 관계에 대해 토의하였던 것을 기억해보면, 정상 동율동과 동빈맥은 기본적으로 같은 율동인데 다만 심박동수 또는 분당 박동수의 범위의 차이에 따른 것이라고 한 것이 떠오를 것이다. 유주 심방 박동기와 다소성 심방빈맥 또한 같은 맥락이다. 기본적으로는 같은 율동이지만 다른 심박수 범위를 가지고 있

다. 유주 심방 박동기가 100회/분 미만이라면 다소성 심방빈맥은 100회/분 이상이다.

기본적으로 다소성 심방빈맥은 100에서 150회/분 사이의 빠른 빈맥이며(250회/분까지도 가능) 적어도 3개의 서로 다른 이소성 심방 박동 병소에서 혼돈된 자극을 유발하기 때문에 발생한다(**그림 18-1**). 결과적으로 다양한 P파의 형태와 PR 간격, P-P 또는 R-R 간격을 가지는 완전히 불규칙적인 또는 무질서한 율동이 발생한다(**그림 18-2**). 또한 이 빈맥 율동과 관련된 심박동기에서 더 많은 자극을 만들어내기 때문에, 융합이나 편위전도가 유주 심방 박동기보다 더

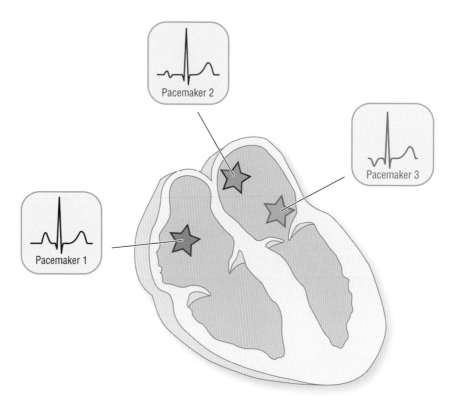

그림 18-1. 3개 이상의 서로 다른 이소성 병소에서 무질서하고 빠른 율동을 형성한다. 유주 심방 박동과 마찬가지로 각각 서로 다른 형태의 P파와 PR 간격을 나타낸다.

© Jones & Bartlett Learning.

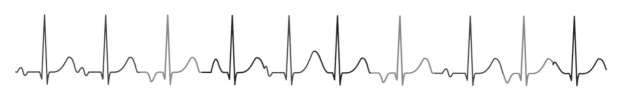

그림 18-2. 다소성 심방빈맥의 심전도는 다양한 P파의 형태, PR, P-P, R-R 간격을 관찰할 수 있다. 빈맥으로 인해 P파와 T파의 융합과 QRS군의 편위전도가 흔히 관찰된다.

© Jones & Bartlett Learning.

흔하게 일어난다.

　지금 다루고 있는 주제는 완전히 불규칙적인 심장 율동이고 유주 심방 박동기와 다소성 심방빈맥 모두 무질서한 율동인데 이들의 심박수는 일시적으로 정상에서 빈맥의 범위까지 또는 그 반대로 변할 수 있다. 예를 들면, 대부분의 P-P간격이 60에서 80회/분 사이인데 그 중에 한 두개의 박동군이 120회 이상인 경우가 있다. 그러나 아직 이 기록지는 이런 조금의 변수가 있는 것이므로 다소성 심방빈맥이 아닌 유주 심방 박동기로 생각해야 한다. 마찬가지로 대부분의 심전도군이 100-120회 이상의 박동수를 가지고 있는데 일시적으로 느려졌다고 해서 이것이 유주 심방 박동기라고 하지 않는다.

　유주 심방 박동기와 다소성 심방빈맥을 구별할 때, 기록지 전체의 전반적인 박동수를 감안함과 동시에 박동군의 주요 형성을 보고 판단해야 한다. 6초간의 기록지에 나타난 심박수에 10을 곱해서 구한 전반적인 박동수가 100회 이상이면 다소성 심방빈맥이다. 그러나 만약 전반적인 박동수가 100회/분 이하이면 유주 심방 박동기이다.

　박동군의 융합은 대부분의 경우 P파와 T파인데 다소성 심방빈맥에서 흔히 볼 수 있다. 3개 이상의 박동기들이 빠르고 무질서하게 점화하면 다수가 중첩되리란 사실을 쉽게 상상할 수 있을 것이다. 이런 현상의 최종 결과로 묻혀진 P파의 수가 증가하게 되고 T파 위나 QRS군에 위에 P파가 나타나기도 하고 심지어 P파가 차단되기도 한다(**그림 18-3**).

　위에서 언급한 융합과 더불어 편위전도 형태의 QRS군의 모양도 다소성 심방빈맥에서 빈번하게 발생한다. 이는 무질서한 빈맥에서 많은 전기 자극들이 전도계의 절대 또는 상대 불응기에 떨어지기 때문에 일어난다. 앞서 말한 것처럼, 우각차단은 특히나 긴 불응기를 가지기 때문에 심실로 정상적으로 전도되는 자극들이 이곳에서 쉽게 차단되는 경향이 있다(**그림 18-4, 5**). 따라서 우각차단 패턴의 넓은 QRS군의 모양을 보이게 된다. 좌각차단 패턴도 편위전도로 발생할 수 있지만 우각차단 보다는 드물다.

임상적 시나리오

　다소성 심방빈맥이 발생한 대부분의 환자들은 나이가 많으며 호흡기 관련 문제나 호흡 부전을 동반한다. 이 율동은 만성 폐쇄성 폐질환(COPD) 환자에서 흔하게 발견되며 특히 증상 악화기에 잘 나타난다. COPD 악화기의 치료 약물들, 예를 들면 B-adrenergic agonist (albuterol) 등의 약제들도 이 율동을 잘 유발한다. 이 부정맥은 원래 질병이 호전되거나 치료가 되면 보통 소멸된다. 추가적인 치료 전략은 이 책에서 다루지 않겠다.

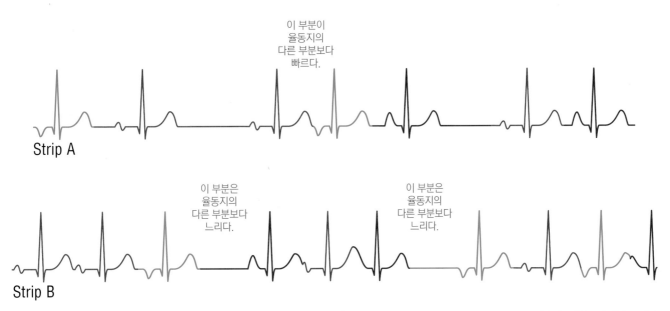

그림 18-3. 심전도A는 유주 심방 박동의 예시이다. 일부 빈맥을 보이는 부분 때문에 심박수가 100회 이상이다라고 말하기 어려우며, 대부분의 맥박도 빈맥 범주에 해당하지 않는다. 심전도 B는 이소성 심방빈맥의 예시이며, 대부분의 박동이 빈맥을 보이며 전반적인 심박수가 100회 이상이다.

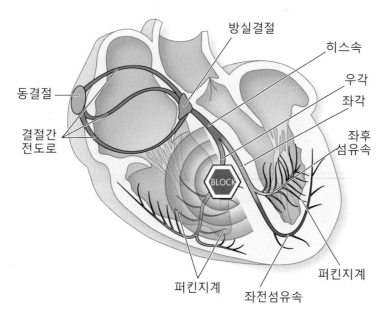

그림 18-4. 우각이 불응기에 있는 동안 전기자극이 도달하게 되면, 우심실은 세포 대 세포 전달로 자극이 전파된다.

© Jones & Bartlett Learning.

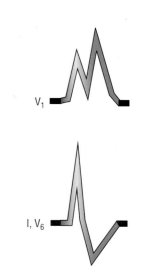

그림 18-5. 우각차단패턴은 우심실을 통한 느린 전도에 의해 발생한다.

© Jones & Bartlett Learning.

부정맥 정리

다소성 심방빈맥 (Multifocal Atrial Tachycardia)

박동수 :	100회-150회 (250회까지 높을 수 있음)
규칙성 :	완전히 불규칙적
P파 :	존재
형태 :	다름
II, III, aVF에서 상향 :	가끔씩
P: QRS 비 :	1:1
PR 간격 :	다양함
QRS 폭 :	정상 혹은 편위전도
그룹화 :	없음
탈락 박동 :	차단된 조기 심방수축 가능

감별진단

다소성 심방빈맥 (Multifocal Atrial Tachycardia)

1. 만성 폐쇄성 폐질환
2. 호흡 부전
3. 전해질 이상
4. 약물 : 니코틴, 알콜, 카페인 등

심전도 스트립

심전도 1

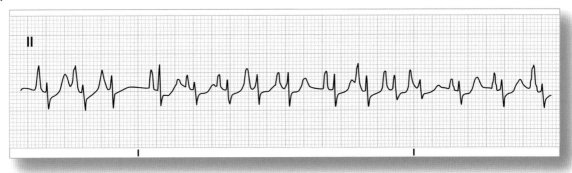

From *Arrhythmia Recognition: The Art of Interpretation*, courtesy of Tomas B. Garcia, MD.

박동수 :	분당 1400에서 150회	PR 간격 :	다양함
규칙성 :	완전히 불규칙적	QRS 폭 :	정상
P파 :	있음	그룹화 :	없음
형태 :	정상		
축 :	정상	탈락 박동 :	있음
P:QRS 비 : 1:1		리듬 :	다소성 심방빈맥

이 심전도는 P파를 구별하기가 매우 쉽기 때문에 첫 시작으로 아주 훌륭하다. P파의 형태가 다양하고 PR 간격도 역시 다양한 것을 볼 수 있다. 율동은 완전히 불규칙적이다. 이것을 종합하면 답이 나온다. 다소성 심방빈맥이다! 추가적으로 중요하게 살펴볼 점은 QRS군 형태이다. 일부 경우에서는 융합이 있고 일부는 편위전도가 발생하였다. 전기적 교대에 따라 QRS군의 높이가 다양해지는데 이는 빠른 부정맥에서 흔히 볼 수 있다.

심전도 2

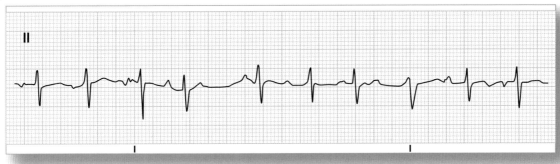

From *Arrhythmia Recognition: The Art of Interpretation*, courtesy of Tomas B. Garcia, MD.

박동수 :	분당 100에서 110회	PR 간격 :	다양함
규칙성 :	완전히 불규칙적	QRS 폭 :	정상 혹은 편위
P파 :	있음	그룹화 :	없음
형태 :	정상		
축 :	정상	탈락 박동 :	차단된 PAC들이 있음
P:QRS 비 : 1:1		리듬 :	다소성 심방빈맥

이 기록지 역시 다양한 P파 형태와 PR 간격을 보여주는 완전히 불규칙적인 율동이다. 이것은 전형적으로 다소성 심방빈맥이거나 유주 심방 박동기이다. 박동군의 대부분은 빈맥의 범주에 합당한 P-P간격을 가지며 전반적인 심박수는 100회/분 이상이다. 다소성 심방빈맥이 이에 합당한 진단이다.

심전도 3

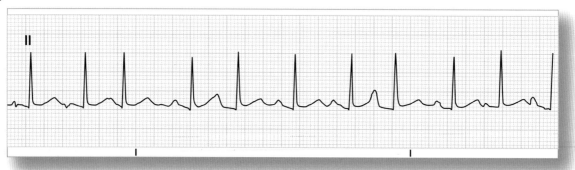

From *Arrhythmia Recognition: The Art of Interpretation*, courtesy of Tomas B. Garcia, MD.

박동수 :	분당 100에서 110회	PR 간격 :	다양함
규칙성 :	완전히 불규칙적	QRS 폭 :	정상
P파 :	있음	그룹화 :	없음
형태 :	정상		
축 :	정상	탈락 박동 :	없음
P:QRS 비 : 1:1		리듬 :	「다소성 심방빈맥

이 기록지는 P파 형태에서 다양성을 지니며 PR 간격도 각각 다르다. 율동은 빈맥이며 완전히 불규칙적 형태이어서 다소성 심방빈맥이라고 진단할 수 있다. 자세히 살펴보면, 일부에서는 P파가 묻혀 있고 P-on-T 현상이 나타난다. 왼쪽에서 3,5 그리고 8번째 박동군에서 묻혀진 P파를 볼 수 있다.

심전도 4

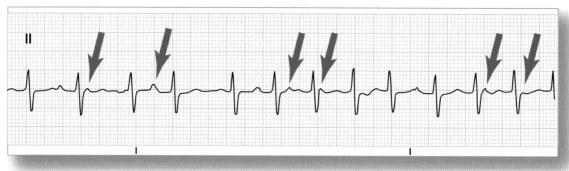

From *Arrhythmia Recognition: The Art of Interpretation*, courtesy of Tomas B. Garcia, MD.

박동수 :	분당 110에서 140회	PR 간격 :	다양함
규칙성 :	완전히 불규칙적	QRS 폭 :	정상
P파 :	있음	그룹화 :	없음
형태 :	정상		
축 :	정상	탈락 박동 :	차단된 PAC들이 있음
P:QRS 비 : 1:1		리듬 :	다소성 심방빈맥

이 무질서하고 빠른 맥박도 다소성 심방빈맥의 모든 특징을 완벽하게 보여준다. 매우 긴 PR 간격을 가진, 묻혀있는 P파도 볼 수 있다. 이 P파는 파란색 화살표로 표시되어 있다. 이 P파 바로 뒤에 따라오는 파는 이전 박동군의 T파이다.

심전도 5

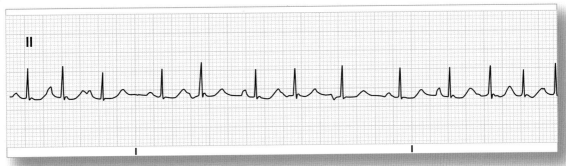

From *Arrhythmia Recognition: The Art of Interpretation*, courtesy of Tomas B. Garcia, MD.

박동수 :	분당 110에서 120회	PR 간격 :	다양함
규칙성 :	완전히 불규칙적	QRS 폭 :	정상
P파 : 있음 　형태 : 정상 　축 : 정상		그룹화 :	없음
		탈락 박동 :	없음
P:QRS 비 : 1:1		리듬 :	다소성 심방빈맥

　이 심전도 기록지는 다양한 P파 형태와 PR 간격을 가진 빈맥 형태의 무질서한 율동으로 다소성 심방빈맥에 합당하다. 또한 몇몇 박동군들에서 묻혀있는 P파를 볼 수 있다. 구별이 가능한가? 왼쪽에서부터 2, 5, 7, 11, 12번째 군들이다. 3번째 P파는 묻혀 있지 않으나 이전 T파 끝부분에 위치하고 있다.

심전도 6

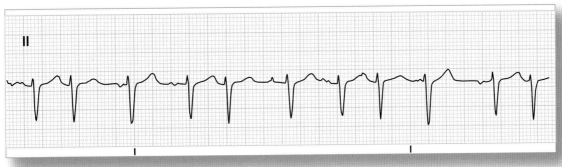

From *Arrhythmia Recognition: The Art of Interpretation*, courtesy of Tomas B. Garcia, MD.

박동수 :	분당 100에서 120회	PR 간격 :	다양함
규칙성 :	완전히 불규칙적	QRS 폭 :	정상
P파 : 있음 　형태 : 정상 　축 : 정상		그룹화 :	없음
		탈락 박동 :	없음
P:QRS 비 : 1:1		리듬 :	다소성 심방빈맥

　좀 과한것 같은 위험이 있지만, 이 기록지 역시 다양한 P파 형태와 PR 간격을 가지는 완전히 불규칙적 율동이다. 이기록지 역시 몇몇의 묻혀진 P파가 있다. 앞서 언급했던 것처럼 이런 유형의 융합은 다소성 심방빈맥에서 매우 흔하다. 이번 심전도는 QRS군이 음성인 것에 주목해야 한다. 복합적인 부정맥을 가진 환자에서 심전도 상의 병리에 대해 완전히 분석하기 위해서는 반드시 12 유도 심전도를 확인해야 한다.

단원 복습

1. 항상 완전히 불규칙적인 3개의 율동은 _____, _____ _____ _____, _____이다.

2. 다소성 심방빈맥은 적어도 3개의 이소성 심방 박동기에 의해 유발되며 박동수는 100회/분 이상이다. (맞다 / 틀리다)

3. 디소성 심방빈맥의 심박수는 결코 150회/분을 넘지 않는다. (맞다 / 틀리다)

4. 융합은 다소성 심방빈맥에서 P파와 T파 사이에 종종 일어난다. 가끔은 P파와 QRS군 사이에도 융합이 일어난다. (맞다 / 틀리다)

5. 편위전도된 박동군은 다소성 심방빈맥에서 드물다. (맞다 / 틀리다)

6. 율동 기록지에서 다양한 심박동수를 보이는 다소성 심방빈맥이 있다. 한 부분은 박동수가 80회/분 이고, 다른 부분에서는 약 225회/분이다. 전체적으로는 약 150회/분 이다. 이 기록지에서 종합적인 심박수는 얼마인가?

   A. 80회/분

   B. 120회/분

   C. 150회/분

   D. 225회/분

7. 편위전도는 보통 _____ 각 차단 형태이다.

8. 다소성 심방빈맥은 대부분 COPD나 호흡 부전 환자에서 발생한다. (맞다 / 틀리다)

9. 다소성 심방빈맥은 단지 COPD나 호흡 부전 환자에서만 발생한다. (맞다 / 틀리다)

10. 나소성 심방빈맥은 보봉 근본적인 상태가 교정될 때 소멸된다. (맞다 / 틀리다)

제 19 장

심방조동

목표

1. 심방조동을 정의하고, 진단 기준을 나열한다.
2. P파와 F파의 차이를 이해한다.
3. 심방조동의 심방 회귀 회로에 대해 토의하고, 톱니 모양의 패턴 형성에 대해 기술한다.
4. 심방조동에서 흔히 발견되는 심방 심박수, 심실 심박수를 기술한다.
5. QRS군의 너비에 대해 토의하고, 원인에 대해 기술한다.
6. 심장을 보호하기 위한 방실 차단의 형성과 방실 전도 비율을 비교한다.
7. 심방조동을 형성하는 임상 상황에 대해 나열한다.
8. 심전도에서 심방조동을 진단한다.

들어가며

심방조동은 큰 회귀 회로(2 cm 이상)에 의한 매우 빠른 심방의 빈맥이며, 심방의 심박수는 250~350회/분에 달한다. 심방 박동군 사이의 등전위 분절이 없다(즉, 심방의 어느 한 부위는 항상 탈분극 상태이다). 심방 파형 사이에 등전위 분절 또는 원래 분절이 없고, 정상 모양이 아닌 P파 형태를 보인다(**그림 19-1**). 심전도 유도에 따라서는 톱니 형태의 P파가 관찰된다.

심방율동의 모양은 간헐적인 심실 반응으로 인한 QRS군과 겹쳐진다. 심실 반응수는 심방 박동수보다 느려서 전형적으로 75~175회/분(보통은 140~160회/분) 사이에 형성된다. 심실 반응은 규칙적이거나 또는 다양한 간격으로 발생하기도 한다.

심방 박동수보다 느린 심실 반응 수는, 방실결절이 상심실성 자극의 전도를 '차단'함으로써 일어나며, 이것은 아주 빠른 심방 박동으로부터 심실을 보호하기 위해서이다. 이것은 전도의 병적인 폐색으로 발생하는 '방실 차단'이 아니다. 대신에 빠르게 계속되는 상심실성 자극으로부터 간헐적으로 불응기를 유발하여 심실을 보호하는 방실결절의 정상적인 방어 기전이다. 이에 대해서는 차후에 자세히 설명하도록 하겠다.

심방조동은 심방내에서 같은 회로를 통해 전기 신호가 반복되는 것이다. 다른 길을 통해 전도되지 않고, 같은 회로를 반복하기 위해서는, 심방 내에 전기적으로 차단이 되어 있는 부분[반흔, scar]이 있어야 한다.

회귀는 이미 탈분극되었던 심장의 부분으로 자극이 되돌아오는 것을 말한다. 결과적으로 탈분극되는 순서와 방향이 반복된다. 세포들을 원의 형태로 나란히 판위에 깔아 놓았다고 가정하자(**그림 19-2**). 그리고 다음과 같은 규칙을 적용한다. 자극은 단지 한 방향으로만 이동할 수 있다. 한 세포에서 일어난 탈분극은 세포 대 세포의 전달로 빠르게 전체로 퍼져 나간다. 이런 흐름은 매우 빨라서 자극이 첫 번째 탈분극되었던 세포로 다시 돌아왔을 때 그 세포는 여전히 불응기에 있어 '재점화' 할 수 없을 것이다(**그림 19-3**).

이제 여기에 또 다른 요소의 추가를 가정해보는데, 이 원형 고리의 어떤 부분은 나머지보다 자극 전달이 느리다고 가정하자(**그림 19-4**). 이 지점에 자극이 도달하면 탈분극파의 전도 속도가 느려진다. 이렇게 되면 자극이 원래 위치로

되돌아왔을 때, 불응기가 끝나고 새로운 자극을 받아들일 준비가 되어 있을 것이다(**그림 19-5**). 이 경우 새로운 자극은 원형 회로를 한 바퀴 돌고 온 첫 번째 탈분극파라는 것에 주목해야 한다. 이것이 심장에서 발생하는 회귀 또는 원형 운동(circus movement)의 원리이다. 자극은 돌고 돌아 트랙 주위로 회로를 형성한다.

우리는 어떻게 회귀 회로가 심장을 계속 탈분극시키는 원형 운동을 지속하는지 알아보았다. 회귀 회로의 크기 제한은 없다. 회로는 작을 수도 있으며, 방실결절처럼 심장 내에 작은 영역에 국한적으로 있을 수도 있는데 이런 형태를 소회귀 회로라고 한다. 마찬가지로 심실 또는 심방의 많은 조직을 포함할 수도 있다. 이런 형태의 큰 회로를 대회귀 회로라고 한다.

심방조동은 우심방내의 대회귀 회로에 의해 발생한다. 회로내 느린 전도부분은 수술적 반흔, 허혈성 심장 질환이나 구조적인 심장질환으로 생길 수 있으며, 우심방이 비대한 경우에도 발생할 수도 있다.

대회귀 회로는 시계방향 또는 반시계 방향 둘 다 발생할 수 있다. 회전 운동 방향에 따라 나타나는 형태상의 차이는

그림 19-1. 심방조동에서 심방 박동군은 톱니 형태의 모양을 나타내며 심방조동의 특징적인 형태이다. 이러한 톱니 모양에 심실 박동군이 겹쳐지거나 융합되어 나타나는 경우 이러한 특징적인 심방 형태를 불분명하게 하여 판독이 어려워질 수 있다.

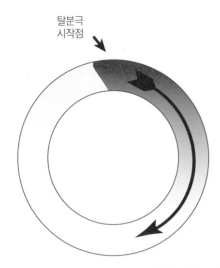

그림 19-2. 최초 탈분극 시작점에서 자극이 유발되면 화살표 방향으로 자극이 퍼져나간다.

© Jones & Bartlett Learning.

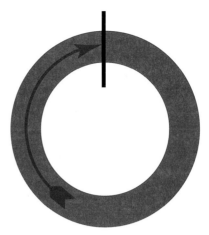

그림 19-3. 탈분극이 최초 시작점에 도달하였을 때(검정 실선) 이 지점이 불응기 상태에 있으면 새로운 자극을 받아들일 수 없고 탈분극은 소멸하게 된다.

© Jones & Bartlett Learning.

그림 19-4. 노란색으로 표시된 지역은 전도가 느린 지역이다. 탈분극은 이 부분을 지나는 동안 지연된다.

© Jones & Bartlett Learning.

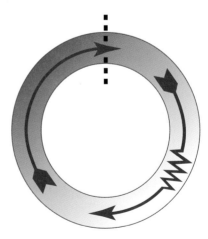

그림 19-5. 탈분극파가 최초 시작점에 도달하였을때(검정색 점선) 불응기를 벗어나 자극을 받아들일 수 있으면, 영속성 회귀가 발생한다.

© Jones & Bartlett Learning.

심방조동의 여러 분류에 있어 주요 진단 기준이다(추가 정보란 참고).

다양한 형태의 심방조동에 대한 정확한 해부학적인 경로가 밝혀져 있다. 이들 경로와 발생할 수 있는 가능한 변이에 대해서는 이 책의 영역을 벗어나는 것으로 넘어가기로 한다. 만약에 더 자세한 내용이 필요하면 상급 부정맥 혹은 전기 생리학 교과서를 참고하기 바란다. 대다수의 독자들은 아직 전기 생리 검사실에 가보지도 않았기 때문에 기본적인 부정맥 진단에 필요한 임상적인 정보만을 언급할 것이다.

우심방의 대회귀 회로를 돌고 온 탈분극파는 매번 좌심방을 자극한다. 좌심방에 의해 형성된 벡터의 방향은 '톱니'의 방향을 결정한다. **그림 19-6**에서와 같이 방향은 II, III, aVF에서 음성이다.

이제 올바른 학술적 용어에 대해 이야기 해보자. '톱니'는 이런 파형에 대한 올바른 임상 용어가 아님을 짐작할 수 있을 것이다. 그래서 심방조동의 심전도 모양을 표현하기 위해 새로운 용어들이 재정되었다. 학술적으로 '톱니'는 단지 심방조동에서만 나타나는 전도의 형태이기 때문에 P파가 아니다. 정상적으로 발생한 P파와 구별하기 위해서 이들을 'F' 또는 'flutter wave(조동파)'라고 표기한다. F파는 서로 붙어서 250~350회/분의 속도로 지속적이며 일정한 파동의 형태로 보이게 된다.

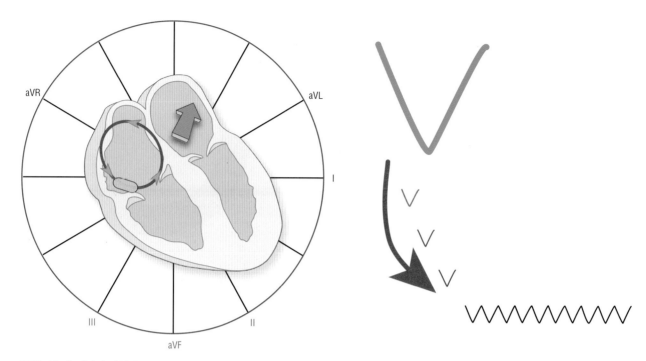

그림 19-6. 반시계 방향의 우심방 대회귀 회로를 그림에 표시하였다. 이는 II, III, aVF 유도에서 상향, 좌측을 향하는 벡터를 갖는 좌심방 탈분극파를 형성한다(보라색 화살표). 이 벡터는 하부 유도에서 하향파의 톱니 형태를 형성하게 되고, 주기가 반복될 때 마다 새로운 톱니모양을 만들어 낸다.

© Jones & Bartlett Learning.

방실결절 전도 비율

　방실결절이 심실의 수문장으로써 기능하는 경우를 앞에서 살펴보았다. 이 기능은 심방조동에서 아주 뚜렷하다. 정상적으로 방실결절이 심방 탈분극을 감지하면 수천분의 1초 동안 자극을 잡아둔 다음 탈분극파를 심실로 전달하여 탈분극을 일으킨다. 심방조동 같은 상심실성 빈맥에서 이런 수문장 역할은 아주 빠르고 위험한 빈맥으로부터 심실을 보호한다.

　빈맥이 아닌 정상 심방 박동수에서, 방실결절은 1:1 의 비율로 자극을 전달한다. 첫 번째 숫자는 발생한 심방군의 숫자이며, 뒤의 숫자는 심실이 탈분극 되도록 심실로 전도된 자극의 숫자이다. 종합해보면 이 표기법은 방실결절이 심실을 한 번 수축하도록 전도를 허용했을 때 발생한 심방 탈분극의 수를 나타낸다. 2:1이라는 숫자는 2번의 심방수축에 1번의 심실수축을 나타낸다. 3:1은 3번 심방수축에 1번의 심실수축을 의미한다. 또한 방실결절을 통한 다른 전도비도 표기할 수 있다. 예를 들어 3:2 전도는 3번 심방수축에 2번의 심실수축이라는 뜻이다.

한가지 더

심방조동의 분류

　심방조동을 분류하는 것은 부정맥의 치료와 예방에 대한 다양하고 적절한 치료 방침을 확립하는 데 있어서 매우 유용하다. 이것은 전기 생리학적인 분류로써 체표 심전도에서는 유용하지 않다. 좀 더 심화된 개념이긴 해도 관심이 있는 사람은 참고하기 바란다. 완전한 내용은 보다 상급의 부정맥 교과서를 참고하도록 한다.

　주요 범주는 다음과 같다.

1. 전형적 또는 Type 1 심방조동
   A. 반시계 방향의 대회귀 회로
   B. 시계 방향의 대회귀 회로
2. 진성 비전형적(True atypical) 또는 type II 심방조동
3. 절개선 회귀성 심방빈맥(Incisional reentrant atrial tachycardia)

방실결절은 방어기전으로나 병적인 과정으로써 상심실성 자극을 차단할 수 있다. 하나는 좋고 다른 하나는 나쁘다는 이런 이중적 의미는 둘다 '차단'이라는 용어를 사용했을 때 더욱 혼동을 야기한다.

차단보다 전도를 사용하는 또 다른 이유는 심방조동에서 전도가 보호한다는 느낌을 주기 때문이다. 달리 말하면 차단은 병적인 것이고 전도는 그렇지 않다는 것이다. 상심실성 자극이 지나치게 빠르다면, 상심실성 회귀 회로나 자동능 기원을 느리게 하거나 멈추는 것이 필요하다. 차단 자체가 문제일 때는 결절을 통한 전도를 증가시키거나 인공적인 심박동기를 통한 심실 자극을 통해 문제를 해결해야 한다. 생각하지 않으면 방법을 찾을 수 없다는 말을 기억하자. '전도'라는 용어를 사용함으로써 이에 대해 생각해보게 될 것이다.

심방과 심실의 심박수

이제 방실 전도의 개념에 대해 살펴보았으므로 어떻게 전도가 심박수에 영향을 미치는지 알아보기로 하자. 심방조동에서 심방 속도는 200~400회/분 사이로 다양하다. 가장 흔히 볼 수 있는 심박수는 300회/분이다. 이는 파의 꼭지점(양성과 음성 모두)사이의 심전도 기록지 상 간격이 정확히 0.2초(큰 한 칸)로 나타난다(**그림 19-7**). 만약 매 0.2초마다 또는 큰 한 칸 간격으로 반복되는 조그만 피크를 관찰하였다면 심방조동의 가능성을 생각해봐야 한다.

지금까지 우리는 심방조동에서 심방 부분에 속하는 기본적 기전에 대해 설명하기 위해 QRS군에 대해서는 언급하지 않았다. 지금부터는 빈맥에서의 심실 반응을 알아보도록 하자(**그림 19-8**). 심방 속도는 전형적으로 250~350회/분 사이로 나타난다(200~400회까지 늘어날 수 있다). 그리고 심실 반응 범위는 75~175회/분이다(흔하게는 140~160회/분이다). 임상적으로 유용하게 종합해 본다면 가장 일반적인 심방 박동수는 300회/분이고 가장 일반적인 전도비는 2:1이기 때문에, 가장 일반적인 심실 박동수는 150회/분이다. 심실 속도가 정확히 150회/분(또는 그것과 비슷한)인 율동을 접하면 항상 심방조동을 떠올려야 한다. 심전도와 율동 기록지를 판독할 때마다 계속해서 마주치게 될 것이다.

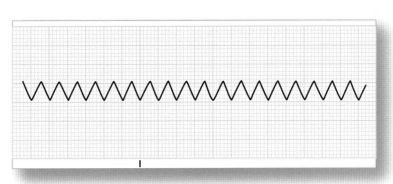

그림 19-7. 심방 박동수는 300회이다. 파형의 피크가 정확히 큰 한 칸(0.2초)마다 발생한다.

From *Arrhythmia Recognition: The Art of Interpretation*, courtesy of Tomas B. Garcia, MD.

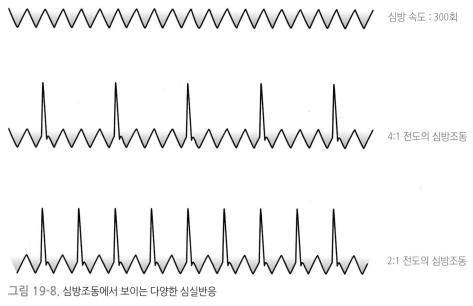

심방 속도 : 300회

4:1 전도의 심방조동

2:1 전도의 심방조동

그림 19-8. 심방조동에서 보이는 다양한 심실반응
© Jones & Bartlett Learning.

한가지 더

다양한 차단을 동반한 심방조동

심방조동에서의 심방율동은 항상 규칙적이다. 그러나 심방조동에서 나타나는 대부분의 방실 전도는 홀수나 짝수의 비율로(짝수의 비율이 가장 일반적이다) 발생하며, 심실 반응은 보통 규칙적이거나 또는 규칙적인 불규칙성을 나타낸다.

규칙적인 심실 반응은 기록지내에서 전도비가 안정적으로 유지될 때 나타난다. 예를 들어, 심방 속도가 300회/분이고 2:1 전도를 한다고 가정한다면 심실 반응은 규칙적으로 150회/분으로 발생할 것이다. 마찬가지로 심방 박동

수가 350회/분이고 3:1 전도를 하는 경우도 규칙적인 심실 반응을 유도할 것이다.

규칙적으로 불규칙한 심실 반응은 기록지 내에서 전도 비율이 다양할 때 볼 수 있다(**그림 19-9**). 이 심전도는 심방 속도가 300회/분이고 전도 비율이 3:1이며 때때로 4:1 전도를 보이는 심방조동이다. 전도 비율이 달라지면 규칙성도 달라진다. 그러나 전도 비율은 항상 원래 심방 박동수의 배수가 된다. 다시 말해, 항상 F파 사이 간격의 어떤 정확한 배수라는 것이다.

앞에 설명한 방실 전도의 홀수나 짝수 비율에 더하여, 방실 전도가 기록지 전체에서 무작위로 발생하는 경우도

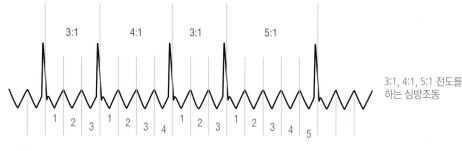

3:1   4:1   3:1   5:1

3:1, 4:1, 5:1 전도를
하는 심방조동

1 2 3 1 2 3 4 1 2 3 1 2 3 4 5

그림 19-9. 규칙적으로 불규칙한 심방조동
© Jones & Bartlett Learning.

Continues

있는데 이런 경우 완전히 불규칙적 심방조동을 볼 수 있다 (**그림 19-10**). 이런 형태의 전도는 보통 방실결절의 내부적인 질환에 의해 정상적으로 방실결절이 작동하지 못할 때 보통 발생한다. 이로 인해 심방조동의 일반적인 형태

가 나타나지 않으며 정확한 진단에 혼란을 주기 때문에 주의해야 한다. 앞서 언급한대로 거의 대부분의 불규칙한 율동은 심방세동, 유주심방 조율기, 혹은 다소성 심방빈맥이다.

다양한 차단을
동반한 심방조동

그림 19-10. 완전히 불규칙적 심방조동

© Jones & Bartlett Learning.

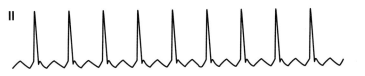

그림 19-11. 유도 II의 기록지. QRS군은 부분적으로 전형적인 톱니 모양의 조동파를 가리고 있다.

© Jones & Bartlett Learning.

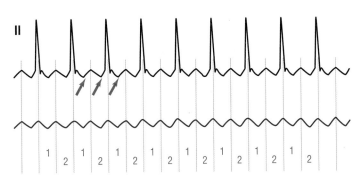

그림 19-12. 이 그림은 그림 19-11과 같은 기록지에서 QRS군을 제거한 것이다. 톱니 형태를 분명히 관찰할 수 있다. 빨간색 화살표가 심방조동을 예측할 수 있는 유도점이다. 캘리퍼로 이 지점들을 표시해 보면, F파의 반복적인 성질을 관찰할 수 있다.

© Jones & Bartlett Learning.

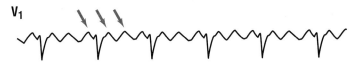

그림 19-13. 같은 환자의 V₁유도이다. 조동파와 톱니모양이 더 잘 관찰된다. 빨간 화살표가 F파의 꼭지점이다.

© Jones & Bartlett Learning.

심방조동의 진단

심방조동은 전도비가 높고 심실 반응이 낮을 때는 인식하기가 매우 쉽다. 문제는 1:1 이나 2:1 전도비를 보이는 빠른 심실 반응에서 생긴다. 먼저 2:1 전도인 경우부터 살펴보자.

2:1 전도를 가지는 빠른 심실 반응이 있을 때, 조동파는 QRS 또는 ST-T파 영역에 묻혀 있다(**그림 19-11**). 이럴 때 전형적 심방조동의 톱니 패턴은 알아내기가 어렵다. 게다가 때때로 조동파가 깊지 않거나 또는 약간 비대칭적일 경우 그것들을 인지하는 것은 더욱 어렵다.(**그림 19-12**). 결국에 더 중요한 것은 율동을 평가하기 위해 어떤 유도를 사용하는 가이다.

심방조동을 평가하기 위한 가장 좋은 유도들은 II, III, aVF 와 V₁이다. 심방조동의 가장 흔한 형태는 II, III, aVF 유도에서 음성의 F파를 보이고, V₁ 유도에서 양성의 F파를 보인다. 많은 경우 유도 II에서 운 좋게 그리고 쉽게 음성 F파를 볼 수 있지만 그렇지 않은 경우 F파를 더 명확하게 찾기 위해 V₁을 살펴보거나(**그림 19-13**) 유도에 따라 특이적인 F파의 다양한 형태를 확인하기 위해

12-유도 심전도 전체가 필요하기도 하다.

임상적인 주의점은 다음과 같다. 140-160회/분인 심실 박동수를 보았을 때, 심방조동이 아닌가에 대해 주의 깊게 생각해 보고 찾아보아야 한다. 만약 심실 박동수가 150회/분 이면 더욱 그래야 한다. 150회/분의 심실 박동수가 지속적으로 유지된다면, 심방조동일 가능성이 높다. 숨어 있는 F파를 찾기 위해서는 항상 캘리퍼를 사용해야 하고 기록지 전체에서 가능성 있는 모든 결함 부분들을 찾아 측정해야

한다는 것을 항상 유념해야 한다. 잠시라도 방실전도가 느려졌을 때, F파를 잘 관찰하는 것이 중요하며, 이를 위해서 발살바법이나 아데노신 투여를 고려할 수 있다.

심방조동과 넓은 QRS 군 빈맥

전도계에 이상이 있는 환자들에게서 심실 박동수가 정상 전도를 할 수 있는 싱한치를 초과하는 경우, 편위 전노를

1:1 전도

이 책에서 나오는 가장 위험한 율동 중 하나가 바로 심방조동의 1:1 전도이다. 심방 속도가 200~400회/분인데 심실 속도가 심방 속도와 같아 지는 것이다. 결과적으로 일회 심박출량의 감소로 인해 혈압이 위험한 수준까지 감소한다. 1장에서 보았듯이 일회 심박출량의 저하는 심실 충만장애와 심방 반동의 소실로 인해 발생하며 매우 빠른 빈맥에서 전형적으로 발생한다.

심방조동의 1:1 전도가 일어나는 원인은 다양하다. 정상적인 방실결절에서도 심방 박동수가 느릴 경우 발생한다. 느린 심방 박동수에서 방실결절은 평상 시와 같이 자

극을 전도시킬 수 있으며 어떠한 자극도 차단할 필요가 없다. 때로는 카테콜라민과 같은 약물들이 방실결절을 통한 전도를 항진시켜 빠른 빈맥이 발생한다. 그러나 가장 위험한 원인은 부전도로를 통한 전도이다. 치명적일 수 있는 합병증이므로 모든 임상의들은 이 주제에 대해 반드시 잘 알아야 한다.

1장의 내용을 기억해 보면, 심방과 심실 사이의 유일한 연결 부위는 방실결절이다. 그러나 일부 환자들은 심방과 심실 사이에 존재하는 또 다른 통로가 있다(**그림 19-14**). 결과적으로 전기적 신호가 방실결절의 수문장 역할을 피해서 이 우회로를 통해 심실로 전달될 수 있다.

이런 우회로 때문에 조절 능력이 상실되면 이런 환자들

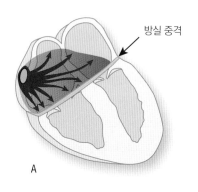
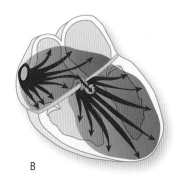
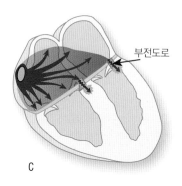

그림 19-14. 방실 중격은 심방과 심실 사이의 전도가 되지 않는 벽이다. 만약, 방실 중격이 방실 사이의 어떠한 자극도 전달하지 못한다면 자극은 결코 심실에 도달하지 못한다. (A) 방실결절이 방실 중격 사이의 정상적인 통로를 제공하여 방실의 조화를 유지하는데 필요한 수문장 역할을 한다. (B) 부전도로는 심방과 심실 사이의 소통이 가능한 부가적인 우회로를 제공한다. (C) 문제는 우회로가 수문장 역할을 하지 못해서 심방과 심실간의 무제한적인 소통을 만들게 된다. 그 결과로 위험한 부정맥이 발생할 수 있고 치명적일 수 있다.

Continues

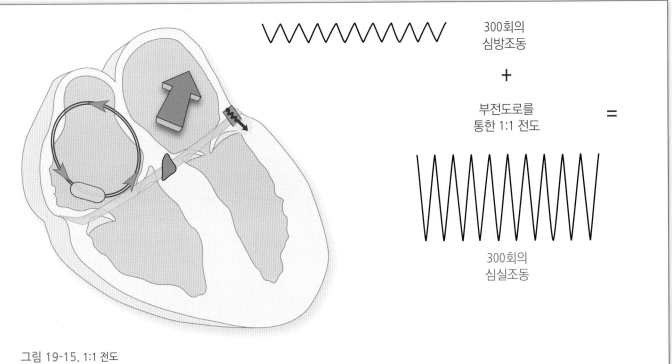

그림 19-15. 1:1 전도

© Jones & Bartlett Learning.

은 심방 박동수와 심실 박동수가 일치할 수 있게 된다. 만약에 심방 박동수가 100회/분이라면 부회로는 기능을 할 수도 안할 수도 있다. 두 경우의 결과는 같아서 심실 박동수는 100회/분이다. 만약 심방 박동수가 300회/분이면서 방실결절은 수문장 역할을 하지만 우회로는 그렇지 못하다면 결과적으로 심실 박동수는 300회/분이 된다. 이와 같은 일은 더 빠른 속도에서도 나타날 수 있고, 심방세동 단원에서 다루겠지만 심방세동에서도 보일 수 있다. 방실결절의 조절 능력 부재는 매우 심각하고 치명적인 빈맥을 유발할 수 있다(**그림 19-15**).

이 경우에 우회로를 통해 심실 탈분극이 일어나기 때문에 QRS 군은 넓어질 것이다. 이것은 정상 전도계를 통해 심실로 자극이 전달되지 않기 때문이다. 대신에, 자극은 심실 내에서 접 세포-세포 간 전달을 통해 전파된다. 박동군의 형태는 우회로의 위치에 따라 결정된다.

임상적으로 꼭 기억해야 할 사실은 250회/분이 넘는 심실 박동수를 보이는 심전도에서는 항상 우회로에 대해 생각해야 한다. 이것은 매우 빠른 박동수이며 기존 전기 전도계의 정상 범주를 상회한다. 심박수가 빠르면 빠를수록 부전도로가 존재할 가능성이 더 높다.

보일 수 있다. 예를 들면 허혈이나 구조적 심장 질환이 있는 환자이다.

전해질 이상도 역시 자극의 세포 내 전달에 변화를 초래하기 때문에 넓은 QRS을 유발한다. 또한 각 분지의 불응기의 변화를 야기하여 편위 전도가 증가하는 것과도 연관이 있다.

마지막으로, 넓은 QRS 심방조동의 가장 흔한 원인은 기존에 가지고 있던 각차단이다. 만약 기존에 각차단이 있던 사람에게 갑자기 심방조동이 발생하게 되면 넓은 QRS를 가지는 심방조동을 볼 수 있다. 심실 속도가 140-160회/분이거나 특히 정확히 150회/분인 넓은 군 빈맥에 대해 접근할 때는 항상 이 2가지 가능성에 대해 염두에 두어야 한다. 그러나 임상에서는 넓은 군 빈맥은 확실한 진단 전까지 항상 심실빈맥으로 간주해야 한다.

부정맥 정리

심방조동(Atrial Flutter)

박동수 :	심방: 250–350회/분 심실 : 75–175회/분
규칙성 :	경우에 따라 다양함
P파 :	F 혹은 조동파 존재.
형태 :	적용할 수 없음
II, III, aVF에서 상향 :	적용할 수 없음
P: QRS 비 :	변화 가능: 일반적으로 2:1, 4:1
PR 간격 :	적용할 수 없음
QRS 폭 :	정상 혹은 넓음
그룹화 :	고도의 차단과 함께 나타날 수 있음.
탈락 박동 :	있음

감별진단

심방조동

심근경색증
동맥경화증
약제 : 디곡신

류마티스성 심장병
알콜성 심장
갑상선 기능항진증

폐색전증
심낭염
폐렴 : 우중엽

심전도 스트립

심전도 1

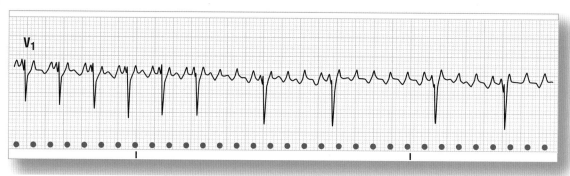

From *Arrhythmia Recognition: The Art of Interpretation*, courtesy of Tomas B. Garcia, MD.

박동수 :	심방: 분당 약 320회 심실: 다양함	PR 간격 :	적용 불가
규칙성 :	규칙적으로 불규칙	QRS 폭 :	정상
P파 :	F파들이 있음	그룹화 :	없음
형태 :	적용 불가		
축 :	적용 불가	탈락 박동 :	있음
P:QRS 비 : 2:1, 4:1 그리고 6:1		리듬 :	심방조동

이 율동 기록지는 2:1, 4:1, 6:1의 다양한 전도를 동반한 심방조동이다. P파는 V₁ 유도에서 상향이라서 발견하기 쉽다. 2:1 전도를 하는 구역에서 F파와 QRS군 그리고 ST 분절과의 부분 융합을 볼 수 있다. 높은 전도비를 동반하는 경우 율동을 진단하기 더 쉽다. 일반적인 경우에서와 같이 R-R간격은 정확히 F-F간격의 다양한 배수이다.

심전도 2

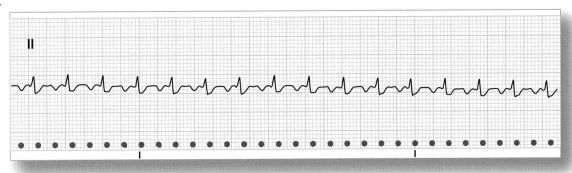

From *Arrhythmia Recognition: The Art of Interpretation*, courtesy of Tomas B. Garcia, MD.

박동수 :	심방: 분당 약 320회 심실: 분당 약 160회	PR 간격 :	적용 불가
규칙성 :	규칙적	QRS 폭 :	정상

P파 :
  형태 :
  축 :
	F파들이 있음
	적용 불가
	적용 불가
		그룹화 :	없음

		탈락 박동 :	있음
P:QRS 비 : 2:1		리듬 :	심방조동

이 기록지는 심전도 1 환자 것으로 유도 II이다. 일정한 2:1 전도를 보여준다. V₁에서처럼 진단이 확실하지 않은 이유를 살펴보도록 한다. 이 유도에서 진단을 내리기 위해 필요한 단서는 PR 간격이라고 생각되는 간격이 의미있게 넓고, P파라고 생각되는 것이 뒤집어져 있다는 것이다. 이 P-P 간격의 정확히 절반 지점에 또 다른 뒤집어진 'P'파가 나타나는 것을 확인해 보도록 한다. 심박수와 규칙성은 심방조동이라 진단할 수 있고, P파는 실제로 F파인 것이다.

심전도 3

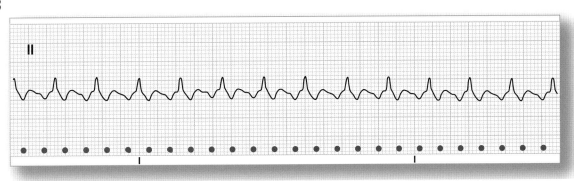

From *Arrhythmia Recognition: The Art of Interpretation*, courtesy of Tomas B. Garcia, MD.

박동수 :	심방: 분당 약 270회 심실: 분당 약 135회	PR 간격 :	적용 불가
규칙성 :	규칙적	QRS 폭 :	정상

P파 :
  형태 :
  축 :
	F파들이 있음
	적용 불가
	적용 불가
		그룹화 :	없음

		탈락 박동 :	있음
P:QRS 비 : 2:1		리듬 :	심방조동

이 율동 기록지는 2:1로 전도하는 심방조동이다. F파의 톱니 모양과 QRS군과 ST 분절이 융합되어 있어서 이 율동이 무엇인지 알기 어렵다. 마음의 눈을 이용하여 기록지에서 QRS군을 제거하도록 한다. 톱니 모양의 패턴이 드러날 것이다. 단서는 박동수와 뒤집어진 'P'파, 그리고 관찰 가능한 F파들 사이의 정확히 1/2 되는 지점에서 발견되는 묻혀 있는 F파이다. 캘리퍼를 자주 사용하도록 한다.

심전도 4

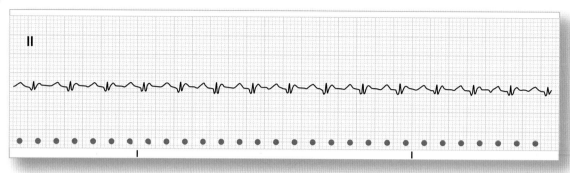

From *Arrhythmia Recognition: The Art of Interpretation*, courtesy of Tomas B. Garcia, MD.

박동수 :	심방: 분당 약 300회 심실: 분당 약 150회	PR 간격 :	적용 불가
규칙성 :	규칙적	QRS 폭 :	정상
P파 : 　형태 : 　축 :	F파들이 있음 적용 불가 적용 불가	그룹화 :	없음
		탈락 박동 :	있음
P:QRS 비 : 2:1		리듬 :	심방조동

　이 기록지를 올바르게 판독하기란 매우 어렵다. 심실 박동수는 150회/분이며, 이 박동수는 심방조동일 가능성을 높이는 소견이다. QRS군을 마음속으로 제거하면 톱니 모양의 패턴을 형성하고 있는 F파가 보일 것이다. 캘리퍼를 사용하여 'F-F'간격을 측정하고 그 거리를 양분하여 율동 기록 지에 표시하도록 한다. 이제 묻혀진 F파를 쉽게 구별해낼 수 있을 것이다.

심전도 5

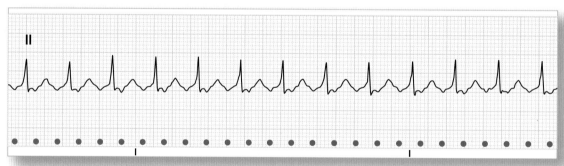

From *Arrhythmia Recognition: The Art of Interpretation*, courtesy of Tomas B. Garcia, MD.

박동수 :	심방: 분당 약 260회 심실: 분당 약 130회	PR 간격 :	적용 불가
규칙성 :	규칙적	QRS 폭 :	정상
P파 : 　형태 : 　축 :	F파들이 있음 적용 불가 적용 불가	그룹화 :	없음
		탈락 박동 :	있음
P:QRS 비 : 2:1		리듬 :	심방조동

　이 율동 기록지는 톱니 모양의 패턴이 아주 얕은 심방조동이다. 이 심전도에서 조동파들의 일정한 파형을 찾기란 어렵지만 존재하고 있다. 파동을 찾기 위한 단서는 QRS군의 완만한 상승, 아주 저명한 T파, 그리고 ST 분절 하강에 있다. R파의 완만한 상승과 저명한 T파는 조동파의 양성 끝부분과 합쳐졌기 때문이다. ST 분절 하강은 음성 F파 때문이다.

심전도 6

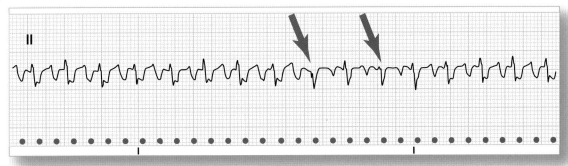

From *Arrhythmia Recognition: The Art of Interpretation*, courtesy of Tomas B. Garcia, MD.

박동수 :	심방: 분당 약 320회 심실: 분당 약 160회	PR 간격 :	적용 불가
규칙성 :	2개의 사건을 동반한 규칙적	QRS 폭 :	정상

P파 :
  형태 :
  축 :
	F파들이 있음
	적용 불가
	적용 불가
		그룹화 :	없음

		탈락 박동 :	있음
P:QRS 비 : 2:1		리듬 :	심방조동

이 기록지는 2:1 전도의 심방조동이다. 파란색 화살표로 표시해 놓은 부분에 두가지 현상을 관찰할 수 있다. 무슨 현상들인지 알 수 있겠는가? 원래의 발생 시점보다 늦게 생겼기 때문에 이탈박동일 것이다. 폭이 좁고 QRS군의 일반적인 형태를 띠고 있기 때문에 심방 혹은 접합부 이탈박동군이라고 한다. 이런 박동에서 R파가 약하게 보이는 것은 원래의 F파의 파동과 융합했기 때문이다.

심전도 7

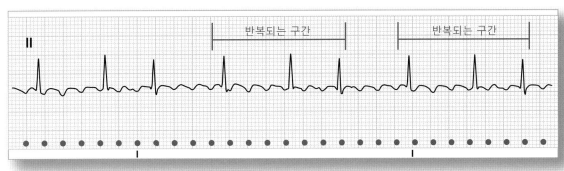

From *Arrhythmia Recognition: The Art of Interpretation*, courtesy of Tomas B. Garcia, MD.

박동수 :	심방: 분당 약 300회 심실: 분당 80회 주위	PR 간격 :	적용 불가
규칙성 :	규칙적으로 불규칙	QRS 폭 :	정상

P파 :
  형태 :
  축 :
	F파들이 있음
	적용 불가
	적용 불가
		그룹화 :	있음

		탈락 박동 :	있음
P:QRS 비 : 다양함		리듬 :	심방조동

이번에 나올 두 가지 기록지에서 먼저 주목해야 할 점은 심방조동에서 볼 수 있는 일정한 심방 톱니 모양이다. 심방 박동수는 300회/분이고 심방조동에서 흔한 박동수이다. 율동은 심실군의 그룹화와 관련하여 규칙적인 불규칙성을 띠고 있다. 심실 반응의 규칙성은 실제의 다양한 차단은 아니라는 것이다. 그룹화와 불규칙성은 대신에 Wenckebach 그룹화의 전형적인 형태이다(28장 참고).

심전도 8

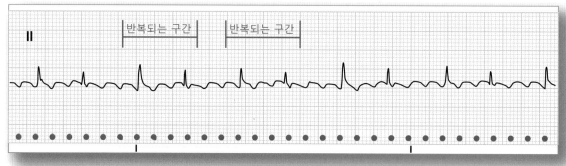

From *Arrhythmia Recognition: The Art of Interpretation*, courtesy of Tomas B. Garcia, MD.

박동수 :	심방: 분당 약 300회 심실: 분당 약 110회	PR 간격 :	적용 불가
규칙성 :	규칙적으로 불규칙	QRS 폭 :	정상
P파 : 형태 : 축 :	F파들이 있음 적용 불가 적용 불가	그룹화 :	없음
		탈락 박동 :	있음
P:QRS 비 : 다양함		리듬 :	심방조동

여기서도 심방조동의 톱니 패턴이 저명하다. 각각의 QRS 모양이 서로 서로 조금씩 다르다. 특정한 그룹들이 반복하여 나타나고 있다. 이는 Wenckebach 그룹화와 일치힌다. 게다가 다양한 QRS 모양은 편위전도 또는 F파와의 융합, 탈락 박동 때문일 수 있다. 임상 정보와 더 긴 기록지가 필요하다.

단원 복습

1. 심방조동은 항상 규칙적이고 반복적인 심방율동을 가진다. (맞다 / 틀리다)

2. 심방 박동수는 보통 사이이다.
   A. 100에서 200회/분
   B. 200에서 300회/분
   C. 200에서 400회/분
   D. 140에서 160회/분

3. 심실 반응은 보통 사이이다.
   A. 75에서 175회/분
   B. 100에서 300회/분
   C. 200에서 300회/분
   D. 200에서 400회/분
   E. 140에서 160회/분

4. 심방조동에서 심방 박동군은 2개의 이름으로 알려져 있다: _____
   또는 _____

5. F파 사이의 기준선은 짧은 순간 등전위를 나타낼 수 있다. (맞다 / 틀리다)

6. 심방조동은 _____심방 내의 _____회로를 형성한다.

7. 모든 회귀 회로의 기준에는 느린 전도구역을 포함한다. 이 영역은 자극 전도를 느리게 하여 최초 탈분극 위치가 재분극할 충분한 시간적 여유를 제공하고 다시 점화할 수 있게 한다. (맞다 / 틀리다)

8. 심방조동에서 정상 방실 전도비는 얼마인가?
   A. 2:1
   B. 3:1
   C. 4:1
   D. 6:1
   E. 모두

9. 심방조동에 대해 논의할 때, 우리는 보통 전도 대신 차단이라는 용어를 사용하는데 이는 방실결절이 정상적으로 작동하지만 심실로 가는 자극을 차단하는 것을 정확하게 표현하기 위해서이다. (맞다 / 틀리다)

제 20 장

심방세동

목표

1. 심방세동을 정의하고 분류한다.
2. P파, F파 그리고 f파를 비교한다.
3. 심방세동 파형 생성 기전을 이해한다.
4. 심방세동 리듬 생성 기전을 이해한다.
5. 조절되지 않는 심방세동의 정의 및 임상적 의미를 기술한다.
6. 규칙적인 심방세동이 발생하는 임상적 상황을 기술한다.
7. 에쉬만 현상(Ashman's phenomenon)의 개념을 설명한다.
8. 디지탈리스 중독 심전도를 이해한다.
9. 심방세동과 관련된 임상 상황을 기술한다.
10. 심방세동 심전도 판독을 진단한다.

들어가며

심방세동은 치료가 필요한 부정맥 중에서 가장 흔하다. 심방세동에 의해 발생되는 혈전은 뇌졸중의 주요 원인이 되며 유병률은 나이에 따라 증가한다. 심방세동은 불규칙한 리듬으로 관찰 가능한 P파가 없는 것이 특징이다(**그림 20-1**). 심방세동에서 심방 활동은 심전도상에 f파로 알려진 연속적이고 무작위로 발생하는 잔 떨림(=세동, 細動) 혹은 진동으로 나타난다. f파의 박동수 범위는 일반적으로 400~600회/분 이며 심실 반응은 서맥에서 빈맥까지 다양하게 나타난다. 심방세동은 뚜렷한 심방 활동이 없으며, 이와 동반된 심방 반동의 소실이 특징이다. 심방세동은 발작성, 지속성, 그리고 영구형으로 분류된다.

설명

F파와 f파를 구분하는 것은 중요하다. F파는 심방조동에서 나타나는 조동파이다. 반면 이번 장에서 다루고 있는 f파는 심방세동에서 나타나는 세동파를 의미한다.

발작성 심방세동은 갑작스럽게 시작되며 보통은 지속 시간이 짧아 수초에서 수일 간 지속될 수 있다. 발작성 심방세동의 증상은 지속성 및 영구성에 비해 오히려 뚜렷하다. 이것은 급성기 동안 보상 기전이 작용하지 않기 때문이다. 갑작스러운 심방세동 발생에 동반되는 혈역학적 부전과 폐울혈로 인해 환자는 호흡곤란, 울혈성 심부전, 어지러움, 두근거림, 실신 그리고 무기력 등의 합병증을 경험하게 된다. 이러한 증상은 대부분 빈맥의 종료와 함께 저절로 호전된다.

지속성 심방세동은 발작성에 비해 만성적 형태이며, 약물 혹은 전기적 동율동 전환에 의해 동율동으로 전환될 수 있다. 영구형 심방세동은 동율동 전환에 실패하거나 앞으로 동율동 전환을 시도하지 않을 경우이다.

f파 형성 기전

f파 형성 기전을 자세히 살펴보도록 하자. **그림 20-2**는 심방세동이 생긴 동안의 심근 단면을 보여준다. 심방세동은 기본적으로 동시에 박동을 만들어내는 여러 개의 초점들이 존재한다. 이러한 이소성 초점들은 보통 한 개부터 수십 개까지 다양하게 존재하며 어느 하나가 우세해질 때까지 서로 간섭한다. 각각의 이소성 초점에서 자극이 생김에 따라 주변 심방근육은 탈분극하고, 잔물결 형태의 탈분극파가 생성된다. 이것을 잔물결이라고 부르는 이유는 파형이 매우 직기 때문이다. 이러한 국소적 잔물결 형태의 탈분극이 큰 파동으로 발전하지 못하는 이유는 다른 이소성 초점에 의해 만들어진 주변 잔물결과의 충돌 때문이다(잔물결들은 자극을 더 전파하지 못하고 서로 상쇄된다).

또한 잔물결들의 탈분극 백터는 서로 상쇄되기 때문에 심전도 상에 뚜렷한 P파를 형성하지 못하고 연속적이며 무작위로 발생하는 매우 작은 떨림으로 나타내게 되며 이러한 작은 잔물결들이 f파를 형성한다. 잔물결의 크기는 잔물결에 의해 탈분극된 심방 근육의 양에 의해 결정된다. 만약 작은 수의 이소성 초점에 의해 심방세동이 발생한다면 각각의 이소성 초점에 의해 탈분극되는 심방 근육의 양은 많아지고 생성되는 잔물결의 크기는 커지게 될 것이다. 큰 잔물결은 심전도 상에서 큰 f파를 생성하며, '거칠다' 고도 표현할 수 있다(**그림 20-3**). 반대로 심방세동에 관여하는 이소성 초점의 숫자가 많아지면 잔물결 하나가 탈분극 시키는 심방

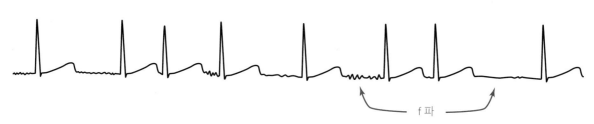

그림 20-1. 심방세동

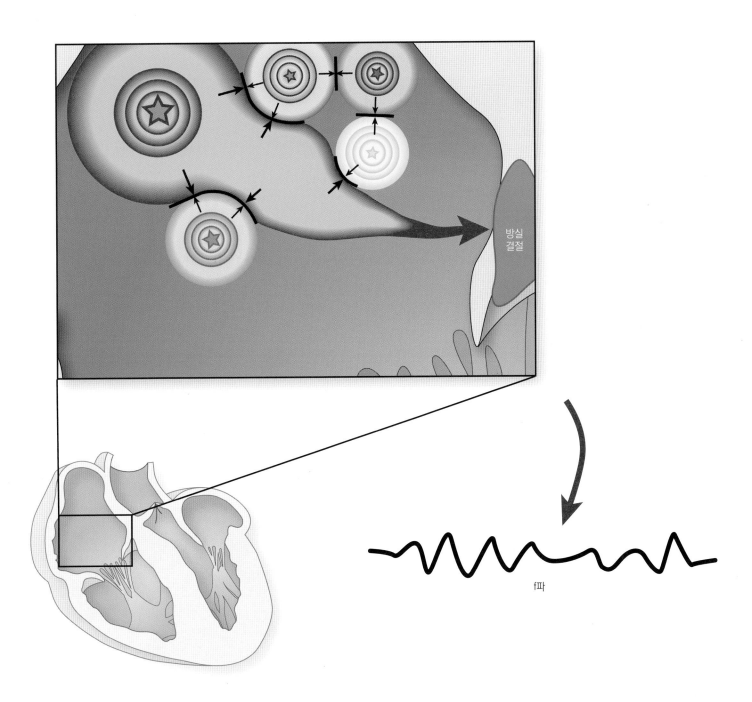

그림 20-2. 심방 조직에는 동시에 자극을 생성하는 이소성 초점들이 매우 많다. 이소성 초점들은 주변 심방 근육을 동시에 탈분극 시켜 각각의 독립된 잔물결들을 형성하고 이들은 서로 충돌하며 상쇄되어 더 큰 파동으로 발전하지 못 한다.

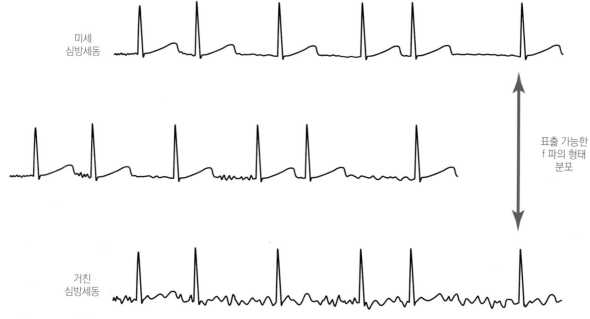

미세
심방세동

표출 가능한
f 파의 형태
분포

거친
심방세동

그림 20-3. 심방세동의 거친 파형과 미세한 파형.

근육의 양은 더 작아질 것이다. 이것은 작은 f파를 생성하여 '미세하다' 고 표현할 수 있다. f파는 거친 형태에서부터 아주 미세한 형태까지 다양할 수 있으며 무한한 조합이 가능하다. 하지만 f파의 형태가 갖는 임상적 의미는 크지 않다.

심실 반응

앞서 언급한 것처럼 심방세동의 심방 박동수 범위는 400~600회/분이다. 만약 심실 반응이 1:1 이라면(부전도로가 있는 경우 가능하다) 결과는 매우 치명적일 것이다. 하지만 다행스럽게도 방실결절은 심방으로부터 전달되는 매우 빠른 탈분극을 1:1로 전도할 수 없다. **그림 20-4**는 방실결절 주위를 도식화한 것으로 다양한 잔물결들이 방실결절을 통해 심실에 전도되기 위해 서로 경쟁하고 있는 것을 보여준다. 이 그림에서 빨간색 잔물결만이 불응기 상태의 주변 조직을 요리 조리 빠져나가 결국 방실결절에 도달한다. 하지만 이 빨간색 잔물결 또한 심실 탈분극을 유도하지 못할 수 있다. 한 번에 여러 개의 잔물결들이 방실결절에 도달하게 되면 방실결절의 매우 작은 부분만을 탈분극 시켜 여러 개

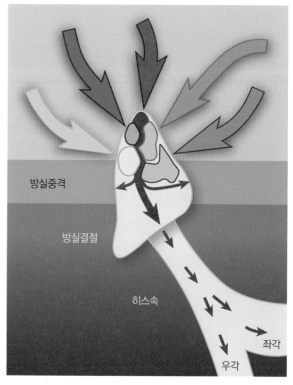

방실중격

방실결절

히스속

좌각

우각

그림 20-4. 이 그림은 방실결절 주위를 나타낸 것으로 여러 파형들이 동시에 방실결절로 향하고 있다. 각각의 파형이 방실결절에 도달하면 매우 작은 부분만을 탈분극 시켜 방실결절 안에서 여러 개의 작은 불응기 영역을 만든다. 파란색, 핑크색 그리고 노란색 잔물결들은 서로 상쇄되는데 그 이유는 이 잔물결들에 의해 생성된 불응기 상태의 조직끼리 서로 부딪히기 때문이다. 결국 붉은색 잔물결만이 작은 불응기 영역을 지나 방실결절의 중심부에 도달하고 방실결절의 말단을 탈분극시킨다. 이후 자극은 정상 전원래도로의 나머지 경로를 통해 전도되어 좁은 QRS파를 생성한다.

의 작은 불응기 영역을 만들게 된다. 어떤 잔물결이 결국 방실결절의 중심부에 도달할지는 완전히 무작위적이다. 이 무작위성은 심방세동일 때 심실 반응이 왜 불규칙적인지에 대한 설명이 된다. 심방세동 환자의 대부분은 어느 정도의 구조적 심장 질환을 가지고 있다. 고령과 연관된 심방 근육의 섬유화는 심방세동 발병의 가장 중요한 인자이다. 또한, 심방 비대가 커질수록 심방세동의 발생률과 지속성이 증가한다. 심장세동 시 자율신경계는 방실결절의 전도비율 및 흥분 정도에 영향을 미친다. 교감신경의 항진은 심실 반응을 향상시키나 부교감신경의 항진은 심실 반응을 저하한다. 마지막으로 특정 약물들은 방실결절의 전도에 큰 영향을 미칠 수 있다. 아미오다론, 디지탈리스, 베타차단제, 딜타아젬, 베라파밀은 심방세동 시에 심실 반응을 저하시킨다.

'조절되지 않는 심방세동'이라는 용어는, 적절한 치료에도 불구하고 심박수 조절이 잘 되지 않는 경우를 말한다. 주로 안정 상태에서도 심실반응이 110회 이상인 경우가 해당된다.

임상적 의미

심방세동이 생기면, 심방 근육은 조직화된 수축을 할 수 없다. 심방세동 동안의 심방은 젤리가 탄력에 의해 떨리는 상태와 매우 유사하다. 심방 근육은 조절 불가능한 형태로 단순히 부들부들 떨고 있기 때문에 심실 과충만을 위한 심방 반동을 생성하지 못한다. 심방세동 시 발생하는 박출량

의 저하는 다양한 혈역학적 손해를 야기할 수 있다.

심실 박동수가 지나치게 빨라지면 심실 내로의 혈액 유입시간이 짧아져서 1회 박출량은 작아진다. 작아진 1회 박출량은 다시 심박출량의 감소시로 이어질 수 있다.

조절되지 않는 심방세동은 환자에게 심각한 문제를 일으킬 수 있기 때문에 적절한 심박수 조절은 심방세동 환자의 치료에 필수적이다.

만약 환자가 심방세동으로 인해서 혈역학적으로 불안정하다면 전기적 동율동전환을 시도해 보는 것이 좋다. 하지만 동율동으로 전환 되더라도 심방세동으로 다시 되돌아갈 수 있음을 인지해야 한다. 만약 불안정한 상태의 환자에서 전기적 동율동전환이 실패했다면 약물을 통한 심박수와 혈압의 조절이 유일한 선택이 된다.

그러나, 심방세동이 48시간 이상 지속된 경우 심방에 혈전이 생길 수 있음을 명심해야 한다. 혈전이 생긴 심장에 전기적 동율동 전환을 시도하는 것은, 마치 불 위에 달구어진 프라이팬에 뛰어드는 것과 같다. 이러한 경우 항응고요법을 하면서 심실 반응을 조절하는 것이 일차적인 치료가 된다. 이후 심박수가 조절된다면 환자를 평가하고 추후 어떤 치료를 하는것이 좋을지 생각할 수 있는 시간을 벌게 된다. 적절한 항응고 요법이 이루어진다면 위협적인 뇌졸중 위험을 줄일 수 있으며 이후 약물을 통한 화학적 또는 전기적 동율동 전환을 적용해 볼 수 있다.

심방세동에서의 규칙적인 심실반응

저명한 f파와 규칙적인 심실반응이 함께 나타난다면 어떤 일이 발생한 것일까? 이것은 단순한 심방세동이 아니라 약리적, 자율신경적, 해부학적 혹은 허혈에 의해 방실 차단이 발생한 것이다. 앞으로 28장에서 자세히 살펴볼 예정이지만, 발생 가능한 원인을 알아보도록 하자.

만약 방실결절을 통한 심방과 심실 사이의 전도가 멈춘다면 어떤 일이 벌어질까? 차단 부위 밑 어딘가에서(즉, 방실접합부 혹은 심실), 조율기능을 이어 받아 탈출 리듬을 만들 것이고 탈출 리듬은 규칙적이며 느릴 것이다. 심방세동에 동반되는 규칙적인 심실 반응은 방실 차단에 의한 방실접합부 혹은 심실 탈출리듬에 의해 나타난다.

그림 20-5는 방실접합부 탈출리듬이 동반된 심방세동이다. QRS파 사이에 심방세동을 시사하는 거친 f파를 볼 수 있다. 0.12초 이하의 좁은 QRS파와 35회의 심실 박동수는 방실접합부 탈출리듬에 맞는 소견이다.

심방세동에 나타나는 파형들의 형태

심방세동의 QRS파

심방세동의 QRS파는 보통 정상으로 나타난다. 왜냐하면 자극의 전도가 방실결절을 지나 정상 전기 전도로를 통해 이루어지기 때문이다. 정상 전기 전도로를 통한 심실의 탈분극은 좁은 QRS파를 생성한다.

하지만 만약 넓은 QRS파가 나타나게 된다면 이러한 경우는 기존 각차단 또는 편위전도가 동반된 경우이다. 이외에도 방실 차단이 동반되고, 탈출 리듬이 심실 및 원위부 퍼킨지 체계에서 생긴 경우 넓은 QRS파 형태로 나타난다.

QRS파는 편위전도에 의해서도 조금씩 다른 형태로 나타날 수 있다.

ST분절과 T파

심방세동 동안의 ST분절과 T파는 정상의 발생 과정을 따른다. 단지, f파와의 간섭 및 융합으로 인해 판독이 어려운 경우가 있다.

그림 20-5. 심방세동과 동반된 방실접합부 탈출 리듬. 이러한 현상은 방실결절을 통한 심방과 심실사이에 전도와 소통이 끊어진 경우에 발생하며 방실접합부는 심장을 조율하는 일차적 박동기로써의 역할을 수행하게 된다.

애쉬만 현상

　조기 심방수축이 발생하였을 때, 마침 일부 전도로가 아직 불응기에 있다면, 심실 탈분극은 편위전도가 된다. 대부분 좌각보다 우각의 불응기가 길기 때문에 이러한 편위전도의 대부분은 우각차단의 형태를 보인다.

　선행하는 QRS파와의 연결간격이 길면(즉, 맥박이 느리면) 불응기는 길어지고, 반대로 연결간격이 짧아지면 (맥박이 빠르면) 불응기는 짧아진다. 이것은 매우 자연스럽고 생리적인 현상이다. 탈분극이 빠르게 진행되는데, 불응기가 여전히 길다면 전도가 제대로 되지 않을 것이기 때문이다. 심방세동 처럼 심실 반응이 불규칙한 경우 긴 연결간격에서 전도로의 불응기는 연장되고, 다음에 오는 짧은 연결간격의 자극에 대하여 반응할 수 없다. 즉 긴 연결간격을 동반한 QRS파 직후의 짧은 간격의 QRS파는 우각차단에 의한 편위전도로 형태로 나타날 확률이 높다(**그림 20-6**)

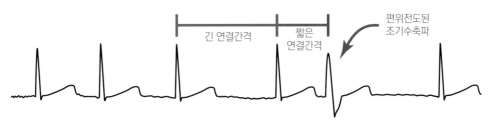

그림 20-6. 애쉬만 현상(Ashman's Phenomenon), 편위전도 된 조기수축파

심방세동의 인지
하나의 심전도 리드만으로는 완전히 불규칙적 리듬이 심방세동(특히 거친 심방세동)인지 아니면 다소성 심방빈맥(multifocal atrial tachycardia)인지 구분하는데 혼란이 있을 수 있다. 그 이유는 거친 심방세동의 f파가 진폭이 낮은 P파로 오인되는 경우가 많기 때문이다. 이 둘을 구별하는 가장 좋은 방법은 12 리드 심전도를 통해 형태적 차이가 분명한 리드를 찾는 것이다.

한가지 더

디지탈리스 효과

이 시점에서 심방세동 시에 사용되는 디지탈리스에 의해 자주 발생되는 특이한 ST 분절의 변화에 관해 알아보려고 한다. 디지탈리스를 포함한 유사 약물군은 심방세동 환자의 심박수 조절을 위해 사용된다. 디시탈리스의 독성은 다양한 형태의 부정맥 특히 흔하게는 방실 차단이 동반된 초점 심방빈맥(비록 디지탈리스 독성에 의해 발생되는 부정맥 중 가장 발생 빈도가 높지는 않지만) 그리고 여러 형태의 임상적 증상 및 징후와 관련이 있다(하지만 여기서 논의할 ST-T 분절의 변화는 독성이 없는 경우에도 나타날 수 있다). 디지탈리스는 일반적으로 국자 형태 또는 국자로 퍼낸 형태의 ST-T 분절의 변형을 가져온다. 전통적으로 국자로 퍼낸(scooped-out) 이라는 용어는 ST 분절이 아이스크림을 국자로 퍼낼 때 만들어진 자국과 같은 모양(**그림 20-7**)으로 변할 때 사용되어왔다(**그림 20-8**, 이것은 또한 국자의 형태와도 같다). 어떠한 형태를 선호하던 심방세동 환자에서 국자 형태의 ST 분절이 관찰된다면 디지탈리스 효과를 떠올려야 한다.

국자로 퍼낸 형태

Marshmallow Digoxin

그림 20-7. 디지탈리스 효과에 의해 만들어진 아이스크림을 국자로 퍼낸 자국 모양

© Jones & Bartlett Learning.

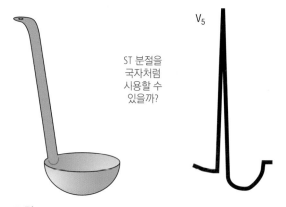

ST 분절을 국자처럼 사용할 수 있을까?

V₅

그림 20-8. 디지탈리스 효과에 의해 만들어진 국자 형태의 ST 분절

© Jones & Bartlett Learning.

부정맥 정리

심방세동

박동수 :	f파: 400~600회
	심실: 100~160회
규칙성 :	완전히 불규칙적
P파 :	없음
형태 :	적용불가
II, III, aVF에서 상향 :	적용불가
P: QRS 비 :	적용불가
PR 간격 :	적용불가
QRS 폭 :	정상
그룹화 :	없음
탈락 박동 :	없음

감별진단

심방세동

1. 심방 비대(특히 좌심방)
2. 나이
3. MAD RAT PPP(암기를 위한 약어로 아래 참조)
4. 특발성(혹은 lone 심방세동)

심방세동은 좌심방 크기와 밀접한 연관이 있다. 좌심방 크기가 일정 한계 이상 커질 경우 부정맥 발생 비율이 현저히 증가한다. 이와 마찬가지로 리듬의 유지와 심방세동의 병적 진행정도는 좌심방의 크기에 좌우된다. 나이는 그 다음의 연관인자이다. 상기 목록이 모든 원인을 포함하진 않는다.

심방세동/조동

Myocardial infarction	**R**heumatic heart disease
Atherosclerosis	**A**lcoholic holiday heart
Drugs: digoxin	**T**hyrotoxicosis
Pulmonary emboli	
Pericarditis	
Pneumonia: Right middle lobe	

심전도 스트립

심전도 1

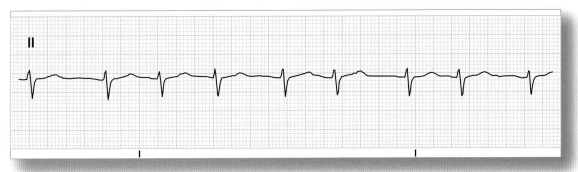

From *Arrhythmia Recognition: The Art of Interpretation*, courtesy of Tomas B. Garcia, MD.

박동수 :	심방: 없음 심실: 분당 약 90회	PR 간격 :	적용할 수 없음
규칙성 :	완전히 불규칙적	QRS 폭 :	정상
P파 : 　형태 : 　축 :	f 파로 나타남 f 파 적용할 수 없음	그룹화 :	없음
		탈락 박동 :	적용할 수 없음
P:QRS 비 : 적용할 수 없음		리듬 :	심방세동

심전도 1은 전형적인 심방세동의 소견을 보여준다. P파의 부재 및 완전히 불규칙적 심실 반응. f파가 존재하지만 진폭이 매우 미세하여 거의 일직선처럼 보인다. 아마도 f파는 다른 리드에서 더 쉽게 관찰될 수 있다. QRS파의 형태는 정상이고 좁으며 간격 또한 정상범위 이내이다. ST 분절과 T파 모두 정상이다.

심전도 2

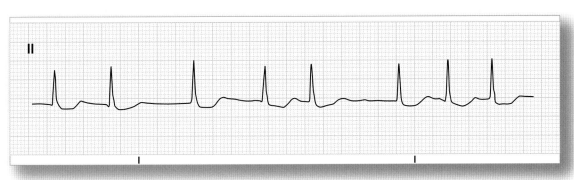

From *Arrhythmia Recognition: The Art of Interpretation*, courtesy of Tomas B. Garcia, MD.

박동수 :	심방: 없음 심실: 분당 약 90회	PR 간격 :	적용할 수 없음
규칙성 :	완전히 불규칙적	QRS 폭 :	정상
P파 : 　형태 : 　축 :	f 파로 나타남 f 파 적용할 수 없음	그룹화 :	없음
		탈락 박동 :	적용할 수 없음
P:QRS 비 : 적용할 수 없음		리듬 :	심방세동

심전도 2는 완전히 불규칙적 리듬으로 구별가능한 P파가 없다. 이것은 또다른 전형적 형태의 심방세동 예시이다. 심방세동 동안 QRS파 간에 약간의 형태적 변화가 자주 관찰된다. 국자 형태로 하강된 ST 분절은 디지탈리스 효과를 의심하게 하나 이것은 디지탈리스 독성 시 나타나는 전형적인 국자 형태는 아니다. 또다른 가능성으로 허혈을 생각해 볼 수 있으며 임상적 고려가 반드시 필요하다.

심전도 3

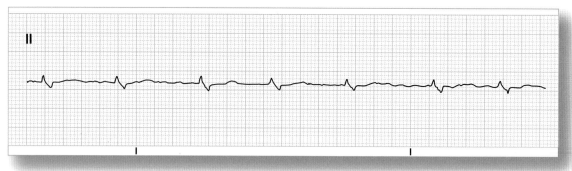

From *Arrhythmia Recognition: The Art of Interpretation*, courtesy of Tomas B. Garcia, MD.

박동수 :	심방: 없음 심실: 약 80회	PR 간격 :	적용할 수 없음
규칙성 :	완전히 불규칙적	QRS 폭 :	넓음
P파 : 　형태 : 　축 :	f 파로 나타남 f 파 적용할 수 없음	그룹화 :	없음
		탈락 박동 :	적용할 수 없음
P:QRS 비 :	적용할 수 없음	리듬 :	심방세동

심전도3는 좀더 명확한 f파를 보여주며 P파로 해석될 수 있는 명백한 변화는 확인되지 않는다. 완전히 불규칙적 심실 반응을 통해 이 리듬이 심방세동임을 확일할 수 있다. 심실 반응에서 특이점을 발견할 수 있는가? QRS파의 간격은 0.12초를 넘는다. 박동수가 빠르지 않기 때문에 편위전도의 확률은 적다. 심실 탈출리듬은 규칙적이기 때문에 이 또한 불가능하다. 따라서 심방세동에 동반된 기존 각차단이 가장 옳은 해석이 된다.

심전도 4

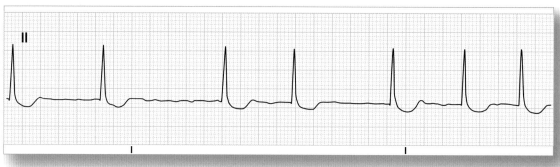

From *Arrhythmia Recognition: The Art of Interpretation*, courtesy of Tomas B. Garcia, MD.

박동수 :	심방: 없음 심실: 약 70회	PR 간격 :	적용할 수 없음
규칙성 :	완전히 불규칙적	QRS 폭 :	정상
P파 : 　형태 : 　축 :	f 파로 나타남 f 파 적용할 수 없음	그룹화 :	없음
		탈락 박동 :	적용할 수 없음
P:QRS 비 :	적용할 수 없음	리듬 :	심방세동

심전도4는 디지탈리스에 의해 심박수가 조절되는 전형적인 형태의 심방세동 심전도이다. 디지탈리스 효과는 명확하며 국자 형태 또는 국자로 퍼낸 형태로 나타난다. 심방세동을 시사하는 미세 f파와 완전히 불규칙적 심실 반응이 관찰된다.

심전도 5

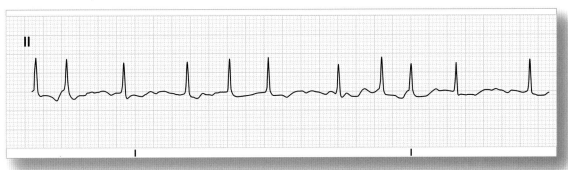

From *Arrhythmia Recognition: The Art of Interpretation*, courtesy of Tomas B. Garcia, MD.

박동수 :	심방: 없음 심실: 약 100회	PR 간격 :	적용할 수 없음
규칙성 :	완전히 불규칙적	QRS 폭 :	정상
P파 : 형태 : 축 :	f 파로 나타남 f 파 적용할 수 없음	그룹화 :	없음
		탈락 박동 :	적용할 수 없음
P:QRS 비 :	적용할 수 없음	리듬 :	심방세동

심전도 5는 심방세동에서 예상되는 심전도 소견을 보여준다. 앞서 언급한 f파와의 융합에 의한 QRS파, ST 분절 그리고 T파의 형태적 변화가 관찰된다. 이 심전도에서는 f파와의 융합 뿐만 아니라 파형들끼리의 융합도 나타나며 예시에서 살펴본 심방세동 심전도 중 가장 거친 형태의 f파를 보여준다.

심전도 6

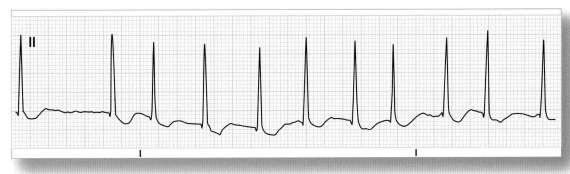

From *Arrhythmia Recognition: The Art of Interpretation*, courtesy of Tomas B. Garcia, MD.

박동수 :	심방: 없음 심실: 약 110회	PR 간격 :	적용할 수 없음
규칙성 :	완전히 불규칙적	QRS 폭 :	정상
P파 : 형태 : 축 :	f 파로 나타남 f 파 적용할 수 없음	그룹화 :	없음
		탈락 박동 :	적용할 수 없음
P:QRS 비 :	적용할 수 없음	리듬 :	심방세동

심전도 6은 완전히 불규칙적 패턴과 관찰가능한 P파가 없는 전형적인 심방세동 심전도를 보여준다. 리듬스트립 전체에 걸쳐 R-R 간격의 상당한 변화가 있어 심박수를 계산하는데 어려움을 준다. 하지만 6초 동안의 QRS파 개수를 세어 10을 곱하면 쉽게 심박수를 산출할 수 있다. 어떤 학자들은 가장 느린 심박수와 가장 빠른 심박수 사이 값을 제시하기도 하지만 어느 방법이든 상관 없고, 두 개의 방법은 각각의 장점이 있다. 디곡신 효과가 있어 보여 임상적 관련여부를 확인해야 한다.

심전도 7

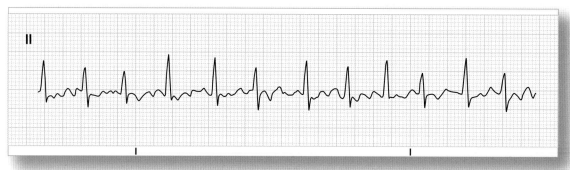

From *Arrhythmia Recognition: The Art of Interpretation*, courtesy of Tomas B. Garcia, MD.

박동수 :	심방: 없음 심실: 분당 약 130회 이상	PR 간격 :	적용할 수 없음
규칙성 :	완전히 불규칙적	QRS 폭 :	정상
P파 : 　형태 : 　축 :	f 파로 나타남 f 파 적용할 수 없음	그룹화 :	없음
		탈락 박동 :	적용할 수 없음
P:QRS 비 :	적용할 수 없음	리듬 :	심방세동

심전도 7은 완전히 불규칙적 리듬과 조절되지 않는 거친 심방세동을 보여준다. 리듬 스트립에 걸쳐 QRS파 형태의 변화가 있으며 이것은 거친 f파와의 융합 혹은 편위전도일 수 있다(심박수 관련 혹은 비전형적 애쉬만 현상). 거친 심방세동은 미세 심방세동에 비해 평가하기 어렵다. 그 이유는 무작위로 발생하는 f파가 P파 혹은 T파로 오인될 수 있기 때문이다. 이런 경우 캘리퍼는 리듬을 분석하기 위한 매우 유용한 도구가 된다.

심전도 8

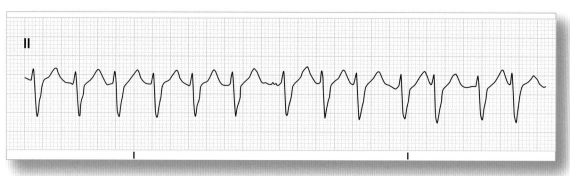

From *Arrhythmia Recognition: The Art of Interpretation*, courtesy of Tomas B. Garcia, MD.

박동수 :	심방: 없음 심실: 분당 약 140회	PR 간격 :	적용할 수 없음
규칙성 :	완전히 불규칙적	QRS 폭 :	넓음
P파 : 　형태 : 　축 :	f 파로 나타남 f 파 적용할 수 없음	그룹화 :	없음
		탈락 박동 :	적용할 수 없음
P:QRS 비 :	적용할 수 없음	리듬 :	심방세동

심전도 8은 단순한 심방세동일까? 리듬 스트립의 시작 부위는 심실 반응이 규칙적으로 보이지만 리듬이 진행할수록 무질서한 양상으로 바뀌는 것을 볼 수 있다. 이것은 전형적인 조동-세동 패턴이다. 리듬 스트립의 시작에서 140회의 R-R 간격을 보인다. 비록 조동파가 보이진 않지만 파형들 사이에 겹쳐있을 것이라고 가정할 수 있다. 부정맥이 진행함에 따라 심방조동은 자연스럽게 심방세동으로 변형되었다. 다른 심전도 리드는 이 리듬을 진단하는데 큰 도움을 줄 수 있다.

심전도 9

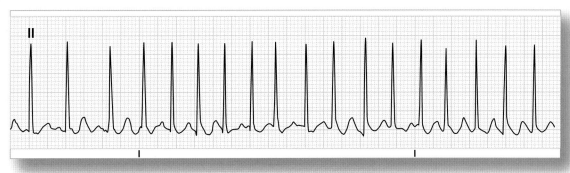

박동수 :	심방: 없음 심실: 분당 약 190회	PR 간격 :	적용할 수 없음
규칙성 :	완전히 불규칙적	QRS 폭 :	정상
P파 : 　형태 　축	f 파로 나타남 f 파 적용할 수 없음	그룹화 :	없음
		탈락 박동 :	적용할 수 없음
P:QRS 비 :	적용할 수 없음	리듬 :	심방세동

심전도9는 매우 빠른 부정맥이다! 이것은 200회 이상의 좁은 QRS파 빈맥이다. 감별진단에서 가장 중요한 사항은 리듬의 불규칙성이다. 사실 이것은 완전히 완전히 불규칙적한 패턴으로 조절되지 않는 심방세동이다. 심방세동의 심박

수가 빠를수록 심실 전도에 부전도로가 개입 되었을 확률이 높아진다. 만약 200회를 상회하는 심방세동이 있다면 부전도로의 가능성을 항상 고려해야한다.

심전도 10

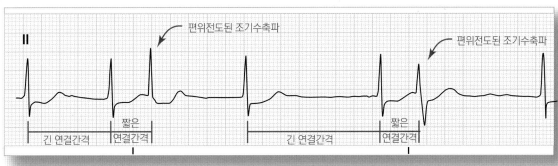

편위전도된 조기수축파

편위전도된 조기수축파

긴 연결간격　짧은 연결간격　긴 연결간격　짧은 연결간격

박동수 :	심방: 없음 심실: 분당 약 70회	PR 간격 :	적용할 수 없음
규칙성 :	완전히 불규칙적	QRS 폭 :	정상
P파 : 　형태 　축	f 파로 나타남 f 파 적용할 수 없음	그룹화 :	없음
		탈락 박동 :	적용할 수 없음
P:QRS 비 :	적용할 수 없음	리듬 :	심방세동

심전도10의 리듬은 심방세동이다. 리듬 스트립에 걸쳐 명백한 P파의 부재, 미세 f파, 완전히 불규칙적 패턴을 보인다. 애쉬만 현상에 의해 3번째와 6번째 파형에서 약간의 편위전도가 발생하였다. 이것은 긴 간격 이후 짧은 간격에 의

해 편위전도가 발생하는 전형적인 애쉬만 현상의 예시이다. 편위전도된 두 QRS파형간의 형태적 차이는 두 파형간의 편위전도 발생 위치가 상이함에 따라 발생하였다.

단원 복습

1. 심방세동은 _____ 한 리듬이며 _____ 가 없는 것이 특징이다.

2. 심방세동에서 심방의 전기적 활동을 지칭하는 항목은?(맞는 것을 모두 고르시오)

   A. F파

   B. f파

   C. 조동파

   D. 세동파

3. 심방세동시 f파의 박동수 범위는?

   A. 100-200회

   B. 150-300회

   C. 300-500회

   D. 400-600회

4. 심방세동 시 심방 조직엔 동시에 자극을 생성하는 여러 개의 이소성 초점이 존재한다. 그 결과로 여러 개의 작은 탈분극 영역 또는 잔물결이 생성되며 이들은 서로의 백터를 상쇄한다. 이러한 백터들은 심전도 상에서 f파로 나타나게 된다. (맞다 / 틀리다)

5. 임상적으로 f파의 형태는(거친 혹은 미세) 치료에 있어 매우 중요한 요소이다. (맞다 / 틀리다)

6. 심방세동 동안에 많은 수의 탈분극파(잔물결)는 방실결절 근위부에 동시에 접근한다. 이들 중 대부분은 서로 상쇄되고 오직 하나의 탈분극파 만이 방실결절을 통해 심실에 전도된다. (맞다 / 틀리다)

7. 조절되지 않는 심방세동의 심실 박동수 범위는 _____ 회 이다.

8. 심방세동 동안의 심실 반응은 항상 완전히 불규칙적 하다. (맞다 / 틀리다)

9. 완전 방실 차단이 심방세동 환자에서도 발생 가능하다. (맞다 / 틀리다)

10. 애쉬만 현상은 긴 간격 이후에 발생한 조기수축에 의해 편위전도가 나타나는 것을 의미한다. 다시 말해 _____ 간격 이후 _____ 간격이 뒤를 이으면 짧은 간격에 나타나는 파형은 일반적으로 편위전도가 발생하게 된다.

3편 자율 학습

점검: 심전도 1

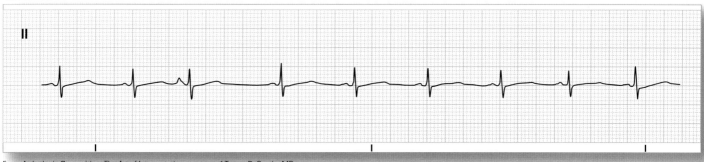

From *Arrhythmia Recognition: The Art of Interpretation*, courtesy of Tomas B. Garcia, MD.

박동수 :	PR 간격 :	설명
규칙성 :	QRS 폭 :	
P파 : 형태 : 축 :	그룹화 : 탈락 박동 :	
P:QRS 비 :	리듬 :	

점검: 심전도 2

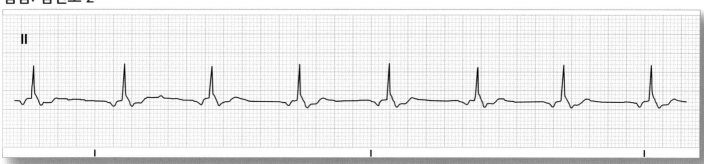

From *Arrhythmia Recognition: The Art of Interpretation*, courtesy of Tomas B. Garcia, MD.

박동수 :	PR 간격 :	설명
규칙성 :	QRS 폭 :	
P파 : 형태 : 축 :	그룹화 : 탈락 박동 :	
P:QRS 비 :	리듬 :	

점검: 심전도 3

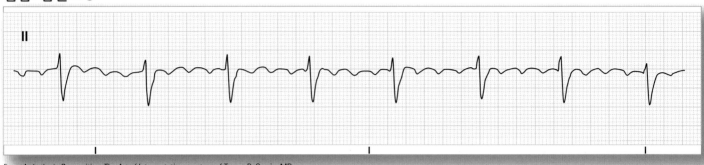

From *Arrhythmia Recognition: The Art of Interpretation*, courtesy of Tomas B. Garcia, MD.

박동수 :	PR 간격 :	설명
규칙성 :	QRS 폭 :	
P파 : 　형태 : 　축 :	그룹화 :	
	탈락 박동 :	
P:QRS 비 :	리듬 :	

점검: 심전도 4

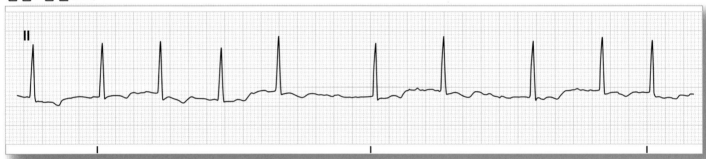

From *Arrhythmia Recognition: The Art of Interpretation*, courtesy of Tomas B. Garcia, MD.

박동수 :	PR 간격 :	설명
규칙성 :	QRS 폭 :	
P파 : 　형태 : 　축 :	그룹화 :	
	탈락 박동 :	
P:QRS 비 :	리듬 :	

점검: 심전도 5

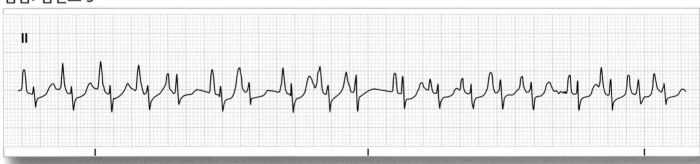

From *Arrhythmia Recognition: The Art of Interpretation*, courtesy of Tomas B. Garcia, MD.

박동수 :	PR 간격 :	설명
규칙성 :	QRS 폭 :	
P파 : 　형태 : 　축 :	그룹화 :	
	탈락 박동 :	
P:QRS 비 :	리듬 :	

점검: 심전도 6

II

From *Arrhythmia Recognition: The Art of Interpretation*, courtesy of Tomas B. Garcia, MD.

박동수 :	PR 간격 :	설명
규칙성 :	QRS 폭 :	
P파 : 　형태 : 　축 :	그룹화 : 탈락 박동 :	
P:QRS 비 :	리듬 :	

점검: 심전도 7

V₁

From *Arrhythmia Recognition: The Art of Interpretation*, courtesy of Tomas B. Garcia, MD.

박동수 :	PR 간격 :	설명
규칙성 :	QRS 폭 :	
P파 : 　형태 : 　축 :	그룹화 : 탈락 박동 :	
P:QRS 비 :	리듬 :	

점검: 심전도 8

II

From *Arrhythmia Recognition: The Art of Interpretation*, courtesy of Tomas B. Garcia, MD.

박동수 :	PR 간격 :	설명
규칙성 :	QRS 폭 :	
P파 : 　형태 : 　축 :	그룹화 : 탈락 박동 :	
P:QRS 비 :	리듬 :	

점검: 심전도 9

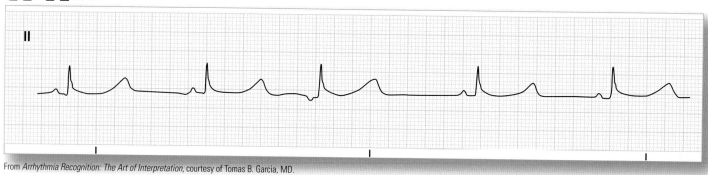

From *Arrhythmia Recognition: The Art of Interpretation*, courtesy of Tomas B. Garcia, MD.

박동수 :	PR 간격 :	설명
규칙성 :	QRS 폭 :	
P파 : 　형태 :	그룹화 :	
축 :	탈락 박동 :	
P:QRS 비 :	리듬 :	

점검: 심전도 10

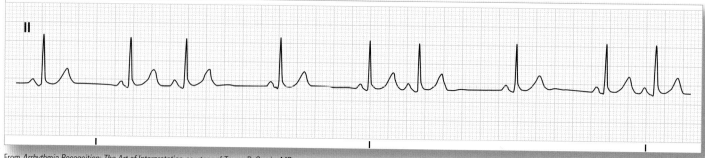

From *Arrhythmia Recognition: The Art of Interpretation*, courtesy of Tomas B. Garcia, MD.

박동수 :	PR 간격 :	설명
규칙성 :	QRS 폭 :	
P파 : 　형태 :	그룹화 :	
축 :	탈락 박동 :	
P:QRS 비 :	리듬 :	

점검: 심전도 11

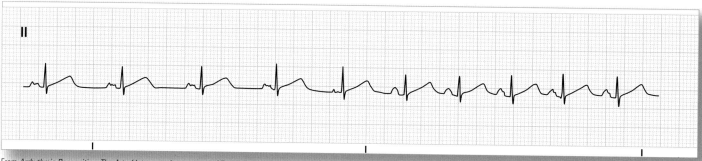

From *Arrhythmia Recognition: The Art of Interpretation*, courtesy of Tomas B. Garcia, MD.

박동수 :	PR 간격 :	설명
규칙성 :	QRS 폭 :	
P파 : 　형태 :	그룹화 :	
축 :	탈락 박동 :	
P:QRS 비 :	리듬 :	

점검: 심전도 12

From *Arrhythmia Recognition: The Art of Interpretation*, courtesy of Tomas B. Garcia, MD.

박동수 :	PR 간격 :	설명
규칙성 :	QRS 폭 :	
P파 : 　형태 : 　축 :	그룹화 :	
	탈락 박동 :	
P:QRS 비 :	리듬 :	

점검: 심전도 13

From *Arrhythmia Recognition: The Art of Interpretation*, courtesy of Tomas B. Garcia, MD.

박동수 :	PR 간격 :	설명
규칙성 :	QRS 폭 :	
P파 : 　형태 : 　축 :	그룹화 :	
	탈락 박동 :	
P:QRS 비 :	리듬 :	

점검: 심전도 14

From *Arrhythmia Recognition: The Art of Interpretation*, courtesy of Tomas B. Garcia, MD.

박동수 :	PR 간격 :	설명
규칙성 :	QRS 폭 :	
P파 : 　형태 : 　축 :	그룹화 :	
	탈락 박동 :	
P:QRS 비 :	리듬 :	

점검: 심전도 15

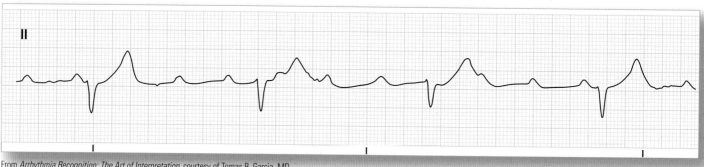

From *Arrhythmia Recognition: The Art of Interpretation*, courtesy of Tomas B. Garcia, MD.

박동수 :	PR 간격 :	설명
규칙성 :	QRS 폭 :	
P파 : 　형태 : 　축 :	그룹화 :	
	탈락 박동 :	
P:QRS 비 :	리듬 :	

점검: 심전도 16

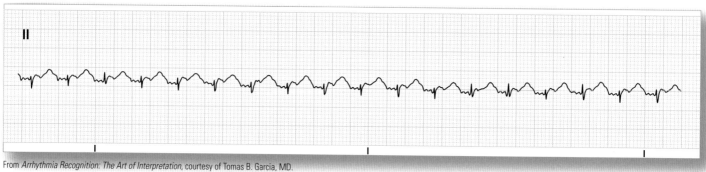

From *Arrhythmia Recognition: The Art of Interpretation*, courtesy of Tomas B. Garcia, MD.

박동수 :	PR 간격 :	설명
규칙성 :	QRS 폭 :	
P파 : 　형태 : 　축 :	그룹화 :	
	탈락 박동 :	
P:QRS 비 :	리듬 :	

점검: 심전도 17

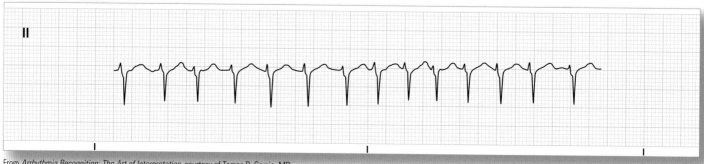

From *Arrhythmia Recognition: The Art of Interpretation*, courtesy of Tomas B. Garcia, MD.

박동수 :	PR 간격 :	설명
규칙성 :	QRS 폭 :	
P파 : 　형태 : 　축 :	그룹화 :	
	탈락 박동 :	
P:QRS 비 :	리듬 :	

점검: 심전도 18

From *Arrhythmia Recognition: The Art of Interpretation*, courtesy of Tomas B. Garcia, MD.

		설명
박동수 :	PR 간격 :	
규칙성 :	QRS 폭 :	
P파 :	그룹화 :	
형태 :		
축 :	탈락 박동 :	
P:QRS 비 :	리듬 :	

점검: 심전도 19

From *Arrhythmia Recognition: The Art of Interpretation*, courtesy of Tomas B. Garcia, MD.

		설명
박동수 :	PR 간격 :	
규칙성 :	QRS 폭 :	
P파 :	그룹화 :	
형태 :		
축 :	탈락 박동 :	
P:QRS 비 :	리듬 :	

점검: 심전도 20

From *Arrhythmia Recognition: The Art of Interpretation*, courtesy of Tomas B. Garcia, MD.

		설명
박동수 :	PR 간격 :	
규칙성 :	QRS 폭 :	
P파 :	그룹화 :	
형태 :		
축 :	탈락 박동 :	
P:QRS 비 :	리듬 :	

3편 자율 학습 해설

점검: 심전도 1

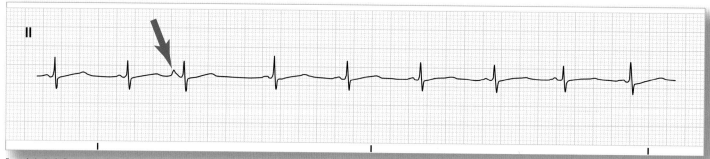

From *Arrhythmia Recognition: The Art of Interpretation*, courtesy of Tomas B. Garcia, MD.

박동수 :	분당 약 75회	PR 간격 :	정상, 사건이 있는 곳에는 다른 간격
규칙성 :	사건이 동반되면서 규칙적	QRS 폭 :	정상
P파 :	있음	그룹화 :	없음
형태 :	상향		
축 :	정상	탈락 박동 :	없음
P:QRS 비 :	1:1	리듬 :	심방 조기수축을 동반한 동율동

토의:

위 심전도는 파란 화살표로 표시한 하나의 심방 조기수축을 동 반한 동율동의 심전도이다. 이소성 P파의 형태가 동율동의 P와 다른 것을 주목하자. 원래 동율동의 박자는 심방 조기수축에 의해 영향을 받지 않았다.

이것은 동결절이 이소성 박동에 의해서 재설정 되지 않을 때 일어난다. 그래서 휴지는 완전한 대상성 휴 지기를 가지고 선행하는 R-R간격의 2배가 된다. 대부분의 심방 조기수축이 비대상성 휴지기를 가지는데 이 경우는 약간 특별한 경우이다

점검: 심전도 2

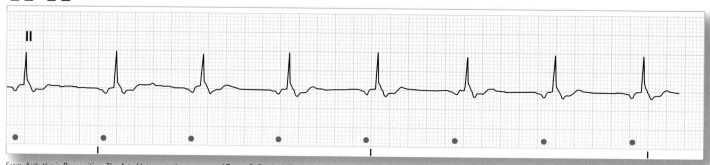

From *Arrhythmia Recognition: The Art of Interpretation*, courtesy of Tomas B. Garcia, MD.

박동수 :	분당 약 63회	PR 간격 :	정상
규칙성 :	규칙적	QRS 폭 :	정상
P파 :	있음	그룹화 :	없음
형태 :	역위됨		
축 :	비정상	탈락 박동 :	없음
P:QRS 비 :	1:1	리듬 :	이소성 심방율동

토의:

P파는 아랫부분에 파란 점으로 표시해 두었다. P파는 유도 II에 서 역위되어 있는데 이는 P파의 축이 비정상이기 때문이다. 율동은 63회/분이고 규칙적이다. 탈락박동이나 그룹화는 없으며 QRS군은 정상 범위 내에 있다. 이 심전도에서 판독하기 어려운 하나의 문제가 있다. 이소성 심방리듬

인가 아니면, 접합부 리듬인가 하는 점이다. 많은 사람들이 이 두 가지 경우를 구별하기 위해 주로 사용하는 결정 방법은 PR 간격을 가지고 감별하는 것이다. PR 간격이 정상이면 이소성 심방리듬이라는 것을 알 수 있고 만일 PR 간격이 짧으면 접합부율동일 가능성이 많다. 이 경우 PR 간격이 정상이므로 최종 진단은 이소성 심방리듬이다.

점검: 심전도 3

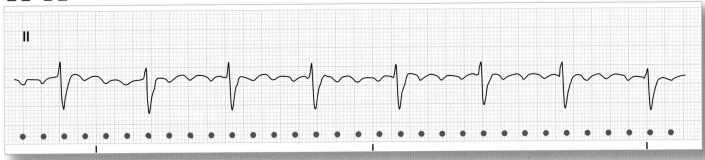

From *Arrhythmia Recognition: The Art of Interpretation*, courtesy of Tomas B. Garcia, MD.

박동수 :	심방 : 분당 약 275회 심실 : 분당 약 66회	PR 간격 :	적용할 수 없음
규칙성 :	규칙적	QRS 폭 :	F파와의 융합으로 인해 넓어짐

P파 :
  형태 :
  축 :
	없음, F파가 보임
	적용할 수 없음
	적용할 수 없음
		그룹화 :	없음

		탈락 박동 :	있음
P:QRS 비 : 4:1		리듬 :	4:1 전도를 하는 심방조동

토의:

위 심전도는 원래선에서 명확한 조동의 형태를 보이고 있다. F파는 275회/분의 박동수로 발생하고 있으며 심실 반응은 66회/분이다. 여기서 전도율은 4:1이다. 심방조동에서 전도율을 계산하기 좋은 방법을 하나 알려주겠다. R-R 사이의 F파 개수를 센 다음 1을 더하면 된다(항상 QRS군에 묻혀 있는 F파가 있기 때문이다.).

이 심전도에서 QRS군의 모양은 원래의 우각차단 때문에 넓어져 있다. 그러나 조심하자. 어떤 기록지에서는 원래의 F파와의 융합, 편위전도, 심실 조기수축 때문에 넓어질 수도 있다. 12 유도 심전도에서 각차단인지 편위전도인지 알 수 있을 것이다. 그리고 이전 심전도가 판독에 매우 도움이 된다.

점검: 심전도 4

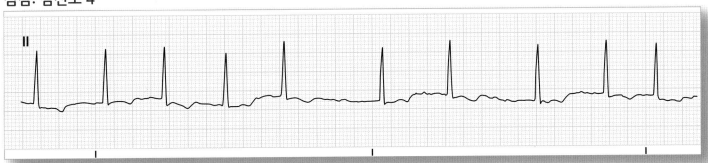

From *Arrhythmia Recognition: The Art of Interpretation*, courtesy of Tomas B. Garcia, MD.

박동수 :	분당 약 80회	PR 간격 :	없음
규칙성 :	완전히 불규칙함	QRS 폭 :	정상

P파 :
  형태 :
  축 :
	없음
	없음
	없음
		그룹화 :	없음

		탈락 박동 :	없음
P:QRS 비 : 없음		리듬 :	심방세동

토의:

이 리듬 기록지는 완전히 불규칙적 리듬이며 대략 80 회/분 정도로 나타난다. 기록지 전체로 명확한 P파가 보이지 않는다. 완전히 불규칙적 리듬(Irregularly irregular rhythm)은 세 가지, 즉 심방세동, 유주성 심방조율기, 다소성 심방빈맥이 있음을 기억하자. 이중에서 유주성 심방조율기와 다소성 심방빈맥은 P파가 존재한다.

그러므로 이 두 가지 경우를 제외하면 정답은 심방세동이다. 또 다른 완전히 불규칙적 리듬이 있을 가능성은 있지만 흔히 볼 수 있지 않다. 몇 가지 예를 들어 보자면 다양한 전도율의 심방 조동, 심하게 빈발하는 조기수축(보통 규칙적으로 불규칙함), 여러 부정맥의 발생 초기 등이 있다. 다른 실마리들도 최종 진단을 하는데 도움을 줄 것이다.

점검: 심전도 5

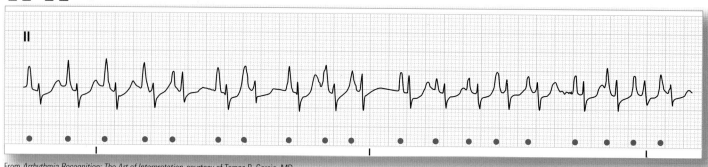

From *Arrhythmia Recognition: The Art of Interpretation*, courtesy of Tomas B. Garcia, MD.

박동수:	분당 약 150~160회 사이	PR 간격:	다양함
규칙성:	완전히 불규칙적	QRS 폭:	정상
P파: 　형태: 　축:	있음 다양함 다양함	그룹화: 탈락 박동:	없음 없음
P:QRS 비: 1:1		리듬:	다소성 심방빈맥

토의:

　파란 점으로 표시된 이 심전도의 P파를 보면 꽤나 인상적이다. 실제로 QRS군의 R파 보다 키가 크다. 우리는 논의를 위해 이 심전도를 포함시켰다. 어떤 경우에 박동군의 일부분의 형태가 매우 특이해서 나머지 기록지를 판독하는데 피곤하게 만들 것이다. 이것만 기억하면 된다. P파는 P파이고

P파이다.

　이는 다른 파형에도 같이 적용할 수 있다. 이 기록지의 리듬은 완전히 불규칙적이고 P파의 형태와(최소 3개 이상) PR 간격이 전체적으로 다양하다. 이 진단 기준은 다소성 심방빈맥과 유주성 심방조율기에 모두 부합한다. 여기서 리듬이 빈맥이기 때문에 정답은 다소성 심방빈맥이 된다.

점검: 심전도 6

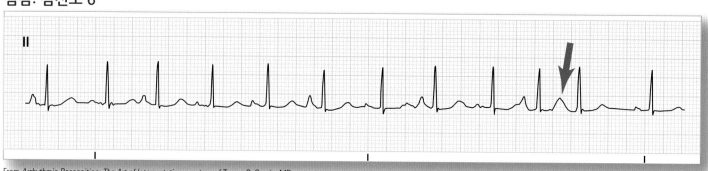

From *Arrhythmia Recognition: The Art of Interpretation*, courtesy of Tomas B. Garcia, MD.

박동수:	분당 약 110회	PR 간격:	다양함
규칙성:	완전히 불규칙함	QRS 폭:	정상
P파: 　형태: 　축:	있음 다양함 다양함	그룹화: 탈락 박동:	없음 없음
P:QRS 비: 1:1		리듬:	다소성 심방빈맥

토의:

　위 심전도에서 각각의 박동군에는 모두 P파와 QRS파가 있으며 1:1의 비율도 전도한다. 그러나 P파와 PR 간격은 계속해서 변화하고 있으며 최소한 3개 이상의 상이한 형태와 간격을 관찰할 수 있다. 리듬은 완전히 불규칙하다. 앞에서 언급하였듯이, 이렇게 완전히 불규칙적 리듬은 세가지를 들

수 있다. 심방세동, 다소성 심방빈맥, 유주성 심방조율기가 그것이다. P파가 존재하기 때문에 심방세동은 배제할 수 있고 나머지 두 개의 리듬은 박동수 이외의 진단 기준은 모두 같다. 위 리듬 기록지의 박동수는 110회를 약간 넘는데 이 것으로 다소성 심방빈맥임을 알 수 있다. 파란색 화살표는 묻혀있는 P파를 나타낸다.

점검: 심전도 7

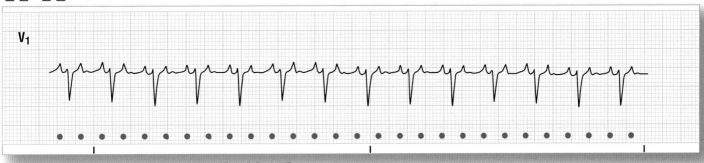

From *Arrhythmia Recognition: The Art of Interpretation*, courtesy of Tomas B. Garcia, MD.

박동수 :	심방 : 분당 약 275회 심실 : 분당 약 135회	PR 간격 :	적용할 수 없음
규칙성 :	규칙적	QRS 폭 :	정상
P파 : 　형태 : 　축 :	있음 적용할 수 없음 적용할 수 없음	그룹화 :	없음
		탈락 박동 :	없음
P:QRS 비 :	2:1	리듬 :	차단을 동반한 이소성 심방빈맥

토의:

　분당 약 275회 정도의 심방 박동수를 가지는 빠른 심방빈맥을 보여주고 있다. 이 유도에서 심방 박동군 사이의 평평한 원래선을 볼 수 있다는데 주목하자. 기록지 전체에서 2:1의 전도를 하고 있다. 그렇다면 이 심전도는 2:1 차단의 심방조동인가? 전형적인 심방조동은 우심방에 발생한 대회귀회로로 인해 일정하게 움직인다.

　심방조동의 원래선은 절대로 평평하지 않다. 물론 이따금 평평하기도 하지만 여전히 일정한 파동이 있다. 이 환자의 유도II에서도 평평한 원래선이 나타났는데 이는 심방조동과 일치하지 않는다. 간헐적인 방실 차단이 동반된 이소성 심방빈맥의 일반적인 박동수를 넘어서고 있더라도(150에서 250회) 이것이 정답이다. 환자의 임상적 정보가 이 진단을 확인시켜 줄 것이다.

점검: 심전도 8

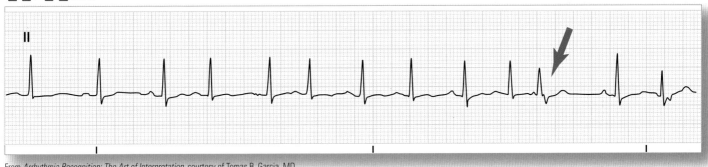

From *Arrhythmia Recognition: The Art of Interpretation*, courtesy of Tomas B. Garcia, MD.

박동수 :	분당 약 110회	PR 간격 :	다양함
규칙성 :	완전히 불규칙적	QRS 폭 :	정상
P파 : 　형태 : 　축 :	있음 다양함 다양함	그룹화 :	없음
		탈락 박동 :	없음
P:QRS 비 :	1:1	리듬 :	다소성 심방빈맥

토의:

　이 심전도의 박자는 완전히 불규칙적이며 P파는 모두 존재하고 있다. P파는 모두 달라 보이며 PR 간격도 각각 다르다. 박동수로 보면 빈맥이다. 이런 정보들을 종합하면 진단은 다소성 심방빈맥이다. 기록지 전체에서 약간의 편위전도가 있는 것을 볼 수 있고 파란 화살표의 박동은 확연한 편위전도이다.

　이것은 다소성 심방빈맥의 일반적인 소견이며 주변 박동군의 요소들과 융합이 흔하기 때문에 발생한다. 또 다른 이유는 전기 전도계 일부의 불응기로 인해 발생하는 편위전도가 있다. 가장 많은 부위는 우각 섬유속이며 전도계의 어떤 부분이라도 발생이 가능하다.

점검: 심전도 9

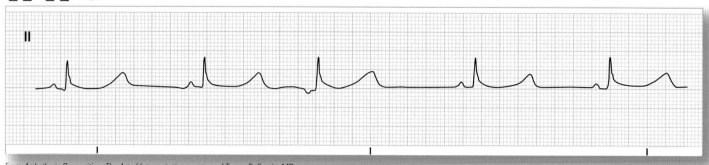

From *Arrhythmia Recognition: The Art of Interpretation*, courtesy of Tomas B. Garcia, MD.

박동수 :	분당 약 45회	PR 간격 :	정상(사건의 경우를 제외하면)
규칙성 :	사건을 동반하면서 규칙적	QRS 폭 :	정상
P파 :	있음(사건의 경우를 제외하면)	그룹화 :	없음
형태 :	상향(사건의 경우를 제외하면)		
축 :	정상(사건의 경우를 제외하면)	탈락 박동 :	없음
P:QRS 비 : 1:1		리듬 :	심방 조기수축을 동반한 동서맥

토의:

이 심전도는 규칙적인 리듬으로 느린 맥과 함께 하나의 조기수축이 있다. 조기수축 제외하고는 P파와 PR 간격이 모두 같다. 조기 박동은 짧지만 정상범위안에 있는 PR 간격과 역위된 P파가 특징이다. 이런 소견은 심방 조기수축과 부합한다.

그 간격은 대상성 휴지와 비슷하고 이후의 박동수도 거의 같다. 이것은 경계성 대상성 휴지인데 비대상성 휴지에 더 가깝다고 주장할 여지가 있다. 이 문제에서는 심방 조기수축이 확실하므로 이것이 별로 문제가 되지 않는다.

점검: 심전도 10

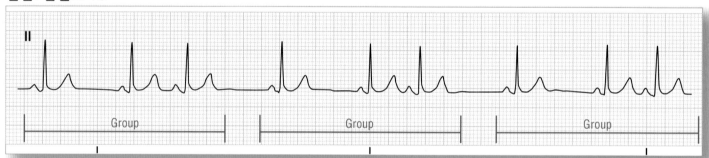

From *Arrhythmia Recognition: The Art of Interpretation*, courtesy of Tomas B. Garcia, MD.

박동수 :	분당 약 70회	PR 간격 :	다양함
규칙성 :	규칙적으로 불규칙한	QRS 폭 :	정상
P파 :	있음	그룹화 :	있음
형태 :	다양함		
축 :	정상	탈락 박동 :	없음
P:QRS 비 : 1:1		리듬 :	상심실성 삼단맥(trigeminy)을 동반한 동리듬

토의:

심전도를 처음 보면 꽤나 어려울 것이다. 자주 발생하는 심방 조기수축은 쉽게 알 수 있으나 그룹화는 찾아내기가 좀 어렵다. 기록지 전체에서 동성-동성-이소성(sinus-sinus-PAC)의 반복적인 패턴을 볼 수 있다. 만약에 그룹화된 심전도를 보았다면 첫 번째로 떠오르는 생각은 어떤 방실 차단이 있는가? 글쎄, 아니다(방실 차단은 28장에서 다룰 것이

다. 지금은 그냥 읽어 두도록 한다.)

3번째 박동은 단순한 심방 조기수축이다. 리듬은 빈발성 심방 조기수축을 동반한 동리듬이라고 해도 되고 더 특이적으로 상심실성 삼단맥(Supraventricular trigeminy) (3번째 박동이 심방 조기수축인)이라고 해도 된다. 실제적인 기술은 상심실성 삼단맥이 동반된 동리듬(sinus rhythm with an overlying supraventricular trigeminy)이라고 하는 것이 정확하다.

점검: 심전도 11

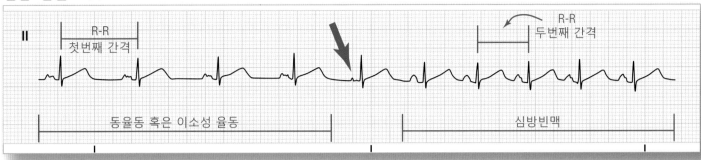

From *Arrhythmia Recognition: The Art of Interpretation*, courtesy of Tomas B. Garcia, MD.

박동수 :	토의 참조	PR 간격 :	다양함
규칙성 :	토의 참조	QRS 폭 :	정상
P파 :	있음	그룹화 :	없음
형태 :	다양함		
축 :	다양함	탈락 박동 :	없음
P:QRS 비 :	1:1	리듬 :	토의 참조

토의:

　3개의 상이한 P파의 형태가 있긴 하지만 이 심전도는 유주심방 조율기가 아니다. 그 이유는 리듬이 완전히 불규칙적이지 않기 때문이다. 이것은 규칙적으로 불규칙하다. 초반의 4개의 박동군은 분당 70회의 동리듬 이거나 이소성 심방리듬이다(감별을 위해서는 이전 심전도가 필요하다). 그리고 그 다음에 파란 화살표로 표시한 심방 조기박동이 나타나면서 다른 조율기가 작동하도록 유발하고 있다. 이 조율기는 명백히 이소성 조율기이다. 그 이유는 심전도 초반에 있는 박동군과 P파 형태, PR 간격이 다르기 때문이다. 마지막의 심박동기는 105회/분의 빈맥으로 작동하며 이 부분을 이소성 심방빈맥으로 만든다. 심방 조기수축은 단지 새로운 리듬을 시작하는 방아쇠로 작용한다.

점검: 심전도 12

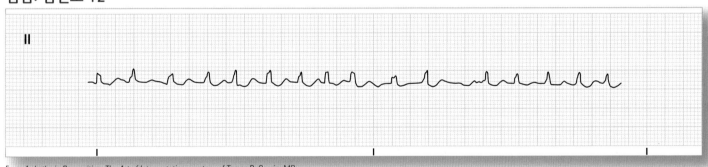

From *Arrhythmia Recognition: The Art of Interpretation*, courtesy of Tomas B. Garcia, MD.

박동수 :	분당 약 160회	PR 간격 :	없음
규칙성 :	완전히 불규칙함	QRS 폭 :	정상
P파 :	없음	그룹화 :	없음
형태 :	없음		
축 :	없음	탈락 박동 :	없음
P:QRS 비 :		리듬 :	심방세동

토의:

　위 리듬 기록지는 조절이 되지 않은 심방세동의 한 예이다. 심박수는 160회/분 정도로 매우 빠르며 완전히 무작위이며 완전히 불규칙적이다. 기록지 전체에 P파는 볼 수 없다. 원래선에 한 두개의 파동이 있어서 이따금씩 발생하는 P파로(occasional P wave) 해석할 수도 있겠지만 지속적이지 않으며 단지 원래선이 요동치는 것일 뿐이다. QRS의 형태도 기록지 전체에서 다양하게 나타나는데 이 때문에 잘못된 진단을 내릴 수도 있다. 이 다양함은 편위전도와 F파를 포함한 기타의 파동과 융합의 가능성이 있다. 12 유도 심전도와 길게 기록한 리듬 기록지가 이 환자를 평가하는 데 있어 도움이 된다. ST 분절은 약간 푹 파인 듯이(scooped) 보이며 디지탈리스 효과의 가능성이 있다.

점검: 심전도 13

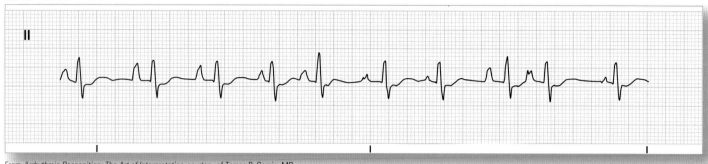

From *Arrhythmia Recognition: The Art of Interpretation*, courtesy of Tomas B. Garcia, MD.

박동수 :	분당 약 90회	PR 간격 :	다양함
규칙성 :	완전히 불규칙함	QRS 폭 :	정상
P파 :	있음	그룹화 :	없음
형태 :	다양함		
축 :	다양함	탈락 박동 :	없음
P:QRS 비 : 1:1		리듬 :	유주심방조율기

토의:

이 리듬 기록지는 완전히 불규칙하면서 3개 이상의 P파 형태를 가진 리듬이다. 박동수는 대부분 정상 범위에 있으며 몇몇 박동군만 좀 더 빠르다. 이 진단 기준은 유주심방조율기에 부합한다. QRS파가 약간씩 형태가 다른 것은 편위 전도와의 융합으로 인한 것이다. 이런 현상은 유주심방조율기와 다소성 심방빈맥에서 흔 하게 볼 수 있다. 기록지 전체에서 볼 수 있는 약간의 ST 분절 하강을 평가하기 위해서는 12 유도 심전도가 필요하다.

점검: 심전도 14

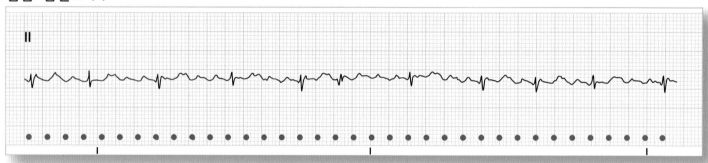

From *Arrhythmia Recognition: The Art of Interpretation*, courtesy of Tomas B. Garcia, MD.

박동수 :	심방 : 분당 약 300회	PR 간격 :	적용할 수 없음
	심실 : 분당 약 90회		
규칙성 :	완전히 불규칙함	QRS 폭 :	정상
P파 :	없음, F파	그룹화 :	없음
형태 :	적용할 수 없음		
축 :	적용할 수 없음	탈락 박동 :	없음
P:QRS 비 : 다양함		리듬 :	다양한 전도를 보이는 심방조동

토의:

이것은 완전히 불규칙적 리듬으로 P파가 보이는지 확인해 보도록 한다. P파는 보이지 않을 것이다. 관찰되는 것은 심방 조동의 파동으로 300회/분의 속도로 원래선에서 물결을 일으키고 있다. 진단은 심방 조동이다. 심실 반응이 무작위인 것은 방실결절을 통한 자극의 전도가 다양하기 때문이다. 이것은 일반적인 심방조동은 아니지만 임상 상황에서 충분히 만날 수 있다. 진단의 열쇠는 조동파의 존재를 확인하는 것이다. QRS파의 형태적 차이는 원래의 조동파와의 융합과 편위전도가 원인이다. 만약에 조동파가 명확하지 않으면 좀 더 의심을 가지고 판독해야 한다. 그럴 경우에는 또 다른 유도의 심전도가 진단에 도움이 될 것이다.

점검: 심전도 15

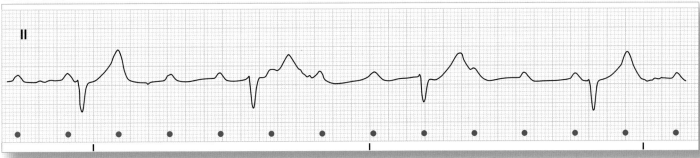

From *Arrhythmia Recognition: The Art of Interpretation*, courtesy of Tomas B. Garcia, MD.

박동수 :	심방 : 분당 약 105회 심실 : 분당 약 32회	PR 간격 :	적용할 수 없음
규칙성 :	규칙적으로 불규칙한	QRS 폭 :	넓음
P파 : 　형태 : 　축 :	있음 상향 정상	그룹화 :	없음
		탈락 박동 :	없음
P:QRS 비 :	다양함	리듬 :	차단을 동반한 이소성 심방빈맥

토의:

　15번 심전도는 심방과 심실의 박동수에 차이가 있음을 볼 수 있다. P파는 쉽게 찾을 수 있으며 105회/분의 박동수를 가지고 있다. QRS파는 0.12초 이상으로 넓고 박동수는 32회/분이다. 심실 박동수와 QRS군의 넓이는 이 박동군이 심실 기원이라는 소견에 부합한다.

　심실 리듬은 심실 이탈리듬이다. 심방과 심실은 너무 다르고, 서로에게 어떠한 영향도 미치지 못하며, 서로 간의 소통이 전혀 이루어지지 않는다. 이것은 완전 방실 차단(28장 참고)으로 인해 발생하는 것이다. 이 리듬 기록지의 최종 진단은 이소성 심방빈맥과 동반된 완전 방실 차단과 심실 이탈리듬이다.

점검: 심전도 16

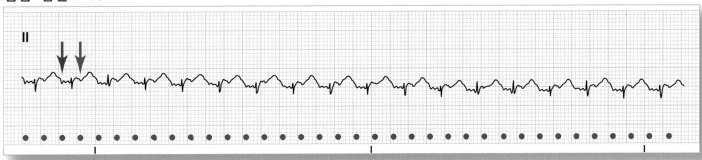

From *Arrhythmia Recognition: The Art of Interpretation*, courtesy of Tomas B. Garcia, MD.

박동수 :	심방 : 분당 약 300회 심실 : 분당 약 150회	PR 간격 :	적용할 수 없음
규칙성 :	규칙적	QRS 폭 :	정상
P파 : 　형태 : 　축 :	있음 적용할 수 없음 적용할 수 없음	그룹화 :	없음
		탈락 박동 :	없음
P:QRS 비 :	2:1	리듬 :	2:1 전도를 하는 심방조동

토의:

　이 심전도는 꽤나 구분하기 쉽지 않다. 심실 박동군의 심박수는 몇 회인가? 150회/분이다. 그렇다면 즉시 머릿속에 질문이 떠오른다. 내가 심방조동을 보고 있나? 심방조동의 가장 흔한 박동수는 300회/분과 2:1 전도가 흔해서 심실 반응은 보통 150회/분이다. 자세히 살펴보면 QRS군 바로 앞에 약간의 굴절을 볼 수 있고(빨간 화살표) ST 분절에 묻혀

있는 굴절을(파란 화살표) 하나 더 찾을 수 있다. 이 굴절은 300회/분의 속도를 띠며 이 환자의 조동 파형이다. 추가적인 유도의 심전도가 확인하는데 도움이 될 것이다. 덧붙여서 경동맥궁 압박(carotid massage)과 같은 미주신경 조작술(vagal maneuver)이나 Valsalva(대변을 보듯이 힘주기), 혹은 정맥을 통해 adenosine을 투여하면 심실 반응이 느려져서 조동의 파형이 나타날 것이다.

점검: 심전도 17

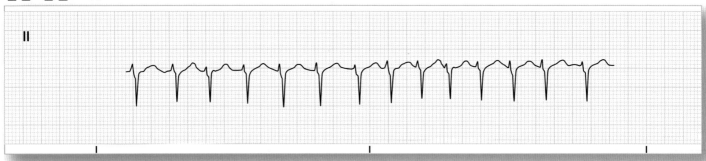

From *Arrhythmia Recognition: The Art of Interpretation*, courtesy of Tomas B. Garcia, MD.

박동수 :	분당 약 160회	PR 간격 :	없음
규칙성 :	완전히 불규칙함	QRS 폭 :	정상

P파 :
  형태 :
  축 :
	없음
	없음
	없음
		그룹화 :	없음

		탈락 박동 :	없음
P:QRS 비 :	없음	리듬 :	심방세동

토의:

　이 심전도 기록지는 조절되지 않은 분당 160회 정도의 심방세 동을 보여주고 있다. 눈으로 대충 보고 이 심전도는 규칙적이다라고 말하면 안 된다. 특히 빠른 심방세동에서 주의해야 한다. 조절되지 않은 심방세동에서 심박수가 빠를수록 QRS파와 QRS파 사이의 변화는 점차 줄어들어 마치 규칙적으로 보일 수 있게 된다.

　위의 리듬 기록지의 경우 넓은 두 개의 R-R간격이 있어서 눈대중으로도 알 수 있지만 반드시 캘리퍼를 이용하여 측정하는 습관을 들여야 한다. 그렇다면 어떻게 해야 하는가. 캘리퍼를 사용할 것인가, 아니면 법정에서 몇 달 동안 의료과실에 대해 지루한 공방을 벌일 것인가?

점검: 심전도 18

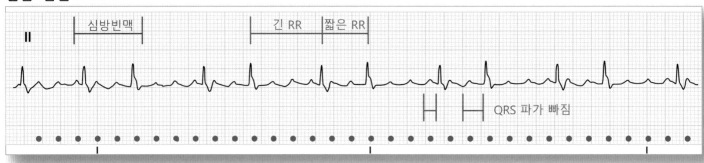

From *Arrhythmia Recognition: The Art of Interpretation*, courtesy of Tomas B. Garcia, MD.

박동수 :	심방 : 분당 약 290회 심실 : 분당 90~100회	PR 간격 :	적용할 수 없음
규칙성 :	규칙적으로 불규칙적임	QRS 폭 :	정상

P파 :
  형태 :
  축 :
	없음
	없음
	없음
		그룹화 :	없음

		탈락 박동 :	없음
P:QRS 비 :	없음	리듬 :	다양한(Wenckebach) 전도를 하는 심방조동

토의:

　이 리듬 기록지는 아주 복잡한 부정맥이다. 하지만 우리는 풀어낼 수 있다. 명확한 F파가 보인다. 리듬의 규칙성은 어떠한가? 규칙적으로 불규칙하다. 다시 한 번 캘리퍼의 중요성을 강조한다. R-R간격을 측정하면 매 간격마다 하나는 길고 하나는 짧음을 알 수 있다. 이런 현상이 기록지 전체에서 나타난다. 전도를 가진 심방조동의 한 아형이다(보다 수준 있는 독자를 위해: F파와 QRS와의 관계를 살펴보면, FR 거리가 긴 박동군과 짧은 박동군 사이에서 증가함을 볼 수 있다. 긴 휴지는 QRS군의 하나가 이탈함으로써 발생한다. 이러한 형태의 전도는 Wenckebach 전도라고 불린다 (28장을 참고).

점검: 심전도 19

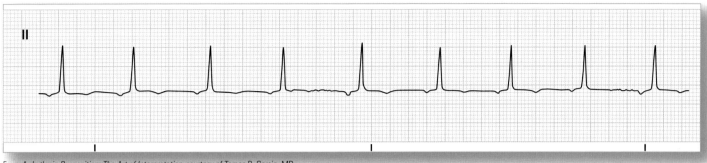

From *Arrhythmia Recognition: The Art of Interpretation*, courtesy of Tomas B. Garcia, MD.

박동수 :	분당 약 75회	PR 간격 :	정상
규칙성 :	규칙적	QRS 폭 :	정상
P파 :	있음	그룹화 :	없음
형태 :	역위됨		
축 :	비정상	탈락 박동 :	없음
P:QRS 비 : 1:1		리듬 :	이소성 심방리듬

토의:

이 리듬 기록지는 유도 II에서 역위된 P파가 보이며 규칙적인 75회/분 정도의 리듬이다. 역위된 P파와 75회/분의 박동수로 보아 이소성 심방리듬으로 진단할 수 있다.

R-R간격의 약간의 변이가 있지만 받아들일 수 있는 범위 안에서의 변화이다.

점검: 심전도 20

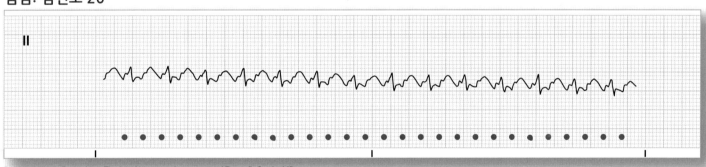

From *Arrhythmia Recognition: The Art of Interpretation*, courtesy of Tomas B. Garcia, MD.

박동수 :	심방 : 분당 약 300회	PR 간격 :	적용할 수 없음
	심실 : 분당 약 150회		
규칙성 :	규칙적	QRS 폭 :	정상
P파 :	없음, F파가 보임	그룹화 :	없음
형태 :	없음		
축 :	없음	탈락 박동 :	없음
P:QRS 비 : 2:1		리듬 :	심방조동 2:1 전도

토의:

이 리듬 기록지는 앞에서 살펴본 16번 리듬 기록지와 비슷하다. QRS 직전에 F파가 있고 하나는 ST 분절에 묻혀 있다. 진단의 핵심은 심실의 박동 속도가 150회 가량 된다는 것이다. 일단 이 박동수를 듣는 순간 반드시 2:1 전도의 심방조동을 생각해야 하며 F파를 찾기 시작해야 한다. 만일에 유도 II에서 관찰되지 않으면 V₁을 살펴보도록 한다.

V₁ 유도에서는 F파가 상향으로 나타나고, 다른 유도에 비해서 보다 쉽게 찾아 낼 수 있는 경우가 많다. 미주신경 조작과 adenosine의 정맥 투여는 확실하게 구별하기 어려운 경우에서 숨겨진 F파를 드러나게 만들어 만일 환자에게 투여해서는 안 되는 특별한 금지사항이 없다면 즉시 시행해볼 수 있다.

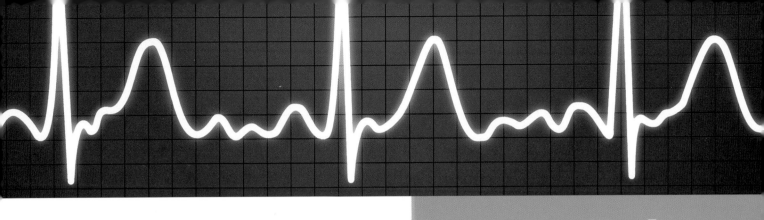

4 편

방실접합부 율동

제 21 장

방실접합부 율동 소개

목표

1. 방실결절의 해부학을 이해한다.

2. 방실결절에 연결되는 이중경로와 이와 관련된 임상적 의미를 이해한다.

3. 방실결절과 관련된 관상동맥 분포를 나열한다.

4. 방실결절의 심박조율 기능 및 다양한 탈분극파형을 이해한다.

5. RP 간격의 정의와 임상적 의미를 이해한다.

방실결절 자세히 살펴보기

우리는 지금까지 방실결절이 심방과 심실 사이에서 어떻게 문지기 역할을 수행하는지 살펴보았다. 이번 장에선 방실결절에서 발생하는 리듬에 관하여 알아볼 것이다. 이를 위해선 방실결절과 그 주변조직의 해부학을 자세히 알아볼 필요가 있다. 생리학적 및 부정맥발생학적 측면에서 방실결절 주변조직은 방실결절 만큼이나 중요하다. 이 영역을 방실접합부라 통칭하며 생성된 부정맥을 방실접합부율동(junctional rhythms)이라 부른다. 실제로 방실접합부는 균일한 구조는 아니며 비 전도조직으로 분리된 하나 또는 두 개의 접근경로와 세 개의 다른 영역으로 구분된다. 각각의 경로와 구역은 고유한 조직학적 구성 및 부정맥 유발기질 그리고 전도특성을 갖는다. 방실접합부는 심방중격과 심실

중격이 만나는 우심방 기저부에 위치한다. **그림 21-1**은 방실접합부와 연결되는 접근경로를 보여준다. 우리 모두는 방실결절에 연결되는 한 개 또는 두 개의 접근경로가 있다. 만약 두 개의 경로가 존재한다면 해부학적 위치에 따라 앞상부경로(anterosuperior)와 뒤하부경로(posteroinferior)로 부른다. 이 접근 경로들은 섬유조직과 비전도조직에 의해 서로 분리되며 나머지 심근과도 구분된다. 기능적으로는 특수전도로와 유사하다(엄밀히 말하면 '경로'는 틀린 표현이나 일반적으로 사용되는 용어임으로 본문에서도 사용하기로 한다). 두 개의 전도로는 각각의 고유한 전도특성을 갖는다. 앞상부경로는 빠른경로(fast tract)로, 뒤하부경로는 전도속도가 느려 느린경로(slow tract)로 알려져 있다. 일반적으로 편의성을 위해 빠른경로(fast tract)와 느린경로(slow tract)로 부른다. 앞으로 25장 방실결절회귀성빈맥에서 살

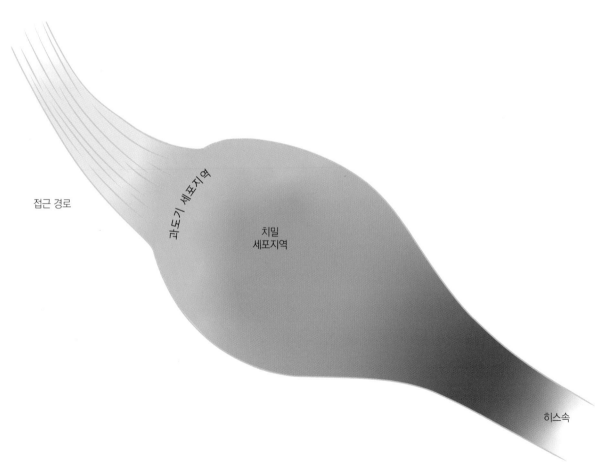

접근 경로

과도기 세포지역

치밀
세포지역

히스속

그림 21-1. 방실결절은 섬유조직 및 비전도조직으로 구분된 한 개 혹은 두 개의 접근경로와 방실결절의 역할에 따른 세 개의 영역으로 분리된다. 간단한 설명을 위해 그림에선 하나의 경로만 표시되었다. 25장 방실결절회귀성빈맥에서 두 경로에 관한 세부적인 사항을 살펴보도록 할 것이다.

퍼보겠지만 두 경로의 생리학적 특징은 빠른 회귀운동에 의한 상심실성 빈맥 형성에 있어 매우 중요한 요소가 된다. 이제 방실결절과 그 주변부위에 관하여 살펴보자. 방실결절을 생각하는 좋은 방법은 방실결절이 면봉의 끝부분이라 상상하는 것이다. 심방으로부터 오는 전기신호는 방실결절의 끝부분을 감싸고 있는 과도기 세포지역에 처음 도달한다(**그림 21-1** 참조). 이 부분은 면봉의 끝부분과 같으며 자동능을 갖는 많은 섬유조직 및 부정맥 유발 기질을 가진다. 방실결절의 중심부는 치밀세포지역(compact zone)이라 불리우며 조직학적이나 기능적으로 동결절(SA node)에서 발견되는 세포와 매우 유사한 세포로 구성되어 있다. 따라서 치밀세포지역은 주요한 박동기로써의 기능을 가진다. 자율신경섬유가 치밀세포지역에 직접적인 영향을 미치는지 여부는 불확실하지만 인접한 영역을 통한 자율신경지배는 분명하다. 마지막 영역은 치밀세포지역에서 히스속 분기점까지 확장되는 영역이다. 이 지역은 막 중격(membranous septum)을 관통하며 나머지 심근들과 전기적으로 차단되어있다. 이 영역의 주요 기능은 각 다발에 신속하게 자극을 전달하는 것이다. 방실결절은 약 90%에서 우측 관상동맥으로부터 혈액 공급을 받으며 나머지 10%는 좌회선지동맥으로부터 혈액 공급을 받는다. 따라서 하벽이 포함된 심근경색증이 발생하는 경우 방실 차단 혹은 서맥이 동반되는 경우를 자주 볼 수 있다(심장의 하벽은 주로 우측관상동맥 특히 후하행관상동맥에 의해 공급된다).

박동기 기능을 가진 방실접합부

전기 자극이 발생되는 해부학적 위치에 따라 심전도소견 특히 P파의 모양이 달라진다. 6장 리듬 스트립의 해석방법에서 소개한 물 모델로 돌아가보자. **그림 21-2**에서처럼 방실결절이 물로 다 채워진 후 수문이 열리면 심방과 심실에 순간적으로 물이 흐르게 된다. 이때 심방에서의 전기 신호는 원래의 흐름과는 반대로(즉, 아래쪽에서 위쪽으로) 흐르게 된다. 심실은 평소와 같이 침수가 되어 정상적으로 전도된 심방 자극때와 같은 좁은 심실 탈분극파를 만든다. 13장 조기 심방 수축에서 살펴본 것처럼 심방으로의 역행전도는 하부 심전도 리드인 리드 I, II, 2, aVF 에서 뒤집어진 P파를 만든다. 정상적인 전기전도로를 이용한 심실 전체의 순방향 전기전도는 좁은 상심실성 탈분극파를 만든다. 위의 예시

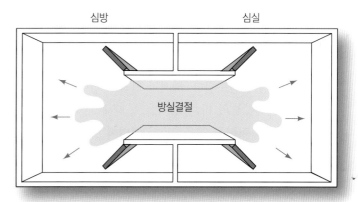

심방   심실

방실결절

그림 21-2. 장금장치가 있는 용기에 물이 채워지고 두 개의 수로가 동시에 열리면 물은 심방과 심실로 흘러간다. 물은 용기의 양쪽으로 동시에 균일하게 퍼져 나간다.

© Jones & Bartlett Learning.

처럼 P파와 QRS파는 동시에 만들어지고 이로 인해 P파는 QRS파와 겹치게 된다. 그 결과 심전도상에서 P파는 보이지 않거나 QRS파의 작은 부분에 변화를 가져오게 된다(**그림 21-3**). 이것이 매우 전형적인 방실접합부 탈분극파의 심전도이다. 이제 더 복잡한 주제를 다뤄보자. 우심방 기저부에서 이소성 심방수축이 발생했다고 가정해보자(**그림 21-4** 분홍색 화살표). 13장 조기 심방 수축에서 살펴본 것처럼 이러한 이소성 심방수축은 심전도 리드 II, III, aVF에서 뒤집어진(역행성) P파를 만들고 방실결절을 통한 순방향 전도는 생리학적 전도지연을 발생시켜 정상적인 PR 간격을 만든다. 이제 이소성 박동기가 조금 더 멀리 이동해 과도기세포지역을 넘어갔다고 가정해보자(**그림 21-4** 붉은색 별). 이제 탈분극파는 어떤 경로를 통해 전도될까? 방실접합부 탈분극파는 심방기저부 탈분극파와 정확히 같은 경로를 이용해 심실에 전도되며 유일한 차이점은 생리학적 차단이 더 짧다는 것이다. P파는 여전히 심방을 향해 역행전도되며 순방향 탈분극파는 정상적인 생리학적 차단을 거쳐야 한다. 이 결과로 얻어진 심전도 소견은 어떠할까? 마지막 방실접합부 예시에서 본것처럼 P파는 QRS파에 겹치지 않을 것이다. 대신에 P파는 QRS파 전에 나타나며 PR 간격은 짧아진다. 따라서 우리는 방실접합부에서 발생한 모든 탈분극파형의 심전도 소견은 같지 않다는 것을 알 수 있다. 방실접합부를 따라 발생하는 이소성 박동기의 위치가 P파와 QRS파와의 관계를 결정한다. 지금까지 과도기세포지역과 치밀세포지역에서 발생한 이소성 수축의 심전도 소견을 살펴보았다. 이

제 이소성 수축이 히스속 영역에서 발생하면 어떤 일이 발생할 지 알아보자. 이러한 경우 탈분극파는 이미 생리학적 차단을 일으키는 방실결절을 지났다. 이에 따라 자극은 즉각적으로 심실에 전도된다. 하지만 자극이 심방에 도달하기 위해선 방실접합부의 다른 영역을 통과해 보다 먼 거리를 이동해야 한다. 이러한 경우 P파가 어디에 나타날지 예측할 수 있는가? 그렇다, 역행성 P파는 QRS파 바로 뒤 ST 분절에 나타나게 된다(**그림 21-5**). 방실접합부 수축 혹은 리듬에서 P파의 위치를 생각할때 연속체(continuum)를 떠올리자. 연속체는 이소성 박동기의 정확한 위치를 기준으로 나머지 방실접합부, 심방 그리고 심실과의 관계를 보여준다. **그림 21-7**은 이소성 P파의 발생위치에 따른 PR 간격과 QRS

파와의 관계를 연속적으로 나타낸다. 방실접합부의 원위부부터 근위부까지의 위치 변화는 순차적인 색 기울기로 표시되며 이소성 P파의 발생 위치가 원위부에서 근위부로 이동할수록 P파의 위치도 QRS파의 시작부터 끝부분으로 순차적인 이동을 하는 것을 알 수 있다. 만약 QRS파를 선행하는 역행성 P파를 보게 된다면 PR 간격을 확인하는 것을 잊지 말자. 만약 PR 간격이 정상이거나 늘어나 있다면 이소성 심방수축에 해당된다. 반대로 만약 PR 간격이 짧다면 방실접합부 리듬일 가능성이 높다. 이 규칙을 따른다면 대부분의 사례를 맞출 수 있다. 하지만 예외의 경우도 있다는 것을 알고 있어야 한다.

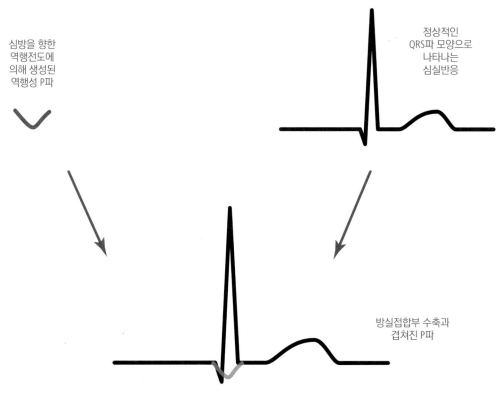

심방을 향한 역행전도에 의해 생성된 역행성 P파

정상적인 QRS파 모양으로 나타나는 심실반응

방실접합부 수축과 겹쳐진 P파

그림 21-3. 방실접합부 수축에 의해 생성된 심실탈분극파와 겹쳐진 P파.

© Jones & Bartlett Learning.

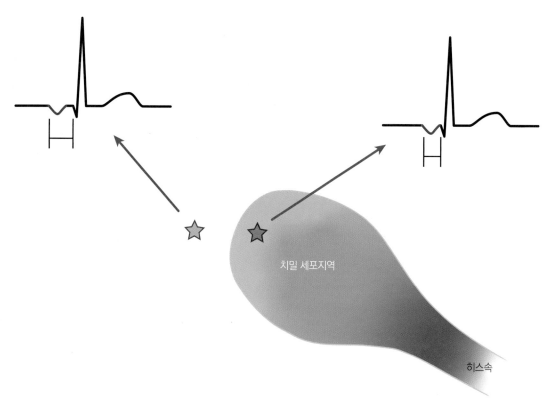

그림 21-4. 두 개의 서로 다른 이소성수축 생성부위가 있다. 한 곳은 심방 기저부이며 다른 한 곳은 방실접합부의 과도기 세포지역 이다. 두 경우 모두 생리학적 통제를 만드는 방실결절의 대부분을 통과해야만 한다. 가장 큰 유일한 차이점은 과도기 세포지역에서 발생한 탈분극의 PR 간격이 더 짧다는 것이다.

© Jones & Bartlett Learning.

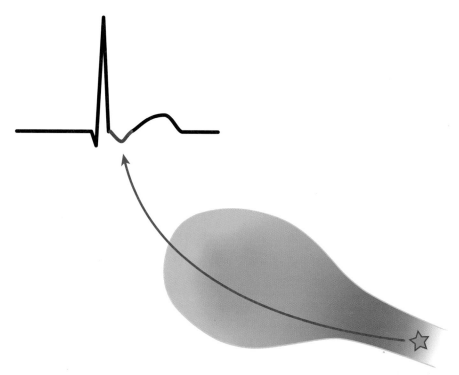

그림 21-5. 방실접합부의 원위부 혹은 히스번들에서 생성된 심실탈분극파와 P파. P파는 심실탈분극파 후에 나타남에 주의하자.

© Jones & Bartlett Learning.

P파가 역행전도되어 QRS파 다음에 나타나는 경우 보통 PR 간격 대신에 RP 간격을 고려해야 한다(**그림 21-6**).

RP 간격은 심실탈분극파 시작부터 다음 P파 시작까지를 측정한다.

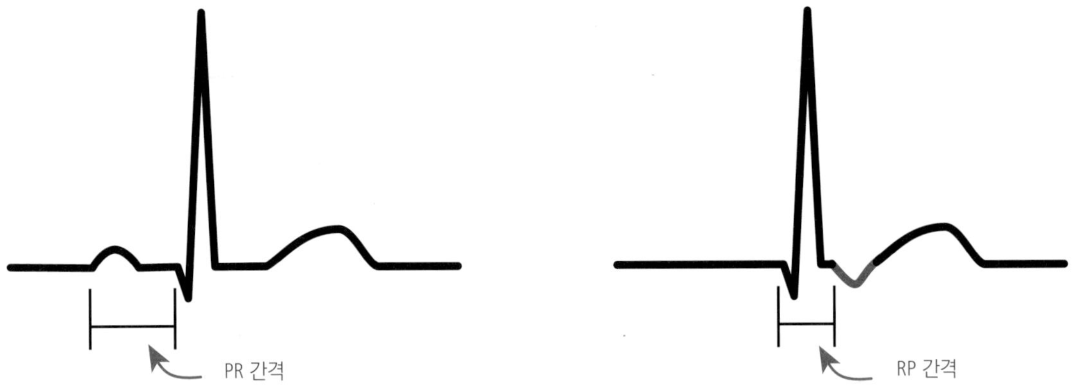

PR 간격

RP 간격

그림 21-6. PR 간격과 RP 간격

© Jones & Bartlett Learning.

방실접합부 리듬: 개요

1장 해부학 및 기본생리학에서 언급한 것처럼 방실접합부의 고유 박동수는 40~50회이다. 하지만 임상에선 30~300회 사이의 방실접합부 리듬도 볼 수 있다. 임상적으로 방실접합부 리듬은 방실접합부에서 발생하는 고유한 리듬과 회귀성빈맥으로 나눌 수 있다. 고유한 리듬에는 방실접합부 이탈 수축 혹은 리듬, 방실접합부 조기수축 그리고 방실접합부 빈맥이 포함되며 회귀성빈맥에는 우리가 앞으로 살펴볼 방실결절회귀성빈맥과 방실회귀성빈맥이 있다. 동기능 부전 시 방실접합부는 예비장치로써 역할을 훌륭히 수행한다. 이러한 이유로 방실접합부에서의 이탈 박동은 매우 흔하다. 어떠한 이유로 든 심방 박동수가 느려지면 방실접합부 이탈 박동이 활성화된다. 때로는 방실접합부 수축이 동결절을 자극하여 원래의 박동수가 초기화되고 동성 휴지기가 길어지게 됨으로 인해 또다른 방실접합부 이탈수축이 활성화되는 경우가 있다. 이러한 유형의 순환은 자체적으로

방실접합부 이탈 리듬의 활성화를 지속할 수 있으며 이는 방실결절의 박동수가 빨라질 때까지 계속되게 된다. 일반적으로 방실접합부 이탈 리듬의 박동수 범위는 40~60회이기 때문에 박동수에 의해 방실접합부 이탈 리듬을 인지할 수 있지만 더 중요한 특징은 좁은 상심실성 QRS파와 식별되지 않는 P파의 심전도 소견이다. 방실접합부의 향상된 자동능은 60회 이상의 방실접합부 조기수축 혹은 빈맥을 발생시킨다. 이 속도는 방실접합부의 고유 속도보다 빠르기 때문에 향상된 방실접합부 리듬이라 알려져 있으며 만약 방실접합부 리듬이 100회 이상이 된다면 방실접합부빈맥으로 불리게 된다. **그림 21-8**은 속도에 따른 분포를 그래프로 나타낸다. 앞서 언급한 것처럼 방실접합부 리듬을 식별하는데 좁은 상심실성 QRS파는 중요한 소견이 된다. 하지만 때로는 넓은 QRS파가 동반되기도 하는데 이런 경우는 각차단 혹은 허혈과 관련된 편위전도 그리고 전해질이상이 포함된다.

이러한 이유로 넓은 상심실성 QRS파가 발현되면 심실성빈맥과 같이 심실에서 발생하는 리듬과 구별이 어려워진다.

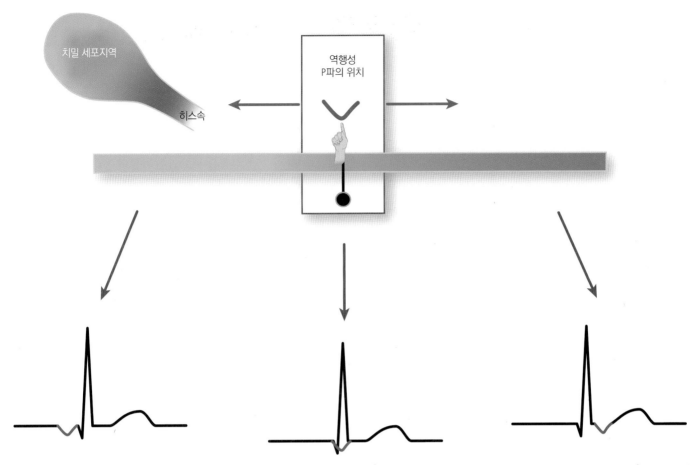

그림 21-7. 역행성 P파와 QRS파와의 관계를 연속체로 보여준다. P파는 짧은 PR 간격의 형태로 QRS파를 선행할 수 있으며 QRS파와 겹치거나 약간 뒤에 나타날 수 있다.

© Jones & Bartlett Learning.

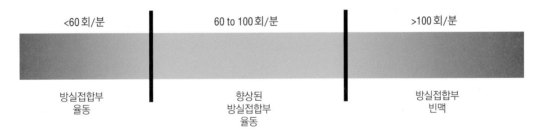

그림 21-8. 방실결절 및 방실접합부에서 고유 자동능의 향상으로 인해 발생할 수 있는 방실접합부 리듬의 분포.

© Jones & Bartlett Learning.

만약 조금이라도 심실성 빈맥 가능성에 의심이 든다면 심실성 빈맥에 준하여 치료를 해야하며 심실이 혈압을 조절한다는 것을 잊지말자. 명확한 진단이 되기 전까진 항상 최악의 상황에 준하여 치료하자.

단원 복습

1. 방실결절과 방실접합부는 근본적으로 동일하다. (맞다 / 틀리다)

2. 방실접합부에서 시작되는 리듬은 _____ 리듬으로 부른다.

3. 방실접합부에서 생성된 P파는 항상 뒤집어진 모양을 갖는다. (맞다 / 틀리다)

4. 방실접합부 리듬에서의 P파는 다음 중 어디에서 찾을 수 있는가?

    A. QRS파 직전

    B. QRS파와 겹친다.

    C. QRS파 직후

    D. 모두 맞다.

5. 만약 QRS파 전에 P파가 발결 된다면 PR 간격은 정상보다 _____ 진다.

6. 만약 P파가 QRS파 다음에 발견된다면 PR 간격이라 부르는 대신에 _____ 간격이라 부른다.

7. QRS 전에 P파가 보인다면 PR 간격을 살펴보자. 만약 PR 간격이 정상 또는 증가되어 있다면 _____ 수축을 고려해야 한다. 반대로 만약 PR 간격이 정상보다 짧다면 _____ 수축을 보고있을 확률이 높다.

8. 방실접합부 리듬은 _____회 이하에서 나타난다.

9. 향상된 방실접합부 리듬의 박동수 범위는 _____회 이다.

10. 방실접합부빈맥의 박동수는 _____회 이상이다.

제 22 장

방실접합부 조기수축

목표

1. 방실접합부 조기수축(접합부 조기수축)의 정의 및 진단기준을 정의한다.

2. 연결간격(coupling interval)의 정의 및 두 가지 유형을 검토한다.

3. 진단을 위한 연결간격의 중요성을 논의한다.

4. 심방 조기수축 및 접합부 조기수축에 의해 발생되는 편위전도를 비교 및 감별한다.

5. QRS파 시작부위(0.04초)를 이용한 편위전도와 다른 원인의 넓은 QRS파(각차단, 심실성 리듬, 전해질이상)를 감별한다.

6. 접합부 조기수축이 발현되는 임상적 상태 및 상황을 나열한다.

7. 심전도상에서 접합부 조기수축을 정확히 진단한다.

소개

방실접합부 조기수축은(접합부 조기수축) 정상 맥 발생 보다 일찍 발생함으로 정상 리듬에 한번 혹은 그 이상 주기의 변화를 가져온다(**그림 22-1**). 접합부 조기수축은 방실접합부 수축시 예상되는 형태학적 특징을 가지며(P파의 부재, 심전도리드 II, III, aVF 에서의 역행성 P파 그리고 좁은 상심실성 QRS파) 일반적으로 비 보상성휴지기와 연관이 있다. 그 이유는 역행 전도된 심방자극이 동결절을(SA node) 자극하여 이로 인해 정상 동성맥이 초기화되기 때문이다 (13장 심방 조기수축에서 논의됨). 반대로 심방을 향한 역행 전도가 없다면 보상성휴지기가 뒤따르게 된다.

접합부 조기수축은 비교적 흔한 현상으로 구조적 또는

허혈성 심질환과 상관없이 일반적으로 방실접합부의 증가된 자동능에 의해 발현된다. 발생빈도는 일회성 혹은 반복적일 수 있으며 연결간격(접합부 조기수축과 선행 QRS파와의 거리)은 고정되거나 가변적일 수 있다. 고정된 연결간격은(**그림 22-2**) 심방 조기수축 및 심실 조기수축에서 주로 발견되며 선행 QRS파와 조기수축간의 거리가 동일함을 의미한다. 접합부 조기수축은 일반적으로 고정된 연결간격을 갖지 않으며 QRS파 사이의 R-R 간격은 가변적이다(**그림 22-3**). 일반적으로 접합부 조기수축에 의해 만들어진 상심실성 QRS파의 간격은 좁으나 만약 0.12초 이상의 넓은 QRS파가 동반된다면 기존 각차단, 편위전도, 전해질이상 그리고 선행하는 T파와 융합된 경우가 된다.

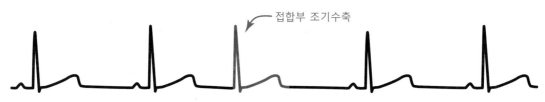

그림 22-1. 방실접합부 조기수축(접합부 조기수축)

© Jones & Bartlett Learning.

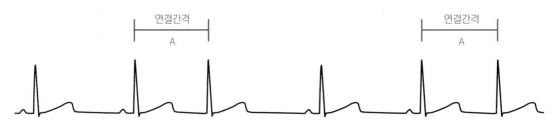

그림 22-2. 연결간격은 일정한 리듬에서 조기수축과 선행하는 정상 QRS파 사이의 거리를 의미한다. 조기수축 발생 시마다 선행하는 QRS파와 연결간격이 같은 경우 고정된 연결간격이라 한다.

© Jones & Bartlett Learning.

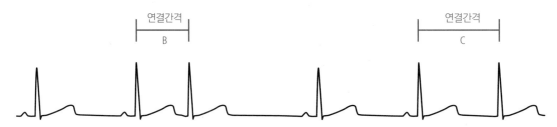

그림 22-3. 가변적 연결간격은 같은 이소성 조기수축에서 연결간격이 매번 다른 경우를 의미한다.

© Jones & Bartlett Learning.

한가지 더

앞으로 27장 좁은 상심실성 빈맥에서 넓은 QRS파로 나타나는 편위전도의 감별진단에 관하여 자세히 살펴볼 예정이지만 몇 가지 요점에 관하여는 지금 논의하도록 한다. 편위전도된 QRS파가 심방 조기수축에 의한 것인지 아니면 접합부 조기수축에 의한 것인지 어떻게 구별할 수 있을까? 해답은 접합부 조기수축주위의 심전도 소견을 살펴보는 것이다. 파형의 모양과 주변의 상황은 가장 좋은 단서를 제공한다.

1. 선행하는 T파의 형태학적 변화 찾기.

T파와 융합된 P파의 식별은 심방 조기수축 편위전도를 판별하는데 큰 도움을 준다. 먼저 정상 전도된 T파의 모양을 살펴보자. 정상 전도된 T파는 약간의 변형이 있을 수 있지만 큰 차이가 있지는 않다. 따라서 T파의 형태적 변화가 있다면 융합된 조기수축 P파에 의한 변형일 가능성이 높다(**그림 22-4**). 이것은 심실재분극 과정이 느리고 재분극시 발생되는 힘의 크기가 동시간대에 발생하는 탈분극파의 힘보다 작기 때문이다. 따라서 비교적 힘이 작은 심방탈분극파도 심전도상에 융합되면 T파 모양을 변형시킬 수 있는 힘을 작용하게 된다(이것은 심전도상의 융합이지 심장 안에서 이루어지는 실제적인 융합은 아니다).

2. 보상성 휴지기

융합된 심방 조기수축과 접합부 조기수축을 감별하는데 도움이 되는 두 번째 소견은 조기수축 뒤에오는 휴지기이다. 동결절은 대부분 이소성 조기수축에 의해 초기화 되기 때문에 심방 조기수축 이후에 오는 휴지기는 비보상성 휴지기가 온다. 반면 접합부 조기수축은 비보상성 및 보상성휴지기를 모두 가질 수 있다. 접합부 조기수축 후에 심방으로의 역행전도가 없으면 동결절의 초기화가 발생하지 않으므로 보상성휴지기가 발생하나 만약 역행전도 후 동결절이 초기화 된다면 비보상성휴지기가 발생하기 때문이다. 따라서 조기수축 이후에 보상성휴지기가 온다면 접합부 조기수축을 시사하는 소견이 된다.

3. 심전도 리드 II, III, aVF 에서의 역행성 P파와 짧은 PR 간격

13장 심방 조기수축에서 언급한 것처럼 심방 기저부에서 발생되는 이소성 심방 박동기는 리드 II, III, aVF 에서 뒤집어진 형태의 P파로 나타난다. 따라서 이와 유사한 해부학적 위치에서 발생하는 접합부 조기수축은 심전도 리드 II, III, aVF 에서 항상 뒤집어진 P파를 만들게 된다. 따라서 정의상 접합부 조기수축은 항상 심전도 리드 II, III,

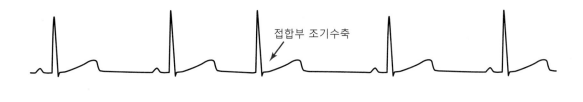

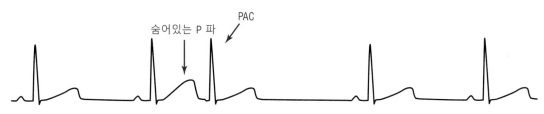

그림 22-4. 위 리듬스트립은 접합부 조기수축을 보여주며 아래 리듬스트립은 심방 조기수축 겹쳐진 T파를 보여준다. 심방 조기수축 직전의 T파 모양 변화에 유의하자. 이러한 T파의 모양 변화는 이소성 P파와의 융합에 의해 발생한다.

© Jones & Bartlett Learning.

Continues

aVF에서 뒤집어진 P파를 갖는다. 이 밖에도 접합부 조기수축의 P파는 QRS파와 겹치거나 전, 후에 나타날 수 있다. 만약 접합부 조기수축의 P파가 QRS파 전에 나타난다면 PR 간격은 항상 정상범위(<0.12초) 보다 짧아진다. 왜냐하면 접합부 조기수축의 발생 위치는 보통 생리학적 전도 지연이 일어나는 방실결절을 지나서 발생하기 때문에 심방과 심실의 탈분극 사이에 생리학적 전도 지연이 일어나지 않기 때문이다.

4. 편위전도된 접합부 조기수축의 식별

부정맥 진단에 있어 어려운 주제 중 하나는 편위전도된 접합부 조기수축을 올바르게 식별하는 것이다. 이를 위해선 접합부 조기수축과 같이 동반되는 심전도 소견과 QRS파가 시작되는 영역의 주의 깊은 관찰이 필요하다. 편위전도는 정상자극전도로를 통해 전파된 자극이 불응기 상태에 있는 영역에 전도될 때 발생된다(**그림 22-5**). 자극이 불응기상태의 전도로에 도달한 시점부터 이후 심근세포의 자극전도는 직접 세포-세포 간 전달을 통한 느린 전도를 통해 이루어진다. 따라서 편위전도가 발생 하더라도 편위전도 발생 영역 이전까지는 항상 정상 전기전도로를 통

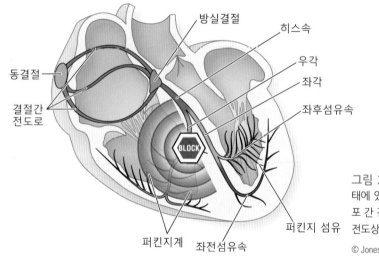

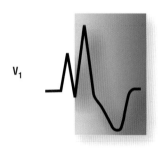

그림 22-5. 편위전도는 정상 전기전도계를 통해 전파하던 자극이 불응기 상태에 있는 영역에 도달할 때 발생한다. 불응기 영역 이후 부터는 직접 세포-세포 간 전달을 통한 느린 전도를 통해 남아있는 심근세포의 전도가 이루어져 심전도상에 편의전도 발생하게 된다.

© Jones & Bartlett Learning.

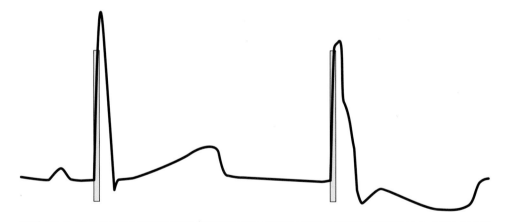

그림 22-6. 정상 전도된 QRS파(첫 번째) 및 편위전도된 QRS파(두 번째)의 예시를 보여주며 두 QRS파의 초기 시작 부분은 정확히 일치한다. 두 QRS파 간의 일치 정도는 편위전도 발생 지점에 의해 결정된다. 예를 들어 편위전도 발생 위치가 방실결절 근처이면 두 QRS파의 일치 정도는 매우 작아지지만 편위전도 발생 위치가 전기전도계 원위부라면 QRS파의 일치 정도는 증가하게 된다.

© Jones & Bartlett Learning.

Continues

해 자극 전도가 이루어지기 때문에 정상전도된 QRS파와 편위전도된 QRS파의 초기 시작 부위는 항상 동일한 형태를 갖게된다. 정상 전도된 QRS파의 초기 시작 부위를 보고 편위전도로 의심되는 QRS파의 모양과 비교해보자(**그림 22-6**). 앞서 언급한 것처럼 이 영역은 항상 정상 전도와 편위전도간의 차이가 없다. 정상 전도된 QRS파와 편위전도된 QRS파 간 시작 부위의 일치 정도는 불응기에 의해 편위전도가 발생되는 지점에 의해 결정된다. 예를 들어 불응기 위치가 방실결절 근처라면 두 QRS파의 일치 정도는 매우 작아지지만 반대로 불응기 위치가 자극전도로 원위부에 있다면 두 QRS파의 일치 정도는 증가하게 된다. 편위전도 감별을 위한 팁은 정상 QRS파와 넓은 QRS파 간의 시작 벡터 방향을 비교하는 것이다. 만약 두 QRS파의 시작 벡터 방향이 같고 특히 많은 심전도 리드에서 이러한 소견이 보인다면 넓은 QRS파는 편위전도일 가능성이 높다(**그림 22-7**). 반대로 많은 심전도리드에서 시작 벡터 방향이 다르다면 이소성 심실 조기수축일 가능성이 높다. 이와 관련된 자세한 사항은 30장 심실 조기수축에서 알아볼 예정이다.

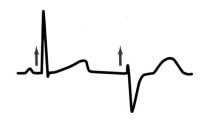

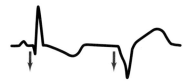

그림 22-7. 항상 QRS파의 시작 벡터를 확인하자. 만약 두 QRS파의 시작 벡터의 방향이 같다면 편위전도일 확률이 높다.

© Jones & Bartlett Learning.

부정맥 정리

접합부 조기수축

박동수 :	일회성 사건
규칙성 :	일회성 사건을 동반한 규칙적
P파 :	다양함
형태 :	하향
II, III, aVF에서 상향 :	하향
P : QRS 비 :	다양함
PR간격 :	확인 시 짧음.
QRS 폭 :	정상
그룹화 :	없음
탈락 박동 :	없음

감별진단

접합부 조기수축

1. 특발성 및 양성
2. 불안
3. 피로
4. 약물: 니코틴, 술, 커피, 기타 등등
5. 심질환
6. 전해질 이상

접합부 조기수축의 원인은 광범위하기 때문에 상기 목록이 모든 것을 포함하진 않는다. 일반적으로 접합부 조기수축은 양성이며 혈역학적 손상을 일으키진 않는다. 하지만 드물게는 혈역학적 손상이 발생하기도 한다.

심전도 스트립

심전도 1

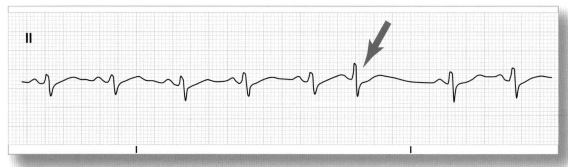

From *Arrhythmia Recognition: The Art of Interpretation*, courtesy of Tomas B. Garcia, MD.

박동수 :	분당 약 80회	PR 간격 :	사건 제외하고 정상
규칙성 :	사건 제외하고 규칙적	QRS 폭 :	정상
P파 :	사건 제외 존재	그룹화 :	없음
형태 :	사건 제외 정상		
축 :	사건 제외 정상	탈락 박동 :	존재
P:QRS 비 :	사전 제외하고 1:1	리듬 :	접합부 조기수축을 동반한 동성맥

　심전도1은 동성 리듬을 보여준다. 리듬의 규칙성은 다른 QRS파와 모양이 조금 다른 조기수축(파란 화살표)에 의해 중단됐다. 조기수축 진에 눈에 띄는 T파의 변화는 관찰되지 않으며 보상성 휴지기가 뒤따른다. 이 두 개의 소견은 모두 접합부 조기수축에 합당하다. 약간의 비규칙성은 편위전도에 의해 발생하였다. 정상전도된 QRS파와 편위전도된 QRS파의 시작 벡터는 모두 양의 방향으로 동일하다.

심전도 2

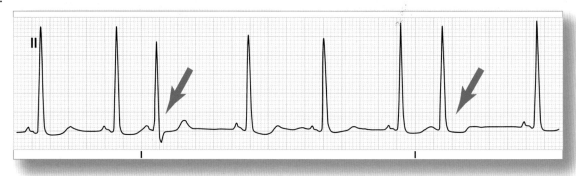

From *Arrhythmia Recognition: The Art of Interpretation*, courtesy of Tomas B. Garcia, MD.

박동수 :	분당 약 72회	PR 간격 :	사건 제외 시 정상
규칙성 :	사건 포함 규칙적	QRS 폭 :	정상
P파 :	사건 제외 존재	그룹화 :	없음
형태 :	사건 제외 정상		
축 :	사건 제외 정상	탈락 박동 :	존재
P:QRS 비 :	사건 제외 1:1	리듬 :	다발성 접합부 조기수축을 동반한 동성맥

　심전도2는 디지탈리스 효과에 의한 ST 분절의 이상이 동반된 동성 리듬의 심전도를 보여준다(국자 모양의 ST 분절). 모양이 약간 다른 두 개의 조기수축(파란색 화살표)이 관찰되며 첫 번째 조기수축은 약간의 편위전도가 동반된 접합부 조기수축이다. 높이는 네 번째 QRS파와 같이 약간 낮고 QRS파 끝부분의 S파는 겹쳐진 역행성 P파일 수 있다. 두 번째 조기수축도 접합부 조기수축이며 정상 QRS파와 동일한 모양이다.

심전도 3

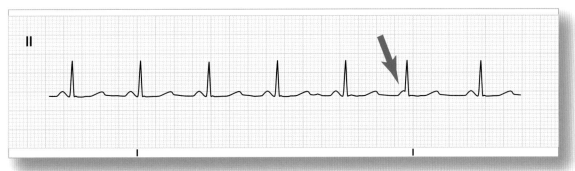

From *Arrhythmia Recognition: The Art of Interpretation*, courtesy of Tomas B. Garcia, MD.

박동수 :	분당 약 80회	PR 간격 :	사건 제외 정상
규칙성 :	사건 제외 규칙적	QRS 폭 :	정상
P파 :	사건 제외 존재	그룹화 :	없음
형태 :	사건 제외 정상		
축 :	사건 제외 정상	탈락 박동 :	존재
P:QRS 비 : 사건 제외 1:1		리듬 :	접합부 조기수축을 동반한 동성맥

  심전도3은 80회 동성 리듬의 한 부분을 보여준다. 일정하던 리듬은 정상 전도된 QRS파와 모양이 같은 조기수축에 의해 영향을 받았으며 이 조기수축파는 확실히 접합부 조기수축이다. 하지만 P파의 일정함은 접합부 조기수축 이후로도 변하지 않아 조기수축파 이후의 휴지기는 보상성 휴지기가 된다. 상향파의 겹쳐진 P파(파란색 화살표)에 주목하자. 상향의 P파는 심방탈분극파가 접합부 조기수축으로부터 생성되지 않았음을 의미한다.

심전도 4

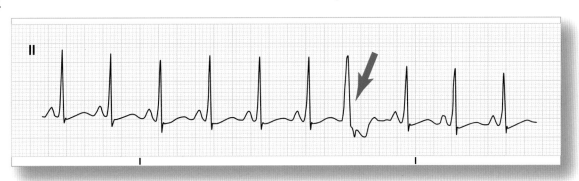

From *Arrhythmia Recognition: The Art of Interpretation*, courtesy of Tomas B. Garcia, MD.

박동수 :	분당 약 110회	PR 간격 :	사건 제외 정상
규칙성 :	사건 제외 규칙적	QRS 폭 :	정상
P파 :	사건 제외 존재	그룹화 :	없음
형태 :	사건 제외 정상		
축 :	사건 제외 정상	탈락 박동 :	존재
P:QRS 비 : 사건 제외 1:1		리듬 :	접합부 조기수축을 동반한 동빈맥

  이 환자의 원래 리듬은 동성 빈맥이며 심실 조기수축으로 보이는 하나의 넓은 QRS파가 관찰된다. 이것은 심실 조기수축일까 아니면 편위전도된 접합부 조기수축일까? 두 개의 QRS파가 어떻게 시작되는지 살펴보자. 두 개의 QRS파의 벡터는 모두 상향이며 초기 시작 부분의 모양은 일치한다. 따라서 이것은 편위전도된 접합부 조기수축의 가능성이 높다. 높은 R파 이후의 하향파는 QRS파의 일부인 S파이거나 겹쳐진 P파일 수 있다. 불가능하진 않지만 편위전도된 접합부 조기수축을 식별하는 것은 상당히 어렵다.

심전도 5

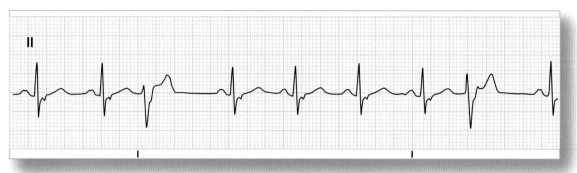

From *Arrhythmia Recognition: The Art of Interpretation*, courtesy of Tomas B. Garcia, MD.

박동수 :	분당 약 86회	PR 간격 :	사건 제외 정상
규칙성 :	사건 포함 규칙적	QRS 폭 :	사건 발생 시 넓은맥 제외 정상
P파 :	사건 제외 존재	그룹화 :	없음
형태 :	사건 제외 정상	탈락 박동 :	존재
축 :	사건 제외 정상		
P:QRS 비 :	사건 제외 1:1	리듬 :	다발성 접합부 조기수축을 동반한 동성맥

다시 한 번 우리는 어려운 진단에 직면하였다. 심전도5의 넓은 조기수축 파형은 방실접합부 접합부 조기수축인가 아니면 심실 소기수축인가? 두 개의 조기수축 파형은 어떻게 시작되는가? 두 개의 조기수축은 정상 QRS파와 똑같이 상향으로 시작한다. 그런 다음 서로 다른 부위에 편위전도가 발생하여 두 조기수축 간 약간의 모양 변화를 발생시켰다.

심전도 6

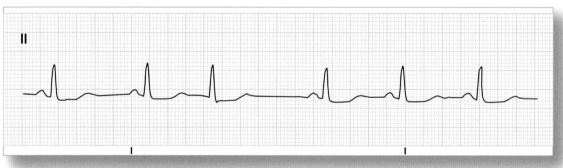

From *Arrhythmia Recognition: The Art of Interpretation*, courtesy of Tomas B. Garcia, MD.

박동수 :	분당 약 58회	PR 간격 :	사건 제외 정상
규칙성 :	사건 포함 규칙적	QRS 폭 :	정상
P파 :	사건 제외 존재	그룹화 :	없음
형태 :	사건 제외 정상	탈락 박동 :	존재
축 :	사건 제외 정상		
P:QRS 비 :	사건 제외 1:1	리듬 :	접합부 조기수축을 동반한 동성 서맥

심전도6은 동서맥과 동반된 접합부 조기수축을 보여준다. 접합부 조기수축은 비보상성휴지기를 발생시켰고 접합부 조기수축 후에 동성 리듬은 초기화 되었다. ST 분절 하강 소견이 보이며 허혈의 가능성을 살펴보기 위해선 12 리드 심전도가 필요해 보인다. 임상적 상관관계는 진단을 내리는 데 큰 도움이 된다.

심전도 7

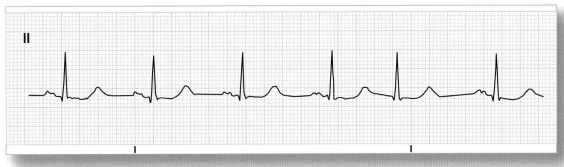

From *Arrhythmia Recognition: The Art of Interpretation*, courtesy of Tomas B. Garcia, MD.

박동수 :	분당 약 64회	PR 간격 :	사건 제외 정상
규칙성 :	사건 포함 규칙적	QRS 폭 :	정상
P파 :	사건 제외 존재	그룹화 :	없음
형태 :	사건 제외 정상		
축 :	사건 제외 정상	탈락 박동 :	존재
P:QRS 비 : 사건 제외 1:1		리듬 :	접합부 조기수축을 동반한 동성맥

심전도7은 또다른 예시의 접합부 조기수축을 보여준다. 접합부 조기수축 바로 직전의 T파의 모양은 약간 다르지만 P파와 겹쳤다고 보기엔 PR 간격이 너무 길다. 접합부 조기 수축에 의한 QRS파 모양은 다른 QRS파 모양과 같아 상심 실성 기원임을 알 수 있다.

단원 복습

1. 접합부 조기수축은 _____ 상심실성에서 기원하며 QRS파 간격은 _____초 이하이다.

2. 접합부 조기수축의 P파는 겹쳐서 구분되지 않거나 혹은 심전도 리드 II, III, aVF 에서 _____파로 나타난다.

3. 접합부 조기수축은 보상성 혹은 비보상성 휴지기와 관련이 있다. (맞다 / 틀리다)

4. 접합부 조기수축은 기질적 혹은 허혈성 심질환 환자에게서만 발생한다. (맞다 / 틀리다)

5. 접합부 조기수축은 일반적으로 다음 사항과 관련이 있다.
   A. 고정된 연결간격
   B. 가변적 연결간격
   C. A와 B 모두 맞다
   D. 정답 없음

6. 0.12 초 이상의 QRS파를 동반하는 접합부 조기수축은 다음의 경우에 발견될 수 있다.
   A. 기존 각차단
   B. 편위전도
   C. 전해질 이상
   D. 융합된 수축
   E. 모두 맞다

7. 겹쳐진 P파는 일반적으로 선행하는 _____파의 모양을 변화시킨다.

8. 심방 조기수축과 접합부 조기수축의 가능성에 관하여 결정할 때 보상성휴지기가 있다면 다음 중 어떤 조기수축을 더 시사하는가?
   A. 접합부 조기수축
   B. 심방 조기수축
   C. 둘 다 아니다

9. 만약 조기수축에 의해 넓어진 QRS파의 끝 부분이 정상 전도된 QRS파의 모양과 일치한다면 넓은 QRS파는 아마도 편위전도일 것이다. (맞다 / 틀리다)

10. 항상 QRS파의 시작 벡터를 확인하자. 만약 넓은 QRS파와 좁은 QRS파의 시작 벡터 방향이 같다면 편위전도일 확률이 높다. (맞다 / 틀리다)

제 23 장

접합부 리듬

목표

1. 접합부 리듬의 종류 및 진단기준을 나열한다.

2. 접합부 탈출박동(junctional escape complex)과 탈출리듬(junctional escape rhythm)의 정의 및 발생 가능한 임상 시나리오를 나열한다.

3. 접합부 리듬이 발현될 수 있는 임상 조건 및 상황을 나열한다.

4. 심전도 상에서 접합부 탈출파, 탈출박동 그리고 접합부 리듬에 대해 정확히 식별한다.

초보자들을 위한 교과서

이번 장에서 학습해야 할 개념은 탈출리듬(escape rhythm)이다. 앞서 몇 번 살펴 보았듯이 심장의 일차적인 박동기는 우심방 상부에 위치한 동결절이며 동결절 고유의 박동수에 따라 정상 동율동을 만들어 낸다. 동결절은 자동능이 가장 빠르고 이로 인해 다른 부위의 자동능을 조절하기 때문에 심장의 가장 주된 박동기 역할을 한다. 동결절로부터 자극이 발현되면 활동전위 4기 상태인 다른 부위의 자동능을 초기화하여 박동기 시계가 처음부터 다시 시작된다. 즉 다른 심장세포의 조율 기능은 억제된다. 하지만 갑작스런 동결절의 자극발현 장애는 탈출박동을 활성화하며 이는 이전의 박동수 보다 늦게 나타난다. 이것은 심장박동을 유지하기 위한 이중 안전장치와 같다. 따라서 첫번째 박동기에 장애가 발생하면 두번째 박동기가 책임을 지고 탈출 박동기(escape pacemaker) 역할을 수행하게 된다. 가장 일반적인 예시를 살펴보자. 만약 동결절이 자극 생성에 실패하면 심방 박동기가 그 역할을 이어간다. 만약 이 두 개가 모두 실패한다면 방실결절 박동기가, 다음은 히스속 박동기가, 다음은 각다발과 퍼킨제 박동기가, 마지막으로 심실세포가 바통을 이어받는다. 따라서 탈출박동은 우리가 생존하는데 있어 매우 중요한 개념이다. 비유를 들자면 만약 대통령에게 무슨 일이 생긴다면 국무총리가 업무를 대행하게 된다. 만약 국무총리가 업무를 수행할 수 없다면 국회의장이 업무를 이어받고 국회의장 또한 업무수행이 불가능하다면 더 하위 조직으로 순차적인 업무 이관이 이루어지게 된다. 이러한 업무 이관 체계는 누군가 항상 정부 일에 책임을 지게 하도록 보증하게 한다. 그렇다면 탈출박동은 병적 상태의 진행인가 아니면 생존기전인가? 이것은 이어지는 병적인 상황을 극복하기 위한 생존기전이다. 병은 탈출박동 자체가 아니라 박동기 조직체계 중 자극을 생성하지 못하는 결함박동기 영역에 있다. 우리는 탈출박동기 제거를 원치 않으며 이것은 임상적으로 명심해야 할 중요한 요점이다. 만약 우리가 탈출박동을 생성하는 능력을 없앤다면 무수축만 남을 것이고 심장은 멈추게 된다.

—*Daniel J. Garcia*

소개

이번 장에선 방실결절영역이 심장의 탈출리듬 박동기로서 어떻게 기능을 하는지 살펴보도록 한다. 탈출리듬 박동기는 심박동이 필요한 경우 활성화되며 상황에 따라 탈출박동을 한 번 발생하거나 혹은 탈출리듬을 온전히 발생시켜 제 기능을 못 하는 동결절을 대신하게 된다. 방실결절의 심박동기로써의 기능은 동기능부전이 발생한 경우에 활성화되어 생존을 위한 심실 반응을 유지하는데 있어 필수적인 역할을 한다.

접합부 탈출박동 및 탈출리듬

1장 해부학 및 기본생리학에서 언급했던 것처럼 모든 심장세포의 자동능은 모두 한꺼번에 발현된다. 하지만 일반적으로 동결절이 가장 빨라 다른 심장세포의 자동능을 억제하고 심장 박동수를 조절한다. 그 다음으로 심방근육 자체에서 박동기 기능이 발현되고 이러한 이소성 심방 박동기는 이소성 심방리듬을 만들게 된다. 그 뒤를 따르는 심박동기는 방실결절 및 접합부영역이다. 많은 경우에서 심방근육이 박동기 기능을 이어받지 못하는 경우가 있으며 이런 경우 조율기능은 방실결절로 건너뛰게 된다. 심전도 상에서 접합부 탈출박동은 정상적인 P파가 없다는 것을 제외하면 동성박동(sinus complex)과 정확히 일치한다. 약간의 차이가 있을 수 있지만 대부분의 경우 QRS파, ST 분절 그리고 T파 모두 정상적으로 전도된 동성박동과 동일하다. **그림 23-1**에서 동결절이 갑자기 박동을 멈춘 것에 주목하자. 방실결절은 탈출박동을 만들어 심실이 멈추지 않도록 하였다. 그런 다음 동결절은 다시 기능을 시작하여 동성리듬을 유지한다. 이것은 접합부 탈출박동의 일반적인 사례를 보여준다. 많은

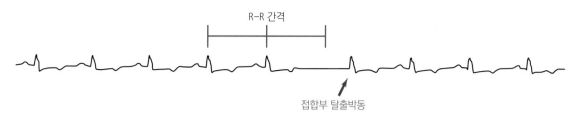

그림 23-1. 동성 리듬 중 발생한 동정지는 접합부 탈출박동을 활성화한다.
© Jones & Bartlett Learning.

그림23-2. 접합부 리듬의 예시
© Jones & Bartlett Learning.

경우에서 박동수 또는 리듬이 접합부 탈출박동 이후 이전과 달라지는 것을 볼 수 있다. 주로 박동수 변화를 더 흔하게 볼 수 있으나 때로는 다른 이소성 박동기가 바통을 이어받아 리듬이 완전히 바뀌는 경우도 있다. 또다른 일반적인 상황은 접합부 탈출박동이 동결절을 탈분극시키는 경우이다. 이러한 경우 동결절은 초기화되고 고유 박동수 이후에 자극이 생성되기 때문에 다음 자극을 생성하는데 시간이 더 소요되게 된다. 이 추가시간은 또다른 접합부 탈출박동을 활성화할 수 있을 만큼 길 수 있으며 이 주기는 계속적으로 반복될 수 있다. 이로 인해 또다른 접합부 탈출박동이 활성화 되어 계속적으로 반복되는 접합부 탈출리듬이 생성될 수 있다. 3개 이상의 연속되는 박동이 접합부 탈출박동인 경우 접합부 탈출리듬이라 부른다. **그림 23-2**는 접합부 탈출리듬의 예시이다. 접합부 탈출리듬의 박동수는 보통 40~60(회/분)회이다. 증가된 자동능에 의한 접합부리듬은 보통 60회 이상이기 때문에 40~60회 사이의 접합부리듬은 보통 탈출기전에 의해 발생된 것으로 여겨진다. 하지만 접합부리듬이 탈출기전에 의해 발생하더라도 "탈출"이란 용어는 생략하고 접합부리듬이라 통칭하는 것이 일반적이며 "탈출"이란 용어를 꼭 명시하는 경우는 방실 차단이 동반된 경우이다. 접합부

리듬의 심전도 기준선은 완전히 평평하거나, 약간의 불규칙성이 있거나 **그림 23-3**에서 보여지는 것처럼 완전히 일정하지 않을 수 있다. 불규칙한 기준선은 일종의 인공물에 의해 발생하며 보통 떨림, 외부전원 그리고 심전도 리드선의 움직임 등 다양한 원인이 있을 수 있다. 불규칙한 기준선은 완전 방실 차단이 동반된 심방세동에서 접합부 탈출리듬이 발현된 경우일 수 있으며, 심전도 상에 이 둘의 감별은 어렵기 때문에 항상 주의 깊게 고민해야 한다. 예를 들어 디곡신 효과 가능성을 배제하여 추가정보를 얻는 것이 중요하다. 심전도를 판독할 때는 같이 동반되는 소견을 살펴봐야 한다는 것을 잊지 말자. 접합부리듬은 심방과 심실 간에 소통이 없을 때 또한 잘 발생된다. 이런 경우 심방의 자극은 방실결절 및 심실 도달 전에 소멸되며 방실결절은 심실 조율을 위한 첫번째 박동기역할을 이어받아 접합부리듬을 생성하게 된다. 앞으로 28장 방실 차단에서 방실해리와 방실 차단에 관해 살펴보면서 앞서 언급한 부분에 관한 자세한 사항을 살펴보도록 하겠다.

그림 23-3. 불규칙한 기준선을 지니는 접합부 리듬
© Jones & Bartlett Learning.

<table>
<tr><td colspan="2">

부정맥 정리

</td></tr>
</table>

접합부 리듬

박동수 :	40~60회
규칙성 :	규칙적
P파 :	없거나 하향
형태 :	비정상
II, III, aVF에서 상향 :	없음
P: QRS 비 :	해당 없음
PR 간격 :	해당 없음
QRS 폭 :	해당 없음
그룹화 :	없음
탈락 박동 :	없음

감별진단

접합부리듬

1. 1차 동결절 장애
2. 방실해리
3. 증가된 부교감신경 활동
4. 약물: 디곡신, 베타차단제, 칼슘차단제
5. 심근허혈
6. 동기능부전 증후군
7. 전해질이상
8. 중추신경계(CNS) 이벤트
9. 특발성

이 목록은 모든 것을 포함하진 않는다.

심전도 스트립

심전도 1

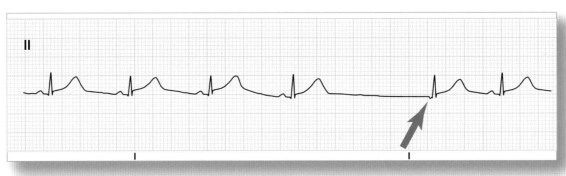

From *Arrhythmia Recognition: The Art of Interpretation*, courtesy of Tomas B. Garcia, MD.

박동수 :	분당 약 67회	PR 간격 :	사건 제외 시 정상
규칙성 :	사건 포함 규칙적	QRS 폭 :	정상
P파 : 형태 : 축 :	사건 제외 존재 사건 박동에서 하향 사건 박동에서 비정상	그룹화 :	없음
		탈락 박동 :	존재
P:QRS 비 : 사건 제외 1:1		리듬 :	접합부 박동을 지닌 동성맥

심전도 1의 기본 리듬은 동율동이다. 네 번째 박동 후 동결절은 조율에 실패했고 뒤따르는 긴 휴지기는 접합부 탈출박동을 활성화시켰다. 뒤집어진 P파가 QRS파(파란색 화살표) 전에 발견되어 접합부 이탈박동이 심방으로 역행전도 되었음이 확인된다.

심전도 2

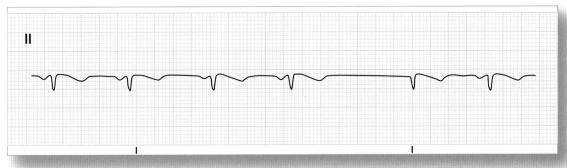

From *Arrhythmia Recognition: The Art of Interpretation*, courtesy of Tomas B. Garcia, MD.

박동수 :	분당 약 68회	PR 간격 :	사건 제외 정상
규칙성 :	사건 제외 규칙적	QRS 폭 :	정상
P파 :	사건 제외 존재	그룹화 :	없음
형태 :	하향, 사건 박동 시 없음		
축 :	비정상, 사건 박동 시 없음	탈락 박동 :	존재
P:QRS 비 : 사건 제외하고 1:1		리듬 :	접합부 탈출박동을 지닌 이소성 심방리듬

　심전도 2는 뒤집어진 P파와 정상 PR 간격이 모든 파형에서 보여진다. 따라서 기본 리듬은 이소성 심방리듬이다. 4번째 박동 후 이소성 박동이 생성되지 않아 휴지기가 왔으며 이는 접합부 탈출박동을 활성화 시켰다. 접합부 탈출박동시 P파가 보이지 않는데 이것은 P파가 생성되지 않았거나 혹은 QRS파와 겹쳤기 때문이다.

심전도 3

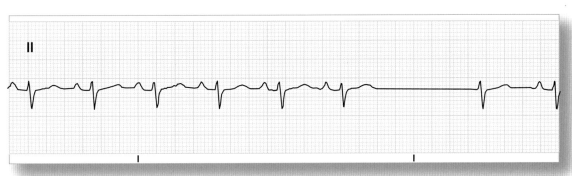

From *Arrhythmia Recognition: The Art of Interpretation*, courtesy of Tomas B. Garcia, MD.

박동수 :	분당 약 90회	PR 간격 :	사건 제외 정상
규칙성 :	사건 포함 규칙적	QRS 폭 :	정상
P파 :	사건 박동 제외 존재	그룹화 :	없음
형태 :	정상, 사건 박동 시 없음		
축 :	정상, 사건 박동 시 없음	탈락 박동 :	존재
P:QRS 비 : 사건 박동 제외 1:1		리듬 :	접합부 탈출박동을 지닌 동성맥

　심전도 3은 동성휴지기에 의해 접합부 탈출박동이 발현된 동율동 리듬을 보여 준다. 동결절은 접합부 탈출박동 후에 다시 심방조율 기능을 수행하고 있다. P파는 생성되지 않았거나 혹은 QRS파와 겹쳐 보이지 않는다.

심전도 4

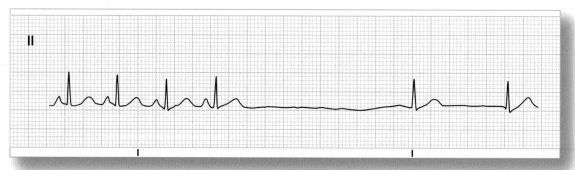

From *Arrhythmia Recognition: The Art of Interpretation*, courtesy of Tomas B. Garcia, MD.

박동수 :	분당 약 110회	PR 간격 :	사건 박동 제외 시 정상
규칙성 :	규칙적 비규칙적	QRS 폭 :	정상
P파 :	사건 제외 존재	그룹화 :	없음
형태 :	사건 제외 정상, 사건 박동 시 없음		
축 :	사건 제외 정상, 사건 박동 시 없음	탈락 박동 :	존재
P:QRS 비 :	사건 박동 제외 시 1:1	리듬 :	동빈맥, 동휴지, 접합부 탈출박동

심전도 4는 동빈맥으로 시작 되는 것처럼 보인다. 그런 다음 전기적 활동이 없는 상당히 긴 휴지기가 뒤따른다. 이것은 동정지 후 생존을 위해 약 58회의 접합부탈출리듬이 활성회되는 심전도 소견이다. 접합부 탈출박동에서 P파는 관찰되지 않아 생성되지 않았거나 혹은 QRS파와 겹쳤을 확률이 높다.

심전도 5

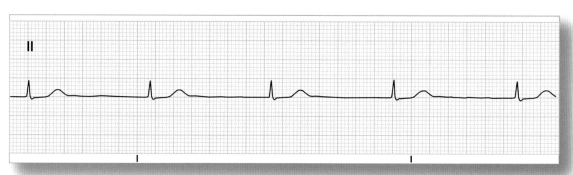

From *Arrhythmia Recognition: The Art of Interpretation*, courtesy of Tomas B. Garcia, MD.

박동수 :	분당 약 45회	PR 간격 :	해당 없음
규칙성 :	규칙적	QRS 폭 :	정상
P파 :	없음	그룹화 :	없음
형태 :	없음		
축 :	없음	탈락 박동 :	없음
P:QRS 비 :	해당 없음	리듬 :	접합부 리듬

심전도 5는 약 45회의 접합부 리듬을 보여준다. P파의 부재, 규칙적인 리듬 그리고 정상 QRS 너비를 보여 상심실성파로 여겨진다.

심전도 6

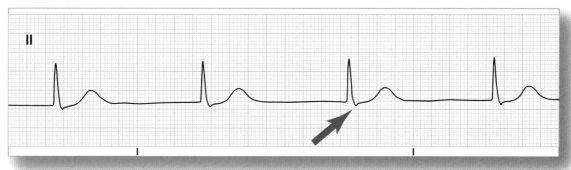

From *Arrhythmia Recognition: The Art of Interpretation*, courtesy of Tomas B. Garcia, MD.

박동수 :	분당 약 38회	PR 간격 :	해당 없음
규칙성 :	규칙적	QRS 폭 :	정상
P파 :	없음	그룹화 :	없음
형태 :	없음		
축 :	없음	탈락 박동 :	없음
P:QRS 비 :	해당 없음	리듬 :	접합부 리듬

　　심전도 6은 접합부 영역에서 예상되는 박동수보다 약간 느린 접합부 리듬을 보여준다. 약물, 허혈 혹은 중추신경계 (CNS) 이벤트가 느린 박동수의 원인일 수 있다. QRS파 바로 뒤의 하향파는 역행성 P파일 수 있으므로 동율동 상태의 이전 심전도와 비교해 보는 것이 진단에 도움이 될 수 있다.

심전도 7

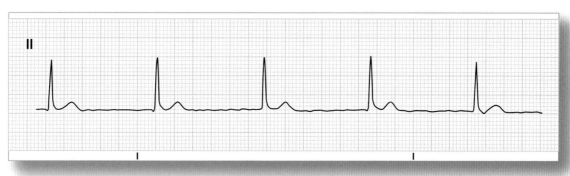

From *Arrhythmia Recognition: The Art of Interpretation*, courtesy of Tomas B. Garcia, MD.

박동수 :	분당 약 52회	PR 간격 :	해당 없음
규칙성 :	규칙적	QRS 폭 :	정상
P파 :	없음	그룹화 :	없음
형태 :	없음		
축 :	없음	탈락 박동 :	없음
P:QRS 비 :	해당 없음	리듬 :	접합부 리듬

　　심전도 7 접합부 탈출리듬으로 리듬 스트립상 어디에도 구 별가능한 P파가 없으며 QRS파는 좁은 상심실이다. 또한 심박 동수 52회는 정확히 접합부 리듬과 일치하는 소견이다.

심전도 8

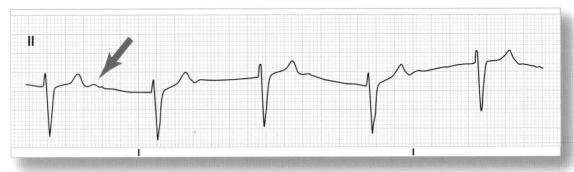

From *Arrhythmia Recognition: The Art of Interpretation*, courtesy of Tomas B. Garcia, MD.

박동수 :	분당 약 51회	PR 간격 :	해당 없음
규칙성 :	규칙적	QRS 폭 :	정상

P파 :
  형태 :
  축 :
	없음
	없음
	없음
		그룹화 :	없음

		탈락 박동 :	없음
P:QRS 비 : 해당 없음		리듬 :	접합부 리듬

심전도 8 또한 접합부 리듬의 아주 좋은 예시이다. 구불거리는 기준선은 환자 혹은 심전도 전극의 움직임 때문이다. 파란색 화살표는 T파 직후에 바로 나타나는 양성파를 가르킨다. 이것은 P파가 아니라 전형적인 U파의 예시를 보여순다. 이 U파는 병적 진행과정 특히 전해질이상(저칼륨혈증)의 가능성이 있으나 상기 부정맥을 평가하는데는 특별한 임상적 의미는 없다. 하지만 일반적으로 병이 없는 경우에서도 U파가 발견되는 경우가 많다.

단원 복습

1. 접합부 박동 및 리듬은 동결절이 첫 번째 박동기로써 기능을 하지 못할 때 활성화되는 정상적인 반응이다. (맞다 / 틀리다)

2. 접합부 리듬은 동결절 혹은 심방 박동기 부전 시 _____ 과 _____ 을 유지하는데 있어 필수적이다.(위 문장 빈칸에 들어갈 단어를 고르시오)

   A. 심방 반응
   B. 심실 반응
   C. 심방 반동(Atrial kick)
   D. 혈역학적 안정

3. 접합부 리듬은 심전도상에 다음의 특징을 갖는다.

   A. 뒤집어지고 겹쳐진 P파
   B. P파의 부재
   C. 좁은 상심실성파
   D. 40~60회 사이의 규칙적인 리듬
   E. 모두 맞다

4. 접합부 리듬은 일반적으로 _____ 리듬으로 형성된다.

5. 접합부리듬은 일반적으로 60회 이상 100회 미만이다. (맞다 / 틀리다)

6. 구불거리는 기준선은 항상 심방세동과 동반된 규칙적인 심실 반응을 나타내는 소견이다. (맞다 / 틀리다)

7. 원래선이 불규칙하고 떨리는 40~60회 사이의 상심실성 반응을 보이는 리듬의 감별진단은 완전방실 차단이 동반된 심방세동과 접합부 탈출리듬이다. (맞다 / 틀리다)

8. 접합부 리듬은 항상 양성이다. (맞다 / 틀리다)

9. _____ 은 심방세동을 규칙적으로 만들어 접합부 리듬처럼 보이게 하는것과 연관이 있는 약물이다.

10. 접합부 리듬의 원인과 관련이 있는 사항은 다음 중 무엇인가?

    A. 심근 허혈
    B. 중추신경계 이벤트
    C. 전해질 이상
    D. 동기능 부전 증후군
    E. 모두 맞다

제 24 장

빠른 접합부 리듬

목표

1. 가속된 접합부 리듬(accelerated junctional rhythm) 정의 및 진단기준을 이해한다.
2. 접합부 빈맥을 정의 및 진단기준을 이해한다.
3. 인공 S파의 정의 및 임상적 의미를 이해한다.
4. 인공 R파의 정의 및 임상적 의미를 이해한다.
5. 가속된 접합부 리듬 또는 접합부 빈맥의 형성과 연관된 임상적 상황을 이해한다.
6. 심전도 상에서 가속된 접합부 리듬 및 접합부 빈맥의 정확한 진단을 이해한다.

소개

가속된 접합부 리듬 및 접합부 빈맥은 기본적으로 동일한 리듬이며 이 둘을 구분하는 기준은 박동수이다. 가속된 접합부 리듬의 박동수 범위는 60~100회이며 접합부 빈맥에 대해선 일반적으로 100~200회이다(**그림 24-1**). 140회 또는 그 이상에서는 접합부 빈맥과 방실결절 회귀빈맥(AVNRT 25장 방실결절 회귀빈맥 참조)간의 경계는 모호하며 유사한 심전도 소견을 보인다. 하지만 두 빈맥의 발생기전은 완전히 다르며 접합부 빈맥이 발생할만한 임상적인 상황이 아니라면 방실결절 회귀빈맥의 확률이 높다. 따라서 환자가 140회 이상의 접합부 빈맥이 발생했다면 우선적으로 방실결절 회귀빈맥에 준하여 치료하는 것이 옳다. 그 외에도 임상전기생리학검사 시 접합부 빈맥은 200회 이상을 상회할 수 있다는 점을 유의하자. 가속된 접합부 리듬과 접합부 빈맥은 모두 접합부의 향상된 자동능에 의해 발생된다. 이들은 일반적으로 접합부 박동이 갖는 다음의 특징적인 심전도 소견을 보인다. 좁은 상심실성파, 심전도리드 II, III, aVF 에서 QRS파에 겹치거나 QRS파의 시작 혹은 끝부분에 나타나는 뒤집어진 P파. 접합부 빈맥의 리듬은 보통 규칙적이지만 드물게는 약간의 불규칙성이 있을 수 있다. 만약 이러한 불규칙성이 있다면 심전도 소견은 심방세동과 매우 유사할 수 있으며 또한 넓은 QRS파가 동반된 접합부 빈맥은 심실성 빈맥과 구분하는데 어려움이 있을 수 있으며

넓은 QRS파는 기존 각차단, 편위전도 또는 전해질이상이 동반된 경우에 나타난다. 만약 역행전도가 있다면 역행성 P파와 QRS파는 1:1 로 전도되며 간격이 일정하게 유지된다. 왜냐하면 접합부 리듬이 동결절을 계속적으로 초기화(재설정)시켜 동결절의 박동기 기능을 억제하기 때문이다. 반면에 만약 역행전도가 차단된다면 동결절은 고유의 박동수로 심방을 조율하게 되고 심실은 접합부 리듬에 의해 조율되어 심방과 심실이 분리된 두 개의 리듬을 발생하게 된다(이 상황은 방실해리로 알려져 있으며 28장 방실 차단에서 다시 한 번 살펴보도록 한다).

인공 S파와 인공 R' 파

앞서 살펴 보았듯이 접합부 리듬의 P파는 뒤집어진 모양으로 QRS파 끝부분에 나타날 수 있다. 접합부 빈맥에서 P파는 심전도 리드 II, III, aVF 에서 분명하지 않은 S파 그리고 리드 V1 에서는 R 혹은 R' 파처럼 보일 수 있다. 이러한 인공 파형들을 실제 QRS파형과 구분하여 부르기 위해서 보통 인공 S파, 인공R 파로 부른다(**그림 24-2 와 3**). 상기 인공파는 QRS파형의 일부인 S파와 R파로 보이지만 실제 파형은 아니며 단지 역행성 P파가 심전도 상에 반영된 것일 뿐이다. 이러한 인공파는 심전도를 판독할 때 혼란을 일으킬 수 있지만 반대로 부정맥 진단에 있어 좋은 단서가 될 수도 있다. 만약 좁은 상심실성파와 불분명한 P파, II, III, aVF 리드

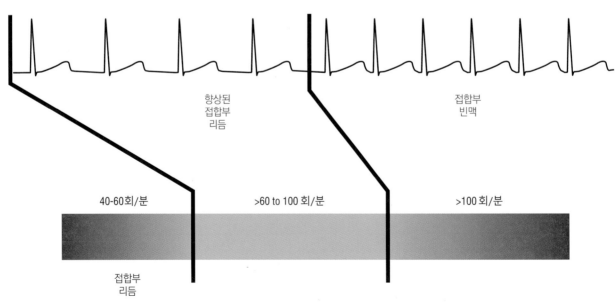

그림24-1. 방실결절 및 접합부 영역의 향상된 자동능에 의해 발생된 접합부리듬의 분포

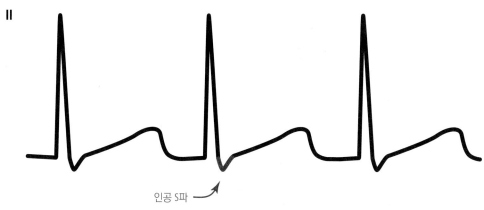

그림 24-2. 리드 II 에서 인공 S파는 접합부리듬에서 흔하게 발견된다.

© Jones & Bartlett Learning.

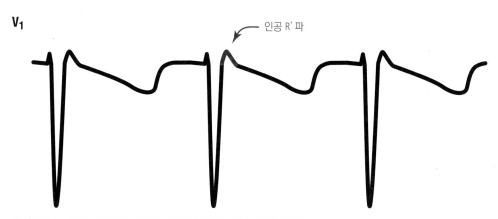

그림 24-3. 리드 V₁에서 인공 R파는 접합부리듬에서 흔하게 발견된다.

© Jones & Bartlett Learning.

의 S파, V₁ 의 R파를 보게 된다면 가속된 접합부 리듬, 접합
부 빈맥 그리고 방실결절 회귀빈맥(이것은 다음 장에서 다
룰 예정이다)을 고려해야 한다.

부정맥 정리	
가속된 접합부 리듬	
박동수 :	60~100회
규칙성 :	규칙적
P파 :	다양
형태 :	존재 시 다름
II, III, aVF에서 상향 :	없음
P: QRS 비 :	다양
PR간격 :	다양
QRS 폭 :	정상
그룹화 :	없음
탈락 박동 :	없음

부정맥 정리	
접합부 빈맥	
박동수 :	100~200회
규칙성 :	규칙적
P파 :	다양
형태 :	존재 시 다름
II, III, aVF에서 상향 :	없음
P: QRS 비 :	다양
PR간격 :	다양
QRS 폭 :	정상
그룹화 :	없음
탈락 박동 :	없음

심전도 스트립

심전도 1

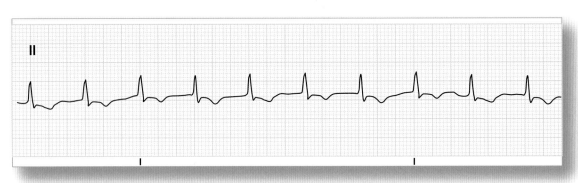

From *Arrhythmia Recognition: The Art of Interpretation*, courtesy of Tomas B. Garcia, MD.

박동수 :	분당 약 98회	PR 간격 :	없음
규칙성 :	규칙적	QRS 폭 :	정상

P파 :
  형태 :
  축 :
	없음
	없음
	없음
		그룹화 :	없음

		탈락 박동 :	없음
P:QRS 비 :	1:1, 사건은 제외	리듬 :	가속성 접합부 리듬

심전도 1은 98회의 가속된 접합부 리듬을 보여주며 100회 이하이기 때문에 접합부 빈맥이라 부르지 않겠다. 다음의 심전도 소견에 주목하자. P파의 부재, 리듬의 규칙성 그리고 좁은 상심실성파. ST 분절과 비대칭으로 역전된 T파는 허혈 혹은 측벽의 급성 심근경색증에 의한 역변화일 가능성이 높다. 가속된 접합부 리듬은 급성 심근경색증과 관련이 깊기 때문에 임상 소견과 심전도소견은 일치한다. 어떤 경우에는 역행성 P파가 QRS파를 약간 넓게함으로 각차단으로 오인되는 경우가 있을 수 있으니 주의하자.

심전도 2

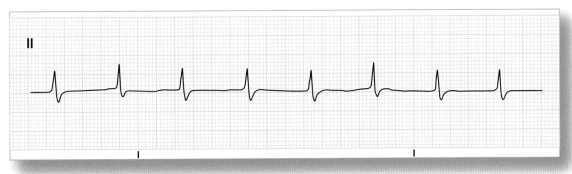

From *Arrhythmia Recognition: The Art of Interpretation*, courtesy of Tomas B. Garcia, MD.

박동수 :	분당 약 85회	PR 간격 :	없음
규칙성 :	규칙적	QRS 폭 :	넓음 (>0.12 초)
P파 :	없음	그룹화 :	없음
형태 :	없음		
축 :	없음	탈락 박동 :	없음
P:QRS 비 :	없음	리듬 :	가속성 접합부 리듬

심전도 2는 넓은 QRS파 리듬으로 규칙적이지만 P파는 관찰되지 않는다. QRS파의 넓은 폭이 고민을 들게한다. 이것은 심실 리듬일까 접합부 리듬일까? 이전 심전도를 통해 지금 리듬 스트립에서 보여주는 것처럼 각차단 소견이 확인되었기 때문에 기존 각차단이 동반된 접합부 리듬임을 진단할 수 있었다.

심전도 3

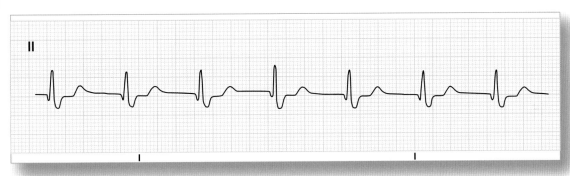

From *Arrhythmia Recognition: The Art of Interpretation*, courtesy of Tomas B. Garcia, MD.

박동수 :	분당 약 78회	PR 간격 :	없음
규칙성 :	규칙적	QRS 폭 :	넓음 (>0.12 초)
P파 :	없음	그룹화 :	없음
형태 :	없음		
축 :	없음	탈락 박동 :	없음
P:QRS 비 :	없음	리듬 :	가속성 접합부 리듬

심전도 3 역시 넓은 QRS파를 동반한 접합부 리듬의 예시를 보여준다. 환자는 우각차단이 있으며 이로 인해 심전도 상에 넓은 QRS파가 기록되었다. 따라서 이전 심전도와의 비교는 진단을 확정하는데 필수적이며 이를 통해 작은 q파, R파 그리고 겹쳐진 P파도 확인할 수 있다. 이전 심전도의 유용성을 간과하지 말고 다음을 위해 심전도를 저장해 두자. 우리는 비교를 통한 진단을 위해 이전 심전도가 언제 필요할지 모르기 때문이다.

심전도 4

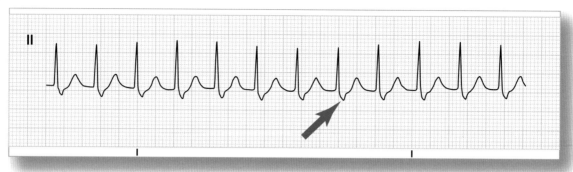

From *Arrhythmia Recognition: The Art of Interpretation*, courtesy of Tomas B. Garcia, MD.

박동수 :	분당 약 135회	PR 간격 :	없음
규칙성 :	규칙적	QRS 폭 :	정상
P파 : 　형태 　축	있음 (인공 S파) 인공 S파 비정상	그룹화 :	없음
		탈락 박동 :	없음
P:QRS 비 :	없음	리듬 :	접합부 빈맥

　심전도 4는 135회 접합부 빈맥의 예시이다(박동수 135회는 접합부 빈맥과 방실결절회귀빈맥의 경계이나 엄밀히 따지면 둘 중에 하나만 맞는 진단이다). 이 스트립 상에서 P파가 관찰되는가? 맞다. 관찰된다. 파란색 화살표는 QRS파 직후에 나타나는 뒤집어진 P파를 가리키고 있다. 이것은 전형적인 접합부 빈맥에서 관찰되는 인공 S파 소견이다. 인공 S파는 실제 파형이 아니라 역행성 P파에 의해 생성된 인공파형이다. 이전 심전도와의 비교는 실제 S파와 인공 S파와의 비교를 명확히 할 수 있다.

심전도 5

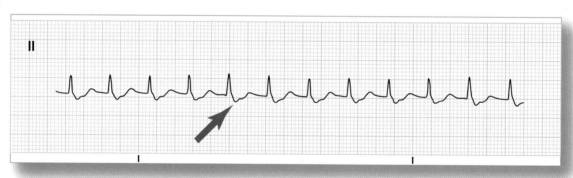

From *Arrhythmia Recognition: The Art of Interpretation*, courtesy of Tomas B. Garcia, MD.

박동수 :	분당 약 135회	PR 간격 :	없음
규칙성 :	규칙적	QRS 폭 :	정상
P파 : 　형태 　축	있음(인공 S파) 인공 S파 비정상	그룹화 :	없음
		탈락 박동 :	없음
P:QRS 비 :	없음	리듬 :	접합부 빈맥

　심전도 5는 약 135회의 접합부 빈맥을 보여준다. QRS파는 좁으며 상심실에서 기인된 것이 분명하다. QRS파 전에 P파는 관찰되지 않으며 대신 이전 심전도와의 비교에서 동율동에선 보이지 않았던 인공 S파가 심전도 유도II에서 확인되었다. 인공 S파는 역행 전도된 P파에 의해서 생성된 인공 산물이다.

심전도 6

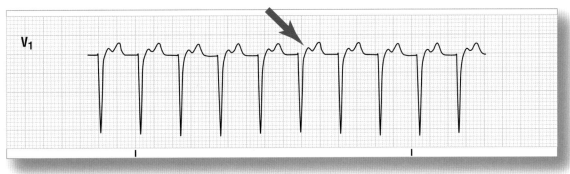

From *Arrhythmia Recognition: The Art of Interpretation*, courtesy of Tomas B. Garcia, MD.

박동수 :	분당 약 135회	PR 간격 :	없음
규칙성 :	규칙적	QRS 폭 :	정상
P파 :	있음(인공 R'파)	그룹화 :	없음
형태 :	인공 R'파		
축 :	비정상	탈락 박동 :	없음
P:QRS 비 :	없음	리듬 :	접합부 빈맥

심전도 6은 심전도 5와 동일한 환자의 심전도 유도 V₁을 보여주며 인공 R' 파를 명확히 관찰할 수 있다. 이것을 인공 R' 파라고 부르는 이유는 QRS파 시작 부위에 실제의 작은 R파가 있기 때문이다. S파 이후에 첫 번째로 나타나는 상향파를 R' 파로 명명하는 것을 잊지 말자.

심전도 7

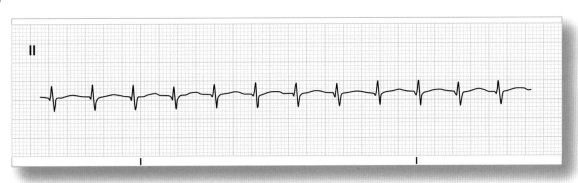

From *Arrhythmia Recognition: The Art of Interpretation*, courtesy of Tomas B. Garcia, MD.

박동수 :	분당 약 135회	PR 간격 :	없음
규칙성 :	규칙적	QRS 폭 :	정상
P파 :	없음	그룹화 :	없음
형태 :	없음		
축 :	없음	탈락 박동 :	없음
P:QRS 비 :	없음	리듬 :	접합부 빈맥

심전도 7 또한 약 135회의 또다른 접합부 빈맥의 예시를 보여준다. 명백한 P파는 관찰되지 않으며 상심실성파의 소견을 보여준다.

심전도 8

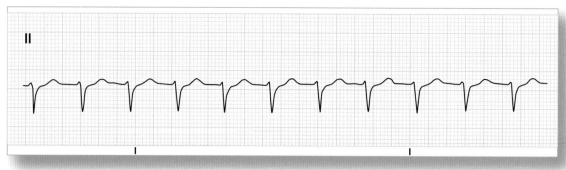

From *Arrhythmia Recognition: The Art of Interpretation*, courtesy of Tomas B. Garcia, MD.

박동수 :	분당 약 112회	PR 간격 :	없음
규칙성 :	규칙적	QRS 폭 :	정상
P파 : 　형태 : 　축 :	없음 없음 없음	그룹화 :	없음
		탈락 박동 :	없음
P:QRS 비 :	없음	리듬 :	접합부 빈맥

심전도 8은 약 112회의 접합부 빈맥이다. QRS파는 좁고 상심실성으로 보인다. QRS파 끝에 관찰되는 작은 톱니 모양은 억행 선노된 P파를 나타낼 수 있지만 이 스트립 만으로 정확한 진단을 내리긴 어렵다. 이전 심전도와의 비교는 겹쳐진 P파에 의해 변형된 QRS파를 감별하는데 도움이 될 것이다.

단원 복습

1. 가속된 접합부 리듬과 접합부 빈맥은 박동수 범위가 다른 것을 제외하고는 기본적으로 같다. (맞다 / 틀리다)

2. 가속된 접합부 리듬과 접합부 빈맥은 향상된 자동능에 의해 발생한다. (맞다 / 틀리다)

3. 가속된 접합부 리듬의 박동수 범위는 _____ 회이다.

4. 접합부 빈맥의 박동수 범위는 일반적으로 _____ 회이다.

5. 140회 이상의 접합부 빈맥은 심전도 상에서 방실결절 회귀빈맥과 매우 유사하기 때문에 정확한 진단을 내리기 어렵다. (맞다 / 틀리다)

제 25 장

방실결절 회귀빈맥

목표

1. 방실결절 회귀빈맥의 정의와 진단 기준을 설명한다.

2. 단일 경로와 이중 경로를 가진 사람의 비율을 설명한다.

3. 방실결절에 연결되는 단일 경로와 이중 경로의 비교 및 이 두 가지 전도체계를 통한 심방자극의 심실전도를 이해한다.

4. 단일 경로 또는 이중 경로를 통한 전도의 장, 단점을 설명한다.

5. 방실결절 회귀빈맥의 회귀회로 구성과 생리학적 통제에 의한 심장보호기능을 이해한다.

6. 방실결절 회귀빈맥회로의 형성의 형성 기전을 설명한다.

7. 이중전도체계인 빠른경로와 느린경로의 전도가 PR 간격에 미치는 영향을 설명한다.

8. 이중전도로체계의 전도속도가 회귀로 형성에 관여하는 기전을 설명한다.

9. 심전도에서의 방실결절 회귀빈맥을 정확히 판별한다.

개요

우리는 부정맥진단에 있어 가장 복잡한 주제 중 하나인 방실결절 회귀빈맥(AVNRT)에 관하여 알아보려고 한다. 방실결절 회귀빈맥은 매우 흔한 부정맥이지만 원인, 발생기전 그리고 식별에 있어 항상 혼란이 있어왔다. 이 세 가지 요인 중 발생기전에 관련된 혼란이 가장 크다. 이번 장에서 우리는 방실결절 회귀빈맥의 개념을 단순화하고 이해가 쉽도록 비유를 들어 설명할 예정이다. 이를 위해 우리는 다음의 체계적인 3단계 접근방식을 사용할 것이다.

1. 방실결절 회귀빈맥과 관련된 회귀 과정을 매우 일반적인 비의료용어로 설명한다.
2. 비의료용어를 통해 설명된 회귀원리를 방실결절에 관련된 병리에 적용한다.
3. 방실결질 회귀빈맥의 심전도 및 임상적 득징을 세시한다.

1단계: 방실결절 회귀빈맥의 일반적인 개념

일반적으로 방실결절은 심방으로부터 자극을 받는 단 하나의 전기 전도로가 존재한다. 하지만 21장 접합부 리듬에서 언급한 것처럼 약 10%의 환자는 한 개 대신 두 개의 경로를 가지고 있다. 두 개의 경로는 각각의 고유한 전도 특성을 가지는데 일반적으로 하나는 전도 속도가 빠르고 불응기가 긴 반면 다른 하나는 전도 속도는 느리지만 불응기가 짧다. 이러한 두 경로의 전도 특성 차이에 의해 이론적으로 하나의 심방탈분극이 두 개의 분리된 QRS파를 유발할 수 있

지만 이것은 실제상황에선 잘 일어나지 않는다. 대신에 두 개의 경로는 매우 독특한 방법으로 탈분극파를 방실결절에 전도한다. 이 과정의 이해를 돕기 위해 우리는 강물 모델(water model)을 이용한 간단한 비유를 사용하고자 한다. 물이 두 개의 분리된 수로를 따라 흐르고 있다고 가정해보자(**그림 25-1**). 하나의 수로는 순류에 의해 물이 원활하고 매끄럽게 흘러가나 다른 수로는 바위와 돌 사이를 가로 지르며 흘러 난류(turbulent flow)가 형성되고 있다. 어느 수로의 물이 더 빨리 이동할까? 당연히 매끄러운 순류가 난류보다 물의 이동이 훨씬 빠를 것이다. 순류가 빠른 이유는 물의 흐름을 방해하는 어떠한 구조도 없기 때문이다(**그림 25-2**). 모든 물은 같은 방향으로 흐르고 물이 수로에 닿는 측면을 따라서만 마찰이 발생하게 된다. 반면에 난류에서 물은 수로 안에 있는 장애물 및 주변구조와의 끊임없는 충돌에 의해 유속이 느려진다(**그림 25-3**). 자, 이제 이 개념을 실제 모델에 적용해 보자. **그림 25-4**와 같은 건조한 하천 수로시스템이 있다고 가정해보자. 큰 수로는 두 개의 작은 수로로 나뉘며 그 중 하나의 수로는 장애물이 있어 물이 흐르면 난류가 발생한다. 이 수로시스템에 만약 갑작스런 홍수가 발생한다면 어떤 일이 발생할지 순서대로 살펴보자. 첫 째, 물은 두 수로의 분기점까지 난류로 이동하다(**그림 25-5**). 분기점을 지나면 두 갈래로 나뉘어 흐른다. 매끄러운 수로는 난류로 물을 계속 수송할 것이며 물은 매우 빠르게 이동할 것이다. 이것을 빠른 수로라 부르자. 장애물이 있는 수로는 물이 바위 주변을 천천히 맴돌음에 따라 난류를 발생시키기 시작할 것이다(**그림 25-6**). 이 수로를 느린 수로라 부르자. 빠른

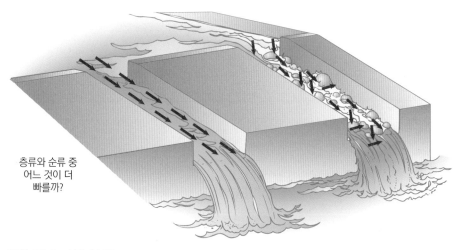

층류와 순류 중
어느 것이 더
빠를까?

그림 25-1. 순류 대 난류.

순류

70 MPH

그림 25-2. 순류에서 물은 같은 방향으로 흐르고 물의 흐름을 방해하는 장애물이 없기 때문에 가속도는 유지된다.

© Jones & Bartlett Learning.

난류

20 MPH

그림 25-3. 난류에서 물은 다양한 장애물을 거치며 난류가 발생하고 감속되어 유속은 느려진다.

© Jones & Bartlett Learning.

수로를 통해 내려간 물은 얇고 건조한 연못에 먼저 도달하고 연못을 빠르게 채운다. 하지만 느린 수로를 통해 흐르는 물은 연못이 다 채워지는 동안에도 난류에 의해 여전히 천천히 흐르고 있다. 연못이 다 채워지면 어떻게 될까? 연못이 다 채워지면 느린 수로는 연못에 채워진 물로 역류하여 매워지기 시작하며 수위는 빠르게 상승한다(**그림 25-7**). 결국 느린 수로를 따라 흐르던 파면과 연못으로부터 역류하는 파면은 모두 느린 수로를 따라 이동하다 서로 충돌하게 된다(**그림 25-8**). 그 시점에서 수위는 안정화되고 하천에 유입된 물의 양에 따라 평형을 이루게 된다. 요약하자면 마른 강바닥으로 유입된 물은 두 수로에 균등하게 흐르나 빠른 수로는 순류를 이용해 연못을 먼저 채우게 된다. 연못이 채워지면 물은 느린 수로를 향해 역류하여 처음 느린수로를 따라 흐르던 물과 서로 만나 충돌한다. 이 일련의 사건은 직관적이며 이해하기 쉽다. 앞으로 살펴보겠지만 이것은 정상적인 동율동 상태에서 이중 경로를 통한 방실결절로의 자극전도와 같다. 탈분극파는 빠른 경로를 통해 방실결절을 탈불극 시킨 후 경로를 통해 역행하기 시작한다. 결국 두 탈불극파는 느린 경로에서 서로 만나 상쇄된다. 중요한 것은 빠른 경로를 통해 전도된 탈분극파만이 방실결절을 탈분극시키고 오직 하나의 QRS파를 만든다는 것이다. 여기에 기술된 전도순서는 실제상황에서 거의 99.99999 %의 경우에 발생한다. 자, 이제 나머지 0.11111%의 경우로 넘어가보자. 이것은 매우 드물지만 방실결절 안에서 회귀를 형성하여 방실결절 회귀

빈맥을 유도하는 실질적인 시나리오가 된다. 다시 한 번, 강물 모델로 전환하여 이 과정을 단순화해보자. 갑작스런 홍수에 나무가 쓰러져 빠른 수로를 가로막았다고 가정해보자. 물의 흐름에 어떤 일이 발생할까? **그림 25-9**를 보면 물의 흐름이 빠른 수로 대신 느린 수로를 통해 흘러가는 것을 볼 수 있다. 결국 물의 흐름은 연못을 채운 후 역행하여 빠른 수로를 가로막고 있는 나무의 반대편까지 흐르게 된다. 다시 방실결절로 돌아가자. 만약 자극이 빠른 경로가 불응기일 때(나무가 경로를 막는 지점) 분기점에 도달한다면 탈분극파는 느린경로를 통해서만 방실결절을 탈분극 시키게 된다. 이후 자극은 불응기에서 회복된 빠른 경로를 통해 역행한다. 하지만 이번엔 빠른 경로를 통해 하행하고 있는 자극과의 상쇄는 없다. 왜냐하면 불응기로 인해 두 경로의 분기점에서 빠른 경로로 하행하는 자극이 없었기 때문이다. 역행하는 자극이 분기점에 도달하면 자극을 다시 받을 수 있을 만큼 회복된 느린 경로를 통해 하행하여(느린 경로는 회복시간이 빠르다는 것을 기억하자) 회귀가 형성되게 된다. 이번 장의 뒷부분에서 이 회귀로의 더 많은 세부사항에 대하여 논의할 것이다. 뒷부분에서 회귀로의 형성에 대한 논의를 이어감에 있어 앞서 설명한 두 비유의 유사성과 관련된 개념을 염두해두자. 이 개념은 방실결절 회귀빈맥의 형성기전을 이해하는데 필수적이다. 회귀는 매우 이질적인 개념이며 이해하기 어렵다. 두 개의 수로로 흐르는 물의 유사성은 방실결절 회귀빈맥의 개념을 이해하기 위한 기초가 될 수 있다. 이 모델은 회귀로가

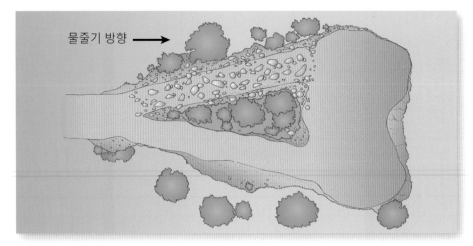

그림 25-4. 마른 강바닥

© Jones & Bartlett Learning.

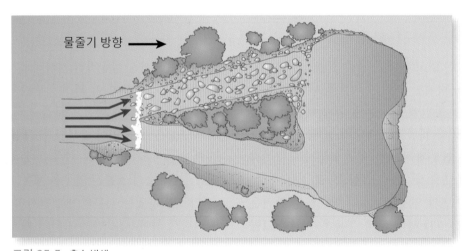

그림 25-5. 홍수 발생

© Jones & Bartlett Learning.

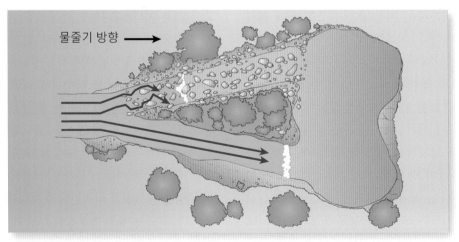

그림 25-6. 물은 장애물이 많은 느린 경로보다 매끄러운 빠른 경로를 통해 빨리 내려간다.

© Jones & Bartlett Learning.

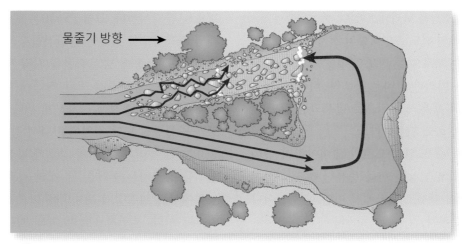

그림 25-7. 연못이 빠른 경로를 통해 채워지면 느린 경로를 향해 역류하기 시작한다.

© Jones & Bartlett Learning.

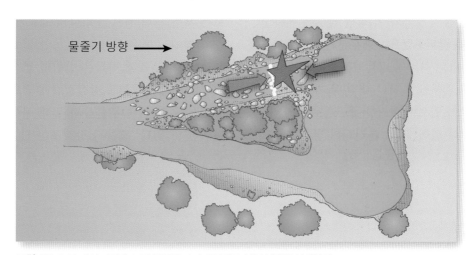

그림 25-8. 두 개의 파면은 느린 경로를 따라 이동하다 서로 부딪혀 상쇄된다.

© Jones & Bartlett Learning.

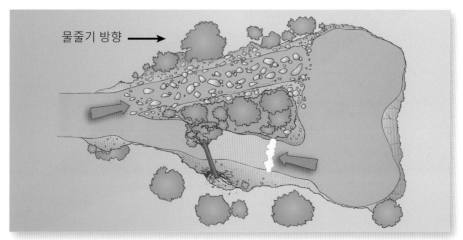

그림 25-9. 만약 빠른 경로가 폐쇄되면 물은 느린 경로를 통해 연못을 채운 후 빠른 경로를 향해 역류하여 폐쇄지점의 분기점까지 다다른다.

© Jones & Bartlett Learning.

형성되기 위한 세 가지 조건을 나타내고 있다. 즉

1. 적어도 두 개 이상의 전도로가 포함된 전기회로의 형성
2. 두 개의 전도로는 서로 다른 전도 특성을 갖는다: 전도 시간, 불응기 등. 이러한 차이는 구조적, 허혈, 전해질 이상 또는 일시적 혹은 영구적으로 발생되는 전도 시간 및 불응기의 변화에 기인한다.
3. 회로의 구성요소 중 느린 전도로가 있어야하며 나머지 구성요소가 회복 가능할 만큼 충분한 전도 지연이 있어야 한다. 이제 실제로 심장에서 어떤 일이 일어나는지 살펴보도록 하자.

2단계: 회귀와 방실결절 회귀빈맥

21장, 방실접합부 리듬의 소개와 이 장의 앞 부분에서 방실결질의 해부학에 대해 살펴보았으며 대부분의 사람에서 방실결절에 접근하는 부위는 하나의 비특이적 조직으로 되어 있음을 보았다. 그러나 일부에선 하나 대신 두 개의 분리된 접근 경로가 있는 경우가 있으며 이러한 접근경로들은 비전도조직에 의해 둘러쌓여 있어, 서로 분리되며 남은 심근들

과도 구분되어진다. **그림 25-10**은 방실결절에 연결되는 두 개의 접근경로를 강조한 방실접합부의 그림이다. 자극이 두 개의 경로를 통해 방실결절을 각각 탈분극하는 대신에 두 개의 경로는 방실결절 도달 직전에 하나의 공통경로가 되어 자극을 방실결절에 전도하게 된다. 여기에서 두 개의 경로가 방실결절 도달 직전에 하나의 경로로 융합된다는 것이 중요하다. 우리가 두 개의 경로가 방실결절 도달 직전에 융합됨을 강조하는 이유는 두 개의 경로가 융합되는 이 짧은 영역에서 방실결절 회귀빈맥을 만드는 회귀 운동이 시작되기 때문이다. 본질적으로 두 개의 경로가 만나 하나의 최종 공통경로가 되는 이 작은 영역은 어느 경로의 자극이 방실결절에 전도될 지 결정되는 곳이 된다. 어느 경로가 이길까? 그 영광은 경주에서 이기는 경로에 있으며 그것은 빠른 경로든 혹은 느린 경로든 하나의 경로가 된다. 자, 이제 이 작은 영역에서 매우 짧은 시간 동안 일어나는 모든 사건에 대해 살펴보자. 첫째 자극은 반원형 전장에 도착하여 최종 공통경로를 탈분극하고 방실결절에 전도된다. 8장 정상 동율동에서 우리는 절대 불응과 절대 불응기의 원리에 대하여 논의한 바 있다. 모든 심장세포는 탈분극 직후 절대불응기

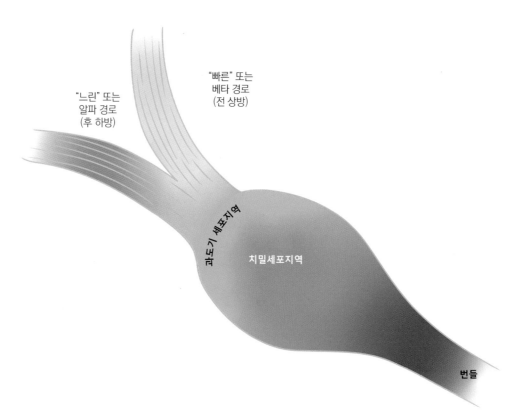

"느린" 또는
알파 경로
(후 하방)

"빠른" 또는
베타 경로
(전 상방)

과도기 세포지역

치밀세포지역

번들

그림 25-10. 방실접합부는 섬유조직으로 분리된 한 개 혹은 두 개의 접근경로와 비전도조직 그리고 방실결절을 분리하는 세 개의 영역으로 구성된다. 설명을 위해 이 그림은 부정맥이 유발 가능한 두 개의 접근경로를 표현하였다.

에 도래하며 이 시기엔 세포가 회복될 때까지(절대불응기가 끝나는 시점) 후속 자극의 전달을 막는다. 절대불응기에 자극이 도착하면 어떤 일이 벌어질까? 아마도 자극전도에 실패할 것이며, 이것은 이중경로에서 두 번째로 도착한 자극이 전도에 실패하는 것과 정확히 일치한다. 이 개념을 이해하는 것은 방실결절 회귀빈맥을 일으키는 회귀 운동이 어떻게 생성되는지 이해하는데 결정적이다. 두 개의 경로는 해부학적 분리 뿐만 아니라 기능적으로도 분리되어 방실결절 회귀빈맥과 같은 회귀성 빈맥이 발생가능한 환경을 제공한다. 두 경로는 우심방의 원래부에 위치하며 빠른 경로는 베타 경로로 느린 경로는 알파 경로로 알려져 있다. 이 경로들은 기능 뿐만 아니라 해부학적으로 서로 다르며 각각은 고유한 전기생리학적 특성을 갖는다. 빠른 전도로는 전도속도가 매우 빠르지만 매우 긴 불응기를 가진다. 즉 빠른 전도로는 자극을 매우 빠르게 전도하지만 한 번 자극을 전도하면 다음 자극을 다시 전도하기까지 많은 시간이 걸린다. 이것은 단거리 육상선수가 최대 속도를 위해 모든 힘을 쏟아부은 후 힘을 되찾기 위해 많은 시간이 필요한 상황과 유사하다. 느린 경로는 매우 느린 전도 속도와 매우 짧은 불응기를 갖는다. 다시 말해 자극을 매우 느리게 전도하지만 짧은 시간 내에 다음 자극을 전도할 수 있도록 회복이 빠르다. 이것은 마치 장거리 운동선수가 장거리 경주에서 다양한 최대 속도 사이 사이에 빠른 회복 시간을 갖는 것과 비슷하다. 지금까지 우리는 몇 가지 기본사항에 대하여 살펴보았다. 이를 바탕으로 심방탈분극파가 이중 경로에 접근했을 때 어떤 일이 벌어지는지 예측해보자(**그림 25-11**). (이번 장 앞부분에서 언급한 강물 모델을 다시 생각해보자) 자극은 두 경로에 동시에 전도될 것이다. 전도된 자극은 두 경로에서 동시에 전파 되겠지만 빠른 경로의 전도가 빠를 것이다. 이 결과로 빠른 경로를 통한 자극은 방실결절을 자극하고 히스속들을 포함한 정상전도로를 통해 심실로 전도되어 매끈하고 보기 좋은 QRS파를 만들게 된다. 이후 탈분극파는 느린 경로를 따라 역행하다가 결국에는 느린경로를 통해 하행하는 탈분극파와(느린경로를 통해 하행하는 파형과 역행하는 파형) 충돌하여 서로 상쇄된다. 느린 경로에서의 상쇄는 동율동 또는 정상 심방 리듬의 99.9999%에서 발생한다. 만약 어떠한 이유로 빠른 경로를 통한 전도가 이루어지지 못한다면 어떤 일이 벌어질까? 이것을 이해하려면 나무가 빠른 수로를 가로막은 비유를 생각해보면 된다. 빠른 수로가 막히게 되면 물은 느린 수로를 통해 우물을 채운다. 마찬가지로 빠른 경로가 어떠한 이유로 불응기가 된다면 자극은 느린 경로를 통해 전도될 것이다. 느린 경로와 빠른 경로에 의해 각각 자극이 전도된 QRS파의 모양은 같을까? PR 간격을 제외하곤 모든 것이 같을 것이다(**그림 25-13**). 느린 경로를 통해 전도된 자극에 의해 만들어진 PR 간격이 빠른 경로를 통해 전도된 PR 간격보다 길다. 이것은 기능적으로 두 개의 전도로를 가지는 환자들에게서 볼 수 있는 현상이다. 이는 같은 리듬스트립상에서 동일한 QRS파와 서로 다른 PR 간격으로 나타난다. 두 개의 QRS파는 이소성 심방 활동에 의한 것이 아니라 동일 심방활동이 두 개의 경로 사이에서 간헐적으로 번갈아가며 전도되어 발생한다. 방실결절 회귀빈맥의 회귀

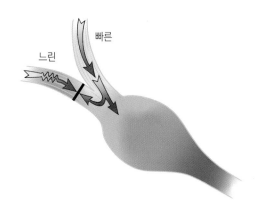

그림 25-12. 탈분극파는 빠른 경로를 통해 더 빨리 전도된다. 따라서 방실결절은 빠른 경로를 통해 전도된 자극에 의해 탈불극된다. 후에 자극은 방실결절에서 느린 경로로 역행하기 시작한다. 결국 두 개의 파형은 느린 경로를 따라 이동하다 만나게 되고 서로를 상쇄시킨다. 오직 한 개의 자극만이 방실결절을 통해 심실로 전도된다는 것을 기억하자.

© Jones & Bartlett Learning.

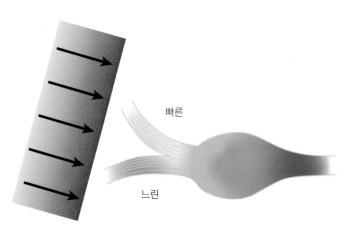

그림 25-11. 심방 탈분극파가 방실접합부에 접근하고 있다. 무슨 일이 일어날지 예측 가능한가?

© Jones & Bartlett Learning.

로는 방실결절에 접근하는 두 개의 경로와 방실결절에 의해 형성된다. 심장이 규칙적인 속도로 뛰고 있다고 가정해보자(**그림 25-14**). 자극은 두 경로를 통해 정상적으로 전달되고 탈분극 직후의 짧은 시간 동안엔 두 경로는 추가적인 자극전도로부터 불응기가 된다. 이제 이소성 심방 조기수축이 발생했다고 가정해보자(심방 조기수축 **그림 25-14** 참조).

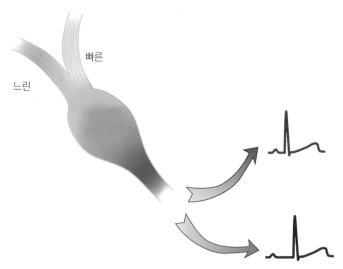

그림 25-13. 어떤 경로를 통해 자극이 전도 되는지에 따라 PR 간격은 다양하게 나타난다. 이러한 PR 간격의 변화는 심방 조기수축에 의해 잘 발생한다.

© Jones & Bartlett Learning.

빠른 경로는 심방 조기수축을 전도할 준비가 되어있을까? 느린 경로는 심방 조기수축의 전도가 가능할까? 심방 조기수축이 두 경로에 도달하면(**그림 25-15**) 빠른 경로는 느린 회복시간으로 인하여 여전히 불응기에 있게 되지만 느린 경로는 빠른 회복시간으로 인하여 자극을 전파할 수 있게 된다. 다시 말해 심방 조기수축은 빠른 경로가 불응기일 때 도달하게 되고, 물 모델에서 수로를 가로막은 나무와 같은 역할을 하게 된다. 빠른 경로의 폐쇄는 자극전도가 느린 경로를 통해서만 이루어지게 한다(심방 조기수축에 의해 생성된 PR 간격은 느린 경로를 통해 전도됨에 따라 필요해진 추가적인 시간이 반영되어 정상보다 길다). 앞에서 살펴본 것처럼 탈분극이 방실결절을 자극하면 자극은 빠른 경로를 통해 역행하기 시작한다(**그림 25-15**). 빠른 경로가 새로운 자극을 받아들일 수 있는 이유는 느린 경로를 통한 하행 전도에 의해 추가적인 전도지연이 있었기 때문이다. 느린 경로의 전도를 통해 지연된 시간은 빠른 경로가 긴 불응기로부터 회복하여 역행하는 자극을 받아들일 수 있도록 준비되게 한다. 이 시점에선 역행하는 자극을 가로막는 장애물이 없기 때문에 자극은 빠른 경로 전체를 횡단할 수 있게 된다. 이후 역행하는 자극이 빠른경로와 느린경로의 분기점에 도달하면 자극은 다시 느린경로를 통해 전파된다(**그림 25-16**).

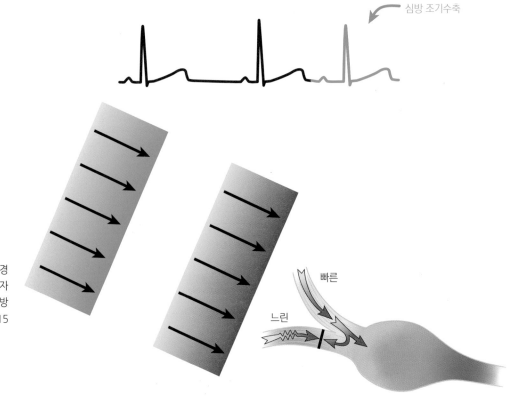

그림 25-14. 정상의 동결절 탈분극이 두 경로에 도착했다. 예상과 같이 그림에서처럼 자극은 빠른 경로를 통해 전도된다. 이후에 심방 조기수축이 도착하고 그 다음 순서는 그림 15에 보여진다.

© Jones & Bartlett Learning.

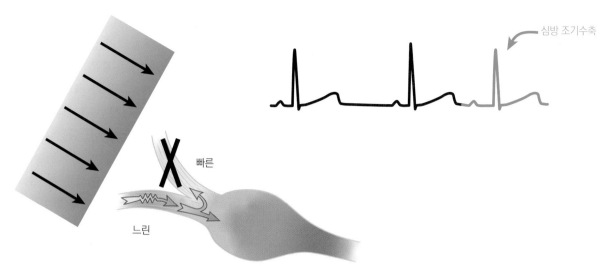

그림 25-15. 빠른 경로가 불응기일 때 심방 조기수축이 두 경로에 도착하면 자극은 느린 경로를 통해 전도된다. 이후 자극이 방실결절에 도달하게 되면 역행하여 불응기에서 벗어난 빠른 전도로에 전도되기 시작한다.

© Jones & Bartlett Learning.

전기는 물과 같아서 언제 어디서나 전파될 수 있음을 기억하자. 이제 완전한 회귀로가 형성되었다. 이 시점에서 어떤 일이 벌어질까? 짧은 불응기를 가지고 있는 느린 전도로는 역행 전도된 자극을 수용하고 다시 방실결절로 전도한 다음 다시 역행하여 자극을 빠른 전도로에 전도하고 그런 다음 다시 느린 전도로에 전도하고… 일련의 사건은 고리 형태로 계속 반복된다(**그림 25-16** 참조). 이것은 방실접합부안에서의 회귀 운동이며 심전도상에서 생성되어지는 리듬은 방

실결절 회귀빈맥이 된다. 심방 조기수축은 방실결절 회귀빈맥의 시작을 위한 촉발자가 된다.

3단계 부정맥의 식별

상심실성 빈맥은 포괄적인 용어로 심방 및 방실접합부에서 발생하는 빠른 리듬을 총칭한다(심실 위의 영역). 상심실성 빈맥에는 동빈맥(sinus tachycardia), 국소심방빈

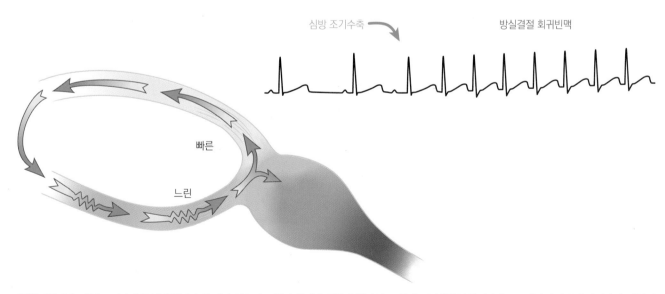

그림 25-16. 심방 조기수축은 방실결절과 두 개의 경로가 포함된 회귀 운동을 유발하며 그 결과로 방실결절 회귀빈맥으로 알려진 리듬이 생성된다. 방실결절 회귀빈맥 시 역행 전도된 P파가 QRS파의 끝부분에 나타나 인공 S파를 만드는 것을 주목하자.

© Jones & Bartlett Learning.

맥(focal atrial tachycardia), 발작성 심방빈맥(paroxysmal atrial tachycardia), 심방조동(atrial flutter), 심방세동(atrial fibrillation), 접합부빈맥(junctional tachycardia), 방실결절 회귀빈맥(AV nodal reentry tachycardia,) 그리고 방실회귀 성빈맥(AV reentry tachycardia)이 포함된다(상심실성 빈맥 은 매우 포괄적인 용어임으로 가능하면 사용을 자제하는 것 이 좋다. 실제 리듬이 무엇인지 파악하고 적절한 용어를 사 용하는 것이 임상적으로 더 유용하다). 방실결절 회귀빈맥 은 임상에서 가장 흔하게 볼 수 있는 규칙적인 발작성 상심 실성 빈맥이다. 이 문장의 핵심 단어는 "규칙적"과 "발작 성"이다. 방실결절 회귀빈맥은 방실접합부가 포함되는 회 귀로에 의해 형성되는 규칙적인 빈맥이다. 이것은 발작성 (빠른 시작, 빠른 종료) 빈맥으로 일반적으로 심방 조기수 축에 의해 시작된다(**그림 25-17**). 심방 조기수축은 느린 경 로를 통해 방실결절에 전도되기 때문에 일반적으로 PR 간 격의 연장과 관련이 있다. 방실결절 회귀빈맥의 심박수 범 위는 분당 150~250회 사이로 알려져 있으나 임상적으로는 170~220회 범위가 가장 흔하다(심박수 기준의 중간범위). P파는 전형적으로 QRS파에 겹치거나 혹은 식후에 나타나 지만 드물게는 QRS파 직전에 나타나기도 한다. 심전도 리 드 V1의 인공의 R파와 전극 II의 인공 S파는 일반적인 방실 결절 회귀빈맥의 소견이다. QRS파는 일반적으로 0.12초 이 하로 좁지만 기존 각차단이 동반된 경우, 편위전도가 발생 한 경우 혹은 심각한 전해질 이상이 동반된 경우는 QRS파

는 넓은 형태로 나타나게 된다. QRS파의 넓이를 측정할 때 인공의 R파와 S파가 포함되지 않도록 주의를 요해야 한다. 상기 인공 파형이 포함되는 경우 QRS파가 실제보다 넓게 측정될 수 있기 때문이다(**그림 25-18**). 때로는 정확한 실제 QRS파 간격을 측정하기 위해선 과거의 심전도 혹은 동율동 때의 심전도가 필요할 수도 있다. 다른 해결방법으로 인공 파형이 없는 심전도리드나 빈맥이 종료된 직후의 QRS파 간 격을 측정하는 방법이 있다. 위에서 빠른 경로와 느린 경로 가 융합되어 하나의 최종 공통경로를 형성하는 부위의 해부 학적 중요성에 관하여 언급한 것을 기억하는가? 자극의 전 도가 방실결절내부가 아닌 방실결절 진입 직전에 구부러져 이동함을 강조하였다. 즉 회귀운동의 분기점은 방실결절 진 입 직전의 최종 공통경로가 된다. 심장보호를 위한 방실결 절의 생리학적 통제는 빠른 박동수에서 2:1, 3:1 혹은 다양 한 비율의 방실 차단을 만든다. 따라서 방실결절 회귀빈맥 중에 방실결절의 생리학적 통제에 의한 방실 차단이 가능하 며 가장 흔하게 볼 수 있는 전도 비율은 2:1이다(회귀운동과 방실 차단은 서로 독립적으로 발생 가능하며 경우에 따라 다소 연결되어 발생할 수도 있다).

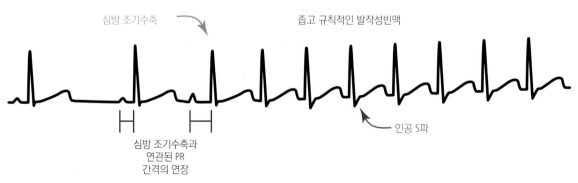

심방 조기수축

좁고 규칙적인 발작성빈맥

심방 조기수축과
연관된 PR
간격의 연장

인공 S파

그림 25-17. 방실결절 회귀빈맥의 심전도 소견. 심방 조기수축과 연관된 PR 간격의 증가

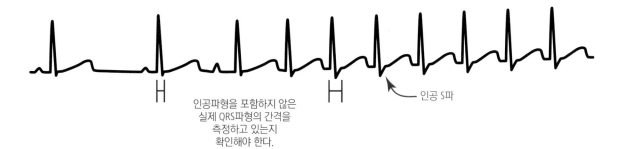

인공파형을 포함하지 않은
실제 QRS파형의 간격을
측정하고 있는지
확인해야 한다.

인공 S파

그림 25-18. 방실결절 회귀빈맥시의 QRS파의 간격. 얇은 괄호는 실제 QRS파의 간격이 된다. 넓은 괄호는 인공 S파를 포함한 QRS파의 간격이다. 인공간격이 아닌 실제 QRS파 간격을 측정해야 한다.

© Jones & Bartlett Learning.

한가지 더

비전형적 방실결절 회귀빈맥

우리는 자극이 느린 경로로 하행 전도되고 다시 빠른 경로로 역행 전도할 때 일반적인 회귀로가 형성된다는 것을 살펴봤다. 이것은 가장 흔한 형태의 방실결절 회귀빈맥이며 전형적 혹은 일반적 방실결절 회귀빈맥이라고 알려져 있다. 이 외에도 드물지만 비전형적인 형태가 있으며 이는 5~10%의 발생빈도를 보인다. 비정형 방실결절 회귀빈맥은 자극이 전형적인 형태와는 정반대의 방향으로 회귀될 때 발생한다. 자극은 빠른 경로로 진입하고 다시 느린 경로를 통해 역행전도한다. 이 두 가지 유형의 가장 큰 차이는 P파의 위치이다. RP 간격[QRS파의 시작부터 P파의 시작]은 비전형 방실결절 회귀빈맥이 더 길다. 이러한 현상이 발생하는 이유는 느린 경로를 통한 역행전도로 인해 자극이 심방에 도달하는 시간이 연장되기 때문이다. 즉 느린 전도는 심전도상에 긴 간격으로 나타난다(**그림 25-19**).

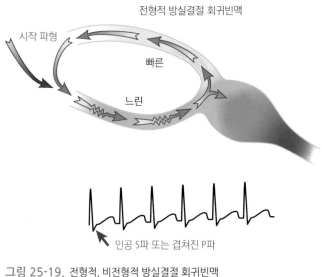

전형적 방실결절 회귀빈맥

시작 파형

빠른

느린

인공 S파 또는 겹쳐진 P파

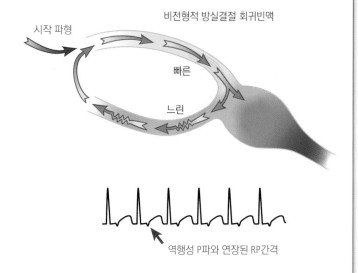

비전형적 방실결절 회귀빈맥

시작 파형

빠른

느린

역행성 P파와 연장된 RP간격

그림 25-19. 전형적, 비전형적 방실결절 회귀빈맥

© Jones & Bartlett Learning.

부정맥 정리

방실결절 회귀빈맥

박동수 :	150~250회
규칙성 :	규칙적
P파 :	하향 혹은 묻힘
형태 :	하향
II, III, aVF에서 상향 :	아님
P: QRS 비 :	1:1 (P 파 존재 시)
PR간격 :	없거나 RP 간격
QRS 폭 :	정상
그룹화 :	없음
탈락 박동 :	없음

감별진단

방실결절 회귀빈맥

1. 특발성

방실결절 회귀빈맥이 발생하는 이유는 방실접합부에 접근하는 이중경로가 있기 때문이다. 일반적으로 구조적 심질환이 없는 환자에게서 발견된다.

심전도 스트립

심전도 1

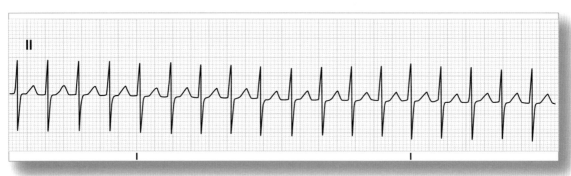

From *Arrhythmia Recognition: The Art of Interpretation*, courtesy of Tomas B. Garcia, MD.

박동수 :	분당 약 180회	PR 간격 :	없음
규칙성 :	규칙적	QRS 폭 :	정상
P파 :	없음	그룹화 :	없음
형태 :	없음		
축 :	없음	탈락 박동 :	없음
P:QRS 비 :	해당 없음	리듬 :	방실결절 회귀빈맥

심전도 1은 좁은QRS파 빈맥으로 매우 규칙적이며 리듬 스트립상 어디에도 P파가 관찰되지 않는다. 인공 S파 또한 확인되지 않는다. 상기 심전도 특징과 박동수는 전형적인 방실결절 회귀빈맥의 소견으로 달리 입증되기 전까진 방실결절 회귀빈맥 준해서 접근해야 한다.

심전도 2

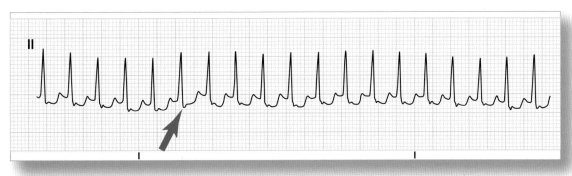

From *Arrhythmia Recognition: The Art of Interpretation*, courtesy of Tomas B. Garcia, MD.

박동수 :	분당 약 200회	PR 간격 :	없음
규칙성 :	규칙적	QRS 폭 :	정상
P파 : 　형태 : 　축 :	인공 S파 하향 비정상	그룹화 :	없음
		탈락 박동 :	없음
P:QRS 비 :	1:1	리듬 :	방실결절 회귀빈맥

　심전도 2는 약 200회 이상의 빠른 리듬을 보여 준다. QRS파는 좁고 뚜렷한 P파는 보이지 않는다. 하지만 QRS파 끝에 오래된 심전도에는 없었던 작은 S파가 있다. 이것은 인공 S파이며(파란색 화살표) 역행성 P파를 나타낸다. 빠른 빈맥에서 흔히 볼 수 있는 ST 분절의 하강이 관찰된다. 이것은 빠른 박동수에 의한 심내막 허혈일 수 있지만 원인은 불분명하다.

심전도 3

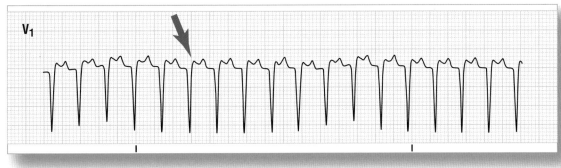

From *Arrhythmia Recognition: The Art of Interpretation*, courtesy of Tomas B. Garcia, MD.

박동수 :	분당 약 200회	PR 간격 :	없음
규칙성 :	규칙적	QRS 폭 :	정상
P파 : 　형태 : 　축 :	인공 R' 파 해당 없음 해당 없음	그룹화 :	없음
		탈락 박동 :	없음
P:QRS 비 :	1:1	리듬 :	방실결절 회귀빈맥

　심전도 3은 심전도 2와 동일한 환자의 심전도 리드 V$_1$이다. 이 리드를 통해 QRS파 끝부분에 나타나는 인공 R파(파란색 화살표)의 유무를 확인할 수 있다. 물결처럼 보이는 QS 형태의 전기적 교대파가 스트립상에 명백히 나타난다. 이것은 빠른 빈맥에서 흔하게 나타나며 심낭삼출과 같은 이차적인 병적 상태가 있는 것을 의미하진 않는다. 하지만 임상적인 고려는 필요하다.

심전도 4

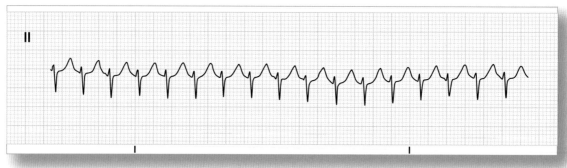

From *Arrhythmia Recognition: The Art of Interpretation*, courtesy of Tomas B. Garcia, MD.

박동수 :	분당 약 195회	PR 간격 :	없음
규칙성	규칙적	QRS 폭 :	정상
P파 : 형태 축	없음 없음 없음	그룹화 :	없음
		탈락 박동 :	없음
P:QRS 비 : 해당 없음		리듬 :	방실결절 회귀빈맥

심전도 4는 리드 II로 빠르고 좁은 QRS파 빈맥을 보여준다. 깊은 음성의 QRS파형으로 인해 인공의 S파가 잘 구분되지 않는다. QRS파의 크기는 미세한 물결 형태의 기복이 있으나, 이것은 빠른 빈맥에서 흔히 볼 수 있는 소견이다.

심전도 5

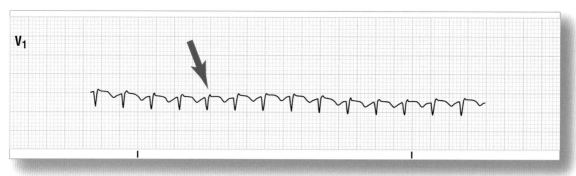

From *Arrhythmia Recognition: The Art of Interpretation*, courtesy of Tomas B. Garcia, MD.

박동수 :	분당 약 195회	PR 간격 :	없음
규칙성	규칙적	QRS 폭 :	정상
P파 : 형태 축	인공 R'파 불명확 비정상	그룹화 :	없음
		탈락 박동 :	없음
P:QRS 비 : 1:1		리듬 :	방실결절 회귀빈맥

심전도 5는 심전도 4와 동일한 환자의 심전도 리드 V₁이다. 이번엔 인공 R파가 더욱 뚜렷하다(파란 화살표). 이 소견을 통해 방실결절 회귀빈맥을 확진할 수 있다. 지금까지의 심전도 예제에서 리듬은 매우 규칙적이었음을 주목하자. 왜냐하면 회귀성 빈맥의 리듬은 시계와 같은 규칙성이 있기 때문이다.

심전도 6

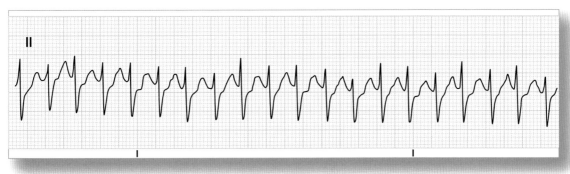

박동수 :	분당 약 200회	PR 간격 :	없음
규칙성 :	규칙적	QRS 폭 :	정상
P파 :	없음	그룹화 :	없음
형태 :	없음		
축 :	없음	탈락 박동 :	없음
P:QRS 비 :	해당 없음	리듬 :	방실결절 회귀빈맥

심전도 6은 200회의 좁은 QRS파 빈맥을 보여준다. QRS 파형은 음성이며 인공S파처럼 보여지는 작은 편향이 끝부분에 보여진다. R파의 높이에는 전기적 변동에 의한 약간의 변화가 있으며 이는 빠른 빈맥에서 흔하게 볼 수 있는 소견이다. 방실결절 회귀빈맥은 이 비정상적인 리듬의 진단이 된다.

심전도 7

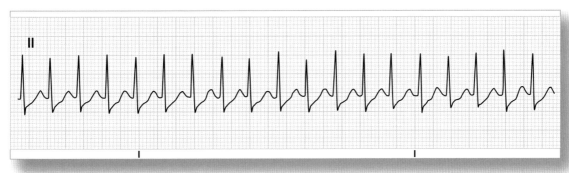

박동수 :	분당 약 190회	PR 간격 :	없음
규칙성 :	규칙적	QRS 폭 :	정상
P파 :	없음	그룹화 :	없음
형태 :	없음		
축 :	없음	탈락 박동 :	없음
P:QRS 비 :	해당 없음	리듬 :	방실결절 회귀빈맥

심전도7은 외형적으로 190회의 좁은QRS파 빈맥을 보여준다. 문제는 ST 분절의 하강과 인공 S파의 가능성 혹은 불분명한 S파 유형이 있다는 것이다(일반적으로 각차단에서 볼 수 있음). 좁은 R파의 시작은 심실빈맥의 가능성을 낮게 한다. 최종 진단을 위해선 빈맥 심전도를 이전 심전도 혹은 빈맥 종료 후의 심전도와 비교하는 것이 중요하다. 환자가 불안정한 경우 동율동전환 및 제세동을 즉시 시행해야 한다. 반대로 환자가 안정되어 있다면 처음 치료로 미주신경 자극 혹은 아데노신투여가 적절하다.

심전도 8

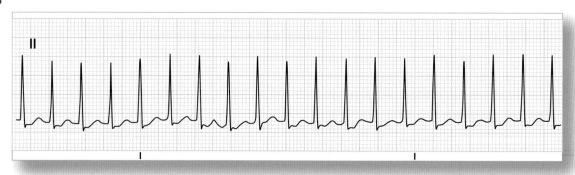

From *Arrhythmia Recognition: The Art of Interpretation*, courtesy of Tomas B. Garcia, MD.

박동수 :	분당 약 185회	PR 간격 :	없음
규칙성 :	규칙적	QRS 폭 :	정상
P파 : 　형태 : 　축 :	없음 없음 없음	그룹화 :	없음
		탈락 박동 :	없음
P:QRS 비 : 1:1		리듬 :	방실결절 회귀빈맥

심전도8 역시 ST 분절 하강이 있으며 이것은 빈맥 혹은 허혈(심내막)에 의한 것일 수 있다. 이 소견을 평가하기 위해선 임상적 연관성을 고려하는 것이 바람직하다. QRS파 끝에 작은 S파가 보이며, 이것은 실제 QRS파의 일부이거나 혹은 인공 S파일 수 있다. 확인을 위해선 이전 심전도와 비교하는 것이 도움이 된다. QRS파의 크기 변화는 빈맥에 의한 전기적 변동으로 보인다.

심전도 9

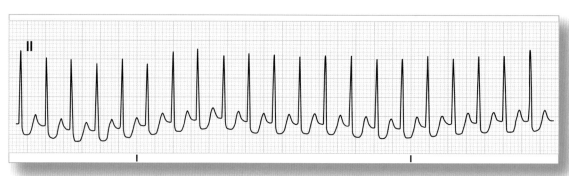

From *Arrhythmia Recognition: The Art of Interpretation*, courtesy of Tomas B. Garcia, MD.

박동수 :	분당 약 210회	PR 간격 :	없음
규칙성 :	규칙적	QRS 폭 :	정상
P파 : 　형태 : 　축 :	없음 없음 없음	그룹화 :	없음
		탈락 박동 :	없음
P:QRS 비 : 해당 없음		리듬 :	방실결절 회귀빈맥

심전도9는 210회 정도의 좁은 QRS파 빈맥을 보여준다. QRS파는 명확하게 구분되고 국자모양의 ST 분절하강이 있다. 이런 형태의 ST 분절 하강은 빈맥, 허혈 또는 디지탈리스(digitalis)효과에 의해 나타날 수 있다. 임상적 연관성과 이 전 심전도와의 비교는 최종진단을 내리기 위해 필수적이다. 그러나 빈맥에 대한 치료가 먼저이고, 그 다음에 최종진단에 관한 고민을 해야 한다. 감별진단해야 할 항목에 방실결절 회귀빈맥이 먼저 고려되어야 한다.

심전도 10

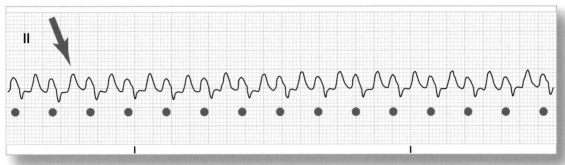

From *Arrhythmia Recognition: The Art of Interpretation*, courtesy of Tomas B. Garcia, MD.

박동수 :	분당 약 145회	PR 간격 :	없음
규칙성 :	규칙적	QRS 폭 :	정상
P파 : 　형태 : 　축 :	없음 없음 없음	그룹화 :	없음
		탈락 박동 :	없음
P:QRS 비 : 해당 없음		리듬 :	방실결절 회귀빈맥

　심전도10은 진단적 혼란을 준다. 이것은 넓은 QRS파 빈맥이며 관찰가능한 P파가 없다. 이것은 심실빈맥일 가능성이 높으며 다른 진단으로 입증되기 전까진 심실빈맥의 가능성에 준하여 치료를 해야 한다. 감별진단에는 방실접합부빈맥, 방실결절 회귀빈맥, 방실 회귀빈맥 그리고 심실빈맥이 포함된다. 이전 심전도와의 비교에서 비슷한 모양이 기존 각차단이 확인되어 방실결절 회귀빈맥을 확진하였다. QRS파는 파란색 점으로 T파는 파란색 화살표로 표시되었다.

단원 복습

1. 회귀로에는 다음의 항목 중 어떤 항목이 반드시 포함되어야 하는가?

   A. 두 개 이상의 다른 경로가 포함된 회로

   B. 전도로는 각각의 고유한 전도 특성이 있다.

   C. 전도 지연이 한 개의 전도로에서 있어야 한다.

   D. 모두 맞다

2. 10~35%의 환자들은 방실결절의 접근이 두 개의 경로로 분리된다: _____경로, _____경로.

3. 정상적인 상황에서는 상심실 자극은 두 경로를 통해 동시에 전도된다. 하지만 전도 속도의 차이에 의해 _____경로에 의한 전도가 더 빠르다.

4. 심방 조기수축이 두 경로에 도달할 때 빠른 경로는 불응기일 수 있다. 이 경우 자극은 비정상적으로 느린 경로를 통해 전도된다. 후에 자극은 빠른 경로를 역행하여 회귀고리를 완성한다. (맞다 / 틀리다)

5. 두 경로의 전달체계가 있음을 확인할 수 있는 간접적인 증거는 정상 동율동에서 같은 모양의 P파에 대하여 두 개의 다른 _____이 확인되는 것이다.

6. 방실결절 회귀빈맥은 발작성 상심실성 빈맥이라는 포괄적인 용어에 포함된다.(맞다 / 틀리다)

7. 방실결절 회귀빈맥의 박동수 범위는 다음 중 어디에 해당되는가?

   A. 120~160회

   B. 140~180회

   C. 150~250회

   D. 170~250회

8. 방실결절 회귀빈맥에서의 P파는 QRS파의 _____, _____ 또는 _____ 위치한다.

9. 방실결절 회귀빈맥에서 역행성 P파는 다양한 심전도 리드에서 인공 파형을 만들 수 있다: 리드 II, III, aVF에서의 인공 S파, 리드 V_1에서의 인공 R파. (맞다 / 틀리다)

10. 전형적 방실결절 회귀빈맥 뿐만 아니라 비전형적 방실결절 회귀빈맥이 있으며 비전형적 방실결절 회귀빈맥은 뒤집어진 P파가 QRS파보다 훨씬 뒤에 나타난다. 즉 RP 간격이 길다. (맞다 / 틀리다)

제 26 장

방실 회귀빈맥

목표

1. 방실 회귀빈맥의 발생 기전을 설명한다.

2. 부전도로를 통한 심방 자극의 심실 전도와 델타파의 형성과정을 설명한다.

3. WPW 유형과 WPW 증후군의 임상양상을 비교한다.

4. 정방향 방실 회귀빈맥 발생을 위한 조건 및 빈맥 시 QRS파와 P파의 형태 및 관계를 설명한다.

5. 진단기준을 통한 두 가지 형태의 방실 회귀빈맥을 비교한다.

6. 정방향 방실 회귀빈맥과 역방향 방실 회귀빈맥의 임상적 증상을 비교한다.

7. 역방향 방실 회귀빈맥 발생과 유지를 위한 조건 및 빈맥 시 QRS파 와 P파의 형태 및 관계를 설명한다.

8. 심전도에서의 정방향 방실 회귀빈맥과 역방향 방실 회귀빈맥의 정확히 판별한다.

소개

방실 회귀빈맥(AVRT)은 방실결절 및 부전도로가 포함된 회귀 회로를 이용해 심방과 심실의 지속적인 활성화가 이루어지는 회귀성빈맥이다. 일반적으로 방실결절은 심방의 자극이 심실로 전도되는 유일한 전기전도로이나 예외적으로 일부의 사람에서 방실접학부인 방실륜에 여분의 전기전도로가(혹은 다발성 자극전도로) 존재하는 경우가 있으며, 이를 통해서 심방과 심실 사이의 전기전도가 이루어질 수 있다. 이러한 여분의 전기전도로를 부전도로라고 부르며 부전도로의 특성은 컴퓨터 보안환경에서 보안접근을 우회하는 백도어(Backdoor)와 같다. 백도어 즉 부전도로는 방실결절과는 달리 접근을 위한 보안절차가 없기 때문에 심방의 자극을 심실로 빠르게 전달한다. 따라서 부전도로를 통한 선기선노는 방실결설에서 이루어지는 심실보호를 위한 생리학적 통제를 받지 않으며 이는 생명을 위협하는 심각한 빈맥을 야기할 수 있다. 부전도로는 고유한 전도속도와 불응기를 갖는데 이는 방실 회귀빈맥의 회귀 회로 형성에 있어 중요한 변수로 작용한다.

부전도로를 통한 일반적인 전기전도

일반적으로 동결절에서 생성된 전기자극은 방실결절 및 부전도로에 동시에 전도되나 부전도로의 위치에 따라 전기자극의 부전도로까지 도달시간은 달라진다. 예를 들어, 왼쪽 부전도로는 오른쪽 부전도로에 비해 동결절로부터의 거리가 멀어 전기 자극의 도달시간이 길다. 심방탈분극의 결과는 방실결절 및 부전도로를 통해 동시에 심실에 전도되지만 방실결절을 통한 전도는 생리학적 통제에 의한 짧은 전도지연이 발생하게 된다. 부전도로를 통한 전도는 생리학적 통제 없이 즉각적인 QRS을 유도하지만 심실 내에서의 전기전도는 전도속도가 매우 느린 심근을 통해 이루어지기 때문에 심전도상의 QRS파형의 시작은 넓고 비정상적 모양으로 나타나게 된다. 이러한 넓은 삼각형 모양의 QRS파형을 넬타파라 부른다. 이와 달리 방실결설을 통한 심실자극선노는 생리학적 통제에 의한 짧은 지연 이후 전도속도가 매우 빠른 정상전도로에 의해 이루어지기 때문에 부전도로를 통한 심실내 전기전도를 추월하고 남아있는 대부분의 QRS을 유발한다. 따라서 방실결절과 부전도로에 의해 이루어진 심

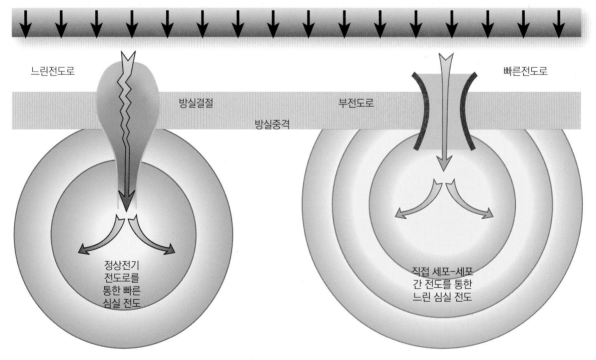

느린전도로 | 방실결절 | 부전도로 | 빠른전도로

방실중격

정상전기 전도로를 통한 빠른 심실 전도

직접 세포-세포 간 전도를 통한 느린 심실 전도

그림 26-1. 부전도로가 존재하면 자극이 심실로 전도되는 두 가지 길이 생긴다. 방실결절을 사용하는 일반적인 방법은 생리학적 통제에 의해 전도 속도가 느리다. 하지만 방실결절을 지난 이후부터는 정상 전기전도로를 통해 매우 빠르게 자극을 심실에 전도한다. 이와는 다르게 부전도로를 사용하는 방법은 생리학적 통제를 받지 않아, 자극을 빠르게 심실로 전달하지만 심실 내에서의 전도는 전도속도가 느린 직접 세포=세포가 전도를 통해서 이루어진다.

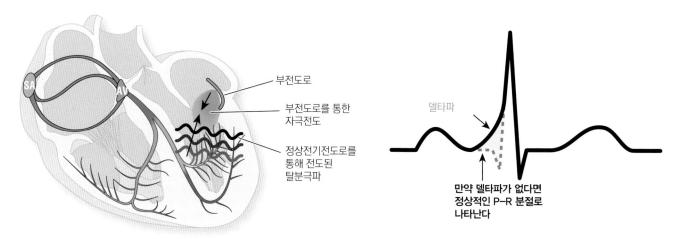

그림 26-2. 부전도로를 통한 자극전도와 델타파의 형성

© Jones & Bartlett Learning.

실내 전기전도는 결국 심실내에서 충돌하여 서로 상쇄된다. 방실결절을 통한 전기전도에 의해 탈분극된 많은 양의 심근은 심전도상에서 델타파를 종료시키고 QRS파형의 중간과 끝부분을 정상화한다. 하지만 델타파의 간격이 총 QRS시간에 포함되기 때문에 QRS파형은 여전히 넓다. 또한 **그림 26-2**에서처럼 델타파로 인해 늘어난 QRS파형은 PR 분절에 겹쳐져 심전도상에 짧은 PR 간격을 만든다. 결론적으로 부전도로를 통한 QRS은 심전도상에 짧은 PR 간격(부전도로를 통한 즉각적인 전기전도에 의함), 델타파를 동반한 넓은 QRS파형(1.2초 이상 간격)으로 나타나게 된다. 추가적으로 부전도로를 통한 QRS은 심실재분극양상의 변화를 가져와 ST분절 및 T파의 변형을 초래한다. 부전도로를 통한 심실조기탈분극에 의해 나타나는 상기 심전도소견은 이러한 현상을 연구 발표한 심장학자들의 이름을 인용해 Wolff-Parkinson-White (WPW)라 명명되었다. 추가임상관점: 만약 WPW 환자에게 증상 및 빈맥이 동반되는 경우 사용되는 올바른 용어는 WPW증후군이다. 증후군은 생명을 위협하

는 부정맥이 발생할 수 있는 병적인 상태에 초점을 두기 위해 사용된다.

방실 회귀빈맥의 회로

지금까지 우리는 부전도로가 회귀성빈맥의 발생을 위한 세 가지 조건을 어떻게 충족시키는지 살펴봤다. 회귀성빈맥의 발생을 위해선 최소한 두 개 이상의 전도 특성이 다른 전도로가 근위부와 원위부에서 연결되어 하나의 회로를 형성해야 하며 그 중 하나의 전도로는 전도 지연의 특성이 필요하다(방실 회귀빈맥의 경우 방실결절이 전도 지연의 특성을 갖는다). 두 경로의 해부학적구조를 살펴보면 심방의 자극이 다음의 두 가지 방법 중 하나로 진행될 수 있음을 알 수 있습니다. (1)자극의 방실결절을 통한 심실전도 후 부전도로를 통한 역행성 심방전도(**그림 26-3A**) 또는 (2) 자극의 부전도로를 통한 심실전도 후 방실결절을 통한 역행성 심방전도(**그림 26-3B**). 상기 나열된 회귀 회로의 구성요소는 같지

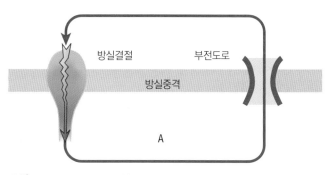

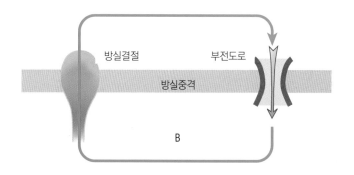

그림 26-3. 방실 회귀빈맥을 형성하는 두 개의 회귀로

© Jones & Bartlett Learning.

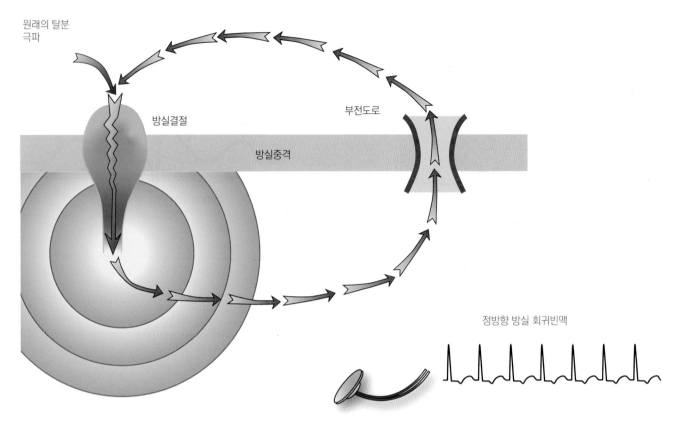

원래의 탈분
극파

방실결절

부전도로

방실중격

정방향 방실 회귀빈맥

그림 26-4. 정방향 방실 회귀빈맥. 이 형태의 방실 회귀빈맥에서는 자극이 방실결절 그리고 정상전기전도로를 통해 심실로 전도된다 결과적으로 빈맥은 방실결절에 의해 조절되고 QRS파는 좁아진다.

© Jones & Bartlett Learning.

만 회귀의 방향에 따라 심전도특성이 완전히 다른 정방향 혹은 역방향 방실 회귀빈맥을 형성한다.

정방향 방실 회귀빈맥

정방향 방실 회귀빈맥은 심방의 자극이 방실결절을 통해 심실로 전도된 후 다시 부전도로를 통해 심방으로 역행전도 되는 큰 회로를 형성한다. QRS파는 방실결절을 통한 정상전기전도로를 통해 이루어지기 때문에 이 전기전도경로를 통해 발생되는 빈맥은 좁은 QRS파형이 된다(**그림 26-4**). 방실 회귀빈맥의 발생은 일반적으로 방실결절 회귀빈맥과 같이 심방 조기수축에 의해서도 발생하지만 심실 조기수축에 의해서도 발생할 수 있다. 심실 조기수축은 방실결절 혹은 히스속의 일시적인 전도 차단을 유발하여 방실결절을 통한 심방의 역행전도를 불가능하게 할 수 있다. 하지만 부전도로를 통한 전기전도 차단은 발생하지 않고 자극의 역행전도를 허용하게 된다면 회귀성빈맥이 발생하게 된다. 정방향 방실 회귀빈맥은 역방향 방실 회귀빈맥에 비해 방실 결절에 의한 전도속도 및 심박수의 조절을 받는 장점이 있다. 방실결절은 생리학적 전도차단 및 약물에 의한 반응으로 빈맥 시 심실전도시간 및 심박수를 조절한다. 이로 인해 빈맥 시 심박수는 비교적 안정적이며 일반적인 심박수 범위는 150~250회로(변동 가능) 대부분의 환자에게서 견딜만한 범위이다. 이에 더해 정상전도로를 통한 부드럽고 조화로운 QRS파는 생리학적 상태의 심실수축에 부합함으로 역방향 방실 회귀빈맥에 비해 혈역학적으로 더 안정적이다. 교감신경은 방실결절의 전도속도조절을 통해 빈맥 시 심박동수에 영향을 끼친다. 높은 교감신경의 긴장은 빈맥 시 심박수를 높이고 마찬가지로 방실결절의 전도속도를 저해하는 약물은 심박동수를 늦추거나 빈맥의 종료를 야기한다.

P파와 방실 회귀빈맥

방실 회귀빈맥과 방실결절 회귀빈맥을 구분할 수 있는 중요한 감별법은 역행성 P파의 위치를 파악하는 것이다. 우리가 25장에서 본 것처럼 방실결절 회귀빈맥의 역행성 P파는 QRS파와 겹치거나 QRS파의 처음 혹은 끝부분에 나타

한 가지 더

은폐된 부전도로

　가끔은 델타파가 형성되지 않거나 너무 작아서 심전도상에 나타나지 않는 경우가 있다. 이 경우는 주로 심방의 탈분극파가 부전도로보다 먼저 방실결절에 도달할 때 발생된다. 정상전도로를 통해 전도된 자극은 부전도를 통한 자극 전도가 이루어지기 전에 부전도로 부위의 심근을 빠르게 탈분극시킨다. 이로 인해 심전도상의 델타파 형성 전에 부전도로를 통한 심실자극전도는 소멸된다. 따라서 이러한 형태의 자극전도는 심전도상에 나타나지 않으며 임상전기생리학적검사 외에는 이러한 침묵의 자극전도로의 유무를 확인할 수 없다. 이러한 침묵의 혹은 숨겨진 형태의 자극전도로를 은폐된 부전도로라고 부르며 부전도로의 형태 중 가장 흔하다. 은폐된 부전도로의 특징은 정상적인 상황에선 심전도상에 부전도로의 유무를 확인할 수 없다는 것이다. 우리는 "정상적인 상황 하에서" 라는 단어를 강조한다. 왜냐하면 병적인 과정은 여전히 존재하고 그것은 회귀로의 형성을 통해 생명에 위험을 줄 수 있는 부정맥을 즉각적으로 발현 할 수 있기 때문이다. 마지막으로 일부환자선 WPW 양상과 은폐된 부전도로 양상이 같은 리듬 스트립 상에서 간헐적으로 반복되는 경우가 있다.

　임상적으로 은폐된 부전도를 가진 환자를 자주 접하게 된다. 은폐된 부전도로 환자의 안정 시 심전도는 완전히 정상이기 때문에 이러한 환자를 정확히 식별하고 적절한 치료를 시행하기 위해선 면밀한 관찰과 고도의 의심이 필요하다. 만약 당신에게 방실 회귀빈맥처럼 보이는 환자가 있다면 심장 전문의에게 의뢰하는 것이 중요하다.

난다. 하지만 방실 회귀빈맥의 역행성 P파는 QRS파와 비교적 떨어져있다. 이러한 역행성 P파의 차이가 왜 일어날까? 우리가 본문을 통해 자극이 이동하는 거리가 멀어지면 이동 시간 또한 길어지는 것을 배웠다. 부전도로가 있는 환자의 경우 방실결절과 부전도로 사이의 전기생리학적 거리는 대부분 상대적으로 멀다. 따라서 탈분극 파형이 이 거리를 이동하기 위해 소비된 시간은 RP 분절 간격을 상당히 연장시킨다(이것은 방실결절 회귀빈맥의 RP 간격보다 항상 길다). 따라서 좁은 QRS파 빈맥 시 나타나는 RP 간격의 비교를 통해 방실 회귀빈맥과 방실결절 회귀빈맥을 감별할 수 있다. 즉 만약 당신이 좁은 QRS파를 갖는 상심실성 빈맥을 방실 회귀빈맥과 방실결절 회귀빈맥 사이에서 감별하려고 노력하고 있다면 역행성 P파의 위치파악을 통해 매우 중요한 정보를 얻을 수 있다.

중요한 다른 임상적 사항

　정방향 방실 회귀빈맥은 WPW 증후군 환자에게서 발생되는 가장 흔한 회귀성빈맥이다. 회귀성빈맥은 WPW의 약 95%에서 발견되며 은폐된 부전도로를 가진 환자에게서는 더욱 흔하다. 가끔은 편위전도, 전해질이상 혹은 기존의 각차단에 의해 발생한 넓은 QRS파 형태의 정방향 방실 회귀빈맥이 발생하기도 하는데 이러한 경우엔 역방향 방실 회귀빈맥과 구분이 어려워(곧 살펴 보겠지만) 진단과 치료 모두에 있어 대단한 주의를 요한다. 정방향 방실 회귀빈맥 동안에는 델타파가 형성되지 않는다. 왜냐하면 심실탈분극이 두 개의 전도로(방실결절, 부전도로)를 통해 동시에 이루어져 융합되지 않기 때문이다. 대신 자극은 두 개의 전도로 사이의 회귀 회로를 순차적으로 활성화함으로 심실탈분극은 모두 정상 전기전도로를 통해 이루어지게 된다. 이러한 환자들

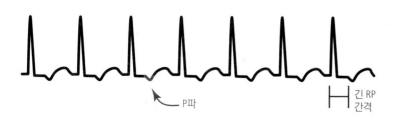

그림 26-5. 방실 회귀빈맥의 역행성 P파는 방실결절 회귀빈맥보다 더 긴 RP 간격에 나타난다. 그 이유는 두 경로사이에서 만들어지는 회귀 회로가 크기 때문에 자극이 심실에서 심방에 전도되기까지 더 먼거리를 이동해야 하기 때문이다. 더 먼 거리는 더 긴 간격을 의미한다. 이 사실은 좁은 QRS파 빈맥의 감별진단에 매우 유용하다.

© Jones & Bartlett Learning.

에게선 대부분의 빈맥에서와 같이 전기적 교대파가 흔하며 젊고 건강한 사람에서도 ST분절의 하강을 쉽게 볼 수 있다.

역방향 방실 회귀빈맥

역방향 방실 회귀빈맥은 자극이 부전도로를 통해 먼저 심실을 탈분극하는 회귀순서에 의해 생성된다(**그림 26-6**). 그런 다음 자극은 전도가 느린 심실 세포대 세포 전도를 통해 심실에 전파되어 넓고 기괴한 형태의 QRS파를 발생시킨다. 이후 자극이 방실접합부에 도달하게 되면 방실결절을 통해 역행하여 심방을 다시 탈분극시키고 이후 자극이 또다시 부전도로에 도달하면 회귀는 다시 시작되고 반복되어 고리 형태의 지속적인 넓은 QRS파 빈맥이 형성된다. 회귀운동은 심방 조기수축 또는 심실 조기수축에 의해 시작될 수 있으며 일반적인 박동수는 150회에서 250회 사이이다(360회 이상도 가능하다). 중요한 것은 역방향 방실 회귀빈맥에선 방실결절전도에 의한 심박수 조절이 없다. 즉 최대 심박

동수를 250회 이하로 유지하기 위해 도움을 줄 수 있는 생리학적 통제가 없다. 만약 어떤 환자가 300회의 심방조동을 가지고 있다면 심실의 박동수는 어떻게 될까? 만약 당신이 300회를 추측했다면 맞다. 자, 만약 어떤환자가 심방세동을 가지고 있다면 어떻게 될 지 생각해보자. 환자의 심실박동수는 매우 빠를 것이며 쉽게 심실세동으로 진행할 것이다. 우리가 쉽게 상상할 수 있는 것처럼 역행성 방실 회귀빈맥은 매우 위험한 리듬이다. 이것은 우리에게 임상적으로 중요한 논의를 하게 한다. 방실결절의 전도속도를 늦추지만 부전도로에 영향을 주지않는 약물은 부전도를 가지고 있는 환자들에게는 매우 위험하다. 이러한 약물의 투여는 방실결절의 전도성을 억제함으로 심방의 자극이 부전도로를 통해 우선적으로 심실에 전도되게 한다. 이는 WPW 환자에게서 특정 칼슘채널차단제, 부교감신경작용제제, 베타차단제, 디지딜리스, 미주신경지극술 그리고 심지어는 아데노신이 굉장히 위험할 수 있는 주된 이유가 된다. 또한 디지탈리스, 칼슘채널차단제(특히 verapamil) 그리고 아데노신은 부전도로의

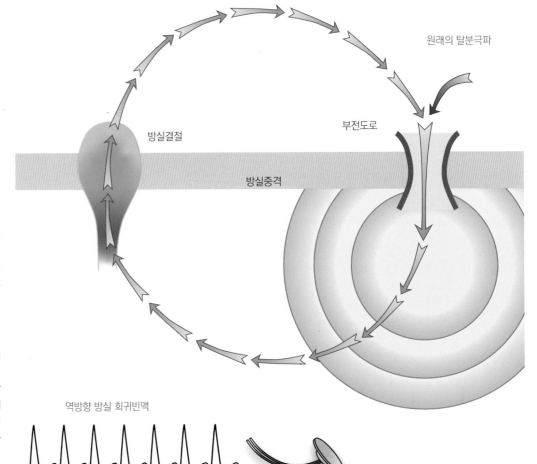

그림 26-6. 역방향 방실 회귀빈맥. 자극은 처음 부전도로를 통해 심실로 전도된다. 심실탈분극파가 세포간 전도를 통해 방실결절에 도달한 후 역행하여 심방을 다시 탈분극하게 된다. 역행전도된 심방자극이 다시 부전도로에 도달하면 회로가 완성되고 회귀운동이 시작된다. 이렇게 만들어진 QRS파는 느린 직접 세포-세포 간 전도에 의해 넓고 비정상적인 모양이 된다. 또한 방실결절에 의한 심박수조절이 없음을 유의하자. 이 형태의 방실 회귀빈맥은 역행전도가 방실결절에 의해 이루어지기 때문에 RP 간격은 길게 유지된다.

불응기를 감소시킬 수 있고 부전도로를 통한 전도가 훨씬 증가하도록 돕는다. 이러한 약제들은 WPW 또는 부전도로를 가지는 환자들의 안정적인 부정맥을 매우 불안정한 상태로 바꿀 수 있다. 심실박동수와 심실수축력은 심박출량 및 혈역학적 안정성의 중요한 구성 요소임을 기억하자. 앞서 나열한 약물로 치료를 받고있는 심방세동이나 심방조동환자들 중에 만약 숨겨진 부전도로를 가진 환자가 있다면 쉽게 심실빈맥, 심실조동 혹은 심실세동으로 진행할 수 있으며 급사를 일으킬 수도 있다. 넓은 QRS파 빈맥을 주의하자! 어떠한 빈맥인지 명확히 입증될 때까지는 항상 신중히 접근하고 심실빈맥에 준하는 치료를 하자. 그리고, 넓은 QRS파 빈맥 중에는 역방향 방실회귀빈맥이 포함됨을 기억하자.

한가지 더

넓은 QRS파 빈맥

넓은 QRS파의 감별진단에는 심실빈맥, 심실조동, 다원성심실빈맥(torsade de pointes) 그리고 역방향 방실 회귀빈맥처럼 매우 위험한 리듬이 포함된다. 우리는 다음 장에서 이들에 대한 세부사항을 자세히 살펴볼 것이다. 또한 지금까지 우리가 본문을 통해 본 리듬 중 기존 각차단, 전해질이상 혹은 불현 전도와 연관된 경우도 포함된다. 당신이 넓은 QRS파 환자들을 진료할 때에는 항상 최악의 경우를 가정해야 한다. 우리가 사용하는 심전도 진단기준은 항상 확정적이지 않기 때문에 비교적 양성리듬이 편위전도일 거라고 추정하면 안 된다. 만약 당신이 250회 이상의 빠른 완전히 불규칙적인 넓은 QRS파 빈맥을 보게 된다면 달리 확인되기 전까진 일반적으로 부전도로를 동반한 환자의 심방세동일 것이다. 일반적으로 심실빈맥은 처음 시작 수초 이후에는 규칙적이다. WPW 환자에게 어떤 약을 주어야 하는지 주의하자! 혈역학적 응급상황에서는 전기적 제세동 혹은 동율동전환이 항상 가능한 방편임을 잊지 말자. WPW의 완전한 치료에 관한 토의는 이 저서의 범위를 넘긴다. 다음은 주요한 2가지 임상 요점이다. 심방세동 시 심실 박동수가 분당 200회 이상이라면 부전도로를 가지고 있는 환자 혹은 WPW 신드롬일 가능성이 높다. 일반적으로 심실박동수가 250회 이상을 초과한다면 부전도로가 있을 가능성이 높아진다.

부정맥 정리

방실 회귀빈맥

박동수 :	150-250회(역방향 방실 회귀빈맥에서는 더 빠를 수 있음)
규칙성 :	규칙적
P파 :	하향
형태 :	다양함
II, III, aVF에서 상향 :	없음
P: QRS 비 :	1:1 혹은 없음
PR간격 :	없음(RP 간격 연장)
QRS 폭 :	정방향 방실 회귀빈맥 시 정상, 역방향 방실 회귀빈맥 시 넓음
그룹화 :	없음
탈락 박동 :	없음

감별진단

방실 회귀빈맥은 은폐된 부전도로나 WPW처럼 부전도로가 있는 환자에게서만 발생할 수 있다.

심전도 스트립

심전도 1

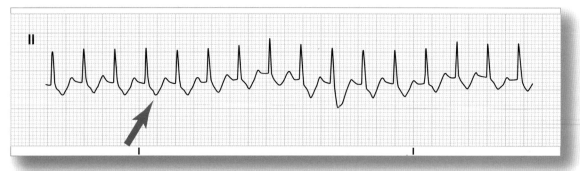

From *Arrhythmia Recognition: The Art of Interpretation*, courtesy of Tomas B. Garcia, MD.

박동수 :	분당 약 180회		PR 간격 :	없음
규칙성 :	규칙적		QRS 폭 :	정상
P파 : 　형태 : 　축 :	있음 하향 비정상		그룹화 :	없음
			탈락 박동 :	없음
P:QRS 비 :	1:1		리듬 :	방실 회귀빈맥

　심전도 1은 전형적인 정방향 방실 회귀빈맥의 예시를 보여준다. 좁은 QRS파와 함께 역행성 P파가 하향된 ST 분절의 중간에 보인다(파란색 화살표). 심전도 원래선은 약간의 QRS 모양의 변이와 함께 물결치며 아홉 번째부터 열한 번째 QRS파에서는 현저하게 나타난다.

심전도 2

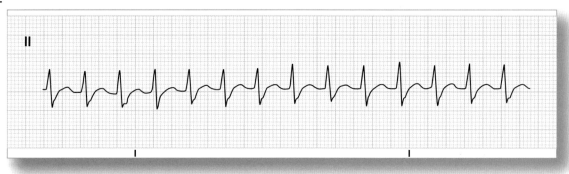

From *Arrhythmia Recognition: The Art of Interpretation*, courtesy of Tomas B. Garcia, MD.

박동수 :	분당 약 150회		PR 간격 :	없음
규칙성 :	규칙적		QRS 폭 :	넓음
P파 : 　형태 : 　축 :	없음 없음 없음		그룹화 :	없음
			탈락 박동 :	없음
P:QRS 비 :	없음		리듬 :	방실 회귀빈맥

　심전도 2는 역행성 방실 회귀빈맥인지 분명하지 않다. 우리가 알 수 있는 것은 이것이 넓은 QRS파 빈맥이라는 것이다. 따라서 우선적으로 심실성빈맥에 준하는 치료를 해야한다. 운 좋게도 이 환자는 12극 심전도를 얻을 수 있을 만큼 안정적이어서 심전도상에 역행성 방실 회귀빈맥을 시사하는 역행성 P파와 함께 연장된 RP 간격을 명확하게 관찰할 수 있었다. 빈맥이 종료된 후 심전도상에 WPW 소견을 보여 역행성 방실 회귀빈맥을 확진했다.

심전도 3

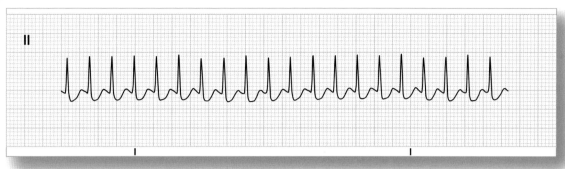

From *Arrhythmia Recognition: The Art of Interpretation*, courtesy of Tomas B. Garcia, MD.

박동수 :	분당 약 230회		PR 간격 :	없음
규칙성 :	규칙적		QRS 폭 :	정상
P파 :	없음		그룹화 :	없음
형태 :	없음			
축 :	없음		탈락 박동 :	없음
P:QRS 비 :	없음		리듬 :	방실 회귀빈맥

심전도 3은 매우 빠른 좁은 QRS파 빈맥이다. 감별진단에는 방실결절 회귀빈맥과 방실 회귀빈맥이 포함된다. 이 리듬스트립만으로 정확한 진단을 내리는 것은 거의 불가능하나방실 회귀빈맥을 조금 더 시사하는 한 가지 소견은 심박수가 매우 빠르다는 것이다. 환자는 적절히 치료되었고 치료에 잘 반응하였다. 정상 동율동에서 얻은 심전도에서 WPW 소견을 보여 정방향 방실 회귀빈맥을 확진했다.

심전도 4

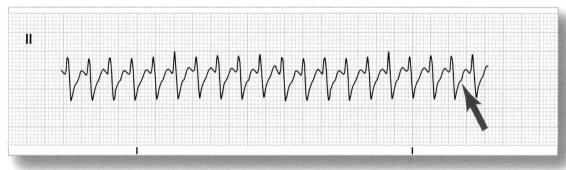

From *Arrhythmia Recognition: The Art of Interpretation*, courtesy of Tomas B. Garcia, MD.

박동수 :	분당 약 235회		PR 간격 :	없음
규칙성 :	규칙적		QRS 폭 :	넓음
P파 :	해설 설명		그룹화 :	없음
형태 :	해설 설명			
축 :	해설 설명		탈락 박동 :	없음
P:QRS 비 :	해설 설명		리듬 :	방실 회귀빈맥

심전도4에서 넓은 QRS파 빈맥은 매우 빠르고 규칙적이다. 상향하는 ST 분절에서 일관되게 파임이 나타나며 이는 역행성 P파를 암시한다. 매우 빠른 박동수, 넓은 QRS파형 및 역행성 P파의 관찰은 역행성 방실 회귀빈맥을 진단을 가능하게 한다. 심실빈맥은 일반적으로 이처럼 빠르지 않지만 불가능하지는 않다. 다행스럽게도 환자는 WPW 증후군과 역행전도의 과거력을 가지고 있어 진단을 용이하게 했다. 리듬 이상을 판독할 때는 발생가능한 유사진단과 모든 임상적 상황을 고려해야 함을 명심하자.

심전도 5

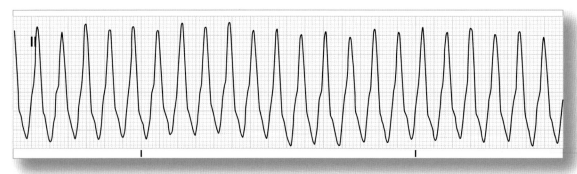

From *Arrhythmia Recognition: The Art of Interpretation*, courtesy of Tomas B. Garcia, MD.

박동수 :	분당 약 215회	PR 간격 :	없음
규칙성 :	규칙적	QRS 폭 :	정상
P파 :	없음	그룹화 :	없음
형태 :	없음		
축 :	없음	탈락 박동 :	없음
P:QRS 비 : 없음		리듬 :	방실 회귀빈맥

심전도 5는 넓은 QRS파 빈맥의 매우 좋은 예시이다. 첫 번째로 고려해야 하는 것은 심실빈맥이며 환자에겐 심실빈맥으로의 치료가 우선되어져야 한다. 만약 환자가 혈역학적으로 불안정했다면 전기적 동율동전환이 즉시 적용되어야 한다. 리듬스트립을 살펴보면 몇 가지 사항이 눈에 띄는데 가장 중요한 사항은 심박동수이다. 리듬스트립의 심박동수는 215회이며 심실빈맥에 비해 빠른 편이다. 빈맥이 종료된 후 환자의 심전도상에서 WPW 소견이 발견되었으며 이것은 역방향 방실 회귀빈맥의 예시가 된다.

한가지 더

방실 회귀빈맥의 감별진단

어떠한 빈맥이라도 그것이 좁은 QRS파형이던 혹은 넓은 QRS파형이던 처음 접근을 통해 정확히 진단이 내려지는 않는다. 이러한 이유로 우리는 두 개의 복잡한 주제의 감별진단에 관해 각각 다른 장으로 분리하였다. 우리는 당신이 이 책을 다 읽기 전에 이 장들을 면밀히 검토하길 바란다. 방실 회귀빈맥에 관한한 정방향, 역방향이라는 용어를 기억하는 것이 중요하진 않다. 하지만 리듬을 인지할 수 있어야 하고, 최소한 머리속에 그 가능성을 생각해 낼 수 있는 것이 훨씬 중요하다. 약물치료의 측면에서 방실 회귀빈맥은 부적절한 약물의 선택으로 인해 빠르게 상태가 악화될 수 있는 부정맥이기 때문에 항상 가능성을 고려하는 것이 중요하다.

단원 복습

1. 방실 회귀빈맥은 _____ 와 _____가 포함되는 큰 회귀
   로에 의해 형성된다.

2. 부전도로를 연상하는 좋은 방법은 심실의 백도어
   (backdoor)처럼 생각하는 것이다. (맞다 / 틀리다)

3. 부전도로의 고유한 특성은 다음 중 어디에 해당하는가.

   A. 심박조율속도

   B. 전도속도

   C. 생리학적통제

   D. 불응기

   E. B와 D 모두 맞다

4. 델타파는 QRS파 시작의 완만한 경사부분으로 심방탈
   분극이 부전도로를 통해 생리학적 통제 없이 심실에 전
   도되어 직접 세포-세포 간 전도에 의한 느린 전도를 통
   해 심근세포를 탈분극 시킬 때 생성된다. (맞다 / 틀리다)

5. 방실 회귀빈맥을 형성하는 회귀로에서 느린전도로는

   A. 방실결절

   B. 부전도로

   C. 빠른 QRS

   D. 심근 직접 세포-세포 간 전도를 통한 탈분극

6. 방실 회귀빈맥을 형성하는 회귀로에서 빠른전도로는

   A. 방실결절

   B. 부전도로

   C. 빠른 QRS

   D. 심근 직접 세포-세포 간 전도를 통한 탈분극

7. WPW 심전도 소견으로 맞는 것은

   A. 델타파

   B. 짧은 PR 간격

   C. 0.12초 혹은 그 이상의 넓은 QRS파

   D. 비특이성의 ST-T파의 변화

   E. ABCD 모두 맞다.

8. WPW 패턴과 WPW 증후군은 같은 의미이다. (맞다 /
   틀리다)

9. 부전도로가 존재하지만 심전도상에 명백히 증명되지
   않는 경우 _____ 전도로라고 한다.

10. 자극이 방실결절을 통해 심실에 전도되고 다시 부전도
    로를 통해 심방에 재진입하는 회귀빈맥을 _____ 방
    실 회귀빈맥이라고 부른다.

11. 자극이 부전도로를 통해 심실에 전도되고 다시 방실결
    절을 통해 심방에 재진입하는 회귀빈맥을 _____ 방
    실 회귀빈맥이라고 부른다.

12. 정방향 방실 회귀빈맥은 좁은 QRS파 빈맥이다. 심박
    수는 방실결절의 생리학적 통제에 의해 어느정도 조절
    된다. (맞다 / 틀리다)

13. 역방향 방실 회귀빈맥은 넓은 QRS파 빈맥이다. 심박수
    는 방실결절에 의해 조절되지 않는다. (맞다 / 틀리다)

14. 방실 회귀빈맥의 역행성 P파는 QRS파의 전, 중간 혹은
    직후에 발견된다. (맞다 / 틀리다)

15. 만약 심실박동수가 250회 이상이면 부전도로가 관여
    된 빈맥일 확률이 높다. (맞다 / 틀리다)

제 27 장

좁은 상심실성 빈맥

목표

1. 우산 용어인 상심실성 빈맥(상심실성 빈맥)의 정의 및 목록, 좁은 상심실성 빈맥과 넓은 상심실성 빈맥을 분류할 수 있다.

2. 임상에서 상심실성 빈맥 용어 사용의 회귀와 관련하여 설명한다.

3. 좁은 상심실성 빈맥과 넓은 상심실성 빈맥 에서의 탈분극 전파 경로를 비교한다.

4. 발생 빈도가 높은 주요 상심실성 빈맥에 관해 복습한다.

5. 3개 이상의 가장 흔한 형태의 좁은 상심실성 빈맥을 나열한다.

6. 임상에서 볼 수 있는 가장 흔한 상심실성 빈맥빈맥을 나열한다.

7. 부정맥환자의 평가에 있어 병력 청취 및 신체검사가 필수적인 이유를 이해한다.

8. 빈맥 발생의 유기적 원인이 배제된 이후에만 불안, 심리적 이유 등의 다른 원인을 고려해야 하는 이유를 이해한다.

9. 부정맥 진단을 위한 12리드 심전도의 효용성을 설명한다.

10. QRS파의 폭을 이용한 부정맥을 감별진단한다.

11. 박동수를 이용한 부정맥 감별의 한계성을 설명한다.

12. P파의 존재 여부 및 형태가 잘 나타나는 2개 이상의 리드를 이용한 부정맥 감별진단 및 P파가 가장 잘 나타내는 2개의 리드를 설명한다.

13. 상심실성 빈맥 감별진단을 위한 기준들을 설명한다.: 규칙성, PR.RP 비율, 전도비율, 방실결절 의존성, 과거 심전도 비교 그리고 방실해리

14. 빠른 빈맥에서 혈역학적 안정성을 저해하는 세 가지 주요한 기전에 관해 설명한다.

15. 동조화된 심실 탈분극의 개념 및 임상적 의미. 좁은 상심실성 빈맥 및 넓은 상심실성 빈맥의 혈역학적 상태를 비교한다.

상심실성 빈맥이라는 우산 아래에 서다.

저자가 처음 부정맥에 관한 학습을 시작했던 과거에는 각 리듬을 개별적으로 배웠다. 이러한 방식의 학습은 각각의 부정맥이 가지고 있는 임상적 양상, 진단기준 그리고 치료에 관한 굳건한 기본기와 이해를 돕는다. 후에 저자는 다양한 리듬 이상을 하나의 포괄적 개념으로 그룹짓는(임상에서 널리 사용되고 있는) 매우 단순한 부정맥분류를 알게 되었다. 이 분류에 따르면 심방, 방실결절 그리고 히스속에서 발생하는 모든 리듬은 상심실성 빈맥이라는 하나의 통합용어로 그룹화될 수 있으며, 이 통합 용어는 좁은 상심실성 빈맥 및 넓은 상심실성 빈맥이라는 두 개의 작은 하위 그룹으로 나뉠 수 있다. 이러한 분류는 그룹별 접근방식과 치료 방침을 수립해 보다 안전하고 신속한 치료를 수행할 수 있게 한다. 또한 이 분류는 이해하기가 쉬워 학습이 용이하다는 장점을 가지고 있다.

이 그룹체계는 부정맥에 관한 병리 생리학적 이해 부족과 제한된 치료법을 가지고 있던 20세기 후반부터 사용되어 왔다. 이때 우리는 환자에게 피상적인 최소한의 치료를 시작했었다. 이것은 완벽하진 않았지만 우리가 할 수 있는 최선의 방법이었다. 시간이 지남에 따라 부정맥에 대한 지식 및 약품은 발전하였고, 이를 통해 더 효과적인 치료전략을 세울 수 있게 되었다. 즉 치료를 위해 넓은 범위를 융단폭격 할 필요없이 이제는 스마트한 폭탄을 가지고 병변 부위만 표적치료를 할 수 있게 되었다. 루이 파스퇴르의 일화는 우리가 직면한 문제를 보다 명확하게 이해하는 데 도움이 된다. 루이 파스퇴르가 세균 이론을 발표하기 전인 1800 년대로 돌아가보자. 당시 사람들은 전염병은 자연적으로 발병되는 질병이라고 생각했었다. 후에 대부분의 질병은 "병균"이라는 유기체에 기인한다는 확실한 증거가 밝혀졌음에도 불구하고 사람들은 이 이론을 받아들이기를 거부했었다. 하지만 시간이 흐른 뒤 결국 받아들여졌고 새

로운 시대가 시작되었다. 페니실린이 발견되었고, 이는 모든 질병을 치료하는 데 사용되었다. 하지만 때로는 효과가 있었고 또 때로는 효과가 없었다. 이후 여러 유형의 세균이 더 발견되었으며 이에 따라 더 많은 항생제가 개발되었다. 바이러스와 프리온(prion)이 발견되었을 때에도 상황은 비슷했다. 간단히 말해 질병에 대한 지식이 증가함에 따라 이러한 질병들에 대한 치료법이 좀더 세밀해지고 정확해졌다. 곧 항생제, 항바이러스제 등과 같은 다양한 약제가 개발되어 기존 샷건(shotgun)과 같던 약물치료를 대체해 표적화 된 치료를 가능하게 했다.

통합 용어인 상심실성 빈맥 사용을 자제하려는 몇 번의 노력에도 불구하고 대부분의 사람들은 상심실성 빈맥 사용을 포기하지 않았다.

2015년 이사회에서는 특정 부정맥에 대한 포괄적이고 일반적인 치료 대신에 표적화되고 개별적인 치료 전략을 수립하기로 결정했다. 하지만 이것이 일보 전진인지 아니면 후진인지에 과한 논란의 여지가 있다.

우리는 최상의 환자 치료를 위해 포괄적 치료와 표적치료의 장점을 점목한 해결방안이 있으리라 믿고 있다.

혈역학적으로 불안정한 환자와 직면한다면 빠른 판단 및 신속한 혈역학적 안정성 유지를 위해 넓은 범위의 일격을 가하는 샷건(shotgun) 치료가 유리하다. 이러한 접근법은 신속한 응급상황 대처를 통해 정확한 진단 및 치료계획을 수립할 수 있는 시간을 벌어준다.

이해를 돕기 위해 축구팀에 비유한 예시를 들어보자. 가을 겨울 시즌엔 축구경기를 중계하는 것을 볼 수 있다. 축구중계는 일반적으로 경기 시작전에 양팀 멤버에 대한 상세한 평가와 경기에 집중할 수 있는 중요한 관전포인트를 알려준다. 이후 경기가 시작되면 관심은 팀플레이로 넘어가게 된다. 우리는 어느 팀이 경기를 하든 이기는 팀에 초

점을 두게된다. 팀은 서로 구분되는 독립체이며 선수는 게임에서 승리하기 위한 필수 구성요소가 된다. 게임이 끝나면 관심은 경기 결과에 영향을 미친 선수와 선수들의 플레이로 다시 넘어가게 된다. 이 비유는 부정맥과 어떤 연관이 있을까? 우리는 경기 시작 전에 개별적인 선수들 (리듬)의 특성을 알고 있어야 한다. 응급상황에서 (실제 게임) 우리는 별도의 독립체인 통합 진단명(팀)에 집중하게 된다. 경기 계획의 초점은 혈역학적 안정성을 위해 완전히 통합 진단명(팀)에 맞추어지게 된다. 응급상황이 끝나면 통합 진단명의 구성요소를 분류하고 감별진단을 위해 결과와 상관있는 특별한 사건을 분석한다. 원인이 확인되고 나면 (최종 진단) 목표물에 선택적인 표적치료를 통해 결정적 치료(definitive care)를 하게 된다.

응급상황에선 신속함이 중요하기 때문에 포괄적인 치료(shotgun)가 효과적이라는 것을 항상 염두해두자. 우산 개념은 이 기간을 위해 만들어진 개념이다. 일단 환자의 안정성이 유지되면 처음으로 되돌아가 가능성이 있는 진단 목록을 살펴보고 보다 집중된 분석을 통해 최종 진단을 내려야 한다.

다음 장에선 또다른 우산 용어인 넓은 QRS파 빈맥에 관한 계단식 접근법에 관한 내용을 다룰 예정이다. 여기에서 우리는 부정맥 기본원리, 응급상황 시 대처 방안 그리고 최종 진단을 위한 리듬 알고리듬을 살펴볼 예정이다. 37장 넓은 QRS파 빈맥에서는 모든 것을 종합하고 연관된 모든 사항을 한대 모아 몇 가지의 예시를 살펴볼 예정이다. 마지막으로 각 장에서 각각의 리듬을 개별적으로 다룰 예정이다.

우리는 이 접근방식을 통해 이 책을 읽고 있는 독자들이 응급상황에서 신속히 대처하고 최종 진단을 통한 결정적 치료에 이를 수 있는 능력을 함양할 수 있을 것이라 생각한다. 이 저서를 통해 부정맥에 대한 접근법을 적립하기를 원하며 복잡한 부정맥을 간소화하는데 도움이 되길 희망한다.

—*Daniel J. Garcia*

들어가며

우리가 이 저서에 관한 개념을 정립했을 때 부정맥을 몇 개의 큰 주제로 나누어 개별 리듬을 분석하면 학습의 흐름이 더욱 효율적으로 진행될 것이라고 생각했다. 이를 통해 상심실에서 발생되는 다양한 리듬을 학습하는 것이다. 하지만 사람들은 모든 리듬을 포함하는 통합 개념을 좋아해 상심실성 빈맥이라는 하나의 통합 용어(umbrella term)로 그룹짓기를 원한다(**그림 27-1**). 과거에는 갑작스러운 빈맥의 시작과 종료를 반영하는 발작성 상심실성 빈맥(paroxysmal 상심실성 빈맥)이라는 용어의 사용을 선호했었다. 현재는 발작성이라는 용어의 사용빈도는 줄었지만, 상심실성 빈맥은 오히려 사용이 증가하고 있다. 지난 10여년 동안의 새로운 약제 개발, 의료기술발전 그리고 심장 전기생리학 검사(EPS)의 활성화는 부정맥의 집중된 치료(focused therapy)를 가능하게 했다. 집중화된 치료는 부정맥의 병리학적 기전을 표적하여 치료효과는 높이고 합병증은 현저히 낮춘다.

이러한 전기생리학적 검사 및 집중화된 치료가 부정맥 기전을 밝히고 치료에 있어 혁명적인 역할을 해왔음에도 불구하고 사람들은 여전히 상심실성 빈맥이라는 통합 용어를 관습적으로 사용하고 있다.

이 통합 용어의 중요성은 무엇일까? 여러 학회에서는 "당신이 이길 수 없다면 함께 하시오"라는 태도를 취하며 모든 상심실성 빈맥에 공통적으로 적용할 수 있는 새로운 치료방침을 만들었다. 이러한 단순화된 치료방침은 신속함이 요구되는 응급상황에서 높은 안전성을 바탕으로 경험과 지식이 부족한 사람들(최종 진단에 대한 확신이 없는)에게서도 표준화된 치료를 가능하게 한다.

2015 ACC/AHA/HRS에서 발표된 진료지침에는 성인환자의 상심실성 빈맥 치료를 기본적인 2단계로 나누고 있다. (1) 응급상황에서 상심실성 빈맥의 포괄적 치료 (2) 안정상태 이후의 최종 진단에 대한 집중된 치료. 이것은 임상에서 아주 유용하다. 왜냐하면 초를 다투는 응급 상황에서 상심실성 빈맥의 정확한 감별은 매우 어렵기 때문이다(불가능하진 않지만). 이러한 경우 신속한 치료를 통해 환자는 빠르

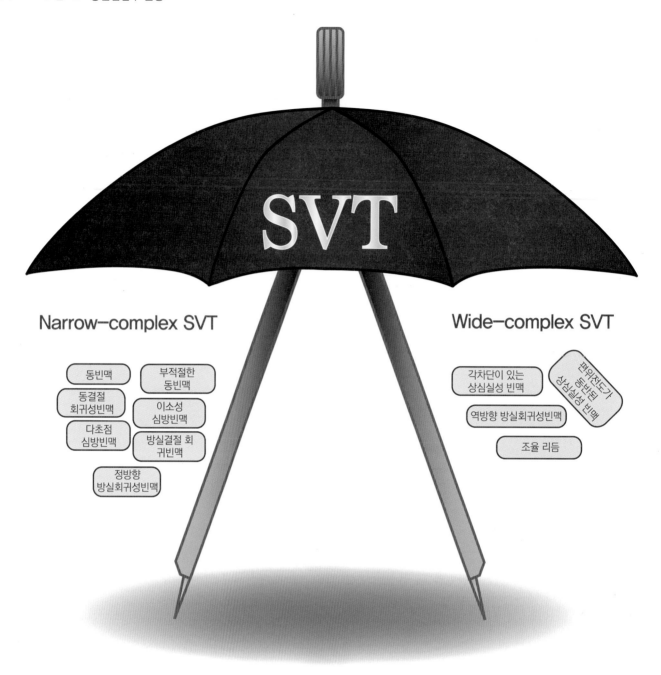

그림 27-1. 상심실성 빈맥은 좁은 상심실성 빈맥와 넓은 상심실성 빈맥를 모두 포함하는 우산용어(포괄적 용어) 이다.

© Jones & Bartlett Learning.

게 안정화될 수 있다. 환자가 혈역학적 안정을 찾으면 검사 및 리듬의 분석을 통해 최종 진단을 내리고 뒤이어 최종 진단명 대한 집중화된 치료를 할 수 있게 된다. 앞으로 살펴 보겠지만 이것은 부정맥의 완벽한 접근 체계는 아니지만 우아한 타협안은 된다.

하지만 사려깊은 접근 체계도 모든 상황에 잘 적용되는 것은 아니다. 또한 이러한 접근 체계의 의미를 이해하기 위해선 우리는 매일 매일 많은 진단기준을 숙지해야 한다. 진단 기준들이 새로이 발표됨에 따라 임상에서는 이러한 무미건조한 사실을 배우고 사용해야 하는 부담이 가중되고 있으며 이것을 기억하는 것 또한 상당히 어렵다. 또한 상당 수의 부정맥 중에는 발생빈도가 적은 경우가 많아 "자주 사용하지 않으면 사용 방법을 잊어버리는 것"처럼 리듬 이상의 모든 진단 기준을 다 숙지한다는 것은 상당히 어려운 일이다.

과거에 발행된 많은 서적들은 이 주제에 관해 단순히 두 개의 장으로 분류해 설명에 그친 경우가 많다. 하지만 그러한 시절은 끝났고 우리는 딜레마에 직면했다. 우리는 리듬을 개별적으로 보아야 할까? 아니면 본질이 같은 전체의 개별 리듬을 하나의 통합 그룹으로 간주해야 할까? 윤리적으로 우리는 두 가지 지침을 모두 따르기로 결정했다. 표준 진료 지침을 따르고 진단 기준 및 알고리즘에 대한 추가 정보를 이번 장에 통합시켰다. 이러한 변화로 인해 우리는 이번 장을 새롭게 재구성했다. 이제 해결책을 살펴보자.

현 시대를 살아가고 있는 우리에게 시간은 매우 소중한 가치가 된다. 때문에 현재 발간되는 대부분의 의학 서적은 매우 짧은 시간 동안에 주제에 집중하도록 만들어져 있다. 따라서 최소한의 공간에 최대한의 정보를 제공하려고 노력한다. 이러한 형태의 저서들은 간결한 방식의 지식 습득에 익숙해진 독자들이나 이전에 알려진 자료들을 빠르게 검토할 때 매우 유용하다. 과거에는 이러한 형태의 자료를 단순히 개요라고 불렀다.

우리는 이미 이전 장을 통해 개별적인 상심실성 빈맥의 특징에 관하여 살펴보았다. 따라서 이번 장에서 다루어질 좁은 상심실성 빈맥 및 넓은 상심실성 빈맥의 감별진단을 위해선 이러한 접근 방식이 꽤 유용하다. 하지만 이 주제를 처음 접하는 학습자라면 이러한 접근 방식보다는 개별적인 주제에 관한 좀더 세밀한 설명이 필요하다.

요점은 이 저서를 읽는 많은 유형의 독자가 있고 또한 그들이 이 저서를 읽는 목적 또한 다양하다는 것이다. 이들 중 일부는 문제의 핵심을 빠르고 간단하게 정리하기를 원하고 또 다른 일부는 전통적인 방식의 자세한 설명을 원한다. 우리는 이 두 가지 접근 방식을 모두 제공할 것이다. 이 저서를 통해 각 구성 요소를 전통적인 방식으로 설명할 예정이다. 반대로 이미 구성 요소에 대해 잘 알고 있거나 기본 정보에 빠르게 검토하고 싶은 독자가 있다면, 이 저서 구매 시 제공되는 digital offering을 통해 동일한 정보를 제공 받을 수 있다. 편안하게 자신에게 잘 맞는 학습 방법으로 시작한 다음 재미를 위해 다른 방법을 확인해보는 것을 추천한다.

수준 높은 지식 수준의 독자들을 위해 우리는 각 구성 요소를 초급, 중급 그리고 고급 정보로 세분화하였다. 만약 이 저서를 읽고 있는 독자 중에 이 저서의 자매 저서인 12-Lead ECG: The Art of Interpretation을 학습한 독자가 있다면 우리가 사용하는 접근방식에 이미 친숙할 것이다. 이 저서에서 우리는 27장, 34장 그리고 37장을 다음의 세 가지 단계로 분류해 설명하고 있다.

1. 초급 정보는 흰색으로 표시된다.

중급

2. 중급 정보는 녹색으로 표시된다.

심화

3. 심화 정보는 빨간색으로 표시된다.

독자들은 자신의 수준에 맞춰 학습을 시작한 후 충분히 학습이 완료되면 다음 상위 수준의 학습을 시작하면 된다. 즉 당신이 만약 초보자라면 흰색 바탕으로 쓰여진 글부터 학습을 시작하고 충분히 학습이 되어 익숙해지면 초록색 바탕으로 그리고 다음 단계인 빨간색 바탕의 글로 순차적인 학습을 시행하면 된다. 또한 독자들이 가능한한 쉽게 학습할 수 있도록 기억을 도울 수 있는 몇 가지 예시를 본문에 기재하였다. 이것은 약간 유치하거나 기괴해 보일 수 있지만 학습 내용을 기억하는데 큰 도움을 줄것이다.

상심실성 빈맥이란 무엇인가?

상심실성 빈맥은 심실 박동수가 100회 또는 그 이상이 되는 리듬으로 리듬의 시작 또는 유지가 동결절, 심방 근육, 방실결절, 히스속 혹은 이들 부위의 조합에 의해서 이루어진다. 심방 박동수는 발생된 리듬의 유형에 따라 매우 다양하며 범위는 100~400회 사이이거나 드물게는 그 이상인 경우도 있다. 빈맥은 보통 회귀 회로(가장 흔한 기전) 또는 이소성 초점(향상된 자동능에 의해 발생)에 의해 발생된다. 이장의 뒷 부분에서 더 자세히 설명하겠지만 상심실성 빈맥은 QRS파의 간격에 따라 좁은 상심실성 빈맥과 넓은 상심실성 빈맥으로 분류된다. 만약 QRS파 간격이 0.12초 이하이면 리듬은 좁은 상심실성 빈맥으로 간주되며 그 이상이라면 넓은 상심실성 빈맥으로 간주된다. 좁은 상심실성 빈맥은 정상 전기전도로를 통해 심실탈분극이 이루어지기 때문에 QRS파는 좁은 형태로 나타나며 이것은 매우 중요한 의미를 갖는다.

주요한 좁은 상심실성 빈맥의 목록은 다음과 같다.

1. 생리학적 동빈맥(Physiologic sinus tachycardia)

중급

2. 부적절한 동빈맥(Inappropriate sinus tachycardia)

3. 초점 심방빈맥(Focal AT)

4. 다초점 심방빈맥(MAT)

5. 방실결절 회귀빈맥(AVNRT)

6. 정방향 방실회귀성빈맥(AVRT)

7. 방실접합부빈맥(Junctional tachycardia)

8. 심방조동(Atrial flutter)

9. 심방세동(Atrial fibrillation)

방실결절 회귀빈맥은 상심실성 빈맥에 포함되는 빈맥 중 가장 흔하며 약 60%의 발생빈도를 보인다. 다음은 방실결절 회귀빈맥으로 발생빈도의 약 30%를 차지하며 남은 10%는 심방빈맥(atrial tachycardia)이 차지한다. 즉 이 세 가지 리듬이 우리가 임상에서 접하게 되는 좁은 QRS파 빈맥의 거의 대부분을 차지한다. 반면에 목록에서 언급한 다른 리듬들은 발생빈도가 매우 작다(넓은 QRS파 빈맥은 34장에서 다뤄실 예성이다). 심방조동 및 심방세동은 보통 따로 분류되기 때문에 일반적으로 상심실성 빈맥 통계에서 제외된다. 하지만 심방세동이 임상에서 볼 수 있는 가장 흔한 부정맥이라는 점은 매우 흥미롭다. 이제 좁은 QRS파 빈맥의 목록 중에서 언급되지 않은 나머지 리듬들을 살펴보사. 우리는 이전 장에서 이들 리듬의 대부분을 살펴보았다. 따라서 이 리듬들에 이미 익숙하다면 이 부분을 건너 뛰어도 좋다. 하지만 이 리듬들이 아직 생소하다면 이전 장으로 돌아가 복습하기를 바란다.

1. 생리학적 동빈맥

10장 동빈맥에서 논의된 생리학적 동빈맥은(**그림 27-2**) 생리학적 또는 스트레스에 대한 반응으로 정상적으로 발생되는 동빈맥을 의미한다(이것은 좋은 의미의 "동빈맥"을 지칭하는 기호적인 표현이다). 이러한 스트레스에는 운동, 열, 탈수, 불안, 의학적 상태(예: 갑사선기능 항진증) 그리고 카페인이 포함된다. 주요 박동원은(pacer) 동결절이 되며 탈분극파의 전파는 정상 전도경로를 따라 이루어진다. 따라서 P파는 항상 QRS파를 선행한다. 박동수는 나이와 연관이 있으며 박동수 범위는 일반적으로 100~200회이다. 또한 최대박동수는 최대박동수는 아래와 같이 계산되어질 수 있다.

220회/분 – Age (years) = 최대박동수

빈맥의 시작과 종료는 보통 발작성(갑작스럽게 발생하는)이 아닌 "warm-up" 및 "cool-down"(천천히 시작하고 천천히 종료되는)의 형태로 나타난다.

중급

2. 부적절한 동빈맥

부적절한 동빈맥은 생리학적인 원인이 없이 발생되는 동빈맥을 의미한다. 여기에는 두 가지 유형이 있으며 하나는 휴지기 시 심박수가 100회 이상이 되는 동빈맥 그리고 두 번째는 작은 운동이나 생리적 스트레스에도 부적절하게 과민반응하는 동빈맥이 있다. 이러한 형태의 동빈맥은 심박수가 200회 이상을 상회하는 경우는 드물며, 리듬 자체에 의해 발생하는 구조적 혹은 생리학적 기능장애는 없다. 빈맥의 발생 기전은 현재까지 명확하게 밝혀지지 않았다.

3. 초점 심방빈맥

15장 초점 심방빈맥에서 살펴본 것처럼 초점 심방빈맥은(**그림 27-4**) 우리가 임상에서 접하게 되는 상심실성 빈맥의 약 10%를 차지한다. 초점 심방빈맥은 일반적으로 이소성 초점의 향상된 자동능에 의해 발생한다. P파의 모양은 이소성 초점의 위치를 반영하며 P파와 P파 사이의 원래선은 평평하다(물결치는 기준선이 있는 심방조동 및 심방세동과 비

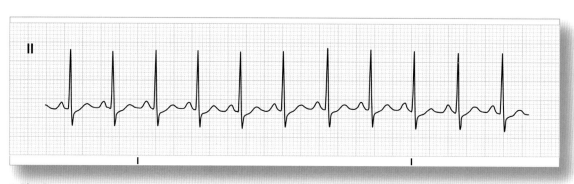

그림 27-2. 생리학적 동빈맥

From *Arrhythmia Recognition: The Art of Interpretation*, courtesy of Tomas B. Garcia, MD.

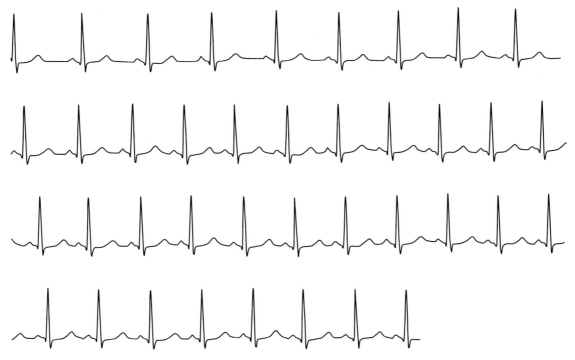

그림 27-3. 빈맥 박동수가 안정화되기 전까지 박동수는 점진적으로 빨라진다("warm-up").

From *Arrhythmia Recognition: The Art of Interpretation, Second Edition,* courtesy of Tomas B. Garcia, MD.

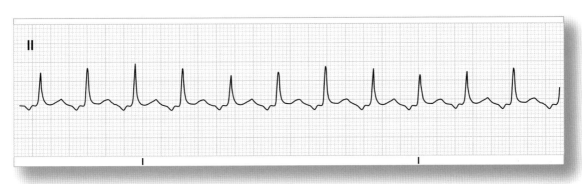

그림 27-4. 초점 심방빈맥

From *Arrhythmia Recognition: The Art of Interpretation,* courtesy of Tomas B. Garcia, MD.

교됨).

드물게는 병이 있는 심방세포나 흉터가 있는 심방조직에 의해 형성된 미세 회귀회로에 의해 회귀성빈백이 발생되는 경우도 있으며, 이런 경우 전기생리학적 검사(EPS)를 통해 얻은 심방빈맥지도로 빈맥의 발생기전과 위치를 확인할 수 있다. 이러한 미세 회귀회로에 의해 발생하는 회귀성 초점 심방빈맥은 이소성 초점 심방빈맥과 매우 유사한 심전도 소견을 보이기 때문에 심전도 상에서 이 둘을 구분하는 것은 거의 불가능하다. 하지만 대부분의 회귀성빈맥에서 관찰되는 것처럼 빈맥의 시작과 종료가 조기수축에 의해 이루어진다면 해당 빈맥은 회귀성 초점 심방빈맥일 가능성이 높다.

심방 박동수 범위는 일반적으로 100~200회 이지만 300회 이상을 상회하는 경우도 있으며 아주 드물게는 400회 이상을 상회하기도 한다. 심실 전도비율은 보통 1:1이지만 심방 박동수가 매우 빠른 경우엔 심장보호를 위해 심실 전도비율이 줄어들기도 한다.

이러한 빠른 심방 박동수에 의한 방실 차단은 보통 심방 박동수가 150~250회일 때 발생한다. 가장 빠른 박동수는 일반적으로 약물독성과 같은 다른 병적요인이 동반될 때 발생된다. 초점 심방빈맥의 가장 흔한 심실 전도비율은 2:1이지만 다른 전도비율 혹은 가변적 전도비율 또한 가능하다. 또한 2:1 전도의 심방빈맥은 디곡신 독성이 원인이 되는 경우가 많으며 이런 경우 치명적인 부정맥으로 빠르게 진행될 수 있다.

대부분의 심방빈맥은(향상된 자동능이 원인인 경우) 빈맥의 시작과 종료가 동빈맥과 유사한 "warm up"(시작) 및 "cool down"(종료)의 특징을 보이며 발작성과는 거리가 멀다. 이 때문에 정상적인 상황에서도 리듬에 불규칙성이 있을 수 있으며, 이러한 요소가 발견된다면 진단에 혼란을 주거나 완전히 잘못된 리듬으로 오진하게 될 수도 있다.

초점 심방빈맥의 빠른 박동수는 동기화된 심방 리듬의 결여로 이어져 심방세동로 진행 할 수 있는 위험요소가 된다. 그 이유는 빠른 박동수로 인해 심방조직간의 기능적 불응기 차이가 발생되고 이것이 심방내에서 여러 개의 고립된 작은 영역을 만들 수 있기 때문이다. 이로 인해 고립된 영역은 자신의 고유한 박동수로 박동을 시작하게 되고 심방전체에 이러한 개별 박동이 동시에 발생하게 되면 심방세동으로 이어지는 초대형 악제(perfect storm)가 형성될 수 있다(20장 심방세동 **그림 20-2** 참조).

4. 다초점 심방빈맥

다초점 심방빈맥(MAT)은(**그림 27-5**) 전체 상심실성 빈맥의 매우 작은 부분(1% 미만)을 차지하는 또다른 형태의 심방빈맥이다. **그림 27-5** 에서는 최소한 3개 이상의 서로 다른 심방 초점이 박동을 만들어내고 있다. 박동수는 일반적으로 100회 이상이며 범위는 100~150회이다. 하지만 때로는 박동수가 250회에 도달하기도 한다. 서로 다른 형태의 P파는 개별적인 심방 초점의 위치를 대변하며 이러한 이유로 PR 간격 또한 다양한 간격으로 나타나게 된다. 다초점 P파 사이의 간격은 매우 빠른 박동수에 의해 구분이 어려울 수 있지만 보통 평평한 원래선에 의해 분리된다.

MAT에서는 전도 차단된 P파, 탈락 박동, 겹쳐진 P파들 그리고 심전도 구성요소들과의 다양한 융합을 자주 볼 수 있다. 이러한 현상은 다양한 초점에서 불규칙하게 생성되는 박동과 이러한 박동에 의해 생성된 탈분극파 벡터와 다른 심전도 구성요소의 탈분극 벡터간의 다양한 형태의 융합에 의해 발생된다.

임상적으로 MAT는 만성 폐쇄성 폐질환과 같은 심각한 폐질환과 관련이 있으며 치료는 저산소혈증 완화와 같은 근본적인 문제의 해결에 있다.

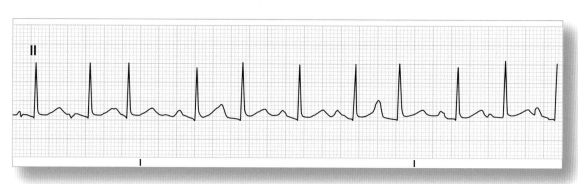

그림 27-5. 다초점 심방빈맥

From *Arrhythmia Recognition: The Art of Interpretation*, courtesy of Tomas B. Garcia, MD.

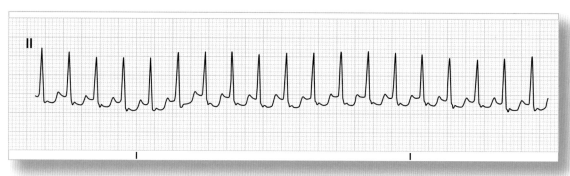

그림 27-6: 방실결절 회귀성빈맥

From *Arrhythmia Recognition: The Art of Interpretation*, courtesy of Tomas B. Garcia, MD.

5. 방실결절 회귀성빈맥

방실결절 회귀빈맥(**그림 27-6**)은 임상에서 발생하는 상심실성 빈맥의 약 60%를 차지한다. 남자보다 여자에게 더 흔하며 30~40세에서 호발한다. 박동수 범위는 150~250회이지만 임상적으로 170~220회 사이가 가장 흔하다.

방실결절 회귀빈맥은 빠른 경로와 느린 경로로 구성되는 이중경로를 갖는 환자에게서 발생한다. 빠른 경로는 불응기가 긴 반면 느린 경로는 불응기가 짧아 회복이 빠르다. 이러한 이중경로는 방실결절 주변에서 회귀운동이 발생 가능한 조건을 제공하며 이 결과로 방실결절 회귀빈맥이 발생한다.

대부분의 회귀성 빈맥에서 볼 수 있는 것처럼 방실결절 회귀빈맥 또한 시작 및 종료가 조기수축에 의해 이루어지며 대부분이 심방 조기수축(PACs)에 의해 발생된다.

심방과 심실은 방실결절에서 발생하는 회귀운동에 의해 거의 동시에 탈분극되기 때문에 심전도 상에 P파와 QRS파는 겹쳐지게 된다. 심방은 빠른경로를 통해 역행전도되고, 이와 동시에 심실은 정상 전기전도로를 통해 하행전도 된다. 역행전도된 P파는 심전도 리드 II, III, aVF 에서 하향파를 생성하지만 대부분 QRS파와 겹쳐 잘 구분되지 않는 경우가 많으며 QRS파 끝부분에 P파가 겹쳐지는 경우 리드 II, III, aVF 의 인공 S파 및 V₁ 의 인공 R파를 형성하게 된다.

6. 정방향 방실 회귀성빈맥

방실 회귀빈맥(**그림 27-7**)은 방실결절 회귀빈맥과 더불어 방실결절을 매개로 발생하는 대표적인 회귀성빈맥 중 하나이지만 빈맥을 형성하는 회귀회로의 형성에 부전도로가 포함된다는 큰 차이점이 있다. 부전도로의 위치는 매우 다양하며 방실접합부 어느 곳에서나 발생 가능하다. 또한 부전도로의 자극 전도는 정방향, 역방향 중 한방향 전도만 가

능 하거나 또는 두 방향 모두(대부분의 경우) 전도 가능한 경우로 나뉘어진다. 일반적으로 방실 회귀빈맥은 규칙적이며 박동수 범위는 150~250회이다(역방향 방실 회귀빈맥에서는 방실결절의 생리학적 차단이 없어 더 빠른 박동수도 가능하다). 회귀운동의 진행방향에 따라 방실 회귀빈맥은 정방향과 역방향의 두 가지 유형으로 분류된다. 정방향은 자극전도가 방실결절로 내려간 후 다시 부전도로를 통해 역행전도 되는 형태로 심실의 탈분극이 정상 자극전도로를 통해 이루어진다. 따라서 QRS파는 정상적인 좁은 형태로 나타나며 심장 보호를 위한 방실결절의 생리학적 차단에 의해 심실 박동수는 어느정도 조절된다. 이러한 이유로 정방향 방실 회귀빈맥은 사악한 쌍둥이 형제인 역방향 방실 회귀빈맥에 비해 혈역학적으로 훨씬 더 안정적이다. 역방향 방실 회귀빈맥에 관한 추가적인 사항은 34장에서 논의할 예정이다. 부전도로를 통한 정방향 전도가 있는 환자들은 빈맥의 상태가 아닐때에도 심전도상에 나타나는 조기흥분 소견을(델타파) 통해 부전도로의 존재 여부를 확인 할 수 있다. 부전도로와 방실결절은 심실 탈분극에 있어 서로 경쟁하기 때문에 조기흥분의 정도는(즉 델타파 넓이의 정도) 부전도로를 통해 전도되는 심근의 양이 많아질수록 커지게 된다. 또한 자율신경계의 긴장도 및 방실결절과 부전도로의 전도속도에 영향을 주는 약물은 조기흥분 정도에 영향을 끼치게 된다.

7. 방실접합부 빈맥

방실접합부 빈맥(**그림 27-8**)은 24장에서 논의된 것처럼 방실접합부의 향상된 자동능에 의해 발생하며 혈역학적으로 상당히 안정적인 편에 속한다. P파는 심방을 향한 역행전도에 의해 생성되어 심전도 리드 II, III, aVF에서 뒤집어진 형태로 나타난다. 일반적으로 P파는 QRS파 직전 혹은 직후

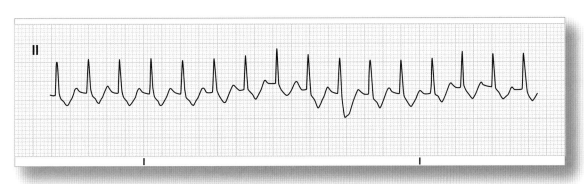

그림 27-7. 정방향 방실 회귀성빈맥

From *Arrhythmia Recognition: The Art of Interpretation*, courtesy of Tomas B. Garcia, MD.

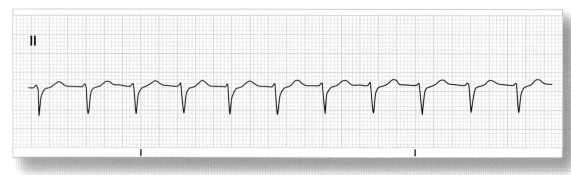

그림 27-8. 방실접합부 빈맥

From *Arrhythmia Recognition: The Art of Interpretation*, courtesy of Tomas B. Garcia, MD.

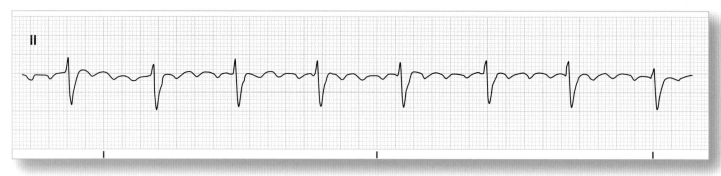

그림 27-9. 심방조동

From *Arrhythmia Recognition: The Art of Interpretation*, courtesy of Tomas B. Garcia, MD.

에 나타나거나 QRS파와 겹쳐져 구분되지 않는다. QRS파는 빠른 속도에 의한 편위전도가 동반되지 않는 한 일반적으로 좁은파형으로 나타나며 심실 박동수 범위는 100~200회이다. 환자의 병력 청취는 방실접합부 빈맥을 진단하는데 도움이 되며 급성 심근경색증, 디곡신 독성 및 심근염이 있는 경우에 잘 발생한다. 뿐만 아니라 심장수술 이후의 환자에서도 자주 발생하는데, 이는 수술 중 발생된 방실결절의 외과적 자극 때문으로 알려져 있다.

8. 심방조동

19장에서 논의된 심방조동(**그림 27-9**)은 심방안에 형성된 거대 회귀회로가 분당 250~300회 사이의 회귀운동을 함에 따라 발생한다. 거대한 심방 회귀회로는 연속적인 물결형태의 심방탈분극을 일으키며 이는 심전도상에 톱니모양의 P파와 그 위에 다양한 전도비율로 포개지는 QRS파를 만든다. 이러한 톱니 또는 물결형태의 심방파는 F파로 알려져 있다. 가장 일반적인 심실전도비율은 2:1이지만 3:1, 4:1 혹은 가변적인 전도비율도 흔하게 볼 수 있다. 가장 전형적인 형태의 심방조동은 300회의 F파와 2:1 전도비율로 인한 150회의 심실박동이다. 이 조합은 매우 흔하기 때문에 150회의 심실박동 빈맥을 접하게 되면 심방조동을 고려해볼 필요가 있다.

9. 심방세동

20장에서 살펴본 심방세동(**그림 27-10**)은 임상에서 접하게 되는 가장 흔한 부정맥으로 뚜렷한 P파가 없으며 완전히 불규칙적(irregularly irregular) 심전도 소견을 갖는다. 심방세동 중 심방활동은 연속적이며 무작위로 발생하는 일련의 진동형태로 나타난다. 이것은 f파 또는 세동파로 알려져 있으며 심전도 리드 V_1에서 가장 잘 관찰된다. f파의 박동수 범위는 400~600회이며 심실 반응은 서맥 부터 매우 빠른 빈맥까지 다양하게 나타날 수 있다(특히 부전도로를 통해 자극이 전도되는 경우 매우 빠른 심실반응을 보일 수 있다). 이번 장에서 심방세동에 관한 추가적인 논의는 하지 않을 것이며 자세한 사항은 문헌을 통해 확인할 수 있다. 학회에서는 심방세동을 유발하는 특별한 기전과 진단 및 치료에 관한 지침을 명시하고 있다.

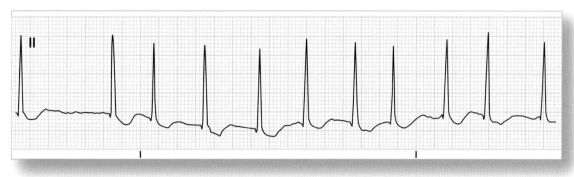

그림 27-10. 심방세동

From *Arrhythmia Recognition: The Art of Interpretation*, courtesy of Tomas B. Garcia, MD.

한 가지 더

심실 반응이 매우 빠른 조절되지 않는 심방세동의 경우 불규칙의 정도는 매우 작아 마치 규칙적으로 보이는 경우가 있다. 만약 뚜렷한 P파가 없으며 매우 빠른 심실 반응의 약간 불규칙한(불규칙 정도가 작아도 상관없이) 리듬의 좁은 QRS파 빈맥을 보게 된다면, 이것은 달리 확인되기 전까지는 조절되지 않는 심방세동으로 간주해야 한다. 추가적으로 200회 이상의 완전히 불규칙적 패턴의 넓은 QRS파 빈맥은 부전도로를 통한 심실 조기흥분이 있는 환자에서 심방세동이 발생된 경우에 해당된다. 이러한 환자들은 부전도로의 전도성에 따라 심실빈맥 또는 심실세동으로 악화될 수 있기 때문에 진단 및 치료에 있어 주의가 필요하다.

좁은 QRS파 빈맥의 접근법

임상적 증상의 표출

일반적으로 부정맥의 임상증상은 심실 반응에 의해 결정된다. 현저한 원래 심실환이 없는 환자의 경우 효율적인 심실수축 및 조절되는 심실반응이 존재하는 한 심방 반동(atrial kick)의 부재는 보상되어질 수 있다. 문제는 상심실성 빈맥에서 심실 박동수가 항상 조절되지 못할 수 있다는 것에 있다. 일반적으로 원래 심질환이 없는 젊고 건강한 개인은 큰 어려움 없이 대부분의 상심실성 빈맥을 견뎌낼 수 있다. 하지만 고령에 관상동맥 질환(CAD) 혹은 장애가 동반된 경우는 그렇지 못한 경우가 많다. 따라서 이러한 환자들의

진단 및 치료에 있어서는 신중한 관찰과 주의가 요구된다.

병력청취 및 신체검사

증상이 있는 환자에서 병력청취 및 신체검사의 주된 이유는 혈역학적 안정성의 유무를 확인하는 데 있다. 혈역학적 불안정을 나타내는 경우 동조화 된 심실수축과 조절되는 리듬으로 되돌리기 위한 응급처치가 요구된다. 혈역학적 안정성을 찾고나면 다음 목표는 환자의 증상과 관련된 리듬을 진단하는 것이다. 증상과 관련된 요인 및 정보는 환자와 가족 또는 환자 주변에 있던 관찰자로부터 수집해야 한다.동시에 증상이 있던 당시의 심전도 혹은 리듬스트립을 획득하여야 하며, 리듬의 관찰과 평가를 위해 환자에게 심전도 모니터를 적용하는 것이 좋다.

환자의 병력청취는 나이, 성별, 상심실성 빈맥 발병 연령, 빈도, 지속 기간, 발병 및 종료 유발 요인 그리고 구조적 심질환에 관한 과거병력에 중점을 두어야 한다. 회귀에 의해 발생하는 부정맥은 일반적으로 조기수축이나 카페인, 알콜, 향정신성 의약품 그리고 갑상선기능항진증과 같은 유발요인에 의해 발생된다. 구조적 심질환에 대한 병력 유무는 항상 확인해야 하며, 이는 선천적 혹은 후천적 결함(수술, 외상, 과거 CAD 또는 AMI 병력)을 구분하는데 도움이 될 수 있다. 심장의 구조적 결함이나 흉터는 심실세동 및 회귀성 심실빈맥을 잘 유발시킨다.

환자는 일반적으로 두근거림, 불안, 가슴통증, 목부위 또는 가슴의 두근거림, 가벼운 두통, 발한 및 호흡곤란 등의 증세를 보인다. 실신은 상심실성 빈맥에서 흔히 볼 수 있는 증상은 아니지만 완전히 배제할 수는 없다. 또한 빈맥 시 심방 나트륨이뇨인자의 수용체 증가로 인한 다뇨증(배뇨증가)이

발생하기도 한다. 두근거림은 빈맥의 가증 흔한 증상이기 때문에 두근거림의 시작, 규칙성 그리고 지속시간의 평가는 유발된 부정맥의 유형을 가늠하는데 매우 좋은 단서가 된다. 갑작스러운 빈맥의 시작(발작성)과 규칙성은 회귀성빈맥 및 방아쇠활동(triggered activity)에 의해 발생된 부정맥의 특징이며 방실결절 회귀빈맥, 방실 회귀빈맥, SANRT(동결절 회귀성빈맥: sinus node reentry tachycardia), 방실접합부 빈맥 그리고 심방조동이 여기에 포함된다. 이와는 반대로 규칙적이고 점진적인 빈맥의 시작과 종료는 향상된 자동능에 의해 발생하는 심방 및 방실접합부 빈맥의 특징이 된다. 불규칙적이고 간헐적인 두근거림은 심방 조기수축, 심방세동 또는 MAT인 경우가 많다. 이전 증상이 있었던 때의 상황을 항상 확인해야하며 심장사, 심장 돌연사 및 부정맥관련 증상 혹은 합병증등의 가족력 여부 또한 포함되어야 한다. 실신과 관련된 부정맥에는 연장된 QT 간격(예: torsade de pointes와 연관된 Romano-Ward syndrome) 또는 심장 돌연사(예: Brugada syndrome)와 같은 유전적 요인과 연관성이 있는 경우가 많다. 혈역학적으로 불안정한 환자는 일반적으로 창백, 청색승, 발한, 차가운 피부, 손톱 아래의 열악한 모세혈관 관류, 규칙적이거나 또는 불규칙적인 빠른 맥박, 얇은 호흡, 저 산소포화도 그리고 저혈압과 같은 적절한 혈류공급 부족에 의해 발생되는 증상을 보이게 된다.

우리는 학습자들이 심장검사와 연관된 사항을 숙지하기 위해 이와 관련된 좋은 지침서를 참고하기를 바란다. 곤봉지(clubbing), 점상 출혈(petechial), 선상 출혈(splinter hemorrhages), 복수(ascites)와 같은 자세한 관찰은 진단적 통찰력을 향상하는데 도움이 된다. 공항장애, 불안장애 그리고 정상적으로 동빈맥을 일으킬 수 있는 상황과 상심실성 빈맥 의 증상을 구분하는 것은 매우 중요하다. 일반적으로 사람들은 환자의 증상이 비이성적인 행동 때문이라고 여기는 경우가 많다. 하지만 명확한 원인을 배제한 후에만 불안 또는 심리적 원인을 고려해야 한다. 보통 정신질환 환자에서 부정맥 발병률이 높다는 것은 잘 알려져 있는 사실이며 실제로 우울증, 불안 및 정신병치료에 사용되는 많은 약제 중에는 리듬장애를 일으킬수 있는 약제가 많이 포함되어 있다.

진공 상태에서는 아무런 일도 일어나지 않는다. 훌륭한 진단을 내리기 위해서는 모든 정보를 종합적으로 평가해야 한다. 우리 모두가 알고 있는 것처럼 어머니의 말씀은 항상 옳다. 그래서 어머니들은 인생의 중요한 교훈을 우리에게

한가지 더

거대 A파

거대 A파(cannon A waves)는 빈맥 시 간헐적으로 발견되는 신체검사 소견으로 일시적인 경정맥 압 상승으로 인해 경쟁맥이 물리적으로 상승한 경우를 말한다. 경정맥 압의 상승은 삼첨판이 닫힌 상태에서 우심방의 조기수축이 일어날 때 발생한다. 폐쇄된 밸브로 인해 혈액의 심실유입이 차단된 상태에서 심방에 저류 된 혈액이 경정맥 및 대정맥으로의 역류하게 되면 경정맥 부위에 거대 A파를 발생하게 된다. 부정맥에 의해 일시적으로 비 동기화 된 심방과 심실의 수축은 거대 A파의 원인이 된다.

가르쳐 주신다. 이 저서를 통해 계속 강조하고 있는 교훈이 있다. 그것은 항상 "동반되는 소견을 잘 살펴봐야 한다"는 것이다.

중급

상심실성 빈맥 환자는 빈맥 시 신체검사에서 거대 A파(cannon A wave) 소견을 보이는 경우가 많다(거대 A파에 관련된 추가정보상자 참조). 특히 방실결절 회귀빈맥 환자는 거대 A 파에 의한 목의 두근거림 또는 옷깃이 흔들리는 느낌을 자주 호소한다. 거대 A 파는 삼첨판 밸브가 닫힌 상태에서 우심방이 수축하는 경우 발생한다. 이 증상은 방실해리 및 3도 방실 차단이 있는 환자에서도 잘 나타난다.

임 상 적   요 점

불안, 정신질환에 의한 증상 및 질환은 부정맥을 유발하는 명확한 원인이 배제된 후에만 고려해야 한다.

그림 27-11. 이 남자의 셔츠 앞면에는 무언가 쓰여져 있다. 카메라는 이 남자의 등 뒤에 위치해 있기 때문에 셔츠 앞면에 쓰여진 글귀가 무엇인지 알 수 없다.

From Arrhythmia Recognition: The Art of Interpretation, Second Edition, courtesy of Tomas B. Garcia, MD.

그림 27-12. 만약 카메라를 이 남자의 정면에 위치시킨다면 셔츠 앞면에 쓰여진 내용이 이 저서의 자매지인 12-Lead ECG: The Art of Interpretation, Second Edition의 표지임을 쉽게 알 수 있다. 여러 개의 리드를 사용하면 각 리드는 고유한 방향에서 동시에 백터를 보게 된다. 여러 개의 리드를 통해 얻은 정보는 3차원적인 이미지를 떠올릴 수 있도록 도움을 준다(이 사진은 약 3인치의 지방 조직이 몸 주위에서 제거된 저자가 가장 좋아하는 사진이다).

From Arrhythmia Recognition: The Art of Interpretation, Second Edition, courtesy of Tomas B. Garcia, MD.

심전도 또는 리듬스트립의 평가

일반적 사항

본문을 통해 보여주고 있듯이(특히 테스트 부분에서) 아주 불가능하진 않지만 하나의 리듬스트립 혹은 모니터상의 단극 리드만으로 리듬을 정확히 식별하는 데는 어려움이 있다. 대부분의 부정맥진단의 실수는 판독자가 잘못된 리드를 판독함으로 인해 발생한다. 4장에서 언급한 것처럼 각 리드는 고유한 방향에서 심장 백터를 바라보는 카메라와 같다. 따라서 모든 리드에서 피사체의 모든 세부사항을 볼 수 있는 것은 아니며 각자의 고유한 관점이 있는 다양한 리드를 함께 결합해 분석할 때에만 훌륭한 3차원의 개념을 얻을 수

있다. 이 개념을 이해하기 위해 간단한 비유를 들어보도록 한다. 어떤 남자의 뒷면을 사진촬영했다고 가정해보자(**그림 27-11**). 셔츠 앞에 무엇이 쓰여 있는지 알 수 있을까? 알 수 없다. 무엇이 쓰여 있는지 알 수 있으려면 카메라를 정면에 배치하거나 최소한 그가 무엇을 입고 있는지 볼 수 있도록 카메라 각도를 조절해야 한다(**그림 27-12**). 이와 같은 상황

은 단 하나의 심전도 리드만 가지고 심전도를 판독하는 상황과 유사하며 우리는 중요한 정보를 놓치게 된다. 단일 리드를 통한 심전도 판독이 잘못된 판단을 일으킬 수 있는 이유를 **그림 27-13**에서 보여주고 있다. 리듬 스트립상의 리드 II 에서는 P파가 발견되지 않는다. 하지만 같은 환자의 리드 V₁을 보면 명백한 P파를 발견할 수 있다. 우리가 리드 II 에서 P파를 식별할 수 없었던 이유는 P파의 모양이 완벽한 대칭의 등전위(isoelectric) 형태였기 때문이다(심전도상에 완전히 평평하게 나타남). 즉 상향 및 하향파가 완벽하게 서로 상쇄되어 일직선의 원래선을 형성한 것이다. 다양한 파형과 간격이 아직 있는가? 그렇다. 하지만 이 리드에서는 볼 수 없다. 심장의 오른쪽 정면에 위치한 리드 V₁ 에서는 명백한 P파를 볼 수 있다. 이러한 심전도상의 등전위 부분 혹은 파형은 숙련된 판독자에게도 혼란을 준다. 따라서 난해한 리듬을 정확히 판독하기 위해선 주가적인 리드 또는 12리드 심전도를 확보해야 한다. 만약 추가적인 리드와 12리드 심전도 중에서 하나를 선택해야 한다면 항상 12리드 심전도를 선택하는 것이 좋다. 왜냐하면 (1) 12리드는 교정이 되어져 있으며 (2) 많은 각도에서 기록된 심장의 전기적 활동을 보여주기 때문이다. 12리드 심전도 또는 리듬 스트립을 통해 획득한 심전도는 부정맥 진단을 위한 귀중한 단서를 제공한다. 하지만 심전도 획득은 상심실성 빈맥 전 후로 이루어져야 한다는 것을 잊지말자. 부정맥이 있을 때와 없을 때의 파형 비교는 진단을 쉽게 내릴 수 있는 추가적인 정보를 제공하기 때문에 매우 중요한 심전도 평가 항목이 된다.

임상적 요점
빈맥 전 후의 심전도를 항상 확보하자!

명심해야 할 또다른 임상요점은 리듬이나 이벤트를 평가하기 위해선 더 긴 리듬스트립이 필요할 지도 모른다는 것이다. 가끔은 더 많은 정보를 얻기 위해 추가적인 리듬스트립이 더 필요한 경우도가 있다. 리듬이상을 직면할 때 긴 리듬스트립을 얻는 습관을 가지도록 하자. 얼마나 길어야 하나? 정확한 진단을 내릴 수 있을만큼 길어야 한다. 일반적으로 약 1분 혹은 2개의 연속되는 리듬스트립을 확보하는 것이 좋다. 심전도 용지는 상당히 저렴하고 리듬스트립 용지는 이보다 더 저렴하다. 따라서 긴 리듬스트립을 통한 리듬

의 확인은 오진으로 인해 추가적으로 발생될 수 있는 비용을 절감할 수 있다.

좁은 QRS파 대 넓은 QRS파

앞서 살펴본 것처럼 상심실성 빈맥는 QRS파의 넓이에 따라 두 개의 그룹으로 나누어진다. 상심실성 자극이 심실을 탈분극 시키는 전두경로에 따라 좁은 QRS파(0.12초 이하) 혹은 넓은 QRS파(0.12초이거나 그 이상)의 형태로 나타나게 된다. 넓이를 기준으로 그룹을 분류하는 것은 단지 QRS파의 외형 뿐만 아니라 고유한 임상적 특징, 증상, 치료 및 합병증과도 관련이 있다. 상심실성 빈맥 때 발생되는 QRS파의 간격은 일반적으로 좁다. 왜냐하면 심실의 자극전도가 정상 전기전도로의 일부인 히스 퍼킨지 체계(His Purkinje System, HPS)를 이용해 온전히 혹은 부분적으로 이루어지기 때문이다. 그물망 형태의 빠른 전도 체계인 퍼킨지 섬유를 이용한 탈분극파의 심실 전파는 자극이 심실내에서 이동하는 거리를 크게 단축시켜 심실탈분극파는 좁은 QRS파 형태로 나타나게 된다. 이제 자극이 방실결절을 통해 히스속, 각분지 그리고 마지막으로 심내막에 있는 그물망 형태의 퍼킨지 섬유에 전파되었다고 상상해보자. 지금까지 전기 전도는 매우 빨랐다. 이후 자극은 퍼킨지 섬유를 통해 거의 동시에 심내막에 전파되고 다음으로 세포 간 전도를 통해 심내막에서 심외막으로 전파된다.

이 과정 초기의 HPS을 이용한 빠른 자극전도를 통해 절약된 시간은 마지막 전도 과정인 심내막과 심외막 사이의 느린 전도를 상쇄해 총 심실 탈분극 시간을 단축시킨다. 이 과정을 오래된 텔레그램 시스템에 비유해보자. 뉴욕에서 시작된 메세지는 전선을 통해 로스엔젤레스로 단 몇 초 안에 전송된다. 메세지가 로스엔젤레스 사무실에 도착하면 그 다음은 택배를 통해 목적지에 배달된다. 택배는 메세지를 전달하는데 몇 분에서 몇 시간이 걸릴 수 있다. 이 전체 과정에서 택배는 속도 제한 단계가 된다. 이제 뉴욕에서 로스엔젤레스로 메세지를 전송할 때 전선이 없어지면 어떻게 될 지 생각해보자. 이러한 경우 메세지는 발송자와 발송자간의 개별적인 전달을 통해 전국으로 전달된다. 이 시나리오는 심실의 자극 전도가 세포 대 세포의 전도를 통해 이루어지는 것과 유사하다. 전도는 매우 매우 느릴 것이며 심실 수축 또한 효과적이지 못할 것이다.

문제의 리듬이 좁은 QRS파 빈맥으로 판별되면 지금까지 이 저서를 통해 습득한 지식을 적용해 문제를 일으킨 리

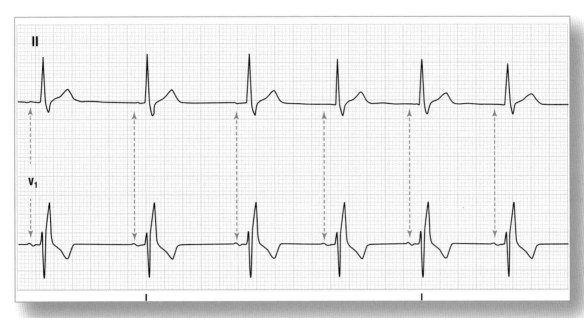

그림 27-13. 리드 II 에서 P파는 완벽한 대칭의 등전위 형태로 나타나 구분하기 어렵다. 하지만 리드 V₁ 에서는 P파가 잘 관찰된다. 이것은 리듬의 분석을 위해 한 개 이상의 리드가 왜 필요한지를 보여주는 아주 좋은 예시이다. 이 환자에게 리드 II 만 있었다면 잘못된 진단이 내려졌을 것이다.

From *Arrhythmia Recognition: The Art of Interpretation*, Second Edition, courtesy of Tomas B. Garcia, MD.

들을 최종적으로 판별해 낼 때까지 진단목록을 하나씩 제거해 나가면 된다. 그렇다면 우리는 리듬 스트립에서 정확히 무엇을 찾아야 하는가? 우리는 문제의 리듬 스트립 속에서 리듬을 쉽고 정확하게 판별할 수 있도록 도움을 주는 무언가를 찾아야 한다. 리듬의 판별에 도움을 주는 사항에는 박동수, 규칙성, P파의 형태, PR 및 RP 간격, QRS파의 형태, QTc 간격, 인공 R파 및 S파 존재의 여부 그리고 리듬이상의 원인이 될만한 사항 등이 포함된다. 상기 항목들은 상심실성 빈맥 판별 시 기본적으로 평가되어야 할 항목들이다.

표 27-1. 좁은 QRS파 빈맥 대 넓은 QRS파 빈맥

좁은 QRS파 빈맥	넓은 QRS파 빈맥
생리학적 동빈맥	심실빈맥
부적절한 동빈맥	기존 각차단이 있는 상심실성 빈맥
초점 심방빈맥	편위전도가 동반된 상심실성 빈맥
다초점 심방빈맥	조기흥분이 있는 상심실성 빈맥(역방향 방실 회귀빈맥)
방실접합부 빈맥	생리학적 원인에 의한 상심실성 빈맥, 조율 리듬, 약물 효과 또는 대사이상의 이차적 원인
방실결절회귀성 빈맥	다형성 심실빈맥 또는 torsade de pointes
정방향 방실회귀성 빈맥	

© Jones & Bartlett Learning.

임 상 적 　요 점

우리는 모든 리듬의 박동수, 규칙성, P파의 형태, PR 및 RP 간격, QRS파의 형태, QTc 간격, 인공 R파 및 S파 존재의 여부 그리고 리듬이상의 원인이 될 만한 사항 등을 평가해야 한다. 다시 말해 모든 것을 확인해야 한다. 오직 한 가지 특이한 관찰사항에만 집중한 체 리듬의 판별을 끝내서는 안 된다. 대부분 리듬의 판별을 이끌어 낼 수 있는 해답의 열쇠는 명확히 보이지 않는 경우가 많기 때문이다.

그럼 어디서부터 시작해야 할까? 우리가 앞서 언급한 것처럼 부정맥의 임상증상을 결정짓는 가장 중요한 사항은 심실의 박동수와 기능이다. 왜냐하면 심실의 박동수 및 동조화된 수축은 혈역학적 안정성과 연관되기 때문이다. 따라서 QRS파를 먼저 관찰하는 것은 가장 논리적이고 합당한 시작점이 된다. 관상동맥질환 및 구조적심실환 같은 환자의 원래질환과 연관된 주제는 이 장의 끝부분에서 다루어질 예정이다. 우리가 단지 QRS파에만 집중을 한다면 심전도 혹은 리듬스트립의 초기 평가는 단 몇 초 밖에 걸리지 않을 것이다. 우리는 심실 반응을 통해 우리가 평가하고 있는 리듬이 좁은 QRS파인지 혹은 넓은 QRS파인지를 알 수 있으며 이 외에도 박동수, 규칙성, 인공 심장조율의 여부, 생명을 위협하는 전해질 이상 그리고 때로는 확실한 진단을 내릴 수 있는 빠른 정보를 제공받을 수 있다.

박동수

박동수는 상심실성 빈맥을 감별하는 중요한 기준이 될 수 있지만 다른 한편으로는 제한적인 정보가 되기도 한다(표 27-2). 이렇듯 상심실성 빈맥의 감별에 있어 박동수의 효용성이 떨어지는 이유는 빈맥 간의 박동수 범위가 상당히 겹쳐 감별을 위한 특이도가 떨어지기 때문이다. 다시 말해 일반적으로 알고 있는 박동수 범위를 벗어나는 예외의 경우가 자주 발견된다. 예를 들어 초점 심방빈맥의 박동수 범위는 보통

표 27-2. 일반적인 좁은 상심실성 빈맥에서의 심방 및 심실 박동수 범위(대부분의 경우 이 범위보다 박동수가 더 빠르거나 느릴 수 있다)	
좁은 상심실성 빈맥	**박동수 범위(회/분)**
동빈맥	>100–200회(심방 및 심실)
초점 심방빈맥	>100–200회(심방 및 심실)
초점 심방빈맥에 동반된 방실 차단	150–250회(심방); 75–200회(심실)
다초점 심방빈맥	>100회(심방 및 심실)
심방조동	250–350회(심방); 75–175회(심실)
심방세동	400–600회 f파; 100–160회(심실)
방시접합부 빈맥	100–200회(심실)
방실결절회귀성 빈맥	150–250회(심실)
정방향 방실회귀성 빈맥	150–250회(심실)

한 가지 더

전도차단된 초점 심방빈맥 대 심방조동

개별적인 사례의 예시로 우리가 자주 진단적 혼돈에 직면하게 되는 사례는 전도차단된 초점 심방빈맥과 심방조동을 구분하는 것이다. 때로는 심전도 상에서 이 두 리듬을 구분하는 것이 불가능한 경우도 있다. 이러한 상황에 직면하게 되면 두 리듬을 구분할 수 있는 다음의 진단기준을 활용하는것이 좋다.

1. F파가 존재한다면 신방조동을 더 시사한다.
2. 물결치는 원래선(톱니 형태)은 심방조동을 평평한 원래선은 초점 심방빈맥을 시사한다.
3. 이소성 P파의 증거는 달리 밝혀질 때까지 전도차단된 이소성 초점 심방빈맥을 의미하는 직접적인 증거가 된다.

정확한 진단을 위해선 상기 진단기준이 1개 이상의 심전도 리드에서 관찰되어야 한다. 우리는 많은 임상의들이 (심지어는 경험이 많은) 주요 진단 기준을 무시하고 리듬을 구분하는데 오직 박동수에만 집중하는 것을 보게 되는 경우가 있다. 박동수 범위는 리듬간에 중복되는 경우가 많기 때문에 이를 통한 진단은 중대한 실수를 야기할 수 있다.

심방조동의 구분에 있어 유의해야할 추가적인 사항은 비정형적 심방조동의 판별이다.

비정형적 심방조동은 이전에 심장수술이나 카테터 도자절제술을 받은 과거력이 있는 경우에 잘 발생하며 원래선이 비교적 평평한 경우가 많다. 경우에 따라서 심방 박동수가 매우 느린 경우에는 원래선은 완전히 평평해 보일 수 있으며(기전은 이 저서의 범위를 넘어선다) 이러한 경우 초점 심방빈맥으로부터의 구분은 더욱 어려워질 수 있다. 하지만 다행스럽게도 이러한 상황은 매우 드물게 발생한다.

100~200회이지만 항상 이 범위에서 발견되는 것은 아니며 실제 300회 또는 400회 이상을 상회하는 경우도 있다.

어떠한 부정맥이든 처음 접근은 주요 감별기준의 유무에 대한 분석으로부터 시작되어야 한다. 그런 다음 박동수를 확인하고 감별진단에 포함된 다른 리듬의 박동수 범위와 중복되는지 여부를 신중히 살펴보자. 주요 감별기준의 유무를 무시하고 박동수만으로 리듬을 판단해서는 안 된다. 만약 이러한 기준을 고려하지 않는다면 리듬 감별에 있어 중대한 실수를 저지를 수 있다.

임 상 적 요 점

진단 가능한 목록으로부터 리듬을 구별하기 위해 박동수만을 사용해서는 안 된다. 일반적으로 알려진 빈맥별 박동수 범위는 서로 중복되는 경우가 많고 정상범위를 벗어나는 경우 또한 많기 때문에 오히려 리듬의 감별에 있어 혼란을 야기할 수 있다. 최종 진단을 내리기 전 항상 주어진 모든 진단 기준을 종합적으로 평가해야 함을 잊지 말자.

전도비율

상심실성 빈맥의 전도비율은 1:1(심방 1번 심실 1번)에서 2:1, 3:1, 또는 스트립내에서 최대 X:X 까지 다양하게 나타날 수 있다. 추가적으로 같은 리듬스트립에서 전도비율이 변한다면 가변으로 분류된다. 이는 어느시점에서든 전도비율이 3:1, 4:1, 2:1, 3:2, 5:1 등으로 다양하게 변할수 있음을 의미한다(심방조동에서 특히 심하게 나타난다). 같은 리듬스트립에서 다양한 전도비율이 나타나는 이유는 방실결절의 병적상태, 전도를 늦추는 약물복용 여부, 흉터, 전해질 이상 그리고 기타 다른 요인 등에 의해 방실결절의 전도지연 및 차단이 악화된 상태에 있기 때문이다. 방실결절의 생리학적 전도차단은 빠른 심방빈맥으로부터 심실의 박동수 유지를 위한 일종의 심실보호기전이라는 것을 잊지말자. 다시 말해 1:1 전도비율로 심실전도 되는 300회 심방빈맥과 2:1 전도비율로 심실전도 되는 300회 심방빈맥 중 어느 것을 더 안전할까? 당연히 2:1 전도비율이 더 안전할 것이다. 왜냐하면 심실 박동수가 300회에 이르면 무슨 일이 벌어질 지 아무도 장담할 수 없기 때문이다.

규칙성

상심실성 빈맥의 감별진단에서 선택의 폭을 좁히기 위한 가장 효과적인 전략 중 하나는 리듬의 규칙성을 평가하는 것이다. 일반적으로 리듬은 규칙적이거나 규칙적으로 불규칙하거나 혹은 완전히 불규칙할 수 있다. 좁은 상심실성 빈맥는 이 규칙에 모두 적용된다(**표 27-3**). 항상 기억해야 할 완전히 불규칙적 리듬은 다음의 세 가지가 해당된다. 1. 주유심방조율(Wandering atrial pacemaker, WAP) 2. 다초점 심방빈맥(MAT) 3. 심방세동(atrial fibrillation). WAP은 빈맥은 아니기 때문에 진단 가능한 빈맥의 목록에 포함되진 않는다. 하지만 한 가지 예외가 있을 수 있는데, 그것은 불규칙한 전도비율을 갖는 심방조동이다. 심방조동의 전도비율은 심실반응에 따라 규칙적으로 불규칙하거나 혹은 불규칙하게 불규칙할 수 있다. 하지만 심전도 상에서 뚜렷하게 발견되는 톱니모양의 원래선은 불규칙한 심실반응이 동반 되더라도 리듬이 심방조동임을 쉽게 알 수 있도록 한다.

P파의 형태 및 방향성

만약 환자가 혈역학적으로 안정적이라면 다음 관심은 P파로 돌려야 한다. 대부분의 경우 리듬 장애의 원인은 P파 자체 및 P파와 연관된 다른 심전도 구성요소들 사이에서 쉽게 찾을 수 있다. 상심실성 빈맥 감별 시 P파와 관련되어 다음의 사항들을 확인해야 한다. P파가 있는가? P파의 형태는 어떠한가?(**그림 27-14**) 심전도 리드 II, III, aVF 에서 상향인가(정상 P파) 혹은 하향인가(이소성)? P파가 QRS파를 선행 하는가? 혹은 겹치거나 QRS파를 뒤따르는가? 전도비율은 어떠한가? PR 간격은 일정한가? P파와 QRS파와의 연관성은 어떠한가? 심전도 리드 II, III, aVF에서 똑바로 선 양의 P파와 함께 aVR 에서 뒤집어진 음의 P파는 빈맥의 기원

표 27-3 규칙적 대 비 규칙적	
규칙적	**완전히 불규칙적**
생리학적 동빈맥	다초점 심방빈맥
부적절한 동빈맥	심방세동
방실결절회귀성 빈맥	
방실회귀성 빈맥	
초점 심방빈맥	
방실접합부 빈맥	

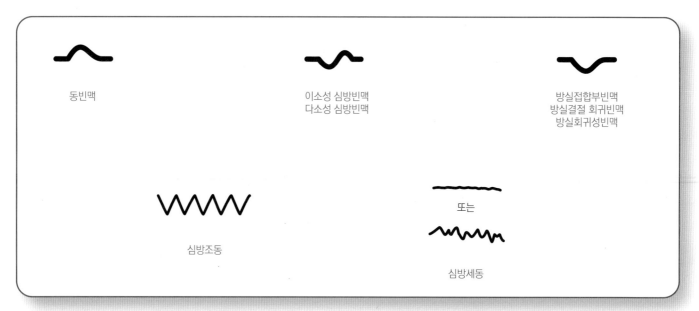

그림 27-14. 다양한 상심실성 빈맥에서의 P파의 형태

© Jones & Bartlett Learning.

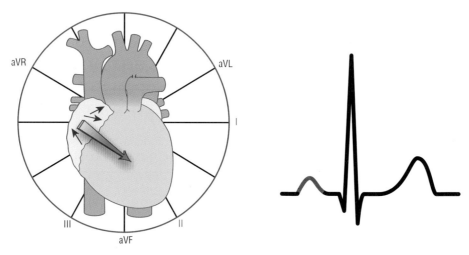

그림 27-15. 이 그림에서 P파의 벡터는 아래쪽, 뒤쪽 그리고 왼쪽을 향하고 있다. 이 예시에서는 양의 벡터가 리드 I 및 II 를 향하기 때문에 심전도 상에서는 상향의 P파를 만든다.

© Jones & Bartlett Learning.

이 동발결절 혹은 동결절 주변의 심방조직에서 시작되었음을 의미한다(**그림 27-15**). P파는 리드 II 그리고 V_1에서 가장 잘 나타난다. 정상적으로 동발결절에서 생성된 심방 탈분극파의 백터는 우측에서 좌측 아래쪽 방향을 향하기 때문에 정상 사분면에 위치한(전기 축을 계산할 때) 리드 II에서는 항상 상향의 명확한 P파를 관찰할 수 있다. 리드 V_1은 심방을 정면에서 바라보는 위치에 있기 때문에 P파가 역시 잘 관찰되며 양 심방의 변화를 명확하게 반영한다. 따라서 좌우 심방비대를 평가하는데 매우 유용하게 사용된다.

중급

리드 V_1은 역행성 P파의 존재여부를 포함해 이소성 초점의 위치를 확인하는데 매우 유용한 정보를 준다. 예를 들어, 만약 P파가 V_1에서 상향이라면 일반적으로 이소성 초점의 위치가 좌심방에 있음을 의미하며 반대로 P파가 V_1에서 하향이라면 이것은 보통 이소성 초점이 우심방에 있다는 것을 의미한다. **그림 27-16**은 좌심방 및 우심방에서 기인하는 백터의 형성과 방향을 보여주며 리드 V_1에서 이러한 백터가 어떠한 형태로 나타나는 지를 설명한다.

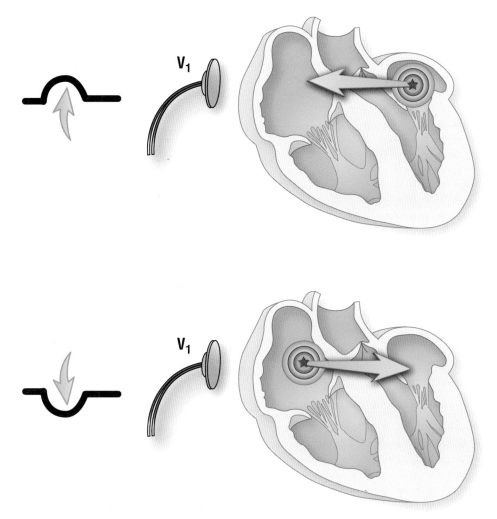

그림 27-16. 좌심방 이소성 초점에서 생성된 P파는 좌측에서 우측으로 향하는 벡터를 형성한다. 리드 V_1 은 우측 흉부의 전방에 부착되기 때문에 이를 향하는 벡터는 상향의 P파를 만든다. 이와는 반대로 우심방 이소성 초점에서 생성된 P파는 리드 V_1에서 멀어지는 벡터를 형성하기 때문에 하향의 P파를 생성한다.

© Jones & Bartlett Learning.

역행전도된 P파 또는 심방 원래부 영역의 이소성 초점에서 발생된 P파는 심전도 리드 II, III, aVF 에서 음의 파형으로 나타난다(**그림 27-17**). 이러한 뒤집어진 P파의 존재는 심방의 다른 영역에서 발생하는 이소성 초점과 구분되는 특징적인 소견이 된다. 역행성 P파는 좁은 QRS파 빈맥을 포함한 방실접합부 리듬 그리고 심실성 리듬에서 발견된다. 역행성 P파가 관찰 가능한 좁은 QRS파 빈맥의 목록에는 방실결절 회귀빈맥, 방실 회귀빈맥, 초점 심방빈맥 그리고 방실접합부 빈맥이 포함되며 역행전도의 여부를 확인하기 위해선 P파의 형태 평가가 필요하다.

역행성 P파가 명확히 구분되지 않는 경우 추론을 통해서도 확인할 수 있다. 예를 들어 방실결절 회귀빈맥의 경우 역행성 P파는 보통 QRS파 끝부분에 인공 S 및 R파의 형태로 나타난다. 따라서 정상 박동에 없었던 인공 S 및 R파가 보인다면 역행성 P파임을 추론할 수 있다. 물결치는 원래선의 F파는 심방조동의 특징적인 소견이다. 심방세동, 방실결절 회귀빈맥 또는 방실 회귀빈맥의 경우 P파가 나타나지 않을 수 있다. 하지만 심방세동이 그룹 중에서 유일하게 완전히 불규칙적 특성을 갖기 때문에 나머지 리듬과 쉽게 구분할 수 있다.

일반적으로 빈맥은 빈맥동 안에 나타나는 다양한 파형들과 분절의 융합으로 인해 정상박동 때와는 다르게 파형들을 구분해내기 힘든 경우가 많다. 이것은 심전도 파형들의 간격이 좁은 공간에 맞추어져야 한다는 불가피한 사실 때문이

그림 27-17. 이 그림에서 P파의 벡터는 위쪽, 뒤쪽 그리고 오른쪽을 향하고 있다. 이 예시에서는 양의 벡터가 리드 I 및 II 에서 멀어지고 있기 때문에 심전도 상에서는 하향의 P파를 만든다.

© Jones & Bartlett Learning.

임 상 적 요 점

지금까지 살펴본 바와 같이 P파의 형태는 상심실성 빈맥 진단에 있어 중요한 역할을 한다. P파가 동결절에서 발생하는지 또는 다른 곳에서 발생하는지 여부를 파악하는 것은 진단 과정에 있어 매우 중요한 부분을 차지한다. 보통 P파의 형태는 빈맥이 있기 전 과거 심전도와의 비교를 통해 평가된다. 따라서 과거 심전도는 정확한 진단을 위해 매우 가치가 있으며 세심한 비교가 필요하다. 지금과 과거 심전도의 모든 것을 비교하자 파형들의 형태와 간격비교, 원래상태의 각차단 및 조기흥분여부 그리고 과거 부정맥 발병 여부. 만약 원래상태의 심전도가 없다 하더라도 리드 II, III, aVF 에서 양의 형태이면서 aVR 에서 음의 형태인 P파는 동성 P파라고 쉽게 판단할 수 있다. 이 조합은 동결절(우측 상부 심방)로 부터 아래쪽이면서 살짝 왼쪽의 방실결절로 향하는 심방 탈분극파 백터에 의해 생성되기 때문이다. 따라서 만약 빈맥 시 P파의 형태가 원래상태의 동성 P파와 같다면 이것은 동빈맥 혹은 동결절 근처에서 발생한 이소성 심방빈맥으로 진단범위를 좁힐 수 있다.

다. 예를 들어, 식료품점에 가서 많은 물건을 산 후 점원이 몇 개의 작은 가방에 이 제품들을 한꺼번에 넣었다고 생각해보자. 빵은 찌그러지고 바나나 껍질은 터지며 달걀은 금이 갈지 모른다. 이러한 일은 빈맥에서 일어나는 현상과 비슷하다. 하지만 동결절에서 발생하는 P파는 심방 박동수가 140회를 상회하기 전까지는 이러한 파형들 간의 왜곡이 잘 나타나지 않는다.

중급

임상에서 심전도를 판독할 때 P파를 찾기 어려운 경우를 많이 겪게 된다. 이러한 경우에 쉽고 빠르게 P파를 식별할 수 있는 한 가지 팁이 있다. 우리는 이 교제를 통해 등전위 QRS파 리드에 관해 몇 번 언급한 적이 있다. 등전위 QRS파 리드는 QRS파형의 진폭이 가장 작고 기준선에 대하여 위 아래로 동일한 진폭을 갖는 리드를 말한다. 이러한 등전위 리드는 노이즈가 적기 때문에 P파를 확안하기에 매우 적합하다. 따라서 명확한 P파의 판별이 어려운 경우 QRS파의 진폭이 가장 낮은 리드를 살펴보는 것이 좋다.

P파와 QRS파와의 관계

상심실성 빈맥 감별하는 가장 효과적인 방법 중 하나는 QRS파와 P파의 관계(P파가 QRS파 직전 혹은 직후에 나타나는지 또는 겹치는지 여부) 및 두 파형간의 간격을 확인하는 것이다(그림 27-18). PR 및 RP 간격은 상심실성 빈맥의 종류에 따라 보통 일정한 간격 비율(짧은 RP 및 긴 PR 간격 또는 긴 RP 및 짧은 PR 간격)로 나타나며 이 간격 비율을 이용하면 상심실성 빈맥을 구분하는데 도움이 된다. QRS파가 이와 연관된 P파 직전에 나타나는 경우 RP 간격이 발생했다고 여겨지며(이중경로 또는 부전도로를 통해 역행전도가 발생된 경우)RP 간격은 QRS파 시작부터 이와 연관된 다음 P파의 시작까지를 측정한다.

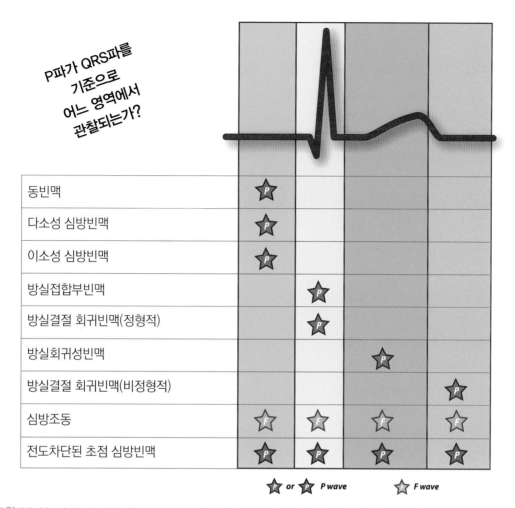

그림 27-18. 상심실성 빈맥의 형태에 따른 P파의 위치. 리듬 스트립상에서 P파의 위치를 정확히 파악하고 그림에서 P파가 해당하는 영역의 색상을 확인하시오. 그런 다음 아래를 내려다 보고 특정 색상 영역에서 별표가 있는 리듬을 확인하시오.

© Jones & Bartlett Learning.

일반적으로 동방결절 및 심방에서 발생하는 모든 리듬은 정상 혹은 약간 연장된 PR 간격을 갖는다(RP 간격은 긴 형태로 나타나지만 실제 역행전도가 존재하는 것은 아니다). 이러한 PR 간격은 동빈맥, 초점 심방빈맥 혹은 MAT에서 나타나며 이를 통해 상기 부정맥을 빠르게 식별할 수 있다.

문제의 빈맥이 짧은 PR 간격의 심방빈맥으로 식별되었다면 다음은 P파의 형태 파악이 필요하다. 빈맥 시 P파의 형태가 동성(sinus node) P파와 같다면 리듬은 동빈맥이 되며, 동성 P파와 다른 형태로 약간 연장된 PR 간격을 보이는 경우는 초점 심방빈맥에 해당된다. 만약 빈맥 중 P파의 형태가 변화한다면(세 가지 이상의 다른 형태가 있는 경우) 이것은 MAT에 해당된다.

뒤집어진 P파가 **그림 27-18**의 노란색 영역처럼 QRS파를 둘러싼 전 후에 나타난다면 진단은 방실접합부 빈맥이나 방실결절 회귀빈맥이 된다(짧은 RP 및 긴 PR 간격). 하지만 이 노란색 영역에서 P파의 형태는 두 빈맥을 감별하는데 도움이 되지 않는다. 왜냐하면 두 빈맥 모두 P파는 뒤집어진 형태로 나타나기 때문이다. 하지만 만약 P파와 QRS파의 간격이 매우 짧고 더 긴밀하다면 이것은 방실결절 회귀빈맥을 조금 더 시사하는 소견이 된다. 그 이유는 방실결절 회귀빈맥을 발생하는 회귀운동은 심방과 심실을 거의 동시에 탈분극 시키기 때문이다. 이것은 보통 심전도 리드 II의 인공 S파 및 V₁의 인공 R파의 형태로 나타난다. 또한 일반적으로 방실결절 회귀빈맥의 박동수는 방실접합부 빈맥보다 더 빠른 경우가 많다.

은폐된 부전도로 및 WPW 신드롬이 있는 환자에서 발생하는 방실 회귀빈맥의 RP 간격은 오렌지색 영역에 포함된다(짧은 RP 및 긴 PR 간격). 방실 회귀빈맥의 RP 간격은 짧은 RP 간격 비율에 해당되지만 방실결절 회귀빈맥 보다는 상대적으로 연장되어 있다. 그 이유는 방실 회귀빈맥의 RP 간격은 부전도로를 통한 탈분극파의 전도를 의미하며 심방은 심실 탈분극 이후 부전도로를 통해 순차적으로 탈분극되기 때문이다. 따라서 좁은 QRS파 빈맥 시 나타나는 P파가 오렌지 영역에 있다면 발생된 빈맥은 방실 회귀빈맥일 가능성이 높다.

PR 간격 자세히 살펴보기

PR 간격은 심방 탈분극파가 P파의 처음 시작부터 QRS파의 처음 시작까지 도달하는데 소요된 시간이다. 이것은 심방 탈분극파가 P파를 만들고 정상적으로 전도되어 다음에 오는 QRS파를 생성했다는 가정하에 측정된다. 하지만 만약 P파가 역행전도 되었다면 어떻게 될까?

경우에 따라 역행성 P파는 QRS파 전에 나타나기도 한다. 이것은 심방 원위부 이소성 초점에서 생성된 탈분극파가 동결절을 향해 전도될 때 발생 가능하다. 양극 리드로부터 멀어지는 양의 파는 음 또는 뒤집어진 파형을 만든다는 것을 기억하자. 이중경로를 가지고 있는 환자에서 방실접합부 리듬이 발생된 경우에도 역행성 P파는

QRS파 전에 나타날 수 있다(25장 방실결정회귀성빈맥 참조). 이는 자극의 심방 전도는 빠른 경로를 통해 이루어지지만 심실 전도는 생리학적 차단에 의해 지연되는 경우에 발생된다. 일반적으로 QRS파를 선행하는 P파는 동빈맥, 초점 심방빈맥, MAT 그리고 심방 조기수축에서 나타난다.

탈분극파가 심방과 심실에 동시에 전도될 때 P파는 QRS파와 겹치게 되며 이러한 현상은 방실결절 회귀빈맥 및 방실접합부 빈맥에서 매우 흔하게 발생된다.

마지막으로 P파는 QRS파 뒤에 발견될 수도 있다. 이러한 현상은 히스속 아래 영역에서 발생된 심실 탈분극파가 방실결절로 전도되어 역행성 심방전도를 발생하는 경우에 나타난다. 자극이 이동해야 하는 거리가 멀거나 이 과정을 완료히는데 시간이 더 걸릴수록 RP 간격은 연장된 형태로 나타난다. 좁은 QRS파 빈맥에서 역행성 P파가 QRS파 다음에 나타나는 경우로는 정방향 방실 회귀빈맥(부전도로를 통한 역행전도) 및 비정형적 방실결질 회귀빈맥(느린 경로를 통한 역행전도)가 있으며 비정형적 방실결절 회귀빈맥의 RP 간격은 PR 간격 보다 더 긴 형태(긴 RP 및 짧은 PR 간격)로 나타난다.

한가지 더

역행전도가 존재하는 상심실성 빈맥은 RP 간격에 따라 (1) 짧은 RP 간격과 (2) 긴 RP 간격의 두 가지 형태로 나눌 수 있다. 이것은 무엇을 의미할까? RP 간격을 긴 간격과 짧은 간격으로 분류하는 기준값은 얼마일까? RP 간격의 분류를 위해 임상에서 주로 사용되는 두 가지 계산법이 있다. 이것은 약간 임의적으로 보일 수 있으나 두 계산법 모두 교과서 및 문헌에서 사용되고 있기 때문에 알아둘 필요가 있다.

방법1

대중적으로 좀더 많이 사용되는 첫 번째 방법은 RP 간격을 빈맥 시의 R-R 간격의 중간지점과 비교하는 것이다 (**그림 27-19**). 만약 RP 간격이 빈맥 시 R-R 간격의 절반보다 작으면 짧은 RP 간격으로 간주되고 만약 그 이상이라면 긴 RP 간격으로 간주되다.

방법2

두 번째 방법은 단순히 RP 간격과 PR 간격을 비교하는 것이다. 여기서 잠깐! 독자들은 "어떻게 단일 P파가 RP 간격과 PR 간격을 모두 가질 수 있을까?" 라고 생각할 수 있다. P파를 가운데 두고있는 두 개의 연속되는 QRS파 그룹을 살펴보자(**그림 27-20**). RP 및 PR 간격을 계산하고 비교해 보자. 두 번째 방법은 단순히 RP 간격과 PR 간격을 비교한다. 이것을 기억하기 쉬운 다음의 과정으로 정리해 보자.

1. 빈맥 시 역행성 P파를 사이에 두고 있는 연속되는 두 개의 QRS파를 살펴본다.
2. 빈맥 시에는 QRS파 사이의 거리가 너무 짧기 때문에 P파가 어떤 QRS파와 연관되어 있는지 가늠하기

Continues

빈맥 시 RP 간격을 측정

방법1

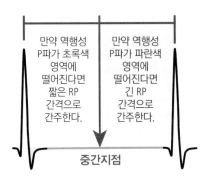

만약 역행성 P파가 초록색 영역에 떨어진다면 짧은 RP 간격으로 간주한다.

만약 역행성 P파가 파란색 영역에 떨어진다면 긴 RP 간격으로 간주한다.

중간지점

그림 **27-19.** RP 간격을 빈맥 시의 R-R 간격의 중간지점과 비교하여 RP 간격이 짧은 간격인지 아니면 긴 간격인지를 계산한다. 자세한 내용은 본문을 참조.

어려운 경우가 있다. 따라서 지금은 이들 사이의 관련성은 잊어버리자.

3. P파를 중심으로 RP 간격(QRS파의 시작부터 P파의 시작까지를 측정) 및 PR 간격(P파의 시작부터 두 번째 QRS파의 시작까지 측정)을 측정한다.

4. 이제 단순히 RP 간격과 PR 간격을 비교해 보자.
   a, RP가 PR보다 짧으면 (RP <PR) 짧은 RP간격이 된다.
   b, RP가 PR (RP> PR)보다 길면 긴 RP간격이 된다.

계산법은 실제보다 다소 어렵게 보일 수 있지만 일단 한 번 해보면 매우 간단하다는 것을 알 수 있다. 우리는 RP 간격이 짧은지 혹은 긴지 계산하는 방법을 알아보았다. 이제 RP 간격이 짧거나 긴 다양한 리듬을 나열해보자(**표 27-4**). 심방

빈맥 시 RP 간격을 측정

방법2

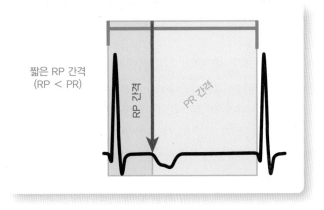

짧은 RP 간격 (RP < PR)

RP 간격

PR 간격

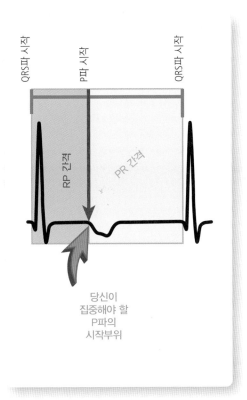

QRS파 시작   P파 시작   QRS파 시작

RP 간격

PR 간격

당신이 집중해야 할 P파의 시작부위

긴 RP 간격 RP > PR

RP 간격

PR 간격

그림 **27-20.** RP 간격을 PR 간격과 비교하여 RP 간격이 짧은 간격인지 아니면 긴 간격인지를 계산한다. 자세한 내용은 본문을 참조.

Continues

빈맥에서는 QRS파와 연결되어 뒤에 따라오는 P파가 없기 때문에(역행전도가 없음) 이 목록에 심방빈맥을 포함하는 것은 약간의 혼란이 있을 수 있다. 하지만 박동수가 매우 빠른 심방빈맥의 경우 QRS파와 P파 간의 관련 여부를 판단하기 어렵거나 마치 P파가 QRS파와 연결되어 뒤에 따라오는 것처럼 보이는 경우가 종종 있다. 심방빈맥 시 나타나는 P파의 위치는 다음의 두 가지 형태로 나뉠 수 있다.

1. 심방빈맥(일반적): 이소성 P파가 이전 QRS파 가까이에서 발생하면 선행하는 QRS파 이후에 발생된 긴 RP 간격으로 오인될 수 있다.

2. 심방빈맥과 동반된 1도 방실 차단: 이소성 P파와 동반된 1도 방실 차단은 일반적으로 PR 간격이 길어 P

표 27-4. 좁은 상심실성 빈맥에서 짧은 RP간격 대 긴 RP간격

짧은 RP간격	긴 RP간격
정형적 방실결절 회귀빈맥	비 정형적 방실결절 회귀빈맥
방실회귀성 빈맥	긴 RP간격 방실회귀성 빈맥
심방빈맥(1도 방실 차단)	심방빈맥

© Jones & Bartlett Learning.

파가 선행하는 T 근처에서 나타나게 된다. 이런 경우 RP 간격은 짧은 RP 간격으로 간주된다.

만약 역행성 P파가 QRS파와 멀리 떨어져 **그림 27-18**의 핑크색 영역에 나타난다면 이것은 일반적으로 비정형적 방실결절 회귀빈맥에 해당된다(긴 RP 및 짧은 PR 간격). 비정형직 방실결절 회귀빈맥은 매우 드물게 발생하며 치료를 위해 사용되는 약물은 정형적 방실결절 회귀빈맥에 사용되는 약물과 동일하다.

마지막으로 심방조동 및 초점 심방빈맥에서 방실 차단이 동반되는 경우 P파는 **그림 27-18**의 모든영역에서 나타날 수 있다. 이러한 이유는 이 두 리듬의 심방 박동수가 매우 빨라 방실결절의 생리학적 차단이 자주 발생하게 되고 이로 인해 다양한 전도비율(예 2:1, 3:1, 4:1 등)의 심실 반응이 나타날 수 있기 때문이다. 심방조동에 1:1 방실 차단이 동반되는 경우 일반적으로 F파를 가지며 이것은 초록색 영역에 해당된다.

방실결절 의존성 및 비 의존성

우리가 지금까지 살펴본 것처럼 대부분의 상심실성 빈맥는 회귀 기전에 의해 발생한다. 또한 상심실성 빈맥는 빈맥의 발현 및 유지에 있어 방실결절의 포함 여부에 따라 다음의 두 가지 그룹으로 분류된다.

1. 방실결절 부근에서 발생하는 이소성 초점 빈맥 또는 빈맥을 유발하는 회귀회로의 일부로 방실결절이 포함되는 경우(방실결절 의존성)

2. 방실결절이 포함되지 않는 리듬(방실결절 비 의존성)

방실결절의 전도지연 및 차단은 효과적으로 방실결절 의존성 빈맥을 종료시킨다. 따라서 이러한 상심실성 빈맥의 분류는 효과적인 치료전략을 수립하는데 도움이 된다. **표 27-5**는 방실결절 의존성 및 비 의존성으로 분류된 다양한 리듬 목록을 보여준다. 방실결절 의존 그룹에는 미세 또는 거대 회귀회로가 관여한다는 것에 주목하자. 여기에는 방실결절 회귀빈맥, 두 가지 형태의 방실 회귀빈맥 그리고 방실접합부 빈맥이 포함된다. 이러한 분류는 상심실성 빈맥 감별을 위한 추가적인 정보를 제공하며 빈맥 시 신속하게 대처할 수 있는 전략을 세우는데 매우 유용하다.

표 27-5. 방실결절 의존성 대 비 의존성

방실결절 의존성	방실결절 비 의존성
방실결절회귀성 빈맥	동빈맥
방실회귀성 빈맥	심방빈맥
방시접합부 빈맥	심방조동
	심방세동

© Jones & Bartlett Learning.

중급

방실결절 의존성 리듬은 일반적으로 발살바법(Valsalva maneuvers), 경동맥마사지(carotid sinus massage) 그리고 찬물 얼굴 침수(cold-water facial immersion)에 반응을 보인다. 이 세 가지 방법은 모두 목의 압수용기

(baroreceptors)를 자극하고 차례로 미주신경반응(vagal response)을 활성화시켜 일시적인 방실결절의 전도지연을 유발한다. 또한 방실결절 의존성 리듬은 방실결절의 전도지연 및 차단을 유발하는 약제인 아데노신 및 칼슘체널차단제에 의해 종료될 수 있다.

　임상에서 자주 시행되는 발살바법은 대부분 효과적이며 매우 안전하다. 따라서 혈역학적인 안정성이 있는 상심실성 빈맥 환자에서 보통은 첫 번째 치료법으로 시도된다. 경동맥마사지는 수행 전에 약간의 사전평가가 필요하다(인터넷에 이와 관련된 훌륭한 자료가 많으니 이를 통해 추가적인 정보를 확인하길 바란다). 뇌졸중(strokes), 경동맥 질환(carotid disease) 그리고 일과성 뇌허혈발작(transient ischemic attacks) 등의 과거력 여부를 확인해야 하며 청진을 통해 경동맥 잡음 여부를 시술 전에 확인해야한다. 만약 이들 중 발견된 사항이 있다면 시술을 시행해서는 안 된다. 경동맥마사지는 지속적인 리듬 및 혈압의 관찰하에 수행되어야 한다.

등전위 분절

　앞서 언급한 것처럼 0.12초 이하의 QRS파 간격을 갖는 상심실성 빈맥은 좁은 상심실성 빈맥으로 분류되며, 0.12초 이상인 경우 넓은 상심실성 빈맥으로 분류된다. 하지만 이러한 분류는 부정확한 간격의 측정, 동시에 발생된 사건(융합된 조기수축, 방실해리 그리고 완전 방실차단과 같은), 약물 혹은 전해질 효과 등의 여러가지 상황에 의해 발생되는 QRS파의 연장으로 오류를 발생시킬 수 있다. 이와는 반대로 QRS파 간격 측정 시 등전위 분절이 포함되지 않아 QRS파 간격이 실제보다 좁게 측정되는 오류 또한 발생될 수 있다. 등전위 분절은 보통 QRS파의 시작 또는 끝부분에 나타나며, 실제 심전도파형의 일부가 원래선과 구분할 수 없어 마치 심전도파형이 없었던 것처럼 나타난 것을 의미한다(**그림 27-21**). 등전위 분절은 12 리드 심전도 또는 여러 개의 리듬스트립 상에서는 문제가 되지 않는다. 왜냐하면 이러한 등전위 분절을 감안하여 QRS파 간격 측정 시 보통 가장 넓은 간격의 QRS파를 측정하기 때문이다. 하지만 만약 하나의 리드만 볼 수 있다면 실제 QRS파 간격 측정 시 오류를

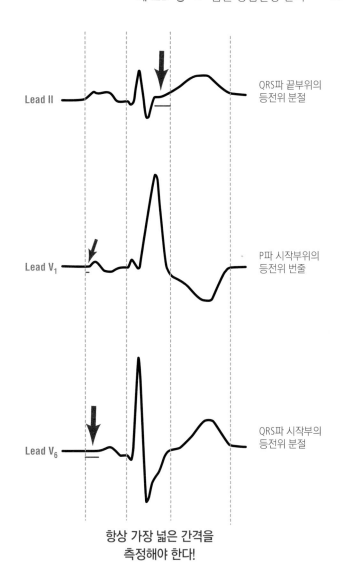

QRS파 끝부위의 등전위 분절

P파 시작부위의 등전위 번줄

QRS파 시작부의 등전위 분절

항상 가장 넓은 간격을 측정해야 한다!

그림 27-21. 리드 II 와 V₁ 의 실제 QRS파의 간격은 정확히 같다. 하지만 리드 II 의 QRS파 끝부분에 등전위 분절이 포함되어 실제 간격보다 짧은 간격으로 보이게 한다. 마찬가지로 리드 V₁ 과 V₆의 PR 간격은 달라 보이지만 실제 간격은 정확히 같다. 이것은 리드 V₆ 의 P파 시작 부위에 등전위 분절이 포함되었기 때문이다. 따라서 심전도 파형의 정확한 측정을 위해선 항상 동일 파형 중 가장 넓은 간격으로 나타나는 파형을 측정해야 한다.

범할 수 있다. 이것은 특히 QRS파 간격이 0.11초로 측정될 때 문제가 된다. 0.01초의 측정 오차는 좁은 그룹 혹은 넓은 그룹을 결정짓는 차이를 만들기 때문이다. 실제 QRS파 간격 측정 시 다른 리드를 참고하면 정확도를 높일 수 있다는 것을 항상 염두하자.

눈여겨 봐야할 다른 사항들

조기흥분 여부를 항상 확인하자

　　심전도 확인 시에는 현재 및 과거 심전도를 통해 조기흥분(preexcitation) 여부를 항상 확인해야 한다. 조기흥분은 부전도로를 통해 심방 탈분극이 심실로 직접 전도될 때 발생한다. 따라서 이러한 환자들은 최소한 두 개 이상의 전도로를 통해 심방의 자극이 심실로 전도된다(방실결절 및 부전도로). 간단히 복습해보면 정상적인 상태에서 심방의 자극은 방실결절과 부전도로에 동시에 전파된다. 부전도로는 방실결절과 달리 생리학적 조절을 받지 않기 때문에 자극은 방해를 받지 않고 즉각적으로 심실로 전도된다. 하지만 부전도로 이후의 심실 내 전도는 세포 간 전도를 통해 느리게 이루어진다. 이와는 반대로 방실결절을 통한 전도는 생리학적 차단에 의해 느리게 이루지기 때문에 부전도로를 통한

심실 전도 이전에 심실에 전도되지 못한다. 이 시기의 심전도는 부전도로를 통한 심실전도 및 방실결절을 포함한 정상 전기전도로의 자극전도가 포함된다. 하지만 부전도로를 통한 심실전도의 백터가 훨씬 더 강하기 때문에 심전도 상에는 부전도로를 통한 심실전도를 반영하는 델타파(느리고 경사진 형태의 QRS파형의 시작)만이 심전도 파형으로 기록된다. 델타파는 일반적으로 짧은 PR 간격과 기괴한 형태의 ST-T 재분극파를 동반한다.

　　방실결절을 통한 전도의 생리학적 차단이 끝나면 자극은 정상전기전도로 및 퍼킨지 섬유를 통해 남아있는 심실 근육을 빠르게 탈분극시킨다. 이후 서로 반대되는 두 개의 자극전도가(부전도로 및 방실결절을 통한 심실 탈분극) 심실내에서 충돌하면 델타파는 종료된다. 그 결과로 우리는 짧은 PR 간격과 델타파에 의해 넓어진 QRS파 간격을 보게 된다. 이 과정은 조기흥분으로 알려져 있으며 델타파는 심전도상에 나타나는 조기흥분의 증거가 된다. 하지만 회귀성 빈맥(정방향 AVRT)이 진행 중에는 정상리듬 때와는 달리 델타파가 나타나지 않는다. 그 이유는 방실결절과 부전도로가 서로 다른 방향으로 순차적으로 전도되고 심실 탈분극은 온전히 방실결절을 포함한 정상 전기전도로를 통해 이루어지기 때문이다. 그렇지만 과거 심전도 및 빈맥 종료 후에 나타나는 조기흥분 소견은 유발된 상심실성 빈맥이 정방향 방실 회귀빈맥임을 부인할 수 없게 하는 증거가 된다. 또한 방실 회귀빈맥은 상심실성 빈맥의 약 30%를 차지하는 발생빈도를 가지고 있기 때문에 이를 진단으로 고려하는 것은 매우 합리적인 선택이라 할 수 있다.

방실해리

　　앞으로 34장에서 살펴볼 예정이지만 기본적으로 12 리드 심전도는 리듬이 심실성 빈맥인지 또는 편위전도된 상심실빈맥인지를 결정하는데 매우 중요한 정보를 제공한다. 방실해리는 좁은 QRS파 빈맥에서 일반적으로 잘 발견되지 않는다. 따라서 빈맥 중 방실해리 소견이 있다면 이것은 심실

성빈맥의 가능성이 높다. 만약 좁은 QRS파 빈맥과 방실해리 소견이 함께 나타난다면 이것은 넓은 QRS파 빈맥의 잘못된 진단이거나 심실성빈맥의 확률이 높기 때문에 심전도 판독에 있어 실수가 있었는지 여부를 다시 한 번 확인해 볼 필요가 있다. 우리는 본문을 통해 방실해리를 설명하면서 "확률" 및 "가능성"과 같은 모호함을 주는 단어들을 사용하고 있다. 왜냐하면 좁은 QRS파 빈맥에서도 방실해리가 아주 드물게 발생하기 때문이다. 만약 이러한 소견이 발견되었다면, 이것은 방실 회귀빈맥을 진단에서 배제할 수 있는 증거가 된다. 왜냐하면 회귀성 빈맥인 방실 회귀빈맥에서는 빈맥 시 발생하는 회귀운동을 통해 모두 역행성 P파를 생성하기 때문이다. 방실해리에서는 심방과 심실리듬이 거의 독립적이지만 여전히 서로에게 약간의 영향을 미친다는 것을 잊지말자(이와는 달리 완전방실 차단은 심방과 심실 리듬이 완전이 분리된 상태이다). 방실해리의 소견이 있다면 대부분의 경우 심실빈맥으로 진단 가능하다. 이 쟁점에 관하여 32장 및 34장에서 다시 다루도록 할 것이다. 마찬가지로 심근경색증의 존재는(모든 연령대) 원래 심질환의 증거가 된다. 일반적으로 심근경색증의 과거력이 있는 환자에서 넓은 QRS파 빈맥이 확인 되었다면, 이것은 달리 확인되기 전까지는 심실빈맥으로 간주해야 한다. 다시 말해, 상심실성 빈맥을 입증하는 충분한 증거가 없다면 이것은 심실빈맥으로 진단된다.

전기적 교대파

QRS 교대파 및 전기적 교대파는 속도(박동수)와 관련된 현상으로 알려져 있으며 특정한 빈맥에서 나타나는 현상은 아니다. 전기적 교대파는 보통 하나 걸러(beat to beat) 발생되는 R파의 높이 변화에 의해 QRS파 상단이 물결모양처럼 나타나는 것을 의미한다. 이것은 모든 리드에서 발생 가능하며 몇 개의 박동 또는 그 이상에 걸쳐서도 발생될 수 있다 (10장 동빈맥에서 **그림 10-3** 참조).

전기적 교대파는 심장 압전(cardiac tanponade)의 경우에서도 괄찰되기 때문에 불길한 소견으로도 알려져 있다. 그러나 부정맥 상태에서 관찰되는 전기적 교대파는 대부분 심장압전의 병리적 상태가 아닌 호흡과 관련된 흉강 내 압력 및 심장 출력의 변화에 의해 발생되는 정상적인 반응이다. 따라서 전기적 교대파가 관찰된다면 이와 동반되는 환자의 증상 및 상태를 잘 살펴봐야 한다. 만약 환자가 고통스러운 얼굴로 확대된 목 정맥, 저혈압 그리고 혈역학적 손상의 소견을 보이고 있다면 전기적 교대파의 원인으로 심장압전을 반드시 고려해야 한다. 이와는 반대로 환자가 편안한 얼굴로 책을 읽고 있으며 혈역학적 손상의 징후가 없다면 전기적 교대파는 아마도 간단한 빈맥에 의해 나타난 일시적인 반응일 것이다.

부가적인 약물사용

병력, 신체문진 그리고 미주신경자극법(vagal maneuver) 적용 후에도 진단이 명확하지 않은 경우가 있다. 이런 경우 방실 차단 및 전도지연을 유발하는 약제를 사용해 추가적인 정보를 얻는 방법을 고려해볼 필요가 있다.

용어에 대한 참고사항: 진단을 위해 시술을 시행하거나 이를 돕기 위해 약물을 투여하는 경우 사용되는 용어는 진단 조작(diagnostic trial or maneuver)이다. 이와는 반대로 치료를 목적으로 하는 시술 혹은 약물을 투여하는 경우 사용되는 용어는 치료 조작(therapeutic trial or maneuver)이다.

아데노신

아데노신은 짧은 반감기로 인해 작용시간이 매우 짧으며 동결절의 자동능 저하 및 방실결절의 전도지연을 일으키는 약리효과가 있다. 진단을 위해 투여된 정맥주사용 아데노신은 리듬의 근본적인 원인을 쉽게 파악할 수 있는 정보를 제공한다. 기본적으로 아데노신의 효과는 스테로이드에 대한 미주신경의 반응과 유사하다. 방

저자 노트

본문에서 부정맥의 치료 옵션에 관하여 언급하지 않기 위해 우리는 의식적인 노력을 기울이고 있다. 우리가 이러한 결정을 내린 이유는 부정맥의 최신 치료 옵션이 끊임없이 변화하고 있기 때문이다. 일반적으로 사람들은 책이 발행된 날짜를 확인하지 않는다. 따라서 치료 옵션이 변경되기 전 발행된 책에 기술된 적응증 및 금기증을 토대로 환자들에게 치료를 시행할 가능성이 있다. 참고로 책의 원고가 작성된 시점부터 최종 출판까지 2~3년

의 시간이 소요되는 경우도 많다. 이런 경우 책은 방금 출판되었지만 책의 내용은 오래된 정보를 포함하게 된다. 따라서 부정맥 치료와 관련된 최신 지견을 참고 하기를 원한다면 American Heart Association 이나 the American College of Cardiology 같은 신뢰도 높은 조직에서 발행하는 최신 진료 지침을 주기적으로 참고하는 것이 좋다.

실결절 의존성이 있는 방실결절 회귀빈맥 및 방실 회귀빈맥은 아데노신 투여에 의해 즉각적으로 빈맥이 종료된다. 일반적으로 아데노신은 방실결절 의존성 빈맥의 종료에 있어 매우 높은 성공률을 보인다. 아데노신 6 mg 정맥주사는 60~80%, 12 mg으로의 증량은(처음 6 mg 이후에 투여) 90~95%의 성공률을 보인다. 좁은 QRS파 빈맥 중 방실결절 의존성이 있는 방실결절 회귀빈맥(60%) 및 방실 회귀빈맥(30%)가 가장 높은 비중을 자지하는 것을 감안한다면 이 통계 결과는 그다지 놀라운 것은 아니다. 아데노신 효과는 메틸사틴(methylxanthines)에 의해 차단된다(약제 분류; pharmaceutical class). 이 분류에는 테오필린(theophylline: 천식치료에 사용) 및 카페인 같은 일반적인 약물이 포함된다. 또한 아데노신은 심각한 기관지경련을 유발할 수 있다. 따라서 천명이 있는 환자에게 투여해서는 안 된다. 하지만 기관지경련 병력이 없는 COPD 환사에게는 주의하에 투여기 가능하다. 디피리다몰(dipyridamole)과의 병용은 아데노신 효과를 향상시키기 때문에 인공 심박동기를 삽입한 환자가 아니라면 2도 및 3도 방실 차단 환자에겐 금기시된다. 초기 정맥주사 동안 고도 방실 차단이 발현되는 경우 아데노신을 연속으로 투여해서는 안 되며, 인공 심박동기가 없는 동기능부전증후군 및 심각한 서맥 환자 또한 금기된다. 아데노신에 대한 과민반응 과거력이 있는 경우도 약물투여의 금기 사항이 된다. 넓은 QRS파 빈맥 환자에게선 일반적으로 아데노신이 효과적이지 않고 오히려 위해를 주는 경우가 많다. 따라서 이러한 환자들에서 아데노신을 투여하는 경우에는 특별한 주의가 요구된다. 추가적으로 심장이식 환자에서는 오래 지속되는 방실 차단이 발생할 수 있다. 만약 환자가 관상동맥 질환의 병력이 있다면 아데노신은 혈관 협착 부위의 혈류를 감소시켜 허혈 및 심근경색증의 위험을 증가시킬 수 있다. 어떻게 이러한 일이 발생하는지 살펴보자. 아데노신은 일반적으로 정상적인 관상 동맥을 확장시키는 효과가 있으며, 이를 통해 혈류가 증가된다. 하지만 관상동맥 질환이 있는 경우 동맥은 죽종(atheroma)에 의해 부분적으로 폐쇄 되며 이러한 동맥은 이미 휴면(resting) 상태에서 혈류유지를 위해 최대한 으로 확장되어 있다. 따라서 아데노신 투여에 의한 추가적인 혈관 환장은 불가능 하며 혈류 공급은 더이상 증가하지 않는다. 유체는 항상 저항이 적은 쪽으로 흐르기 때문에 이 결과로 허혈부위에 혈류 도실(stolen)이 발생하게 된다. 이러한 혈류 감소는 흉통, 협심증 그리고 드문 경우엔 심근경색증을 유발하기도 한다. 이러한 환자들에게는 아데노신 투여 시 세심한 주의가 필요하며 통증이 발현되고 있다면 즉시 약제투여를 멈추어야 한다.

아데노신의 놀라운 효능에도 불구하고 아데노신 자체의 문제가 아닌 다른 원인으로 인해 아데노신 효능을 보지 못하는 경우가 있다. 이러한 오류는 일반적으로 약물을 투약하는 잘못된 방법에 의해 발생한다. 시장에 판매되는 아데노신은 대부분 매우 빠른 순간주사를 해야 하며 주사 속도는 빠를수록 좋다. 환자의 심전도는 연속적인 모니터링이 필요하며 만약을 위해 응급소생을 위한 용품 및 장비(resuscitation equipment)가 준비되어야 한다. 아데노신(6 mg)은 가능한 신속하게 투여되어야 하며 뒤이어 생리식염수를 흘려보내야 한다. 이후 팔을 심장 높이까지 올려 정맥의 추가적인 배출을 유도하는 것이 좋다. 만약 임상적 금기증이 없고 처음 아데노신 6 mg 투여에 반응이 없다면 아데노신 용량을 올려(12 mg) 두 번째 시도를 해볼 수 있다. 만약 약물이 중심정맥을 통해 투여된다면 방실 차단의 오랜 지속을 피하기 위해 아데노신 용량을 3 mg으로 낮추는 것이 좋다. 가장 흔한 부작용으로는 안면홍조, 불안, 흉통, 가벼운 두통 그리고 심계항진이 있을 수 있으며 짧은 기간동안의 심장 무수축도 또한 일반적으로 나타난다. 환자가 혈역학적으로 안정적이라면 약물투여에 의해 환자가 겪을 수 있는 증상에 대한 설명이 필요하다. 환자들은 약물투여에 따른 증상을 일반적으로 "죽어가는 느낌이 든다"라고 서술한다. 이러한 불편감은 몇초간 지속되나 곧 좋아질 것임을 환자에게 주지시키고, 시술자가 항상 옆에 있어 도움을 줄 수 있음을 알려 안심을 시키는 것이 좋다. 환자 앞에선 솔직한 게 좋으며 그렇지 않으면 신뢰를 잃을 수 있다. 왜냐하면 증량된 용량을 투여하기 위해 1분 후 환자에게 이 경험을 다시 할 수 있다고 설명해야 할 지도 모르기 때문이다. 아데노신이 투여되는 동안 연속적인 리듬 스티립 혹은 심전도가 기록되어져야 한다. 빈맥의 종료 이외에도 일시적인 방실 차단을 통해 정확한 P파의 형태 및 F파 존재 여부 또한 확인할 수 있다. 만약 리듬이 종료된다면 정확한 진단을 위한 몇 가지 단서를 얻을 수 있다. 그 예로 리듬이 종료되는 순간의 마지막 파형을 확인하는 것이다. 만약 부정맥이 P파를 마지막으로 종료된다면 일반적으로 방실결절 회귀빈맥 및 방실 회귀빈맥을 시사하는 소견이 된다. 반면 심방빈맥은 P파로 종료되는 경우가 드물다. 왜냐하면 보통은 심방빈맥의 마지막 P파가 심실에 전도되어 QRS파를 생성하고 부정맥이 종료되기 때문이다. 따라서 심방빈맥의 마지막 파형은 대부분 QRS파가 된다. 하지만 방실결절 회귀빈맥 및 방실 회귀빈맥에서도 부정맥 종료시점의 마지막 파형이 QRS파일 수 있다는 것을 간과해서는 안 된다. 아데노신 투여에 의해 방실 결절의 전도차단이 발생했음에도 불구하고 부정맥이 종료되지 않았다면 이것은 심방빈맥 또는 심방조동에 해당된다. 방실 회귀빈맥에서는 방실결절이 회귀회로에 포함되기 때문에 이러한 소견이 보인다면 진단목록에서 즉각 배제할 수 있다.

방실결절의 전도지연 및 차단이 발생하는 동안 심방 부정맥에 관한 많은 정보를 제공받는다. 따라서 이 시기에 P파의 존재여부 및 형태, QRS파와의 관계 그리고 속도 등을 평가해야 한다.

전기생리학적 검사

EPS는 부정맥 진단 및 치료를 위한 가장 확실한 방법으로 알려져 있다. EPS는 일반적으로 안전하지만 침습적 검사이기 때문에 간혹 이와 관련된 부작용이 발생할 수 있다. 많은 경우 상심실성 빈맥은 다양한 약제에 의한 단순한 약물치료가 이루어지지만 환자가 약제로 조절되지 않는 부정맥을 가지고 있거나 명확한 진단을 내리기 어려운 경우 그리고 약물치료 보다 EPS를 통한 진단 및 치료가 더 이로운 경우 EPS를 시행하게 된다.

좁은 QRS파 빈맥의 경우 증상 및 혈역학적 불안정이 의심되는 징후를 보이는 환자에서 EPS를 시행하며 이러한 증상에는 현기증, 실신, 저혈압, 조기흥분 또는 델타파가 없는 짧은 PR 간격이 포함된다.

원래 심질환(원인과 상관없이)이 있는 환자에서 협심증 및 울혈성 심부전(심근허혈 및 심기능 감소)의 징후 및 증상과 더불어 빈맥이 나타나는 경우 EPS의 적응증이 된다. 이런 경우 EPS를 시행해 부정맥 발생 부위를 찾고 고주파 도자절제술을 통해 부정맥 발생 부위를 제거하게 된다. 심근세포가 죽으면 흉터 조직으로 대체되며 이러한 흉터 조직은 부정맥 발생이 가능한 기질적 환경을 제공한다. 이러한 경우 심장의 추가적인 손상을 막기 위해 더 적극적인 치료가 필요하다.

감별진단

임상에서는 심전도 판독을 혼자 해야만 하는 상황에 놓이는 경우가 종종 있다. 이것은 쉽지 않은 일이지만 매우 소중한 시간이며 좋은 경험이 된다. 이 과정에서는 보통 진단 가능한 목록을 떠올리고 목록을 줄여 나가기 위한 생각을 하게 된다.

하지만 잠재적인 진단 목록을 작성하는 것은 좋은 시작 방법이 아니다. 병력 청취, 신체검사 그리고 부정맥과 관련된 여러가지 검사결과들부터 확인하는 것이 우선이다. 한발짝 물러서서 바라보면 다양한 질환 및 신드롬과 관련된 진단 목록을 떠올릴 수 있게 된다.

진단 가능한 목록을 작성한 이후에는 감별진단을 위한 작업에 착수한다(이번 장 첫 부분의 "초보자의 관점에서" 언급된 감별진단을 위한 단순한 접근법을 참조). 가끔은 한눈에 정확한 진단에 도달하는 경우도 있지만 그런 경우는 드물며 대부분의 경우 최종 진단에 도달하기 위해 여러 번의 추론 과정을 거쳐야 한다. 진단 가능한 목록 중에서 부정맥과 관련된 정보를 바탕으로 최종 진단명("The One")이 남을 때까지 가능성이 떨어지는 진단명을 하나씩 배제해 나가야 한다(반지의 제왕의 "The One"처럼 리듬을 지배하는).

빈맥과 혈역학적 상관관계

어떠한 환자든 빈맥(동빈맥은 포함되지 않는다)에 의한 혈역학적 불안정이 나타난다면 즉각적인 전기적 동율동전환 또는 제세동을 시행해야 한다. 전기적 동율동전환 및 제세동은 작은 전류를 즉각적으로 흘려보내 모든 심장 세포를 한꺼번에 탈분극시킨다. 이것은 마치 컴퓨터를 재시동 하는 것처럼 심박동기를 초기화 하여 다시 정상적으로 기능하게끔 한다(1장에서 언급한 심박동기 기능 참조). 전기적 심율동 전환의 목적은 즉각적인 심실 박동수의 조절, 심장기능의 복원 그리고 최대 심박출량(cardiac output)을 위한 수축력 향상에 있다.

좁은 QRS파 빈맥에서는 박동수 범위가 분당 100~360 회까지 가능하다. 하지만 다행이도 상심실성 빈맥의 대부분은 이 범위의 중간 이하에 위치한다. 쉽게 짐작할 수 있듯이 박동수와 환자가 느끼는 증상과는 밀접한 관계가 있으며 박동수가 빠를수록 환자가 느끼는 증상 및 혈역학적 안정성은 악화된다. 빈맥 시 발생하는 혈역학적 문제에는 여러가지 원인이 있을 수 있지만 가장 주된 원인으로는 심박출량의 변화가 꼽힌다.

1장에서 언급한 것처럼 심박출량은 혈압을 결정짓는 가장 중요한 요인중 하나로 이것은 1회 박출량(stroke volume) 및 박동수에 의해 결정된다. 빠른 빈맥은 일회 박출량 및 박동수 모두에 직접적인 영향을 끼쳐 심박출량을 감소 시키기도 하지만, 간접적인 영향으로 심실 과충만을 억제해 심박출량을 감소시키기도 한다.

박동수 및 혈액 역학

빠른 박동수는 다양한 방법을 통해 심장의 혈역학적 상태에 영향을 미친다. 이 중 가장 중요한 사항들은:

1. 심근의 산소요구량 증가에 따르는 상대적 허혈

2. 심실 충만 시간의 감소 및 이완기말 용적 감소

3. 심방 반동 및 심실 과충만의 감소

심근의 산소요구량 증가에 따르는 상대적 허혈

박동수 상승이 혈역학적 위험을 일으키는 원인 중 하나로 심근 자체의 산소 요구량 증가가 있다. 심장은 더 빠르게 수축함으로 인해 빈맥 시 산소 요구량은 증가되며, 이러한 산소 요구량 증가는 상대적 심근 허혈을 일으킬 수 있다. 여기서 사용된 "상대적" 이라는 단어는 심근 허혈이 죽상경화성 심장질환에 의한 것이 아닌 산소 요구량 및 공급량 사이의 불균형에 의해 발생되었음을 의미한다. 즉 산소 요구량이 공급량을 초과한 것으로 그 결과 조직은 허혈 상태가 되고 잠재 능력의 최대치(또는 정상)를 발휘하지 못하게 된다.

허혈 상태의 근육은 정상적인 수축을 하지 못한다. 이렇게 감소된 심장의 수축력은 심장에서 대동맥으로 박출되는 혈류량의 감소로 이어진다. 1장에서 언급했던 것처럼 대동맥을 확장시키는 것은 심장의 박출률(ejection fraction: 매 수축시 박출되는 혈액의 양)이다. 확장 후 안정상태로 돌아가려는 대동맥의 탄성 반동은 말초혈관으로 혈액 공급을 하기 위한 충분한 압력을 제공한다. 따라서 심장에서 박출된 혈액량이 줄어들면 대동맥은 충분한 확장을 하지 못하고 대동맥 혈압 또한 감소하게 된다. 저 혈압은 신체 전반에 걸친 저 관류를 의미하며, 이로 인해 쇼크 상태에 빠질 수도 있다.

일반적으로 빠른 빈맥 일수록 심근 세포의 산소 요구량은 증가된다. 이것은 박동수가 낮을수록 혈역학적 안정성을 갖게되는 이유가 된다. 빠른 박동수에서는 치명적인 혈역학적 손상을 야기할 수 있으며 심지어는 사망에 이르게 될 수도 있다.

심실 충만 시간의 감소 및 이완기말 용적 감소

심박수는 1회 박출량에 영향을 주어 결과적으로 심박출량에 영향을 끼치게 된다. 일반적으로 심실의 충만(혈액 유입)은 심장 휴지기(diastole)때 이루어진다. 1장에서 살펴본 것처럼 심실 충만은 능동적 및 수동적으로 이루어지며 대부분의 혈액 유입은 심장 휴지기 동안의 수동적 충만기에 이루어진다(**그림 27-23**). 능동적 충만 또한 심장 휴지기 중에

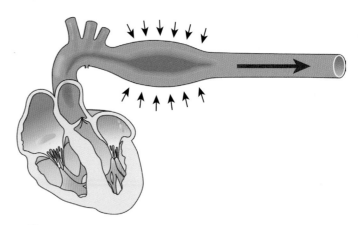

그림 27-22. 빨간색 혈액 덩어리가 심장 밖으로 박출 되었다고 생각해 보자. 이제 박출된 혈액 덩어리가 대동맥 벽을 어떻게 확장 하는지 살펴보자. 혈액 덩어리가 나머지 혈액과 섞이기 시작하면 혈관이 확장되어 동맥벽에 압력이 생겨나게 된다. 하지만 혈관은 원래의 이완 상태로 되돌아가려는 성질이 있기 때문에 동맥벽에 발생된 압력은 다시 동맥 내강에 가해지게 된다. 심장의 혈액 박출에 의해 발생된 이러한 동맥의 압력 변화는 혈액을 지속적으로 부드럽게 혈관내에서 전진하게 하는 동력원이 된다. 이 과정은 심장이 수축 할 때마다 매번 반복된다.

© Jones & Bartlett Learning.

이루어지지만 혈액의 유입은 심방의 수축(심방 반동)에 의한 능동적 방식으로 일어난다(대부분의 상심실성 빈맥은 심방 박동수가 비 정상적이기 때문에 심방 반동에도 큰 변화를 준다).

빈맥은 수축기 및 이완기 모두에 영향을 끼친다. 수축기에 끼치는 영향은 적지만 이완기는 심하게 단축되어 미치는 영향이 커진다. 심실 충만(심실로의 혈액 유입)은 대부분 이완기 때 일어나기 때문에 이완기가 짧아지면 심실로 유입되는 혈액양은 현저히 감소하게 되고 이것은 뚜렷한 심박출량의 감소로 이어지게 된다. 따라서 이완기 말의 혈액량이 작을수록 심박출량도 감소하게 된다. 간단히 요약하자면 심박수가 빨라질수록 이완기는 짧아지고 이완기가 짧아질수록 심실 충만은 감소한다. 심실 충만이 감소할수록 일회 박출량은 작아지고 일회 박출량이 작아질수록 혈압은 낮아진다(**그림 27-24**).

따라서 혈역학적 안정성은 빈맥의 박동수와 매우 큰 상관관계가 있다. 상대적으로 박동수가 느린 영역에 분포하는 상심실성 빈맥은 빠른 박동수의 상심실성 빈맥에 비해 이완기가 길어 심실에 유입되는 혈액의 양이 훨씬 많아진다. 심실 충만 시간의 증가는 심박출률(ejection fraction)의 증가 및 더 많은 심박출량으로 이어진다. 이와는 반대로 빈맥의

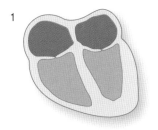 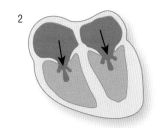  

그림23. 정상 심실충만 과정

1. 이 그림은 수축기 말의 심장 상태를 보여 준다. 심방은 혈액으로 가득차 있지만 심실은 비어 있다.
2. 확장기 초기에 방실 판막이 열리면 다량의 혈액이 심실로 유입된다. 이 시기는 확장기 중 빠른 충만기에 해당한다.
3. 확장기 중기에 심실은 혈액으로 가득찬다. 하지만 심실 벽은 전혀 늘어나지 않는다.
4. 심방의 수축을 통해 여분의 혈액이 심실에 유입되면 심실은 확장되고 과충만 된다. 심방 반동에 의해 약간 더 늘어난 심실 근육은 일회 박출량을 최대치로 올려 심박출량을 증가시킨다.

© Jones & Bartlett Learning.

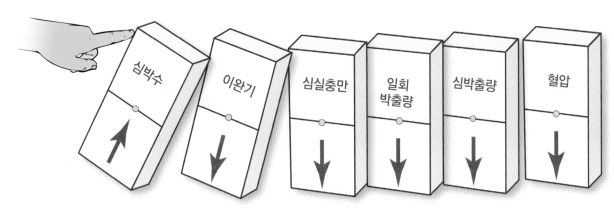

그림 27-24. 빠른 심박수에 의한 혈역학적 변화

© Jones & Bartlett Learning.

박동수가 빨라지면 심장 주기 중 이완기가 불균형적으로 더 짧아져 심실 충만이 감소하게 된다. 심실 충만 시간의 감소는 이완기 말 혈액양을 감소시켜 심박출률 및 박출량의 저하로 이어진다. 매우 빠른 박동수에서는 심실 충만 시간이 매우 짧아져 유입되는 혈액양 및 박출되는 혈액양이 급격히 감소한다. 이것은 빠른 박동수에서 혈압이 급격하게 떨어지는 직접적인 이유가 된다.

위에서 박동수가 어떻게 1회 박출량에 직접적인 영향을 주는지 살펴보았다. 이제부터는 빈맥이 1회 박출량에 미치는 간접적인 영향에 관해 살펴보도록 하자. 심실 이완기 말 혈액양은 심실 수축에 큰 영향을 끼친다. 이것은 무슨 의미일까? 일반적으로 심실은 뒤틀어 쥐어짜는 듯한 형태의 동조화된 수축을 한다. 쥐어짜는 형태란 치약을 짜는 것과 비슷하다. 치약은 보통 아래(심장의 첨부) 부분에서 위쪽(심장

의 원래부)으로 뒤틀어 짜게 된다. 이렇게 동조화된 수축은 이완기 말 혈액이 최대로 박출될 수 있도록 도움을 준다.

뒤틀어 짜는 형태의 동조화된 수축은 자극 전도가 정상 전기전도로를 이용해 양 심실 세포에 즉각적인 탈분극을 일으킬 때에만 발생 가능하다. 따라서 좁은 QRS파 빈맥에서 나타나는 동조화되고 조직화된 수축은 매우 빠른 박동수를 제외하고 일반적인 상심실성 빈맥에서 혈역학적 안정성이 유지되는 주된 이유가 된다.

심방 반동의 감소 및 심실 과충만

심방 반동은 빈맥의 혈역학적 영향을 생각할 때 고려해야 할 중요한 사항 중 하나이다. 심방 반동은 심방 수축에 의해 추가되는 소량의 혈액에 의한 여분의 심실 과충만을 의미한다. 일부 환자들은 심반 반동의 소실을 잘 견디는 경우

가 있으나 대부분은 그렇지 못한 경우가 많다.

심방 반동의 소실은 심실 과충만을 방해해 이완기 말 심실 혈액양을 감소시킨다. 부족한 심실 충만은 심실의 최대 수축력 발휘를 위해 필요한 심실 근육의 추가 팽창을 감소시킨다. 수축력 감소는 일회 박출량의 감소로 이어지고 이것은 다시 심박출량 및 혈압 저하의 결과를 낳게 된다. 1장에서 살펴본 바와 같이 심실벽의 약간의 과도한 스트레칭은 더욱 강력한 심실 수축을 유발하게 된다.

많은 상심실성 빈맥에서 발생하는 역행성 심방 수축은 심방 반동을 통한 추가적인 혈액 유입 및 심근 팽창을 방해한다. 왜냐하면 심방 수축 및 심실 수축이 거의 동시에 이루어지기 때문이다. 심방의 역행성 수축은 방실 판막이 폐쇄된 상태에서 일어나기 때문에 심방 혈류의 심실 유입은 차단된다. 대신에 심방 혈류는 심장 바깥으로 박출되어 경정맥 부위에 서내 A파를 형성하게 된디(이번 장 앞 부분의 추가정보 거대 A파 참조).

이번 장의 앞부분에서 살펴본 것처럼 어떤 상심실성 빈맥들은 박동수가 빠르더라도 정상적인 심방 수축을 하는 반면 일부는 그렇지 못하는 경우가 있다. 어느 쪽이 되었든 심방 반동의 소실은 대부분의 빈맥에서 혈역학적 불안정성을 더욱 조장하게 된다.

여분의 시간

동조화된 심실 수축의 부재는 넓은 QRS파 빈맥에서 나타나는 혈역학적 불안정의 주된 원인이 된다. 이와는 반대로 박동수가 매우 빠른 경우를 제외하고는 잠깐동안 지속되는 상심실성 빈맥에서는 혈역학적 문제가 동반되지 않는다. 이렇게 상심실성 빈맥 동안에 혈역학적 문제가 발생하지 않는 주된 이유는 심실이 정상 전기전도로를 통해 전도된 자극에 의해 대칭적이며 동조화된 수축을 하기 때문이다. 동조화된 심실 활성화는 정상적인 심실의 형상을 유지한채 최대한의 뒤틀어 쥐어짜는 수축을 가능하게 한다. 또한 대부분의 상심실성 빈맥에서는 심방반동이 유지되는 경우가 많다.

많은 상심실성 빈맥에서 나타나는 여분의 혈역학적 안정성은 리듬을 파악하기 위한 수 초 또는 수 분의 추가적인 시간을 벌 수 있게 해준다. 정확한 리듬의 진단은 환자에게 최선의 치료를 할 수 있게 하며 환자의 예후에도 영향을 미친다. 이것은 넓은 QRS파 빈맥에서는 누릴 수 없는 일종의 호사스러움과 같다.

빈맥은 더 빨리 치료할 수록 환자의 예후가 더 좋아진다는 것을 잊지말자. 우리는 치료 전에 시간을 허비하는 것을 옹호하지는 않는다. 하지만 일반적으로 상심실성 빈맥의 경우 혈역학적 안정성이 유지되는 한 심전도를 보다 세심하게 분석하기 위한 여분의 시간을 사용할 수 있다. 반약 환자가 불안정하다면 "전기는 우리의 친구"라는 옛 격언을 잊지말자. 여기서 전기는 동율동전환 또는 제세동 중 필요한 것을 의미한다.

집중화된 치료에는 집중화된 진단이 요구된다.

차를 도난 당했다고 가정해 보자. 다음 중 어떤 설명이 경찰에게 더 도움이 될까? 1) "제 차는 네 개의 바퀴와 창문이 있습니다" 또는 2) "제 차는 앞 범퍼에 우측에 긁힌 자국이 있는 2002년식 초록색 현대 소나타이며 부정맥 치료를 기념하기 위한 JUICE4U라는 번호판이 달려 있습니다" 아마도 두 번째 설명이 첫 번째 설명보다 더 빠르게 차를 찾는데 도움이 될 것이다. 마찬가지로 상심실성 빈맥이라는 용어는 수많은 가능성을 내포하고 있다. 부정맥이 상심실성이며 좁은 QRS파 형태라는 것을 아는 것은 진단에 큰 도움이 된다. 이 정보는 치료에 집중할 수 있도록 도움을 준다. 그러나 어떤 종류의 상심실성 빈맥인지를 명확히 아는 것은 치료 전략에 더욱 집중하는 데 도움이 될 수 있다.

적합한 해부학적 구조 및 관련된 생리학적 특성에 중점을 둔 치료는 빈맥의 종료에 있어 더 좋은 결과를 낳는다. 또한 심박수, 자동능, 전도속도 그리고 불응기에 영향을 주는 특정 약제들은 에초에 빈맥이 발생하지 못하도록 영향을 끼친다. 마지막으로 어느 한 상심실성 빈맥에서는 효과적인 치료가 다른 종류의 상심실성 빈맥에서는 치명적인 결과를 낳을 수 있다(방실 회귀빈맥이 좋은 예이다). 집중화된 치료에는 집중화된 부정맥의 식별과 각각의 가능성과 연관된 기전에 대한 해박한 지식이 요구된다.

요점 정리

- 상심실성 빈맥(상심실성 빈맥)이라는 우산 용어는 유사한 특징 및 치료전략을 갖는 특정 그룹에 초점을 두기 위해 사용되는 용어이다. 따라서 이것은 보다 구체적인 리듬의 진단을 의미하기 위해 사용되지는 않는다.

- 상심실성 빈맥은 심실 박동수가 100회 또는 그 이상이 되는 리듬으로 동결절, 심방, 방실결절 그리고 히스 번들에 위치한 조직 또는 이들의 조합에 의해 리듬의 시작과 유지가 이루어진다.

- 상심실성 빈맥은 좁거나 넓을 수 있다. 넓은 상심실성 빈맥의 경우 심실 빈맥으로 오인하지 않도록 철저한 평가가 이루어져야 하며, 만약 심실빈맥이 의심된다면 이에 준하는 치료를 시행해야 한다.

- 모든 환자의 접근은 병력 청취 및 신체검사에서부터 시작되어야 한다. 그런 다음 리듬 평가에 주의를 기울이자. 만약 상심실성 빈맥 중에 후보가 있다고 판단되면 이번 장에서 언급한 다양한 진단 기준을 적용하여 환자의 치료 결과를 향상할 수 있는 임상 결정 능력을 키우자.

- 부정맥을 갖고 있는 환자의 경우 12 리드 심전도 또는 여러 개의 리드를 얻으려고 노력하자. 그런 다음 리듬 분석을 위한 기본원리를 여러 개의 리드에 적용하자. 여러 개의 리드는 등전위 분절이나 2차원적 이미지에서는 볼 수 없었던 감춰진 부위를 볼 수 있게 해준다는 것을 잊지말자.

- 진단을 위한 유일한 기준으로 박동수를 사용해서는 안 된다. 왜냐하면 보통 박동수는 환자별 개인차가 크기 때문이다. 감별진단을 위해선 모든 정보를 종합적으로 검토해야 한다.

- 환자를 치료할 때에는 항상 부정맥에 대한 반응을 근거로 치료해야 한다. 일부에게는 양성인 것들이 다른 사람들에게는 치명적일 수 있다. 환자를 독특하게 만드는 특별한 사항이 있다면 항상 마음속에 염두해 두어야 한다.

- 무언가를 상심실성 빈맥이라고 말하는 것은 쉽지만 해당 그룹의 특성을 이해하는 것은 또다른 문제가 된다. 많은 사람들은 진단이 무엇인지 밝혀내지 않고 또한 그것이 환자에게 미칠 영향을 고려하지 않은 체 단순히 상심실성 빈맥이라고 부르는 경우가 많다. 그런 사람이 되어서는 안 된다. 우리는 EPS를 통해 가끔 우리의 진단이 틀렸다는 것을 알게 되는 경우가 있다. 하지만 이것이 우리의 진단이 더이상 완벽하지 않아도 된다는 변명이 되어서는 안 된다. 우리는 환자의 머리맡에서 리듬을 감별하고 있는 것이지 EPS 검사를 시행하고 있는 것은 아니다. 이러한 이유로 진단기준이 적립되어 왔으며 이를통해 우리는 좀더 정확한 임상 결정을 내릴 수 있는 시간을 제공 받는다.

- 빈맥의 기전 및 특정 징후를 이해하고 있으면 예기치 못한 상황이 발생했을 때 유연하게 대처할 수 있다. 환자마다 모두 특색이 다르다는 것을 기억하자. 수백만 개의 심근 세포는 삼차원 공간에서 정렬되어 있으며 정렬된 방향은 환자마다 다르다. 이것은 사람마다 심전도 패턴이 다르게 나타나는 이유가 된다. 요점을 설명하기 위해 비유를 들어보자. 지문은 고유한 특성이 있다. 하지만 심전도는 이것보다 훨씬 더 고유한 특성을 갖는다. 왜냐하면 앞서 언급한 것처럼 심장을 구성하는 수백만 개의 세포가 각각의 작은 백터를 형성하기 때문이다. 이러한 수백만개의 작은 백터의 총 합은 고유한 심전도 패턴으로 나타나게 된다. 이 사실에 더해 심장에는 매 순간 발생하는 이벤트와 물결처럼 끊임없이 반복되는 움직임이 있다. 만약 이 사실을 이해했다면 우리의 신체와 장기가 순간 순간 변화하는 유동상태에 있음으로 인해 심전도 패턴이 지속적으로 변화된다는 것을 쉽게 이해할 수 있을 것이다. 이러한 끊임없는 형태변화는 패턴 분석이 심전도 또는 부정맥 해석에 있어 실제로 실행 가능한 선택이 되지 못하는 이유가 된다.

- 모든 것을 한 번에 습득하려고 하지 말자. 작은 한 걸음씩 차근차근 알아가면 언젠가는 모든 지식을 습득하게 될 날이 올 것이다.

단원 복습

1. 다음 중 빠른 박동수가 혈역학적 상태에 미치는 영향이 아닌 것은?

   A. 산소 요구량의 증가로 상대적 허혈이 발생할 수 있다.

   B. 정맥 환류량이 감소한다.

   C. 심실 충만시간이 감소한다.

   D. 확장기말 볼륨(확장기말 심실 혈액량)

   E. 심방 반동이 소실되거나 감소하여 심실 과충만이 줄어든다.

2. 집중화된 치료에는 _____ 된 부정맥의 식별이 필요하다.

3. 박동수는 좁은 QRS파 빈맥을 감별하는 가장 중요한 요소이다. (맞다 / 틀리다)

4. 완전히 불규칙적 형태의 상심실성 빈맥 세 가지를 기술하시오.

   A. _____

   B. _____

   C. _____

5. 분당 200회 이상의 좁은 QRS파 빈맥으로 QRS파 사이에 0.04~0.06 초 사이의 작은 변이가 있는 경우 규칙적 리듬으로 취급된다. (맞다 / 틀리다)

6. 만약 5번 문항의 리듬 묘사에서 구분 가능한 P파가 없다면 가장 적절한 리듬의 진단명은 _____ 이다.

7. 좁은 상심실성 빈맥을 감별하기 위해 첫 번째로 확인해야 할 가장 중요한 사항은 P파의 존재 여부 및 QRS파와의 관계 그리고 위치를 파악하는 것이다. (맞다 / 틀리다)

8. 140회 이상의 좁은 QRS파 빈맥에서 인공 R' 파 및 S파 소견이 나타난다면 진단은 _____ 일 가능성이 높다.

9. 상심실성 빈맥 의 시작과 종료의 형태는 감별진단을 위한 중요한 정보를 포함하지 않는다.(맞다 / 틀리다)

10. 동빈맥 환자의 치료를 위한 사항 중 적절하지 않은 것은?

    A. 산소 공급

    B. 체액 공급

    C. 아세트아미노펜(acetaminophen) 투여

    D. 몰핀(morphine) 투여

    E. 전기적 심율동 전환 시행

참고문헌

1. Page RL, Joglar JA, Caldwell MA, et al. 2015 ACC/AHA/HRS guideline for the management of adult patients with supra-ventricular tachycardia: a report of the American College of Cardiology/American Heart Association Task Force on Clinical Practice Guidelines and the Heart Rhythm Society. *Circulation*. 2016;133:e506-e574. doi: 10.1161/CIR.0000000000000310.

방실 차단

제 28 장

목표

1. 방실 차단의 일반적 정의 및 중증도에 따른 분류를 설명한다.
2. 1도 방실 차단의 정의 및 진단기준을 설명한다.
3. 2도 방실 차단(Mobitz I)의 정의 및 진단기준을 설명한다.
4. 2도 방실 차단(Mobitz II)의 정의 및 진단기준을 설명한다.
5. 2:1 방실 차단의 정의 및 진단기준을 설명한다.
6. 2:1 방실 차단에서 Mobitz I 또는 Mobitz II 방실 차단의 구별을 설명한다
7. 고도 방실 차단의 정의 및 진단기준을 설명한다.
8. 3도 방실 차단 또는 완전 방실 차단의 정의 및 진단기준을 설명한다.
9. 그룹핑(grouping)과 연관된 방실 차단 유형을 비교한다.
10. 방실 차단 발생과 연관된 임상적 상황 및 조건을 나열한다.
11. 심전도상에서 방실 차단의 유형별 감별진단을 설명한다.

일반적 개요

독자들은 이 저서에서 방실 차단이 왜 방실접합부 리듬에서 다루어지지 않고 따로 분류되었는지 궁금해 할 것이다. 먼저 시작하기 전에 방실 차단 자체는 부정맥이 아니라고 말하고 싶다. 대신에 단순히 정상 전기전도로가 차단된 것이라고 생각하면 좋다. 이러한 이유로 방실 차단은 일차적인 부정맥으로 표현되는 것이 아니라 보통 이차적으로 동반되는 상태로 표현된다. 예를 들어 "동빈맥에 동반된 ＿＿＿도 방실 차단"처럼 말이다.

매우 간단한 용어로 상심실성 자극이 방실결절 및 정상 전기전도로를 통해 전도되는 과정에서 부분적 또는 완전한 전도 차단이 발생하는 경우 우리는 이것을 방실 차단이라 부른다(**그림 28-1**). 단순히 자극의 전도 지연만 발생하면 이것은 1도 방실 차단이라 부르며 심전도 상에선 0.2초 이상으로 연장된 PR 간격으로 나타난다. 방실 차단이 간헐적으로 일어나 QRS파의 탈락박동이 발생되는 경우 2도 방실 차단이라 부르며 이 경우엔 Mobitz I 과 Mobitz II의 2가지 주요한 유형이 있다. 소수 유형으로 2:1 방실 차단(분류되지 않는: untypable)과 고도 방실 차단(또는 진행된)이 있으며 심방과 심실 사이의 소통 및 전도가 완전히 끊어진 경우는 완전 또는 3도 방실 차단이라 부른다.

이번 장을 통해서 이러한 다양한 유형의 방실 차단을 감별하는 진단기준과 유형별 리듬스트립을 살펴볼 예정이다. 히스속의 전기적 활동을 검사하는 전기생리학적 검사는 방실 차단의 이해를 돕고 차단 부위를 진단하는데 큰 도움을 준다. 하지만 전기생리학적 검사와 관련된 개념은 이 저서의 범위를 넘어선다. 따라서, 우리는 실제 리듬스트립을 통해 유형별 방실 차단을 감별하는데 집중하고 필요한 경우에만 전기생리학적 정보를 제공할 예정이다. **그림 28-2**는 P파를 기준으로 방실 차단을 식별하는 기억하기 쉬운 방법을 보여준다. 만약 이 주제에 관해 추가적인 정보를 얻기 원한다면 이 저서의 끝부분 참고 목록(references)을 참조하길 바란다.

1도 방실 차단

1도 방실 차단의 특성에 관해 알아보기 전에 PR 간격 자체를 만드는 다양한 요소에 관하여 살펴보자(**그림 28-3** 참조). 심전도적으로 동결절에서 생성된 자극이 정상 자극전도로를 통해 심실에 전도될 때까지의 과정이 PR 간격이 나타난다. 실질적인 동결절의 탈분극은 P파 생성 직전에 매우 짧게 발생한다. 거기에서부터 전기적 자극은 심방 세포간 전도가 아닌 결절간 경로(internodal pathways)로 알려진 특화된 전도로를 통해 매우 빠르게 전파된다. 이 빠른 경로로 인해 느린 심방의 탈분극 과정과는 상관없이 동결절의 자극은 매우 빠른 속도로 방실결절에 전도한다. P파는 실제 심방 세포 자체의 탈분극에 의해 생성된다. 이러한 결절간 자극전도와 P파의 생성은 동시에 진행되며 결절간 전도는 **그림**

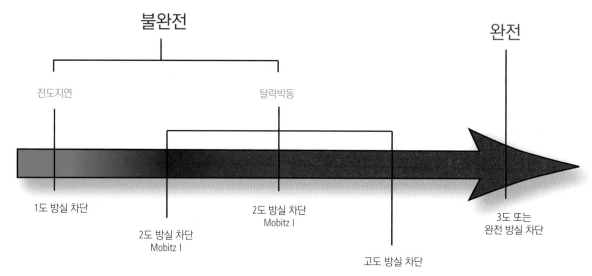

그림 28-1. 방실 차단. 화살표의 빨간색 부분은 방실 차단의 유형중 중 치명적인 유형 가르킨다.

전도 차단된 P파가 없다면
⇨
1도 방실 차단

몇 개의 P파가 전도 차단된다면
⇨
2도 방실 차단

모든 P파가 전도 차단된다면
⇨
3도 방실 차단

그림 28-2. P파를 기준으로 한 쉬운 방실 차단 기억법

© Jones & Bartlett Learning.

한가지 더

"차단"

초보자들은 종종 방실 차단을 식별하고 이해하는데 어려움을 겪는다. 그 이유는 "차단" 이라는 단어는 여러 과정을 설명하는데 사용되기 때문이다.

앞서 언급한 것처럼 방실 차단은 자극의 전도 과정에서 발생하는 문제에 의해 발생하며 심전도상에는 전도지연, 탈락박동 또는 심방과 심실간의 완벽한 소통 차단의 형태로 나타난다. 전도 차단은 정상 전기전도로 어디에서나 발생가능하다. 하지만 차단이 가장 흔하게 발생하는 부위는 주로 방실결절 그리고 히스속 또는 히스속 가지(bundle branches)이며 차단의 형태는 병적 또는 기능적 형태 중 하나가 된다.

하지만 각차단은 병적 혹은 해부하적 차단에 의해 발생되는 경우가 많으며 정상 전기전도로의 우각 또는 좌각 수준에서 발생한다. 각차단이 발생하면 각차단이 발생한 심실의 자극 전도는 전도속도가 느린 세포 간 전도를 통해 이루어지기 때문에 심전도 상에 심실탈분극은 넓은 QRS파 형태로 나타나게 된다. 또한 QRS파의 형태는 각차단이 발생한 부위에 따라 우각차단 또는 좌각차단의 전형적인 형태를 띄게 된다.

이와 마찬가지로 섬유속차단(hemiblocks) 또한 주로 병적 차단에 의해 발생하며 좌전속(left anterior fascicle) 또는 좌후속(left posterior fascicle) 수준에서 발생한다. 섬유속차단은 심전도 상에서 주로 QRS파의 축(axis) 변이를 가져온다.

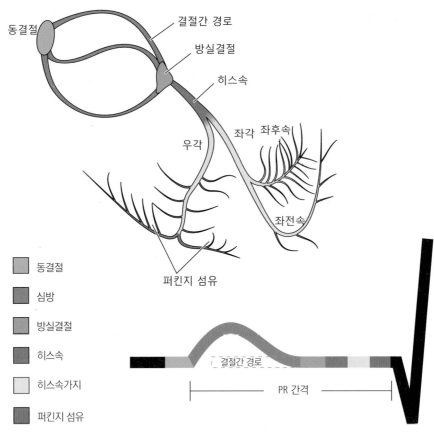

그림 28-3. 정상 전기전도로는 전기 자극을 동결절로부터 심근에 전도한다. PR 간격은 다양한 구성 요소에 의해 이루어지며 각 구성 요소는 색깔별로 표시되었다.

© Jones & Bartlett Learning.

28-3에서 P파 아래의 파란색 점선으로 표시된다.

심방과 방실결절을 통한 자극전도가 끝나면 자극은 히스속, 각분지 그리고 퍼킨지 섬유로 이동한다.

여기까지가 PR 간격에 포함되는 모든 구성요소의 전기전도 과정이며, 이 상황은 지금도 계속적으로 반복되고 있다. 따라서 PR 간격은 전체 정상 전기전도로를 통한 자극 전도를 나타내며 PR 간격은 P파의 시작부터 QRS파의 시작까지의 간격으로 측정한다.

1도 방실 차단의 정의는 정상 전기전도로의 병적인 원인에 의한 전도지연으로 PR 간격이 0.2초(정상의 경계선) 이상 연장된 상태를 말한다. 전도지연은 대부분 방실결절 또는 히스속 수준에서 발생한다(드물게는 히스속 원위부에서 발생할 수 있다). 주목할 것은 1도 방실 차단은 전도지연 또는 불완전한 방실 차단을 의미하는 것이기 때문에 모든 P파는 심실에 전도된다. 즉, 전도가 늦을 뿐이지 차단 되는 것은 아

니다. 그렇다면 전도지연이 어떻게 PR 간격을 연장할까? **그림 28-3**에서처럼 정상 전기전도로를 통한 전파는 PR 간격 동안에 일어난다. **그림 28-3**을 통해 추론하고 **그림 28-4**를 통해 명확히 알 수 있듯이 PR 간격의 구성요소 중 어떠한 요소에서 전도지연이 발생한다면, 이것은 전체 PR 간격의 연장으로 나타나게 된다. 따라서 방실결절 또는 히스속에서 발생된 심각한 전도지연은 전체적인 PR 간격의 연장을 초래한다.

앞서 언급한 것처럼 1도 방실 차단은 심전도 상에서 0.2초 이상의 PR 간격 또는 심전도 용지에서 하나의 큰 사각형 이상의 간격으로 나타난다. 일반적으로 1도 방실 차단의 PR 간격 범위는 0.21~0.4초 이지만 드물게는 0.6~1초에 도달하는 경우도 있다. **그림 28-5**는 다양한 예시의 연장된 PR 간격을 보여준다. 경우에 따라선 P파가 이전 T파와 융합되는 경우도 있으며 아주 드물게는 P파가 이전 QRS파를 선행

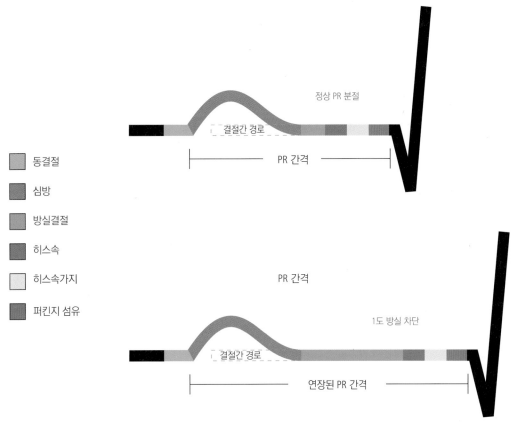

동결절
심방
방실결절
히스속
히스속가지
퍼킨지 섬유

정상 PR 분절
결절간 경로
PR 간격

PR 간격
결절간 경로
1도 방실 차단
연장된 PR 간격

그림 28-4. PR 간격의 구성요소 중 한 요소에서 전도지연이 발생한다면, 이것은 전체 PR 간격의 연장으로 나타나게 된다. 이 경우 전도지연은 방실결절에서 발생하였다.

© Jones & Bartlett Learning.

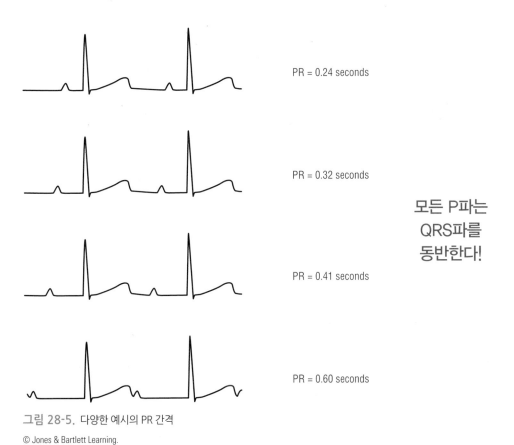

PR = 0.24 seconds

PR = 0.32 seconds

모든 P파는
QRS파를
동반한다!

PR = 0.41 seconds

PR = 0.60 seconds

그림 28-5. 다양한 예시의 PR 간격

© Jones & Bartlett Learning.

하는 경우도 있다. 이러한 혼란스러운 상황에 대하여 좀더 자세히 살펴보자.

1도 방실 차단 시의 QRS파의 폭은 기존 각차단 또는 편위전도가 있지 않는 한 정상범위로 나타난다. 심실 탈분극은 QRS파로 표현된다는 것을 기억하자. 1도 방실 차단은 심실 탈분극에 직접적인 영향을 주지 않기 때문에 QRS파의 폭은 항상 정상 범위이다. 다시 말해 전도 지연은 정상 전기전도로(PR 간격으로 표현됨)에 있는 것이지 심실 탈분극(QRS파로 표현됨) 자체에 있지 않다.

그림 28-5의 1도 방실 차단의 예시를 보면 모든 P파에는 모두 QRS파가 동반된다는 것을 알 수 있다. 즉 1:1의 전도 비율(P파 마다 하나의 QRS파)은 1도 방실 차단의 매우 중요한 특징이 된다. 그 이유는 1도 방실 차단은 실제 전도 차단이 아닌 전도지연을 의미하기 때문이다. 반면 나머지 유형의 방실 차단은 탈락박동 또는 완전 방실 치단의 형대로 나타나기 때문에 1:1 전도 비율은 불가능하다.

마지막으로 1도 방실 차단의 PR 간격 연장 정도는 시시 각각 변화될 수 있다. 이러한 PR 간격의 변동은 여러 요인에 의해 발생하는데 그중 하나가 심박수이다. 일반적으로 서맥에선 PR 간격이 연장되고 빈맥에선 PR 간격이 줄어든다. 미주신경의 긴장도 역시 PR 간격에 영향을 끼치며 미주신경의 자극은 PR 간격을 연장시킨다. 25장 방실결절 회귀빈맥에서 언급한 이중경로 역시 PR 간격에 영향을 줄 수 있는데 느린경로(slow pathway) 또는 빠른경로(fast pathway)를 통한 전도 여부에 따라 PR 간격은 길고 짧아질 수 있다.

이번 장에선 방실 차단의 유형에 대한 개별적 설명 후 실제 환자의 리듬 스트립을 이용한 증례를 살펴볼 예정이다. 이렇게 하면 한 번에 하나씩 각 유형에 친숙해질 수 있을 것이다. 이 방법을 통해 방실 차단이라는 혼란스러운 주제에 대한 명확한 그림을 그리는데 도움이 되길 바란다.

한가지 더

넓은 QRS파와 방실 차단

일반적으로 방실 차단은 방실결절 또는 히스속 분지 전에 발생한다. 이러한 경우 QRS파의 폭은 정상범위가 된다(기존 각차단 및 편위전도가 있지 않는 한). 하지만 히스속 분지 이후에 방실 차단이 발생하는 경우 QRS파의 폭은 정상범위보다 넓어진다. 따라서 방실 차단이 넓은 QRS파 형태를 가질 필요는 없다는 것을 염두해 두자.

우리가 좀더 심각한 방실 차단에 직면하더라도 방실 차단이 히스속 분지 위에서 발생한다면 좁은 QRS파가 나타

난다. 왜냐하면 심실 탈분극이 정상 전기전도로를 통해서 이루어지기 때문이다. 이와는 반대로 히스속 아래에서 방실 차단이 발생하면 QRS파는 넓은 형태로 나타난다. 그 이유는 차단부위 아래의 심근은 세포 간 전도를 통한 느린 전도를 통해 탈분극이 이루어져야 하기 때문이다. 이 과정은 넓은 QRS파를 생성한다.

사실 이 논의는 1도 방실 차단과는 관련이 없다 하지만 앞으로 살펴볼 고도 방실 차단에서는 상당히 중요한 논의 사항이 될 것이다.

심전도 스트립

심전도 1

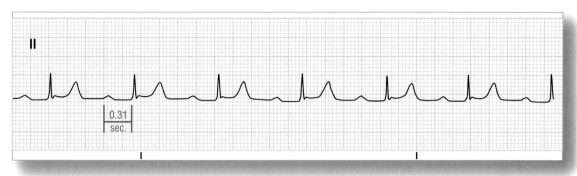

박동수 :	분당 약 65회	PR 간격 :	연장됨
규칙성 :	규칙적	QRS 폭 :	정상
P파 : 　형태 : 　축 :	정상 정상 정상	그룹화 :	없음
		탈락 박동 :	없음
P:QRS 비 :	1:1	리듬 :	1도 방실 차단을 동반한 동성 리듬

　심전도 1은 상향의 P파를 갖는 규칙적인 리듬이다. PR 간격은 0.31초로 0.2초인 정상범위를 초과 하였다. P파와 QRS파의 전도비율은 1:1이며, P파 마다 하나의 QRS파를 생성되었다. 이 모든 소견은 동성 리듬에 동반된 1도 방실 차단에 상응한다.

심전도 2

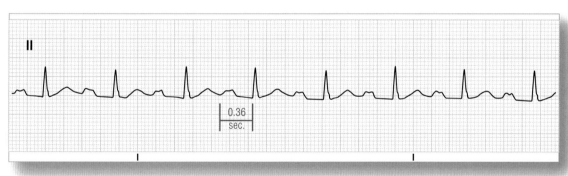

박동수 :	분당 약 79회	PR 간격 :	연장됨
규칙성 :	규칙적	QRS 폭 :	정상
P파 : 　형태 : 　축 :	넓음 넓음 정상	그룹화 :	없음
		탈락 박동 :	없음
P:QRS 비 :	1:1	리듬 :	1도 방실 차단을 동반한 동성 리듬

　심전도 2, 리듬 스트립은 리드 II이며 상향의 P파와 정상적인 형태의 QRS파가 관찰된다. 박동수는 약 75회이다. P파와 QRS파의 전도비율은 1:1이며 P파마다 하나의 QRS파가 생성되었다. PR 간격은 0.36초로 연장되어 있어 동성 리듬에 동반된 1도 방실 차단에 해당된다.

심전도 3

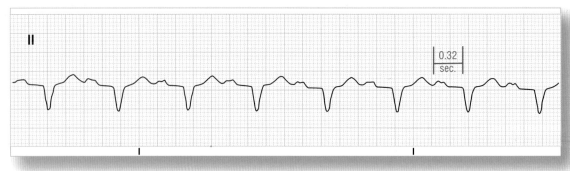

From *Arrhythmia Recognition: The Art of Interpretation*, courtesy of Tomas B. Garcia, MD.

박동수 :	분당 약 77회	PR 간격 :	연장됨
규칙성 :	규칙적	QRS 폭 :	넓음
P파 :	정상	그룹화 :	없음
형태 :	정상		
축 :	정상	탈락 박동 :	없음
P:QRS 비 : 1:1		리듬 :	1도 방실 차단을 동반한 동성 리듬

심전도 3은 심전도 2와 같은 환자는 아니지만 P파와 박동수는 유사하다. 하지만 유사점은 여기서 끝이다. 리드 II에서 등이 굽은 형태의 상향 P파와 0.32초까지 연장된 PR 간격이 관찰된다. 또한 QRS파 간격은 정확히 0.12초로 측정되어 넓은 편에 속한다. 하지만 이것은 방실 차단 때문이 아닌 좌각 차단에 의해 발생되었다. 최종진단은 기존 좌각 차단이 있는 환자의 동성 리듬에 동반된 1도 방실 차단이다.

심전도 4

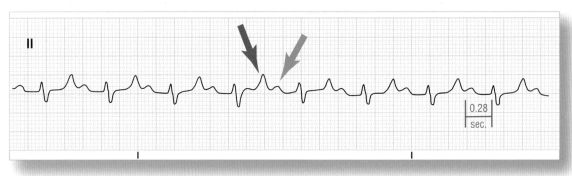

From *Arrhythmia Recognition: The Art of Interpretation*, courtesy of Tomas B. Garcia, MD.

박동수 :	분당 약 85회	PR 간격 :	연장됨
규칙성 :	규칙적	QRS 폭 :	정상
P파 :	정상	그룹화 :	없음
형태 :	정상		
축 :	정상	탈락 박동 :	없음
P:QRS 비 : 1:1		리듬 :	1도 방실 차단을 동반한 동성 리듬

심전도 4는 0.28초까지 연장된 PR 간격을 보여준다. QRS파는 비교적 작고 등전위이지만 T파는 매우 크고 두드러져 보인다. 파란색 화살표는 T파를 가리키며 분홍색 화살표는 P파를 가리킨다. 이 심전도에서 P파의 시작은 T파와 어느정도 겹치기 때문에 실제 PR 간격은 아마도 0.28초 보다 더 길 것으로 추측된다. 따라서 P파의 시작이 빠를수록 선행하는 T파와 겹쳐져 PR 간격이 실제보다 짧게 측정될 확률이 높아진다.

심전도 5

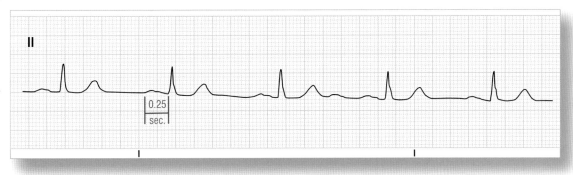

From *Arrhythmia Recognition: The Art of Interpretation*, courtesy of Tomas B. Garcia, MD.

박동수 :	분당 약 52회	PR 간격 :	연장됨
규칙성 :	규칙적	QRS 폭 :	정상
P파 :	넓음	그룹화 :	없음
형태 :	넓음		
축 :	정상	탈락 박동 :	없음
P:QRS 비 :	1:1	리듬 :	1도 방실 차단을 동반한 동성 리듬

　심전도 5는 좁은 QRS파를 보이는 동서맥이다. P파는 리드 II에서 상향이며 이것은 정상적인 P파의 백터 방향과 같다. PR 간격은 0.25초로 연장되어 1도 방실 차단의 소견을 보인다. PR 간격의 대부분을 간격이 매우 넓은 P파(좌심방 비대에 의한 승모판성 P파)가 차지하는 것이 눈에 띈다. PR 간격을 구성하는 어떤 요소든 상관없이 전도지연으로 인해 0.2초 이상의 PR 간격 연장을 초래한다면 1도 방실 차단으로 진단할 수 있다.

2도 방실 차단

　2도 방실 차단의 특징은 정상 리듬의 P파와 이에 동반되는 간헐적인 탈락박동이다. 탈락박동은 보통 각 그룹에서 하나씩 발생하지만 드물게 여러 개의 탈락박동이 발생하는 경우도 있다(특히 Mobitz II). 2도 방실 차단의 전도 방법은 실무율(all-or-none)과 매우 유사하다. 즉 심실을 향한 탈분극파의 전도는 발생하거나 발생하지 않는 두 가지 경우 밖에 없으며 이것은 1도 방실 차단에서 보았던 전도 지연과는 매우 대조적이다.

　탈락박동은 2도 방실 차단의 유형과는 상관없이 파형들을 그룹(grouping)지어 보이도록 한다(**그림 28-6**). 즉 탈락박동에 의해 만들어지는 리듬 스트립상의 빈 공간은 매우 규칙적으로 발생하기 때문에 육안으로 보면 마치 파형들을 그룹짓는 것 같은 인상을 주게 한다. 따라서 2도 방실 차단이 의심된다면 그룹 박동(group beat) 여부를 확인하는 것이 매우 중요하다.

　2도 방실 차단에는 두 가지 주요 유형 및 두 가지 소수 유형이 있다. 주요 유형에는 Mobitz I 2도 방실 차단(Wenckebach 라고도 부른다)과 Mobitz II 2도 방실 차단이 있다. 이 둘의 차이점은 PR 간격과 방실 차단을 일으키는 부위에 있다. 소수 유형에는 고도 또는 진행된 방실 차단 그리고 2:1 방실 차단 또는 분류되지 않는(untypable) 방실 차단이 있으며 앞으로 이러한 유형들에 관하여 각각 살펴보도록 하겠다.

Mobitz I 2도 방실 차단

　Mobitz I 2도 방실 차단 또는 Wenckebach 차단은 매우 흔한 리듬 이상이며 임상적으로는 양성에 속한다.

　이것의 특징은 정상 리듬의 P파가 지속될 때 P파 중 하나가 전도 차단이 되며 전도 차단이 되기 전까지 PR 간격이 점진적으로 연장된다는 것이다. 즉 점진적인 PR 간격의 연장 이후에 탈락박동이 발생하며 탈락박동 이후 PR 간격은 초기화되어 다시 짧아진다. Mobitz I 2도 방실 차단의 주요 진단기준은 다음과 같다.

1. P파의 전도 차단이 발생할 때까지 PR 간격은 점진적으로 늘어난다.

   a. PR 간격은 탈락박동 직후가 가장 짧다.

   b. PR 간격은 탈락박동 직전이 가장 길다.

   c. PR 간격의 가장 큰 증가폭은 첫 번째와 두 번째 PR 간격 사이에서 발생한다.

2. R-R 간격은 탈락박동 전까지 점진적으로 줄어든다.

3. 전도 차단된 P파를 포함한 R-R 간격은 두 개의 P-P 간격의 합보다 작다.

Mobitz I 2도 방실 차단의 전도 차단은 대부분 방실결절 영역에서 발생한다. 그러나 약 1/4의 경우는 방실결절 아래

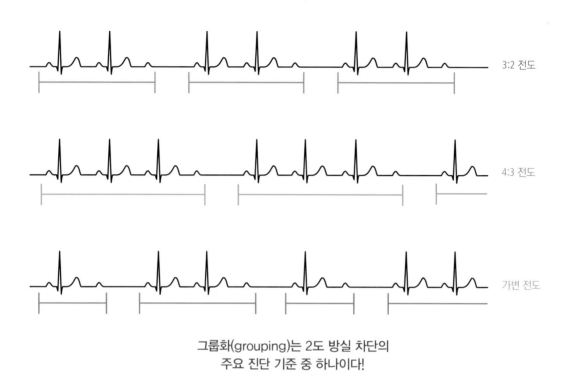

3:2 전도

4:3 전도

가변 전도

그룹화(grouping)는 2도 방실 차단의
주요 진단 기준 중 하나이다!

그림 28-6. Mobitz II 2도 방실 차단의 다양한 전도 형태.

© Jones & Bartlett Learning.

한가지 더

전도 관련 용어

2도 방실 차단의 다양한 유형을 언급할 때 사람들은 "전도(conduction)"와 "차단(block)"을 서로 바꾸어 사용하는 경향이 있다. 이로 인해 차단과 관련된 혼란이 생길 수 있으며, 이는 심각한 오류로 이어질 수 있다.

방실 차단 시 전도 비율은 심실에 전도하는 P파의 비율을 나타낸다. 예를 들어 3:2 전도는 하나의 그룹을 이루는 3개의 P파 중 2개의 P파만이 정상 전도되어 2개의 QRS파가 생성 되었다는 것을 의미한다. 즉, 1개의 P파만이 전도 차단된 것이다.

만약 전도비율 대신 차단비율을 사용하면 한 그룹을 구성하는 총 P파의 수에서 전도 차단된 P파의 수를 표기하게 된다. 예를 들어 3:2 차단은 하나의 그룹을 이루는 3개의 P파 중 2개의 P파가 전도 차단되고 오직 1개의 P파만이 정상 전도되어 1개의 QRS파가 생성된 것을 의미한다.

용어사용에 대한 혼선을 피하기 위해선 전도 비율을 언급할 때 "전도" 혹은 "차단" 중에 하나의 단어만 선택하여 사용하는 것을 추천하며 우리는 "전도"가 임상에서 필요한 보다 많은 정보를 포함한다고 생각한다. 따라서 이 저서 에서는 "전도"가 전적으로 사용될 예정이다.

에서 발생하기도 한다.

Wenckebach 차단 시 QRS파의 폭은 기존 각차단 또는 편위전도가 있지 않는 한 정상범위로 나타난다. 또한 드물기는 하지만 히스속 아래 부위에서 차단이 발생하면 QRS파의 폭은 넓은 형태로 나타나게 된다.

1. P파의 전도 차단이 발생할 때까지 PR 간격은 점진적으로 늘어난다.

Wenckebach 현상은 동성리듬, 이소성 리듬 또는 방실접합부리듬 모두에서 발생 가능하다. 일반적으로 Wenckebach 시의 P-P 간격은 리듬의 종류와 상관없이 일정하다.

2도 방실 차단이 발생하기 위해선 전도 지연을 일으키는 부위가 있어야 하며, 전도 지연이 점진적으로 진행하면 결국 전도 차단이 일어나게 된다. 점진적인 전도 지연과 전도 차단은 차단 부위의 점전적인 불응기 연장과 전도속도 저하에 의해 발생한다. Wenckebach의 경우 전도 차단은 일반적으로 방실결절에서 발생하지만 정상 전기전도로 어느 부위에서나 발생 가능하기도 하다. 하지만 쉬운 설명을 위해 우리는 차단 부위를 방실결절에 국한하도록 한다.

탈락박동 이후의 방실결절의 불응기는 탈락박동에 의한 휴지기로 인해 원래의 상태로 회복되어 진다. 따라서 탈락박동 이후의 첫 번째 상심실성 자극은 아무 어려움 없이 방실결절에 전도되며 PR 간격의 연장 없이 QRS파를 생성한다(**그림 28-7**). 하지만 첫 번째 자극이 전도된 후 방실결절의 불응기는 약간 연장되고 이로 인해 다음 자극(두 번째)에 대한 전도지연이 발생된다(**그림 28-8**). 즉 R-R 간격은 두 번째 자극에 의해 일시적으로 연장된다.

두 번째 자극 역시 방실결절을 통과함에 따라 방실결절의 불응기는 더욱 연장되고 이로 인해 세 번째 자극에 대한 방실결절의 전도속도는 더욱 느려지게 된다. 이것은 세 번째 자극에 의한 PR 간격의 추가적인 연장으로 나타난다. 이러한 과정의 전도지연은 결국 방실결절이 자극에 반응할 수 없는 절대 불응기에 도달하기(방실 차단) 전까지 계속된다(**그림 28-9**). 이것은 심전도 상에서 정상 리듬의 P파와 그룹 형태의 탈락박동으로 나타난다. 탈락박동에 의해 제공된 추가 시간에 의해 방실결절의 불응기는 초기화되고 탈락박동 이후의 첫 번째 P파부터 이 모든 과정은 다시 되풀이된다.

이러한 과정을 통해 반복되는 점진적인 전도지연과 방실 차단은 Wenckebach 차단을 그룹지어 보이도록 한다. Wenckebach의 그룹화는 다양한 전도비율로 발생할 수 있

다. 그러나 그룹의 전도 비율은 항상 N-1의 비율을 따른다. 즉 QRS파의 개수는 P파의 개수보다 항상 한 개가 작다. 따라서 가능한 전도비율은 2:1, 3:2, 4:3, 5:4, …10:9, …17:16 … 기타 등등이다. 또한 전도비율은 한 사람에게서 다양하게 나타날 수 있다. **그림 28-10**은 전형적인 Mobitz I 2도 방실 차단의 전도비율을 보여준다.

a. PR 간격은 탈락박동 직후가 가장 짧다.

앞서 살펴본 것처럼 방실결절은 탈락박동 이후에 새로운 자극을 가장 잘 받아들일 수 있게 된다. 그 이유는 휴지기 동안 방실결절의 불응기가 끝나고 정상적인 탈분극이 가능할 만큼 회복되기 때문이다. 이로 인해 방실결절은 탈락박동 이후의 첫 번째 P파를 최소화된 PR 간격으로 전도한다. 따라서 어떠한 그룹에서도 첫 번째 PR 간격(탈락박동 이후 첫 번째 발생하는 PR 간격)은 그룹 내에서 항상 가장 짧은 PR 간격이 된다(**그림 28-11**).

b. PR 간격은 탈락박동 직전이 가장 길다.

앞서 언급한 것처럼 정상 전기전도로를 통한 전도는 실무율(all-or-none)과 유사하다. 따라서 전도는 발생하거나 또는 차단되는 두 가지 경우만 가능하다. PR 간격이 어떻게 연장 되는 지에 관한 논의로 돌아가서, 우리는 P파가 방실결절을 통과할 때마다 방실결절의 자극 전도를 어렵게 하고 이것이 PR 간격의 점진적인 연장으로 나타난다는 것을 배웠다. 탈락박동 직전의 P파(전도되지 않은)는 PR 간격이 전혀 없다. 따라서 가장 긴 PR 간격은 마지막으로 전도된 P파와 QRS파 사이의 간격이 된다. 이 운좋은 P파는 방실결절이 전도를 포기하기 직전에 심실에 전도된다. 따라서 방실결절의 전도지연은 최대치가 되고 그룹에서 가장 연장된 PR 간격을 발생시킨다(**그림 28-12**).

지금까지 우리는 Wenckebach 또는 Mobitz I 2도 방실 차단이 PR 간격의 점진적인 연장과 이후에 발생하는 방실 차단과 연관이 있다는 것을 살펴보았다. 또한 가장 짧은 PR 간격은 그룹 중 첫 번째이고 가장 긴 PR 간격은 그룹 중 마지막 이라는 것도 확인했다. 이제부터는 첫 번째와 마지막 PR 간격 사이에 어떤 일이 벌어지는지 자세히 살펴보도록 하자.

c. PR 간격의 가장 큰 증가폭은 첫 번째와 두 번째 PR 간격 사이에서 발생한다.

앞서 논의를 통해 우리는 그룹 중 첫 번째 PR 간격이 가장

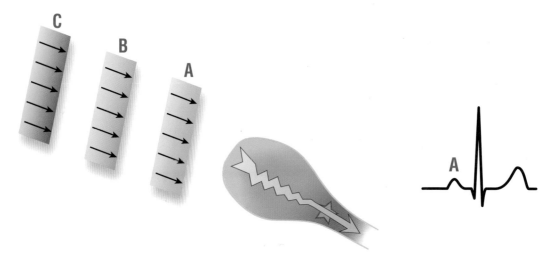

그림 28-7. 이 그림은 동결절에서 생성된 3개의 파형이 전도가 느린 또는 전도장애가 있는 방실결절에 접근하는 상태를 보여 준다. 이 그림에서 A 로 표기된 파형은 불응기 상태에서 회복된 방실결절에 도달하였다. 이것은 아무 어려움 없이 방실결절을 탈분극하였고 이후 자극은 심실에 전도된다.

© Jones & Bartlett Learning.

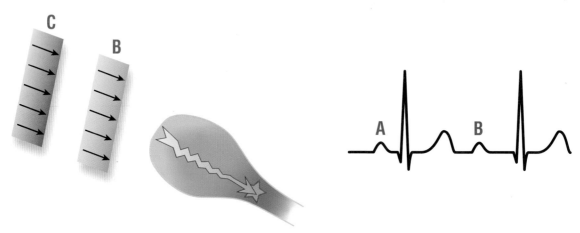

그림 28-8. 이 그림은 전도가 더 느려지고 불응기가 더 연장된 방실결절에 두 번째 파형이 접근하는 상태를 보여준다. 방실결절의 전도 지연으로 인해 PR 간격은 연장되었다. 이 그림에서 B로 표기된 파형은 방실결절을 쉽게 통과하지 못 한다. 하지만 결국 자극은 방실결절을 통과하고 이후 심실에 전도된다.

© Jones & Bartlett Learning.

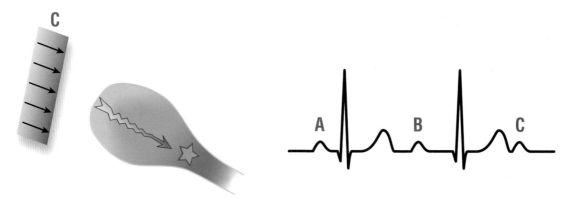

그림 28-9. 이 그림은 세 번째 파형이 전도가 매우 느려지고 불응기가 상당히 연장된 방실결절에 접근하는 상태를 보여준다. 이 그림에서 C 로 표기된 파형은 불응기 상태인 방실결절을 통과하지 못 한다. 따라서 방실결절에서 전도 차단이 발생하고 자극은 심실에 전도되지 못 한다.

© Jones & Bartlett Learning.

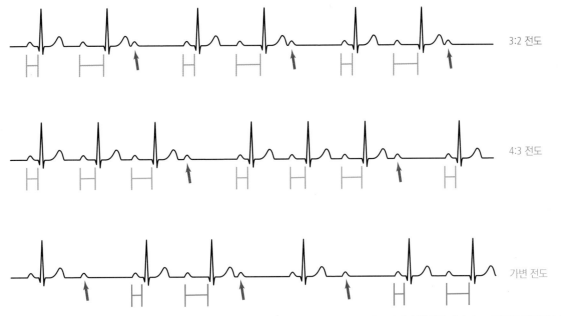

3:2 전도

4:3 전도

가변 전도

그림 28-10. 다양한 형태의 Mobitz I 2도 방실 차단의 전도비율을 보여준다. P파의 전도 차단이 발생할 때까지 PR 간격은 점진적으로 늘어나는 것을 볼 수 있다(빨간색 화살표).

© Jones & Bartlett Learning.

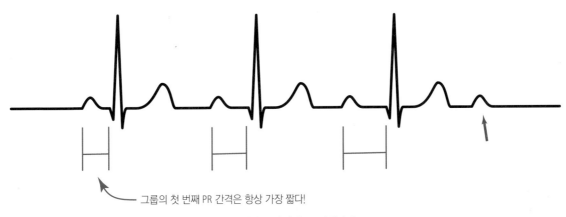

그룹의 첫 번째 PR 간격은 항상 가장 짧다!

그림 28-11. 가장 짧은 PR 간격은 탈락박동 이후에 발생하는 첫 번째 PR 간격이다.

© Jones & Bartlett Learning.

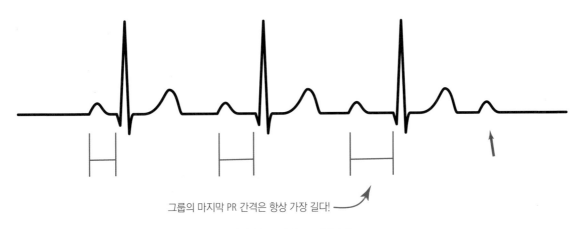

그룹의 마지막 PR 간격은 항상 가장 길다!

그림 28-12. 가장 긴 PR 간격은 탈락박동 직전에 발생하는 마지막 PR 간격이다.

© Jones & Bartlett Learning.

짧다는 것을 알았다. 다음으로 우리가 살펴볼 진단 기준은 PR 간격의 가장 큰 증가폭은 첫 번째와 두 번째 PR 간격 사이에서 발생한다는 것이다(**그림 28-13**).

점진적인 PR 간격의 연장에 관한 토론으로 돌아가서 우리는 방실결절의 전도 능력은 첫 번째 P파의 방실결절 도달 직전이 가장 좋다는 것을 확인했다. 첫 번째 P파가 전도되고 나

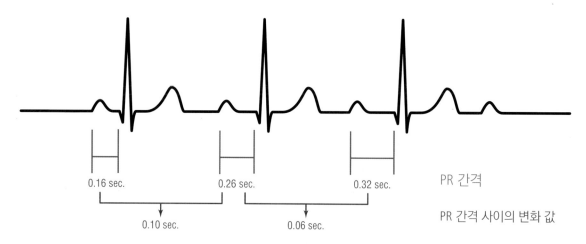

그림 28-13. PR 간격의 가장 큰 증가폭은 첫 번째와 두 번째 PR 간격 사이에서 발생한다. 이 예시에서 첫 번째와 두 번째 PR 간격의 차이는 0.1초이며 두 번째와 세 번째 PR 간격의 차이는 0.06초이다.

© Jones & Bartlett Learning.

한가지 더

비 전형적 Wenckebach 또는 비 전형적 Mobitz I 2도 방실 차단

만약 10:9의 전도 비율처럼 하나의 그룹 길이가 긴 Wenckebach가 발생되면 어떻게 될까? 점진적인 PR 간격의 연장이 리듬 스트립상에 나타날까? 정답은 나타나지 않는다. 만약 리듬스트립의 길이가 탈락박동을 포함할 수 있을 만큼 충분히 길다면 PR 간격의 증가폭은 결국 0이 된다. 처음 일정기간 동안 PR 간격은 계속 증가하겠지만 증가폭은 점진적으로 줄어들게 된다. 따라서 어느 시점 이후부터 탈락박동 전까지는 증가폭이 거의 0에 가까워져(심전도 상에서 측정불가능할 정도만 증가됨) PR 간격 또한

일정해지기 때문이다. 이러한 유형의 전도 차단은 비 전형적 Wenckebach 또는 비 전형적 Mobitz I 2도 방실 차단으로 알려져 있다(**그림 28-14**).

비 전형적 Wenckebach에서도 첫 번째 PR 간격은 여전히 가장 짧으며, 마지막 PR 간격 역시 가장 길다. 또한 PR 간격의 가장 큰 증가폭 역시 첫 번째와 두 번째 PR 간격 사이에서 발생한다. 유일한 차이점이라면 PR 간격이 무한대로 넓어지지 않는다는 것이다. 이것은 때때로 방실 차단의 진단을 어렵게 한다. 항상 탈락박동 전 후로 파형들의 간격을 면밀히 살펴보고 만약 탈락박동 직전의 PR 간격이 휴지기 직후의 PR 간격보다 길다면 반드시 Wenckebach를 고려해야 한다.

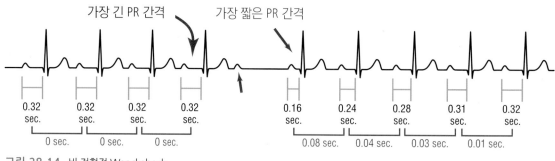

그림 28-14. 비 전형적 Wenckebach

© Jones & Bartlett Learning.

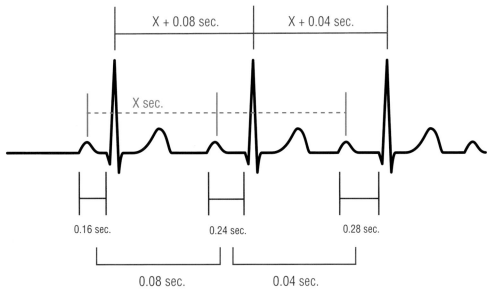

그림 28-15. 점진적인 R-R 간격의 감소

© Jones & Bartlett Learning.

서는 방실결절의 불응기는 약간 더 연장되고 이 불응기의 연장으로 인해 두 번째 P파의 전도지연이 발생하게 된다. 따라서 첫 번째 P파는 전도지연이 거의 없지만 첫 번째와 두 번째 P파의 연속된 전도로 인해 두 번째 P파의 전도지연 증가폭은 매우 커지게 된다. 즉, 한 그룹에서 PR 간격의 가장 큰 증가폭은 첫 번째와 두 번째 PR 간격의 사이에서 발생하게 된다. 이후 다음에 이어지는 PR 간격의 증가폭은 첫 번째와 두 번째 PR 간격의 증가폭보다 점진적으로 감소한다(**그림 28-13**).

2. R-R 간격은 탈락박동 전까지 점진적으로 줄어든다.

Wenckebach의 경우 R-R 간격은 점진적으로 단축된다. 그 이유는 PR 간격의 증가폭이 첫 번째와 두 번째 PR 간격 이후로 점점 감소하기 때문이다.

이 설명은 리듬 스트립을 보고 이해하기 전까진 직관적으로 이해하기 어려울 수 있다. 그럼 이제 **그림 28-15**를 살펴보자. 그림에서 가로축은 시간을 나타낸다. 정상적인 상황에선 P-P 간격과 R-R 간격은 동일하다. 하지만 Wenckebach의 경우 R-R 간격의 측정을 위해선 P-P (X 로 표기) 간격에 PR(전도지연) 간격의 증가분을 더해야 한다. 따라서 그림에서 처음 2개의 파형의 R-R 간격은 X + 0.08 초이다. 동일한 논리를 이용하면 다음 R-R 간격은 X + 0.04 초가 된다. 이것은 처음 R-R 간격의 증가폭보다 작다. 여기

서 볼 수 있듯이 PR 간격의 증가폭이 줄어드는 것만큼 R-R 간격의 증가폭 또한 함께 줄어드는 것을 알 수 있다. 이것은 탈락박동이 발생할 때까지 계속되며 이 주기는 다음 그룹에서 다시 반복된다.

이 수식을 이해하려고 노력하는데 많은 시간을 소비할 필요는 없다. 대신 각 그룹에서 R-R 간격은 탈락박동이 발생하기 전까진 점진적으로 줄어든다는 것을 잊지 않는 것이 중요하다. 이것은 진단이 어려운 방실 차단 사례에서 매우 유용하게 사용될 수 있다.

3. 휴지기를 포함한 R-R 간격은 두 개의 P-P 간격보다 작다.

휴지기 포함한 R-R 간격은 두 개의 P-P 간격보다 항상 작아야 한다(**그림 28-16**). 왜 그럴까? Mobitz I 2도 방실 차단에서 P-P 간격은 일정하며 변화가 있는 것은 R-R 간격이다. 앞서 언급한 것처럼 그룹에서 가장 짧은 PR 간격은 첫 번째 PR 간격이고 가장 긴 PR 간격은 마지막 PR 간격이 된다. 따라서 논리적으로 가장 긴 PR 간격과 가장 짧은 PR 간격 사이에서 측정되는 R-R 간격(휴지기를 사이에 두는 간격)은 두 개의 P-P 간격보다 작아지게 된다.

Mobitz I 2도 방실 차단
최종 발언

전도비율이 3:2 또는 4:3의 Wenckebach 또는 Mobitz I 2

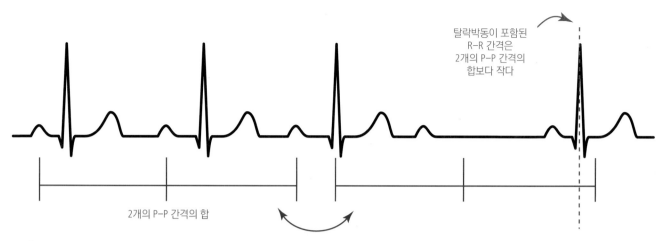

그림 28-16. 휴지기의 간격. 휴지기를 포함한 R-R 간격은 두 개의 P-P 간격보다 작다.

© Jones & Bartlett Learning.

도 방실 차단의 진단은 비교적 간단하다. 하지만 전도비율이 길이질수록 진단은 어려워진다. 비 전형적 유형은 진난에 혼돈을 줄 만한 요소가 매우 많다. 진단의 핵심은 점진적인 PR 간격의 연장과 뒤따르는 탈락박동을 인지하는 것이다. 단지 PR 간격의 연장만 보여주는 리듬 스트립은 올바른 판단에 방해를 줄 수 있으니 항상 너 긴 리듬 스트립을 확보하도록 노력해야 한다. 긴 리듬 스트립은 탈락박동 및 탈락박동 직후의 전형적인 PR 간격의 변화를 보여줄 수 있다.

휴지기는 Wenckebach에서 진단과 관련된 가장 많은 정보를 제공한다. 이것은 탈락박동 전 후로 가장 긴 PR 간격 및 가장 짧은 PR 간격을 보여주며 PR 간격의 가장 큰 증가폭은 첫 번째와 두 번째 PR 간격 사이에서 나타낸다. 무엇보다도 모든 가능성을 항상 염두해두지 못하면 정확한 진단을 내릴 수 없다는 것을 잊지말자.

심전도 6

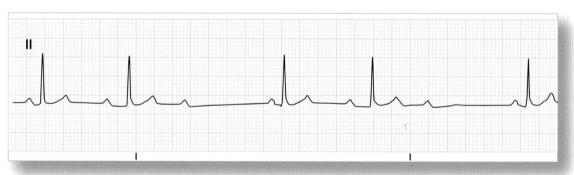

From *Arrhythmia Recognition: The Art of Interpretation*, courtesy of Tomas B. Garcia, MD.

박동수 :	분당 약 40~50회	PR 간격 :	다양함
규칙성 :	규칙적으로 불규칙	QRS 폭 :	정상
P파 :	정상	그룹화 :	있음
형태 :	정상		
축 :	정상	탈락 박동 :	있음
P:QRS 비 :	3:2	리듬 :	Mobitz I 2도방실 차단

심전도 6은 그룹화 된 리듬으로 3:2의 전도 비율을 보여준다. 점진적인 PR 간격의 연장이 첫 번째와 두 번째 파형 사이에서 관찰되며 뒤이어 탈락박동이 관찰된다. 이 주기는 반복적인 패턴으로 다시 시작된다. 여기에는 Mobitz I 2도

방실 차단의 모든 특징이 있다. 이 증례에선 점진적인 R-R 간격의 단축에 관한 논의는 할 수 없다. 왜냐하면 그룹당 하나의 R-R 간격만 존재하기 때문이다.

심전도 7

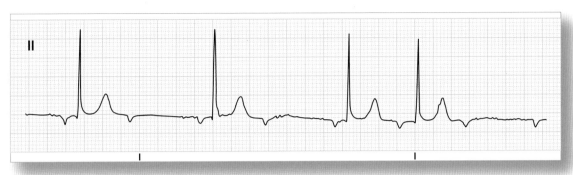

From *Arrhythmia Recognition: The Art of Interpretation*, courtesy of Tomas B. Garcia, MD.

박동수 :	분당 약 40~50회	PR 간격 :	다양함
규칙성 :	규칙적으로 불규칙	QRS 폭 :	정상
P파 :	있음	그룹화 :	있음
형태 :	뒤집어짐		
축 :	비정상	탈락 박동 :	있음
P:QRS 비 :	2:1, 3:1	리듬 :	Mobitz I 2도방실 차단

　심전도 7, 이 심전도는 2:1 전도율을 보이는 두 개의 그룹으로 시작한다. 이후에 세 개의 P파와 두개의 QRS파로 구성된 그룹을 볼 수 있으며 점진적인 PR 간격의 연장이 동반된다. 이것은 Mobitz I 2도 방실 차단과 일치하는 소견이다. 리드 II 에서 뒤집어진 P파는 이소성임을 시사하며 좁은 QRS파를 통해 상심실성임을 알 수 있다.

심전도 8

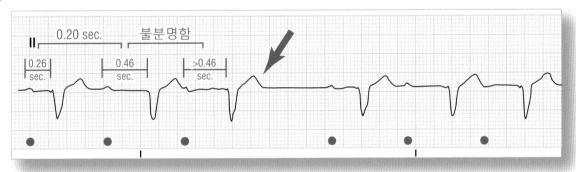

From *Arrhythmia Recognition: The Art of Interpretation*, courtesy of Tomas B. Garcia, MD.

박동수 :	분당 약 50회	PR 간격 :	다양함
규칙성 :	규칙적으로 불규칙	QRS 폭 :	넓음
P파 :	정상	그룹화 :	있음
형태 :	정상		
축 :	정상	탈락 박동 :	있음
P:QRS 비 :	4:3	리듬 :	Mobitz I 2도 방실 차단

　심전도 8은 그룹화를 확실히 보여주며 만약 리듬 스트립이 더 길었다면 이것은 더 명백했을 것이다. PR 간격은 탈락박동이 발생하기 전까지 점진적으로 연장된다. 전도 차단된 P파는 T파와 융합되어 구분되지 않는다(파란색 화살표). PR 간격의 증가분은 첫 번째와 두 번째 PR 간격 사이가 두 번째와 세 번째 PR 간격 사이보다 확연히 더 크다. 하지만 세 번째 P파가 부분적으로 겹쳐졌기 때문에 명확한 측정은 하기 어렵다.

심전도 9

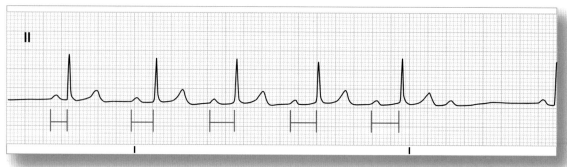

From *Arrhythmia Recognition: The Art of Interpretation*, courtesy of Tomas B. Garcia, MD.

박동수 :	분당 약 60회	PR 간격 :	다양함
규칙성 :	규칙적으로 불규칙	QRS 폭 :	정상
P파 :	정상	그룹화 :	있음
형태 :	정상		
축 :	정상	탈락 박동 :	있음
P:QRS 비 :	6:5	리듬 :	Mobitz I 2도방실 차단

심전도 9는 전형적인 Mobitz I 2도 방실 차단의 심전도이다. 리듬 스트립은 휴지기로 시작하며 정상 PR 간격이 뒤따른다. 이후 PR 간격은 점진적으로 연장 되다가 결국 딜락박동이 발생된다. R-R 간격은 처음엔 짧아지지만 증가폭은 점차 줄어 약간의 비 전형적인 유형으로 나타난다. 휴지기를 포함한 R-R 산격은 두 개의 P-P 간격보다 작다.

심전도 10

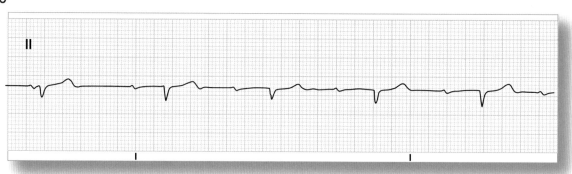

From *Arrhythmia Recognition: The Art of Interpretation*, courtesy of Tomas B. Garcia, MD.

박동수 :	분당 약 50회	PR 간격 :	다양함
규칙성 :	규칙적으로 불규칙	QRS 폭 :	정상
P파 :	정상	그룹화 :	있음
형태 :	2상(상향, 하향)		
축 :	정상	탈락 박동 :	있음
P:QRS 비 :	6:5	리듬 :	Mobitz I 2도방실 차단

심전도 10은 긴 리듬 스트립 중에서 그룹화의 일부분을 보여준다. 원본의 긴 리듬 스트립은 이 스트립의 그룹화 유형과 일치하며 반복되는 그룹화를 보여준다. 이 스트립에서는 탈락박동이 없음에도 불구하고 Mobitz I 2도 방실 차단의 특징이 나타난다. 그룹 동안에 PR 간격은 점진적으로 연장된다. 첫 번째와 두 번째 파형간의 PR 간격 증가폭은 매우 크지만 뒤이어 발생하는 파형간의 증가폭은 매우 작다. 이것은 하나의 그룹 길이가 긴 비 전형적 Wenckebach의 특징이다.

심전도 11

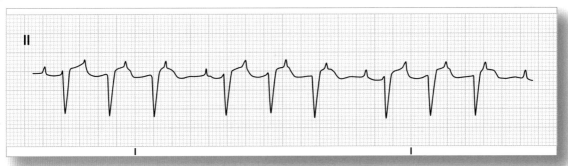

박동수 :	분당 약 90회	PR 간격 :	다양함
규칙성 :	규칙적으로 불규칙	QRS 폭 :	정상
P파 : 형태 : 축 :	정상 정상 정상	그룹화 :	있음
		탈락 박동 :	있음
P:QRS 비 :	4:3	리듬 :	Mobitz I 2도 방실 차단

심전도 11은 Mobitz I 2도 방실 차단 또는 Wenckebach에서 나타나는 전형적인 심전도 변화를 보여준다. PR 간격은 약간 연장되어 시작하고 뒤이은 리듬 스트립 동안에는 점진적인 연장이 관찰된다. 그룹 하나는 전도 차단된 P파에 의해 종료된다. R-R 간격이 점진적으로 짧아지지 않는 것이 눈에 띄며 이것은 비 전형적 Wenckebach의 소견이 된다. PR 간격 증가폭은 예상대로 첫 번째와 두 번째 PR 간격 사이가 가장 크다.

Mobitz II 2도 방실 차단

Mobitz II 2도 방실 차단은 Mobitz I 2도 방실 차단 또는 Wenckebach에 비해 비교적 단순한 리듬 이상으로 식별이 쉽다. 하지만 단순하다고 너무 쉽게만 생각해서는 안된다. 왜냐하면 Mobitz II 2도 방실 차단은 훨씬 더 위험하여 오진 시 치명적일 수 있기 때문이다.

간단히 말해서 Mobitz II 2도 방실 차단은 일정한 PR 간격과 함께하나 또는 여러 개의 전도 차단된 P파가 관찰될 때 진단할 수 있다(**그림 28-17**). PR 간격은 정상이거나 연장된 상태일 수 있으나, 보통 탈락박동에 의한 휴지기 전후로 항상 일정하다. 일반적으로 P-P 간격 또한 일정하기 때문에 휴

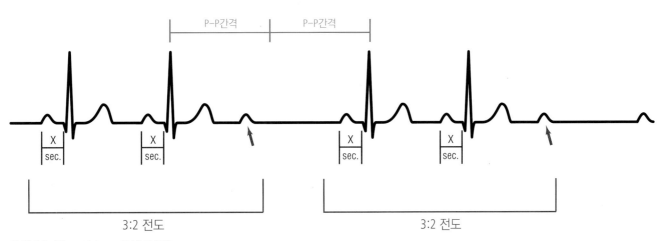

그림 28-17. Mobitz II 2도 방실 차단

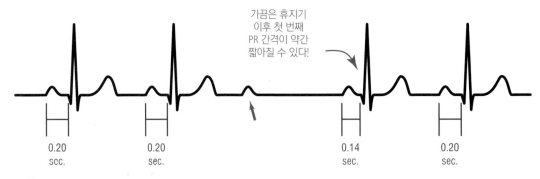

그림 28-18. Mobitz II 2도 방실 차단에선 휴지기 후 첫 번째 PR 간격이 짧아질 수 있다.

© Jones & Bartlett Learning.

지기를 포함한 R-R 간격은 두 개의 P-P 간격과 같다.

Mobitz II 2도 방실 차단은 전형적으로 실무율(all-or-none)과 유사한 방식의 전도 차단을 보인다. 대부분의 P파는 전도지연과 무관하게 정상적으로 전도되며 이따금씩 P파의 전도 차단이 발생한다.

Mobitz II를 진단하기 위해선 적어도 연속되는 두 개 이상의 P파가 있어야 한다. 일반적으로 PR 간격은 항상 일정하지만 휴지기 직후의 간격은 다른 간격에 비해 약간 짧아질 수도 있다(**그림 28-18**). 그 이유는 휴지기 동안 회복된 정상 전기전도로의 전도속도가 항진 되는 경우가 있기 때문이다(이것은 가끔 Mobitz I 또는 Wenckebach로 오인할 수

있는 혼란을 줄 수 있다).

Mobitz II의 전도 비율은 Mobitz I 처럼 다양하게 나타날 수 있다. **그림 28-19**는 다양한 전도 비율을 그림으로 보여준다. 또한 진도 비율은 한 환자에서 동시간내라도 나양한 변화가 있을 수 있다.

지금까지의 Mobitz II 예시에서는 모든 QRS파가 정상범위에 있었다. 하지만 전도 차단 부위에 따라 QRS파는 좁은 형태 또는 넓은 형태로 나타날 수 있다. 만약 전도 차단이 방실결절 또는 히스 속에서 발생하면 QRS파는 좁은 형태가 된다. 반면에 전도 차단이 히스속 분지 아래에서 발생하게 되면 QRS파는 넓은 형태로 나타나게 된다.

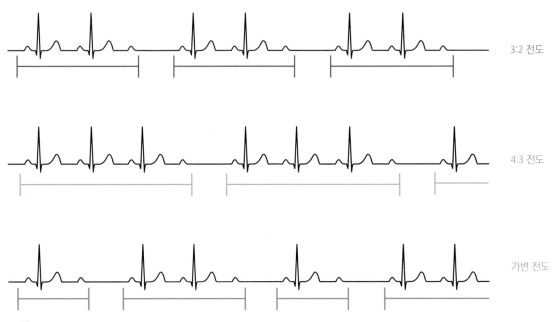

3:2 전도

4:3 전도

가변 전도

그림 28-19. Mobitz II 2도 방실 차단에서의 다양한 유형의 전도

© Jones & Bartlett Learning.

Mobitz II 2도 방실 차단이 발생되는 호발 부위는 히스 속 가지(bundle branches)이며 약 80%의 발생빈도를 보인다. 그리고 남은 20%는 히스속에서 발생되고 방실결절에서는 거의 발생되지 않는다. 따라서 이 통계적 사실을 근거로 우리는 Mobitz II에 동반되는 QRS파는 넓은 형태일 거라는 예측을 할 수 있다.

이러한 전도 차단 부위를 통해 우리는 Mobitz II가 왜 드물고 위험한지에 대한 이유를 가늠할 수 있다. Mobitz II의 발생 빈도는 Mobitz I에 비해 훨씬 작으며 Mobitz II의 소견이 발견되었다면 이것은 정상 전도로의 전도 차단이 상당히 진행되었다고 생각할 수 있다. 또한 Mobitz II 환자들 중 다수는 각차단을 가지고 있는 경우가 많다.

임상적으로 Mobitz II는 영구적 전도 결함이며 일반적으로 더 높은 수준의 전도 차단. 즉, 완전 방실 차단으로 진행되는 경우가 많다.

Mobitz II의 진단은 비교적 쉽고 첫 번째 PR 간격이 가끔씩 짧아지는것 외에는 별다른 특이사항 또한 없다. 만약 Mobitz II의 심전도 소견을 보게 된다면 주의를 기울여야 하며 응급으로 사용 가능하도록 인공심박동기를 가까운 곳에 준비하고 있어야 한다. 특히 심근허혈이나 경색 환자에게서 Mobitz II 심전도를 보게 된다면 더욱 더 그렇다.

Mobitz II vs. 전도 차단된 PAC

Mobitz II 2도 방실 차단에 관한 논의를 끝내기 전에 주의가 요구되는 감별진단 사항이 한 가지 있다. 어떤 이유로든 PAC가 전도 차단되어 심실 탈분극이 일어나지 못하는 경우가 종종 있는데 이는 언뜻 보기에 Mobitz II 2도 방실 차단과 매우 유사한 형태로 보이게 한다.

하지만 면밀히 관찰해보면 전도 차단된 PAC임을 쉽게 구분할 수 있다. 우선 전도 차단된 PAC는 원래의 리듬 주기보다 조기에 나타난다. 이것은 일반적으로 규칙적인 리듬에서 발생하는 Mobitz II 차단과는 대조적이다. Mobitz II 시의 P-P 간격은 매우 규칙적이란 걸 잊지말자. 만약 조기에 발생된 P파와 함께 이와 동반되는 방실 차단을 보게 된다면 PAC에 의해 발생된 방실 차단을 의심해야 한다.

두 번째로 PAC에 의해 생성된 P파의 형태는 리듬 중 생성된 다른 P파와는 일반적으로 다른 형태를 갖는다(**그림 28-20**). 반면 Mobitz I 그리고 Mobitz II 의 P파의 형태는 모두 동일하다.

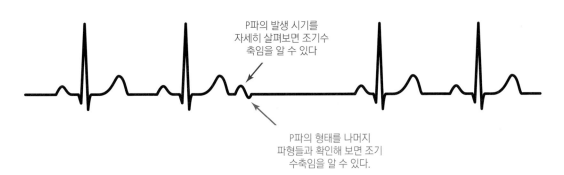

P파의 발생 시기를 자세히 살펴보면 조기수축임을 알 수 있다

P파의 형태를 나머지 파형들과 확인해 보면 조기 수축임을 알 수 있다.

그림 28-20. 전도 차단된 PAC

심전도 12

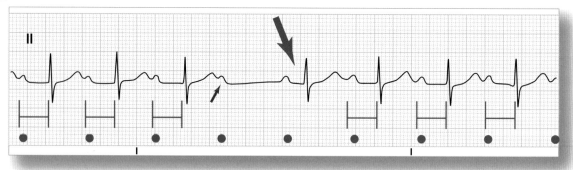

From *Arrhythmia Recognition: The Art of Interpretation*, courtesy of Tomas B. Garcia, MD.

박동수 :	분당 약 70회	PR 간격 :	연장됨
규칙성 :	규칙적으로 불규칙	QRS 폭 :	좁음
P파 : 　형태 : 　축 :	정상 정상 정상	그룹화 :	없음
		탈락 박동 :	있음
P:QRS 비 :	1:1 및 한 개의 탈락박동	리듬 :	Mobitz II 2도 방실 차단

　심전도 12는 일정한 간격으로 연장된 PR 간격을 갖는 리듬 스트립을 보여준다. 스트립의 중간엔 전도 차단된 P파가 보인다(빨간색 화살표). 파란색 화살표는 휴지기 후 첫 번째 PR 간격을 가르키며 다른 PR 간격에 비해 약간 짧은 것을

알 수 있다. 이것은 Mobitz II 차단에서 간혹 나타나는 소견이다. 두 번째 PR 간격부터는 원래의 간격으로 회복되었으며, 스트립 선체를 통해 일정하게 나타난다.

심전도 13

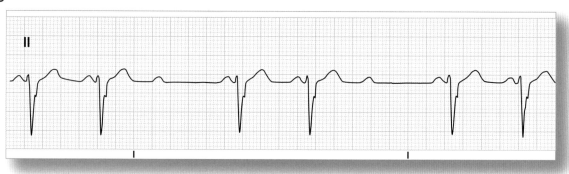

From *Arrhythmia Recognition: The Art of Interpretation*, courtesy of Tomas B. Garcia, MD.

박동수 :	분당 약 60회	PR 간격 :	다양함
규칙성 :	규칙적으로 불규칙	QRS 폭 :	넓음
P파 : 　형태 : 　축 :	정상 정상 정상	그룹화 :	있음
		탈락 박동 :	있음
P:QRS 비 :	3:2	리듬 :	Mobitz II 2도방실 차단

　심전도13은 그룹화 및 넓은 QRS파가 동반된 규칙적으로 불규칙적인 리듬이다. 그룹당 전도 비율은 3:2이다. 그룹

에서 눈에 띄는 중요한 사항은 PR 간격이 일정하다는 것이다. P-P 간격 또한 일정하여 Mobitz II 차단에 부합한다.

심전도 14

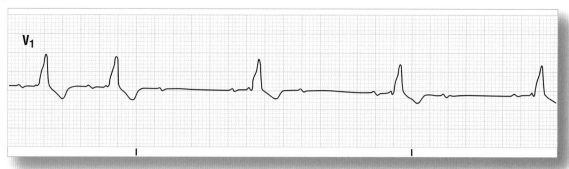

From *Arrhythmia Recognition: The Art of Interpretation*, courtesy of Tomas B. Garcia, MD.

박동수 :	분당 약 50회	PR 간격 :	일정함
규칙성 :	규칙적으로 불규칙	QRS 폭 :	넓음
P파 : 　형태 : 　축 :	정상 정상 정상	그룹화 :	있음
		탈락 박동 :	있음
P:QRS 비 :	3:2, 2:1	리듬 :	Mobitz II 2도방실 차단

　심전도 14는 전도비율이 일시적으로 3:2에서 2:1로 변화하는 심전도를 보여준다. 심전도의 어느 부분에서든 명백한 Mobitz II 2도 방실 차단의 특징과 2:1 전도 비율이 있다면 2:1 전도는 Mobitz II 2도 방실 차단으로 진단될 수 있다. QRS파 형태는 리드 V₁에서 전형적인 우각차단의 형태로 나타난다.

심전도 15

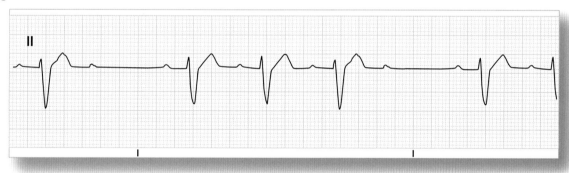

From *Arrhythmia Recognition: The Art of Interpretation*, courtesy of Tomas B. Garcia, MD.

박동수 :	분당 약 55회	PR 간격 :	일정함
규칙성 :	규칙적으로 불규칙	QRS 폭 :	넓음
P파 : 　형태 : 　축 :	정상 정상 정상	그룹화 :	있음
		탈락 박동 :	있음
P:QRS 비 :	4:3	리듬 :	Mobitz II 2도방실 차단

　심전도15는 규칙적이며 비규칙적인 리듬을 보이며 탈락 박동이 동반된다. PR 간격과 P-P 간격은 리듬 스트립 전체에서 일정하게 나타난다. 이것은 Mobitz II 2도 방실 차단에 부합하는 소견이다. 긴 리듬 스트립을 이용해 심전도 검사를 시행하면 2도 방실 차단에서 나타나는 그룹화를 쉽게 확인할 수 있다. QRS파는 좌각차단의 형태이며 각차단은 종종 Mobitz II 와 연관이 있는 경우가 많다.

분류되지 않는 또는 2:1 2도 방실 차단

그림 28-21은 어떤 형태의 방실 차단일까? 이것은 2:1 전도의 Mobitz I 2도 방실 차단일 수 있다. 두 번째 P파는 전도 차단 되었기 때문에 PR 간격의 연장은 확인되지 않는다. 다른 관점에서 이것은 또한 Mobitz II 2도 방실 차단의 2:1 전도일 수도 있다. 그 이유는 PR 간격이 일정하기 때문이다. 하지만 두 번째 P파가 전도 차단 되었기 때문에 PR 간격이 일정한지 여부를 확인하기는 어렵다. 위에서 설명한 것처럼 두 가지 경우는 모두 맞을 수 있다. 따라서 정답을 선택하기는 몹시 어렵다.

이것의 올바른 답은 2:1 또는 분류되지 않는 방실 차단이다. 명백한 2도 방실 차단의 증거는 있지만 우리는 정확히 어떤 유형인지 알 수는 없다. 왜냐하면 Mobitz I 또는 Mobitz II의 진단을 위해선 심실로 전도된 최소한 2개 이상의 연속된 P파가 있어야 하기 때문이다. 이를 통해 우리는 PR 간격이 일정한지 연장되는 지에 대한 정보를 얻을 수 있다. 2:1 전도 비율에서는 전도된 P파는 하나이다. 따라서 다음에 오는 PR 간격의 관계를 확인할 수 없다. 이러한 경우는 정확한 진단을 내릴 수 없기 때문에 단순히 분류되지 않는 (untypable) 이라고 부르게 된다. 보다 일반적으로 "2:1 차단"이라는 용어가 사용되는데 결국 이 용어에는 진단을 위한 특이성이 없다 라는 의미가 포함된다.

하지만 만약 충분히 긴 리듬 스트립을 가지고 있거나 운 좋게도 연속적으로 나타나는 방실 차단 부분을 획득할 수 있다면 우리는 2도 방실 차단의 유형을 확실하게 말할 수 있을것이다. 왜냐하면 긴 리듬 스트립 어디에라도 Mobitz I의 유형이 있다면 2:1 전도는 Mobitz I 2도 방실 차단으로 추정할 수 있고(**그림 28-22**) 같은 맥락에서 Mobitz II의 유형을 보게 된다면, 이것은 Mobitz II 2도 방실 차단으로 추정될 수 있기 때문이다. 항상 함께 동반되는 소견을 함께 살펴봐야 한다는 것을 잊지 말자. 이를 통해 우리는 좀더 정확한 진단을 내릴 수 있다.

이것은 Mobitz I 일까 아니면 Mobitz II 일까?

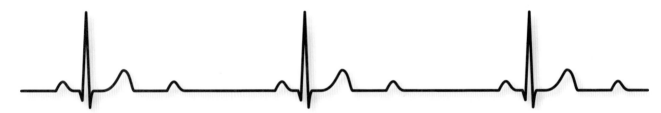

그림 28-21. 이 리듬 스트립이 어떤 유형의 방실 차단을 보여주는지 명확하지 않다.

© Jones & Bartlett Learning.

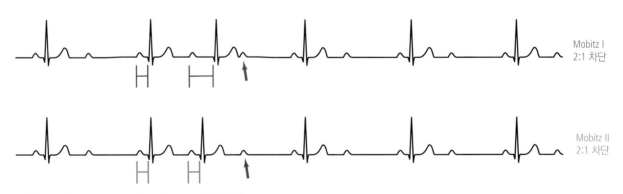

Mobitz I
2:1 차단

Mobitz II
2:1 차단

그림 28-22. 2:1 Mobitz I 및 Mobitz II 2도 방실 차단

© Jones & Bartlett Learning.

심전도 16

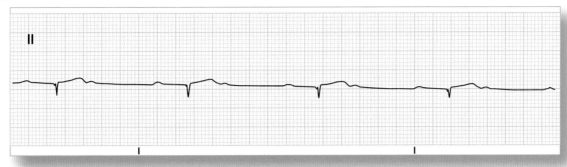

From *Arrhythmia Recognition: The Art of Interpretation*, courtesy of Tomas B. Garcia, MD.

박동수 :	분당 약 42회		PR 간격 :	연장됨
규칙성 :	규칙적		QRS 폭 :	좁음
P파 :	정상		그룹화 :	있음
형태 :	정상			
축 :	정상		탈락 박동 :	있음
P:QRS 비 :	2:1		리듬 :	2:1 또는 분류되지 않는 2도 방실 차단

심전도 16은 긴 에피소드의 2:1 방실 차단을 가지고 있는 환자의 리듬 스트립이다. Mobitz I 또는 Mobitz II의 명백한 특징을 보이는 부분은 없다. 따라서 둘 중 어느 유형인지 알 수는 없다. 이러한 경우 단순히 2:1 또는 분류되지 않는 2도 방실 차단으로 표기된다. 연장된 PR 간격은 Mobitz II에 보다 가까운 소견이지만 이것만으로 진단을 내리기엔 충분하진 않다.

심전도 17

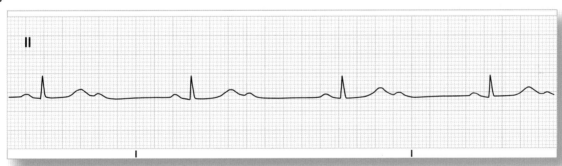

From *Arrhythmia Recognition: The Art of Interpretation*, courtesy of Tomas B. Garcia, MD.

박동수 :	분당 약 35회		PR 간격 :	일정함
규칙성 :	규칙적		QRS 폭 :	좁음
P파 :	정상		그룹화 :	있음
형태 :	정상			
축 :	정상		탈락 박동 :	있음
P:QRS 비 :	2:1		리듬 :	2:1 또는 분류되지 않는 2도 방실 차단

심전도 17은 심실 박동수 35회의 2:1 방실 차단을 보여준다. 전도가 이루어진 PR 간격은 정상 범위이며 항상 일정하다. 이 리듬은 Mobitz I 또는 Mobitz II 모두 가능하다. 따라서 이 리듬 스트립만으로는 2:1 방실 차단만 진단 가능하다.

심전도 18

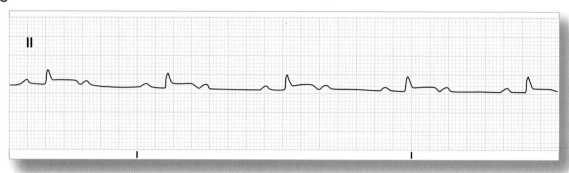

From *Arrhythmia Recognition: The Art of Interpretation*, courtesy of Tomas B. Garcia, MD.

박동수 :	분당 약 45회	PR 간격 :	연장됨, 일정함
규칙성 :	규칙적	QRS 폭 :	좁음
P파 : 　형태 : 　축 :	정상 정상 정상	그룹화 :	있음
		탈락 박동 :	있음
P:QRS 비 :	2:1	리듬 :	2:1 또는 분류되지 않는 2도 방실 차단

심전도18은 전형적인 2:1 방실 차단 또는 분류되지 않는 방실 차단의 또다른 예시를 보여준다. 비록 확진을 내릴 순 없지만, Mobitz II를 시사하는 몇 가지 사항이 눈에 띈다. 연장된 PR 간격은 방실결절의 전도 장애에 의해 발생되었을 확률이 높다. 또한 평평하게 상승한 ST 분절을 통해 하벽 심근경색증을 의심할 수 있다. 정확한 심근경색증의 평가를 위해 12 리드 심전도가 필요하며 긴 리듬 스트립은 방실 차단의 유형을 확인하는데 도움이 된다.

심전도 19

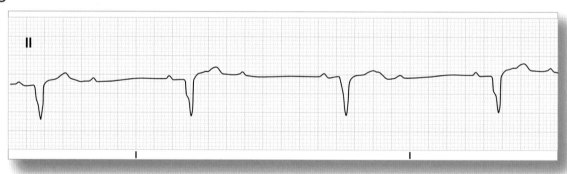

From *Arrhythmia Recognition: The Art of Interpretation*, courtesy of Tomas B. Garcia, MD.

박동수 :	분당 약 40회	PR 간격 :	연장됨, 일정함
규칙성 :	규칙적	QRS 폭 :	넓음
P파 : 　형태 : 　축 :	정상 정상 정상	그룹화 :	있음
		탈락 박동 :	있음
P:QRS 비 :	2:1	리듬 :	2:1 또는 분류되지 않는 2도 방실 차단

심전도 19의 소견만으로는 2도 방실 차단의 정확한 유형을 말하긴 어렵다. 또한 연장된 PR 간격과 넓은 QRS 폭은 Mobitz II를 조금 더 시사하는 소견이지만 확실하다고 말할 순 없다. 이것은 이 리듬의 공식적인 진단을 2:1 또는 분류되지 않는 2도 방실 차단으로 밖에 표현할 수 없는 이유가 된다.

고도 또는 진행된 방실 차단

고도 방실 차단은 2도 방실 차단과 완전 방실 차단 사이에 있는 전도 차단의 유형을 설명하기 위해 사용된다. 이 유형의 진단 기준을 만족하기 위해선 전도 결함에 의해 연속적으로 전도 차단된 P파가 최소한 두 개 이상 있어야 한다. 이러한 진단 기준을 좀더 자세히 살펴보도록 하자.

그림 28-23은 전형적인 고도 또는 진행된 방실 차단의 예시를 보여 주며 전도비율은 대략 3:1이다(P파 하나는 T파와 겹쳐져 있다). 이것은 연속되는 두 개의 P파가 전도 차단된 후 세 번째 P파는 심실에 전도 되었음을 의미한다. 이 유형의 방실 차단 기준을 만족하기 위해선 연속적으로 전도 차단된 P파가 두 개 이상 있어야 한다. 이것은 오직 하나의 전도 차단된 P파만 있어도 진단 기준에 부합되는 Mobitz I 또는 Mobitz II 와는 상반된다.

두 번째 진단 기준은 전도 차단이 심방의 매우 빠른 박동수에 의해 발생되는 생리학적인(정상적) 반응이 아니라 정상 전기전도로의 병적인 전도결함으로 인해 발생한다는 것이다. 심방 박동수가 300회인 심방조동의 예를 들어보자. 방실결절에 대한 분당 300회의 매우 빠른 자극은 방실결절

의 생리학적 차단을 유발하고, 이로 인해 방실결절의 불응기는 연장된다. 결과적으로 방실결절의 심실 전도는 2:1, 3:1 또는 더 높은 전도비율로 나타나게 된다. 이 경우 전도 차단의 원인은 정상 전도로의 전도 결함에 의한 것이 아니라 심방의 빠른 박동수에 의한 정상적인 생리학적 반응에 의한 것이다.

고도 또는 진행된 방실 차단이라는 용어는 전도 차단된 P파와 완전 방실 차단 사이에 있는 특정 환자군을 설명하기 위해 사용된다. 이 그룹의 환자들은 Mobitz II 또는 완전 방실 차단의 진단 기준에 완전히 부합하지는 않는다.

앞서 언급한 것처럼 이 유형의 방실 차단은 어떤 유형의 방실 차단과도 완벽하게 일치하지 않는 특정 유형을 지칭하기 위해 사용된다. 따라서 이것은 불분명한 용어이며 이로 인해 많은 혼란이 있어왔다. 우리는 연구를 통해 이 유형의 방실 차단을 위한 여러가지 다른 정의와 진단 기준을 발견했다. 독자들은 이 발견에 관한 합의가 결여되어 있음을 인지할 필요가 있으며 우리는 이것을 지금 여기에 남겨둔다. 다행히도 이 발견 일반적인 리듬장애에서 발견되지 않는 특이성이 있다.

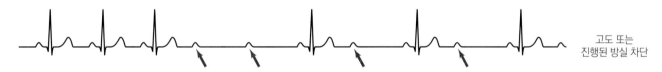

고도 또는
진행된 방실 차단

연속적으로 전도 차단된 P파가 최소한
2개 이상 있어야 한다.

그림 28-23. 고도 또는 진행된 방실 차단

© Jones & Bartlett Learning.

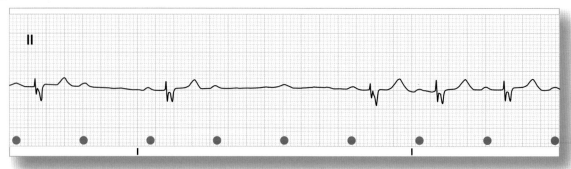

From *Arrhythmia Recognition: The Art of Interpretation*, courtesy of Tomas B. Garcia, MD.

박동수 :	분당 약 81회	PR 간격 :	연장됨, 일정함
규칙성 :	규칙적으로 불규칙	QRS 폭 :	넓음
P파 :	정상	그룹화 :	없음
형태 :	정상		
축 :	정상	탈락 박동 :	있음
P:QRS 비 :	다양함	리듬 :	고도 또는 진행된 방실 차단

심전도 20의 전도된 파형은 PR 간격이 연장되어 있지만 간격은 일정하다. 리듬 스트립의 시작 부위에서 탈락박동이 발생했을 때 Mobitz II 차단의 증거가 있으며 스트립의 중간에서 두 개의 연속되는 탈락박동이 보인다. 두 개의 연속되는 탈락박동은 고도 또는 진행된 방실 차단을 의미한다. 12리드 심전도에서는 우각차단과 급성 심근경색증의 소견을 보였다.

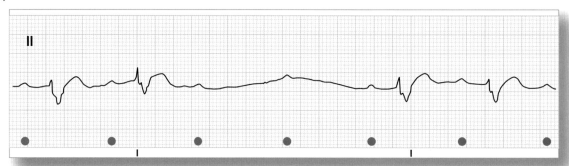

From *Arrhythmia Recognition: The Art of Interpretation*, courtesy of Tomas B. Garcia, MD.

박동수 :	분당 약 62회	PR 간격 :	연장됨, 일정함
규칙성 :	규칙적으로 불규칙	QRS 폭 :	넓음
P파 :	정상	그룹화 :	없음
형태 :	정상		
축 :	정상	탈락 박동 :	있음
P:QRS 비 :	다양함	리듬 :	고도 또는 진행된 방실 차단

이 환자의 리듬 스트립에선 연속적으로 전도 차단된 두 개의 P파가 관찰된다(심전도21). 전도된 파형은 PR 간격이 연장되어 있지만 간격은 일정하다. P-P 간격은 약간의 변화는 있지만(허용 가능한 범위) 리듬 스트립 전체를 통해 꽤 일정하게 나타난다. 12 리드 심전도에서는 좌각차단과 급성 심근경색증의 소견을 보였다.

완전 또는 3도 방실 차단

완전 또는 3도 방실 차단은 이해하기 쉬운 유형의 방실 차단이지만 쉽게 감별할 수 있는 것은 아니다. 이름을 통해 알 수 있듯이 완전 또는 3도 방실 차단은 심실로의 완전한 전도 차단을 의미한다(**그림 28-24**). 즉 모든 P파는 심실로의 전도에 실패한다. 전도 차단은 방실결절 혹은 정장 전기전도로 아래쪽에서 발생한다. 이 유형의 차단은 일반적으로 방실결절의 연장된 불응기(생리학적 차단)에 의해 발생되지 않으며 대부분 항상 심실 전기전도 체계의 병적 혹은 해부학적 결함에 의해 발생된다.

3도 방실 차단에서는 정의상 두 개의 분리된 박동기가 심장을 조율한다. 상심실성 박동기(동결절, 이소성 심방조직 또는 방실접합부 중 하나)는 상위 박동기이며 고유 박동수가 빠르다. 하지만 심실성 박동기가 심박출량 및 생명유지를 위해선 더 필수적이기 때문에 생명유지를 위한 심실 조율은 하위 박동기를 통해 이루어진다.

최종 리듬의 형태는 두 개의 개별적인 리듬에 의해 결정되며 두 개의 개별 리듬은 리듬을 생성하는 이소성 박동기 부위에 의해 좌우된다(**그림 28-25**). 만약 상심실성 리듬이 동발결절에서 생성된다면 생성된 파형들은 본질적으로 동결절의 형태를 띠게 된다. 하지만 만약 리듬이 이소성 초점에 의해 생성된다면 상심실성 리듬의 외형은 이소성 초점의 해부학적 위치와 여기서 만들어지는 심방 탈분극파의 경로에 의해 결정된다. 마찬가지로 심실성 리듬의 외형 또한 이소성 초점의 위치 및 심실내에서 탈분극파가 전파되는 경로에 의해 결정된다. 심실성 이소성 초점은 전도속도가 느린 세포 간 전도를 통해 전파되기 때문에 매우 넓은 QRS파를 생성하게 된다. 하지만 만약 부분적이라도 이소성 초점이 정상 전기전도로의 일부분에서 생성된다면 정상 전기전도로를 통한 빠른 전파속도로 인해 QRS파는 좁은 형태로 나타나게 된다.

3도 방실 차단은 모든 P파가 심실전도에 실패했다는 것을 의미한다. 따라서 필연적으로 심실성 리듬이 발생해 심실을 조율하며 박동수는 리듬을 생성하는 이소성 초점의 위치에 의해 결정된다. 방실접합부 리듬은 일반적으로 40~60회의 박동수 범위를 갖으며 심실성 박동기는 넓은 QRS파와 30~45회의 박동수 범위를 갖는다. 경우에 따라선 심실성 리듬이 매우 느려 30회 이하로 발생하는 경우도 있다. 모든 심실성 박동기는 항진된 자동능을 가질 수 있으며 또한 회귀성빈맥을 발생시킬 수 있다는 것을 기억하자. 이러한 경우 심실성 리듬은 빈맥의 형태가 된다.

QRS파의 폭은 전도 차단 부위를 가늠하는데 도움을 준다. 좁은 QRS파 형태는 90%의 경우 방실결절 및 히스속 전도 차단에 의해 발생한다. 하지만 전도 차단이 방실결절 및 히스속에서 발생하더라도 기존 각차단, 편위전도, 전해질이

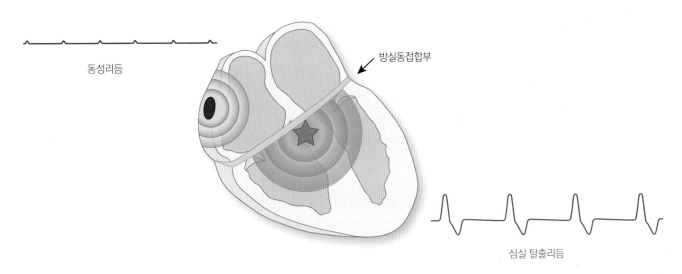

동성리듬

방실동접합부

심실 탈출리듬

그림 28-24. 완전한 방실 차단이 발생하면 기본적으로 심방과 심실 사이의 모든 소통은 끊기게 된다. 예를 들어 만약 방실결절이 병적인 원인으로 전도 기능을 상실하면 심실중격 영역에서 완전 방실 차단이 발생한다. 심방과 심실은 서로를 염두하지 않고 두 개의 분리된 박동기 즉 상심실성 및 심실성 박동기를 통해 자극을 생성한다. 각각의 박동기는 고유한 박동수로 각자의 방(chamber)을 조율한다.

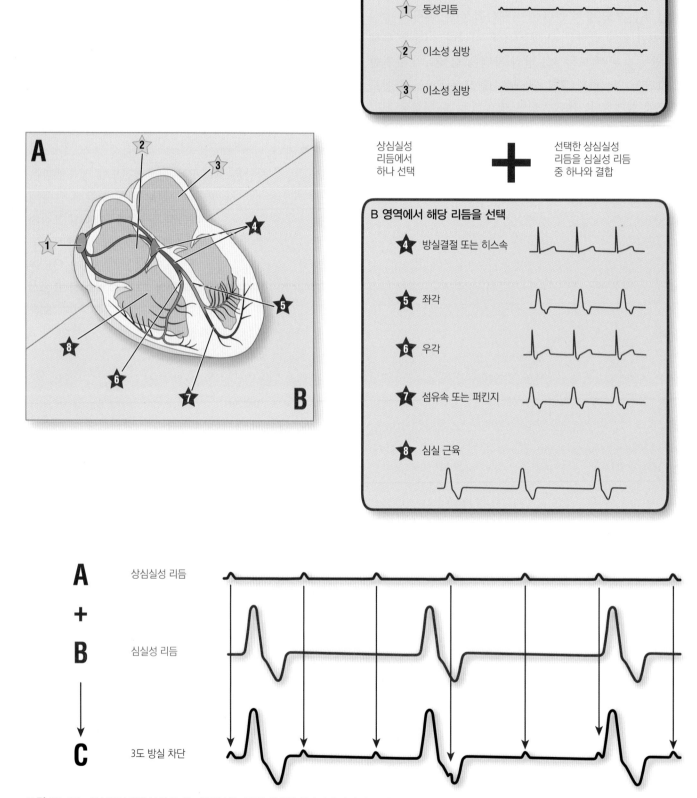

그림 28-25. 상심실성 영역의 박동기는 상심실성 리듬을 생성한다(파란색 영역 및 구역). 심실성 영역의 박동기는 심실성 리듬을 생성한다(빨간색 영역 및 구역). 상심실성 리듬 스트립 중 하나를 가져와 심실성 리듬 스트립 하나와 겹쳐 놓으면 3도 방실 차단의 리듬 스트립이 만들어진다(그림 아래 참조). 상심실성 리듬과 심실성 리듬은 서로에 영향을 주지 않는다는 것에 주목하자.

상 혹은 넓은 QRS파를 만드는 다른 조건들이 동반되는 경우 QRS파는 넓은(>0.12초) 형태로 나타나게 된다. 만약 이러한 조건들이 없는 상황에서 QRS파가 넓은 형태로 나타난다면 전도 차단 부위는 일반적으로 히스속 아래가 된다.

3도 방실 차단에서는 상심실성 리듬인 P-P 간격과 심실성 리듬인 R-R 간격이 모두 일정하다(**그림 28-26**). 하지만

이 두 리듬은 서로 관련이 전혀 없다. 각각의 리듬은 각자의 박동기에 의해 조율된다. 그 결과 PR 간격은 끊임없이 변화하며 리듬 스트립 상에서 같은 간격은 한 번도 반복되지 않는다. 심방과 심실 리듬의 개별성 및 두 리듬간의 연관성이 완벽히 없음을 인지하는 것은 3도 방실 차단을 진단하는 핵심이라 할 수 있다.

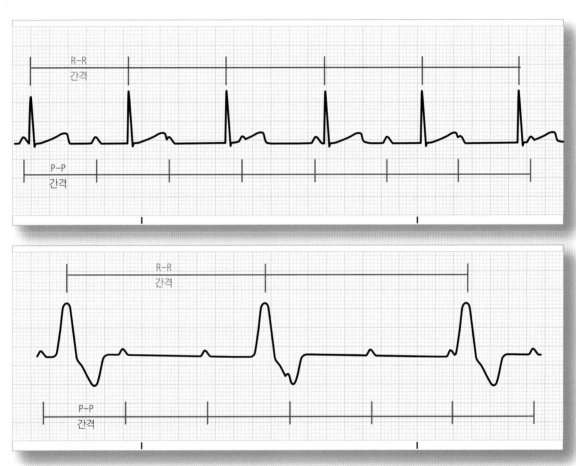

그림 28-26. 3도 방실 차단의 두 가지 예시. 각 리듬 스트립에서 P-P 간격과 R-R 간격은 모두 일정하다. 하지만 두 스트립 모두에서 상심실성 및 심실성 리듬간의 소통은 전혀 없다. 이것은 끊임없이 변화하는 PR 간격에 의해서 간접적으로 입증된다.

© Jones & Bartlett Learning.

Ventriculophasic 현상

Ventriculophasic 현상은 3도 방실 차단에서 자주 발견되는 하나의 현상이다. 이 현상에서는 QRS파가 P파와 P파 사이에 오는 경우 P-P 간격이 약간 짧아지지만 그렇지 않은 경우 즉 P파와 P사이에 QRS파가 없는경우에서는 P-P 간격에 변화가 발생하지 않는다. 그 결과 리듬 스트립 상에서 P-P 간격은 QRS파의 존재 여부에 따라 두 개의 다른 간격으로 나타나게 된다(**그림 28-27**). Ventriculophasic 현상의 존재는 임상적으로 큰 의미는 없다. 하지만 이것은 가끔 진단에 있어 혼란을 발생할 수 있다. 이 현상의 존재를 인식 하는것이 중요하고 QRS파 전후로 나타나는 P-P 간격을 면밀히 측정하면 리듬의 진단을 수월하게 내릴 수 있다.

이 현상을 기억하기 위한 좋은 방법은 미식축구의 field goal을 떠올리는 것이다(**그림 28-28**). QRS파는 골 포스트를(P파 사이 간격) 향해 걸어차여 축구공과 같다. 축구공이 골 포스트 사이를 통과하면 골 포스트는 축하하기 위해 서로를 향해 기울지만 만약 축구공이 골 포스트 밖으로 벗어나면 아무 일도 일어나지 않는다.

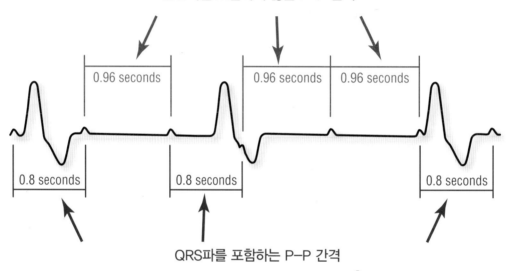

그림 28-27. Ventriculophasic 현상. QRS파를 포함하는 P-P 간격은 0.8초이며 QRS파를 포함하지 않는 P-P 간격은 0.96초 이다.

© Jones & Bartlett Learning.

그림 28-28. Ventriculophasic 현상은 미식축구의 field goal과 유사하다. 축구공이 골 포스트를 통과하면 골포스트는 서로를 향해 기울어지지만 만약 골 포스트를 통과하지 못 하면 아무 일도 일어나지 않는다.

© Jones & Bartlett Learning.

심전도 22

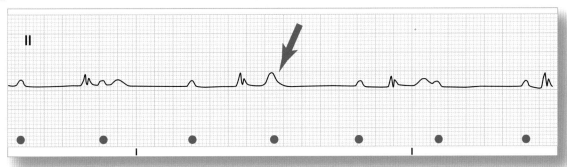

From *Arrhythmia Recognition: The Art of Interpretation*, courtesy of Tomas B. Garcia, MD.

박동수 :	심방: 65회 심실: 35회	PR 간격 :	다양함
규칙성 :	일정함	QRS 폭 :	넓음

P파 :
  형태 :
  축 :
	정상
	정상
	정상
		그룹화 :	없음

		탈락 박동 :	있음
P:QRS 비 :	다양함	리듬 :	3도 방실 차단

　심전도 22는 서로 독립된 동성 리듬 및 심실 탈출리듬을 보이는 완전 방실 차단의 심전도이다. P파는 서있는 형태로 스트립 전체에 일관되게 나타난다. 파란색 화살표는 T파와 겹쳐진 P파를 가르킨다. P-P 간격은 약간의 불규칙성이 있으며 이것은 Ventriculophasic 현상이 원인이다. QRS를 포함하지 않은 P-P 간격은 매우 일정하지만 QRS를 포함한 P-P 간격의 폭은 약간 짧다.

심전도 23

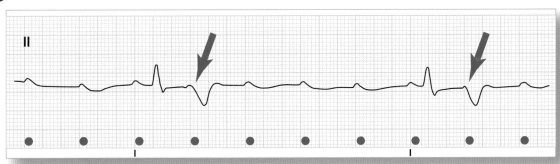

From *Arrhythmia Recognition: The Art of Interpretation*, courtesy of Tomas B. Garcia, MD.

박동수 :	심방: 100회 심실: 20회	PR 간격 :	다양함
규칙성 :	규칙적	QRS 폭 :	넓음

P파 :
  형태 :
  축 :
	정상
	정상
	정상
		그룹화 :	없음

		탈락 박동 :	있음
P:QRS 비 :	다양함	리듬 :	3도 방실 차단

　심전도 23은 동율동에 동반된 완전 방실 차단을 보여준다. 심실은 심실성 탈출 리듬에 의해 20회로 조율되고 있다. 넓은 QRS파와 비 정상의 ST 분절 및 T파가 눈에 띈다. 파란색 화살표는 T파에 겹쳐진 P파를 가르킨다. 일정하지 않은 PR 간격이 관찰되며, 이것은 완전 방실 차단의 특징적인 소견이다.

심전도 24

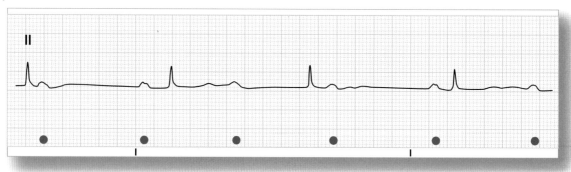

From *Arrhythmia Recognition: The Art of Interpretation*, courtesy of Tomas B. Garcia, MD.

박동수 :	심방: 57회 심실: 39회	PR 간격 :	다양함
규칙성 :	규칙적	QRS 폭 :	좁음
P파 : 형태 : 축 :	정상 정상 정상	그룹화 :	없음
		탈락 박동 :	있음
P:QRS 비 :	다양함	리듬 :	3도 방실 차단

심전도 24에서는 완전 방실 차단, 동서맥 그리고 약 39회의 방실접합부 리듬이 관찰된다. 리듬 스트립을 통해 완전 빙실 차단에 의한 심방과 심실사이의 소동 부재가 명백히 나타난다. 두 번째와 네 번째 QRS파에 선행하는 PR 간격은 동일하지 않다.

심전도 25

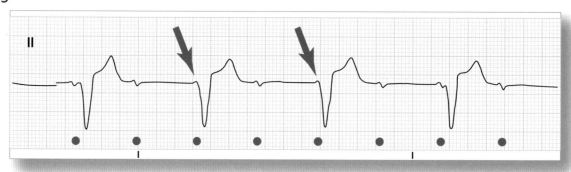

From *Arrhythmia Recognition: The Art of Interpretation*, courtesy of Tomas B. Garcia, MD.

박동수 :	심방: 90회 심실: 45회	PR 간격 :	다양함
규칙성 :	규칙적	QRS 폭 :	넓음
P파 : 형태 : 축 :	정상 정상 정상	그룹화 :	없음
		탈락 박동 :	있음
P:QRS 비 :	다양함	리듬 :	3도 방실 차단

심전도 25는 동율동으로 추정되는 리듬으로 P파는 상향 하향(biphasic)의 형태이다. 심실 박동수 45회는 기존 좌각 차단이 동반된 방실접합부 리듬 또는 심실성 탈출리듬(조금 더 가능성이 높다) 모두에서 가능하다. 이러한 경우 과거 심전도는 기존 좌각차단 여부를 확인하는데 도움이 된다. 하지만 3도 방실 차단에 대한 논쟁을 불러올 만한 소견은 보이지 않는다. 파란색 화살표는 겹쳐진 두 개의 P파를 가르킨다.

심전도 26

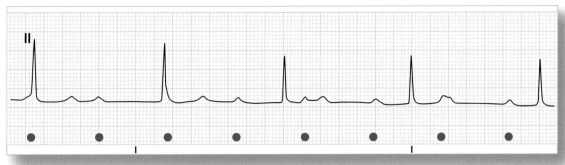

From *Arrhythmia Recognition: The Art of Interpretation*, courtesy of Tomas B. Garcia, MD.

박동수 :	심방: 79회 심실: 44회	PR 간격 :	다양함
규칙성 :	규칙적	QRS 폭 :	좁음
P파 : 　형태 : 　축 :	정상 정상 정상	그룹화 :	없음
		탈락 박동 :	있음
P:QRS 비 :	다양함	리듬 :	3도 방실 차단

　심전도 26은 완전 방실 차단과 서로 독립된 동율동 및 방실접합부 리듬을 보여준다. 처음 두 개의 QRS파의 높이는 나머지 QRS파들보다 확연하게 높다. 이것은 아마도 QRS파와 P파가 동시에 발생함으로 인해 두 파형의 백터값이 더해져 나타난 것으로 생각된다. 이러한 리듬을 진단하는 가장 좋은 방법은 캘리퍼를 사용해 P-P 간격과 R-R 간격을 측정하고 이를 통해 심방과 심실 리듬이 서로 독립되었다는 것을 증명하는 것이다.

심전도 27

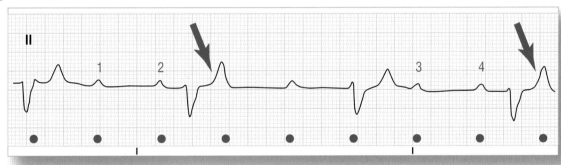

From *Arrhythmia Recognition: The Art of Interpretation*, courtesy of Tomas B. Garcia, MD.

박동수 :	심방: 88회 심실: 33회	PR 간격 :	다양함
규칙성 :	규칙적	QRS 폭 :	넓음
P파 : 　형태 : 　축 :	정상 정상 정상	그룹화 :	없음
		탈락 박동 :	있음
P:QRS 비 :	다양함	리듬 :	3도 방실 차단

　심전도 27은 완전 방실 차단과 88회의 동율동 그리고 33회의 심실 탈출리듬을 보여준다. 이 심전도는 언뜻 보기에 연속적으로 전도 차단된 두 개의 P파를 보여주는 것 같다. 연속적으로 전도 차단된 P파는 숫자로 표기되었다. 하지만 캘리퍼를 사용해 1번과 2번 사이의 간격을 측정하고 3번과 4번 사이의 간격과 비교해보면 이 리듬이 일정한 심방리듬인 것을 알 수 있다. 리듬 스트립에 걸쳐 R-R 간격 또한 일정해 이 리듬은 완전 방실 차단으로 진단된다. 파란색 화살표는 겹쳐진 P파를 가르킨다.

심전도 28

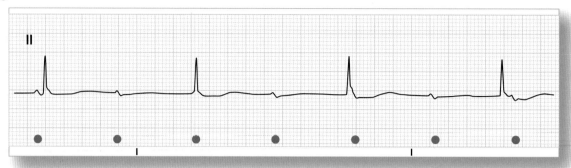

From *Arrhythmia Recognition: The Art of Interpretation*, courtesy of Tomas B. Garcia, MD.

박동수 :	심방: 70회 심실: 36회	PR 간격 :	다양함
규칙성 :	규칙적	QRS 폭 :	좁음

P파 :
  형태 :
  축 :
	정상
	정상
	정상
		그룹화 :	없음

		탈락 박동 :	있음
P:QRS 비 :	다양힘	리듬 :	3도 방실 차단

심전도 28은 완전 방실 차단과 서로 독립된 동율동 및 방실접합부 리듬을 보여준다. 두 번째, 세 번째 QRS파는 P파와 겹쳐져 있다. 임상 요점: 완전 방실 차단의 감별을 위해신 숨겨진 P파를 찾는 것이 중요하다. P파는 주로 심실 파형들과 잘 겹쳐진다. 이 증례에서는 첫 번째 QRS파 직전에 P파가 나타나 캘리퍼를 이용한 P-P 간격의 측정을 용이하게 한다. 캘리퍼를 이용한 P-P 간격의 측정은 숨겨진 P파를 찾는데 매우 유용하다.

심전도 29

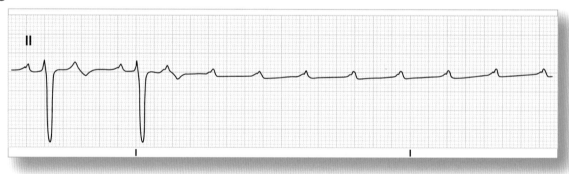

From *Arrhythmia Recognition: The Art of Interpretation*, courtesy of Tomas B. Garcia, MD.

박동수 :	심방: 60회 심실: 115회	PR 간격 :	다양함
규칙성 :	규칙적	QRS 폭 :	넓음

P파 :
  형태 :
  축 :
	정상
	정상
	정상
		그룹화 :	없음

		탈락 박동 :	있음
P:QRS 비 :	다양함	리듬 :	3도 방실 차단

심전도 29는 2:1 방실 차단이 심실 휴지기가 동반된 완전 방실 차단으로 진행되는 순간의 심전도를 보여준다. 불행히도 방실접합부 및 심실성 박동기 모두 심실 조율 기능을 수행하지 못하였다. 앞서 언급한 것처럼 이러한 환자들을 위해서 경피적 심박동기(transcutaneous pacemaker) 또는 경정맥 심박동기(transvenous pacemaker)가 손이 닿는 가까운 곳에 항상 준비되어져 있어야 한다.

부정맥 정리

방실 차단

	1도 방실 차단	Mobitz I 2도 방실 차단	Mobitz II 2도 방실 차단	2:1 또는 분류되지 않는 2도 방실 차단	3도 또는 완전 방실 차단
박동수	다양함	다양함	다양함	다양함	다양함
규칙성	규칙적	규칙적	규칙적으로 불규칙	규칙적	규칙적
P 파	있음	있음	있음	있음	있음
형태	정상	정상 또는 이소성	정상 또는 이소성	정상 또는 이소성	정상 또는 이소성
II, III, aVF 에서 상향	가끔	가끔	가끔	가끔	가끔
P:QRS 비	1:1	X:X – 1	다양함	2:1	다양함
PR 간격	연장됨	다양함	정상 또는 연장됨	정상 또는 연장됨	다양함
QRS 폭	정상 또는 넓음	정상 또는 넓음	정상 또는 넓음	정상 또는 넓음	정상 또는 넓음
그룹화	없음	있음	다양함	있음	없음
탈락박동	없음	있음	있음	있음	있음

감별진단

방실 차단

1. 경화 및 섬유화
   - Lev disease
   - Lenegre disease
   - 원인불명(Idiopathic)
2. 급성 심근경색증 및 허혈성 심장 질환
3. 약물
   - 칼슘 차단제
   - 디곡신
   - 베타 차단제
   - 프로카이나마이드
   - 퀴니딘
   - 디소리파마이드
   - 프로파페논
   - 아미오다론
   - 아데노신
4. 미주신경 항진: 경동맥 마사지, 통증, 수면 기타 등등
5. 심장수술 및 심장외상
6. 심근증
7. 심근염
8. 감염성 심내막염
9. 전해질 이상
10. 선천성 심장 질환

이 목록은 모든 것을 포함하진 않지만 리듬 장애의 가장 흔한 원인들을 보여준다.

단원 복습

1. 방실 차단은 상심실성 자극의 전도가 방실결정 또는 심실 부위 전기전도로에서의 _____ 또는 _____ 차단에 의해 발생한다.

2. 자극 전도가 차단되지는 않았지만 전도지연이 있는 경우 _____ 도 방실 차단이다.

3. 상심실성 자극이 간헐적으로 전도 차단되어 탈락박동이 발생하는 경우는 _____ 도 방실 차단이다.

4. 심방과 심실 사이에 소통이 완전히 끊긴 경우 _____ 또는 _____ 도 방실 차단이다.

5. 2도 방실 차단의 소수 유형에 속하는 것은?
   A. Mobitz I 또는 Wenckebach
   B. 2:1
   C. Mobitz II
   D. 고도 또는 진행된 방실 차단
   E. 모두 맞다

6. 전형적인 1도 방실 차단의 소견은 _____ 초 이상 연장된 PR 간격이다.

7. 일반적으로 1도 방실 차단은 방실결절에서 발생하기 때문에 보통 QRS파는 좁은 형태이고 전도비율은 1:1이다.(맞다 / 틀리다)

8. 1도 방실 차단은 0.4초 이상 연장될 수 없다.(맞다 / 틀리다)

다음을 짝 지으시오.

9. 2개 이상 연속되는 전도 차단된 P파

10. 연장된, 일정한 PR 간격

11. 간헐절 탈락박동과 일정한 PR 간격

12. 심방과 심실의 소통 부재

13. PR 간격의 점진적 연장 및 탈락박동

14. 하나의 QRS파에 대한 두 개의 P파

   A. 1도 방실 차단
   B. Mobitz I 2도 방실 차단
   C. Mobitz II 2도 방실 차단
   D. 고도 또는 진행된 방실 차단
   E. 분류되지 않는(un-typable) 2도 방실 차단
   F. 3도 방실 차단

15. 일부 경우에 2도 방실 차단에서는 P파가 없는 경우도 있다.(맞다 / 틀리다)

16. 그룹화는 2도 방실 차단의 가장 중요한 진단 기준 중 하나이다.(맞다 / 틀리다)

17. 방실 차단에 관해 논의할 때 전도비율과 차단은 서로 호환되어 사용할 수 있다.(맞다 / 틀리다)

18. Mobitz I 2도 방실 차단 또는 Wenckebach와 관련된 설명 중 틀린 것은?
   A. PR 간격은 결국 P파가 전도 차단될 때까지 점진적으로 연상된다.
   B. PR 간격은 탈락박동 직후가 가장 길다.
   C. PR 간격의 가장 큰 증가폭은 첫 번째와 두 번째 PR 간격 사이에서 발생한다.
   D. R-R 간격은 탈락박동 전까지 점진적으로 줄어든다.
   E. 전도 차단된 P파를 포함한 R-R 간격은 선행하는 두 개의 P-P 간격보다 작다.

19. Mobitz I 2도 방실 차단 또는 Wenckebach에서 발생하는 QRS파의 폭은 _____ 또는 _____ 중 하나이다.

20. Mobitz I 2도 방실 차단에서 가능한 전도 비율은?
   A. 2:1
   B. 3:2
   C. 5:4
   D. 17:16
   E. 모두 맞다

21. Mobitz II 2도 방실 차단은 하나 또는 여러 개의 전도 차단된 P파와 일정한 PR 간격의 특징이 있으며 여러 개의 전도 차단된 P파가 있는 경우 연이은 전도 차단은 발생하지 않는다.(맞다 / 틀리다)

22. Mobitz II 2도 방실 차단에서 발생하는 QRS파의 폭은 _____ 또는 _____ 일 수 있다.

23. 2:1 전도비율의 2도 방실 차단은 분류되지 않는(un-typable), Mobitz I 또는 Mobitz II 일 수 있다. 하지만 Mobitz I 또는 Mobitz II의 진단을 위해선 최소한 2개 이상의 연속적인 PR 간격이 리듬 스트립에 있어야 한다.(맞다 / 틀리다)

24. 3도 방실 차단을 확진하기 위해선 포획(capture) 또는 융합(fusion) 박동이 있어야 한다.(맞다 / 틀리다)

25. 3도 방실 차단에서는 PR 간격이 일정할 필요가 없다. (맞다 / 틀리다)

4편 자율 학습

점검: 심전도 1

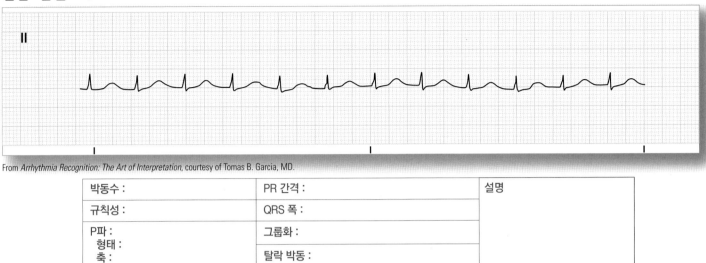

From *Arrhythmia Recognition: The Art of Interpretation*, courtesy of Tomas B. Garcia, MD.

박동수 :	PR 간격 :	설명
규칙성 :	QRS 폭 :	
P파 : 　형태 : 　축 :	그룹화 :	
	탈락 박동 :	
P:QRS 비 :	리듬 :	

점검: 심전도 2

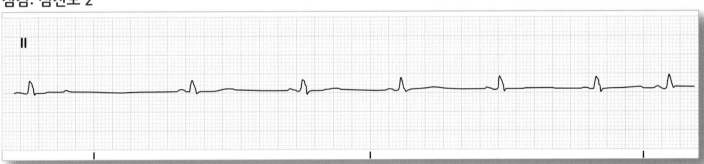

From *Arrhythmia Recognition: The Art of Interpretation*, courtesy of Tomas B. Garcia, MD.

박동수 :	PR 간격 :	설명
규칙성 :	QRS 폭 :	
P파 : 　형태 : 　축 :	그룹화 :	
	탈락 박동 :	
P:QRS 비 :	리듬 :	

점검: 심전도 3

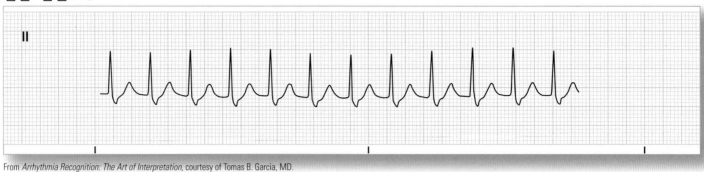

From *Arrhythmia Recognition: The Art of Interpretation*, courtesy of Tomas B. Garcia, MD.

박동수 :	PR 간격 :	설명
규칙성 :	QRS 폭 :	
P파 : 　형태 : 　축 :	그룹화 : 탈락 박동 :	
P:QRS 비 :	리듬 :	

점검: 심전도 4

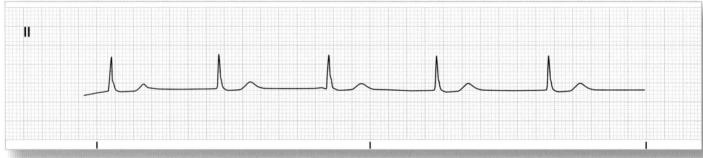

From *Arrhythmia Recognition: The Art of Interpretation*, courtesy of Tomas B. Garcia, MD.

박동수 :	PR 간격 :	설명
규칙성 :	QRS 폭 :	
P파 : 　형태 : 　축 :	그룹화 : 탈락 박동 :	
P:QRS 비 :	리듬 :	

점검: 심전도 5

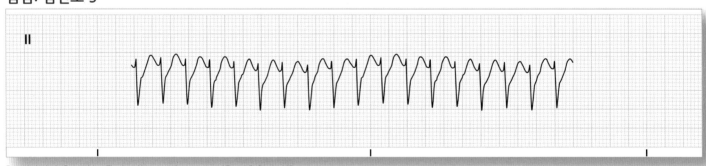

From *Arrhythmia Recognition: The Art of Interpretation*, courtesy of Tomas B. Garcia, MD.

박동수 :	PR 간격 :	설명
규칙성 :	QRS 폭 :	
P파 : 　형태 : 　축 :	그룹화 : 탈락 박동 :	
P:QRS 비 :	리듬 :	

점검: 심전도 6

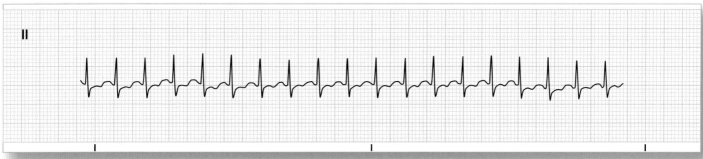

II

From *Arrhythmia Recognition: The Art of Interpretation*, courtesy of Tomas B. Garcia, MD.

박동수 :	PR 간격 :	설명
규칙성 :	QRS 폭 :	
P파 : 　형태 : 　축 :	그룹화 :	
	탈락 박동 :	
P:QRS 비 :	리듬 :	

점검: 심전도 7

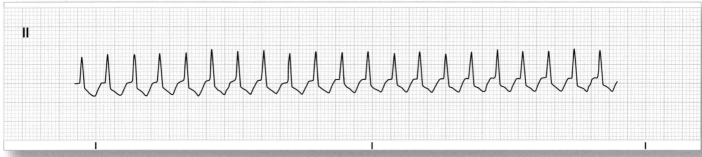

II

From *Arrhythmia Recognition: The Art of Interpretation*, courtesy of Tomas B. Garcia, MD.

박동수 :	PR 간격 :	설명
규칙성 :	QRS 폭 :	
P파 : 　형태 : 　축 :	그룹화 :	
	탈락 박동 :	
P:QRS 비 :	리듬 :	

점검: 심전도 8

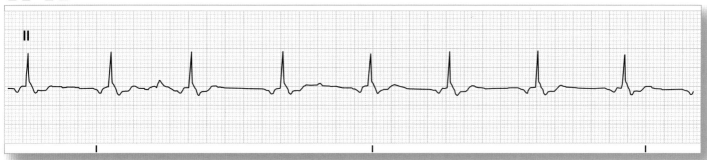

II

From *Arrhythmia Recognition: The Art of Interpretation*, courtesy of Tomas B. Garcia, MD.

박동수 :	PR 간격 :	설명
규칙성 :	QRS 폭 :	
P파 : 　형태 : 　축 :	그룹화 :	
	탈락 박동 :	
P:QRS 비 :	리듬 :	

점검: 심전도 9

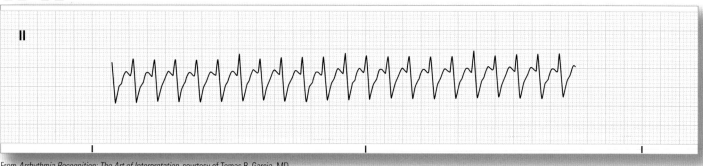

박동수 :	PR 간격 :	설명
규칙성 :	QRS 폭 :	
P파 : 　형태 : 　축 :	그룹화 :	
	탈락 박동 :	
P:QRS 비 :	리듬 :	

점검: 심전도 10

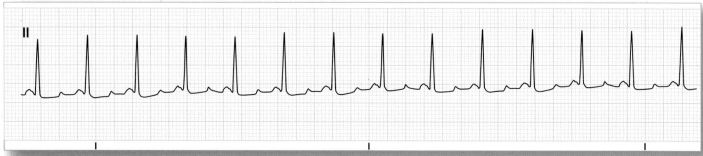

박동수 :	PR 간격 :	설명
규칙성 :	QRS 폭 :	
P파 : 　형태 : 　축 :	그룹화 :	
	탈락 박동 :	
P:QRS 비 :	리듬 :	

점검: 심전도 11

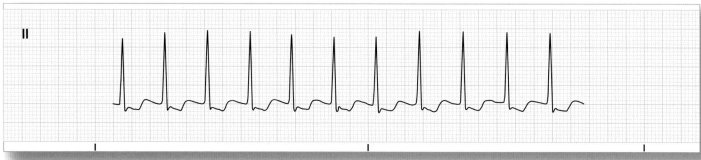

박동수 :	PR 간격 :	설명
규칙성 :	QRS 폭 :	
P파 : 　형태 : 　축 :	그룹화 :	
	탈락 박동 :	
P:QRS 비 :	리듬 :	

점검: 심전도 12

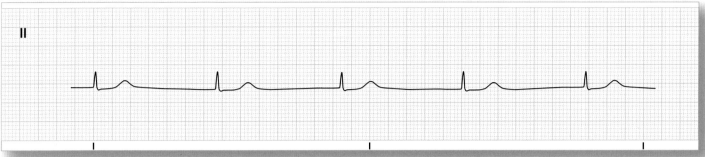

From *Arrhythmia Recognition: The Art of Interpretation*, courtesy of Tomas B. Garcia, MD.

박동수 :	PR 간격 :	설명
규칙성 :	QRS 폭 :	
P파 : 　형태 : 　축 :	그룹화 :	
	탈락 박동 :	
P:QRS 비 :	리듬 :	

점검: 심전도 13

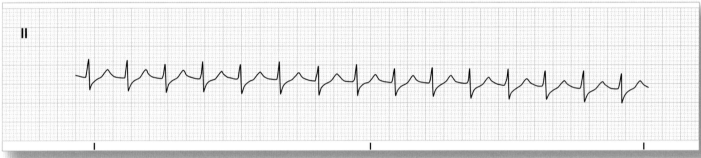

From *Arrhythmia Recognition: The Art of Interpretation*, courtesy of Tomas B. Garcia, MD.

박동수 :	PR 간격 :	설명
규칙성 :	QRS 폭 :	
P파 : 　형태 : 　축 :	그룹화 :	
	탈락 박동 :	
P:QRS 비 :	리듬 :	

점검: 심전도 14

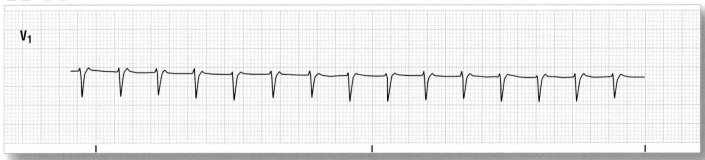

From *Arrhythmia Recognition: The Art of Interpretation*, courtesy of Tomas B. Garcia, MD.

박동수 :	PR 간격 :	설명
규칙성 :	QRS 폭 :	
P파 : 　형태 : 　축 :	그룹화 :	
	탈락 박동 :	
P:QRS 비 :	리듬 :	

점검: 심전도 15

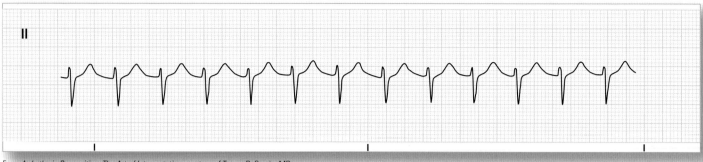

From *Arrhythmia Recognition: The Art of Interpretation*, courtesy of Tomas B. Garcia, MD.

박동수 :	PR 간격 :	설명
규칙성 :	QRS 폭 :	
P파 : 　형태 :	그룹화 :	
축 :	탈락 박동 :	
P:QRS 비 :	리듬 :	

점검: 심전도 16

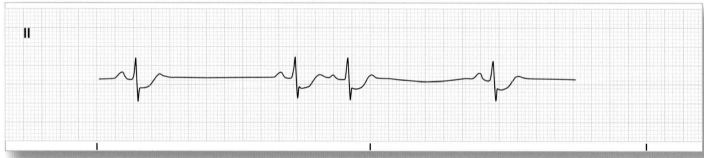

From *Arrhythmia Recognition: The Art of Interpretation*, courtesy of Tomas B. Garcia, MD.

박동수 :	PR 간격 :	설명
규칙성 :	QRS 폭 :	
P파 : 　형태 :	그룹화 :	
축 :	탈락 박동 :	
P:QRS 비 :	리듬 :	

점검: 심전도 17

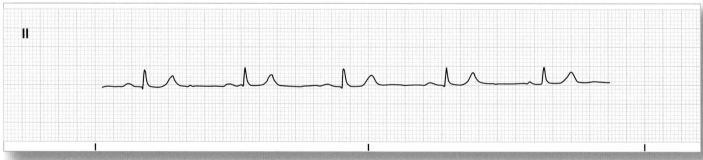

From *Arrhythmia Recognition: The Art of Interpretation*, courtesy of Tomas B. Garcia, MD.

박동수 :	PR 간격 :	설명
규칙성 :	QRS 폭 :	
P파 : 　형태 :	그룹화 :	
축 :	탈락 박동 :	
P:QRS 비 :	리듬 :	

점검: 심전도 18

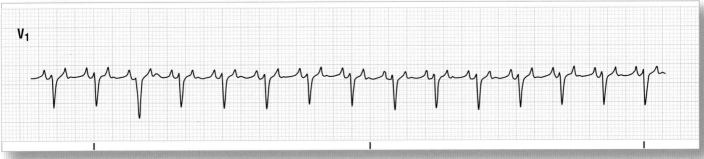

From *Arrhythmia Recognition: The Art of Interpretation*, courtesy of Tomas B. Garcia, MD.

박동수 :	PR 간격 :	설명
규칙성 :	QRS 폭 :	
P파 : 　형태 :	그룹화 :	
축 :	탈락 박동 :	
P:QRS 비 :	리듬 :	

점검: 심전도 19

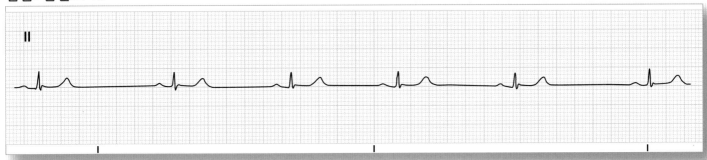

From *Arrhythmia Recognition: The Art of Interpretation*, courtesy of Tomas B. Garcia, MD.

박동수 :	PR 간격 :	설명
규칙성 :	QRS 폭 :	
P파 : 　형태 :	그룹화 :	
축 :	탈락 박동 :	
P:QRS 비 :	리듬 :	

점검: 심전도 20

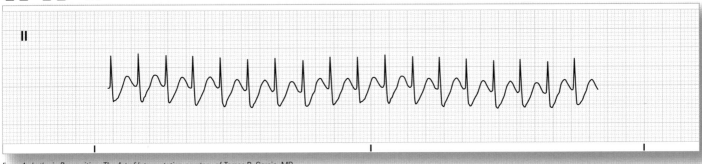

From *Arrhythmia Recognition: The Art of Interpretation*, courtesy of Tomas B. Garcia, MD.

박동수 :	PR 간격 :	설명
규칙성 :	QRS 폭 :	
P파 : 　형태 :	그룹화 :	
축 :	탈락 박동 :	
P:QRS 비 :	리듬 :	

4편 자율 학습 해설

점검: 심전도 1

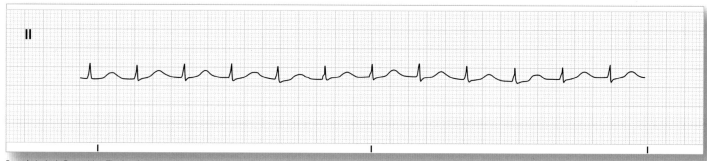

From *Arrhythmia Recognition: The Art of Interpretation*, courtesy of Tomas B. Garcia, MD.

박동수 :	분당 약 115회	PR 간격 :	적용할 수 없음
규칙성 :	규칙적	QRS 폭 :	정상
P파 :	없음	그룹화 :	없음
형태 :	없음		
축 :	없음	탈락 박동 :	없음
P:QRS 비 : 적용할 수 없음		리듬 :	방실 접합부 빈맥

토의:

박동수가 115회/분의 빠르고 좁은 QRS파 빈맥이다. P파는 보이지 않는다. 가성 S파의 존재에 대한 논쟁의 소지가 있을 수 있으며, 이전 심전도나 환자가 동리듬으로 회복되었을 때의 심전도에서 유도 II 나타나는 QRS파의 형태를 보면 그 가능성을 입증하거나 배제할 수 있다.

이 기록지에서 QT간격은 연장되어 있으며 이것을 더 평가하기 위해서는 12유도 ECG를 시행해 볼 필요가 있다. 규칙적인 리듬, P파의 결여, 좁은 QRS파들과 115회/분의 심박동수로 보아 방실 접합부 빈맥에 합당한 소견이다.

점검: 심전도 2

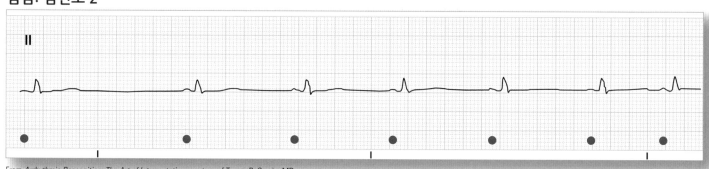

From *Arrhythmia Recognition: The Art of Interpretation*, courtesy of Tomas B. Garcia, MD.

박동수 :	분당 약 50회	PR 간격 :	정상
규칙성 :	규칙적으로 불규칙	QRS 폭 :	정상
P파 :	있음	그룹화 :	없음
형태 :	상향		
축 :	정상	탈락 박동 :	없음
P:QRS 비 : 1:1		리듬 :	동 부정맥

토의:

R-R간격이 점차적으로 감소하는 불규칙한 리듬이다. 거의 동일한 모양의 P파가 각각의 QRS군 앞에 위치한다. 이 기록지에서 마지막 P파는 다른 양상을 갖지만 PR 간격은 같다.

이 차이는 아마도 원래선이 약간 고르지 못해서 그럴 것이다. 더 긴 리듬 기록지를 얻었더니 리듬이 느려졌다가 빨라지는 고전적인 동부정맥의 소견이 나타났다.

점검: 심전도 3

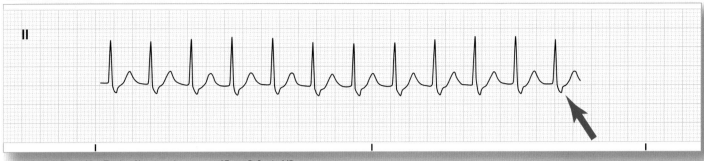

From *Arrhythmia Recognition: The Art of Interpretation*, courtesy of Tomas B. Garcia, MD.

박동수 :	분당 약 135회	PR 간격 :	적용할 수 없음
규칙성 :	규칙적	QRS 폭 :	정상
P파 : 　형태 : 　축 :	있음, 가성-S (pseudo-S) 역위 비정상	그룹화 :	없음
		탈락 박동 :	없음
P:QRS 비 :	1:1	리듬 :	방실결절 회귀빈맥

토의:

　빠르고 규칙적인 좁은 QRS파 빈맥이다. QRS군 앞에 P파가 보이지 않지만 QRS군 끝에 가성 -S파는 현저히 나타난다. 앞에서 언급했었 듯이, 이들 가성-S파(파란색 화살표)는 방실결절 회귀성 빈맥의 미세회귀 회로 (microreentry circuit)에 의한 역행성으로 전도한 역위된 P파를 나타낸다. 군들의 진폭에 어느 정도의 변이가 있는 것은 매우 빠른 빈맥에서 전형적으로 나타나는 전기적 교대 양상(electrical alternans pattern) 때문이다.

점검: 심전도 4

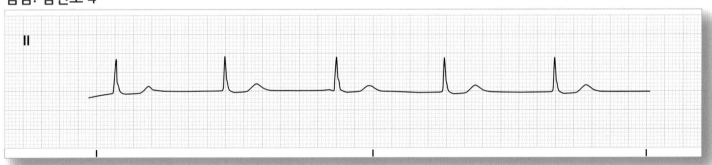

From *Arrhythmia Recognition: The Art of Interpretation*, courtesy of Tomas B. Garcia, MD.

박동수 :	분당 약 50회	PR 간격 :	없음
규칙성 :	규칙적	QRS 폭 :	정상
P파 : 　형태 : 　축 :	없음 없음 없음	그룹화 :	없음
		탈락 박동 :	없음
P:QRS 비 :		리듬 :	방실 접합부 리듬

토의:

　P파가 관찰되지 않는 느리고 규칙적인 리듬 기록지이다. 좁은 QRS파들은 이 리듬이 상심실성 기원인 것과 정상 전기 전도계를 통한 전도임을 나타내는 소견이다.

　이러한 소견과 약 50회/분의 심박동수는 이 리듬이 방실 접합부 리듬임을 나타낸다. 좀 더 정확하게 진단을 내리자면 접합부 이탈 리듬이라고 한다.

점검: 심전도 5

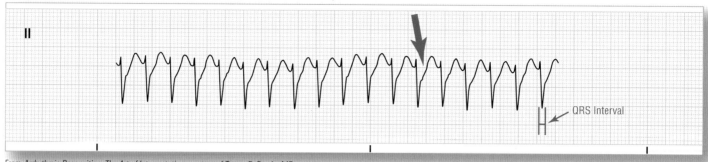

From *Arrhythmia Recognition: The Art of Interpretation*, courtesy of Tomas B. Garcia, MD.

박동수 :	분당 약 215회	PR 간격 :	없음
규칙성 :	규칙적	QRS 폭 :	정상

P파 :
  형태 :
  축 :
	없음
	없음
	없음
		그룹화 :	없음

		탈락 박동 :	없음
P:QRS 비 :	없음	리듬 :	방실 회귀성빈맥(정방향)

토의:

이 리듬 기록지는 매우 빠르면서 좁은 QRS파 빈맥을 보이도 있다. ST 분절의 하강(파란색 화살표)이 현저하게 나타나며 이것은 아마도 빈맥에 의한 것이겠지만, 원래의 심근허혈이나 현재 심근허혈에 의한 것일 수 있다. 이 리듬 기록지는 매우 빠른 방실결절 회귀성빈맥이나 방실결절 회귀성빈맥의 사례가 될 수 있다. 빠른 속도는 부전도로의 존재를 시사한다. 이 환자는 Wolff-Parkinson-White (WPW) 증후군의 병력과 부전도로를 가지고 있었다. 환자가 정상 리듬으로 돌아온 후에 12유도 심전도상 WPW 증후군에 특징적인 델타파가 나타났다. 방실 회귀성빈맥에서 정방향과 역방향의 두 가지의 전도가 있다는 것을 기억할 것이다. 이 예는 좁은 QRS파 빈맥이므로 정방향(orthodromic) 방실 회귀성빈맥이다.

점검: 심전도 6

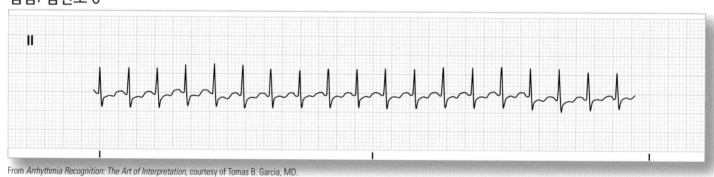

From *Arrhythmia Recognition: The Art of Interpretation*, courtesy of Tomas B. Garcia, MD.

박동수 :	분당 약 190회	PR 간격 :	없음
규칙성 :	규칙적	QRS 폭 :	정상

P파 :
  형태 :
  축 :
	없음
	없음
	없음
		그룹화 :	없음

		탈락 박동 :	없음
P:QRS 비 :	없음	리듬 :	방실결절 회귀성빈맥

토의:

이것은 빠른 방실결절 회귀성빈맥의 예이다. 좁은 QRS파 상심실성 빈맥과 이와 동반된 ST 하강이 나타난다. 그런데 어떻게 앞의 기록지는 방실 회귀성빈맥이며 이 기록지는 방실결절 회귀성빈맥이라고 할 수 있는가? 임상적 상황과 빈맥이 끝난 후의 12유도 심전도가 필요하다. 하지만 이를 기록지만 가지고 구분하기는 매우 어렵다.

5번 리듬 기록지에서 보였던 200회/분 이상의 심박동수가 방실결절 회귀성빈맥을 좀 더 시사하지만 이는 방실결절 회귀성빈맥에서도 이따금 볼 수 있다. 이런 면을 소개하는 이유는 빠른 빈맥을 다룰 때는 많은 의심을 가지고 가능한 모든 방법을 효과적으로 동원해서 진단을 내려야 한다는 것이다.

점검: 심전도 7

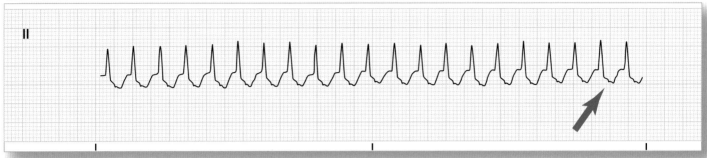

From *Arrhythmia Recognition: The Art of Interpretation*, courtesy of Tomas B. Garcia, MD.

박동수 :	분당 약 210회	PR 간격 :	없음
규칙성 :	규칙적	QRS 폭 :	정상
P파 : 　형태 : 　축 :	있음 역위 비정상	그룹화 :	없음
		탈락 박동 :	없음
P:QRS 비 : 1:1		리듬 :	방실 회귀성빈맥(정방향)

토의:

　방실결절 회귀성빈맥과 방실 회귀성빈맥의 진단이 어려운 또 다른 증례이다. 진단을 쉽게 할 수 있게 해주는 소견이 하나 있기는 하다. T파는 역위되거나 상향이거나 이상성(biphasic)이다. 그러나 이들은 통상적으로 매끄럽고 점차적으로 변하는 파로써 그 선상의 날카로운 변화는 T파의 모양에서 전형적으로 잘 나타나지 않는다.

이 리듬 기록지에서 T파의 하행 경사에서 비교적 날카로운 음성 편향(deflection)이 나타난다(파란색 화살표). 이 날카로운 음성 파는 사실 매우 연장된 RP간격과 관련된 역위 P파이다. 긴 RP 간격은 방실 회귀성빈맥과 관련이 있다. 따라서 이것은 정방향 방실 회귀성빈맥이다. 임상적 연관과 12 유도 심전도가 진단을 가능하게 한다.

점검: 심전도 8

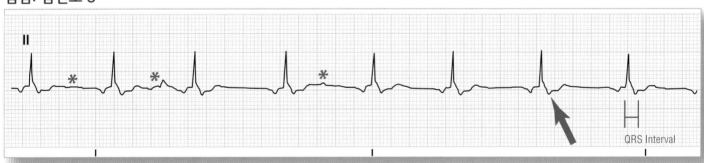

From *Arrhythmia Recognition: The Art of Interpretation*, courtesy of Tomas B. Garcia, MD.

박동수 :	분당 약 64회	PR 간격 :	정상
규칙성 :	아래 토의를 참고	QRS 폭 :	넓음
P파 : 　형태 : 　축 :	있음 역위 비정상	그룹화 :	없음
		탈락 박동 :	없음
P:QRS 비 : 1:1		리듬 :	이소성 심방리듬

토의:

　이 리듬 기록지는 여러 상반되는 흥미로운 소견을 보여준다. 첫째로, 리듬이 약간 불규칙하다. 이 불규칙성은 조기수축에 의한 것일까? 이에 대한 대답은 P파가 정확히 일치하고 PR 간격이 계속 같기 때문에 아니라고 할 수 있다. 그렇다면 이것은 완전한 동부정맥인가? 여기서도 P파가 역위되어 있어 이소성 심방부위나 방실접합부 기원임을 뜻하기 때문에 아니라고 할 수 있다. 정상 PR 간격은 이소성 리듬임을 알게 해준다. 이것은 어느 정도의 불규칙성을 가진 이소성 심방 리듬인데, 아마 동부정맥의 호흡성 변이일 가능성이 있다. 둘째로, 허상(artifact)에 의해 원래선을 따라 약간 비정상적인 부분이 있다(파란 별표). 마지막으로, 파란색 화살표는 QRS파 끝에 있는 S파(12유도 ECG에서 더 명확하게 나타남)를 가리키는데, 이것은 차단된 역위 P파와 혼동하기 쉽다.

점검: 심전도 9

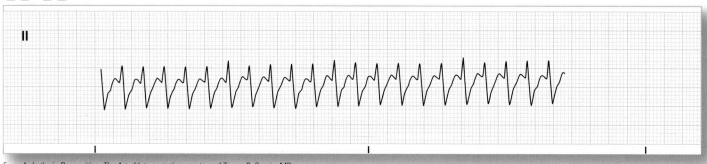

From *Arrhythmia Recognition: The Art of Interpretation*, courtesy of Tomas B. Garcia, MD.

박동수 :	분당 약 260회	PR 간격 :	없음
규칙성 :	규칙적	QRS 폭 :	넓음
P파 : 　형태 : 　축 :	없음 없음 없음	그룹화 :	없음
		탈락 박동 :	없음
P:QRS 비 : 없음		리듬 :	방실 회귀성빈맥(역방향)

토의:

　이것은 매우 위험한 리듬이다. 260회/분의 심박동수와 넓은 QRS군 빈맥은 역방향(antidromic) 방실 회귀성빈맥과 일치하는 소견이다. 역방향 방실 회귀성빈맥은 부전도로와 WPW 증후군과 관련된다. 대회귀 전기회로(macro-reentry electrical circuit)의 전기 전도는 부전도로를 지나 심실로 들어간 나음 방실결설을 역행해서 심방으로 돌아온다.

　이런 종류의 방실 회귀성빈맥은 속도에 대한 방실결절에 의한 박동수의 조절이 없으므로 위험하다. 매우 빠른 이 리듬은 너무 빨라져, 심실세동과 심정지로 이행될 수 있다. 이런 환자들은 즉각 집중 치료를 지시해야 하며, 혈역학적 불안정 시에는 전기적 동율동 전환을 응급으로 행해야 한다.

점검: 심전도 10

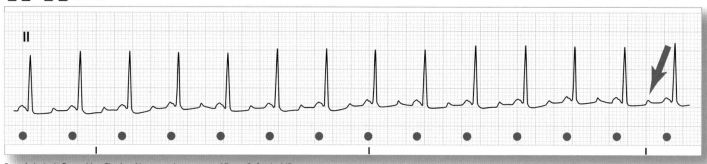

From *Arrhythmia Recognition: The Art of Interpretation*, courtesy of Tomas B. Garcia, MD.

박동수 :	분당 약 110회	PR 간격 :	정상
규칙성 :	규칙적	QRS 폭 :	정상
P파 : 　형태 : 　축 :	있음 상향 정상	그룹화 :	없음
		탈락 박동 :	없음
P:QRS 비 : 1:1		리듬 :	동 빈맥

토의:

　이 리듬 기록지는 상향 P파, 정상 PR 간격, 약간의 ST 하강을 보인다. 110회/분의 박동수를 가졌으므로 동 빈맥을 나타낸다. PR 간격은 짧아 보이지만 캘리퍼로 측정 시 0.12초로 정상 범위 내에 속함을 알 수 있다.

　QT 간격은 0.31초로 연장된 것처럼 보이지만 심실 박동수가 110회/분인 것을 고려할 때 이것은 정상 범위임을 알 수 있다. 유도 II에서 T파(파란색 화살표)는 작은 양성 편향(deflection)으로 또 다른 P파로 오인될 수 있다.

점검: 심전도 11

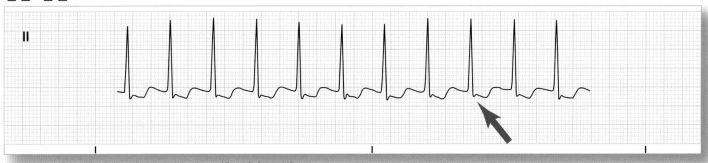

From *Arrhythmia Recognition: The Art of Interpretation*, courtesy of Tomas B. Garcia, MD.

박동수 :	분당 약 125회	PR 간격 :	적용할 수 없음
규칙성 :	규칙적	QRS 폭 :	정상
P파 : 　형태 : 　축 :	있음, 가성-S 역위 비정상	그룹화 :	없음
		탈락 박동 :	없음
P:QRS 비 :	1:1	리듬 :	방실 접합부빈맥

토의:

위 리듬 기록지는 약 125회/분의 좁은 QRS파 빈맥을 보인다. 역위된 P파가 관찰되며 이는 유도 II에서 가성-S파처럼 보인다(파란 화살표). 박동수가 140회/분 이상이라면 진단은 방실결절 회귀성빈맥으로 진단할 수 있겠지만 이 리듬 기록지는 125회/분의 박동수를 보이고 있기에 방실 접합부 빈맥으로 진단하는 것이 더 합당하다.

점검: 심전도 12

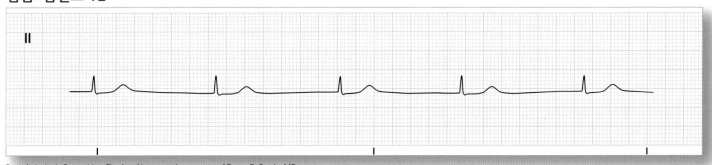

From *Arrhythmia Recognition: The Art of Interpretation*, courtesy of Tomas B. Garcia, MD.

박동수 :	분당 약 45회	PR 간격 :	없음
규칙성 :	규칙적	QRS 폭 :	정상
P파 : 　형태 : 　축 :	없음 없음 없음	그룹화 :	없음
		탈락 박동 :	없음
P:QRS 비 :	없음	리듬 :	방실 접합부리듬

토의:

연관된 P파가 전혀 관찰되지 않는 45회/분의 느린 리듬이다. QRS파는 좁으며 QRS파의 끝에 가성 S파가 관찰되는데 12유도 심전도로 확인할 필요가 있다.

이 리듬기록지의 소견은 방실 접합부(이탈)박동에 합당하다.

점검: 심전도 13

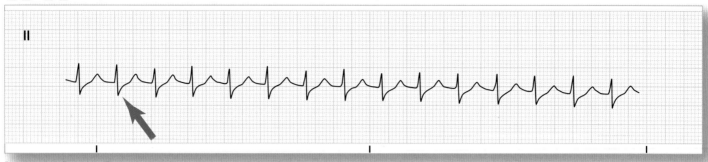

From *Arrhythmia Recognition: The Art of Interpretation*, courtesy of Tomas B. Garcia, MD.

박동수 :	분당 약 145회	PR 간격 :	없음
규칙성 :	규칙적	QRS 폭 :	정상

P파 :
  형태 :
  축 :
	있음, pseudo-S
	역위
	비정상
		그룹화 :	없음

		탈락 박동 :	없음
P:QRS 비 : 없음		리듬 :	방실결절 회귀성빈맥

토의:

이번 리듬기록지와 다음 리듬기록지는 같은 환자지만 다른 유도이다. 이번 기록지는 유도 II, 다음 기록지는 V₁이다. 이렇게 나란히 비교하는 이유는 방실결절 회귀성빈맥 환자에시 유도 II에서 pseudo-S파(파란 화살표)와 유도 V₁에서

인공 R'파를 확인할 필요성이 있기 때문이다. 여러 개의 유도나 전체 12유도 심전도는 이 두 소견을 관찰하는데 매우 중요하며 이러한 소견은 좁은 QRS파 빈맥의 원인으로 방실결절 회귀성빈맥으로 진단하는데 중요한 소견이다.

점검: 심전도 14

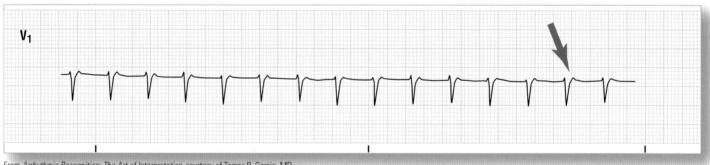

From *Arrhythmia Recognition: The Art of Interpretation*, courtesy of Tomas B. Garcia, MD.

박동수 :	분당 약 145회	PR 간격 :	없음
규칙성 :	규칙적	QRS 폭 :	정상

P파 :
  형태 :
  축 :
	있음, 인공 R'파
	역위
	비정상
		그룹화 :	없음

		탈락 박동 :	없음
P:QRS 비 : 없음		리듬 :	방실결절 회귀성빈맥

토의:

이것은 위 리듬기록지와 동일한 환자의 V₁ 유도의 리듬기록지이다. 두 개의 기록지는 방실결절 회귀성빈맥을 나타낸다. 이 기록지에서 인공 R'파의 존재를 유의하자(파란색

화살표).

관찰하고 있는 리듬 기록지의 유도가 어떤 것인지 확인하는 습관을 길러야 한다. 유도에 따라 군들의 방향과 양상이 현저하게 달라진다.

점검: 심전도 15

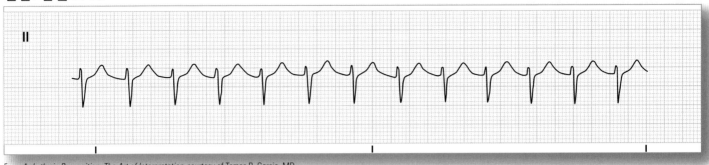

From *Arrhythmia Recognition: The Art of Interpretation*, courtesy of Tomas B. Garcia, MD.

박동수 :	분당 약 120회	PR 간격 :	없음
규칙성 :	규칙적	QRS 폭 :	정상
P파 :	없음	그룹화 :	없음
형태 :	없음		
축 :	없음	탈락 박동 :	없음
P:QRS 비 :	없음	리듬 :	방실 접합부빈맥

토의:

이 리듬기록지는 빠르고 규칙적인 좁은 QRS파 빈맥을 보여준다. 심박동수는 120회/분이며 식별 가능한 P파는 없다. 이 소견들은 방실 접합부빈맥을 가장 시사한다.

점검: 심전도 16

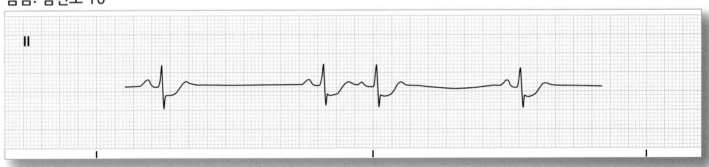

From *Arrhythmia Recognition: The Art of Interpretation*, courtesy of Tomas B. Garcia, MD.

박동수 :	분당 약 34회	PR 간격 :	정상, 사건은 제외
규칙성 :	규칙적으로 불규칙	QRS 폭 :	정상
P파 :	있음	그룹화 :	없음
형태 :	상향		
축 :	정상	탈락 박동 :	없음
P:QRS 비 :	1:1	리듬 :	심방 조기수축을 동반한 동서맥

토의:

매우 느린 동서맥을 가진 환자의 심전도 소견이다. 세 번째 군은 다른 군들보다 조기에 발생하며 형태와 PR 간격도 다르다. 정의상으로 이 세 번째 군은 심방 조기수축이다. 심방 조기수축은 심한 원래 서맥을 보상하기 위한 심장의 보호 작용일 것이다. 유도 Ⅱ에서 매우 현저한 ST 하강을 보인다. ST의 변화는 직접적인 좌심실 하벽 또는 급성좌심실 측벽의 심근경색증의 대상적변화(reciprocal change)일 수 있다. 이 환자에서 12유도 심전도는 매우 중요하다. 급성심근경색증에 대한 임상적 평가가 신속히 행해져야 한다. 환자가 혈역학적으로 불안정하다면 임시 심박동기의 삽입이 필요하다.

점검: 심전도 17

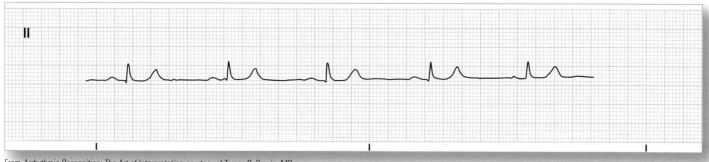

From *Arrhythmia Recognition: The Art of Interpretation*, courtesy of Tomas B. Garcia, MD.

박동수 :	분당 약 55회	PR 간격 :	정상
규칙성 :	규칙적	QRS 폭 :	정상
P파 : 　형태 : 　축 :	있음 상향 정상	그룹화 :	없음
		탈락 박동 :	없음
P:QRS 비 :	1:1	리듬 :	심방 조기수축과 1도 방실 차단을 동반한 동서맥

토의:

각각의 QRS파 앞에 P파가 있다. 그리고 PR 간격이 0.21 초이며 박동수는 55회/분이다. 이는 1도 방실 차단을 동반 한 동 서맥에 합당한 소견이다. 마지막 박동군을 주목하여 보라. P파의 모양과 PR 간격이 약간 다르다. 심방 조기수축 에 합당한 소견이다.

점검: 심전도 18

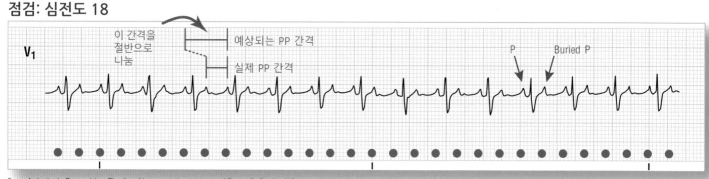

From *Arrhythmia Recognition: The Art of Interpretation*, courtesy of Tomas B. Garcia, MD.

박동수 :	심방 : 분당 260회 심실 : 분당 130회	PR 간격 :	아래 토의를 참고
규칙성 :	규칙적	QRS 폭 :	정상
P파 : 　형태 : 　축 :	있음 아래 토의를 참고 아래 토의를 참고	그룹화 :	없음
		탈락 박동 :	없음
P:QRS 비 :	아래 토의를 참고	리듬 :	이소성 심방빈맥, 2:1차단

토의:

이 기록지는 조금 어렵다. QRS파 직전에 첫 P파를 볼 수 있지만, QRS군 직후에 T파에 묻혀있는 P파(자주색 화살표 와 꼬리표)를 놓쳐 이 두 번째 봉우리가 T파라고 오인하기 쉽다. 그렇지 않다. 이것이 T파가 아니라는 증거는 다음과 같다: 캘리퍼를 사용해 눈에 띄는 P파들 사이의 거리를 측 정하고 그 거리를 이등분하자. 그 후 캘리퍼를 눈에 띄는 P 파 위에 놓고 나머지 핀이 숨겨진 P파 -두 번째 파형의 최고 점-에 떨어지는 것으로 보게될 것이다.

이 추가적인 P파로 이 리듬은 차단(2:1 conduction)을 동 반한 이소성 심방빈맥이거나 2:1 전도를 동반한 심방조동일 수 있다. 결정 요소는 무엇인가? P파 사이의 간격이다. 만일 지속적인 톱니 모양의 파동이 있다면 심방조동이며, 만일 P 파 사이에 등전위(isoelectric)의 원래선이 있다면 차단을 동 반한 심방빈맥이다. 유도 II를 포함한 12 유도 심전도에서 차단을 동반한 이소성 심방빈맥을 확진하였다.

점검: 심전도 19

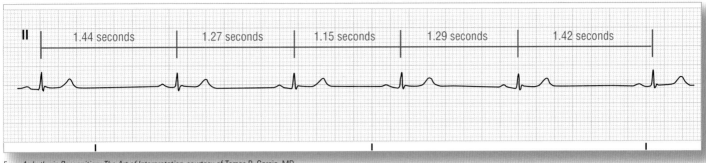

From *Arrhythmia Recognition: The Art of Interpretation*, courtesy of Tomas B. Garcia, MD.

박동수 :	분당 약 45회	PR 간격 :	정상
규칙성 :	규칙적으로 불규칙	QRS 폭 :	정상
P파 :	있음	그룹화 :	없음
형태 :	상향		
축 :	정상	탈락 박동 :	없음
P:QRS 비 : 1:1		리듬 :	동 부정맥

토의:

　좁은 QRS파를 동반한 규칙적으로 불규칙한 리듬이다. 각 QRS파는 P파를 갖고 있으며, 기록지 전체에 걸쳐 P파의 모양과 PR 간격은 일정하다. P-P간격의 점진적으로 좁아지고 넓어짐에 따라 리듬은 규칙적으로 불규칙한 양상을 나타낸다. 가장 긴 P-P간격과 가장 짧은 P-P간격의 차이는 0.16초보다 크며 이것은 동 부정맥으로 진단이 가능하다. 정상적으로 동 부정맥은 60~100회/분의 속도를 가지지만 예외는 있다. 많은 경우에 환자들이 복용하는 베타차단제 같은 약물로 인하여 더 느린 속도를 나타나게 된다.

점검: 심전도 20

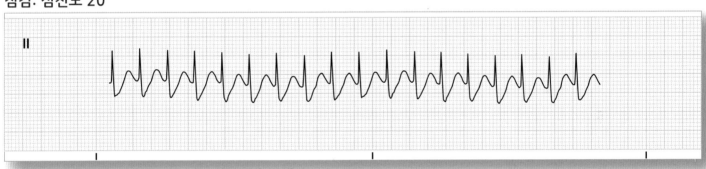

From *Arrhythmia Recognition: The Art of Interpretation*, courtesy of Tomas B. Garcia, MD.

박동수 :	분당 약 200회	PR 간격 :	없음
규칙성 :	규칙적	QRS 폭 :	넓음
P파 :	없음	그룹화 :	없음
형태 :	없음		
축 :	없음	탈락 박동 :	없음
P:QRS 비 : 없음		리듬 :	방실 회귀성빈맥(역방향)

토의:

　약 200회/분의 넓은 QRS파 빈맥이다. 기록지 전체에 걸쳐 식별 가능한 P파는 없다. 이 소견들은 역방향 방실 회귀성빈맥과 일치한다. 부전 도로의 존재 여부를 위해 더 평가해야 한다. 덧붙여서, 이 리듬 기록지가 미리 각차단을 가지고 있던 환자에게 나타난 방실결절 회귀성빈맥이라고 할 수 있을까? 물론 할 수 있다. 이를 증명하기 위하여 임상적인 상황과 다다른 여러유도의 리듬 기록지나 또는 12유도 심전도가 필요하다는 것을 항상 명심하자. 모든 복잡한 리듬의 평가에도 이전 심전도나 리듬 기록지가 매우 유용하다. 마지막으로, 모든 넓은 QRS파 빈맥에서의 경우처럼, 심실빈맥의 가능성은 반드시 고려해야 한다.

심실

제 29 장

심실 리듬

목표

1. 심실 파형 및 심실 리듬을 정의한다.
2. 심실 파형 및 리듬의 기원 및 넓은 QRS파형의 생성원리를 설명한다.
3. 정상전기전도로에서 생성된 심실 탈분극파와 심근세포에서 생성된 심실 탈분극파와의 QRS파 간격 및 형태를 비교한다.
4. 실제 QRS파 간격을 정확히 측정한다.
5. 박동기 심근세포의 기능 부전에 그에 따른 임상결과를 예측한다.
6. 우심실 이소성 초점에서 발생한 심실 파형의 형태를 예측한다. (리드 V6)
7. 이소성 심실 파형에 의해 생성된 P파의 형태를 예측한다.
8. 심실 리듬과 방실 해리 간의 연관성을 논의한다.
9. 그림 29-11, 심실 리듬의 분포와 임상적 상관관계를 설명한다.
10. 조셉슨 징후 및 브루가다 징후를 정의한다.

소개

심실 리듬은 불안정한 혈역학적 상태를 일으키기 때문에 임상적으로 가장 위험한 심장 리듬으로 분류된다. 앞으로 살펴 보겠지만 절대적으로 양성인 심실 리듬은 존재하지 않는다. 일반적으로 양성으로 여겨지는 심실 조기수축(PVC) 또한 특정 상황에서는 상당한 혈역학적 문제를 일으킬 수 있다.

이소성 박동기가 히스속 분지 원위부에서 발생한다면 이 리듬은 심실에서 기원한 것으로 여겨진다. 심실성 박동기는 각분지(bundle branches), 전 후 섬유속, 퍼킨지 체계(purkinje system) 또는 심근세포에서 발생된다. 일반적으로 심실 리듬은 세포간 전도를 통해 퍼져 나간다. 하지만 리듬이 정상 전기진도로 내부 또는 그 근처에서 발생한다면 사극의 전도는 온전히 또는 부분적으로 정상 전기전도로를 이용해 전도될 수 있다. 따라서 심실 리듬의 발생 위치는 심전도 상의 QRS파 형태를 결정하는데 있어 매우 중요한 요소가 된다.

우리는 27장을 통해 대칭적이며 조화로운 심실 수축이 적절한 심박출량의 유지를 위해 결정적이라는 것을 배웠다. 심실 리듬에서는 대칭적이며 조화로운 심실 수축은 거의 발생하지 않는다. 세포 간 전도를 통해 전파되는 심실 수축은 기이하고 비정상적인 형태로 나타나게 된다. 이러한 형태의 심실 수축은 기계적 수축 결함에 의한 심박출계수 및 심박출량 저하의 결과를 가져온다. 여기에 추가적으로 심방 반동의 부재까지 더해진다면 문제는 더욱 심각해질 수 있다.

이번 장에서는 심실 파형의 형태가 어떻게 생성되는지에 관한 논의부터 시작할 예정이다. 이후 심실 리듬과 연관된 중요한 임상적 사항들을 살펴보도록 한다.

형태

앞서 언급한 것처럼 심실 자극의 전형적인 전파 형태는 세포 간 전도를 통한 직접 전도이다. **그림 29-1**에서 보이는 것처럼 자극이 이소성 초점에서 확산됨에 따라 생체전기 에너지가 형성되고 심전도 리드는 이를 수집하여 이소성 초점을 위한 심전도 파형을 만들어낸다. 따라서 이소성 초점의 발생 위치는 심실 파형의 형태를 결정짓는 주요한 요인이 된다.

심실 탈분극의 첫 번째 결정 요인은 0.12초를 초과하는 (작은 눈금 3칸) QRS파 간격과 넓고 기괴한 형태의 외형이다. 위 문장에서 "초과"라는 단어는 중요하기 때문에 항상 기억해야 하며 드물게는 QRS파 간격이 0.2초 이상인 경우도 있다. 심실 파형의 넓이 분포를 고려해볼 때 세포 간 전도를 통해 전파되는 심실 탈분극은 가장 넓은 간격 범위의 심실 파형의 속하게 되며 정상 전기전도로를 통해 전파되는 심실 탈분극은 가장 좁은 간격 범위의 심실 파형에 속하게 된다.

심실 파형이 기괴한 형태로 나타나는 이유는 세포 간 전도 시 발생되는 전도지연과 파형이 전파되는 비 전형적인 경로 때문이다. 이러한 파형의 전파에 의해 만들어지는 백터는 항상 비정상적이기 때문에 심전도상에 나타나는 심실

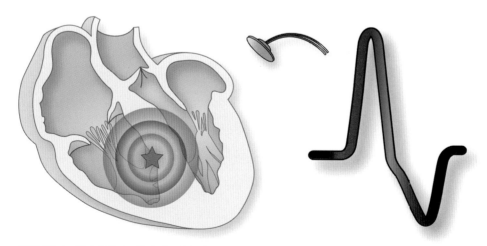

그림 29-1. 빨간색 별로 표현된 이소성 초점은 심박동기로써의 역할을 수행하고 자극을 생성한다. 이것은 탈분극파를 생성하여 모든 심실 세포가 탈분극 될 때까지 세포 간 전도를 통해 자극을 전파한다. 탈분극파와 심실 파형의 색상분류를 확인해보자.

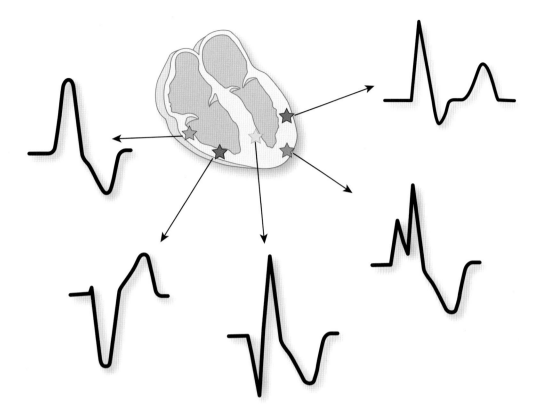

그림 29-2. 심실 이소성 초점의 자극 생성은 넓고 기괴한 형태의 QRS파를 형성한다. 그림은 이소성 초점의 위치에 따른 QRS 파의 형태를 나타낸다. 하지만 실제 QRS파의 형태만으로는 이소성 초점의 위치를 완벽하게 예측할 수는 없다. 또한 QRS파를 관찰하기 위해 사용된 리드의 종류에 따라 심실 파형의 형태는 크게 달라진다.

© Jones & Bartlett Learning.

파형 또한 비정상적인 형태가 된다(**그림 29-2**). 흥미로운 것은 한 개의 이소성 초점에서 자극이 발생 되더라도 자극이 전파되는 경로에 따라 여러가지 다른 형태로 나타날 수 있다는 것이다. 예를 들어 동일 부위에서 시작된 자극이 한 번은 상향으로 전파되고 다음 번은 하향으로 전파된다면 두 파형은 현저하게 다른 형태로 나타나게 된다.

심실 파형의 형태를 급격하게 변화시키는 또다른 요인은 파형을 바라보는 심전도 리드의 종류이다. 4장에서 살펴본 것처럼 심전도 리드는 특정 위치에서 백터를 촬영하는 카메라와 같다(**그림 29-3**). 같은 파형 일지라도 카메라의 위치에 따라 동일파형은 매우 다른 형태로 나타날 수 있다. 또한 심실 파형의 등전위 분절은 실제 심실 파형 간격의 측정 시 오측 할 수 있는 요인이 된다(**그림 29-4**). 이러한 오측은 여러 리드를 통한 파형 간격의 측정을 통해 교정 될 수 있으며 정확한 측정을 위해선 항상 간격이 가장 넓은 파형을 이용해 측정을 실시해야 한다(이를 통해 등전위 분절이 측정에서 제외되는 실수를 피할 수 있다).

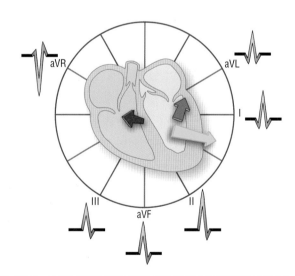

그림 29-3. 심전도 리드의 위치에 따라 같은 파형도 매우 다르게 나타날 수 있다.

© Jones & Bartlett Learning.

심실 파형에서는 ST 분절 및 T파가 항상 역위, 상승 또는 하강과 같은 비정상적인 형태로 나타나게 된다. 이것은 심

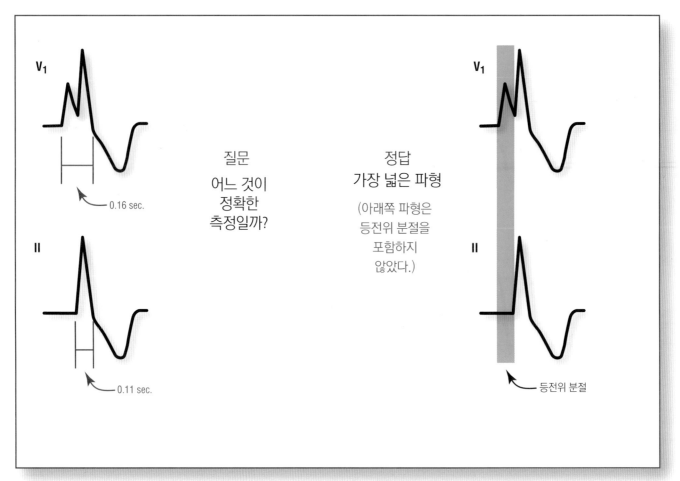

그림 29-4. 같은 파형이더라도 등전위 분절 때문에 파형의 넓이는 다르게 측정될 수 있다. 하지만 모든 파형의 실제 넓이는 항상 동일하다는 것을 잊지말자! 항상 가장 넓은 파형의 간격을 측정하는데 익숙해지자. 왜냐하면 이것이 등전위 분절이 없는 실제 간격이기 때문이다.

© Jones & Bartlett Learning.

실 탈분극 및 재분극 과정이 심 내막에서 외막(탈분극) 다시 외막에서 내막(재분극)으로 향하는 정상적인 순서를 따르지 않기 때문이다. 이것의 기전에 관한 자세한 사항은 심전도 책을 통해 다루어질만한 주제이며 이와 관련된 추가적인 사항은 12 리드 심전도: The Art of Interpretation by Garcia를 참고하길 바란다.

박동기 기능을 하는 심실

심근은 무수축 또는 리듬의 부재에 대한 마지막 방어선이다. 1장에서 언급한 것처럼 첫 번째이자 가장 중요한 심박동기는 동결절이다. 동결절이 자극 생성에 실패할 경우 심방 근육이 첫 번째 방어선이 되며 방어선은 심실 박동기에 이를 때까지 순차적으로 이관된다. 심실 리듬은 여러가지 이유에서 매우 위험한 리듬이다. 만약 심실 박동기가 자극 생성에 실패한다면 어떻게 될까? 심실 박동기 이후엔 더이

상의 방어선이 없기 때문에 심장은 멈추게 된다. 이것은 심실 리듬이 위험한 이유 중 하나가 된다.

심실 박동기 위치에 따른 고유 박동수는 다음과 같다: 각분지(bundle branches) 분당 40~45회, 퍼킨지 체계(Purkinje system) 분당 35~40회, 심실 근육 분당 30~35회(20회 이하인 경우도 있다).

여기에 약간의 임상적 조언이 있다. 넓고 기괴한 형태의 느린 심실 박동수를 보이는 환자가 있다면 경피적 심박동기(transcutaneous pacemaker: 응급상황시 쉽게 접근 가능 하다) 또는 경정맥 심박동기(transvenous pacemaker: 전극 카테터 삽입에 관한 숙련이 필요하나 경피적 심박동기에 비해 안전하고 환자의 고통도 적다)를 준비해놓는 것이 좋다. 심실 박동기가 멈추면 최종 방어선이 뚫렸다는 것이고, 이 시점에서 우리가 할 수 있는 것은 심폐소생술 및 인공 심박동기의 적용 그리고 기도 밖에 없다.

이소성 초점의 위치는?

　이제 형태학의 흥미로운 측면을 살펴보자. 심실 탈분극의 발생 위치는 파형의 형태를 결정하는 가장 중요한 요소가 된다. 따라서 이 문장을 역으로 생각해 보면 "파형의 형태학적 분석을 통해 심실 탈분극 발생 위치를 찾아낼 수 있다". 다시 말해 특정 형태학적 유형을 사용하면 가장 가능성 높은 이소성 초점 위치를 가늠할 수 있게 된다.

　일반적으로 좌심실에서 발생하는 탈분극파는 우각차단의 형태를 띄게 되고 반대로 우심실에서 발생하는 탈분극파는 좌각차단의 형태로 나타난다. 이 서술은 일반적으로 맞다. 그렇다면 왜 이러한 일이 발생할까?(좌각차단 및 우각차단에 관한 복습은 5장을 참고).

　그림 29-5를 살펴보자. 이 그림에서 이소성 초점은 좌심실에 위치한다. 이소성 초점의 해부학적 위치로 인해 탈분극파가 전파될 대부분의 심근은 이소성 초점보다 오른쪽에 위치하게 된다. 따라서 탈분극파는 주로 왼쪽에서 오른쪽을 향해 이동하게 된다. 그렇다면 탈분극파에 의해 형성된 벡터는 어느 방향으로 향하게 될까? 당연히 왼쪽에서 오른쪽 방향을 향한다. 만약 이해가 되었다면 이것은 우각차단을 형성하는 벡터 방향과 매우 유사하다는 것을 알게 되었을 것이다(**그림 29-6**). 이 두 파형의 주요 벡터는 같은 곳을 향하기 때문에 두 파형의 형태 또한 유사해진다. 따라서 두 파형간의 유사한 벡터는 좌심실에서 발생한 이소성 초점이 우각차단과 유사한 형태로 나타나는 이유가 된다. 마찬가지로 우심실 이소성 초점은 오른쪽에서 왼쪽으로 향하는 벡터를 형성하기 때문에 좌각차단과 유사한 형태의 파형을 생성하게 된다.

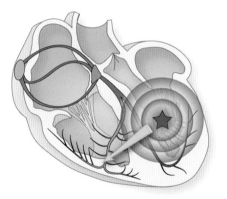
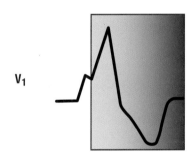

그림 29-5. 보라색 별로 표현된 이소성 초점은 심박동기로써의 역할을 수행하고 자극을 생성한다. 이것은 보라색 탈분극파 및 노란색 벡터를 생성하며 심전도 상에서 QRS파 끝부분에 넓고 경사진 형태로 나타난다.

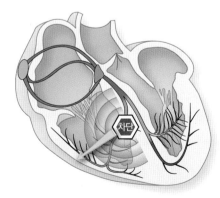
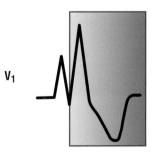

그림 29-6. 우각차단은 좌각을 통한 좌심실 전도 후 세포 간 전도를 통해 우심실의 자극 전파가 이루어진다. 따라서 탈분극 벡터는 좌심실에서 오른쪽 우심실로 향하게 된다. 이것은 파란색 탈분극파 및 노란색 벡터를 생성하고 전형적인 우각차단의 형태로 나타나게 된다.

심실 리듬에서의 P파

어떤 사람들은 심실 리듬에서의 P파에 관해 전혀 관심을 두지 않는다. 이것은 매우 큰 실수이다. P파는 넓은 QRS파 리듬을 평가하는데 매우 유용하다(특히 심실빈맥). 특히 P파의 형태, 축 그리고 박동수에 집중할 필요가 있으며 또한 P파와 QRS파의 관계에 관해선 더 많은 주의가 필요하다.

심실 리듬에서 P파의 형태

심실 리듬에서 P파가 존재한다고 생각하는가? 만약 그렇다면 형태는 어떠할까? 아마도 역행성 P파가 이따금씩 발생할 것이다. 왜냐하면 심실은 고립된 상태로 리듬을 생성하기 때문이다. 앞 문장에서 "이따금씩"을 사용한 이유는 심방을 향한 역행 전도가 매우 가변적이기 때문이다. 방실결절은 종종 심실이 자극을 심방으로 역행전도한다. 히지만 때로는 역행전도를 완전히 차단하여 심방과 심실이 별개의 리듬이 되기도 한다. 또 다른 경우엔 3도 방실 차단이 동반되어 심방과 심실이 완전히 분리되는 경우도 있다. 이러한 경우 심방과 심실은 각각의 고유한 박동수로 리듬을 생성하고

서로에게 아무런 영향을 주지 않는다.

방실결절에서 심실로의 순행(antegrade) 전도차단 및 심방으로의 역행전도 여부는 많은 변수에 의해 영향을 받으며 언제 순행 또는 역행전도가 가능할 지 여부는 전혀 예측할 수 없다.

이제 방실결절을 통한 역행전도가 발생하면 어떤 일이 벌어지는지 살펴보도록 하자. 심실 이소성 초점이 자극을 생성하면 이것은 세포 간 전도를 통해 심실에 전파되며 넓고 기괴한 형태의 QRS파를 생성한다. 자극이 방실결절에 도달하면 방실결절은 자극을 허용하여 역행전도를 발생 하거나 또는 자극을 완전히 차단시켜 역행전도가 발생하지 않게 한다(**그림 29-7**).

자극이 만약 방실결절을 통해 역행전도에 성공한다면 P파가 생성된다. 역행성 P파는 심방 원래부에서 위쪽을 향하는 벡터이기 때문에 심전도 상에서 뒤집어신 형태로 나타난다. 고립된 심실 파형에서 뒤집어진 P파는 QRS파에 겹치거나, 직후에 나타나거나 또는 연장된 RP 간격으로 나타날 수 있다. RP 간격은 종종 연장되는 경우가 있는데, 그 이유는 방실결절에서 멀리 떨어져 있는 심실 이소성 초점 부위에서

융합

심전도상에서 QRS파와 다른 파형들과의 융합은 우리가 앞으로 다루게 될 모든 심실 리듬에서는 빈번하게 발생한다. 융합은 6장에서 처음 다루어졌다. 독자들의 편의를 위해 융합과 관련된 짧은 복습을 하도록 한다. 하지만 만약 이것으로 부족하다면 6장으로 돌아가서 이 개념을 다시 복습하기를 바란다. 융합은 심실 파형의 형태를 변형시켜 종종 악성 심실 리듬을 양성 리듬으로 오진하게 하는 경우가 있다.

융합은 동시에 또는 거의 동시에 발생된 두 개 이상의 파형 또는 벡터가 합쳐지는 것을 말한다. 그 결과 융합된 파형은 융합되기 전 파형 혹은 벡터의 특징을 모두 가지게 된다. 이처럼 융합된 파형은 원래 파형들의 특징을 모두 가지고 있기 때문에 리듬 스트립상의 다른 파형들과는 완전히 다른 새로운 모양으로 나타나게 된다.

실제로 "융합"이라는 하나의 이름에는 두 가지 서로 다른 심전도 현상이 포함된다. 첫 번째는 두 개의 서로 다른

파형이 심전도 상에서 하나의 파형으로 합쳐지는 것이다. 이것은 심전도 상에서의 융합이지 실제 심장 안에서 이루어지는 융합은 아니다. 융합은 주로 조기수축 빠른 리듬 그리고 방실 차단에서 잘 발생하며 주위에 발생하는 현상들로 인해 심선도 상에서 잘 구분된다.

두 번째 유형의 융합은 동시에 발생하는 탈분극 파형에 의해 심장 안에서 일어나는 실제 융합이다. 예를 들어 정상 전도된 심실 탈분극이 막 시작되고 있을 때 심실 어딘가에서 이소성 초점에 의해 탈분극이 발생했다고 가정해 보자. 두 탈분극파는 결국 심실 안에서 서로 출동하여 상쇄되고 그 결과는 융합된 파형으로 나타나게 된다. 이런 유형의 융합에 의해 만들어진 파형은 감별이 어렵고 다른 부위의 이소성 초점에서 발생된 파형으로 오인하기 쉽다.

심실 리듬에서는 두 가지 유형의 융합이 모두 발생 가능하며 이 장의 나머지 부분을 통해 계속 살펴볼 예정이다. 융합된 파형은 특히 심실빈맥을 평가하는데 매우 유용하다. 이와 관련된 자세한 사항은 추후 다시 논의할 예정이다.

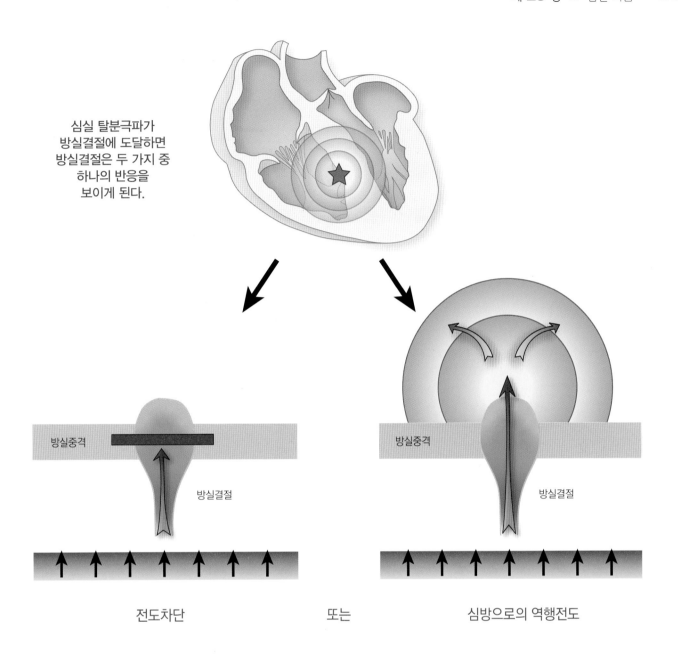

그림 29-7. 심실 자극에 대한 방실결절의 반응

© Jones & Bartlett Learning.

탈분극이 생성되는 경우 자극의 방실결절 도달 시간이 지연되기 때문이다. 따라서 이소성 초점과 방실결절과의 거리가 멀리 떨어져 있을수록 RP 간격은 더 연장된 상태로 나타나게 된다(**그림 29-8**).

심실 리듬에서의 P파와 QRS파의 관계

　대부분의 심실 파형은 이와 연관된 P파가 없다. 하지만 경우에 따라서 심실성 리듬에 의해 생성된 역행전도는 뒤집어진 P파와 연장된 RP 간격으로 나타나기도 한다. 이번에는 심방이 심실로부터 해리되는 개념을 자세히 살펴보도록 하자. 우리는 심방과 심실 사이의 문지기로써의 방실결절의 역할과 기능부전으로 인해 발생되는 다양한 형태의 부정맥을 살펴보았다. 이제 방실결절의 기능이 멈추어 심방과 심실 사이의 소통이 완전히 끊어졌다고 가정해보자. 어떤 일이 벌어질까?

　이 질문에 대답하기 위해서 우리는 이전에 학습한 내용

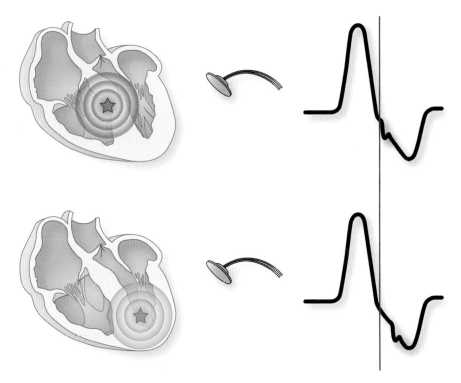

그림 29-8. 이소성 초점이 방실결절과 가까워질수록 RP 간격은 단축된다. 녹색으로 표시된 이소성 초점이 방실결절로부터 멀어진 거리는 심전도상에 추가적인 RP 간격의 연장으로 나타난다.

© Jones & Bartlett Learning.

을 다시 한 번 떠올려볼 필요가 있다. 앞서 우리는 심장 무수축 또는 심정지에 대한 이중 안전장치로 심장의 순차적인 탈출 박동기에 관하여 살펴보았다. 탈출 박동기의 순서는 심방근육, 방실결절, 히스속, 각분지, 퍼킨지 체계 그리고 심근 세포의 순서였다. 상위 그룹의 조율 실패는 하위 그룹으로의 조율 이관을 의미한다. 그렇다면 만약 심근 세포 상위 그룹에서 조율을 실패한다면 어떤 일이 벌어질까? 심근 세포는 상위조직의 조율실패를 인지하고 스스로 조율을 시작해야 한다고 생각할 것이다. 즉 심실의 고립은 심실 박동기를 깨워 심실 조율을 시작하게 한다(**그림 29-9**).

심실리듬에서 심방 및 심실 박동기는 고유한 박동수로 조율을 시작하여 각자의 리듬을 생성한다(**그림 29-9** 참조). 이 두 리듬은 동시에 발생하고 심전도 상에서 서로를 망각한 것처럼 분리된 리듬을 형성하게 된다. 하지만 심전도는 한 번에 발생하는 모든 파형들을 동시에 기록한다. 또한 심방 및 심실 리듬의 속도는 서로 다르기 때문에 서로의 파형들은 종종 중첩되며 심전도 기계는 중첩된 벡터를 감지하여 두 파형을 수학적으로 융합시킨다. 완전 또는 3도 방실 차단에서 모든 P파가 방실결절을 통해 심실에 전도되지 않는

것처럼 이 상황에서도 심방과 심실은 완전히 분리되어 각자 기능을 하게 된다. 따라서 이것은 서로 다른 파형이 심장 내에서 만들어내는 실제 융합이 아니라 심전도 기록 과정에서 만들어진 파형끼리의 중첩이 된다(**그림 29-10**).

완전방실 차단 또는 3도 방실 차단 이외에도 우리는 방실 해리 또한 볼 수 있다. 이 리듬에서는 심방과 심실은 각자의 박동수로 조율된다. 그러나 간혹 심방 및 심실 리듬의 속도가 방실결절을 통해 심실에 전도될 수 있도록 정렬이 되면 완전히 정상 전도된 QRS파를 생성하거나(capture beat) 혹은 QRS파의 형태에 부분적인 영향을 주게(fusion beat) 된다. 즉 심방과 심실은 각자 기능을 하지만 시기가 맞으면 여전히 서로에게 영향을 미칠 수 있다. 이것과 관련된 자세한 사항은 추후 설명을 이어가도록 한다.

넓은 QRS파 리듬에 접근할 때에는 언제나 P파와 QRS파의 관계를 확인해야 한다. 이것은 넓은 QRS파 리듬이 심실성 박동기에 의한 것인지 아니면 어떤 원인에 의해 편위 전도된 상심실성 리듬인지 구분할 수 있는 가장 유용한 도구가 되기 때문이다.

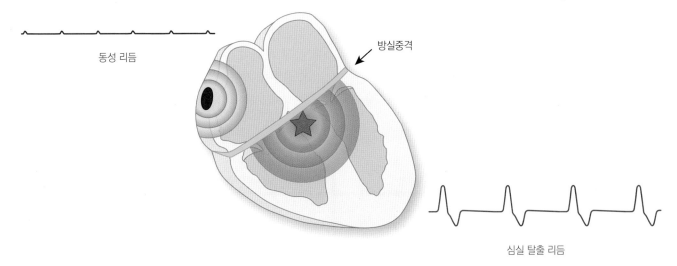

동성 리듬

방실중격

심실 탈출 리듬

그림 29-9. 기능적으로 방실결절이 전도가 되지 않을 때에는 심실중격 영역에서 완전방실 차단이 발생한다. 심방과 심실은 서로를 완전히 망각하고 두 개의 분리된 박동기가 생성된다. 심방과 심실에 각각의 박동기는 고유한 박동수로 각자의 방(chamber)을 조율한다.

© Jones & Bartlett Learning.

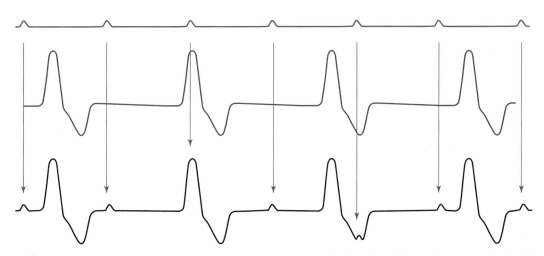

그림 29-10. 심방과 심실은 서로를 완전히 망각하고 두 개의 분리된 리듬을 생성한다. 각각의 박동기는 고유한 박동수로 각자의 방(chamber)을 조율한다. 심전도는 이 두 개의 리듬을 하나의 스트립(검은색 스트립)으로 융합하였다. 이 리듬은 3도 방실 차단과 심실 탈출리듬이다.

© Jones & Bartlett Learning.

심실 리듬: 일반 개요

대부분의 심실 리듬은 탈출기전 또는 항진된 자동능에 의해 발생하지만 일부는 회귀 회로에 의해 발생되기도 한다. 이번 부분에서는 매우 중요한 심실 리듬에 관하여 다룰 예정이다. 여기에는 심실 탈출박동(ventricular escape beats), 심실 조기수축(ventricular premature depolarizations), 심실 고유 리듬(idioventricular rhythm),

가속 심실 고유 리듬(accelerated idioventricular, ventricular tachycardia), 심실 조동(ventricular flutter) 그리고 심실 세동(ventricular fibrillation)이 포함된다(**그림 29-11**). 그리고 뒷부분에서는 넓은 QRS파 빈맥의 감별진단에 관하여 논의할 예정이며, 이 부분을 완전히 이해하고 복습하는 것은 심실 리듬을 진단하는데 많은 도움을 준다. 마지막에서는 임종 리듬과 무수축(완벽한 심실 활동의 부재)을 살펴볼 것이다.

앞서 언급한 것처럼 심실 박동기의 고유 박동수는 30~45 회이다. 심실 박동기는 심장의 마지막 이중 안전장치이기 때문에 심실 박동기의 실패는 죽음을 의미하게 된다. 또한 인체의 혈역학적 상태는 심실 박동수와 적절한 수축에 완전히 의존한다. 심실 리듬은 일반적으로 매우 위험하다. 때문에 심실 리듬의 진단과 치료에는 세심한 주의와 신속성 그리고 신중을 기하는 치료가 필요하다.

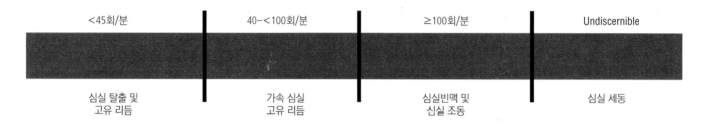

그림 29-11. 심실 리듬의 분포. 여기에는 임종 리듬과 무수축(이것은 어떠한 심실 리듬도 없는 상태를 의미한다)도 포함된다. 이전 장에선 막대의 머리 부분은 초록색이로 표현되었으며 이것은 어느 정도의 안정성을 상징했다. 심실 리듬에서는 이러한 사치가 없다. 모든 심실 리듬은 생명에 위협을 가할 수 있다.

© Jones & Bartlett Learning.

한가지 더

조셉슨 징후

조셉슨 징후는 심실 파형에서 나타나는 특징적인 소견으로 S파의 하향 부위에 파임(notch)이 있는 형태를 의미한다(**그림 29-12**). 파임의 유무는 편위전도된 상심실성 파형 또는 각차단이 동반된 파형으로부터 심실성 파형을 감별하는데 매우 유용하다.

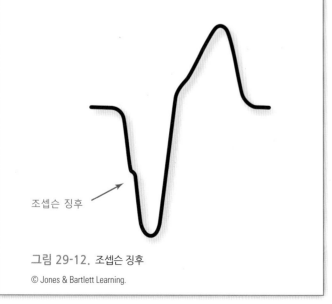

그림 29-12. 조셉슨 징후

© Jones & Bartlett Learning.

한가지 더

브루가다 징후

브루가다 징후 또한 심실 파형에서 나타나는 특징적인 소견으로 QRS파 시작점부터 S파의 밑바닥(또는 가장 낮은)까지의 간격이 최소한 0.1초 이상 연장된 경우를 말한다(**그림 29-13**). 이 간격의 존재는 편위전도된 상심실성 파형 또는 각차단이 동반된 파형으로부터 심실성 파형을 감별하는데 매우 유용하다.

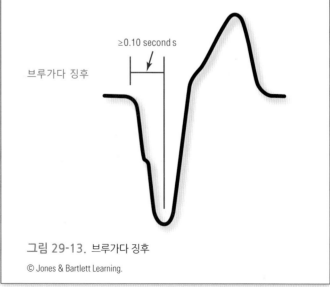

그림 29-13. 브루가다 징후

© Jones & Bartlett Learning.

단원 복습

1. 이소성 박동기가 히스속 분지 아래에서 발견된다면 리듬은 심실에서 유래한 것이다.(맞다 / 틀리다)

2. 심실에서 유래한 파형은 정상 전기전도로를 부분적으로 이용해 전파될 수 있다. 이것은 파형의 간격에 극적인 영향을 줄 수 있지만 그래도 모든 파형의 넓이는 _____ 초를 초과한다.

3. 심실 파형의 특징에 해당하지 않는 것은?

   A. 넓고 기괴한 형태의 외형

   B. 0.12 초 이상의 간격

   C. 뒤집어진 P파 혹은 P파의 부재

   D. 비정상적 형태의 ST분절 및 T파

   E. 모두 맞다

4. 동일한 이소성 초점에서 발생한 파형은 심전도 상에서 항상 같은 형태이다.(맞다 / 틀리다)

5. 일반적으로 _____ 심실에서 시작된 이소성 초점은 _____ 각차단 형태로 나타난다.

   A. 좌 좌

   B. 좌 우

   C. 우 우

   D. 우 좌

   E. B 와 D

6. QRS파 간격은 모든 심전도 리드에서 동일하게 측정된다.(맞다 / 틀리다)

7. 실제 QRS파 간격은 모든 심전도 리드에서 정확하게 일치한다.(맞다 / 틀리다)

8. 심실 파형 발생 시기와 유사한 시기에 P파가 발생하면 두 파형은 _____ 된다.

9. 심실 리듬에서 RP 간격은 이소성 초점의 위치와 자극이 방실결절에 도달하는 경로에 따라 달라진다.(맞다 / 틀리다)

10. 심실 리듬은 빈번하게 _____ 또는 방실 차단과 연관이 있다.

제 30 장

심실 조기수축

목표

1. 심실 조기수축의 정의와 진단 기준을 설명한다.
2. 심실 조기수축에 의한 혈역학적 손상의 예측과 불안정성을 유발하는 기전을 예측한다.
3. 연결간격의 개념과 심실 조기수축 진단에서의 사용을 설명한다.
4. R on T 현상의 임상적 중요성을 설명한다.
5. 단초점 심실 조기수축과 다초점 심실 조기수축의 기원, 형태, 경로를 비교한다.
6. 심실 조기수축 및 심실리듬과 관련된 용어를 정의한다.
7. 심실 조기수축 형성과 관련된 임상 상황 및 환경을 기술한다.
8. 심전도에서 심실 조기수축의 정확한 식별을 설명한다.

개요

　심실 조기수축은 다양한 이름으로 등장한다. 심실 조기수축은 심실 조기탈분극 그리고 심실 기외수축으로도 알려져 있다. 문헌상에서 용어들이 일치하지 않기 때문에 여기서는 대부분의 임상 의사들에게 가장 친숙한 단어인 심실 조기수축을 사용하겠다.

　심실 조기수축은 심실에서 기원하여 원래 율동보다 조기에 도달하는 탈분극이며 심실 박동의 모든 조건을 갖추고 있다. 심실 조기수축의 특징은 다음과 같다(**그림 30-1**).

- 0.12초보다 넓다.
- 이상한 형태
- ST 분절과 T파의 이상
- 조기에 도달하는 박동

　심실 조기수축은 매우 흔하며 심장 환자 뿐만 아니라 정상인에서도 발생한다. 한 환자에게 일어나는 심실 조기수축의 횟수는 시간, 약물, 커피, 탄산음료 등 수많은 요인들에 의해 변할 수 있다. 심실 조기수축은 증상이 없는 경우도 많다. 환자는 가슴이 덜컹하거나 건너뛴다거나 두근거림을 느낄 수 있다.

　어떤 경우엔 심실 조기수축에 의해 유발된 수축에 의해 심박출이 일시적으로 멈추는 현상이 발생한다. 이런 환자의 경우 심실 조기수축의 빈도가 높아지게 되면 혈역학적인 문제가 발생할 수 있다. 예를 들면 심실 조기수축이 한 번 걸러 계속 일어나는 환자에서 모니터에 나타나는 심박동수는 분당 80회 정도이다. 하지만 맥박을 직접 촉지해 보면 40회 정

설명

6장에 살펴보았듯이 심장의 명명법에서 율동과 단일 사건을 구분짓는 좋은 구별점이 있다. 율동은 어떤 심박동기에 의한 심장의 내재 박동수이다. 하나의 사건은 동성 혹은 이소성으로써 원래의 율동이 가지고 있던 규칙성을 깨는 단일 탈분극이나 산발적인 탈분극들을 말한다. 심실 조기수축은 단일 사건이다. Couplet이라고 부르는 연속적으로 일어나는 두 개의 심실 조기수축 또한 사건이다. 많은 임상의들이 couplet을 율동이라고 부르는 실수를 범한다. 올바른 기술의 방법은: "환자가 심장 박동 중간에 couplet을 가지고 있다"고 하는 것이다.

도인데 이는 두 번 중 한 번은 전혀 효과적인 수축을 하지 못하기 때문이다. 잘 알다시피 40회/분의 심박동수는 많은 환자들에게 상당한 혈역학적 문제를 일으킬 수 있다.

　심실성 부정맥을 치료하는데 사용되는 약물들은 잘못 사용할 경우 매우 위험하다. 이 약물들은 환자에게 더 심각하고, 생명을 위협하는 부정맥을 생기게 할 수 있다. 그러므로 심실 조기수축을 치료할 때는 심전도 현상이 아니라 환자를 치료해야 한다는 것을 명심해야 한다. 환자가 심실 조기수축이 있다 해도 증상이 없고 위험하지 않다면, 굳이 해로울 수도 있는 약을 왜 투여하겠는가?

연결간격

　심실 조기수축은 고정성 혹은 비고정성 연결간격을 가질

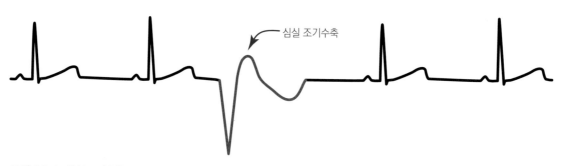

심실 조기수축

그림 30-1. 심실 조기수축

수 있다. 연결간격이란 선행하는 QRS군으로부터 심실 조기수축까지의 시간을 뜻한다. 고정성 연결간격은(**그림 30-2**) 심실 조기수축이 동일한 곳에서 기원하고 탈분극파가 같은 경로를 지나는 경우 흔하게 나타난다. 각각의 고정성 연결간격의 차이는 0.08초 이하여야 한다. 반면에 다양한 연결간격(**그림 30-3**)은 여러 곳에서 발생하는 심실 조기수축일 경우 흔하며 이 심실 조기수축들은 각각 다른 모양을 보인다.

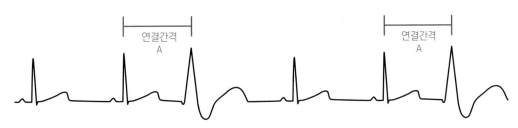

그림 30-2. 연결간격은 조기수축군과 선행 원래 율동의 정상 박동군 사이의 간격이다. 고정성 연결간격은 동일한 곳에서 조기수축이 발생할 때 대부분 같다.

© Jones & Bartlett Learning.

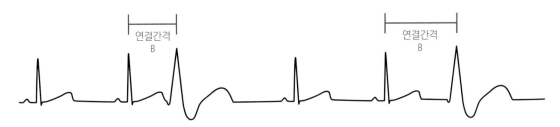

그림 30-3. 다양한 연결간격은 탈분극파의 경로가 다르거나, 서로 다른 곳에서 발생할 때 흔하게 볼 수 있다.

© Jones & Bartlett Learning.

한가지 더

연결간격에 대해 공부하는 동안 자세하게 살펴봐야 할 특별한 종류의 심실 조기수축이 있다. 바로 R on T 현상과 확장기말 심실 조기수축이다.

R on T 현상

심실 조기수축은 보통 선행하는 박동군의 재분극이 끝나고 난 후 발생한다. 다시 말하자면 선행하는 T파가 끝난 후이다. 하지만 선행하는 T파가 아직 끝나지 않았을 때, 심실 조기수축이 시작하는 경우가 있다. 이것을 R on T 현상이라고 한다(**그림 30-4**). 1장에서 보았듯이 이것은 잠재적으로 심실 내에 치명적인 다형 심실빈맥 및 심실세동을 유발할 수 있다.

만약 잠재적으로 심각한 임상적 문제가 있다면 환자의 부정맥을 더욱 주의깊게 관찰하여야 한다. 특히 QT 연장이 있는 경우, R on T 현상이 생길 위험이 높다. 필요하다면 빨리 심장 전문의의 조언을 구해야 한다.

Continues

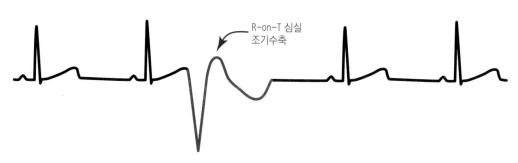

그림 30-4. . R-on-T 현상을 동반한 심실 조기수축

© Jones & Bartlett Learning.

한가지 더

이완기 말 심실 조기수축

느린 동성 서맥이 있을 때 정상적으로 나타나는 동성 P 파 후 심실 조기수축이 나타날 수 있다(**그림 30-5**). 이런 심실 조기수축은 선행군의 이완기 말에 나타나기 때문에 이완기 말 심실 조기수축이라고 한다.

이완기 말 심실 조기수축은 다른 임상적 의의를 가지지는 않는다. 하지만 종종 편위전도된 심방 조기수축과 접합부 조기수축으로 오진하게 된다. 다행히도 이런 종류의 심실 조기수축은 흔하지 않다.

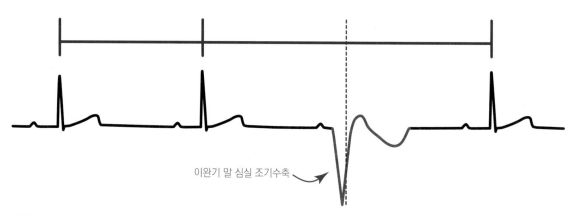

이완기 말 심실 조기수축

그림 30-5. 이완기 말 심실 조기수축, 심실 조기수축은 편위전도한 심방 조기수축이나 접합부 조기수축으로 쉽게 오인될 수 있음을 명심해두자.

© Jones & Bartlett Learning.

대상성 휴지기 vs. 비대상성 휴지기

　심실 조기수축은 대상성(**그림 30-6**)휴지기나 비대상성 휴지기(**그림 30-7**) 모두 동반할 수 있다. 만약 심실 조기수축의 이소성 심실 탈분극파가 심방으로 역행 전도되어 동결절을 초기화시킨다면 비대상성 휴지기를 가질 것이다. 이소성 심실 탈분극파가 심방으로 역행 전도되는 것이 차단된 경우는 대상성 휴지기를 가지게 된다. 보통 심실 조기수축과 연관된 휴지기의 대부분은 대상성이다.

단초점성 및 다소성 심실 조기수축

　심실 조기수축의 형태는 군의 형성을 자극하는 이소성 심실 심박동기의 위치와 탈분극의 경로에 따라 달라진다. 이 두 가지 중 하나라도 변한다면 심실 조기수축의 형태는 달라진다.

　동일한 이소성 심박동기로부터 기원하고 동일한 경로를 통해 탈분극되는 심실 조기수축은 단초점성(Unifocal) 심실 조기수축이라고 한다(**그림 30-8**). 이러한 심실 조기수축은 심전도 전체에서 동일한 연결간격을 가진다. 이들은 기록지에서 항상 규칙적인 간격을 가지면서 나타나지는 않으며 임의로 나타날 수 있다. 단초점성 심실 조기수축은 하나만 따로 나타나거나 여러 개의 조합으로 나타날 수 있다.

　다소성(multifocal) 심실 조기수축(**그림 30-9**)은 서로 다른 이소성 심박동기나 동일한 이소성 심박동기에서 기원하지만 여러 경로를 통하여 심실을 탈분극시킨다. 이러한 심실 조기수축들은 심전도 기록지상 무작위로 나타나며, 이들의 연결간격은 서로 완전히 다르다. 다소성 심실 조기수축 또한 단일성 혹은 여러 개의 조합으로 나타날 수 있다.

　앞서 언급하였듯이 한 환자에서 분당 발생하는 심실 조기수축의 수는 여러가지 이유에 의해서 달라질 수 있다. 이러한 이유에는 전해질 이상, 허혈, 주간(호르몬성)변화, 약물 등이 있다. 만약 심전도 기록지 상 나타나는 개수가 분당 5개가 넘거나 보행 혹은 Holter 검사 상 시간 당 20-30회 이상일 때 빈번하다고 말한다.

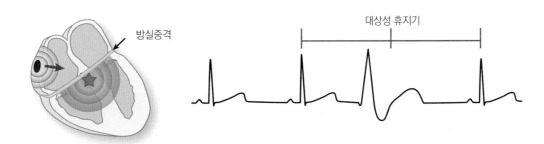

그림 30-6. 대상성 휴지기. 이소성 심실탈분극파는 심방으로 역행 전도되지 않는다. 동결절이 재설정되지 않기 때문에 원래 율동은 변하지 않는다.

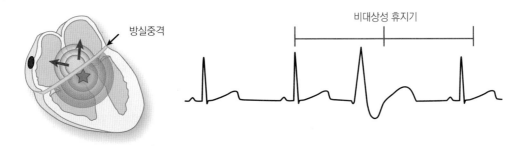

그림 30-7. 비대상성 휴지기. 이소성 심실탈분극은 심방으로 역행 전도된다. 동결절이 재설정되며 원래 율동 혹은 박동수가 변하게 된다.

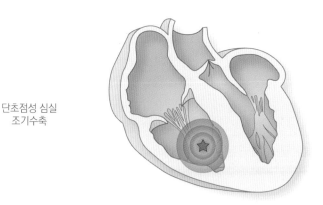

단초점성 심실
조기수축

그림 30-8. 단초점성 심실 조기수축은 똑같은 곳에서 기원하고, 똑같은 경로를 통해서 심실을 탈분극시킨다. 연결간격은 같다.
© Jones & Bartlett Learning.

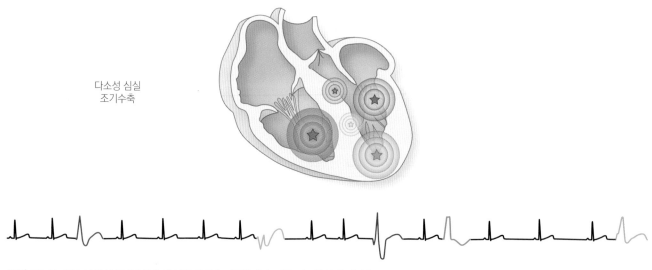

다소성 심실
조기수축

그림 30-9. 다소성 심실 조기수축은 상이한 곳에서 기원하거나, 다른 경로를 통해 심실을 탈분극시킨다. 연결간격은 다르다.
© Jones & Bartlett Learning.

이단맥, 삼단맥 그리고 그 이상

심실 조기수축이 두 번째 군에 매번 나타나는 경우를 심실성 이단맥(bigeminy)이라고 한다(**그림 30-10**). 만약 심실 조기수축이 세 번째 군에 매번 나타난다면 이것은 심실성 삼단맥(trigeminy)(**그림 30-11**)이라고 한다. 마찬가지로 네 번째 군에 계속해서 나타나는 군을 심실성 사단맥(quadrigeminy)(**그림 30-12**)이라고 한다. 여기서 "심실"이란 단어는 이소성 박동군들이 심실에서 기원하였음을 나타

내기 위한 것이다(상심실성 이단맥도 발생할 수 있다).

일반적으로 가장 흔하게 발생하는 심실 조기수축은 단초점이며 동일한 연결간격과 형태를 가지고 있다. 다초점 심실 조기수축은 보다 낮은 빈도로 발생하며 서로 다른 형태를 가지고 있다. 다소성 심실 조기수축들은 일반적으로 어떠한 반복적인 연결간격으로도 나타나지 않는다.

임상적으로 이러한 이상 율동은 안정적이며 경계를 요하지 않는다. 하지만 이 법칙에 예외가 있는데, 심실 조기수축

그림 30-10. 심실성 이단맥

© Jones & Bartlett Learning.

그림 30-11. 심실성 삼단맥

© Jones & Bartlett Learning.

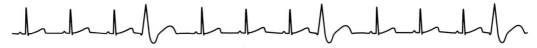

그림 30-12. 심실성 사단맥

© Jones & Bartlett Learning.

이 충분한 기계적 수축을 일으키지 않는 경우이다. 이러한 환자들에서는 심실 조기수축의 존재로 인해 심박출량이 급격하게 저하될 수 있으며, 조기수축군의 관리와 치료가 응급으로 적용된다. 이단맥을 보이는 환자를 대할 때는 언제나 환자의 맥박을 재는 습관을 길러야 한다. 촉지되는 맥이 ECG나 화면에 나타나는 맥의 절반인 경우에는 당장 심실 조기수축을 일으키는 원인을 제거하거나 곧바로 치료하도록 해야 한다. 이때 다른 활력 징후들을 체크하는 것도 잊지 말아야 한다!

설명

세 개의 심실 조기수축이 연속적으로 있을 때, 심실 조기수축이 연속으로 있는 것인지 심실빈맥이 있는 것인지 말하기 어려워진다. SALVO란 용어는 임상적인 소견이 심실빈맥을 향할 때 전형적으로 사용된다. 우리는 이 주제에 대해서 32장에서 이야기할 것이다.

Couplets, Triplets 그리고 Salvos

이단맥, 삼단맥 등은 단일 심실 조기수축들 사이에 정상 QRS군들이 산재되어 있다. 여기서는 심실 조기수축들이 연

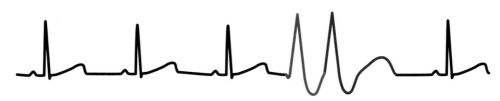

그림 30-13. 단초점성(unifocal)의 couplet

© Jones & Bartlett Learning.

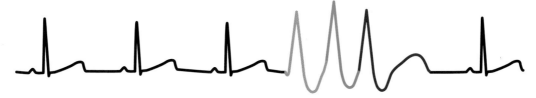

그림 30-14. 단초점성(unifocal)의 triplet

© Jones & Bartlett Learning.

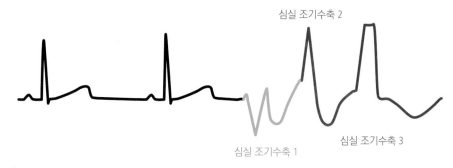

그림 30-15. 다소성(multifocal)의 triplet . 3개의 심실 박동의 각기 다른 형태와 다양한 정도의 융합이 나타남을 주목하자.

© Jones & Bartlett Learning.

속해서 발생하면 어떻게 되는지 살펴보도록 하겠다. 두 개의 심실 조기수축이 연속해서 발생하면 이것을 couplet(**그림 30-13**)이라고 부른다. 만약 세 개의 심실 조기수축이 연속해서 나타난다면 이것은 triplet(**그림 30-14**)이라고 한다. salvo란 용어는 연속해서 발생하는 3개 혹은 그 이상의 이소성 심실성군을 지칭하는 말이다.

여러 가지 심실성군의 융합(fusion)과 이에 연관된 파들은 2-3개의 연속적 심실 조기수축을 대할 때 매우 흔히 나타난다. 융합은 QRS군의 어느 부위에서도 일어날 수 있으며 여러 QRS군들의 형태에 영향을 미친다.

Couplet과 triplet은 단초점 혹은 다초점인 심실 조기수축을 가질 수 있다. 단초점 couplet과 triplet의 형태는 융합의 영향에 의해 약간 변할 수 있지만 군들의 전체적인 보양은 동일하다. 다초점 couplet과 triplet은 형태와 시기에 있어 많은 차이를 보인다(**그림 30-15**).

임상적으로 단초점 couplet과 triplet은 정상변이로 간주되

한가지 더

간입성(interpolated) 심실 조기수축

가끔씩 심실 조기수축이 두 개의 연속적인 동성군 사이에 끼여서 나타난다. 심실 조기수축이 역행하여 심방을 탈분극 시키지 않는 이상, 정상 동율동과 이에 관련된 심실 반응은 그대로 유지된다. 결과적으로 심실 조기수축은 두 동성 박동군 사이에 놓이게 된다. 이런 종류의 심실 조기수축을 간입성(interpolated) 심실 조기수축이라고 한다(**그림 30-16**). 이런 심실 조기수축들은 부가적인 임상적 유의성과 관련이 없으며 단지 기이한 진단으로 생각된다.

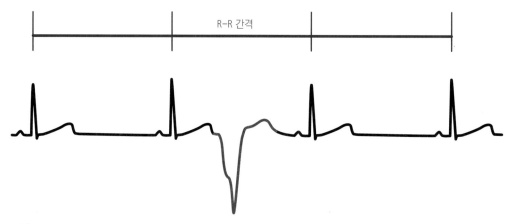

그림 30-16. 간입된 심실 조기수축. 원래의 동성 리듬과 군들은 전혀 방해 받고 있지 않는 점에 주목하자. 이것은 심실 조기수축으로부터 심실-심방 활성화가 없는 경우에만 발생할 수 있다.

© Jones & Bartlett Learning.

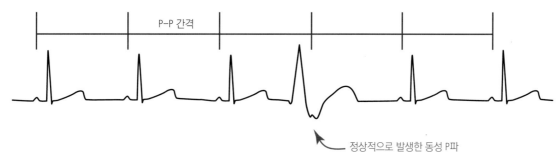

정상적으로 발생한 동성 P파

그림 30-17. 정상적으로 발생한 P파가 원래의 심실 조기수축과 융합하게 된다.

© Jones & Bartlett Learning.

지만 환자와의 임상적 상관관계를 살펴보는 것은 매우 좋은 생각이다. 다초점 couplet과 triplet은 좀 더 심각하며 이후에 나타날 수 있는 생명을 위협하는 심실 부정맥의 전조가 될 수 있다. 이러한 환자들에 대해서는 관찰과 치료가 필요할 수 있다.

P파와 심실 조기수축

심실 조기수축과 연관된 P파가 존재하는가? 답은… "가끔씩 있다" 이다. 29장에서 보았듯이 종종 역행성 P파가 심

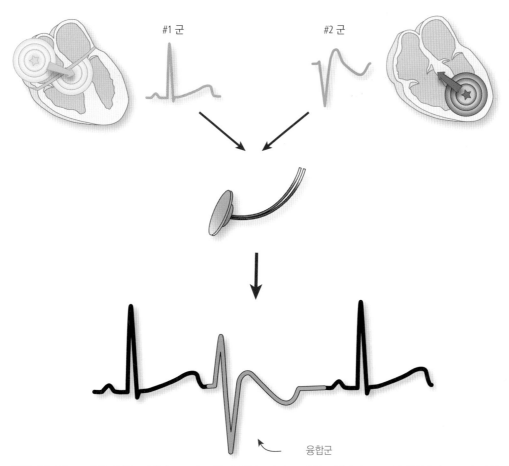

#1 군   #2 군

융합군

그림 30-18. #1군은 심실로 정상적으로 전도되는 상심실군이다. 보기 좋고 날씬한 QRS군을 형성한다. #2군은 심실의 곳에서 발생하여 편위전도의 넓은 QRS군을 만들어 낸다. 심전도 기기는 이러한 전기적 신호를 인식하여, 아래의 융합군으로 출력하게 된다. 결과적으로 QRS군은 각각의 부모를 약간씩 닮았음을 주목하라.

© Jones & Bartlett Learning.

실에서 심방으로 역행전도 하는 탈분극파에 의해 나타난다. 이러한 P파들은 긴 시간이 걸리는 직접적 세포간 전달에 의해 심실에서 탈분극파가 진행하기 때문에 연장된 R-P간격을 가지고 있다. 일반적으로 심실 조기수축에 나타나는 역행 P파는 0.20초 이상의 R-P 간격을 가지고 있다.

심실 조기수축에 나타나는 P파가 상향인 경우를 생각해 볼 수 있는가? P파가 상향인(upright) 경우는 동결절이나 심방에서 기원한 경우뿐이다. 그러므로 역행성 P파는 상향으로 나타날 수 없다. 하지만 심실 조기수축 주위에 나타나거나 심실 조기수축과 융합된 P파를 종종 보게 된다. 이것은 조기 탈분극파의 심실-심방 역행전도가 없고 원래의 동성박동이 중단되지 않았을 경우에 일어난다(**그림 30-17**). 앞서 다룬 역행성 P파에 비해 이러한 P파는 캘리퍼를 사용하여 원래의 리듬에 의한 것과 비교하여 확인할 수 있다. 이러한 경우 휴지기는 대상성이어야만 한다.

융합군

심실성군은 특히 couplet, triplet 혹은 그 이상으로 나타나는 경우 흔히 다른 파들과 군들과의 융합에 의해 그 형태가 변한다. 융합은 선행P파, T파 혹은 다른 심실기원군들과 일어날 수 있다. 심실군들의 융합은 보통 심실군이 발생하는 순간 상심실군이 부분적으로 같이 전도될 때 발생한다. 결과적으로 그 형태가 두 부모(**그림 30-18**)를 닮은 군이 형성되며 이를 융합군(fusion complex)이라고 한다.

융합군은 더욱 복잡한 심실부정맥을 이해하고 진단하는데 매우 중요하다. 융합군은 가속성 심실 고유율동(accelerated idioventricular rhythm)과 특히 심실빈맥을 진단하는데 있어 매우 중요한 역할을 한다.

부정맥 정리

심실 조기수축

박동수 :	단일 박동군(순차적으로 나타날 수 있음)
규칙성 :	사건을 동반한 규칙적
P파 :	다양함
형태 :	역위
II, III, aVF에서 상향 :	아님
P: QRS 비 :	적용할 수 없음
PR 간격 :	적용할 수 없음
QRS 폭 :	넓음
그룹화 :	없음
탈락 박동 :	없음

감별진단

심실 조기수축

1. 원발성, 양성
2. 불안
3. 피로
4. 약물: 니코틴, 알코올, 카페인 등
5. 비대와 심근병증
6. 심장 질환
7. 전해질 이상

상기 목록은 심실 조기수축의 원인이 매우 다양하기 때문에 모든 경우를 포함하지는 않는다. 정상적으로 심실 조기수축은 양성이며 혈역학적 문제를 일으키지 않는다. 그러나 드물게 혈역학적 문제가 일어날 수 있다.

심전도 스트립

심전도 1

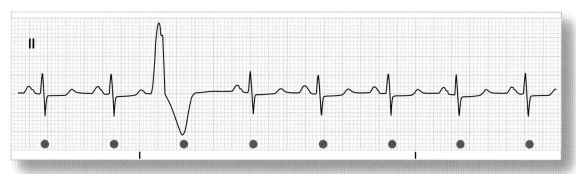

From *Arrhythmia Recognition: The Art of Interpretation*, courtesy of Tomas B. Garcia, MD.

박동수 :	분당 약 78회	PR 간격 :	정상, 사건은 제외
규칙성 :	사건을 동반한 규칙적	QRS 폭 :	사건은 넓음
P파 : 　형태 : 　축 :	있음, 사건은 제외 정상, 사건은 제외 정상, 사건은 제외	그룹화 :	없음
		탈락 박동 :	있음
P:QRS 비 :	1:1, 사건은 제외	리듬 :	심실 조기수축을 동반한 동율동

　상단의 기록지는 단일 심실 조기수축(세 번째 군)을 동반한 동율동을 나타낸다. 심실 조기수축이 0.12초보다 넓고 ST 분절과 T파의 이상을 주목하자. 심실 조기수축과 관련된 휴지기는 완전 대상성이다. 동율동의 원래 흐름은 심실 조기수축에 의해 영향받지 않았음을 주목하자. 원래의 동성 P파는 심실 조기수축과 완전히 융합하였기 때문에 보이지 않는다.

심전도 2

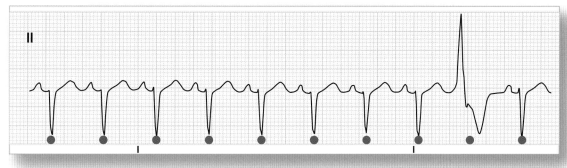

From *Arrhythmia Recognition: The Art of Interpretation*, courtesy of Tomas B. Garcia, MD.

박동수 :	분당 약 104회	PR 간격 :	정상, 사건은 제외
규칙성 :	규칙적	QRS 폭 :	사건은 넓음
P파 : 　형태 : 　축 :	있음, 사건은 제외 정상, 사건은 제외 정상, 사건은 제외	그룹화 :	없음
		탈락 박동 :	있음
P:QRS 비 :	1:1, 사건은 제외	리듬 :	심실 조기수축을 동반한 동율동

　심전도 2는 넓고 이상하게 생긴 군과 ST 분절과 T파의 이상을 가진 전형적인 심실 조기수축을 나타낸다. 휴지기는 완전 대상성이다. 이 경우 원래 리듬은 동빈맥이다.

심전도 3

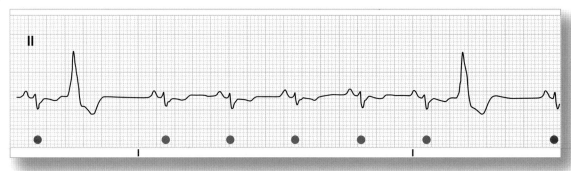

From *Arrhythmia Recognition: The Art of Interpretation*, courtesy of Tomas B. Garcia, MD.

박동수 :	분당 약 82회	PR 간격 :	정상, 사건은 제외
규칙성 :	다발성 사건들을 동반한 규칙적	QRS 폭 :	사건은 넓음

P파 :
  형태 :
  축 :
	있음, 사건은 제외
	정상, 사건은 제외
	정상, 사건은 제외
		그룹화 :	없음

		탈락 박동 :	있음
P:QRS 비 :	1:1, 사건은 제외	리듬 :	심실 조기수축을 동반한 동율동

심전도 3은 분당 82에서 84회 정도의 동율동을 나타낸다. 넓은 심전도군들(2번 군과 8번 군)은 심실 조기수축이다. 이 심실 조기수축들과 관련된 휴지기들은 비대상성 휴지기임을 주목하자. 이소성 탈분극파의 역행성 V-A 전도가 동결절을 초기화시켰다. 재시작(reset) 된 동결절은 각 심실 조기수축 이후 다양한 심박동수를 만들어낸다. 더 긴 율동 기록지에서는 심박동수가 계속해서 초기화(reset) 되는 것을 관찰하였다.

심전도 4

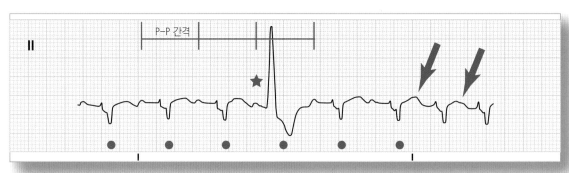

From *Arrhythmia Recognition: The Art of Interpretation*, courtesy of Tomas B. Garcia, MD.

박동수 :	분당 약 94회	PR 간격 :	연장, 아래 토의를 참고
규칙성 :	규칙적	QRS 폭 :	넓음

P파 :
  형태 :
  축 :
	아래 토의를 참고
	아래 토의를 참고
	아래 토의를 참고
		그룹화 :	없음

		탈락 박동 :	있음
P:QRS 비 :	아래 토의를 참고	리듬 :	심실 조기수축을 동반한 동율동

심전도 4는 처음 생각했던 것보다 훨씬 복잡하다. 원래 율동은 동성이지만 마지막 두 군은 조기 박동이다. 이 군들의 T파가(파란 화살표로 표시) 다른 것들과 상이한 형태를 가지고 있음을 주목하자. 이것은 묻힌 P파를 가진 심방 조기 수축이다. 심실 조기수축은 그 앞에 P파를 가지고 있지만(파란색 별) PR 간격은 서로 다르다. 이것은 편위전도 된 심방 조기수축인가? 그렇지 않다. 이것은 조기 박동이 아니며(P-P간격 표시를 보시오) 원래의 박자는 그대로 유지되어 있다. 마지막으로 휴지기는 완전히 대상성이다(파란 점을 보시오). 이것은 이완기말 심실 조기수축이다.

심전도 5

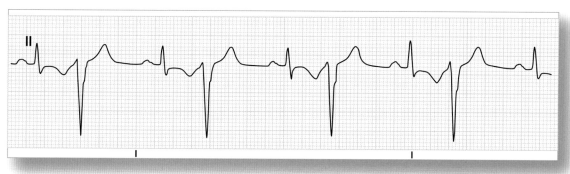

From *Arrhythmia Recognition: The Art of Interpretation*, courtesy of Tomas B. Garcia, MD.

박동수 :	아래 토의를 참고	PR 간격 :	정상, 사건은 제외
규칙성 :	규칙적으로 불규칙	QRS 폭 :	사건은 넓음
P파 :	있음, 사건은 제외	그룹화 :	있음
형태 :	정상, 사건은 제외		
축 :	정상, 사건은 제외	탈락 박동 :	있음
P:QRS 비 :	1:1, 사건은 제외	리듬 :	심실성 이단맥을 동반한 동율동

심전도 5의 심박동수는 ECG상에서 측정하기가 어렵다. 그 이유는 매 두 번째 박동이 심실성 이단맥을 동반한 동율동이기 때문이다. 가장 가까운 추측은 분당 90회 정도이다 (6초 동안 9개 군). 이때 해야할 가장 좋은 일은 환자에게 가서 직접 맥박을 재는 것이다. 이단맥에서는 명확한 원래 P-P 간격이 없기 때문에 휴지기가 대상성인지 비대상성인지 판단하는 것은 불가능하다.

심전도 6

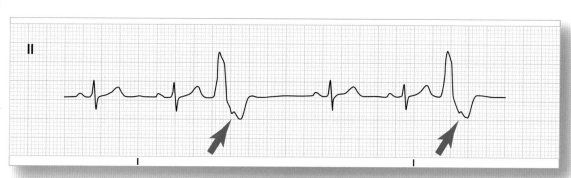

From *Arrhythmia Recognition: The Art of Interpretation*, courtesy of Tomas B. Garcia, MD.

박동수 :	분당 약 70회	PR 간격 :	정상, 사건은 제외
규칙성 :	빈번한 사건들을 동반한 규칙적	QRS 폭 :	사건은 넓음
P파 :	있음, 사건은 제외	그룹화 :	있음
형태 :	정상, 사건은 제외		
축 :	정상, 사건은 제외	탈락 박동 :	있음
P:QRS 비 :	1:1, 사건은 제외	리듬 :	심실성 삼단맥을 동반한 동율동

심전도 6은 매 세 번째 군마다 심실 조기수축을 가지고 있다. 이것은 심실 삼단맥의 예이다. 이 심전도에서 속도는 분당 70회를 약간 웃돌고 약간 불규칙적이다. 심실 조기수축에 의한 기계적 수축이 효율적인지 평가하기 위해 환자의 맥박을 직접 재는 것도 좋은 생각이다. 파란 화살표는 심실 조기수축과 융합된 원래 P파를 보여준다.

심전도 7

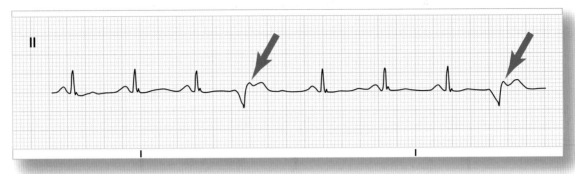

From *Arrhythmia Recognition: The Art of Interpretation*, courtesy of Tomas B. Garcia, MD.

박동수 :	분당 약 88회	PR 간격 :	정상, 사건은 제외
규칙성 :	빈번한 사건들을 동반한 규칙적	QRS 폭 :	사건은 넓음
P파 :	있음, 사건은 제외	그룹화 :	없음
형태 :	정상, 사건은 제외	탈락 박동 :	있음
축 :	정상, 사건은 제외		
P:QRS 비 :	1:1, 사건은 제외	리듬 :	심실성 사단맥을 동반한 동율동

심전도 7은 심실 조기수축이 매 네 번째 군마다 발생하는 동율동을 나타낸다. 이러한 심실 조기수축을 심실 사단맥이라고 한다. 이 심실 조기수축들은 단초섬이며 연결간격은 동일하다. 휴지기는 완전 대상성이다. 심실 조기수축의 QRS군 끝부분에 흥미로운 돌출 부위가 있다. 이것은 사실 원래 율농의 P파가 심실 조기수축과 융합한 것이다.

심전도 8

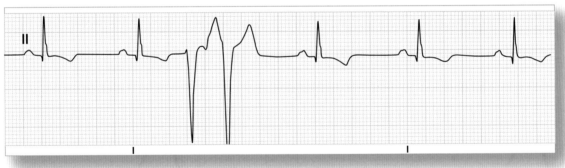

From *Arrhythmia Recognition: The Art of Interpretation*, courtesy of Tomas B. Garcia, MD.

박동수 :	분당 약 57회	PR 간격 :	정상, 사건은 제외
규칙성 :	사건을 동반한 규칙적	QRS 폭 :	사건은 넓음
P파 :	있음, 사건은 제외	그룹화 :	없음
형태 :	정상, 사건은 제외	탈락 박동 :	있음
축 :	정상, 사건은 제외		
P:QRS 비 :	1:1, 사건은 제외	리듬 :	단형 couplet을 동반한 동성 서맥

심전도 8은 단초점 couplet을 가진 동서맥을 나타낸다. 두 심실군 간의 미세한 형태적 차이에 주목하자. 이 형태적 차이는 두 군들 간의 융합이나 회귀 회로의 미세한 변화에 의한 것이다.

심전도 9

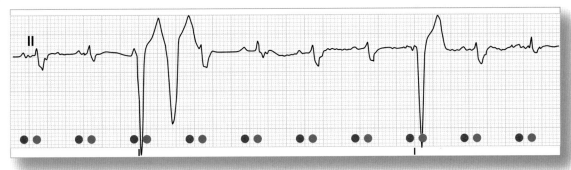

From *Arrhythmia Recognition: The Art of Interpretation*, courtesy of Tomas B. Garcia, MD.

박동수 :	분당 약 98회	PR 간격 :	정상, 사건은 제외
규칙성 :	사건을 동반한 규칙적	QRS 폭 :	사건은 넓음
P파 : 　형태 : 　축 :	있음, 사건은 제외 정상, 사건은 제외 정상, 사건은 제외	그룹화 :	없음
		탈락 박동 :	있음
P:QRS 비 :	1:1, 사건은 제외	리듬 :	단형 couplet과 심실 조기수축을 동반한 동율동

　심전도 9는 심실에서 발생한 기외수축들에 영향을 받지 않은 원래 동율동을 나타낸다(P파 시점은 분홍색 점, QRS 시점은 파란점으로 나타나 있다). 휴지기가 완전 대상성임을 주목하자. P파는 심실 조기수축의 시작부위에서 심실 조기수축과 융합되어 있다. 원래 동성 박동군의 심실 탈분극은 다양한 정도의 편위 심실 전도를 보여준다.

심전도 10

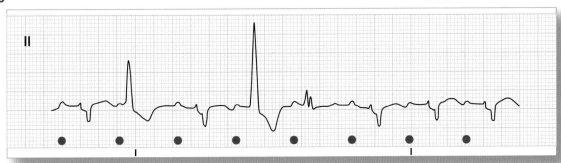

From *Arrhythmia Recognition: The Art of Interpretation*, courtesy of Tomas B. Garcia, MD.

박동수 :	분당 약 94회	PR 간격 :	정상, 사건은 제외
규칙성 :	사건을 동반한 규칙적	QRS 폭 :	사건은 넓음
P파 : 　형태 : 　축 :	있음, 사건은 제외 정상, 사건은 제외 정상, 사건은 제외	그룹화 :	없음
		탈락 박동 :	있음
P:QRS 비 :	1:1, 사건은 제외	리듬 :	빈번한 다형 심실 조기수축을 동반한 동율동

　심전도 10은 매우 연장된 PR 간격을 가진 동율동이다. 최소 2개의 형태가 다른 심실군들이 있어서(2번, 4번, 5번군) 다소성 심실 조기수축이라고 할 수 있다(정확하게 하자면 4번과 5번은 다소성으로 고려해야 한다). 이 심실 조기수축은 또한 정상 P파가 바로 전에 나타나는 이완기말 심실 조기수축이다. 휴지기는 완전 대상성이다.

단원 복습

1. 심실 조기수축(premature ventricular contraction)의 다른 이름은?

   A. 심실 조기수축(ventricular premature contraction, VPC)

   B. 심실 조기 탈분극(ventricular premature depolarization, VPD)

   C. 심실 기외수축(ventricular extra-systole)

   D. 모두 다

2. 심실 조기수축의 일반적인 특징은?

   A. 0.12 초 이상

   B. 이상한 모양

   C. ST분절과 T파의 이상

   D. 군의 조기 도달(premature arrival of the complex)

   E. 모두 정답

3. 심실 조기수축은 기질적인 심질환이 있는 경우에만 나타난다. (맞다 / 틀리다)

4. R-on-T 현상은 심실 조기수축이 이전 QRS군의 상대적인 불응기에 떨어질 경우를 언급한다. (맞다 / 틀리다)

5. 이완기 말 심실 조기수축은 정상적으로 발생하는 __파 후에 즉시 생기는 것을 말한다.

6. 심실 조기수축은 전형적으로 _____휴지기와 관련되어 있다. 하지만 양쪽 모두 발생할 수 있다.

7. 다초점 심실 조기수축은 똑같은 연결간격을 가지고 있다. 이는 똑같은 위치에서 발생되기 때문이다. (맞다 / 틀리다)

8. 심실 조기수축이 매번 하나 걸러서 생기는 경우 이것을 _____이라고 한다.

9. 심실 조기수축 2개가 연속해서 나타나면 이것을 ____이라고 한다.

10. Salvos는?

    A. 단초점

    B. 심실 조기수축이 3개에 하나씩 발생

    C. 다소성

    D. 삼단맥

    E. A와 C

    F. B와 D

제 31 장

심실 이탈율동과 심실 고유율동

목표

1. 심실 이탈율동, 심실 고유율동 치료 시 위험성을 설명한다.
2. 심실 이탈군(ventricular escape complexes)의 정의 및 진단 기준을 설명한다.
3. 다수의 심실 이탈군이 심실 이탈율동이 될 때의 기준을 설명한다.
4. 심실 고유율동의 정의 및 진단 기준을 설명한다.
5. 가속 심실 고유율동의 정의 및 진단 기준을 설명한다.
6. 심실 이탈율동과 심실 고유율동 발생의 임상적 위험 인자를 나열한다.
7. 심전도에서 심실 이탈율동과 심실 고유율동을 정확히 진단한다.

개요

이 장에서는 심실 이탈율동(ventricular escape rhythm)과 심실 고유율동(idioventricular rhythm)에 대해서 알아보고자 한다. 먼저 단독 심실 이탈군(ventricular escape complex)에 대해 알아본 이후 더 복잡한 심실 이탈율동에 대해 살펴볼 것이다. 세 개 이상의 심실 이탈군들이 연달아 나타날 때 이를 심실 고유율동이라고 한다.

하지만, 심실 고유율동은 좀 더 복잡하다. 이탈율동으로 나타날 수 있고, 또는 단일 심실 이소성 심박동기(ventricular ectopic pacemaker)의 자동능(automaticity)이 증가함에 따라 유발될 수 있다. 이 증가된 자동능은 상위 심박동기의 내재 심박수(intrinsic rate) 보다 더 빠른 심박수를 만들 수 있다.

심박수가 내재 심박동기보다 더 빠를 때, 이소성 심박동기는 실제로 심박동 기능을 넘겨 받게 되므로, 이 경우는 이탈율동이 아니다. 이러한 빠른 심실 율동은 가속 심실 고유율동(accelerated Idioventricular rhythm)이라 한다. 이런 점에서 다음 장에서 다룰 심실빈맥과 같은 치명적인 부정맥과의 구분이 모호해진다.

치료를 시작하기 전에 주의를 해야할 것이 있다. 심실 이탈 심박동기(ventricular escape pacemakers)는 심기능과 심박출량을 유지하기 위한 마지막 방어라인이다. 심실 이탈율동이나 심실 고유율동을 치료할 때는 극도로 조심해야 할 필요가 있다. 만일 당신이 심실 반응을 없앤다면, 어떠한 전기적 활동도 볼 수 없을 수도 있다. 이는 좋지 않다!

심실 이탈군

원발성 상심실성 심박동기가 일시적으로 중단되었을 때, 심실이 빠르게 역할을 이어 받아 심실 이탈군을 만들기 시작한다. 이것은 심실의 기계적 수축이 일어나게 한다. 이전에도 언급했듯이, 대부분의 경우 심실 박동수가 심박출량을 조절한다. 다른 말로, 심방 반동(atrial kick)의 소실이 심실 반동(ventricular kick)의 소실과 비교할 수 없다는 말이다. 우리가 생존하기 위해서는, 심실이 작동해야 한다는 것이 가장 원래 깔린 전제이다.

심실 이탈군은 우리가 29장에서 살펴본 심실군의 모든 성질을 가지고 있다. 심실 이탈군은 상심실성 심박동기가 박동을 만드는데 실패하면 이후에 늦게 만들어진다. 그러므

설명

느린 심실 이탈율동이 관찰되면, 가능한 빨리 시행할 수 있는 경정맥이나 경흉부 전기적 심박동기를 사용하여 심박수를 올려야 한다. 전기적 심박동기는 최대 이득을 얻을 수 있도록 심박수를 조절할 수 있다는 장점이 있다.

약물 역시 심박수를 올리는 데 사용 할 수 있고 대체로 더 빨리 투여가 가능하다. 하지만, 약물치료로는 외부 심박동기 만큼 환자의 생리적 반응을 조절할 수 없다는 점을 명심하라. 아트로핀 같은 약물은 심장의 박동수를 올릴 수 있지만, 얼마나 빠르게 박동수를 올릴 수 있는지는 누구도 알 수 없다. 또한, 너무 빠른 심박수는 너무 느린 심박수 만큼이나 위험하다. 약물은 외부 심박동기를 빨리 사용할 수 없거나 심박동기가 작동을 하지 못할 때 좋은 치료 방법이다. 유념할 것은 이는 저자들의 임상진료 경험이 반영된 것이며, 최신의 치료방법에 대해 많은 이견이 있다는 것이다. 더 면밀하고 완전한 토의를 위해서 최신 서적을 참고할 것을 추천한다

로 R-R간격은 기대치보다 길다(**그림 31-1**).

심실 이탈군은 단독으로 나타날 수도 있고, 또는 쌍으로 나타날 수도 있다(**그림 31-2**). 만일 세 개 이상의 연속된 심실 이탈군이 있다면, 이는 심실 고유이탈율동이다.

만일 심실 이탈군 안에 P파가 나타난다면, 이는 상심실성 P파가 심실로 전달되는 것이 실패했거나, 심실 이탈군 자체로부터 역행되어 만들어진 것이다. 다발성 심실 이탈군은 대체로 방실해리(AV dissociation)와 동반한다(**그림 31-3**).

심실 고유율동

심실 고유율동은 심실에서 시작되는 고유한 율동이다(**그림 31-4**). 이는 심실 안에서 기원하고, 탈분극파는 부분적으로 전기전도 시스템을 통해서, 혹은 완전히 직접적인 세포 대 세포의 전달로 전파된다. 심실 고유율동의 내재 심박수는 가장 흔하게는 분당 30~50회이지만, 심박수는 분당 20~50회 범위 어디에서도 관찰될 수 있다. 심실 고유군은 이소성 심실군의 형태적 특징을 가지고 있다(0.12초보다 넓고, 기이한 모양을 하며 ST분절과 T파의 이상소견을 가짐).

심실이탈 부위의 증가된 자동능 때문에 심실 고유율동이 발생할 수도 있다. 그리고 만일 상심실성 심박동기가 맥을 만들지 못할 경우, 또는 방실 전도장애가 있을 경우에도 심 실 고유율동은 이탈 기전으로 나타날 수 있다(**그림 31-5**).

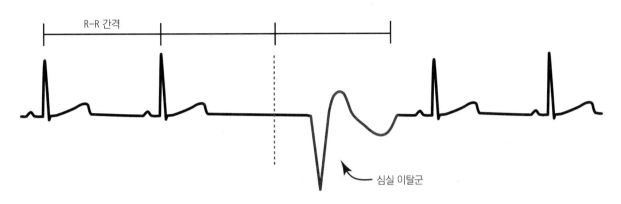

그림 31-1. 심실 이탈군

© Jones & Bartlett Learning.

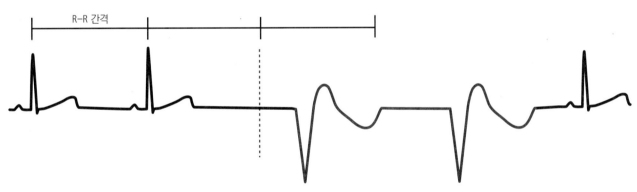

그림 31-2. 두 개의 심실 이탈군들

© Jones & Bartlett Learning.

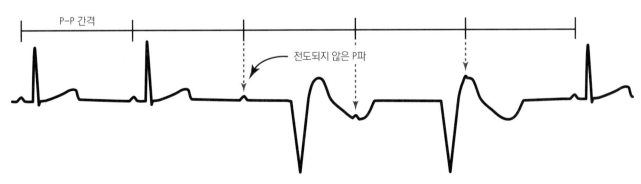

그림 31-3. 두 개의 심실 이탈군과 동반된 방실해리

© Jones & Bartlett Learning.

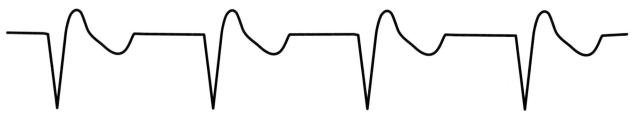

그림 31-4. 심실 고유율동

© Jones & Bartlett Learning.

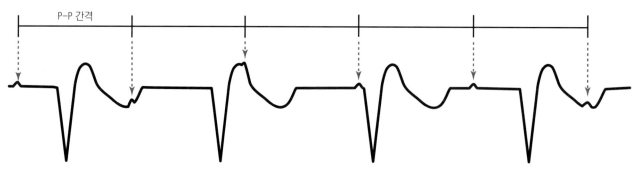

그림 31-5. 방실해리와 동반된 심실 고유율동

© Jones & Bartlett Learning.

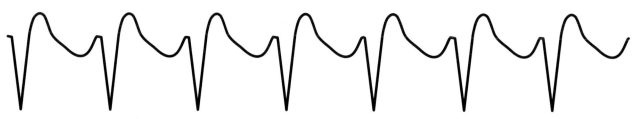

그림 31-6. 가속 심실 고유율동

© Jones & Bartlett Learning.

가속 심실 고유율동

가속 심실 고유율동은 기본적으로 빠른 심실 고유율동이다(**그림 31-6**). 가속 심실 고유율동의 박동수는 전형적으로 예상되는 심실 박동기의 심박수를 넘어서며, 전형적으로 분당 50~100회이다. 율동은 이소성 심실 박동기의 증가된 자동능 때문이며, 심실군은 고유 심실율동의 형태적인 특징을 가지고 있다(0.12초보다 넓고 기이한 모양이며, ST분절과 T파의 이상 소견을 가짐).

가속 심실 고유율동은 대부분 매우 규칙적이지만, 율동의 시작 시점에서 약간의 불규칙성을 보일 수 있다. 가속 심실 고유율동은 외부 심박동기로부터 초과박동성 심박조율(overdrive pacing)을 시행하여 해결할 수 있으며, 또는 심박수를 빠르게 하거나 심실 활동을 억제하는 약물을 사용해

서 나타나지 않게 할 수 있다. 초과박동성 심박조율이란 심박동기를 이용해 환자의 심박수보다 심박수를 더 빠르게 하는 것이다. 다시 한 번 말하지만, 약물을 사용하는 것은 매우 조심해야 하는데, 그 이유는 심실 박동기가 무수축이나 율동의 상실에 대한 마지막 방어선이기 때문이다. 초과박동성 심박조율은 환자가 혈역학적으로 안정된 경우 시행할 수 있다. 하지만, 대부분의 경우처럼, 혈역학적 위험이 발생하면 전기적 동율동전환이 여전히 최선의 치료이다.

가속 심실 고유율동은 상심실성 율동이 결여되면서 발생할 수 있다. 또는, 방실해리나 방실 차단에 대한 심실 반응으로 나타날 수도 있다(**그림 31-7**). 짐작 가능하듯이, 가속 심실 고유율동의 빠른 심실 박동수는 해리된 P파, 그리고 다음 장에서 나올 부분 전도 상심실성군과 함께 융합군(fusion complexes)을 더욱 다양하게 만든다.

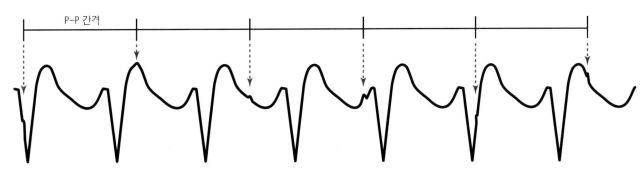

그림 31-7. 가속 심실 고유율동과 동반된 방실해리
© Jones & Bartlett Learning.

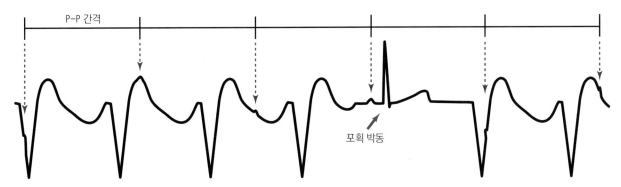

그림 31-8. 가속 심실 고유율동과 동반된 방실해리. 네 번째 P파가 정상적으로 심실을 '포획'한 것을 주목하자. 이 포획은 정상적인, 좁은 QRS군을 생성한다.
© Jones & Bartlett Learning.

가속 심실 고유율동은 급성심근경색증 환자에서 자주 발견된다. 급성 심근경색증의 혈전용해치료동안 재관류가 시작된 후 흔하게 나타나는 부정맥 중 하나이며, 재관류 부정맥(reperfusion arrhythmia)이라고 알려져 있다. 재관류 부정맥이 모니터에서 관찰될 때는 위험해 보일 수 있지만 대개의 경우 안정적이고 일시적인 양상을 가진다. 심실 고유율동이나 가속 심실 고유율동이 재관류 부정맥으로 나타나더라도 명백한 혈역학적 이상이 없다면 치료는 필요하지 않다.

포획박동

'방실해리'라는 것은 심방과 심실이 각자의 박동기에 맞추어 각각 뛰고 있는 상황이지만 여전히 심방과 심실의 제한된 소통이 존재한다. 다른 말로 하자면, 모든 신호전달이 완전히 차단되는 것은 아니라는 것이다.

심방과 심실 사이에 제한적 소통이 있기 때문에 때때로 상심실성 자극이 심실에서 정상적인 전도 시스템을 통한 전도가 가능한 시점에 떨어지기도 한다. 이 경우 정상 P파는 정상적인 형태의 QRS군을 만들 수 있다. 이렇게 정상처럼 보이는 군을 포획박동(**그림 31-8**)이라 부른다. 포획박동이라 부르는 이유는 정상 상심실성 자극이 심실을 "포획"하고 이것이 QRS를 정상적으로 보이게 했기 때문이다.

포획박동은 융합군과 함께 가속 심실 고유율동과 심실빈맥의 진단에 중요한 소견이다. *만일 넓은 군 율동의 중간에 정상적인 모양의 QRS군이 끼어 있다면, 이 율동은 심실 박동수에 따라 가속 심실 고유율동 또는 심실빈맥이다.*

요약해보면, 가속 심실 고유율동은 넓은 군 율동이며 심실 형태를 가지고 있고, 매우 규칙적이며 방실해리, 융합군, 포획박동을 동반하거나 동반하지 않을 수 있다.

이 율동을 진단하는데 도움이 되는 힌트가 있다(**그림 31-9**). 캘리퍼를 이용해 불일치 하는 형태가 있거나 돌출(bump)이 있는지 확인하자. 많은 경우에 이런 돌출은 P파로 밝혀지며 이로 인해 방실해리의 존재를 알 수 있을 것이다. QRS군의 형태적 변화를 찾아보고, 이것이 다른 심박동기 때문인지 아니면 융합 때문인지 살펴보자. 규칙성, 유사한

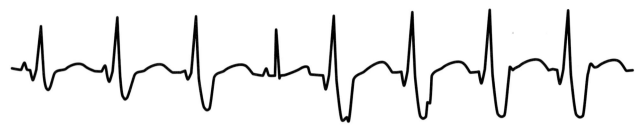

그림 31-9. 심전도 기록지를 분석해 보자. 힌트는 앞에서 언급된 모든 것이 관찰된다는 것이다. 심실 박동수는 분당 90회이다. 캘리퍼를 꼭 사용하자.

© Jones & Bartlett Learning.

연결간격, 양쪽 부모 파형과의 유사점들은 융합을 시사하는 소견이다. 포획박동은 방실해리를 시사하며 이는 가속 심실 고유율동과 심실빈맥을 진단하는 주요 포인트이다. 반면에, 만일 동성 박동수와 심실 박동수가 서로 비슷하다면, 포획 박동 근처의 QRS군은 융합군이 될 것이며, 긴 심진도 기록

지에서 이것이 반복되는 양상을 관찰할 수 있을 것이다.

이제까지 여러분에게 몇 가지 지침을 제시하였으니 **그림 31-9**의 복잡한 심전도 기록지를 해석해 보도록 하자. 해답은 한 가지 더 박스에 있으니 참고하기 바란다.

부정맥 정리

심실 고유율동

박동수 :	20~50회/분
규칙성 :	규칙적(심실성)
P파 :	역행성 혹은 방실해리
형태 :	다양함
II, III, aVF에서 상향 :	가끔
P: QRS 비 :	없음 혹은 역행성
PR 간격 :	없음
QRS 폭 :	넓음
그룹화 :	없음
탈락 박동 :	없음

감별진단

심실 고유율동

1. 급성심근경색증
2. 심근 허혈과 손상
3. 재관류 부정맥
4. 심근병증
5. 약물 : Digoxin
6. 특발성

심실 고유율동은 증가된 자동능에 의하거나 이탈성 기전에 의한 것일 수 있으며 상심실성 심박동기 부전을 시사한다. 상기 목록은 총괄적이진 않지만 율동 이상의 가장 흔한 원인들을 나타낸다.

가속 심실 고유율동

여러분이 먼저 해야 할 것은 율동에 대한 전반적인 느낌을 갖는 것이다. 넓은 QRS군 율동이며, 중간에 단일 사건이 있다. 이 사건은 좁은 박동들 가운데 있는 넓은 박동이 아니고, 넓은 박동들 사이에 있는 좁은 박동이다. 이를 보고 바로 포획박동으로 생각해야 한다. 다음으로는 캘리퍼를 사용해서 QRS군의 꼭짓점을 따라 움직여보자. 포획박동 양쪽의 두 지역이 정확하게 규칙적이며, 넓은 군을 이루고 있다. 이것은 심실 고유율동이나 가속 심실 고유율동에 합당한 소견이다. 심실 박동수는 분당 90회이므로 가속 심실 고유율동이다.

포획박동이 관찰된다면 방실해리가 있는 것이다. 따라서, P파를 찾아보자. 포획박동의 P파에서 시작하여 심전도 기록지를 전반적으로 살펴보자. 어떤 "돌출(bump)"이 있는가? 그렇다. V₁의 S파 바닥에 돌출이 있다(**그림 31-10**에서 P5를 보아라). 캘리퍼를 이용해 포획박동의 P파에 한 핀을 두고, 다른 핀은 V₁의 바닥에 있는 돌출에 두자. 자, 캘리퍼를 양방향으로 이동하고, 핀이 떨어지는 곳에 작은 표시를 해보자. 핀이 떨어지는 곳에 다른 "돌출"이 있는가? 그렇다! P파가 심전도 기록지에 쭉 나타날 것이다(**그림 31-10**의 밑에 있는 P1-P8을 보자). 자, 이제 포획박동과 방실해리가 있다는 것을 알았으므로 융합군이 있는지 찾아보자. 다르게 보이는 심실군이 있는가? 그렇다. F1에서

F3까지 표시된 군은 포획박동의 다른쪽 끝에 있는 QRS와는 확실하게 달라 보인다. 이 QRS군들은 다른 쪽에 있는 것에 비해 좀 더 작고, 폭이 좁다. 이 QRS군들의 앞쪽에는 P파가 다양한 모양으로 관찰되며, 반면에 뒤에 있는 것들은 QRS군 뒤에 P파가 있다. 그래서 그것은 포획박동의 형태를 조금 가지고 있기도 하며, 완전한 심실 박동의 모습을 조금 가지고 있기도 한다. 그러므로 F1-F3은, P파에서 유래하는 상심실성 자극의 부분적 포획에 의한 융합군이다. F1은 QRS로부터 가장 멀리 떨어진 P파를 가지고 있으며, 그것의 QRS는 세 개 중에 가장 짧으며 좁다.

요약해보자. 넓은 군의 율동이 규칙적이며, 분당 90회의 심실 박동수를 가지고, 방실해리, 포획박동, 몇 개의 융합박동이 있다면 이들을 모두 만족시키는 진단은 오직 하나, 가속 심실 고유율동이다!

이 심전도 기록지는 쉬운 것이 아니다. 그러나, 실제 임상에서 볼 수 있는 전형적인 것이다. 심전도 기록지를 보면서, 패닉에 빠지기 전에 몇 초간 잘 살펴보자. 만일 지식과 찬찬히 관찰할 수 있는 인내심이 있다면, 여기에 어떤 패턴이 있다는 것을 발견할 수 있을 것이다. 우리는 이번 분석이 당신에게 많은 도움이 되어, 이 장의 나머지와 다음에 나오는 가치 있는 지식을 습득하길 바란다. 곧 알게 되겠지만 이 장에서 배운 중요한 지식은 앞으로 심실빈맥을 분석하는데 계속해서 쓰일 것이다.

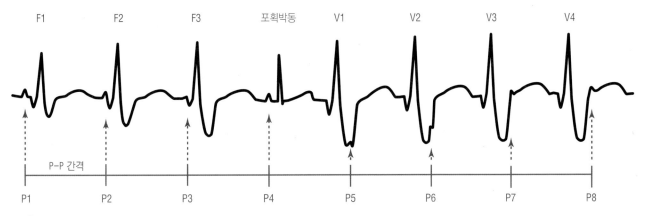

그림 31-10. 가속 심실 고유율동 기록지의 분석

가속 심실 고유율동

박동수 :	50~100회/분
규칙성 :	규칙적(심실성)
P파 :	역행성 혹은 방실해리
형태 :	다양함
II, III, aVF에서 상향 :	가끔
P: QRS 비 :	없음 혹은 역행성
PR 간격 :	없음
QRS 폭 :	넓음
그룹화 :	없음
탈락 박동 :	없음

가속 심실 고유율동

1. 급성심근경색증
2. 심근 허혈과 손상
3. 재관류 부정맥
4. 심근병증
5. 약물 : Digoxin
6. 특발성

상기 목록은 총괄적이진 않지만 율동 이상의 가장 흔한 원인들을 나타낸다.

심전도 스트립

심전도 1

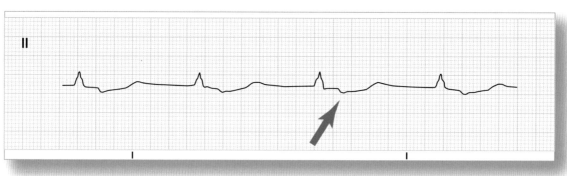

From *Arrhythmia Recognition: The Art of Interpretation*, courtesy of Tomas B. Garcia, MD.

박동수 :	분당 약 45회	PR 간격 :	없음
규칙성 :	규칙적	QRS 폭 :	넓음
P파 :	있음	그룹화 :	없음
형태 :	역위 그리고 역행성		
축 :	비정상	탈락 박동 :	없음
P:QRS 비 :	1:1	리듬 :	심실 고유(idioventricular)

이 환자는 분당 약 45회의 심실 고유 박동수를 가지고 있다. 이 군들은 명백하게 넓고 매우 긴 QT간격을 동반하고 있다. QT 연장은 심실율동에서 흔하게 관찰되는데, 그 이유는 재분극이 세포 대 세포로 이루어지며 이는 시간을 많이 소모하기 때문이다. 뇌신경계 사건, 전해질 이상, 그리고 허혈 가능성에 대해 살펴봐야 한다. 파란색 화살표는 역행성 P파를 나타낸다. 긴 RP간격을 주목하자.

심전도 2

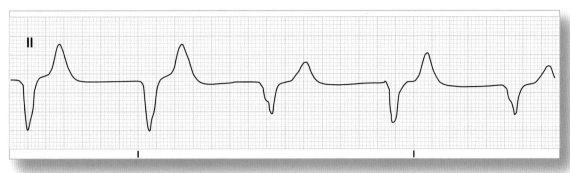

From *Arrhythmia Recognition: The Art of Interpretation*, courtesy of Tomas B. Garcia, MD.

박동수 :	분당 약 45회	PR 간격 :	없음
규칙성 :	규칙적	QRS 폭 :	넓음

P파 :
  형태 :
  축 :
	없음
	없음
	없음
		그룹화 :	없음

		탈락 박동 :	없음
P:QRS 비 :	없음	리듬 :	심실 고유(idioventricular)

 넓은 QRS군과 느린 율동이 심실 고유율동에 합당한 소견이다. QRS군 형태의 변이는 융합 때문일 것이다. 하지만, P파는 이 유도에서 보이지 않는다. 12-유도 심전도는 방실해리를 찾아내는데 매우 큰 도움이 될 것이다.

심전도 3

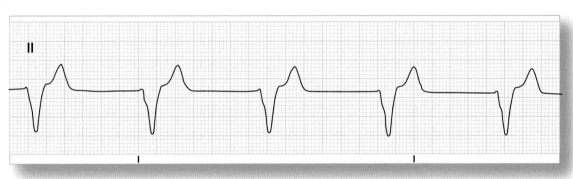

From *Arrhythmia Recognition: The Art of Interpretation*, courtesy of Tomas B. Garcia, MD.

박동수 :	분당 약 47회	PR 간격 :	없음
규칙성 :	규칙적	QRS 폭 :	넓음

P파 :
  형태 :
  축 :
	없음
	없음
	없음
		그룹화 :	없음

		탈락 박동 :	없음
P:QRS 비 :	없음	리듬 :	심실 고유(idioventricular)

 이 심전도 기록지는 분당 약 47회의 박동수를 가진 심실 고유율동을 보여준다. 심실 고유율동에서 리듬은 매우 규칙적이다. QRS는 넓고 기이한 모습이며 명백한 ST-T파의 이상소견을 보인다. S파의 아래로 내려가는 파형에서 파임(notching)이 있는 조셉슨 징후의 존재를 눈여겨보라. 또한, QRS군의 시작과 S파의 바닥 사이의 간격이 0.10초인 브루가다 징후가 관찰된다.

심전도 4

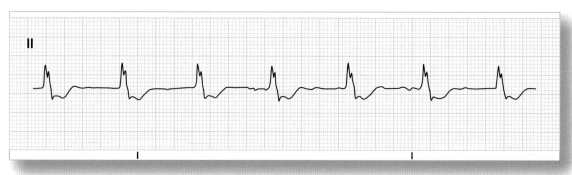

From *Arrhythmia Recognition: The Art of Interpretation*, courtesy of Tomas B. Garcia, MD.

박동수 :	분당 약 72회	PR 간격 :	없음
규칙성	규칙적	QRS 폭 :	넓음
P파 : 　형태 : 　축 :	없음 없음 없음	그룹화 :	없음
		탈락 박동 :	없음
P:QRS 비 :	없음	리듬 :	가속 심실 고유(Accelerated idioventricular)

이 율동은 넓은 QRS군이 뚜렷한 ST-T파의 이상을 동반하고 있다. ST 분절의 하강은 평평하고 허혈의 증거가 될 수 있어서 걱정이 된다. 물론, 단순히 심실 기원이기 때문에 비정상적인 형태를 보일 수도 있다. 임상적 상관관계 확인과 12-유도 심전도가 도움이 될 것이다.

심전도 5

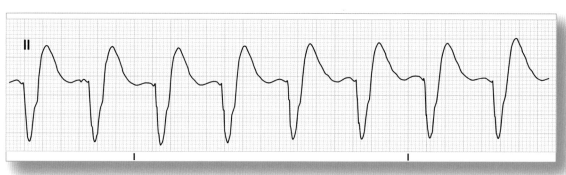

From *Arrhythmia Recognition: The Art of Interpretation*, courtesy of Tomas B. Garcia, MD.

박동수 :	분당 약 82회	PR 간격 :	없음
규칙성	규칙적	QRS 폭 :	넓음
P파 : 　형태 : 　축 :	없음 없음 없음	그룹화 :	없음
		탈락 박동 :	없음
P:QRS 비 :	없음	리듬 :	가속 심실 고유(Accelerated idioventricular)

이 기록지는 분당 약 82회의 내재 심박수를 보이는 넓은 군 율동이다. 심전도에서 명확한 P파가 없고 QRS군 앞에 명백하게 존재하지 않는다. 이것은 가속 심실 고유율동의 훌륭한 사례이다. 율동의 규칙성을 주목하자. 또한 ST-T파의 이상소견을 주목하자. ST 상승은 심실군에서 기대하는 것보다 더욱 명확하고 더 높다. 가속 심실 고유율동의 가장 흔한 원인은 급성심근경색증이다. 생명을 위협할 수 있는 문제에 대해 좀 더 알아보기 위해서 임상적 상관관계 확인과 12-유도 심전도가 필요하다.

심전도 6

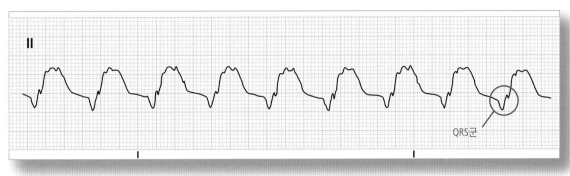

From *Arrhythmia Recognition: The Art of Interpretation*, courtesy of Tomas B. Garcia, MD.

박동수 :	분당 약 96회	PR 간격 :	없음
규칙성 :	규칙적	QRS 폭 :	넓음
P파 :	역행성의 가능성	그룹화 :	없음
형태 :	역위의 가능성		
축 :	비정상	탈락 박동 :	없음
P:QRS 비 : 아래의 토의를 참고		리듬 :	가속 심실 고유(Accelerated idioventricular)

이 기록지는 급성심근경색증으로 인한 분당 약 96회의 넓은 군의 가속 심실 고유율동이면서 매우 현저한 비석 형태의 ST 분절 변화가 있다. QRS군의 전위가 너무 작아서 잘 확인하지 못 할까봐 동그라미로 표시해 놓았다. 비록 ST 분절 꼭대기의 불규칙함이 역행성 P파라고 볼 수도 있지만, 명백한 P파는 보이지 않는다.

심전도 7

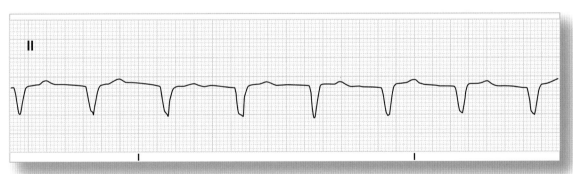

From *Arrhythmia Recognition: The Art of Interpretation*, courtesy of Tomas B. Garcia, MD.

박동수 :	분당 약 75회	PR 간격 :	없음
규칙성 :	규칙적	QRS 폭 :	넓음
P파 :	없음	그룹화 :	없음
형태 :	없음		
축 :	없음	탈락 박동 :	없음
P:QRS 비 : 없음		리듬 :	가속 심실 고유(Accelerated idioventricular)

이 심전도 기록지는 분당 약 75회의 박동수를 가지는 넓은 심실 율동군을 보여준다. 이것은 분당 30~50회의 정상적인 심실 고유 심박동 수보다 빠르므로 가속 심실 고유율동이다. 율동은 매우 규칙적이고 뚜렷한 P파가 보이지 않는다. 하지만, QRS군의 형태에 미묘한 차이가 있어서 방실해리가 있을 것으로 짐작할 수 있다. 12-유도 심전도가 이를 평가하는데 도움이 될 것이다.

심전도 8

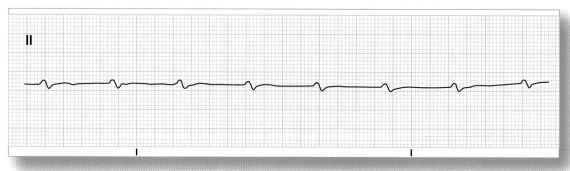

From *Arrhythmia Recognition: The Art of Interpretation*, courtesy of Tomas B. Garcia, MD.

박동수 :	분당 약 80회	PR 간격 :	없음
규칙성 :	규칙적	QRS 폭 :	넓음
P파 : 형태 : 축 :	없음 없음 없음	그룹화 :	없음
		탈락 박동 :	없음
P:QRS 비 :	없음	리듬 :	가속 심실 고유(Accelerated idioventricular)

이것은 P파가 아니다. 이것은 아주 작은 전위의 심실 박동군이다. 이렇게 낮은 전위의 원인은 이 책에서 다룰 내용은 아니다. 하지만, 12-유도 심진도가 이 군이 심실 기원임을 심실 기원을 증명할 것이다. 심박수는 분당 80회이며, 넓은 QRS군, 그리고 율동의 규칙성이 가속 심실 고유율동임을 밀해준다.

심전도 9

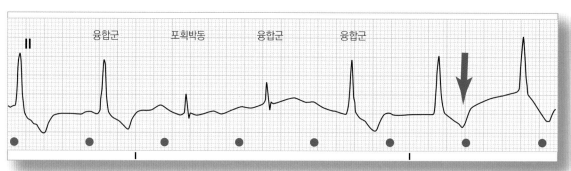

From *Arrhythmia Recognition: The Art of Interpretation*, courtesy of Tomas B. Garcia, MD.

박동수 :	분당 약 66회	PR 간격 :	없음
규칙성 :	규칙적	QRS 폭 :	넓음
P파 : 형태 : 축 :	있음 정상 상향	그룹화 :	없음
		탈락 박동 :	없음
P:QRS 비 :	포획박동 하나	리듬 :	가속 심실 고유(Accelerated idioventricular)

이 심전도 기록지는 넓은 군 율동이 정상처럼 보이는 심전도 군으로 재빨리 변화하는데, 이는 포획박동이며 다시 넓은 형태로 되돌아 간다. 가속 심실 고유율동이 방실해리와 동반된 전형적인 모습이다. 첫 번째와 마지막 두 QRS군은 진정한 심실군이다. 중앙의 나머지 군들은 융합박동이나 포획박동이다. 파란 화살표는 T파에서의 작은 굴절을 가리키고 있으며, 이것은 원래 P파로 인해 나타난다. P파는 동결절에서 생성되어 해리되었기 때문에 상향을 띤다.

심전도 10

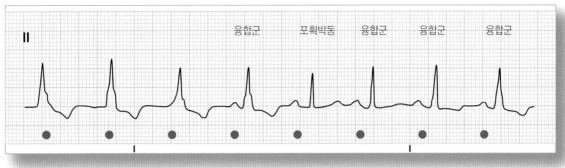

융합군 포획박동 융합군 융합군 융합군

From *Arrhythmia Recognition: The Art of Interpretation*, courtesy of Tomas B. Garcia, MD.

박동수 :	분당 약 80회	PR 간격 :	없음
규칙성 :	규칙적	QRS 폭 :	넓음
P파 : 　형태 : 　축 :	있음 정상 상향	그룹화 :	없음
		탈락 박동 :	없음
P:QRS 비 :	하나의 포획박동	리듬 :	가속 심실 고유(Accelerated idioventricular)

　매우 명확한 방실해리를 보여주는 가속 심실 고유율동 심전도이다. P파와의 융합에 의해 QRS군의 미세한 변화가 처음 세 개의 QRS군에서 관찰된다. 세 번째 QRS군은 융합에 의해 R파의 상향이 두리뭉실하게 관찰된다. 다른 QRS 군들은 상심실군과 함께 심실군의 진정한 융합에 의해 나타난다. 연장된 PR 간격을 가진 한 개의 포획박동이 관찰된다. 이 심전도 기록지에서 진정한 PR 간격은 불분명하다.

단원 복습

1. 적어도 _____개의 심실 이탈군들이 계속 있을 때 우리는 그것을 심실 고유율동이라고 부른다.

2. 심실 이탈율동을 없애기 위해서 항상 치료 약물을 투여해야 한다. (맞다 / 틀리다)

3. _____는 심장이 가진 마지막 안전장치로써의 심박동기이다.

4. 심실 고유율동의 박동수는?
   A. 10-35회/분
   B. 20-30회/분
   C. 20-50회/분
   D. 30-60회/분
   E. 50-100회/분

5. 가속 심실 고유율동의 박동수는?
   A. 10-35회/분
   B. 20-30회/분
   C. 20-50회/분
   D. 30-60회/분
   E. 50-100회/분

6. 가속 심실 고유율동은 다음과 연관되어 있다.
   A. 넓고, 이상한 심실군들
   B. 포획박동
   C. 융합박동
   D. 모두 정답

7. 가속 심실 고유율동의 가장 흔한 원인 중 하나는 _____이다.

8. 재관류 부정맥은 심근경색중에서 혈전 용해요법 후 재관류 시 일어나는 부정맥을 말한다. 가속 심실 고유율동이 이러한 부정맥 중 하나이다. (맞다 / 틀리다)

9. 설사 환자가 혈역동적으로 안정되어 있을 지라도 재관류 부정맥은 즉시 치료가 필요하다. (맞다 / 틀리다)

10. 넓은 QRS군의 율동 가운데 정상처럼 보이는 QRS군이 끼어들어 나타나면, 이것은 원래 심실 박동수에 따라(가능한 율동의 명칭) _____ 혹은 _____ 이다.

제 32 장

심실빈맥

목표

1. 심실빈맥의 정의와 진단기준을 설명한다.
2. 넓은 군 빈맥은 다른 부정맥으로 확진 되기 전까지는 항상 심실빈맥으로 간주한다.
3. 비지속성, 지속성, 끊임없는 심실빈맥을 정의하고 비교한다.
4. 회귀회로 형성의 3가지 요건을 설명한다.
5. 심실빈맥의 시작과 전파의 2가지 주요 기전을 설명한다.
6. 허혈성 사건과 심실 반흔이 심실 회귀회로 형성에 미치는 영향을 설명한다.
7. 심실빈맥에서 방실해리의 직, 간접적 증거를 설명한다.
8. 심실조동의 정의, 진단기준, 임상적 중요성을 설명한다.
9. 심실빈맥의 형성과 관련된 임상상황 및 환경을 나열한다.
10. 심전도에서 심실빈맥을 정확하게 식별한다.

개요

심실빈맥은 무증상에서 급성 심장사까지 다양한 범위의 질환들을 일으킬 수 있다. 심실빈맥의 위험성은 급성 심장사와 같은 심각한 질환 때문이다. 심실빈맥과 심실세동은 미국에서 연간 300,000건 이상의 급성 심장사의 원인이다. 실제 심실빈맥 환자 수는 혈역학적으로 안정적이거나 약간 불안정한 경우까지 포함하면 훨씬 더 많을 것이다. 이러한 통계와 높은 치사율 때문에 심실빈맥은 임상적으로 중요하며 각별한 관심을 기울여야 한다.

심실빈맥의 정의는 이소성 심실군이 분당 100회 이상의 박동수로 세 개 이상 연속적으로 나타나는 것이다. 심실빈맥의 심박동 수는 분당 100-200회이시만 내부분 분당 140-200회로 나타난다. 분당 200회 이상도 나타날 수 있으며 그런 경우 군들의 형태는 서서히 흐려지기 시작하여 QRS, ST, 혹은 T파를 알아볼 수가 없게 된다. 실제로 군들의 형태는 사인 파형을 띄게 된다. 이러한 사인 파형이 발생하고 심박동수가 분당 150회 이상 되는 경우를 심실조동이라 한다.

심실빈맥을 형태에 따라 더 세분하여 정의할 수 있다. 모든 군들이 동일한 형태를 가지는 경우 단형 심실빈맥이라 한다(**그림 32-1**). 매 박동마다 군들의 형태가 변한다면 그리듬은 다형 심실빈맥이라 한다. 임상에서는 단형 심실빈맥이 다형 심실빈맥보다 흔하다. 이번 장에서는 단형 심실빈맥을 자세히 살펴보고 다음 장에서 다형 심실빈맥을 다룰 것이다.

부정맥의 지속시간에 따라 심실빈맥은 더욱 세분화된다. 30초 이하로 지속되는 심실빈맥은 비지속성 심실빈맥이라 한다(**그림 32-2**). 30초 이상 지속되거나, 심혈관계 손상(저혈압, 흉통, 허혈, 심한 호흡곤란 등)을 예방하기 위해서 임상적 중재가 필요한 심실빈맥은 지속성 심실빈맥이라 한다. 마지막으로 계속해서 심실빈맥이 손재하는 경우를 끊임없는 심실빈맥이라 한다.

우선 단형 심실빈맥(비지속성과 지속성 심실빈맥)의 발생기전을 살펴보기에 앞서서 이 치명적인 부정맥과 이의 치료를 이해하려면 심실빈맥이 형성되는 원리를 이해하는 것이 중요하다. 부정맥의 발생기전을 살펴본 후에는 부정맥의 형태를 더 자세히 살펴보고 진단하는 법을 공부할 것이다. 마지막으로 비지속성과 지속성 심실빈맥을 서로 비교하여 각각 살펴볼 것이다.

회귀와 그 외 가능한 기전들

단형 심실빈맥이 유발되거나 발생하게 되는 기전은 다양하다. 심실 내 회귀기전, 증가된 자동능(정상과 비정상), 그리고 조기와 지연 후탈분극이 여기에 속한다. 현재까지 가장 흔한 것은 심실 내 회귀기전이다. 이번 장에서는 심실 내

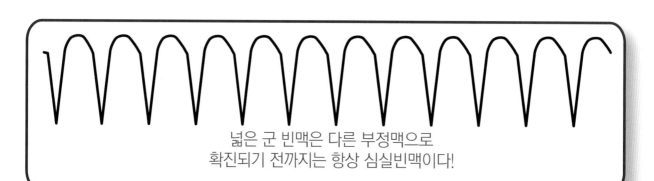

넓은 군 빈맥은 다른 부정맥으로
확진되기 전까지는 항상 심실빈맥이다!

그림 32-1. 단형 심실빈맥. 균일한 형태의 군들과 분당 100회 이상의 빠른 심박동 수에 주목하자.

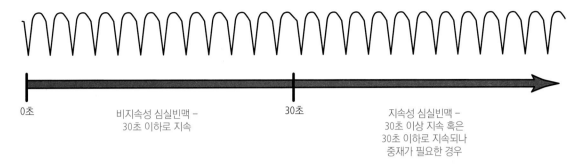

0초　　비지속성 심실빈맥 –　　30초　　지속성 심실빈맥 –
　　　　30초 이하로 지속　　　　　　30초 이상 지속 혹은
　　　　　　　　　　　　　　　　30초 이하로 지속되나
　　　　　　　　　　　　　　　　중재가 필요한 경우

그림 32-2. 비지속성 그리고 지속성 심실빈맥
© Jones & Bartlett Learning.

회귀 기전이 어떻게 형성 되는지와 이것이 어떻게 단형 심실빈맥을 일으키는 지에 대해 알아볼 것이다.

25장에서 방실결절성 회귀성빈맥을 다루면서 회귀를 처음 접하였다. 당시 회귀회로가 형성되기 위해서는 몇 가지 선제조건이 필요하다고 언급하였고, 그 조건은 다음과 같다.

1. 적어도 두 개 이상의 경로를 가진 전기회로의 존재
2. 관여한 두 개의 경로는 서로 다른 특성(전도시간, 불응성 등)을 가지고 있어야 한다. 이것은 경로들의 구조적 차이, 허혈, 전해질 이상 혹은 전도와 불응기를 일시적, 영구적으로 변화 시키는 여러 현상에 의한 것일 수 있다.
3. 회로 중 하나는 나머지 회로가 불응기를 벗어날 정도로 충분한 지연부위를 가지고 있어야 한다.

이제 이 조건들을 각각 살펴보고 이들이 어떻게 심실빈맥을 만드는데 관여하는지 알아보자.

1. 적어도 두 개 이상의 경로를 가진 전기회로의 존재

심실빈맥은 관상동맥질환, 심근경색증, 선천성 심장질환 환자에서 보다 흔히 발견된다. 이 질환들은 부정맥 경로로 작용할 수 있는 여러 고립된 심근 부위를 형성한다. 간단하게 심근경색증을 예로 들어보자.

심근경색증은 보통 심장에 혈액과 영양을 공급하는 주요 동맥들이 막혀서 발생한다. 때때로 주요동맥들은 작은 지류를 통해 서로 소통하므로, 한 부위를 공급하는 주요동맥이 막혀도 지류를 통해 계속해서 혈류가 유지된다. 이러한 종류의 교차순환을 측부순환이라 한다.

위에서 언급한 종류의 측부순환 외에 미세측부순환이 있다. 이러한 종류의 측부순환이 일어나는 이유는 가끔씩 한 동맥에 의해 공급되는 부위의 가장자리 경계가 불명확하고, 변두리의 작은 부위들은 인접한 동맥들로부터 공급이 되기 때문이다.

심근경색증 동안에 세포가 죽고 그 자리는 결국 비전도성 섬유 반흔조직으로 대체된다. 경색이 발생했어도 미세측부순환은 세포의 작은 부분을 생존할 수 있게 해준다(**그림 32-3**에서 회색 쐐기 밑 부분에 측부동맥의 경로를 따라 분포하는 분홍색 세포 연결다리를 참고하자). 이 생존세포의 연결다리는 정상조직처럼 정상적으로 탈분극파를 전도할 수 있으며, 정상조직처럼 기능한다. 그러므로 이 "연결다리"들은 심실 회귀회로를 형성하는데 필요한 경로를 생성한다.

그림 32-4는 어떻게 경색조직의 주변에 두 개의 경로가 존재할 수 있는지 보여준다. 2번으로 표시된 붉은 경로는 그 부위의 측부순환에 의해 세포들이 생존하였을 때 발생한다. 이들 "관"은 심근경색증이 치유된 후 형성되는 반흔조직의 중심을 통과하여 탈분극파를 전도시킬 수 있어 회귀회로의 가능성이 있는 경로를 형성한다.

2. 두 경로는 반드시 다른 특성을 가져야 한다.

회귀회로가 형성되는데 반드시 필요한 두 번째 조건은, 두 경로는 반드시 서로 다른 특성을 가져야 한다는 것이다. 이것이 어떻게 위에서 형성된 경로와 연관되는가? 정상 심실에서 한 개의 심근세포는 다른 심근세포들로 둘러싸여있

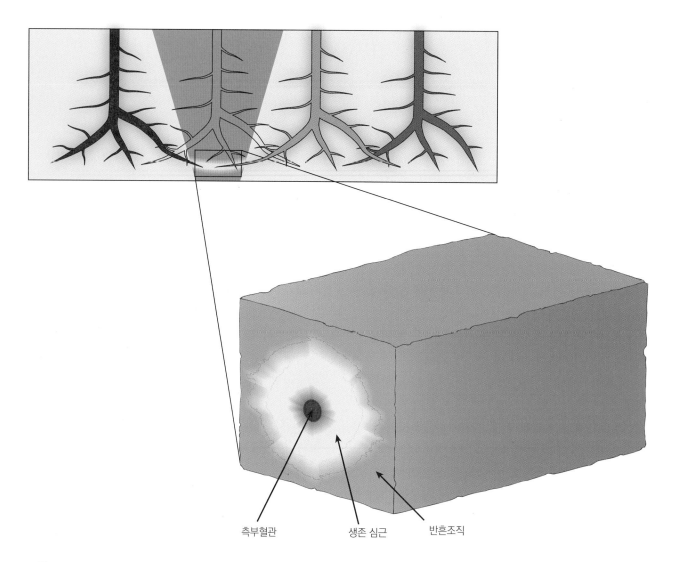

측부혈관　　　　생존 심근　　　　반흔조직

그림 32-3. 3개의 동맥으로부터 공급을 받고 있는 심근경색증(회색의 쐐기) 부위의 현미경적 소견. 무색의 동맥은 더 이상 심근에 에너지 공급을 하지 못하며 이는 심근경색증을 일으키게 된다. 두 개의 주위혈관(붉은 혈관과 분홍색의 혈관)은 경색된 부위를 뚫고 들어가는 작은 혈관을 가지고 있다. 이러한 여분의 동맥 공급을 측부혈관이라고 하며, 이는 심장의 보호기전으로 작용한다. 가끔 측부혈관은 일부의 세포를 생존하게 하며, 이러한 생존 부분은 전기적인 탈분극파를 계속적으로 전달할 수 있다. 이들 경로는 절연층으로 작용하는 비전도성의 반흔조직에 의해 둘러싸여 있다.

© Jones & Bartlett Learning.

다. 그래서 세포 간의 교통을 할 수 있는 연결점이 세포막에 수백 개 존재한다(**그림 32-5**).

이 연결점을 간극접합(gap junction)이라 한다. 세포간의 간극접합 수가 많을수록 탈분극파는 빠르게 이들 사이를 지나간다. 이러한 소통은 심실 전체의 심근에 퍼져 있다.

대부분 미세순환에 의해 형성된 고립된 작은 생존세포와 '관'은 얇다. 얇은 관은 3차원적으로 더 큰 세포덩어리보다

더 적은 세포 간 연결을 가지고 있다(**그림 32-6**). 실제로 이 관들은 매우 얇아서 몇 개의 간극접합(gap junction)만이 다른 세포와 실제로 접한다.

짐작할 수 있듯이 이 경로를 통한 탈분극파의 전도는 경색이 일어나지 않은 정상 심실에서의 그것보다 느리다. 이 느린 세포 간 소통은 두 경로 간 전도 속도의 차이를 만든다.

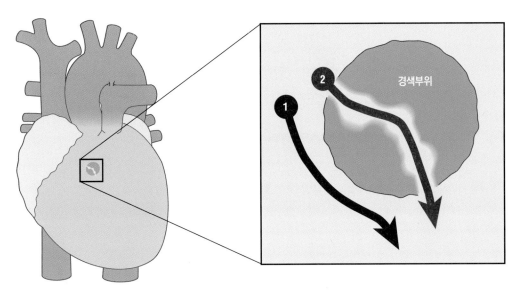

그림 32-4. 생존세포로 구성된 약간의 고립된 부분(섬)이 있는 경색부위는 반흔조직 안에서 전기전달 통로로 작용한다 (붉은 경로, 2를 보시오). 푸른 경로, 1은 경색 주위의 정상적인 탈분극 경로이다.

© Jones & Bartlett Learning.

3. 회로에서 속도를 지연시키는 부위 – 나머지 회로 부위가 불응기에서 벗어날 정도의 시간을 만들어 주면 충분함.

　그림 32-7은 경색부위에서 이차경로로 작용하는 생존 심근세포를 나타낸다. "연결다리"는 소통 정도가 낮기 때문에 탈분극파는 정상 심근보다 훨씬 느리게 이동한다. 이 느린

속도는 다른 정상 심근이 불응기를 지나 충분히 재분극되어 새로운 자극을 받아들이기에 충분하게 만든다. 하지만 이는 매번 일어나지 않는다. 왜냐하면 자극이 연결부의 양쪽 끝 부분으로 진입해서 사실상 두 개의 파가 상쇄되기 때문이다.

　하지만, 부정맥이 잘 발생되는 환경에서는 심실 조기수

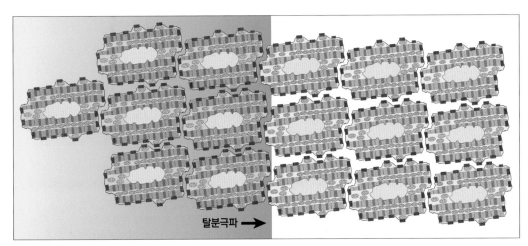

그림 32-5. 직접적인 세포 대 세포의 전달에 의해 퍼지는 탈분극파. 간극접합(세포막의 붉은 사각형)에서 생화학적인 소통을 통해 전달이 이뤄진다. 세포 사이 연결점의 개수에 주목하자.

© Jones & Bartlett Learning.

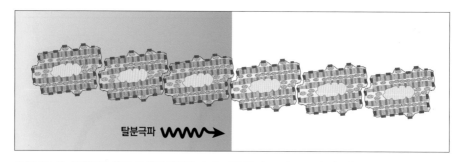

탈분극파 ⌇⌇⌇⌇→

그림 32-6. 직접적인 세포 대 세포 전달로 퍼지는 탈분극파. 그림 32-5의 세포와 비교하여, 간극접합(붉은 사각형)의 적은 숫자를 주목하자. 낮은 정도의 소통은 늦은 전도 속도를 만든다.

축에 의해 회귀회로가 쉽게 유발될 수 있다. 방실결절성 회귀성빈맥에서 보았듯이 심실 조기수축은 예상보다 일찍 도착할 수 있다. 이런 경우, 경로는 아직 불응기이기 때문에 내려가는 것이 차단되며 전도는 다른 비불응성 경로를 통해 내려갈 수 밖에 없다. 방실결절성 회귀성빈맥에서와 마찬가지로 자극이 비불응성 경로의 끝에 도착하였을 때, 기존의 불응성 경로는 재분극되어 자극을 받아들일 수 있게 된다. 이는 회귀회로를 구성하게 만들어 회귀성빈맥을 유발한다 (**그림 32-8**).

어떤 경로가 처음에 불응기였는지에 따라서 회로의 경로가 달라지는 것을 주목하자. 회로의 경로에 따라서 심전도 상에 형태가 다른 군들로 나타난다.

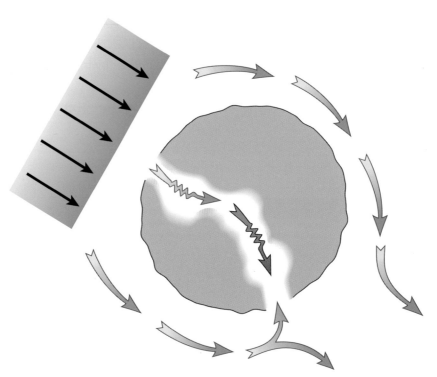

그림 32-7. 탈분극파(녹색의 직사각형 혹은 파형)는 경색 내부의 경로로 진입하며 경색부위 주변으로도 퍼져나간다. 경색 내의 살아 있는 조직인 연결다리를 통하여, 정상 심근 지역보다 훨씬 느리게 전도된다. 하지만, 정상적인 상황에서는 자극이 연결다리의 양쪽 끝에서 모두 들어가기 때문에 회귀회로는 형성되지 않는다. 두 개의 파형은 관 안에서 만나 서로를 상쇄시킨다.

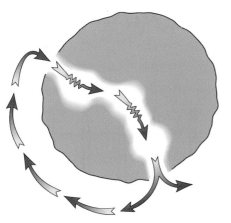
혹은
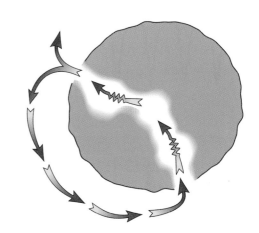

그림 32-8. 회귀회로를 이용하는 두 가지 가능한 경로

© Jones & Bartlett Learning.

심실빈맥의 일반적 특성
군들의 형태와 부정맥 인지

31장에서 심실 이탈율동과 심실 고유율동의 원리를 이해하였다면 심실빈맥을 이해하는 것은 매우 쉽다. 왜냐하면, 리듬으로 따졌을 때 심실빈맥은 심실고유율동보다 그저 더 빠르고 치명적인 형태이기 때문이다. 심실빈맥은 보통 이소성 심실군의 형태인 넓고, 이상하게 생긴 QRS (0.12초 이상)와 ST-T파 이상 소견의 특징을 가진다. 다른 심실율동에서처럼 QRS들은 보통 각차단에서 볼 수 있는 것보다 넓어 0.16-0.20초의 너비가 흔하다.

게다가, 이러한 일반적인 특징 외에 조셉슨 징후(**그림 32-9**)와 브루가다 징후(**그림 32-10**)가 흔히 나타나며, 이들은 심실빈맥의 감별진단에 필수적이기 때문에 잘 찾아 보아야 한다(앞으로 다루겠지만, 이 두 가지 형태적 특징은 편위전도된 상실성빈맥과 원래 각차단을 가진 경우에서는 대개 나타나지 않기 때문에 이들의 존재는 넓은 군 박동과 빈맥의 감별진단에 매우 유용하다).

다른 심실율동에서와 마찬가지로 ST-T파 이상 소견은 항상 존재한다. 빠른 심박수 때문에 ST-T파 이상소견은 보다 뚜렷하게 나타난다. 이러한 이상 소견은 가끔 기존 P파 혹은 상심실성율동을 숨기게 된다(방실해리의 경우).

군들의 형태는 사용된 유도에 따라 변한다는 사실을 기억하는 것이 매우 중요하다. 초보자들이 흔히 저지르는 실수는 항상 같은 형태의 심실빈맥을 기대한다는 것이다. 대개 심실빈맥은 **그림 32-11**의 좌측 상단의 것과 유사한 형태를 가진다. 가끔, 예상한 형태가 보이지 않으면 상심실율동으로 오진을 하게 되는데 이는 매우 치명적인 실수가 될 수 있다.

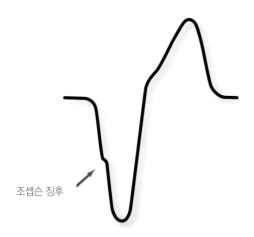

그림 32-9. 조셉슨 징후

© Jones & Bartlett Learning.

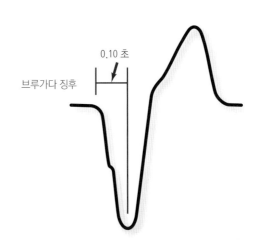

그림 32-10. 브루가다 징후

© Jones & Bartlett Learning.

이들은 모두
심실빈맥이다!

그림 32-11. 심실빈맥은 여러가지 다양한 형태로 나타난다.

© Jones & Bartlett Learning.

규칙성

일반적으로, 심실빈맥은 매우 규칙적이다(**그림 32-12**). 여기서 '일반적으로'라는 것은 90% 이상에서 매우 규칙적이라는 뜻이다. 하지만, 나머지 10%의 경우에서는 약간의 불규칙성이 나타날 수 있다. 이 불규칙성은 박동군의 율동에 변화를 일으키지만 0.16초(심전도 상 작은 칸 4개) 이상을 넘어가진 않는다. 이들 불규칙성은 대개 심실빈맥이 느릴 때 흔히 발견된다.

심실빈맥 시작 전에 빈번하게 심실 조기수축이 선행하여 발생하는 경우가 많다. 심실 조기수축에 의해 대개 심실빈맥이 유발된다. 그래서 심실빈맥 시작 시 약간의 불규칙한 율동을 보일 수 있다(**그림 32-13**). 이 불규칙성은 보통 수초(최대 10~20 박동) 가량 지속되나, 율동의 속도가 안정화되면 곧바로 규칙적으로 돌아온다.

방실해리

가속 심실 고유율동에서 보았듯이 방실해리는 심실율동에서 매우 흔하게 나타닌다. 방실해리는 심실빈맥에서 보다 더 흔하다. 심전도 기록지를 주의깊게 관찰하면 약 50%의 심실빈맥에서 확실하고 쉽게 관찰된다(P파가 심실율동에 의해 감춰져 있기 때문에 좀 더 면밀하게 살펴보면 보다 많은 경우에서 찾을 수 있다). 미만성 ST-T파 이상과 기이하고 넓은 형태의 심실율동은 비교적 작은 원래 P파를 쉽게 감출 수 있다. 이러한 이유로 심전도 기록지에서 작은 이상도 꼼꼼히 살펴보며, 캘리퍼를 사용하여 이들 간에 가능한 모든 연결을 살펴보는 것이 매우 중요하다.

넓은 군 빈맥의 원인으로 심실빈맥을 진단하려 할 때 방실해리를 찾아보는 것이 매우 중요하다(**그림 32-14**). P파, 포획박동, 융합박동의 유무는 방실해리의 간접적인 증거이다(방실해리는 각차단이나 편위전도 된 접합부 빈맥에서도 나타날 수 있지만 이러한 경우는 드물다).

따라서, 방실해리를 동반한 모든 넓은 군 빈맥은 다른 진단으로 확진되지 않은 이상 심실빈맥으로 고려해야 한다. 실제로는 모든 넓은 군 빈맥은 다른 진단으로 증명되지 않은

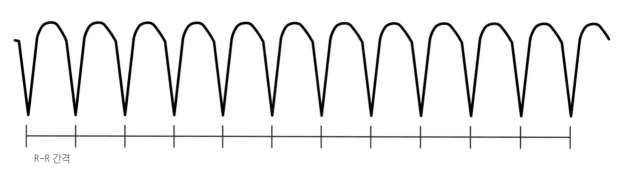

R-R 간격

그림 32-12. 심실빈맥은 매우 규칙적이다.

© Jones & Bartlett Learning.

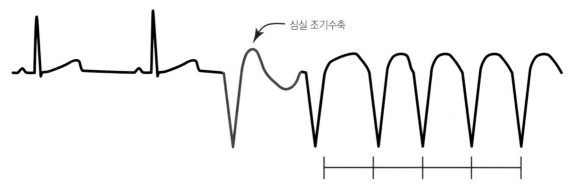

심실 조기수축

그림 32-13. 심실 조기수축은 심실빈맥을 유발한다. 시작 시에는 불규칙하지만 곧 안정되고 규칙적인 형태의 심실빈맥으로 전환되는 것을 주목하자.

© Jones & Bartlett Learning.

이상 심실빈맥으로 고려해야만 한다. 이런 율동에 접근할 때는 보수적으로 접근하는 것이 임상적으로 안전한 방법이다. 이러한 세심한 임상적 연관성과 심전도의 면밀한 조사가 약 90% 가량의 경우에서 정확한 진단을 내리게 해준다.

그림 32-14에서 QRS군의 크기는 다양하다. 그러나, 이들은 여전히 단형 심실빈맥의 예이다. 왜 이런 현상이 일어났는가? QRS군들의 크기 차이는 여러 가지 이유로 나타난다. 가장 흔한 이유는 대부분의 빈맥에서 빈번하게 관찰되는 전기적 교대맥이다. 다른 이유들로는 QRS군 주위의 성분파와의 융합, 방실해리의 경우 큰 원래 P파와의 융합, 회귀회로 경로의 미세한 변이(이는 벡터를 변화시켜 미세한 형태 변화를 만든다)등이 있다. 이러한 미세한 변이가 있다고 해서 심실빈맥을 진단에서 제외시키는 실수를 저질러서

는 안 된다.

심실 조기수축과 유사한 형태

많은 경우에서 단형 심실빈맥의 형태는 이전 심실 조기수축의 그것과 일치한다(**그림 32-13**). 그 이유는 두 경우의 회귀회로가 동일하기 때문이다. 그러나, 한 개의 심실 조기수축으로 반복적인 순환이 만들어지지는 않는다.

비지속성 단형 심실빈맥

비지속성 심실빈맥, 혹은 더 자세하게 비지속성 단형 심실빈맥은 두근거림 등으로 홀터검사를 시행한 사람들에게서 우연히 발견된다. 정의상 심전도에서 3개 이상의 연속적

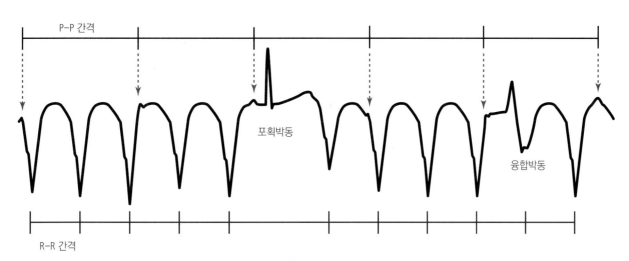

P-P 간격

포획박동

융합박동

R-R 간격

그림 32-14. 심실빈맥과 방실해리는 많은 경우에 연관되어 있다. 항상 P파, 포획박동, 융합박동을 찾도록 하자!

© Jones & Bartlett Learning.

이고 형태가 유사한 심실군이 분당 100회 이상으로 나타나며 30초 이내에 자연히 멈추는 경우이다. 이것이 임상적으로 중요한 이유는 증상뿐만 아니라 치명적인 부정맥인 지속성 심실빈맥이나 심실세동의 전조일 수 있기 때문이다.

대부분의 환자들은 보통 3-10회의 박동을 보인다. 연속 박동은 대개 같은 형태의 심실 조기수축에 의해 유발된다 (**그림 32-15**). 비지속성 심실빈맥 환자는 대개 율동 이상이 없는 환자보다 높은 빈도로 심실 조기수축이 나타난다.

비지속성 심실빈맥의 임상증상은 발생기간에 따라 무증상부터 일시적 혈역학적 이상까지 다양하다. 빈맥의 지속기간에 의해 증상 정도가 결정된다는 점은 매우 중요한데 짧은 지속기간은 보통 잘 견딜 수 있기 때문이다. 실제로, 대부분의 경우에는 빈맥의 지속기간이 무척 짧기 때문에 오직 경미하고 일시적인 증상만을 야기한다.

그러나 심실빈맥이 수초 이상 지속된다면 뇌와 심장을 포함한 주요 장기의 공급을 차단시킬 수 있다. 뇌로 수초간 공급이 차단된다면 이는 실신을 유발할 수 있다. 다른 흔한 임상증상은 현기증, 급박실신, 두근거림, 시각장애가 있다.

비지속성 심실빈맥에서 형태는 모두 서로 유사하다. 짧은 비지속성 심실빈맥은 약간 불규칙적일 수 있다. 그보다

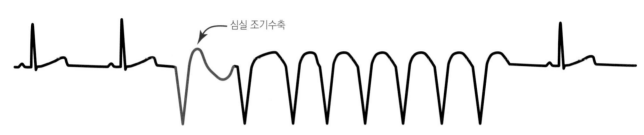

그림 32-15. 심실 조기수축이 여덟 박동의 비지속성 심실빈맥을 유발하였다.
© Jones & Bartlett Learning.

한가지 더

흉부유도의 방향일치

심실빈맥 환자의 12-유도 심전도는 종종 전흉부 유도에서 모든 QRS군의 방향일치를 보인다. 이것이 뜻하는 바는 모든 QRS군들의 주된 방향이 전흉부 유도들(V1-V6)에서 모두 양성 혹은 음성 쪽으로 일치한다는 것이다(**그림 32-16, 17**). 군들의 크기는 중요하지 않으며, 단지 QRS군의 방향이 중요하다.

방향일치는 넓은 군 빈맥의 감별진단에 유용하게 사용된다. 이것은 부정맥의 확실한 증거는 아니지만 심실빈맥을 강력히 시사하는 소견이다.

양성 방향일치			
I	aVR	V₁ ↑	V₄ ↑
II	aVL	V₂ ↑	V₅ ↑
III	aVF	V₃ ↑	V₆ ↑

그림 32-16. 심실빈맥에서의 양성 방향일치
© Jones & Bartlett Learning.

음성 방향일치			
I	aVR	V₁ ↓	V₄ ↓
II	aVL	V₂ ↓	V₅ ↓
III	aVF	V₃ ↓	V₆ ↓

그림 32-17. 심실빈맥에서의 음성 방향일치
© Jones & Bartlett Learning.

축의 방향과 심실빈맥

12-유도 심전도는 또 다른 유용한 정보를 줄 수 있다. 심실빈맥의 축은 종종 극단적 우측 사분면에 존재한다(**그림 32-18**). 일반적인 경우에 극단적 우측 사분면에 심실의 축이 발견되는 것은 흔한 일이 아니다. 이는 이상한 이소성 부위에서 벡터가 기원함을 나타내며 심실빈맥을 시사한다. 다시 말하지만 극단적 우측 사분면은 부정맥의 확실한 증거는 아니지만 심실빈맥을 강력히 시사하는 소견이다.

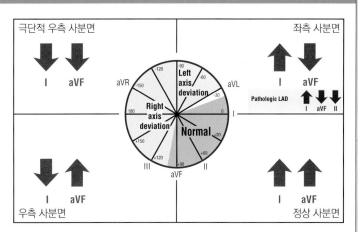

그림 32-18. 심실빈맥에서 축은 종종 극단적 우측 사분면에서 발견된다. 사분면으로 축을 분리해내기 위해서, 유도 I, aVF에서 QRS군을 보라. 만일 QRS군이 양 유도에서 모두 음성이면 축은 극단적 우측 사분면에 위치하는 것이다.

© Jones & Bartlett Learning.

긴 경우는 안정되어 규칙적인 율동을 보인다. 불규칙적이고 짧은 넓은 군의 빈맥이 비지속성 심실빈맥에 의한 것인지 편위 전도된 심방세동에 의한 것인지 신속하게 알아보는 방법은 빈맥의 QRS군들과 빈맥 옆에 있는 심실 조기수축을 비교해 보는 것이다. 형태가 심실 조기수축과 동일하거나 거의 같다면 비지속성 심실빈맥일 것이다. 형태가 심실 조기수축과 유사하지 않다면 이는 편위 전도된 심방세동일 가능성이 높다.

그 외에 살펴보아야 할 것 중 하나는 빈맥의 시작 부분이다. 빈맥이 심실 조기수축에 의해 유발되었다면 비지속성 심실빈맥일 가능성이 매우 높다. 더 긴 심전도 기록지와 12-유도 심전도는 방실해리의 직, 간접적인 증거를 찾는데 매우 유용하다. 조셉슨 징후나 브루가다 징후는 심실빈맥을 시사한다. 더 자세한 심실빈맥의 감별진단에 대해서는 이후 34장-37장에서 다룰 것이다.

지속성 단형 심실빈맥

이제 매우 위험한 율동인 지속성 단형 심실빈맥을 살펴보자. 심전도 상에서 지속성 단형 심실빈맥은 비지속성 심실빈맥의 모든 특징을 가지고 있다. 차이점은 단지 율동의 지속기간과 심각성에 있다. 지속성 심실빈맥은 (1) 30초 이상 지속되는 경우 (2) 30초 미만으로 지속되나, 치명적이거나 심각한 임상증상으로 전기적 혹은 약물적 중재가 필요한 경우이다 (**그림 32-19**).

지속성 심실빈맥은 심실 조기수축에 의해서 유발될 수 있으며 90% 이상에서 회귀에 의해 발생한다. 시작점에서는 약간 불규칙할 수 있지만 곧 매우 규칙적 율동으로 안정화된다. 미세한 형태변화가 주위 박동과의 융합박동에 의해서, 혹은 동시에 발생하는 상심실성군과의 포획발동과 융합박동에 의해서 나타날 수 있다. 방실해리는 매우 흔하게 관찰되며 뚜렷하지 않을 경우에는 이를 잘 찾아보아야 한다.

임상양상은 지속성 심실빈맥에서 훨씬 더 심각하다. 이는 빈맥의 지속기간, 심실충만의 결핍, 기계적 수축의 부조화로 인한 심박출량의 변화에 의해 나타난다.

임상증상으로는 급박실신, 실신, 저혈압, 의식혼미, 흉통, 발한, 호흡곤란, 심근경색증, 뇌졸중, 폐부종, 심인성 쇼크, 급사 등이 있다. 지속되는 안정형 심실빈맥은 장기간 치료하지 않을 경우 심근병증을 일으킨다.

위에서 언급한 요인들 외에 부정맥의 지속기간에 의해서도 증상이 다양하다. 지속기간이 길수록 임상적으로 더 위험하다. 빈맥 시 환자는 안정되어 보이다가도 갑자기 예측

심실 조기수축

그림 32-19. 심실 조기수축은 지속성 단형 심실빈맥을 유발한다.

© Jones & Bartlett Learning.

불가능하게 악화될 수 있다.

임상에서 꼭 기억해야 할 것: **절대 심실빈맥 환자에게서 등을 돌리지 마라!** 안정적인 환자가 갑자기 매우 불안정해질 수 있으므로 항상 환자 옆에서 치료와 제세동기를 준비해놓고 환자를 지속적으로 관찰해야 한다. 환자가 약물 혹은 심실빈맥 자체에 어떻게 반응할지 모르므로 경피적 심박동기를 준비하는 것도 좋은 생각이다. 나중에 아쉬워하기보다는 미리 안전하게 대비하는 것이 좋다. 이를 위해서는 사진 준비가 필수적이다.

이런 환자의 장기적 치료에는 항상 이식형제세동기 삽입을 심각하게 고려해야 한다. 이식형제세동기는 차후 심실빈맥이 재발할 경우 생명을 구할 수 있다. 많은 경우에서 심실빈맥의 첫 임상증상은 급사라는 것을 명심하자!

심실조동

심실빈맥이 너무 빨라서 각 파와 QRS, ST 분절, T파의 형태를 모호하게 만드는 경우를 심실조동이라 한다(**그림 32-20**). 이때 율동은 매우 빠른 사인파형을 보인다.

형태가 흐려지기 시작하는 박동수는 환자와 임상상황에 따라 다르다. 일반적으로 분당 약 200회 이상의 속도에서 흐려짐이 발생한다. 그러나, 심박수는 분당 150~300회 가량이 관찰된다(가장 흔하게 분당 235~250회). 분당 250회 이상은 드물고, 만약 발생한다면 부전도로에 의한 것인지 의심해 보아야 한다.

임상양상은 지속성 심실빈맥과 동일하지만 빠른 심박동수 때문에 일반적으로 환자들은 더 불안정하다. 부전도로에 의한 가능성을 고려하여 약물적 치료를 반드시 고려해야 한다. 만약 환자가 혈역학적으로 불안정하다면 전기적 동율동 전환술 혹은 제세동치료가 강력하게 권장된다.

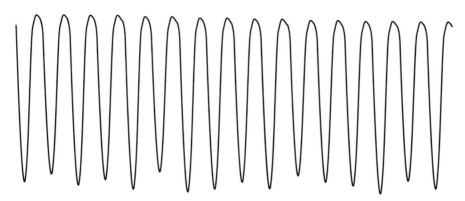

그림 32-20. 심실조동. 유념할 것은 박동군의 여러가지 구성요소가 없어지고 거의 사인파형만 관찰된다.

© Jones & Bartlett Learning.

단형 심실빈맥

박동수 :	100~250회/분
규칙성 :	규칙적(시작 시 약간 불규칙적일 수 있다)
P파 :	역행성 혹은 방실해리
형태 :	다양
II, III, aVF에서 상향 :	다양
P: QRS 비 :	없음
PR 간격 :	존재할 경우 다양
QRS 폭 :	≥ 0.12 초
그룹화 :	없음
탈락 박동 :	없음

단형 심실빈맥

1. 급성 심근경색증 혹은 허혈
2. 심근병증
3. 심근염
4. 부정맥 유발성 우심실 이형성증
5. 원발성
6. 약물: 코카인 등
7. 전해질 이상

상기 목록은 포괄적이지 않지만 심실빈맥의 가장 흔한 원인을 반영한다.

심전도 스트립

심전도 1

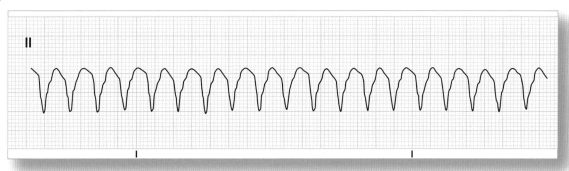

From *Arrhythmia Recognition: The Art of Interpretation*, courtesy of Tomas B. Garcia, MD.

박동수 :	분당 약 200회		PR 간격 :	없음
규칙성 :	규칙적		QRS 폭 :	넓음
P파 :	없음		그룹화 :	없음
형태 :	없음			
축 :	없음		탈락 박동 :	없음
P:QRS 비 :	없음		리듬 :	심실빈맥

이 율동은 분당 약 200회의 넓은 군 빈맥이다. 율동은 매우 규칙적이며 모든 군들의 형태는 거의 일치한다. 이것은 심실빈맥의 예이다. 이것을 심실조동이라고 하여도 틀린 진단은 아니다. 심실조동이 완벽하게 맞지 않는 이유는 아직은 QRS군, ST 분절, T파 간에 구별이 되기 때문이다(논란의 여지는 있다).

심전도 2

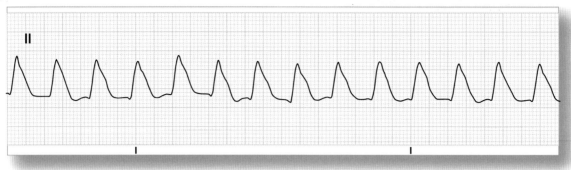

From *Arrhythmia Recognition: The Art of Interpretation*, courtesy of Tomas B. Garcia, MD.

박동수 :	분당 약 135회	PR 간격 :	없음
규칙성 :	규칙적	QRS 폭 :	넓음
P파 : 　형태 : 　축 :	없음 없음 없음	그룹화 :	없음
		탈락 박동 :	없음
P:QRS 비 :	없음	리듬 :	심실빈맥

　　분당 약 135회의 넓은 군 빈맥이다. QRS군은 상승한 ST 분절과 약간 융합된 것처럼 보이지만 그 형태는 확실히 넓다. 환자는 광범위한 급성 심근경색증을 앓고 있었다. 식별 가능한 P파는 보이지 않는다. 12-유도 심전도는 율동을 더 자세히 진단하며, 급성 심근경색증을 평가하는데 매우 유용할 것이다.

심전도 3

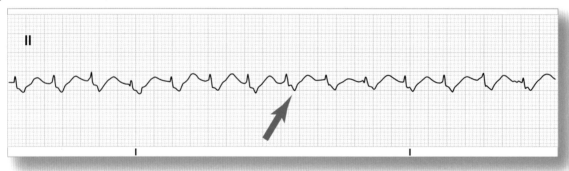

From *Arrhythmia Recognition: The Art of Interpretation*, courtesy of Tomas B. Garcia, MD.

박동수 :	분당 약 140회	PR 간격 :	없음
규칙성 :	규칙적	QRS 폭 :	넓음
P파 : 　형태 : 　축 :	없음 없음 없음	그룹화 :	없음
		탈락 박동 :	없음
P:QRS 비 :	없음	리듬 :	심실빈맥

　　이 심전도는 분당 약 140회의 넓은 군 빈맥이다. 파란 화살표는 S파에서 계속해서 나타나는 불규칙한 모양을 가리킨다. 이 불규칙한 모양은 역행성 역위 P파일 수 있고 S파 자체의 일부분일 수도 있다. 이 기록지 상에서는 뚜렷하게 알 수가 없으나 12-유도 심전도라면 좀 더 알 수 있었을 것이다. 이 기록지에는 방실해리의 증거는 없다.

심전도 4

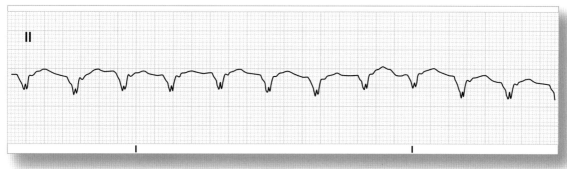

From *Arrhythmia Recognition: The Art of Interpretation*, courtesy of Tomas B. Garcia, MD.

박동수 :	분당 약 112회	PR 간격 :	없음
규칙성 :	규칙적	QRS 폭 :	넓음
P파 : 　형태 : 　축 :	없음 없음 없음	그룹화 :	없음
		탈락 박동 :	없음
P:QRS 비 :	없음	리듬 :	심실빈맥

이 심전도 역시 넓은 군 빈맥이다. 이번에는 심박수가 분당 약 112회이며, 뚜렷한 P파는 관찰되지 않는다. 넓은 군 빈맥들은 다른 진단으로 밝혀지기 전까지는 심실빈맥임을 기억하자! 심실빈맥은 운용진단이다. 다른 감별진단으로는 기존의 각차단 혹은 편위전도가 있는 접합부 빈맥이 있다. 환자가 동율동이었던 이전 심전도가 있다면 정확한 진단을 하는데 큰 도움이 된다.

심전도 5

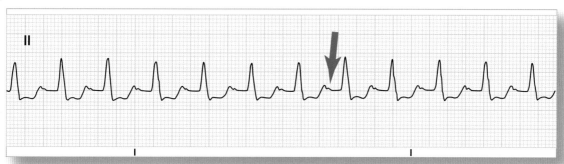

From *Arrhythmia Recognition: The Art of Interpretation*, courtesy of Tomas B. Garcia, MD.

박동수 :	분당 약 115회	PR 간격 :	없음
규칙성 :	규칙적	QRS 폭 :	넓음
P파 : 　형태 : 　축 :	없음 없음 없음	그룹화 :	없음
		탈락 박동 :	없음
P:QRS 비 :	없음	리듬 :	심실빈맥

여기에 아직 증명되지 않은 심실빈맥의 또 다른 예가 있다. 이 기록지는 분당 약 115회의 넓은 군 빈맥이다. T파의 끝부분을 자세히 보자. 거기에 작은 돌출이 관찰된다(파란 화살표). 이중으로 솟아있는 T파는 그리 흔하지 않으며 연장된 PR 간격을 가진 P파일 수도 있다. 하지만 심실빈맥은 제외진단이기 때문에 심실빈맥에 준하여 치료를 계속 유지하여야 한다. 사실 이것은 심실빈맥이었다. 이 경우 12-유도 심전도가 매우 도움이 된다.

심전도 6

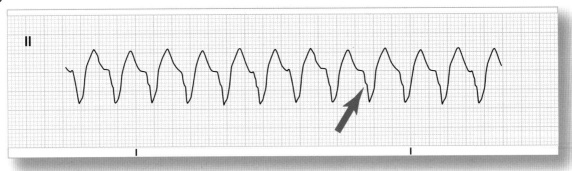

From *Arrhythmia Recognition: The Art of Interpretation*, courtesy of Tomas B. Garcia, MD.

박동수 :	분당 약 150회	PR 간격 :	없음
규칙성 :	규칙적	QRS 폭 :	넓음
P파 : 형태 : 축 :	없음 없음 없음	그룹화 :	없음
		탈락 박동 :	없음
P:QRS 비 : 없음		리듬 :	심실빈맥

이 심전도는 분당 약 150회의 넓은 군 빈맥이다. 심실 속도가 분당 150회인 경우 항상 심방조동을 의심해야 한다. 여기에서는 심방조동의 증거가 보이지 않는다. 그러나, 대부분의 군들이 S파의 하향부위에 뚜렷한 혹(hump)을 가지는 것을 주목하자(파란 화살표). 이것은 조셉슨 징후인가? 아마도 그럴 것이다. 왜냐하면 거의 모든 군들에서 관찰되기 때문이다. 만약 규칙적으로 매 세 번째 혹은 네 번째 군에서 나타나는 것이라면 아마도 방실해리의 징후로 볼 수 있다.

심전도 7

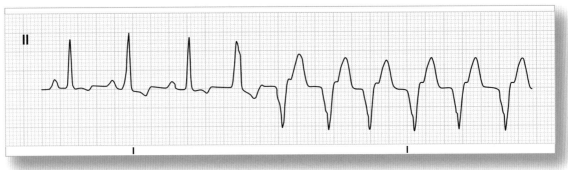

From *Arrhythmia Recognition: The Art of Interpretation*, courtesy of Tomas B. Garcia, MD.

박동수 :	아래의 토의를 참고	PR 간격 :	정상
규칙성 :	아래의 토의를 참고	QRS 폭 :	아래의 토의를 참고
P파 : 형태 : 축 :	없음 없음 없음	그룹화 :	없음
		탈락 박동 :	없음
P:QRS 비 : 시작부분에서는 1:1		리듬 :	심실빈맥

이 심전도는 정상 동성맥으로 시작한다. 두 번째 군은 약간의 편위전도와 시작부에 늘어짐을 보인다. 세 번째 군은 동성맥인 것으로 보인다. 네 번째 군은 심실 조기수축이거나 편위전도된 접합부 조기수축이다. 이것이 분당 약 120회의 넓은 군 빈맥을 유발하였다. 뚜렷한 P파나, 방실해리와 관련된 P파로 볼 수 있는 불규칙성은 보이지 않는다. 각 군들은 그 형태가 거의 일치한다. 이것은 단형 심실빈맥이 접합부 혹은 심실 조기수축에 의해 유발된 것이다.

| 심전도 8 |

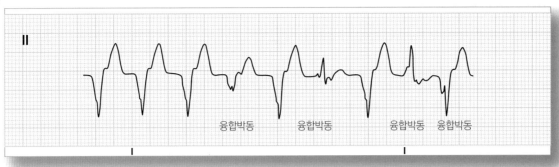

From *Arrhythmia Recognition: The Art of Interpretation*, courtesy of Tomas B. Garcia, MD.

박동수 :	분당 약 115회	PR 간격 :	없음
규칙성 :	규칙적	QRS 폭 :	넓음
P파 : 형태 : 축 :	없음 없음 없음	그룹화 :	없음
		탈락 박동 :	없음
P:QRS 비 :	없음	리듬 :	심실빈맥

이 심전도는 심전도 7의 연속이다. 후반 2/3 부위의 다른 형태의 QRS군을 주목하자. 이들은 단형 군들 사이에 산재해 있는 융합군이며, 이는 방실해리의 간접적 증거이다. 심전도 상에서 P-P간격들을 살펴보았지만 연관된 돌출(bumps)은 존재하지 않았다. 하지만, 융합박동은 방실해리의 뚜렷한 증거이다.

| 심전도 9 |

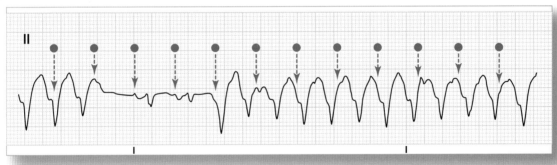

From *Arrhythmia Recognition: The Art of Interpretation*, courtesy of Tomas B. Garcia, MD.

박동수 :	분당 약 190회	PR 간격 :	없음
규칙성 :	아래의 토의를 참고	QRS 폭 :	넓음
P파 : 형태 : 축 :	없음 없음 없음	그룹화 :	없음
		탈락 박동 :	없음
P:QRS 비 :	없음	리듬 :	심실빈맥

이 심전도는 분당 약 190회의 넓은 군 빈맥이다. 융합박동과 뚜렷한 방실해리가 관찰된다. 방실해리에 어떻게 접근해야 하는지 살펴보자. 캘리퍼의 두 끝을 두 개의 뚜렷한 P파(세 번째와 네 번째 파란 점) 위에 올려놓자. 이제 군들에 어떤 불규칙성이 존재하는지 확인하며 캘리퍼를 양 방향으로 진행시키자. P파와 원래군과의 융합이 확실할 것이다.

심전도 10

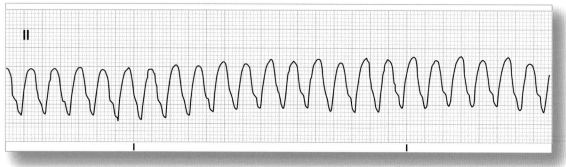

From *Arrhythmia Recognition: The Art of Interpretation*, courtesy of Tomas B. Garcia, MD.

박동수 :	분당 약 215회	PR 간격 :	없음
규칙성 :	규칙적	QRS 폭 :	넓음
P파 : 형태 : 축 :	없음 없음 없음	그룹화 :	없음
		탈락 박동 :	없음
P:QRS 비 :	없음	리듬 :	심실조동

이 심전도는 빠르고 사인파형을 보이는 넓은 군 율동이다. 모든 파들의 형태는 거의 일치한다. 이것은 매우 빠른 단형 심실빈맥이다. 박동군의 각 성분들의 형태가 모호해진다면 심실조동이 더 정확한 진단이다.

단원 복습

1. 심실빈맥은 _____개 이상의 심실군이 연속으로 _____ 회 이상의 속도로 나타나는 율동을 언급한다.

2. 전형적인 심실빈맥의 박동수는 _____에서부터 _____ 까지이다.

3. 만일 심박수가 분당 200회 이상이고, 군의 형태가 사인 파 형태일 경우 율동의 더 정확한 명칭은 _____이다.

4. 만일 모든 심실군의 모양이 같거나 거의 같을 경우, 율 동은 _____ 심실빈맥으로 알려져 있다.

5. 만일 단형 심실빈맥이 30초 이내로 지속된다면, 이것 은 _____이라고 한다.

6. 만일 단형 심실빈맥이 30초 이상 지속되거나, 임상적인 증상 때문에 중단시키기 위해 어떠한 시술을 필요로 하 는 경우 이것은 _____이라고 한다.

7. 대략 얼마정도의 심실빈맥이 회귀에 의해서 생기는가?

    A. 30%

    B. 50%

    C. 70%

    D. 90%

    E. 모두다

8. 이소성 심실군의 S파의 내려가는 경사면에 생긴 반흔 을 _____(이)라고 한다.

    A. 반흔

    B. Johnson 징후

    C. Bruscetta 징후

    D. 조셉슨 징후

    E. 브루가다 징후

9. QRS군의 시작부터 S파의 바닥까지의 거리가 0.10초 이상인 경우를 _____(이)라고 부른다

    A. 넓은 반흔

    B. Johnson 징후

    C. Bruscetta 징후

    D. 조셉슨 징후

    E. 브루가다 징후

10. 심실빈맥에서의 QRS군은 유도 II에서 항상 음성이다. (맞다 / 틀리다)

11. 심실빈맥의 시작 시점에서는 약간 불규칙적일 수 있다. 하지만 20-30 군 이후에 율동은 규칙적이다. (맞다 / 틀 리다)

12. 심실빈맥은 많은 경우 _____에 의해서 촉발된다.

    A. 심실 이탈군

    B. 심방 조기수축

    C. 접합부 조기수축

    D. 심실 조기수축

13. 방실해리는 심실빈맥에서 흔히 볼 수 있는 소견이다. 사실 자세히 관찰하기만 하면 방실해리가 나타나는 경 우를 ____%에서 발견할 수 있다.

14. 간접적인 방실해리의 증거는 다음을 포함한다.

    A. 역위된 P파

    B. 포획박동과 융합박동

    C. 비정상적인 P파의 축

    D. A 와 C

    E. 모두 다

15. 지속성 단형 심실빈맥의 가장 흔한 원인은 _____이다.

제 33 장

다형 심실빈맥과 Torsades de pointes

목표

1. 다형 심실빈맥의 정의 및 진단 기준을 설명한다.
2. Torsades de pointes의 정의 및 진단 기준을 설명한다.
3. 다형 심실빈맥과 Torsades de pointes의 한 가지 차이점을 나열한다.
4. 다형 심실빈맥과 Torsades de pointes의 비교한다.
5. 교정 QT 간격의 계산과 이의 임상적 중요성을 설명한다.
6. 다형 심실빈맥과 Torsades de pointes 발생의 임상적 위험 인자를 나열한다.
7. 심전도에서 다형 심실빈맥과 Torsades de pointes의 정확히 진단한다.

개요

많은 임상가들은 다형 심실빈맥과 Torsades de pointes라는 용어를 병용하여 쓰고 있다. 실제로 이들은 거의 일치하는 심전도 형태를 가진 두 개의 독립적이고 구별되는 임상 증후군이다. 이들 두 질환을 심전도로써 구별하기 위한 형태적 기준은 단 한 가지, QT간격이다.

다형 심실빈맥

다형 심실빈맥은 불규칙한 율동과 형태, 진폭, 군들의 극성(polarity)이 지속적으로 변화하는 특성을 갖는 이소성 심실 기원의 율동이다(**그림 33-1**). 심실율동이므로 군들은 넓으며, 전형적으로 중심축을 중심으로 회전하거나 꼬이는 양상으로 나타난다. 율동은 전형적으로 이전 박동군의 상대적 불응기 동안에 발생한 심실 조기수축에 의해 유발된다. 다형 심실빈맥에서 QT간격은 정상이다.

전형적으로 박동수는 분당 200~250회이다. 그러나 심실 박동수는 분당 150~300회로 관찰될 수 있다(아주 드문 예로 분당 100회 이하로 느린 박동수를 가진 경우도 있다). 아주 빠른 박동수는 QRS파, ST 분절, 그리고 T파 사이의 구분을 어렵게 하여, 군들이 심실조동과 비슷한 양상을 띄게 한다. 하지만 심실조동과는 달리 박동군의 형태가 양극에서 음극, 음극에서 양극으로 지속적인 역전이 발생함에 따라,

거의 매 박동마다 계속 변하게 된다.

박동군들의 극성이 주기적으로 변화하므로, 율동의 그룹화된 모양이 나타난다. 이러한 그룹화는 평균적으로 5~20개의 군들로 이루어진다. 하지만, 그룹의 수는 부정맥의 지속기간에 달려 있다.

다형 심실빈맥은 빈맥이 없을 때 환자의 원래 심박수와 밀접한 연관성을 보인다. 많은 환자들은 서맥이나 중증 방실전도 차단 시에 다형 심실빈맥이 발생한다. 반면에 심박수를 빠르게 하는 약물들은 이러한 부정맥의 발생을 막을 수 있다.

율동은 급성 심근경색증 혹은 중증 심근허혈을 가진 환자에게서 전형적으로 나타난다. 정상 QT간격을 보이는 환자에게 다형 심실빈맥이 관찰되면 즉시 급성 심근경색증이나 심근허혈, 증상이 없는 허혈을 찾아보아야 한다. 원인으로써 심근허혈이나 심근경색증이 배제된다면 원인을 감별하기 위해 Torsades de pointes 부분에서 기술된 감별 진단을 위한 추가적인 검사가 시행되어야 한다.

혈역학적 불안정과 낮은 심박출량에 의한 합병증은 단형 심실빈맥에 비하여 다형 심실빈맥에서 더 자주 나타난다. 그 이유는 다형 심실빈맥에서 보다 심박수가 빠르기 때문이다. 다형 심실빈맥은 대체로 스스로 멈추지만, 더 악화되어 심실세동으로 이행할 수 있으며 급사의 원인이 되기도 한다.

치료 전략은 단형 심실빈맥과 동일하다. 이런 부정맥이 관찰되며, 혈역학적으로 불안정한 환자에서 첫 치료는 전

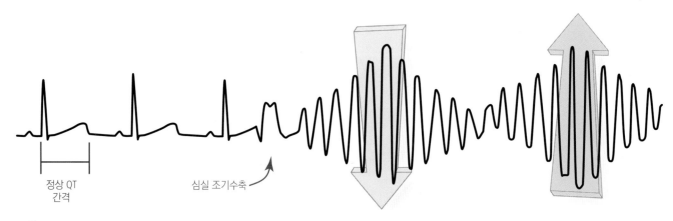

정상 QT 간격

심실 조기수축

그림 33-1. 정상적인 QT 간격을 가진 환자가 심실 조기수축에 의해 다형 심실빈맥이 유발되었다. 빠른 심박수와 심실군들의 구성요소 사이의 구분이 없음을 주목하자. 마지막으로 군들의 극성이 음에서 양으로 변함에 따라 군들의 진폭이 각 군마다 지속적으로 변하는 것을 주목하라(파란색과 분홍색의 화살표로 표시됨). 이렇게 같은 심전도 기록지 안에서 극성이 바뀌는 것은 이 부정맥을 시사하는 소견이다.

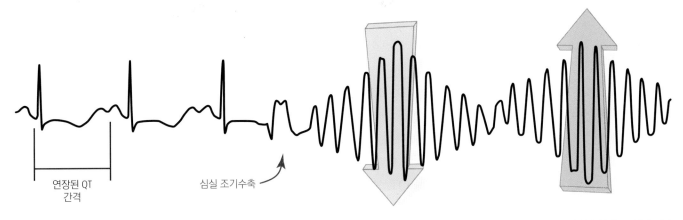

그림 33-2. 연장된 QT 간격을 가진 환자에서 심실 조기수축이 Torsades de pointes를 유발하고 있다. 이 빈맥은 그 이름이 유래된(꼭지점의 회전) '극성이 변하는 점'을 포함하여 다형 심실빈맥의 모든 형태학적인 특징을 보인다.

© Jones & Bartlett Learning.

기적 동율동전환술(electrical cardiover-sion) 혹은 제세동(defibrillation)이라는 것을 기억하자!

Torsades de pointes

Torsades de pointes는 다형 심실빈맥의 이형(variant)이며, 정상 동율동 시 QT간격이 연장된 환자에게서 나타난다 (**그림 33-2**). 연장된 QT간격과 부정맥 발생 시의 임상양상이 Torsades de pointes와 다형 심실빈맥을 감별할 수 있는 유일한 차이점이다.

Torsades de pointes라는 용어는 문자 그대로 "꼭짓점의 회전"이라는 뜻으로, Torsades de pointes라는 진단명이 이 용어에서 유래되었다. "회전"은 **그림 33-2**에 명백하게 나타난 형태적 양상이다. 정상 동율동 시에 연장된 QT간격을 보인다는 것을 제외하고 **그림 33-1**과 심전도 기록지 상에서 얼마나 유사한지 확인해보자.

Torsades de pointes의 전형적인 심박수는 분당 200~250회이며 분당 150~300회까지 나타나기도 한다. 군들은 다형 심실빈맥과 같이 그룹화되어 나타나며 그룹은 평균적으로 5~20개의 군들로 이루어진다. 다시 한 번 말하지만 "그룹화"는 중심 기준선을 중심으로 극성의 회전 때문에 나타난다. 각 군들의 형태적 양상은 심전도 기록지 전체에서 지속적으로 변화한다.

다형 심실빈맥에서 보았던 것처럼 Torsades de pointes는 빈맥이 발생하기 이전의 원래 심박수에 매우 의존한다. 중

> ### 임 상 적 요 점
>
> QT 연장의 원인:
>
> 1. 급성심근경색증, 심근 허혈
> 2. 저칼슘혈증
> 3. Class ⅠA 항부정맥제제, amiodarone, phenothiazines, 삼환항우울증제제(tricyclic antidepressants, TCA)
> 4. 중추신경계 이상
> 5. 저체온증
> 6. 갑상선 기능저하증
> 7. 선천성 혹은 특발성 QT 연장 증후군
>
> QT가 연장된 환자에게 QT를 연장시키는 약물을 쓸 때는 매우 주의해야 한다!

증 서맥 혹은 방실 차단 환자에서 발생이 증가한다. 원래 심박수가 증가하면 부정맥은 대개 억제된다. 심박수를 빠르게 하는 약물(isoproterenol) 혹은 초과박동조율(overdrive pacing)로 부정맥을 멈출 수 있다.

증상의 심한 정도는 빈맥의 지속기간과 연관된다. Torsades de pointes는 대체로 스스로 멈추지만 이것 역시 심실세동으로 악화될 수 있다.

다형 심실빈맥에 비해 Torsades de pointes가 더 빈번히 발생하며, 기본적으로 단지 임상적인 변형들(variants)이기 때문에 Torsades de pointes가 오히려 이 율동 시에 주로 사용되는 용어이다. 본질적으로 사람들은 이 두 율동을 언급할

연장된 QT간격과 QTc

QT간격과 연관된 대부분의 문제는 간격의 연장과 관련이 있다. QT간격의 연장은 PR 간격 연장과는 다르다. PR 간격이 연장되면 방실결절의 문제이거나 혹은 약물의 문제이다. 일반적으로 PR 간격 연장이 단독으로만 발생한다면 이것은 임상적으로 큰 의미가 없다. 반면에 QT 연장은 생명을 위협할 수 있다. 왜냐하면 QT간격은 Torsades de pointes와 같은 아주 위험한 부정맥으로 이행될 수 있기 때문이다. **그림 33-3**을 보자.

QT간격은 환자의 심박수에 의존한다. 일반적으로 심박수가 느릴수록 QT간격은 길어지며, 심박수가 빠를수록 QT간격은 짧아진다. 이러한 심박수 연관 변화 때문에 또 다른 측정법인 QTc라는 방법이 만들어졌다. "c"는 교정한다(corrected)는 의미이다. 특히, 심박수에 따라 교정한다는 의미이다. QTc는 남성에서는 450ms, 여성에서는 460ms 이상이면 연장되었다고 간주하며, 만약 500ms 이상이면 현저히 증가되었다고 말할 수 있다.

경험적으로 가장 좋은 방법은 이것이다: 환자가 빈맥이 현저하지 않다면 QT간격은 R-R간격의 반을 넘지 않는다는 것이다. **그림 33-3**을 보자. 캘리퍼를 QT간격에 위치

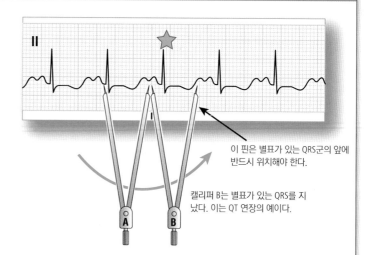

이 핀은 별표가 있는 QRS군의 앞에 반드시 위치해야 한다.

캘리퍼 B는 별표가 있는 QRS를 지났다. 이는 QT 연장의 예이다.

그림 33-3. QT 연장. 만일 여러분이 다음과 같이 심전도에 캘리퍼 A의 끝을 위치시키면, 박동군의 QT간격을 재고 있는 것이다. 여러분이 B로 캘리퍼를 움직였을 때, 끝은 여전히 다음 QRS군의 앞에 있어야 한다. 만일 캘리퍼의 끝이 다음 QRS군을 지나서 놓이게 되면 R-R간격의 반을 넘는 것이 되므로 QT간격은 연장된 것이다.

© Jones & Bartlett Learning.

시키고 돌리면 B로 표시된 캘리퍼는 다음 QRS군 이전에 위치하여야 한다. 만일 다음 QRS군보다 더 이후에 위치하면 QT간격이 연장되었다고 대략 말할 수 있다.

때 Torsades de pointes라는 용어를 더 선호하며 종종 바꾸어 사용하기도 한다. 그러나, 치료 전략이 다를 수 있기 때문에 이 두 부정맥이 서로 다른 부정맥임을 알고 있어야 한다.

이 부정맥을 치료하는데 핵심은 가능하다면 QT 연장의 원인을 제거하는 것이다. 마그네슘 황산염 정맥주사는 부정맥을 종료시키고 많은 경우에서 세포벽을 안정화 시키는데 매우 효과적이다. 초과박동조율(overdrive pacing) 혹은 맥을 빠르게 하는 약물도 역시 효과적이다. 만일 환자가 혈역학적으로 불안정하다면 전기적 동율동전환술 혹은 제세동이 시도되어야 한다.

Torsades de pointes의 시작

Torsades de pointes도 역시 많은 경우에서 심실 조기수축에 의해 유발된다. 하지만 본래 율동에서 연장된 QT간격을 보이기 때문에 이러한 환자에서 상대적 불응기 동안 심실

조기수축이 발생할 기회가 훨씬 더 많아진다(**그림 33-4**). 짐작할 수 있듯이 QT간격이 길어지면 정상 QT간격을 가진 환자들 보다 R-on-T 현상이 발생할 기회가 더 많아진다.

또한 QT간격 연장을 보이는 환자에서 이단맥(bigeminy)과 Torsades de pointes 발생 사이에는 밀접한 연관성이 있다. 다시 한 번 강조하지만, 이러한 환자에서 R-on-T 현상이 발생할 확률이 높다.

꼭짓점들의 회전

이 부분에서는 군들의 극성(polarity)의 지속적인 변화로 나타나는 실제 "꼭짓점의 회전(turning of the points)"을 다루게 될 것이다. 첫째로, 실제 심전도 현상을 보면서 왜 이런 이상한 패턴의 그룹화가 생기게 되는지 알아보고, 다음으로 왜 이러한 극성의 변화가 생기는지도 알아보자.

일상에서 우리는 파티 장식 리본을 쉽게 접할 수 있을 것

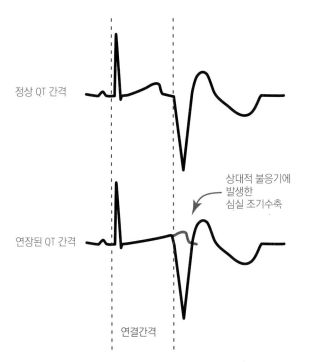

정상 QT 간격

상대적 불응기에
발생한
심실 조기수축

연장된 QT 간격

연결간격

그림 33-4. 일정한 연결간격을 가진 심실 조기수축은 정상적인 QT간격을 가진 환자의 상대적 불응기에 발생하지 않는다. 하지만, QT간격이 연장된 환자에서는 똑같은 연결간격의 심실 조기수축도 상대적 불응기에 발생할 수 있다. 이러한 R-on-T 현상은 이들 환자에게 Torsades de pointes가 발생할 확률을 높인다.

© Jones & Bartlett Learning.

이다. 양면의 색깔이 다른 파티 리본을 생각해보자. 그리고 길고 끊이지 않는 심실빈맥 기록이 거기에 있다고 생각해 보자(**그림 33-5**). 우리는 보통 리본을 어떤 방식으로 벽에 걸려고 하나? 대체로 리본을 소용돌이 모양 혹은 나선형으로 꼬아놓을 것이다. 이것이 바로 Torsades de pointes가 나타나는 원리이다. 본질적으로 벡터는 심장에서 꼬여있다. 심전도는 단순하게 이러한 나선 효과를 기록하고 있고 이러한 나선형은 "꼭짓점의 꼬임(twisting of pointes)"과 그룹화의 형상으로 보이는 것이다.

이것은 다형 심실빈맥과 Torsades de pointes를 가진 환자들에게서 왜 이러한 심전도 기록이 보이는지에 대한 일반적인 생각을 제공할 것이다. 이제 회전의 실제 원인에 대해 알아보자.

알다시피, 심전도 기록은 심장에서 일어나는 벡터를 그래픽으로 표현하는 것뿐이다. Torsades de pointes를 유발하는 기전은 복잡하며 여전히 면밀히 검토되고 있다. 이러한 내용은 이 책의 범위를 벗어나는 것이다. 하지만, 우리는 회전을 좀 더 잘 이해하기 위해 다른 비유를 이용할 수 있다. 수레바퀴 게임(wheel game)에 사용되는 화살표 위로 심실 벡터가 놓여있다고 가정해보자(**그림 33-6**). 벡터를 돌리면 벡터를 기록하는 전기적 유도는 처음에는 벡터가 다가오는 것으로 보일 것이고 다음에는 점차 멀어지는 것으로 보일 것이고 그 다음에는 다가오고, 그렇게 반복된다.

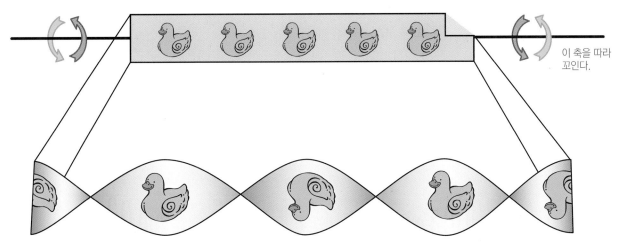

이 축을 따라 꼬인다.

그림 33-5. 각각의 면에 다른 색깔과 중단되지 않는 심실빈맥이 새겨져 있는 파티 리본. 만일 우리가 이것을 잡고 가로 축을 따라서 돌리게 되면 우리는 두 개의 색깔이 일정한 간격으로 보이는 나선형 모양을 만들어 낼 수 있다. 게다가, 나선형의 길이에 따라서 어떤 부분에서는 서 있고 어떤 부분에서는 뒤집어져 있는 모양을 볼 수 있다.

© Jones & Bartlett Learning.

전극을 향한 벡터는 양성 QRS군으로 기록된다. 전극을 바로 향할 때 QRS군은 가장 양성을 보인다. 전극에서 멀어지는 벡터는 음성 QRS군으로 기록된다. 전극에서 완전 반대 방향으로 될 때 QRS는 가장 음성으로 기록된다. 벡터가 전극과 90도의 각으로 향하면 등전압(isoelectric)이 된다. 이러한 지점들 사이에 위치한 벡터는 박동군들의 다양한 크기와 극을 형성하게 한다. 심장에서 전기적 벡터의 방향이 지속적으로 변하여 다형 심실빈맥과 Torsades de pointes에서 나타나는 "꼬임(twisting)"을 만들어내게 된다.

심전도나 율동 기록지에 나타나는 그림은 각 전극마다 다르다는 것을 기억하라. Torsades de pointes에서 보이는

나선형의 성상은 어떤 유도에서는 보일 수 있지만 다른 유도에서는 보이지 않을 수 있다. 매우 빠르고 넓은 빈맥을 보게 되면 율동을 좀 더 파악하기 위해 항상 12-유도 심전도를 얻으려고 노력해야 한다. 이 정도로 빠른 심박수의 불규칙하고 넓은 군 율동은 전혀 통제할 수 없는 심방세동일 수 있으며(아마 WPW 증후군 혹은 부전도로를 가진 환자), 혹은 Torsades de pointes일 수 있다. 12-유도 심전도는 이러한 두 가지 가능성을 결정지을 수 있는 아주 중요한 도구이다. 환자가 불안정하여 12-유도 심전도를 얻을 수 없다면 몇몇의 다른 유도를 시도하는 것이 진단을 하는데 유용한 정보를 제공할 것이다.

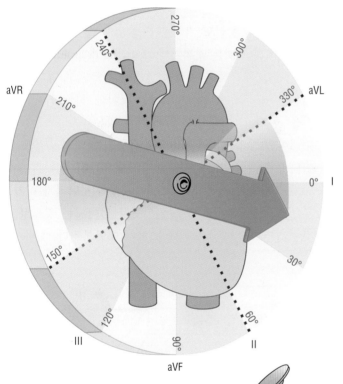

그림 33-6. 심장의 주된 전기 축(파란색과 분홍색 벡터)이 심장의 표면에 있는 수레바퀴 게임의 꼭대기에 위치하고 있다고 가정해보자. 전극이 화살의 회전하는 모습을 기록하게 되면, 전극은 이 벡터에 놓여있는 Vanna(번역자 주: wheel of fortune의 진행자 중 검증자(verfier))의 회전운동을 기록하여, 전극과 벡터의 관계에 따라, 기록지에 물결치는 양상으로 기록되게 된다: 이 경우에는 유도 II이다. 벡터가 전극을 똑바로 향하게 되면, QRS군은 양의 방향으로 가장 높게 나타난다. 벡터가 전극을 정확하게 등지게 되면, QRS군은 음의 방향으로 가장 깊게 내려간다. 벡터가 전극에서 90도를 이루게 되면, 군들은 최소로 나타나게 된다.

© Jones & Bartlett Learning.

Torsades de pointes의 원인

Torsades de pointes을 일으킬 수 있는 원인은 매우 많다. 이 부분에서는 각각을 서술하고 각각의 문제에 대한 간단한 설명을 할 것이다. 이들 목록은 모든 경우를 포함하는 것이 아니라 가장 흔히 볼 수 있는 경우를 나타내는 것이다.

느린 심박수

Torsades de pointes는 중증 서맥이나 중증 방실 차단이 있는 환자에게서 일어나기 쉽다. 서맥일 때 Torsades de pointes가 쉽게 발생되는 환자들에게서 국소적인 재분극 이상이 나타난다. 이러한 환자들의 서맥은 연장된 QT간격과 대개 연관되어 있다.

직접적인 약제효과

많은 종류의 부정맥 치료 약제들이 연장된 QT간격이나 재분극 이상의 원인이 된다. 여기에는 Class IA 항부정맥제제(quinidine, procainamide, disopyramide), adenosine, Class III 항부정맥제제(sotalol, amiodarone, ibutilide) 등이 포함된다. 몇몇 종류의 향정신성 약물들(psychotropics), 특히 phenothiazines, 삼환항우울증제제(tricyclic antidepressant, TCA) 등은 QT의 연장이나 Torsade를 유발하는 것으로 알려져 있다. Haloperidol의 정맥 주사도 QT 연장과 관련이 있다. 다른 약제에 대한 많은 증례보고가 있으며, 기타 많은 약제들이 QT간격에 영향을 미친다. 이러한 모든 약제들은 원래 QT간격이 연장된 환자에게 사용 시 주의 깊게 사용되어야 한다.

위에 열거한 약제들은 torsade를 유발하는 흔한 원인이며 quinidine은 가장 많은 증례에서 원인이 되었으며, amiodarone은 가장 적게 영향을 주는 것으로 나타났다. 임상의들은 이러한 약제들의 사용이 QT 연장을 일으킬 수 있다는 점을 항상 숙지해야만 하며, 이에 따른 환자들의 평가와 관찰을 해야만 한다.

약물 병용

직접적인 약물효과에 더하여 많은 약물들이 다른 약물들과 병용하였을 때 QT 간격 연장을 유발시키며 Torsades de pointes의 위험을 증가시킨다. 약물 상호작용의 결과로 QT를 연장시키는 약물들로는 항진균제(ketoconazole, fluconazole)와 마크로라이드 항생제(erythromycin, clarithromycin)가 있다. 특히 terfenadine과 cisapride, 2가지 약제가 이들과 상호작용을 일으킨다.

이러한 약물은 QT 연장이 있는 모든 환자에게 조심스럽게 사용해야 한다. 앞서 언급된 위험한 병용약제는 가능한 어떠한 상황에서도 사용하지 않는 것이 좋다.

전해질 불균형

저칼륨혈증은 전해질 불균형 중에서 가장 큰 원인이다. 저칼륨혈증은 QT간격 연장과 빈번하게 연관되며 큰 U파를 초래한다. 이러한 결과는 심실의 재분극 이상 때문에 나타나며, 재분극 이상은 Torsades de pointes로의 진행을 유발한다.

비록 드문 원인이지만, 저마그네슘혈증과 저칼슘혈증 역시 Torsades de pointes의 발생을 증가시킨다. 두 가지 모두 QT 간격 연장과 재분극 이상을 초래한다.

선천성 QT 연장 증후군

원래 QT간격의 연장에 의해 급사의 위험성이 증가하는 유전적 질환이 있다. 이 경우 Torsades de pointes 혹은 심실세동으로 인하여 급사가 발생한다. 유전적 이상은 세포벽의 이온 채널 단계까지 분류되어 있다.

QT간격의 연장, Torsades de pointes, 급사, 청각 장애의 가족력은 Jervell 그리고 Lange-Nielsen 증후군의 중요한 특징이다. Romano-Ward syndrome은 QT간격의 연장, Torsades de pointes, 급사의 특징을 가지지만 정상 청력을 가지고 있다.

환자들 각각의 임상양상은 다양하며 증상이 시작된 나이, 증상의 발현 그리고 증상의 중증도도 다르다. 실신은 많은 환자에게 매우 흔한 증상이다. 이러한 증후군을 가진 환자들은 실신이 정신과적인 문제라고 생각되거나, 단순히 그들이 증상을 속이고 있다고 오해받는 경우가 있다. 따라서, 이러한 증후군을 가진 환자들에 대해 개별적으로 환자를 치료해야 한다. 모든 실신 환자에서 QT 간격을 항상 체크해야 한다!

급성 심근경색증증

심한 심근허혈과 급성 심근경색증은 다형 심실빈맥과 Torsades de pointes의 위험을 증가시킨다.

대사성 질환

다양한 대사성 질환이 Torsades de pointes의 발생과 연관이 있다. 이것들은 갑상선 기능저하증, "액상 단백질(liquid protein)"혹은 일시적으로 유행하는 식사법(fad dieting), 기아(starvation), 신경성 식욕부진증(anorexia nervosa), 두개내 출혈, 광범위한 뇌졸중, 뇌염들을 포함한다. 마지막으로 테러에 대한 증가된 관심으로 유기인산 중독도 Torsades de pointes를 유발할 수 있다는 것을 명심해야 한다.

마지막으로, 항상 부정맥의 다양한 원인들에 대해 생각하고 있어야 한다. 대부분의 경우, 원인 문제에 대한 치료는 부정맥을 중단시키는데 도움이 될 것이며, 향후 발생할 수 있는 부정맥에 대한 예방으로도 도움이 될 것이다. 이 원칙은 Torsades de pointes 뿐만 아니라 이 책에 나오는 다른 부정맥에도 동일하게 적용된다.

한가지 더

T파 교대

Torsades de pointes를 가진 환자에서 드물게 발견되는 심전도의 형태학적 이상이 있다. '드물게'라고 말하는 이유는 일반적인 심전도 기록지, 심지어 12-유도 심전도에서도 드물게 관찰되기 때문이다. 하지만 디지탈이나 컴퓨터화된 신호평균기술(signal averaging technique)은 Torsades de pointes로 증명된 환자에게 예측했던 것보다 더 자주 이러한 작은변화를 감지해낸다. 이러한 심전도 상의 형태학적 이상은 T파 교대(T-wave alternans)로 알려져 있다(**그림 33-7**).

T파 교대에서 가장 중점적으로 생각해야 할 것은, 특히 QT 간격이 연장된 환자에서 Torsades de pointes가 발생될 위험성이 증가한다는 것이다. 면밀한 관찰과 심장전문의 혹은 부정맥전문의에게 의뢰하는 것을 강력히 추천한다.

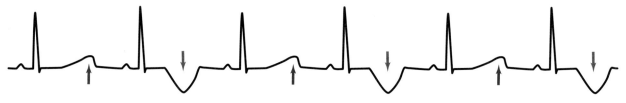

그림 33-7. T파 교대

© Jones & Bartlett Learning.

부정맥 정리

Torsades de pointes
잊지말 것 : Torsades de pointes는 QT간격의 연장과 연관되어 있다.

박동수 :	150~300회/분
규칙성 :	불규칙
P파 :	없음
형태 :	없음
II, III, aVF에서 상향 :	없음
P: QRS 비 :	없음
PR 간격 :	없음
QRS 폭 :	넓음
그룹화 :	5~20개의 심실성 박동군
탈락 박동 :	없음

감별진단

Torsades de pointes

1. 느린 심박수와 방실 차단
2. 직접적인 약제 효과
  Quinidine
  Procainamide
  Disopyramide
  Sotalol
  Amiodarone
  Ibutilide
  Phenothiazines
  Tricyclic antidepressants
  IV haloperidol
  기타 많은 약제들. . .
3. 약물 병용
  항진균제(ketoconazole, fluconazole)
  마크로라이드 계열 항생제 (erythromycin, clarithromycin)
  Terfenadine
  Cisapride

4. 전해질 불균형
  저칼륨혈증(hypokalemia)
  저마그네슘혈증(hypomagnesemia)
  저칼슘혈증(hypocalcemia)
5. 선천성 QT 연장 증후군
  Jervell and Lange-Nielsen 증후군
  Romeo-Ward 증후군
6. 급성 심근경색증, 허혈성 심질환
7. 대사성 질환
  갑상선 기능저하증
  체중조절(다이어트)
  기아
  신경성 식욕부진증(anorexia nervosa)
  두개내 출혈
  뇌졸중
  뇌염
  유기인산 중독

이 목록이 모든 원인들을 포함하지는 않지만 이 부정맥의 가장 흔한 원인들을 나타내고 있다.

심전도 스트립

심전도 1

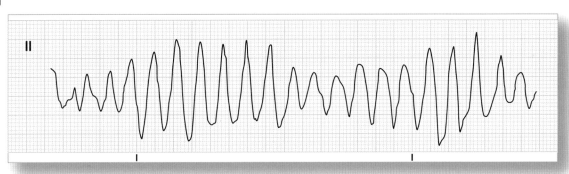

From *Arrhythmia Recognition: The Art of Interpretation*, courtesy of Tomas B. Garcia, MD.

박동수 :	분당 약 250회	PR 간격 :	없음
규칙성 :	불규칙적	QRS 폭 :	넓음
P파 : 형태 : 축 :	없음 없음 없음	그룹화 :	심실 박동군들
		탈락 박동 :	없음
P:QRS 비 :	없음	리듬 :	Torsades de pointes

이 심전도는 Torsades de pointes의 전형적 모양인 물결치는 패턴을 보인다. 박동수는 완전히 불규칙적인 율동에서 예측하듯이, 박동과 박동 사이에 다양하다. 대부분의 군에서 볼 수 있는 형태적 차이를 주목하자. 형태는 진폭과 극성뿐만 아니라 각 심실군들의 실제 모습까지 변하고 있다.

심전도 2

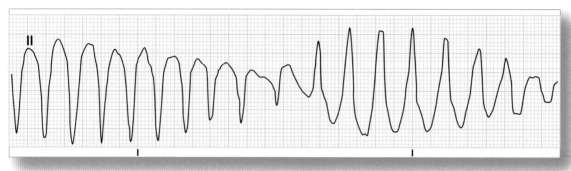

From *Arrhythmia Recognition: The Art of Interpretation*, courtesy of Tomas B. Garcia, MD.

박동수 :	분당 약 170회	PR 간격 :	없음
규칙성 :	불규칙적	QRS 폭 :	넓음
P파 :	없음	그룹화 :	있음
형태 :	없음		
축 :	없음	탈락 박동 :	없음
P:QRS 비 :	없음	리듬 :	Torsades de pointes

이 심전도는 고전적 torsade와 같은 물결 모양을 보인다. 이 예에서 두 그룹 사이의 극성은 아주 극명하게 나타나는데 왼쪽 그룹은 음성의 극성을 나타내며(QRS군이 음성이며 꼭짓점이 아래쪽에 있다), 오른쪽의 그룹은 양성의 극성을 나타낸다(QRS군이 양성이며 꼭짓점이 위에 있다.)

심전도 3

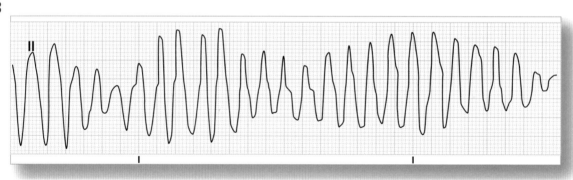

From *Arrhythmia Recognition: The Art of Interpretation*, courtesy of Tomas B. Garcia, MD.

박동수 :	분당 약 260~280회	PR 간격 :	없음
규칙성 :	불규칙적	QRS 폭 :	넓음
P파 :	없음	그룹화 :	심실 박동군들
형태 :	없음		
축 :	없음	탈락 박동 :	없음
P:QRS 비 :	없음	리듬 :	Torsades de pointes

이것은 또 다른 고전적인 Torsades de pointes의 예이다. 다시 한 번 말해서, 위에서 설명한 형태학적 차이가 이 심전도에도 적용된다. 각각의 그룹에서 군들의 숫자는 다양할 수 있으며, 이는 torsade를 보이는 거의 모든 기록지에서 관찰되는 소견이다.

심전도 4

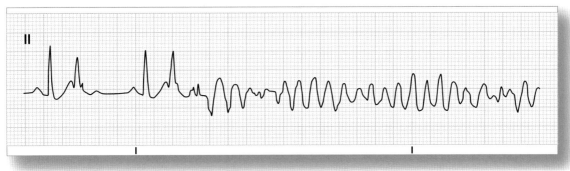

From *Arrhythmia Recognition: The Art of Interpretation*, courtesy of Tomas B. Garcia, MD.

박동수 :	토의를 참고	PR 간격 :	토의를 참고
규칙성 :	불규칙적	QRS 폭 :	다양함
P파 :	시작부위에서 존재	그룹화 :	없음
형태 :	정상		
축 :	상향	탈락 박동 :	없음
P:QRS 비 :	토의를 참고	리듬 :	Torsades de pointes

이단맥(bigeminy)이 연속적으로 발생하는 환자의 심전도이다. 이단맥이 접합부 조기수축인지, 심실 조기수축인지는 불명확하다. 왜냐하면 이 복합체의 시작부분을 우리가 볼 수 없기 때문이다. 환자는 그 후 아주 빠르고 불규칙한 율동의 시작을 보여준다. 이것이 심실빈맥인지 혹은 Torsades de pointes인지 하는 논쟁이 생길 수 있다. 왜냐하면 몇몇 부분에서 분당 300회 이상일 정도로 심박수가 아주 빠르기 때문이다. 추가 유도에서는 이 심전도 기록지에서 나타나지 않은 좀 더 전형적인 torsade 패턴이 나타났다.

단원 복습

1. 다형 심실빈맥과 Torsades de pointes는 두 개의 다른 율동이다.
   (맞다 / 틀리다)

2. Torsades de pointes는 다형 심실빈맥의 변형이다. (맞다 / 틀리다)

3. 휜지기 동율동일 때 다형 심실빈맥 환자의 QRS군은 _____ QT 간격을 가진다.

4. 환자가 동율동일 때 Torsades 환자의 QRS군은 _____ QT간격을 가진다.

5. 다형 심실빈맥 환자는 다음 중 어떤 것과 동반될 수 있나? (가장 맞는 것 하나만 고르시오)

   A. 급성 심근경색증

   B. 감상선 기능 저하증

   C. 허혈성 질환

   D. 선천성 증후군

   E. A, C 두 가지 모두

   F. B, D 두 가지 모두

   G. 위 모두 다

6. Torsade와 다형 심실빈맥은 심실 복합체 5~20개로 이루어진 그룹을 형성한다. 사실 이 그룹은 QRS군의 극성의 뒤틀림으로 형성된 것이다. (맞다 / 틀리다)

7. Torsade와 다형 심실빈맥의 심실 박동수는 _____와 ___ 사이에 있다. 일반적으로, 두 가지 리듬은 200~250 회/분의 부근에 있다.

8. Torsades는 환자가 빈맥이 없는 상황에서의 원래 심박수와 관련이 없다. (맞다 / 틀리다)

9. Torsade와 다형 심실빈맥 모두는 일반적으로 스스로 중단된다. 하지만 이것들은 심실세동과 같은 보다 악성인 부정맥으로 전환될 수 있다. (맞다 / 틀리다)

10. 다음 중 Torsades의 원인이 아닌 것은?

    A. 직접적인 약제효과

    B. 저칼륨혈증(hypokalemia)

    C. 두개내 출혈

    D. 고칼슘혈증(hypercalcemia)

    E. Romano-Ward 증후군

제 34 장

넓은 QRS파 빈맥: 기본

목표

1. 상위 용어인 '넓은 QRS파 빈맥'을 설명하고, 다섯 손가락 접근법을 이용하여 넓은 QRS파 빈맥을 구성하는 다섯 군을 나열한다.

2. 넓은 QRS파 빈맥에서 QRS파를 넓게 만드는 요소들을 나열한다.

3. 심박수 연관 편위전도의 개념과 발생 기전을 설명한다.

4. 기존 각차단 혹은 심실 내 전도지연이 있는 경우의 넓은 QRS파 빈맥 진단을 설명한다.

5. 편위전도를 동반한 상심실성 빈맥을 일으키는 대사, 생리, 인공심박동기, 약물적 원인의 특성과 기전을 설명한다.

6. 심전도에서 심실빈맥의 진단에 필요한 기본 개념을 요약한다.

들어가며

27장(좁은 QRS파 상심실성 빈맥)에서 다룬 것처럼, 다음 장들은 3단계로 나뉜다.

1. **초보자 정보** : 흰색 바탕
2. **중급 정보** : 녹색 바탕
3. **고급 정보** : 빨간색 바탕

저자들의 책, *12-Lead ECG: The Art of Interpretation*과 유사한 접근 방법이다. 3단계로 분류한 이유는 당신의 수준에 맞춰 단계별로 배울 수 있게 하기 위해서이다.

넓은 QRS파 빈맥과 관련된 용어 정리

27장 좁은 QRS파 상심실성 빈맥에서 우리는 전반적으로 상심실성 빈맥을 살펴보는 것으로 시작했다. 상심실성 빈맥을 평가하는 첫 번째 중요한 의사 결정은, QRS파의 넓이에 따라 다음 두 그룹으로 나누는 것이다.

1. QRS 간격이 0.12초 이내의 좁은 QRS파 상심실성 빈맥
2. QRS 간격이 0.12초 이상인 넓은 QRS파 상심실성 빈맥

이 두 그룹은 모두 동결절, 심방 심근, 방실결절에서 유래된 상심실성 빈맥임을 명심하자.

'순전한' 넓은 QRS파 상심실성 빈맥이 있을까? 답하기 전에 생각을 해보자. 곰곰이 생각해 본다면, '순전한' 넓은 QRS파 상심실성 빈맥은 없다. 좁은 QRS파 상심실성 빈맥이 넓은 QRS파 상심실성 빈맥으로 변하게 되는 이유는 빠른 박동수 혹은 외부 힘에 의해 편위전도가 발생하였기 때문이다. 중요한 점은 넓은 QRS파 상심실성 빈맥은 실제로 편위전도를 동반한 상심실성 빈맥이라는 것이다.

넓은 QRS파 상심실성 빈맥은 다양한 정도의 편위전도가 발생한 빈맥이다. 편위를 일으키는 기전들은 기존의 각차단, 심실 내 전도지연(intraventricular conduction delays), 박동수와 연관된 변화, 대사 합병증, 약물(특히 항부정맥제), 생리적 과정, 인공심박동기 율동, 부전도로를 통한 전도이다. 우리는 편위전도에 대해 추후에 더 논의할 것이다.

일반적으로 상심실성 빈맥 환자의 혈역학적 상태는 심박수와 동반질환의 존재에 달려 있다. 대부분의 상심실성 빈맥들은 구조적 심질환 혹은 기타 생리적 과정에 의해 문제

가 생기지 않는 한 임상적으로 큰 문제가 되지 않는다.

이제 넓은 QRS파 빈맥 중 하나인 심실빈맥에 대해 알아보자. 임상적 관점에서 보면 심실빈맥은 가장 치명적인 부정맥이다.

넓은 QRS파 빈맥을 봤을 때 우리는 2가지 가능성을 생각한다: 1)심실빈맥 혹은 2)편위전도를 동반한 상심실성 빈맥. 이 두 부정맥을 통합시키기 위해 새로운 상위 용어인 '넓은 QRS파 빈맥'을 사용한다(**그림 34-1**). 초보자와 중급자들은 넓은 QRS파 상심실성 빈맥과 넓은 QRS파 빈맥의 미묘한 차이를 종종 잊어버려 이 둘을 혼용하여 사용한다. 이둘은 기원 장소, 병의 기전, 임상경과가 다르다. 만약 심실빈맥이라면 임상, 진단, 치료적 접근이 완전히 변경되어 심실빈맥에 대해 완전히 이해하고 평가 및 치료를 시행해야 한다. 이들 두 부류를 서로 감별하는 것은 극히 어려우며 임상의들의 주요한 임상초점(clinical focus)이다.

이 특별한 상위용어의 영향을 이해하기 위해서 비유를 들어보자. 넓은 QRS파 빈맥이 '자동차'라 하면 4개의 바퀴가 있고 이동수단이라는 것 외에 다른 정보를 알기 어렵다. 하지만, 자동차를 제조사(쉐보레, 포드, BMW), 종류(쿠페, 세단, SUV) 및 모델로 분류하면 결국 정확한 정보를 알 수 있다. 이해가 되는가?

그래서, 이 상위 용어의 중요성은 무엇인가? 다양한 기관들에서 넓은 QRS파 빈맥을 전체적으로 안전하게 치료하는데 사용될 수 있는 치료전략을 만들었다. 이러한 단순화는 환자들에게 보다 안전한 치료를 제공하며, 비록 정확한 진단의 절대적 확신이 없더라도 임상의에게 보다 통일된 접근이 가능케 한다. 이 말은, 유형을 정하기 어려운 넓은 QRS파 빈맥을 보게 되면 반드시 그것을 심실빈맥으로 간주하여 치료해야 한다는 것이다. 이는 아무리 강조해도 지나치지 않다. 이전에 여러 번 언급했듯이, 넓은 QRS파 빈맥의 80% 이상이 심실빈맥이라는 통계도 이를 뒷받침한다.

명심해야 할 것은 이러한 치료 접근법 때문에 각각의 율동을 공부하지 않아도 된다는 것은 아니다. 가장 궁극적이며 이상적인 것은 정확한 진단에 기반하여 치료를 하는 것이다. 그러나, 곧 보겠지만 넓은 QRS파 빈맥을 직면할 때 이를 정확하게 진단하는 것이 항상 가능하진 않다.

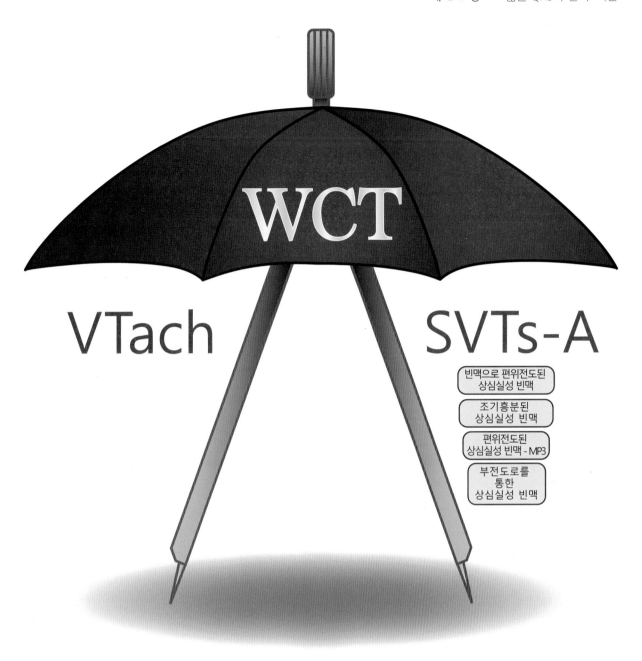

그림 34-1. 넓은 QRS파 빈맥은 심실빈맥과 편위전도를 동반한 상심실성 빈맥 모두를 포함하는 상위 용어이다.
WCT = 넓은 QRS파 빈맥, VTach = 심실빈맥, SVTs-A = 편위전도를 동반한 상심실성 빈맥, SVT with rate-related aberrancy = 박동수와 연관된 편위전도를 동반한 상심실성 빈맥, SVT with preexisting BBB = 기존의 각차단을 동반한 상심실성 빈맥, SVT with aberrancy - MP3 = 대사, 생리, 인공심박동기 율동, 약물적 원인에 의한 편위전도를 동반한 상심실성 빈맥, SVT with aberrancy - accessory path = 부전도로와 연관된 편위전도를 동반한 상심실성 빈맥.

© Jones & Bartlett Learning.

넓은 QRS파 빈맥: 무엇이 넓게 만드나?

QRS 간격의 폭을 결정짓는 여러가지 요인들이 있다. 이

요인들에는 정상 전도체계로 전도되는 양, 미주신경 긴장도, 호르몬 영향, 전해질 장애, 약물이 있다. 이온통로병증(channelopathy) 역시 큰 영향을 미친다. QRS 간격의 폭을

결정하는 가장 큰 요인은 심실의 정상 전도체계(히스-퍼킨지계) 혹은 직접 세포-세포 간 전달에 의해 얼마나 전도가 이뤄지는지가 중요하다. 히스-퍼킨지계를 통해 전도가 이뤄진다면 QRS 간격은 짧아질 것이고, 직접 세포-세포 간 전달에 의해 전도가 이뤄진다면 QRS 간격은 넓어질 것이다.

히스-퍼킨지계를 통해 심실의 탈분극이 일어난다면, 직접 세포-세포 간 전달에 의해서는 이뤄질 수 없는, 빠르고 효과적이며 대칭적인 수축이 발생할 것이다. 동기화된 심실의 '짜냄'이 없다면, 최대 심박출을 달성하는 것은 거의 불가능할 것이다. 그리고, 이것이 문제의 핵심이다.

넓은 QRS파 빈맥은 정상 전도체계(히스-퍼킨지계)를 통해 전달되지 못하거나, 오직 제한되어 전달되기 때문에 발생한다. 심실 탈분극파는 질서정연하게 전달되지 않으며, 심수축은 무질서하고 비동기화되므로 심실 구출율은 떨어진다. 게다가 심방 활동의 부재로 심방 반동이 저하되며, 역행성 활동화에 의한 비정상 수축 혹은 판막의 개폐와 동기화되지 않아 심실과다충전(ventricular overfilling)이 되지 않는다. 또한 이런 율동에서는 대부분 심박수가 빠르므로 충전시간이 감소하고 처참한 결과가 나타날 수 있다. 그러나, 넓은 QRS파 빈맥이 항상 혈역학적인 문제를 야기하진 않는다는 것을 알아야 한다. 심실 박동수와 원래 심장상태에 따라 혈역학적인 문제가 발생하지 않을 수 있으며, 특히 빈맥의 지속기간이 짧으면 발생하지 않는다. 이러한 이유로, 혈역학적 불안정성의 유무로는 상심실성 빈맥과 심실빈맥을 구별할 수 없다. 우리가 최대로 말할 수 있는 것은 혈역학적 불안정성이 있다면 심실빈맥의 가능성이 높다는 것이다.

넓은 QRS파 빈맥을 구성하는 다섯 군

앞서 보았듯이, 넓은 QRS파 빈맥은 크게 두 군으로 나눌 수 있다. 심실부정맥과 편위전도를 동반한 상심실성 빈맥. 심실부정맥은 단형, 다형, 양방향성(bidirectional) 심실빈맥, torsade de pointes로 나뉜다(양방향성 심실빈맥은 본 책의 범위를 넘어서므로 다루지 않겠다).

넓은 QRS파 빈맥을 이렇게 두 군으로 나누는 대신에 다섯 군(심실빈맥, 네 가지 편위전도를 동반한 상심실성 빈맥군들)으로 나누는 것에는 많은 장점들이 있다. 주된 장점은 심실빈맥이 넓은 QRS파 빈맥의 80% 이상을 차지하는 주

한 가지 더

Dr. Harvey는 위대한 심장내과 의사이자 의학 교육자이다. 조지타운 의대 심장내과장으로 재직하는 35년 동안 "Medicine is an art form"이라는 원칙을 유지하는데 힘을 썼다.

그는 학생들이 심장 환자를 임상적으로 접근하거나 신체검사를 할 때 사용하는 특정한 접근법을 기억하는데 도움이 되기 위해 두 가지 쉬운 암기보조를 이용한다. 이들 암기법은 간단히 다섯 손가락을 사용하며, 각각의 손가락은 한 단계를 나타낸다.

다섯 손가락 접근법은 기본적으로 과거력, 신체검사, 심전도, X-ray, 혈액검사를 포함하는 심장환자의 일반적인 평가법이다. 기술을 미화하는 현대적 접근법과는 대조적으로 Dr. Harvey는 이 다섯 손가락 접근법은 임상적 유용성이 높은 순서대로 진행된다고 강조한다. 즉, 과거력, 신체검사가 가장 중요한 정보를 제공하고, 반면에 혈액검사는 가장 도움이 되지 않는다. 그는 또한 학생들에게 다섯 손가락이 주먹을 쥐기 위해 필요하고, 많은 심장 문제를 폭발하게 하기 위해서는 주먹이 필요하다고 상기시키는 것을 좋아했다.

다섯 손가락 접근법에서 신체검사는 일반외형(general appearance), 경정맥 박동, 두근거림, 동맥파(arterial pulses), 심장 청진이다. 그는 환자의 가슴에 청진기를 올리기 전에 임상의는 진단을 해야만 한다고 말한다.

된 원인이며, 네 가지 편위전도를 동반한 상심실성 빈맥군들이 나머지 원인들이라는 점을 상기시켜 준다. 또 다른 장점은 편위전도를 동반한 상심실성 빈맥군을 만드는 각각의 기전을 상기시켜 준다. 이들 기전을 기억하는 것은 우리가 정확한 진단을 내리는데 큰 도움이 된다. 편위전도를 동반한 상심실성 빈맥은 심실빈맥 다음으로 넓은 QRS파 빈맥의 큰 원인이다(약 10~20%). 우리는 편위전도의 기본에 대해

6장(87페이지)에서 배웠다. 편위전도를 동반한 상심실성 빈맥은 기전에 따라 네 가지 그룹으로 나눌 수 있다.

넓은 QRS파 빈맥을 구성하는 다섯 군은 다음과 같다(빈도 순에 따라 내림차순으로 나열함).

1. 심실빈맥과 기타 심실부정맥
2. 박동수와 연관된 편위전도(rate-related aberrancy)를 동반한 상심실성 빈맥
3. 기존의 각차단 혹은 심실 내 전도지연을 동반한 상심실성 빈맥
4. 대사, 생리, 인공심박동기 율동, 약물적 원인에 의한 편위전도를 동반한 상심실성 빈맥(MP3s)
5. 부전도로에 의한 편위전도를 동반한 상심실성 빈맥(antidromic AV reentry tachycardia)

한 가지 더

우리는 Dr. Harvey를 기리며, 당신이 넓은 QRS파 빈맥을 야기하는 다양한 군들을 기억하는데 도움이 되기 위해 다섯 손가락 연상법을 만들었다. 다섯 손가락은 **표 34-1**과 같이 각각 다음을 의미한다.

우리의 넓은 QRS파 빈맥에서 다섯 손가락 접근법(**그림 34-2**)은 엄지에서 시작한다. 엄지는 가장 중요한 손가락이며 대립(opposition)을 담당한다. 대립은 외전, 굴곡, 내전회전의 복잡한 조합이며 이는 엄지를 손바닥을 가로지르게 하며, 캘리퍼와 같은 물체를 쥐고 잡는 것을 가능케 한다. 만약 대립이 얼마나 중요한지 보고 싶다면, 엄지를 이용하지 않고 망치로 못을 박거나 칼로 무언가를 자르려고 시도해 봐라. 심실빈맥은 가장 흔하며 치명적인 넓은 QRS파 빈맥으로 전체의 80% 이상을 차지하므로, 우리는 심실빈맥을 엄지로 지정하였다.

나머지 네 손가락은 편위전도를 동반한 상심실성 빈맥을 나타낸다. 아쉽게도 우리는 빈도 순에 따른 내림차순을 이용한 연상법을 생각해낼 수 없었다. 그러나, 이는 여전히 훌륭한 암기보조 방법이다.

표 34-1. 넓은 QRS파 빈맥에서 다섯 손가락 접근법

손가락	군
Thumb: VTach (엄지: 심실빈맥)	심실빈맥
Index: IVCD/BBB (검지: 심실 내 전도지연/각차단)	기존의 심실 내 전도지연 혹은 각차단을 동반한 상심실성 빈맥
Middle: MP3s (중지: MP3s)	대사, 생리, 인공심박동기 율동, 약물적 원인에 의한 편위전도를 동반한 상심실성 빈맥(MP3s)
Ring: Rate-Related (약지: 박동수 연관)	박동수와 연관된 편위전도를 동반한 상심실성 빈맥
Pinky (or A Pinky): Accessory Pathway (소지: 부전도로)	부전도로에 의한 편위전도를 동반한 상심실성 빈맥

Note: The order in this table does not follow the order of decreasing frequency used in the main text.

© Jones & Bartlett Learning.

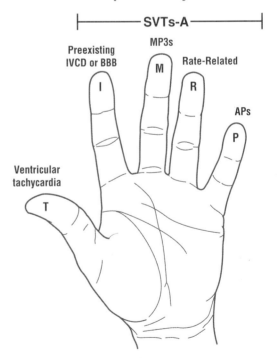

Wide Complex Tachycardias

그림 34-2. 넓은 QRS파 빈맥에서 다섯 손가락: 엄지=심실빈맥, 검지=심실 내 전도지연과 기존의 각차단, 중지=MP3s, 약지=박동수 연관, 소지=부전도로)

© Jones & Bartlett Learning.

1. 심실빈맥

32장에서 심실빈맥에 대해서 이미 자세히 알아보았고, 36장 '넓은 QRS파 빈맥'에서는 감별진단을 위한 기준 및 알고리듬에 대해서 알아보았다. 이 장을 참고하길 바란다.

2. 편위전도를 동반한 상심실성 빈맥

편위전도는 전도계의 불응기와 관련있다. 정상적으로 우각은 불응기가 가장 길며, 따라서 편위전도의 가장 흔한 원인이다. 6장에서 살펴보았듯이, 전도계가 불응기에 있으면, 전기 신호는 다른 돌파구를 찾아내며, 이러한 비정상적인 전도가 느리고, 비전형적인 심전도 파형을 만든다. 심박수가 점차 빨라져서, 불응기에 도달하면 전도로를 통한 전도가 더 이상 이루어지지 않고, 비정상적인 전도가 발생한다. 이것을 '심박수와 연관된 편위전도'라고 부른다. 불응기가 되는 심박수는 사람마다, 상황마다 다른데, 불응기를 늘리는 요인은 다음과 같다.

- 전도계 이상
- 허혈성 심질환
- 약물
- 자율신경계 이상
- 전해질 이상
- 호르몬 이상

앞서 말했듯이, 심장 내 전도로 중에서 우각이 불응기가 긴 경우가 많아서, 전체 편위전도의 80%는 우각차단의 형태로 나타난다. 좌각차단의 형태는 나머지 20% 정도인데, 구조적 심장질환이 있는 경우에 빈도가 늘어난다. 편위전도가 원위부에서 발생할수록, QRS파가 넓어진다.

편위전도를 진단하기 위해서, 같은 환자의 이전 심전도와 비교해보는 것이 큰 도움이 된다.

3. 기존의 전도장애를 동반한 상심실성 빈맥

우각차단, 좌각차단 혹은 심실내 전도 장애를 가지고 있는 환자에서 상심실성 빈맥이 발생하였을 때, 편위전도와 같은 심전도 양상을 보인다. 이러한 경우도 빈맥이 발생하기 전의 심전도를 비교해보는 것이 진단에 큰 도움이 된다.

원래 각차단을 가지고 있던 환자도 새로운 부정맥이 발생할 수 있다는 점을 명심하자(**그림 34-4**). 예를 들어, 원래 우각차단이 있던 환자에게 심실빈맥이 생기면, 좌각차단의

중급

편위전도를 진단하는 가장 중요한 심전도 소견은, QRS파의 초기 부분이다(**그림 34-3**). 원래의 QRS파와 전도가 비슷하게 시작된다면, 편위전도일 가능성이 높다. 편위전도가 아니고, 심실빈맥이라면, 세포 사이의 신호 전달로 전도가 이루어지고 QRS의 초기 전도가 원래 QRS파와 대부분 다르다. 특히 편위전도에서 심실 중격의 활성화는 정상 전도로를 통해서 이루어지는 경우가 많은데, 심실빈맥의 경우는 대부분 그렇지 않다. 전도계를 자세히 살펴보자(**그림 34-3**). 방실결절 이후에 히스속으로 연결되고, 곧 좌각과 우각으로 나뉜다. 좌각이 시작되는 부위에 심실중격을 활성화시키기 위한 전도로가 나뉜다. 편위전도는 대부분 우각이나 좌각의 원위부에서 발생하기 때문에, 심실 중격의 활성화는 편위전도 여부와 상관없이 정상 전도 상태와 같다.

이에 반해, 심실성 빈맥 혹은 심실 조기수축의 경우, 발생 부위에서부터 세포 사이의 신호 전달을 통해 심실 전체로 전도가 이루어진다. 따라서, QRS파가 더 넓고 원래의 QRS파와는 모양이 전혀 다르다.

불응기와 관련있는 또다른 중요한 요소는 직전 심박수이다. 즉, 직전 R-R 간격이 길면(=심박수가 느리면), 그 다음 이어지는 불응기도 길다. 반대로, 심박수가 빨라지면 불응기도 짧다. 그리고, 당연히 짧아야 전도가 잘되어 심박수가 빨라질 수 있다! R-R 간격이 불규칙한 심방세동에서 이러한 현상을 관찰할 수 있는 경우가 생긴다. 길고 짧은 R-R 간격 다음에 발생하는 QRS파는 편위전도가 잘 되며, 이러한 것을 'Ashman 현상'이라고 부른다.

QRS파를 보일 수도 있다. 이러한 경우 역시, 같은 환자의 옛날 심전도를 찾아서 비교하는 것이 큰 도움이 된다.

4. 기타 이상에 따른 상심실성 빈맥

고칼륨혈증, 저마그네슘혈증 등의 전해질 이상, 대사성 산증, 호르몬 이상은 편위전도를 증가시킨다. 특히 고칼륨

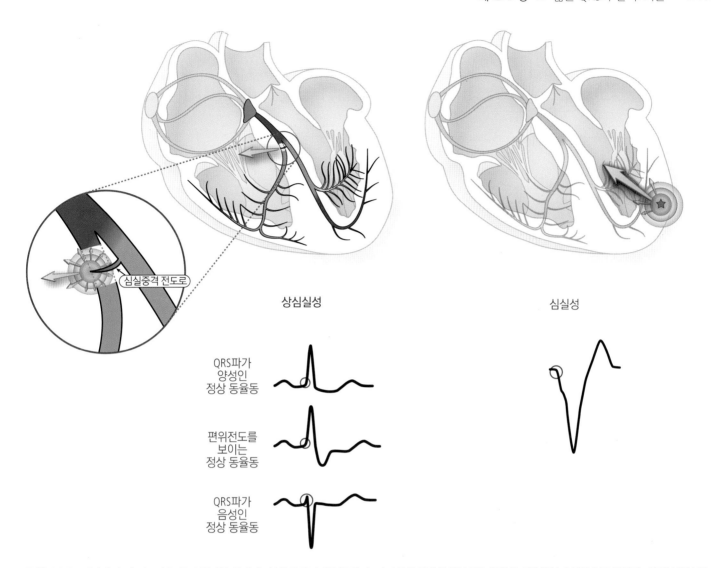

심실중격 전도로

상심실성

심실성

QRS파가
양성인
정상 동율동

편위전도를
보이는
정상 동율동

QRS파가
음성인
정상 동율동

그림 34-3. 좌각에서 나오는 작은 중격 분지를 통해서, 심실 중격이 탈분극된다. 따라심실 중격의 탈분극은 방향은 왼쪽에서 오른쪽으로 향한다. 원위부에서 발생하는 전도 장애, 즉 편위 전도에 상관없이 먼저 탈분극이 시작되기 때문에, 초기 QRS파의 벡터가 같다. 반면, 심실빈맥 등 심실 근육에서 탈분극이 시작되는 것이라면, 초기 QRS파형이 다를 수 있다. 왼쪽 상심실성 파형과 비교했을 때, 오른쪽 심실성 파형의 초기 QRS파 방향이 반대 방향인 것을 알 수 있다.

© Jones & Bartlett Learning.

혈증은 대단히 위험하다. 고칼륨혈증의 위험성을 T파만을 보고 판단해서는 안 된다. 고칼륨혈증 환자들은 약제나 전기충격 같은 치료에 잘 반응하지 않는 경우가 있다. 이에 관한 보다 자세한 내용은 자매책인 '12-Lead ECG: The Art of Interpretation' 에 담았다. 고칼륨혈증 환자를 절대 무시해서는 안된다.

인공 심박동기의 심실 유도는 보통 우심실 첨부에 위치시킨다(**그림 34-5**). 우심실에서 시작된 전기 신호는 좌심실로 전달되며, QRS파는 좌각차단일 때와 비슷하게 나타난다

한 가지 더

편위전도

어느 날 백화점에 앉아서, 엘리베이터를 타는 사람들을 지켜본 적이 있었다. 자동문이 열리면 사람들이 들어가고, 문이 닫히면 사람들은 문 앞에 줄을 서 있었다. 별탈 없이 사람들이 오가는 중에, 어느 남자가 닫히려는 문으로 질주해 들어갔다. 문이 닫히면서 그 사람은 얼굴에 찰과상을 입었다. 그 남자는 잘못을 깨달았을 것이다. 닫히고 있는 문은 쉽게 다시 열리지 않는다. 나는 이것을 보고 편위전도를 떠올렸다. 정상적으로 닫히는 문은 우각과 같다. 급하게 뛰어든 남자는 조기수축이다. 이러한 조기수축은 정상적으로 전도되지 않는다.

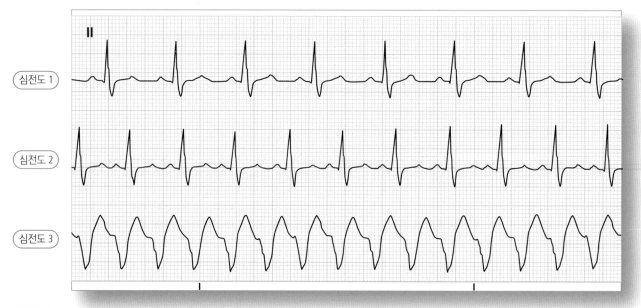

그림 34-4. 심전도 1은 우각차단을 나타낸다. 심전도 2는 심박수가 100회/분까지 올랐을 때이다. 같은 환자에서 관찰되는 동빈맥이다. QRS파의 변화는 보이지 않는다. 심전도 3 역시 같은 환자이다. QRS파의 모양이 아주 달라졌다. 심실빈맥의 상태이다.

From *Arrhythmia Recognition: The Art of Interpretation, Second Edition*, courtesy of Tomas B. Garcia, MD.

임 상 적 요 점

고칼륨혈증 환자는 언제나 조심해야 한다!

심화

동빈맥, 혹은 그 외 상심실성 빈맥도 인공심박동기 동작을 유도할 수 있다. 이러한 경우, 심실 탈분극은 히스-퍼킨지계를 우회해서 이루어지기 때문에 넓은 QRS파가 생긴다.

중급

삼환계 항우울증제에 대해서 생각해보자. 삼환계 항우울증제는 안타깝게도 자살 목적으로 가장 많이 오용되는 약물이다. 이 약물을 복용하는 환자는 부작용 가능성에 대해서 항상 유의해야 한다. 부정맥과 관련된 부작용은 주로 소디움 채널 차단과 관련이 있다. QRS파가 0.1초 이상으로 넓어지며, 교정한 QT 간격도 0.43초 이상으로 연장된다. 우축 편위가 생기고, aVR 유도의 R파가 0.3 mV 이상으로 높아지며, R/S 비도 0.7 이상이 된다.

동빈맥이 흔하게 관찰된다. 과다 복용하게 되면 심실빈맥이나 심실세동이 발생할 수 있다. QT 연장이 됨에도 불구하고, Torsades는 잘 생기지 않는다.

5. 부전도로를 통한 상심실성 빈맥의 전도

부전도로를 통한 역행성 방실회귀빈맥은 심전도만으로 심실빈맥과 구분하기가 매우 어렵다. 같은 환자의 옛날 심전도에서 조기흥분(preexcitation)의 증거를 확인할 수 있다면, 진단에 큰 도움이 될 것이다. 꼭 방실회귀빈맥이 아니더라도, 부전도를 갖고 있는 환자에서 동빈맥, 심방빈맥, 심방조동, 심방세동 등 다른 상심실성 빈맥이 나타날 수도 있기 때문에, 모든 가능성을 열어두고 고민해야 한다.

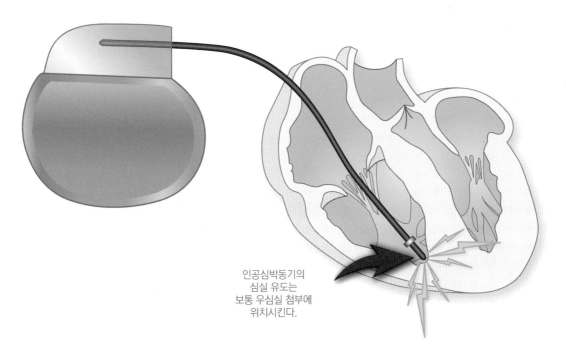

인공심박동기의
심실 유도는
보통 우심실 첨부에
위치시킨다.

그림 34-5. 인공심박동기의 심실 유도가 우심실 첨부에 위치해 있는 모습. 전기 신호가 정상 전도와 상관없이 전도되는 양상을 볼 수 있다.

© Jones & Bartlett Learning.

요점 정리

- QRS파의 넓이가 0.12초를 넘으면 넓다고 정의한다.

- 넓은 QRS파 빈맥은 심실성 빈맥, 각차단(편위전도 포함)을 동반한 상심실성 빈맥 그리고 부전도로를 통한 상심실성 빈맥의 가능성이 있다.

- 넓은 QRS파 빈맥의 5가지 분류:
  - 심실빈맥
  - 심박수와 관련된 편위전도
  - 기존의 각차단 및 심실내 전도 장애
  - 대사, 생리, 인공심박동기, 약물
  - 부전도로를 통한 상심실성 빈맥

- 넓은 QRS파 빈맥의 진단이 확실하지 않다면, 가장 위험한 심실성 빈맥일 가능성을 염두에 두고 환자를 살펴보자.

- 우각은 편위전도가 가장 잘 일어나는 전도계이다.

단원 복습

1. 다음 중 넓은 QRS파 빈맥에 관해 틀린 설명은?

   A. 빠른 심박수로 인한 편위전도를 동반한 상심실성 빈맥

   B. 기존의 각차단을 동반한 상심실성 빈맥

   C. 고칼륨혈증으로 인한 편위전도가 발생한 상심실성 빈맥

   D. 역행성 방실회귀빈맥

   E. 순행성 방실회귀빈맥

2. 편위전도를 동반한 상심실성 빈맥의 가장 흔한 경우는 기존의 각차단이 있을 때이다. (맞다 / 틀리다)

3. 좌각과 우각 중 불응기가 긴 것은 _____ 이며, 조기심방수축이 발생하였을 때, 편위전도의 가능성이 높다.

4. 같은 환자의 이전 심전도에서 우각차단이 이미 있었다면, 다음 설명 중 맞는 것은?

   A. 새로운 심전도에서는 항상 우각차단만 관찰된다.

   B. 새로운 심전도에서는 항상 좌각차단만 관찰된다.

   C. 우각차단이 주로 관찰되지만, 조기 심방수축이 발생하면 QRS파의 모양이 바뀔 수 있다.

   D. 우각차단이 주로 관찰되지만, 조기 심방수축이 발생하면 QRS파의 모양이 좌각차단이나 심실내 전도장애의 형태로 바뀔 수 있다.

5. 인공 심박동기는 보통 ___ 각차단의 QRS파 형태를 보인다.

6. 평소 심전도에 조기흥분(preexcitation)이 없는 것은 부전도를 통한 빈맥일 가능성을 높인다.

(맞다 / 틀리다)

7. 모든 넓은 QRS파 빈맥의 QRS파는 0.12초 이상이다.

(맞다 / 틀리다)

8. 다음 중 맞는 것은?

   A. 넓은 QRS파 빈맥은 항상 혈역학적으로 불안정하다.

   B. 혈역학적인 불안정성은 심실빈맥의 주요한 특징이며, 감별진단에 도움을 준다.

   C. 심박수와 기존의 심장 상태는 짧은 시간이나마 심장 기능에 도움을 줄 수 있다.

   D. 혈역학적 불안정성의 가장 중요한 결정 요인은 혈관내에 있는 혈액의 양이다.

9. 가장 흔한 넓은 QRS파 빈맥은 _____ 이다.

10. 초기 QRS파의 모양으로 정상 전도와 편위전도를 구분할 수 있다. (맞다 / 틀리다)

참고 문헌

1. Stewart RB, Bardy GH, Greene HL. Wide complex tachycardia: misdiagnosis and outcome after emergent therapy. *Ann Intern Med.* 1986;104(6):766-771.

2. Steinman RT, Herrera C, Schuger CD, Lehmann MH. Wide QRS tachycardia in the conscious adult. Ventricular tachycardia is the most frequent cause. *JAMA.* 1989;261(7):1013-1016.

3. Baerman JM, Morady F, DiCarlo LA Jr, de Buitleir M. Differentiation of ventricular tachycardia from supraventricular tachycardia with aberration: value of the clinical history. *Ann Emerg Med.* 1987;16(1):40-43.

4. Tchou P, Young P, Mahmud R, Denker S, Jazayeri M, Akhtar M. Useful clinical criteria for the diagnosis of ventricular tachycardia. *Am J Med.* 1988;84(1):53-56.

5. Garner JB, Miller JM. Wide complex tachycardia—ventricular tachycardia or not ventricular tachycardia, that remains the question. *Arrhythm Electrophysiol Rev.* 2013;2(1):23–29.

6. DeLeon AC Jr, Cheng TO. History and physical examination. In: Cheng TO, ed. *The International Textbook of Cardiology.* New York, NY: MacMillan Publishing: 1986.

제 35 장

넓은 QRS파 빈맥: 접근

목적

1. 치명적인 부정맥 중 가장 흔한 부정맥의 종류를 설명한다.

2. 넓은 QRS파 빈맥의 80%를 차지하는 부정맥의 종류를 설명한다.

3. 넓은 QRS파 빈맥과 관련된 오해성 상해의 의미를 설명한다.

4. 넓은 QRS파 빈맥에서 혈역학적 상태 평가의 중요성을 설명한다.

5. 오래된 또는 진행하는 심근경색증증과 연관된 심실빈맥의 발생기전을 설명한다.

6. 오래된 또는 새로운 심근경색증증 환자에서의 넓은 QRS파 빈맥의 특징을 설명한다.

7. 넓은 QRS파 빈맥을 보이는 환자에서의 세 가지 임상단계의 의미를 설명한다.

8. 넓은 QRS파 빈맥의 심전도 해석에 있어 주의할 점을 설명한다.

9. 응급, 긴급, 비기급 단계의 정의와 의의를 설명한다.

넓은 QRS파 빈맥에 대한 개념의 변화

당신이 누군가로부터 리듬 기록지를 건네받았는데 그것이 넓은 QRS파 빈맥이라는 것을 보았다면 당신은 다음에 무엇을 하겠는가? 이는 두 가지 가능성이 있다. 첫 번째는 심실빈맥이고 두 번째는 편위전도이다. 우리는 흔한 일이 더 흔하게 일어난다고 끊임없이 말하고 있다. 이것은 단순한 상식이다. 의학에서는 상식적인 문제를 진단하는 것으로 칭찬을 받지 않기에 단순한 상식을 피하려는 경향이 있다. 큰 도시에서 말발굽소리를 듣는다면 야생 얼룩말의 말발굽소리를 들었다고 생각할 수 없다.

이미 앞 장에서 언급했듯이, 통계에 따르면 넓은 QRS파 빈맥의 약 80%가 심실빈맥이다. 흔하게 일어나는 일이 더 자주 발생한다는 원칙에 따른다면 당신의 손에 쥐고 있는 리듬 스트립은 아마도 심실빈맥이라는 것을 의미한다. 가장 흔한 치명적인 부정맥은 심실빈맥이고, 이로써 당신은 간단하게 결정을 내릴 수 있다.

임상적 요점

우리가 리듬을 100% 완벽하게 분석할 수 있다는 생각을 버리고, 넓은 QRS파 빈맥은 조직의 관류 상태에 기초하여 판단해야 함을(즉, 혈역학적 상태의 판단) 반드시 생각해야 한다.

한 가지 더

오해성 상해

가장 흔한 치명적인 부정맥은 심실빈맥이다.

이 논리는 넓은 QRS파 빈맥과 관련된 논의의 핵심이며 넓은 QRS파 빈맥에 대한 평가 및 치료에 있어서 대단히 중요하다. 왜냐하면 작은 것에 신경을 쓰다가 정작 중요한 것을 놓칠 수 있기 때문이다.

외상환자의 관리에는 '오해성상해'라는 개념이 있다. 주의를 산만하게 하는 부상은 당신이 중요한 문제로부터 작은 문제로 보이는 것으로 주의를 돌리게 하는 것이다. 예를 들어 안면 열상을 예로 들어보자. 얼굴의 특정 부위를 1 cm 찢어지면 엄청나게 출혈하게 된다. 환자의 얼굴은 말 그대로 피투성이가 된다. 이런 상황에서 전문가들은 즉시 1 cm 안면 열상으로 관심을 돌리게 된다. 종종, 그들은 심지어 작은 상처들을 환자의 혈역학적으로 문제를 일으키는 원인이라고 생각하기도 한다. 그 사이 파열된 간으로 인해 복부 출혈이 심해진다. 만약 당신이 이 시나리오가 과장이라고 생각한다면, 다시 생각해라. 그것은 항상 일어날 수 있다.

이상하게도, 임상의들은 심실빈맥이 환자를 잃게 만들 수 있다는 것보다도 심실상성 빈맥의 편위전도(SVT aberrancy)를 정확하게 식별하는 것이 더 멋져보인다고 생각하는 경향이 있다.

우리가 아무리 유능해도, 또한 우리의 모든 세세한 기준에도 불구하고 환자의 병력, 신체검사, 심전도 결과 및 혈류학적 상태에 근거하여 100% 확실하게 넓은 QRS파 빈맥과 심실상성 빈맥의 변위전도를 구별할 수 없다는 사실은 받아들여야 한다.

요약하자면, 주의를 산만하게 하는 상황에 대해서는 잊어버리고 중요한 것에 집중해야 한다. 환자가 혈역학적으로 안정되었을 경우에만 원인을 알기 위한 고민을 해야한다. 다른 것으로 증명되기 전까지는 반드시 심실빈맥이라고 생각하고 그 상황에 맞춰 치료와 관리를 해야하는 것을 명심하라.

세 가지 임상적 단계

　그림 35-1은 넓은 QRS파 빈맥이 심실빈맥일 가능성을 빠르게 판단할 수 있는 모델이다. 원인이 불명확한 넓은 QRS파 빈맥을 임상적으로 판단할 수 있는 간단한 접근법을 생각해보자. 우리는 심실빈맥이 가장 흔한 치명적인 부정맥이라는 사실을 잘 알고 있다. 우리는 원인이 불명확한 넓은 QRS파 빈맥의 80%정도가 심실빈맥임을 알고 있다.[1-5] 게다가 36장에서 나오는 내용을 보게 되면 심실상성빈맥의 편위전도를 진단하는 기준보다는 심실빈맥을 진단하는 기준에 초점이 맞추어져 있다. 심실빈맥은 임상적으로 환자의 생명을 위협하는 혈역학적 불안정을 초래하는 가장 흔한 부정맥이므로 우리의 이것을 진단하는데 집중해야 한다.

　넓은 QRS파 빈맥을 대할 때는 반드시 환자가 안정적인지 확인하면서 동시에 심실빈맥을 치료해야 한다.

　2015년 미국 심장학회의 심실상성빈맥에 대한 진료지침[6]과 2017년 미국 심장학회의 심실성부정맥과 급성심장사의 치료와 예방에 대한 진료지침[7]은 원인을 정확하게 알 수 없는 넓은 QRS파 빈맥의 치료를 모두 포괄하는 포괄적이고도 안전한 진료지침을 제공한다. 우리가 살펴보게 되겠지만, 이것은 환자가 손상을 당하거나 사망할 수 있는 매우 위험한 응급상황에서 치료방침은 대단히 중요하며 이 때 시간이 매우 중요하므로 빠른 판단이 필요하다. 이제 우리가 직면하고 있는 문제들을 살펴보았으니, 몇 가지 간단한 의학적 개념을 사용하여 넓은 QRS파 빈맥의 진단과 치료에 대한 구체적인 접근법을 구상해보자. 임상적으로 환자는 응급(emergent), 긴급(urgent), 비긴급(nonurgent)의 세 가지 임상 단계 중 하나에 있게 된다(**그림 35-2**). 각각의 단계에 대

넓은 QRS파 빈맥의 세 가지 임상적 단계

응급(Emergent)

긴급(Urgent)

비긴급(Nonurgent)

그림 35-2. 넓은 QRS파 빈맥의 세 가지 임상적 단계
© Jones & Bartlett Learning.

한 의미는 다음과 같다:

1. 응급 단계(emergent stage): 환자가 사망할 수 있는 상태를 말하며 진단, 치료 및 혈역학적 안정화가 지체되어서는 안 되는 생명을 위협하는 상태를 말한다. 심각한 혈역학적 불안정을 나타내는 환자나 자극에도 반응이 없는 환자들이 이 범주에 속한다.

2. 긴급 단계(urgent stage): 환자를 다치게 할 수 있는 상태를 말하며 가능한 한 빨리 진단과 치료가 필요한 임상 상태를 가지고 있지만 임상적 판단을 내리기 위하여 상황을 좀더 분석할 수 있는 시간적 여유가 있는 상태를 말한다. 경도의 혈역학적 불안정이 있는 환자들이 이 범주에 속한다.

3. 비긴급 단계(nonurgent stage): 위에서 설명한 이외의 상황은 모두 긴급하지 않은 상태이며 혈역학적으로 안정되어 있는 상태이다. 환자에 대한 치료를 하기 전에 충분한 평가를(그러나 가능한 한 빠르게) 내릴 수 있다.

심실빈맥의 가능성에 대한 빠른 판단

리듬이 어떠한가?:
　–분당 100회 이상인가?
　–QRS 너비가 0.12초 이상인가?

➡ **80%**
심실빈맥일 확률

환자가 관상동맥질환이나
심근경색증 혹은 구조적 심질환의
과거력이 있는가

➡ **90%**
심실빈맥일 확률

그림 35-1. 넓은 QRS파 빈맥이 심실빈맥일 확률을 알아보는 빠른 방법
© Jones & Bartlett Learning.

저자의 변(辨): 완전성을 위해, 우리는 급성 및 긴급 단계에 대한 임상적 접근방식이 우리 자신의 개별적인 접근방식이며 프로토콜의 일부가 아니며, 임상실험을 거치지 않았으며, 일반적으로 받아들여지는 합의사항의 일부가 아니라는 것을 분명히 하고 싶다. 그것은 문헌을 검토한 후 정리되었고 수년간의 경험에 따라 공식화되었다.

넓은 QRS파 빈맥을 보이는 환자에 대해서 세 그룹보다 더 좁혀서 두 개의 그룹(응급과 비긴급)으로 나누는 것을 추천한다. 이번 장의 공부를 통하여 환자의 임상적인 안전을 확보함과 동시에 리듬에 대한 추측과 분석을 최대한으로 익히는데 주안점을 둘 것이다.

그리고 다음 장인 36장, 넓은 QRS파 빈맥: 진단 기준에서는 비긴급 상황에 대해 논의하고 보다 명확한 진단을 내리는 데 필요한 기준에 대해서 공부할 것이다. 그러나 이 책에서는 대부분의 다른 책과 웹사이트에서처럼 기준을 열거하는 대신에 가능한 한 독자에게 이해를 돕기 위한 원칙을 제공하는데 초점을 두고자 한다. 넓은 QRS파 빈맥을 분별하기 위한 원칙은 매우 광범위하기에 기억하기가 쉽지 않고 반복하지 않으면 금방 잊게 된다. 가능한 한 쉽고 효율적이며 안전하게 넓은 QRS파 빈맥을 이해할 수 있도록 도울 것이다.

매우 단순화시킨 넓은 QRS파 빈맥에 대한 즉각적인 평가
합리적 근거: 혈역학적 상태

넓은 QRS파 빈맥을 보이는 환자와 마주쳤을 때, 가장 중요한 우선 순위 중 하나는 혈역학적 상태를 안정시키고 그것을 잘 유지함으로써 환자를 살려두는 것이다. 순환상태와 기도확보 및 호흡유지의 확립된 가이드라인을 잘 지키는 것이 무엇보다 중요하다. 그런 다음, 앞에서 인용한 임상진료지침에서 제시한 치료지침을 따른다. 혈역학적으로 불안정한 환자를 마주하게 되면 그 환자를 심실빈맥 환자로 간주하라! 너무 사소한 문제에 시간을 낭비하지 말고 기본을 지켜라.

혈역학적인 안정성을 유지하기 위해 명심해야 할 두 가지 주안점은 리듬의 속도와 동기화된 수축의 재설정이라는 것을 잊지 말아야 한다. 즉, 금기가 아니라면 가능한 한 빨리 이용가능한 수단을 사용하여 리듬을 끊거나 조절할 필요가 있다. 이러한 수단에는 심장동율동전환(cardioversion), 제세동, 그리고 할 수 있다면 오버드라이브 페이싱 등이 있다. 많은 임상의사들은 환자에게 이러한 생명을 구하는 절차를 조기에 사용하지 못하고 시간을 소진하게 되면서 성공적인 소생 가능성이 낮아진다.

일단 환자가 열역학적으로 안정되면 비긴급 단계로 나아갈 수 있다. 비긴급 단계라고 해서 환자가 완전히 위기를 벗어나는 것을 의미하지는 않는다. 이후에 또 심실성 부정맥이 발생하게 되면 혈역학적인 불안정성이 또다시 발생할 수 있다는 것을 기억하라. 빈맥은 불과 수 초 안에 다시 시작될 수 있다.

하지만 일반적으로 비긴급 단계에 있다면 약간의 여유가 생기므로 더 구체적인 환자의 과거력과 이학적 소견을 얻는 데 주의를 돌리면 리듬을 진단하는데 있어서 많은 노움을 받을 수 있다. 만약 결정적인 진단을 내릴 수 있게 된다면 가능한 한 즉시 더 집중적인 치료를 시행해야 한다. 다시 한 번 강조하기만 혈역학적 상태나 빈맥의 재발을 막기 위해서는 시간이 가장 중요한 문제이다. 환자의 상태를 가능한 한 빠르게 체크하라!

합리적 근거: 심실빈맥, 심실빈맥, 심실빈맥...

넓은 QRS파 빈맥을 다룰 때 리듬이 심실빈맥인지 심실상성 빈맥의 변위전도인지 100% 구분할 수는 없다. 잘못된 치료법을 선택하면 환자를 위험한 상황에 빠뜨릴 수 있다는 점을 고려하면 이는 매우 쉽지 않은 상황이다. 이번 장과 다음 장을 통하여 이 사항을 추측하여 80-90% 정도로는 정답을 맞출 수 있게 되기 바란다. 다음으로, 우리가 논의한 바와 같이, 우리는 넓은 QRS파 빈맥이 심실빈맥이라는 것을 단지 몇 가지 간단한 질문에 대답하는 것만으로 80%에서 90%의 확실성으로 예측할 수 있다. 대부분의 부정맥 인식 연구에서 응급 의사와 심장병 전문의를 포함한 의사 평가자들이 심실빈맥과 심실상성빈맥을 구분하는 정확도가 일반적으로 약 40 %에서 90 %정도로 다양하다는 점을 고려하면 이는 매우 인상적이다. 대부분의 임상의들은 심실빈맥과 심실상성빈맥의 편위전도를 구별하는 데 사용되는 기준의 긴 줄을 정확히 기억하지 못하며, 더 중요한 것은 의료 비상사태에 직면할 때 스트립이나 심전도 평가를 완전히 수행하는 데 필요한 적절한 시간을 할애할 수 없기 때문이다. 결국, 집중력의 수준과 스트립을 평가하는 시간이 오진을 예방하는 가장 중요한 요소였다. 부정맥과 그에 따른 합병증에 대한 더 깊은 이해와 함께 빠르고 정확한 암기를 위해 첫 글자를 따서 암기하는 등의 방법이 있다면 숙련도를 더 높일 수 있을 것이다.

응급처치 단계에서 직면하고 있는 장애물을 어떻게 극복할 것인가? 우리가 바랄 수 있는 최선의 것은 가능한 한 가장 짧은 시간 내에 얻을 수 있는 가장 높은 확률을 위해 심전도를 촬영하는 것이라는 것을 기억하는 것이다. 즉, 응급 단계가 매우 짧기 때문에 가능한 한 빨리 정확한 진단의 확률을 높여야 한다는 것이다.

응급 단계에서의 치료

다음은 응급 기간을 관리하는 방법을 요약한 것이다(**그림 35-3**).

1. 간단한 병력을 취하여 집중적인 신체검사를 하여 환자의 혈역학적 상태를 평가한다. 그런 다음 넓은 QRS파 빈맥이 존재하는지 스트립 또는 심전도(최대 5~10초)를 잠깐 살펴본다. 스트립 또는 심전도 검사에서 QRS 너비가 0.12초 이상 나타나는 빈맥의 경우에는 넓은 QRS파 빈맥을 다루어야 한다.

2. 넓은 QRS파 빈맥이 존재하는 경우 다른 방법으로 증명될 때까지 모든 넓은 QRS파 빈맥이 심실빈맥이라고 가정하라. 넓은 QRS파 빈맥이라면 심실빈맥일 확률은 80%!

3. 관상동맥질환(CAD), 심근경색증(MI) 또는 구조적 심장이상 등의 병력이 있으면 그 가능성이 90%까지 증가한다.

4. 환자가 혈역학적으로 불안정한 경우, 앞서 언급한 미국심장학회의 가이드라인과 준하여 응급치료를 시행한다.[6-7]

5. 환자가 안정되면 비긴급 단계에 대하여 치료를 진행한다.

여러분이 어떤 넓은 QRS파 빈맥 리듬을 다루고 있는지 전혀 알지 못하더라도, 여러분은 추정된 심실빈맥을 위해 환자를 치료하기 시작할 수 있다. 여러분이 심실빈맥을 치료한다면, 여러분은 문제를 일으키지 않을 것을 것이라는 것을 기억하라. 이것이 환자 치료 및 관리의 긴급한 시기에 대한 우리의 접근방식으로 채택한 이유다.

어떻게 우리가 심실빈맥을 다루는지 심실상성빈맥의 편위전도를 다루는지 결정하는 데 5-10초밖에 걸리지 않는 리듬을 빠르게 평가할 수 있을까? 언어를 읽고 처리하는 것보다 그 이미지를 기억하는 것이 더 빨리 판단할 수 있다. 점점 더 리듬 스트립과 심전도 검사에 능숙해짐에 따라 이런 일이 가능해진다. 심전도 검사에서 사건이나 이상 징후를 발견하는 능력은 점점 더 빨라진다.

치료 관련 단어: 심실빈맥에 대한 진단과 치료는 일반적으로 심실상성빈맥의 편위전도를 가진 사람에게 심각한 합병증을 일으키지 않지만, 심실상성빈맥의 편위전도의 치료에 사용되는 약 중 일부(특히, verapamil 혹은 diltiazem)는 심실빈맥을 가진 사람에게 준다면 큰 위험에 빠질 수도 있음을 기억해라(특정치료는 참고자료에 기재되어 있는 2015년 미국심장학회 심실상성빈맥에 대한 진료지침[6] 과 2017년 미국심장학회 심실성부정맥과 급성심장사의 치료와 예방에 대한 진료지침[7] 을 참조할 것).

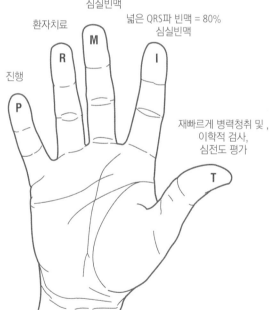

심실빈맥의 가능성에 대한 빠른 판단

심근경색증 + 넓은 QRS파 빈맥 = 90% 심실빈맥

넓은 QRS파 빈맥 = 80% 심실빈맥

환자치료

진행

재빠르게 병력청취 및, 이학적 검사, 심전도 평가

Thumb(엄지) = Take a quick history, perform the physical exam, and look at the ECG. (재빠르게 과거력청취, 이학적검사, 심전도를 시행)

Index(검지) = If it's a 넓은 QRS파 빈맥, then there's an 80% chance it is VTach! (넓은 QRS파 빈맥이 보인다면 80%는 심실빈맥)

Middle(중지) = MI or structural cardiac abnormalities = 90%.(심근경색증이나 구조적 심질환이 있다면 90%)

Ring(약지) = Rx: Treat the patient. (환자를 치료하라)

Pinky(애지) = Proceed to the nonurgent evaluation. (비긴급 평가의 단계로 진행하라)

그림 35-3. 넓은 QRS파 빈맥의 응급단계에 대한 5지(五指) 접근법

임 상 적 　 요 점

치료를 위해 기억해야 할 점

심실빈맥에 대한 진단과 치료는 일반적으로 심실상성빈맥의 편위전도를 가진 사람에게 심각한 합병증을 일으키지 않지만, 심실상성빈맥의 편위전도의 치료에 사용되는 약 중 일부(특히, verapamil 혹은 diltiazem)는 심실빈맥을 가진 사람에게 준다면 큰 위험에 빠질 수도 있음을 기억해라.

넓은 QRS파 빈맥s의 비긴급 평가

비긴급 기간은 환자가 혈역학적 안정성과 적절히 조절된 비율에 도달했을 때 시작된다. 그 시점에서는 처음부터 다시 돌아가서 예비 진단과 치료 전략을 재평가해야 한다. 우리는 36장 넓은 QRS파 빈맥: 진단 기준에서 다룰 확립된 프로토콜과 기준을 시용하여 체계적으로 접근하여 이를 수행한다. 기준 결국 진단이 확실할수록 좋다. 이 단계에서의 목표는 당신이 할 수 있는 가장 확실한 진단을 달성하는 것과 동시에, 그 진단에 근거한 집중적인 치료적 반응을 제공하는 것이다.

마지막 제언

마지막으로 많은 임상의들이 응급 시기에 혼란스러운 상황을 겪는 것처럼 혼란스러운 상황에 압도당하지 말고 심호흡을 하고 집중을 하고 공부하고 훈련한대로 대처하라! 넓은 QRS파 빈맥의 80%는 심실빈맥이다. 환자에게 심근경색증 또는 구조적 심장질환의 병력이 있는 경우 심실빈맥일 가능성은 최대 90%이나. 모든 넓은 QRS파 빈맥은 다른 방법으로 입증되기 전까지는 심실빈맥으로 간주되어야 한다. 이에 대해 확실하게 인지하고 있다면 응급치료를 안전하게 시작할 수 있다.

부정맥 정리

- 가장 치명적인 부정맥은 심실빈맥이다.
- 환자의 병력과 이학적 검사, 그리고 심전도와 혈역학적 상태를 가지고 심실빈맥과 심실상성빈맥의 편위전도를 100% 확실하게 구분하는 것은 매우 어렵다.
- 급성기 환자를 치료하는 세 가지 임상단계:
  - 응급단계(Emergent stage)
  - 긴급단계(Urgent stage)
  - 비긴급단계(Nonurgent stage)
- 응급단계에서는 다음과 같이 치료할 것:
  - 환자의 상태와 리듬 스트립을 재빨리 확인할 것.
  - 넓은 QRS파 빈맥을 보인다면 80%는 심실빈맥.
  - 관상동맥질환, 심근경색증, 구조적 심질환의 과거력이 있다면 90%는 심실빈맥
- 환자가 불안정하면 바로 그것을 해결해야 한다. 그렇지 않으면 비긴급 단계로 넘어갈 수 없다.
- 불안정한 환자를 만난다면 환자가 심실빈맥일 것이라고 간주하고 치료해라. 사소한 것에 시간을 낭비하지 말 것!
- 응급기간의 그 혼란스러움에 압도당하지 말고 침착함을 유지하라!

단원 복습

1. 많은 임상의들은 넓은 QRS파 빈맥에 직면했을 때, 리듬이 심실상성빈맥의 편위전도라는 사실을 입증하는 데 집중하는 경향이 있다. 무엇이 올바른 비상 행동 방침이어야 하는가?

   A. 심실빈맥을 배제하기 위해 스트립을 자세히 분석한다.

   B. 스트립을 평가하여 정확한 진단을 내린다.

   C. 119대원에게 환자의 상황과 주변 환경에 대해 물어본다.

   D. 평가에 필요한 스트립 12유도 심전도 검사실 검사 및 방사선 검사를 확보한다

   E. 환자에게 무슨 일이 일어났는지, 약물에 알레르기가 있었는지 몇 초 동안 묻고, 환자의 혈역학적 상태를 평가하기 위한 간략하고 집중적인 검사를 수행하고, 스트립을 간략히 살펴본 후, 정해진 지침에 따라 지체 없이 환자를 응급 치료하기 시작한다.

2. 가장 흔한 치명적인 부정맥은?

   A. 역방향성 방실회귀성빈맥

   B. 심방세동의 빠른 심실반응

   C. 다소성 심방빈맥

   D. 심실빈맥

   E. 완전 방실 차단

3. 의식이 없는 환자가 응급실에 왔다. 식사 중에 갑작스럽게 목을 움켜잡았고 수 초만에 의식이 없었다고 말했다. 모니터에서 넓은 QRS파 빈맥이 관찰되었다. 다음 단계로 적절한 것은?

   A. 12유도 심전도를 시행한다.

   B. 기도를 확보하고 제세동을 준비한다.

   C. 흉부압박을 시행한다.

   D. 양팔 혈압을 측정하여 동맥류 파열을 평가한다.

   E. 수액을 줄 말초 정맥을 확보한다.

4. 부정맥으로 인해 혈역학적 이상이 있는 환자를 치료할 때 가장 중요한 것은 바보처럼 보이지 않도록 정확하게 진단하는 것이다. (맞다 / 틀리다)

5. 넓은 QRS파 빈맥 평가 시 리듬이 심실빈맥이 될 확률은 대략 ___ %이다. 환자가 구조적 이상이나 오래된 심근경색증과 일치하는 이력이나 소견을 가지고 있는 경우, 확률은 ___ %로 증가한다.

6. 우리는 현재 심실상성빈맥의 편위전도와 심실빈맥을 구별하기 위한 여러 기준을 가지고 있다. 이러한 기준의 일부 또는 전부를 적용하면, 우리는 항상 100% 확실하게 심실빈맥을 진단할 수 있다. 원인 불명의 넓은 QRS파 빈맥 진단은 과거의 일이다. (맞다 / 틀리다)

7. 분당 180회의 넓은 QRS파 빈맥을 보이는 환자가 수축기 혈압이 66이며 호흡은 분당 24회이며 얕고 약하며 산소포화도는 2 L의 산소를 비강으로 주었을 때 86%가 측정되었다. 환자는 무기력하였으며 피부는 창백하였고 식은 땀을 흘리고 있었다. 다음 조치 중 가장 적절한 것은?

   A. 응급으로 관상동맥조영술을 시행한다.

   B. 부정맥팀을 호출하여 심실빈맥인지 명확하게 진단을 부탁한다.

   C. 국소벽운동장애가 있는지 확인하기 위해 심초음파를 시행한다.

   D. 경식도심초음파를 시행한다.

   E. 심장동율동전환술을 즉시 시행한다.

8. 응급 단계에서는 무엇보다도 우선적으로 환자를 사망할 수 있는 상황에 집중해야 한다. (맞다 / 틀리다)

9. 긴급 단계에서는 환자에게 상해를 가할 수 있는 상황에 집중해야 한다. (맞다 / 틀리다)

10. 비긴급단계에서는 응급과 긴급 단계에서 다루지 않은 모든 것에 집중해야 한다. (맞다 / 틀리다)

참고 문헌

1. Stewart RB, Bardy GH, Greene HL. Wide complex tachycardia: misdiagnosis and outcome after emergent therapy. *Ann Intern Med*. 1986;104(6):766-771.

2. Steinman RT, Herrera C, Schuger CD, Lehmann MH. Wide QRS tachycardia in the conscious adult. Ventricular tachycardia is the most frequent cause. *JAMA*. 1989;261(7):1013-1016.

3. Baerman JM, Morady F, DiCarlo LA Jr, de Buitleir M. Differentiation of ventricular tachycardia from supraventricular tachycardia with aberration: value of the clinical history. *Ann Emerg Med*. 1987;16(1):40-43.

4. Tchou P, Young P, Mahmud R, Denker S, Jazayeri M, Akhtar M. Useful clinical criteria for the diagnosis of ventricular tachycardia. *Am J Med*. 1988;84(1):53-56.

5. Garner JB, Miller JM. Wide complex tachycardia— ventricular tachycardia or not ventricular tachycardia, that remains the question. *Arrhythm Electrophysiol Rev*. 2013;2(1):23-29.

6. Page RL, Joglar JA, Al-Khatib SM, et al. 2015 ACC/AHA/HRS guideline for the management of adult patients with supraventricular tachycardia: a report of the American College of Cardiology/American Heart Association Task Force on Clinical Practice Guidelines and the Heart Rhythm Society. *Circulation*. 2016;133:e506-e574.

7. Al-Khatib SM, Stevenson WG, Ackerman MJ, et al. 2017 AHA/ACC/HRS guideline for management of patients with ventricular arrhythmias and the prevention of sudden cardiac death: a report of the American College of Cardiology Foundation/American Heart Association Task Force on Clinical Practice Guidelines and the Heart Rhythm Society. *Circulation*. 2018;138(13):e272-e391.

제 36 장

넓은 QRS파 빈맥: 진단 기준

목표

1. 넓은 QRS파 빈맥 환자에서 긴급 여부를 평가한다.

2. 넓은 QRS파 빈맥을 접근할 때, 우선적으로 심실빈맥 여부를 판단한다.

3. 심실빈맥을 시사하는 병력, 신체검진 소견을 나열한다.

4. 심실빈맥을 진단하기 위해 QRS 넓이를 평가한다.

5. 초기에 넓은 QRS파 빈맥을 잘못 진단하게 되는 이유를 설명한다.

6. 넓은 QRS파 빈맥의 $V_{1,2}$ 및 V_6 에 나타나는 특징을 나열한다.

7. 넓은 QRS파 빈맥의 감별진단에서 심실 조기수축의 유용성을 설명한다.

8. 방실해리의 심전도 진단과 임상적 중요성을 설명한다.

9. 상심실성 빈맥에서는 방실해리가 일어나지 않는 이유를 설명한다.

10. 방실해리의 직접, 간접 증거를 비교한다.

11. 전흉부 유도에서 QRS파 방향일치(concordance)의 개념을 설명한다.

12. 심실빈맥으로 발생하는 혈역학적 상태를 설명한다.

13. 환자의 혈역학적 상태에 따라 심실빈맥의 가능성을 판단한다.

14. 넓은 QRS파 빈맥의 감별진단에 브루가다 알고리즘을 사용한다.

15. 넓은 QRS파 빈맥의 감별진단에 Vereckei 알고리즘을 사용한다.

들어가며

35장에 이어서, 이 장에서는 넓은 QRS파 빈맥에 대한 접근을 알아볼 것이다. 상심실성 빈맥과 심실빈맥의 감별진단에 대한 모든 기준을 살펴본다. 중요한 개념을 강조하기 위해서, 간혹 일부는 간략하게 줄이기도 하였다.

비응급 상황에서의 넓은 QRS파 빈맥

이전 장에서도 이야기했듯이, 비응급 상황에서의 넓은 QRS파 빈맥은 응급상황에서 보다 더 신중하고 자세한 평가가 필요하다. 비응급 상황에서는 보다 자세한 병력청취와 신체검진을 할 수 있는 시간이 있다. 뿐만 아니라, 시간적인 여유가 있기 때문에 부정맥이 발현할 때 뿐 아니라, 안정 상태에서의 12 유도 심전도를 반복할 수 있기 때문에 보다 많은 정보를 얻을 수 있다. 리듬이 바뀔 때마다 12 유도 심전도를 새롭게 시행하는 습관을 갖는 것이 좋다. 심전도를 시행한 시간을 잘 기록하여, 부정맥이 시작할 때부터 끝날때까지 모든 이벤트를 추적하자. 그리고, 시술이나 약물 처방이 시행되었다면, 심전도에 바로 기록해놓는 것도 도움이 된다. 가는 길에 잘 표시를 해놓으면, 되돌아오는 길이 쉬워지는 이치와 같다. 부정맥이 발생한 순간의 심전도뿐 아니라, 같은 환자에서 기록된 옛 심전도 역시 진단에 도움이 된다. 예전 심전도에서 편위전도 혹은 심실빈맥의 소견이 있다면, 지금 관찰되는 넓은 QRS파 심전도의 진단이 훨씬 쉬워진다. 치료에 대한 반응을 관찰하는 것 역시 진단에 도움을 준다. 비응급 상황이라면 심전도 뿐 아니라, 다른 심장 검사 (심초음파, 관상동맥 조영술, 전기생리학 검사 등…) 를 해볼 수 있는 시간이 있을 수 있다. 내가 생각하는 심전도 진단이 틀릴 수도 있음을 항상 염두에 두자. 많은 가능성을 열어두고 판단을 해야 한다. 좋은 임상의가 되기 위해서는 자신의 한계를 인정하고 모든 환자는 다르다는 점을 인정해야 한다. 당신이 항상 맞을 수는 없다.

편위진도는 이차적인 현상이며, 대개는 긴급한 치료를 필요로 하지 않지만, 심장 동조화를 떨어뜨리기 때문에 심박출량을 줄일 수도 있다. 기본적인 심장 기능과 심박수가 혈역학적 상태를 결정하는데 중요하다.

만약 심전도 진단이 편위전도라고 생각된다면, 치료 방침은 환자의 기본적인 상태에 보다 집중해야 한다. 부전도로가 동반된 상심실성 빈맥 환자에서 방실결절 전도를 억제하는 약물을 투여한다면, 부전도로를 통한 전도가 증가되면서 치명적인 심실세동을 유발할 수 있다.

부정맥은 수초만에 변하거나 악화될 수도 있음을 명심하자. 가장 흔한 예는 심방조동이 심방세동으로 악화되는 것이다. 반대로 불안정한 심방세동이 심실세동으로 악화되는 일도 드물지만 생길 수 있다. 심전도나 환자 상태에 변화가 있다면, 반드시 환자와 심전도를 다시 평가해야 한다. 가장 안 좋은 상황을 항상 염두에 두는 것이 실수를 피할 수 있다.

제1절: 진단 기준

심실빈맥은 가장 위험한 부정맥의 하나이다. 단형, 다형, 양방향(bidirectional) 심실빈맥 세 종류가 있다. 심실빈맥의 정의는 세 박자 이상의 연속된 심실수축이 분당 100회 이상으로 발생하는 것이다. 심실빈맥이 30초 이상 지속되거나, 혈역학적으로 불안정할 때 '지속성'이라고 정의하며, 그렇지 않으면 '비지속성'이다. 지속성 심실빈맥은 치료가 필요한 경우가 대부분이다. 넓은 QRS파 빈맥을 접할 때, 가장 중요한 것은 심실빈맥일 가능성을 염두에 두는 것이다. 왜냐하면, 심실빈맥은 당장 혈역학적으로 안정 상태라고 하더라도, 언제든 악화될 가능성이 있기 때문이다. 심전도를 관찰할 때 항상 심실빈맥의 가능성은 없는 지를 철저히 살피는 것이 중요하다. 자신의 진단을 너무 과신한 나머지, 환자를 재평가하는 것을 잊어서는 안 된다. 자만심은 심실빈맥을 시사하는 조그만 변화를 놓치게 만든다. 지금 관찰된 심전도는 환자의 전체 경과에서 지극히 일부임을 항상 기억하자.

병력 청취와 신체 검진

병력 청취는 부정맥의 진단에 예외없이 중요하다. 정확한 병력 청취는 심전도 진단을 쉽게 해준다. 특히, 부정맥의 기왕력은 현재의 치료 방침 결정에 도움을 준다. 환자 상태가 잠시라도 안정이 되었다면, 보다 자세한 병력 청취와 신체 검진을 하자.

병력 청취과 신체 검진에서 심실빈맥을 시사하는 소견은 다음과 같다.

1. 허혈성 심질환 등 기질성 심질환
2. 부정맥의 과거력
3. 35세 이상
4. 돌연 심장사의 가족력
5. 심근증
6. 심부전

1. 허혈성 심질환 등 기질성 심질환

'35장 넓은 QRS파 빈맥의 접근'에서 말하였듯이, 일반적으로 넓은 QRS파 빈맥의 80% 가량은 심실빈맥이다. 만약 기질적 심질환을 가지고 있는 환자에서 넓은 QRS파 빈맥이 발생한 경우, 심실빈맥일 가능성은 90%까지 올라간다. 기질적 심질환에 의해서, 심근의 흥분성이 증가되고, 회귀로가 생길 가능성이 높아진다. 심근 허혈이 생기면, 흥분

성이 증가하고 전기적으로 불안정해진다. 허혈로 인해서 산소와 영양분이 부족해진 상황에서 이를 극복하기 위한 수십 수백의 기전이 작동한다. 허혈로 인해 세포막이 손상되면 자동능이 증가하고, 이것이 다른 세포로 전도되면서 빈맥이 시작된다. '25장 방실결절 회귀빈맥'에서 회귀로가 어떻게 생성되는지 살펴보았다. 허혈로 인해 손상받은 심근 주위에서 회귀로가 생성될 수 있다. 심근의 대사와 생리뿐 아니라 약제에 의한 반응으로 느린 전도로가 생성되고, 이것이 회귀 기전의 발생을 촉진한다. 심근경색증 부위가 오히려 회귀로를 형성할 수 있는 조건이 될 수 있음을 명심하자. 심근경색증 부위의 크기에 따라, 회귀로의 크기도 결정된다.

2. 부정맥의 과거력

응급 상황이 아니라면, 병력 청취를 통해서 부정맥 과거력 여부를 꼭 확인하자. 직접적인 부정맥의 과거력 뿐 아니라, 부정맥을 유발할 수 있는 심장 질환, 갑상선 질환, 약물 복용력도 알아내야 한다. 부정맥의 증상일 수 있는, 실신, 어지럼증, 두근거림 등도 중요한 정보가 된다. WPW 증후군 등 부전도를 시사하는 과거력을 알아낸다면 아주 유용할 것이며, 방실회귀 빈맥, 심방세동 등의 가능성을 보다 염두에 두어야 할 것이다. 이러한 정보는 약물을 안전하게 처방하기 위해서도 아주 중요하다. 넓은 QRS파 빈맥이 관찰되는 환자에서 심실빈맥의 과거력이 있다면, 재발의 가능성을 좀 더 생각해야 할 것이다.

> **임 상 적 요 점**
>
> 두근거림을 호소하는 환자에게 증상이 있을 당시의 심전도를 확인하지 못했다면, 증상을 느꼈던 당시의 맥박을 손가락으로 두드려 표현하라고 해보자. 환자가 표현하는 리듬을 잘 관찰해도 감별진단에 도움이 된다.

3. 35세 이상

나이가 들수록, 기질적 심질환의 가능성이 높아진다.

4. 돌연 심장사의 가족력

돌연 심장사 가족력이 있다면, 유전성 부정맥의 가능성

을 반드시 고려해야 한다.

긴 QT 증후군, 짧은 QT 증후군, 브루가다 증후군 등이다. 선천성 심기형의 가능성도 고려해야 한다. 이러한 유전성 질환은 지역에 따라 발생 빈도가 다른 경우도 있다.

5. 심근증

모든 종류의 심근증은 부정맥을 유발할 수 있다. 확장성 심근증은 심방 및 심실 확장의 소견을 보이며, 비후성 심근증에서는 비정상적인 심근의 비대가 부정맥을 유발할 수 있다. 확장되고 비대한 심근으로 인해, 탈분극이 비정상적인 경로로 연장되는 것도 부정맥 유발을 촉진시킨다.

6. 심부전

심부전은 여러가지 원인에서 부정맥을 유발한다. 심근경색증증은 심부전의 주요한 원인이다. 심부전이 발생하면, 심장이 확장될 뿐 아니라, 심박출량이 감소된다.

QRS의 넓이

심실빈맥은 탈분극이 심실 근육에서 시작된다. 하나의 세포에서 시작할 수도 있고(자동능), 회귀 기전일 수도 있다. 일반적으로 탈분극이 시작되면, 세포 사이의 전도를 통해 주변으로 퍼지게 된다. 이러한 세포 사이의 직접 전도는, 전도로를 이용한 것보다 속도가 느리며 심전도에서 넓은 QRS파로 나타난다. QRS파가 넓을수록 심실빈맥일 가능성이 높다. 심실빈맥이 좌심실에서 발생하였을 경우, V_1에서 양성의 QRS파를 보이며, 우심실에서 발생하였을 경우에는 V_1에서 음성의 QRS파를 보인다(**그림 36-1, 2**). QRS파가 지나치게 넓고 이상한 모양이라면, 고칼륨혈증, 약물 오용, 인공 심박동기 등의 가능성도 고려해야 한다.

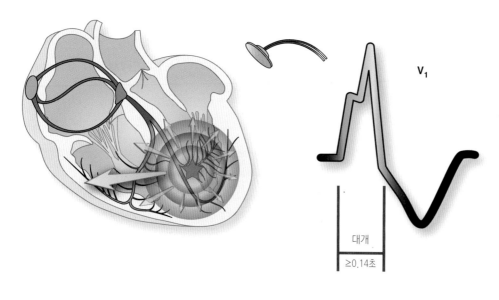

V_1

대개

≥0.14초

그림 36-1. 두 개의 P파가 관찰된다. 하나는 QRS파로 전도가 되지만(파란색 화살표), 하나는 전도가 되지 않는다(빨간색 화살표).

© Jones & Bartlett Learning.

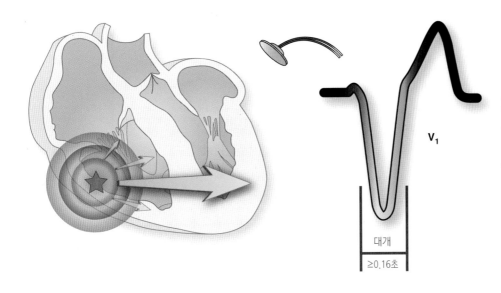

그림 36-2. 좌각차단 모양의 심실빈맥. 심실빈맥이 우심실에서 시작하는 경우이다. 탈분극이 왼쪽으로 진행하므로, V₁ 에서 음성의 QRS파로 나타난다.

© Jones & Bartlett Learning.

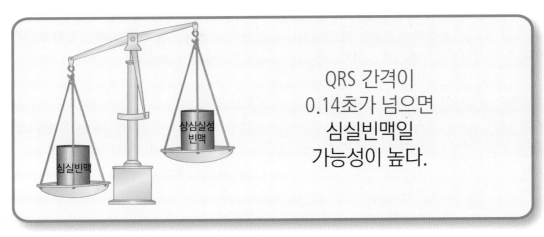

QRS 간격이
0.14초가 넘으면
심실빈맥일
가능성이 높다.

© Jones & Bartlett Learning.

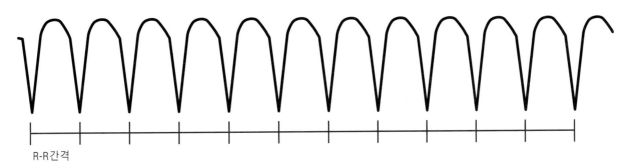

그림 36-3. 심실빈맥은 대부분 규칙적이다.

© Jones & Bartlett Learning.

규칙성

넓은 QRS파 빈맥은 규칙적일 수도 있고 불규칙적일 수도 있다. 약간의 변이도 가능하다. 특히, 부정맥이 시작되거나 종료되는 시점에서는 심박수가 점차 오르거나 줄어드는 양상을 보일 수 있다. 불규칙한 원인에 대해서는 추후에 좀더 기술하기로 한다. 불규칙하고 넓은 QRS파 빈맥은, 다형심실빈맥, Torsades, 편위전도를 동반한 심방세동 등이 포함된다. 규칙성 여부만으로 심실성 빈맥 여부를 판단해서는 안 된다.

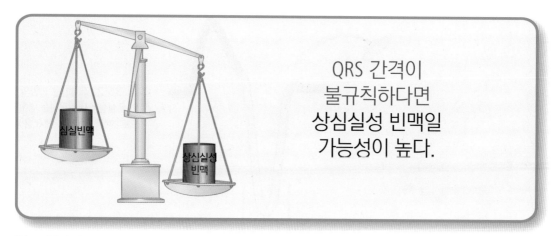

QRS 간격이
불규칙하다면
상심실성 빈맥일
가능성이 높다.

QRS파 모양

심실빈맥도 호흡 등에 의해 모양과 규칙성이 아주 약간씩 변화할 수 있다. 특히 심실빈맥의 초기에는 심박수가 서서히 오르기도 하고, 종료 시에는 심박수가 서서히 줄어들기도 한다. 심실빈맥은 방실해리의 상태인데, P파와 겹치면, QRS파의 모양이 변하는 것처럼 보이기도 한다. 융합이나 포획박동 또한 심실빈맥에서 QRSV파 모양이 변하는 중요한 이유이다. 심실 조기수축에 의해 심실빈맥이 유발될 수 있는데, 이러한 경우 초기에는 QRS파의 모양이 변화하지만, 점차 단형 심실빈맥으로 안정되는 양상을 보인다(the warm-up period). 특히 QT 연장이 있는 환자에서는 R on T 현상으로 다형 심실빈맥(Torsades)을 유발할 수 있다. 이러한 R-on-T 현상은 대개 짧게 끝나는 경우가 많지만, QT 연장이 해결되지 않으면, 길게 반복되고, 치명적인 심실세동으로 악화될 수도 있다.

조셉슨 징후

조셉슨 징후란 하강하는 S파에서 관찰되는 파임(notch)을 말한다(**그림 36-4**). 이것은 넓은 QRS파 빈맥의 감별진단에서 심실빈맥일 가능성을 높이는 증거가 된다.

브루가다 징후

브루가다 징후란 QRS파의 시작부터 S파의 끝까지 걸리는 시간이 0.1초 이상인 것을 말하며, 심실빈맥일 가능성을

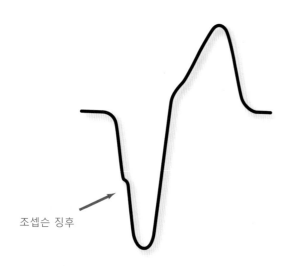

조셉슨 징후

그림 36-4. 조셉슨 징후

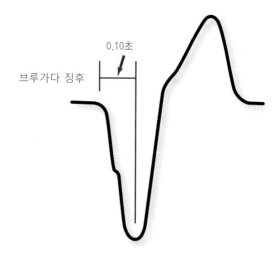

0.10초

브루가다 징후

그림 36-5. 브루가다 징후

© Jones & Bartlett Learning.

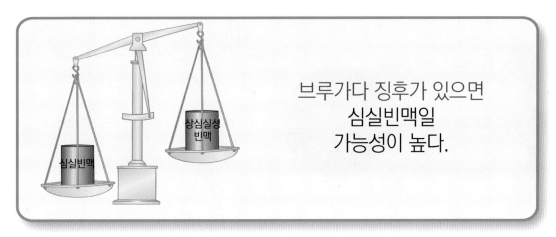

© Jones & Bartlett Learning.

높이는 소견이다. 특히, 편위전도와의 감별에서 유용하다.

V₁₋₂ 와 V₆ 에서의 QRS파 모양

수년간 부정맥에 대해서 강의를 해보면, 이 주제에 대해서 학생들이 혼동을 하고 있는 것을 자주 보게 된다. 이러한 혼동은 관련 교과서에서 정의가 불명확한 단어를 사용하며, 다양한 저자들이 강조하는 점이 서로 다른 점에 상당 부분 기인한다. 우선, 좌각차단과 우각차단의 정확한 정의부터 해보기로 하자. QRS파의 넓이가 0.12초 이상이어야 하고, V₁에서의 QRS파 방향이 중요하다. 이러한 각차단의 심전도 진단기준은 정상 동율동인 경우를 가정할 때 만들어진 것이다. 그렇지만, 심실빈맥의 경우는 정상 동율동인 상태가 아니며, 심실의 탈분극은 심실 자체에서 시작되며, 정상적인 전도로를 통해서 이루어지지 않는다. 심실빈맥을 좌각

차단의 모양, 우각차단의 모양으로 구분해서 생각하는 경우가 많지만, 그것은 QRS파 모양에 따른 분류이고 실제 각차단이 발생한 것은 아니므로, 각차단 심전도 진단 기준을 그대로 적용하기는 어렵다.

만약 환자가 이미 각차단을 가지고 있는 경우라면, 상심실성 빈맥이 발생하였을 때, 각차단이 대부분 그대로 유지된다. 실제로 심실빈맥이 발생하였을 때, 기존에 가지고 있던 좌각차단 혹은 우각차단의 용어를 그대로 사용하게 되면 혼동이 생긴다. 예를 들어, 심실빈맥 심전도의 V₁에서 음성의 QRS파를 보이는 경우, 좌각차단 형태 혹은 좌각차단 양상이라고 말하지만, 실제 좌각차단이 있는 것은 아니다. 보다 정확한 용어가 널리 사용될 때까지, 심실빈맥의 QRS파 모양에 따른 분류는, 좌각차단 혹은 우각차단으로 해서는 안 되고, '좌각차단 형태' 혹은 '우각차단 형태'로 하는 것이

좋을 것 같다. 그리고, 이것은 V_{1-2} 와 V_6 유도에서의 QRS파 모양을 평가할 때만 쓰여야 한다. V_{1-2}에서 넓은 QRS파가 양성일 때 우각차단 형태, 음성일 때 좌각차단 형태라고 말한다(**그림 36-6**).

우각차단 형태

편위전도를 동반한 상심실성 빈맥의 경우, V_1 에서 전형적으로 rsR' 양상으로 양성이다. 심실빈맥과의 감별 요인 중 하나는, r 과 R' 파의 높이를 비교하는 것이다. 상심실성 빈맥의 경우, r 보다 R' 파가 높다. 이는 정상 동율동에서 우각차단의 경우와 같다(**그림 36-7**). 이것은 R' 파에 반대되는 탈분극이 없기 때문에, r 파에 비해 높고 넓다.

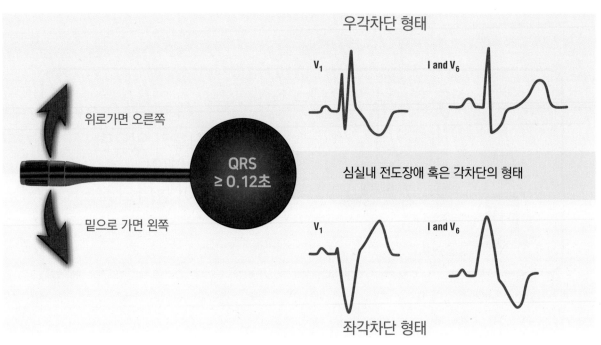

그림 36-6. V_1 에서 양성이면 우각차단 형태이며, 음성이면 좌각차단 형태이다. 아주 간단하다.

© Jones & Bartlett Learning.

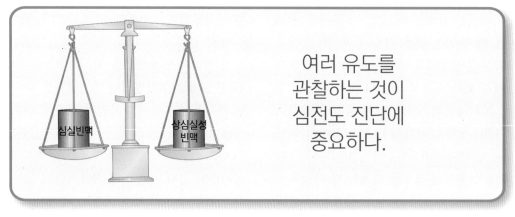

© Jones & Bartlett Learning.

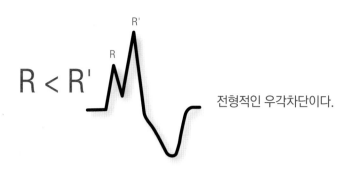

R < R'   전형적인 우각차단이다.

R > R'   전형적인 RSR' 파

그림 36-7. V₁ 유도에서 r 과 R' 의 평가. '토끼의 귀'로 생각하자.

© Jones & Bartlett Learning.

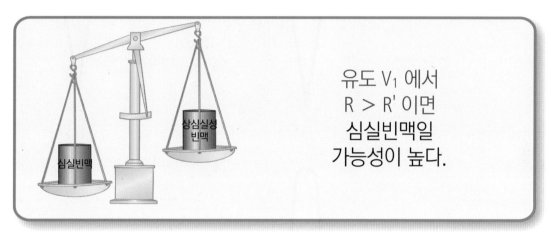

유도 V₁ 에서
R > R' 이면
심실빈맥일
가능성이 높다.

심실빈맥   상심실성 빈맥

© Jones & Bartlett Learning.

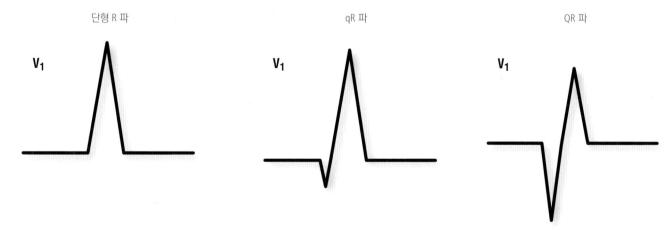

단형 R 파   qR 파   QR 파

V₁   V₁   V₁

그림 36-8. 심실빈맥의 가능성을 높이는 '우각차단 형태'의 소견들

© Jones & Bartlett Learning.

반면, 심실빈맥의 경우는 탈분극이 시작되고 진행되는 부위에 따라서 R′ 파의 높이가 다르다. 따라서, 넓은 QRS파 빈맥의 감별진단에서, 우각차단 형태이면서 r파가 R′ 에 비해 높다면 심실빈맥을 시사한다. 또한, V1 유도에서 관찰되는 단형 R파, qR파, QR파 역시 심실빈맥을 시사하는 소견이다(**그림 36-8**).

V6 유도에서 S파가 R파보다 크다면, 심실빈맥을 시사한다(**그림 36-9**).

좌각차단 형태

1988년 Kindwall 박사팀이 발표한 논문에 따르면, 넓은 QRS파 빈맥이 좌각차단 형태를 보일 경우에, V1-2 유도에서

V6 유도에서,
우각차단 형태인 경우, R/S ⟨1
좌각차단 형태인 경우, Q파의 존재

우각차단 형태. R파에 비해서 S파가 깊다.

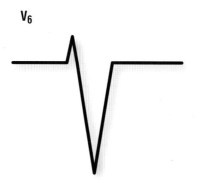
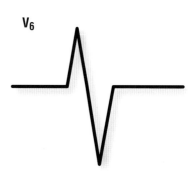

좌각차단 형태. q파가 있다.

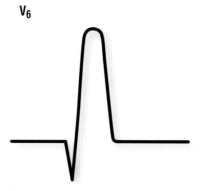

그림 36-9. V6 유도에서 심실빈맥을 시사하는 소견들
© Jones & Bartlett Learning.

V6 유도에서,
우각차단 형태인 경우, R/S <1
좌각차단 형태인 경우,
Q파의 존재

심실빈맥을 시사한다.

심실빈맥을 시사하는 소견은 다음과 같다고 하였다.

1. 초기 R파의 넓이가 0.03초 이상으로 넓을 경우

2. S파의 하강이 느리거나, 파임(notch)이 있는 경우

3. R파의 시작부터 S파의 가장 깊은 곳까지 0.07초 이상 인 경우

V₆ 유도에서는 Q파가 관찰되면 심실빈맥을 시사하는 소견이다. 반대로, 일반적인 좌각차단이라면 Q파가 관찰되지 않아야 한다(**그림 36-9**).

이미 좌각차단을 가지고 있는 환자에서 Q파가 보인다면, 외벽 심근경색증일 가능성이 있으므로 주의해야 한다.

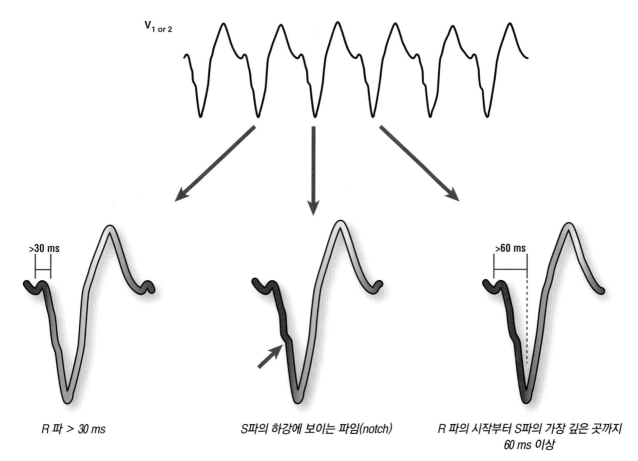

V_{1 or 2}

R 파 > 30 ms

S파의 하강에 보이는 파임(notch)

R 파의 시작부터 S파의 가장 깊은 곳까지 60 ms 이상

그림 36-10. 좌각차단 형태를 보이는 심실빈맥의 V1-2 유도 소견.

© Jones & Bartlett Learning.

저자 노트

지금까지 설명한 심전도 소견들은 심실빈맥의 감별진단에 유용하기는 하지만, 아주 결정적인 것들은 아니다. 환자를 진료함에 있어 참고사항으로 생각해주길 바란다. 한 두 가지의 심전도 소견으로 결정하려고 하지말고, 가능하면 많은 정보를 얻고 판단해야 한다.

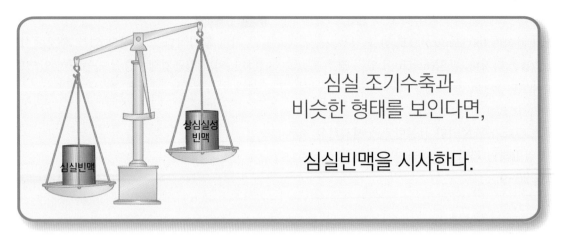

심실 조기수축과 관련된 소견들

만약 넓은 QRS파 빈맥의 모양이, 정상 동율동에서 관찰된 심실 조기수축과 같다면, 그 빈맥은 심실빈맥일 가능성이 매우 높다. 대부분의 심실빈맥은 단형이며, 한 곳에서 시작되거나 하나의 회귀로를 갖기 때문이다. 한 곳에서 발생하는 심실 조기수축은 대개 같은 모양을 가진다.

그다지 빠르지 않은 심실 조기수축은 진단하기가 쉽다. 그렇게 심실 조기수축 여부를 확실하게 진단할 수 있을 경우, 넓은 QRS파 빈맥의 모양이 기왕에 진단된 심실 조기수축과 같다면 심실빈맥으로 쉽게 진단할 수 있을 것이다. 만

약 회귀로를 형성하는 심실빈맥이라면 모양이 다르게 나올 수도 있으므로 주의해야 한다.

방실해리

완전방실 차단은 방실결절이 기능을 하지 않아서, 말 그대로 심방과 심실이 차단된 상태이다. 방실결절 이외에도 심방과 심실은 붙어 있지만, 정상인 상태에서도 전기적으로는 차단되어 있다(**그림 36-11**). 만약 방실결절 이외에 심방과 심실을 연결하는 통로가 있다면, 그것은 부전도로이다. 일반적으로 상심실성 리듬이 방실결절을 통해 심실로 전도

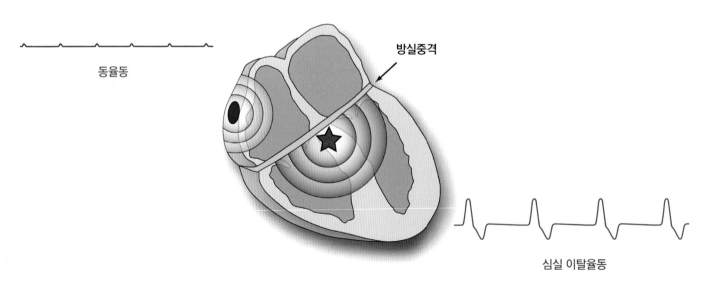

그림 36-11. 방실결절이 기능을 하지 않으면, 심실중격 부위에서 방실 차단이 생긴다. 심방과 심실은 서로 상관없이 박동하게 된다.

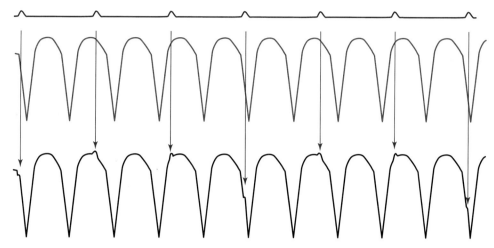

그림 36-12. 심방과 심실이 완전히 다르게 박동한다. 빨간색으로 표시된 위의 심전도는 심방의 율동을 나타내고, 검은 색인 아래 심전도는 심방과 심실의 율동이 섞인 상태를 나타낸다. 심실의 율동이 주로 보이는 상태에서, 간혹 심방의 율동을 관찰할 수 있다. 두 율동이 완전히 상관없이 진행되는 방실해리의 상태이며, 따라서 심실빈맥이다.

© Jones & Bartlett Learning.

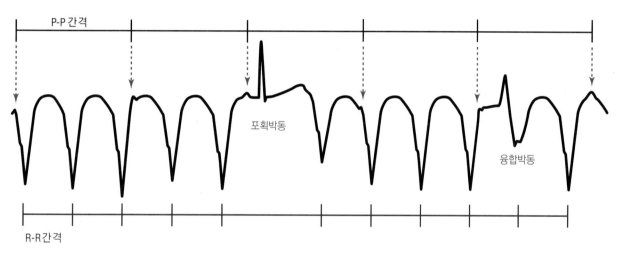

그림 36-13. 심실빈맥은 방실해리인 상태이다. 항상 P파, 포획박동, 융합박동이 어디에 있는 지 찾아보자. 이것들은 방실해리의 증거이자, 심실빈맥의 증거가 된다.

© Jones & Bartlett Learning.

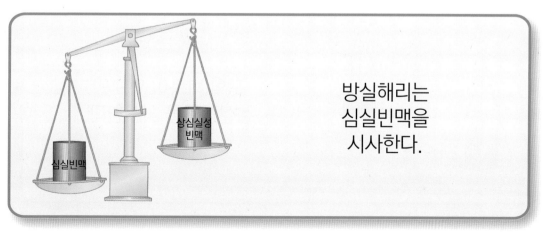

© Jones & Bartlett Learning.

된다. 만약 방실 차단이 생기면, 심방은 심방대로, 심실은 심실대로 박동하게 된다. 심방과 심실이 서로 차단된 상태에서 서로 상관없이 박동하게 되는 것을 방실해리라고 한다. 심실빈맥이 생기고, 그것이 심방의 율동보다 빠르다면, 심전도에서는 심실과 심방의 리듬이 융합하게 된다. 심방의 율동은 심실빈맥에 영향을 주지 못한다(**그림 36-12**).

회귀로를 통해 형성된 빠른 심실빈맥은 방실결절을 빠르게 자극하여, 방실결절을 대부분의 시간동안 기능적으로 불응기에 놓이게 한다. 방실결절이 기능을 하지 않는 상태이지만, 방실 차단과는 다르며, 심방과 심실이 간혹 연결될 수 있는 가능성이 있다. 심실빈맥에 의한 자극으로 방실결절은 대부분의 시간동안 기능적으로 불응기에 있지만, 불응기에서 벗어나는 순간 우연하게 심방의 전기 신호가 방실결절에 도달할 수도 있다. 이렇게 되면, 심방의 전기 신호가 방실결절을 거쳐 심실로 전달되어 완전한 박동을 하거나(포획박동), 심실빈맥과 합쳐지게 된다(융합박동)(**그림 36-13**). 심전도에서 포획박동이나 융합박동을 발견한다면, 그 박동을 제외하고는 심방과 심실이 따로 움직이는, 즉 방실해리임을 뜻하며, 심실빈맥의 강력한 증거가 된다. 상심실성 율동에서는 방실해리가 일어날 수 없다. 일반적으로는 상심실성 율동에 의해 심실이 반응하게 된다.

심실빈맥의 상태에서, 심방과 심실의 박동수가 다르기 때문에 방실해리가 나타난다. 보통 심실빈맥의 상태에서는 심실의 박동수가 심방보다 빠르다. 즉, QRS파가 P파보다 많이 나타나며, 심실빈맥의 특징적인 소견이다. 방실해리

상태가 되면, 심방과 심실이 따로 박동하기 때문에 PR 간격이 일정하지 않게 된다. P파가 지속적으로 관찰되는 것이 아니기 때문에, P-P 간격 또한 일정하지 않는 것처럼 보이기도 하지만, 대개는 정수배가 된다. 이렇듯 방실해리는 심실빈맥의 강력한 증거이지만, 심실빈맥의 20~50%에서만 관찰된다. 심전도를 많이 얻을수록 방실해리를 관찰할 수 있는 가능성은 높아지며, 만약 방실해리만 관찰된다면 거의 심실빈맥이라고 생각해도 좋다. 반면, 상심실성 빈맥에서는 방실해리가 관찰될 수 없다.

포획 박동

앞서 말했듯이, 심실빈맥에서 심방과 심실이 전기적으로 연결되는 순간이 가능하다. 심방의 율동이 심실빈맥의 중간에 우연하게 방실결절로 전달된다면 정상적인 전도로를 통해서 심실의 탈분극을 발생시킬 수 있다. 즉, 얇은 정상의 QRS파가 생기며 이것을 포획박동이라고 한다(**그림 36-13**). 짧은 순간에만 생길 수 있는 것이기 때문에, 연속해서 나타나지는 않는다. 포획박동이 생길 수 있는 순간 전후로 심방의 율동이 전달된다면, 융합박동이 생길 수 있다.

융합 박동

융합박동은 대개 동율동에 의한 심실의 탈분극과 심실 자체의 탈분극이 '융합'되는 것이다. 심전도에서 두가지 벡터가 융합되어 새로운 QRS파를 만들어낸다(**그림 36-14**). 유전에 비유해서 융합박동을 살펴보자. 부모가 가지고 있는 각각의 특징들은 자녀들이 물려받게 되지만, 부모와 자녀가

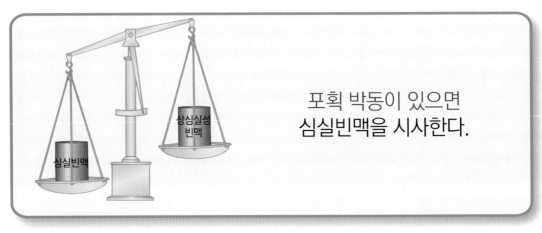

포획 박동이 있으면 심실빈맥을 시사한다.

완전히 똑같은 것은 아니다. 마찬가지로 융합박동은 동율동 혹은 심실 자체의 탈분극과 비슷하기는 하지만, 완전히 똑같지는 않다.

방실해리 요약

방실해리는 한 번 찍은 심전도에서는 쉽게 나타나지 않는다. 방실해리는 QRS파에 묻혀서 안 보이게 되는 경우가 많다. 포획, 융합 박동도 방실해리의 증거이다(**그림 36-13**).

융합 박동이 있으면
심실빈맥을 시사한다.

상심실성
빈맥

심실빈맥

© Jones & Bartlett Learning.

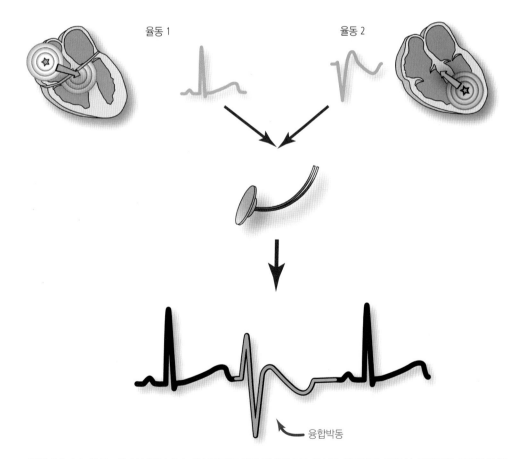

율동 1   율동 2

융합박동

그림 36-14. 율동 1은 상심실성이며, 방실결절을 통해 정상적으로 심실로 전도된다. 따라서, 정상적인 QRS파를 만들어낸다. 율동 2는 심실에서 발생한 것이며, 넓은 QRS파를 만들어낸다. 이 두 가지 율동이 동시에 심실을 자극시키면 '융합박동'이 나타난다. 융합박동으로 인한 QRS파는 두 가지 율동을 조금씩 닮았다.

© Jones & Bartlett Learning.

넓은 QRS파 빈맥을 보게되면, 심전도 전체에 걸쳐서 조그만 파형 변화라도 찾아내려는 노력을 해야한다. 특히 일정한 간격을 두고 파형 변화가 반복된다면 방실 해리일 가능성이 높다.

전흉부 유도에서 QRS파의 일치

전흉부 유도에서 모든 QRS파가 같은 방향일 때, '일치(concordance)'했다고 말한다. 즉, QRS파가 모두 음성 혹은 양성임을 뜻한다. 어느 한 개의 유도에서도 다른 것이 있으면 안 되고, 모든 전흉부 유도에서 양성이거나(**그림 36-15**), 음성이어야(**그림 36-16**), 일치한다고 말할 수 있다.

전체 심실빈맥의 15%에서 '일치'가 관찰될 수 있다. 넓은 QRS파 빈맥에서 이러한 일치가 관찰된다면 심실빈맥일 가능성은 90%이며, 특히 음성으로 일치한다면 심실빈맥일 가능성은 더 높다. 만약 일치가 보이지 않는다면, 다른 진단 기준을 적용해야 한다.

> **심화**
>
> QRS파의 일치는 역방향 방실 회귀빈맥에서도 관찰될 수 있다. 심실빈맥과 역방향 방실 회귀빈맥을 구분하는 것은 매우 어렵다. 우선 넓은 QRS파 빈맥의 80%는 심실빈맥임을 기억하자. 그리고, 환자의 병력이나 이전 심전도를 꼼꼼히 확인해보자.

Positive 방향일치							
I		aVR		V₁	⬆	V₄	⬆
II		aVL		V₂	⬆	V₅	⬆
III		aVF		V₃	⬆	V₆	⬆

그림 36-15. 심실빈맥에서 QRS파의 양성 일치.
© Jones & Bartlett Learning.

Negative 방향일치							
I		aVR		V₁	⬇	V₄	⬇
II		aVL		V₂	⬇	V₅	⬇
III		aVF		V₃	⬇	V₆	⬇

그림 36-16. 심실빈맥에서 QRS파의 음성 일치
© Jones & Bartlett Learning.

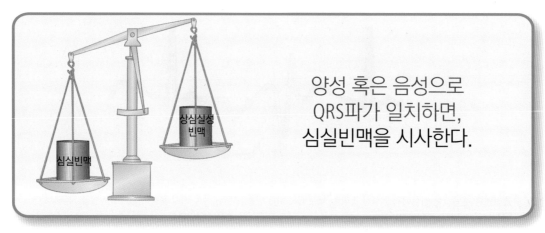

양성 혹은 음성으로
QRS파가 일치하면,
심실빈맥을 시사한다.

© Jones & Bartlett Learning.

한 가지 더

Alex: 뭐라고?

Big J: 심실빈맥과 상심실성 빈맥을 구별하는 내기에 1,000달러를 걸었어.

Alex: 만약 심실 전도가 정상의 히스-퍼킨지계를 통해 일어난다면 QRS파의 일치가 일어날 수 있을까?

Big J: 그야 당연히 안되지!

Alex: 좀 더 자세히 설명해 줄래?

Big J: OK! 정상적인 히스-퍼킨지계를 통해 전도가 발생할 때 심실 탈분극은 최소한 3개의 서로 다른 벡터를 형성하고, 각각은 자체의 크기와 방향을 가지고 있어(제8장, 123-124 쪽). 심전도는 흉벽을 따라 유도를 붙여서 이러한

벡터를 감지하는데, 정상적인 전로를 통한 심실 탈분극은 흉부 유도에서 보았을 때, 동시에 모두 양성 또는 음성일 수 없어. 즉, 어떤 벡터는 유도를 향하여 다가오는 방향(양성)인 반면, 동시에 어떤 유도에서는 멀어지는 방향(음성)으로 기록되는 거지.

심실빈맥의 결과로 발생하는 벡터는 정상 전도로에서 멀어지는 방향으로 퍼지는데, 심실빈맥의 시작 부위에 따라 모든 흉부 유도로 다가가거나 멀어지는 일치가 생길 수 있어. QRS파의 양성 일치는 일반적으로 심실빈맥이 심실의 밑부분에서 시작될 때 관찰되고, QRS파의 음성 일치는 심실의 앞쪽에서 심실빈맥이 발생할 때 관찰되는 거야.

중급

비정상 QRS 축

제5장 67~70쪽과 제32장 521쪽에서 QRS 축 측정법에 대해서 알아보았다. 정상 축은 -30 ~ +90도이다. 좌축 편위는 -30 ~ -90도이며, 우축 편위는 +90 ~ + 180도 이다. 나머지(-90 ~ -180도)는 정상도, 좌축편위도, 우축 편위도 아니며, '북서 방향 축' 혹은 'no man's land' 이라고 불린다(**그림 36-17**). 넓은 QRS파 빈맥이 정상, 우축 편위 혹은 좌축 편위를 보일 경우 상심실성 빈맥일 가능성이 있다. 반면, QRS축이 'no man's land'를 가리킨다면, 심실빈맥일 가능성이 높다. 유도 I 과 aVF 에서 모두 음성이라면, QRS 축은 'no man's land' 에 있다.

넓은 QRS파 빈맥인데, 좌각차단의 형태이면서 우축 편위를 보인다면, 심실빈맥일 가능성이 높다. 좌각차단의 형태라면 심실의 오른쪽 부위에서 탈분극이 시작되어서 좌측으로 향하는 것인데, 정상 전도로를 통해서는 이

런 상황에서 우축 편위가 발생할 수 없는 것이다. 따라서 심실빈맥을 의미한다.

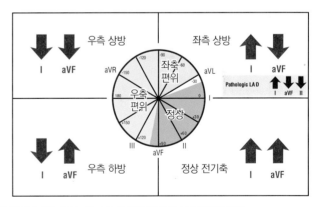

그림 36-17. 유도 I 과 aVF 의 방향성에 따른 전기축의 결정.

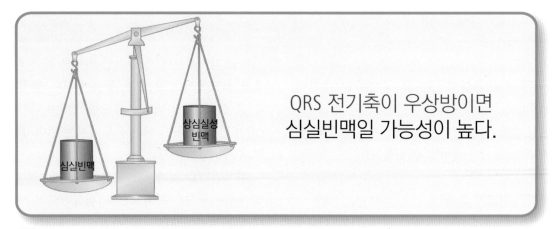

그림 36-18. 우측 상방 전기축은 심실빈맥을 시사한다.

© Jones & Bartlett Learning.

혈역학 상태

혈역학적 불안정이나 관류 저하의 징후는 심실빈맥에서 흔하지만, 상심실성 빈맥에서도 나타날 수 있다. 반대로, 심실빈맥인 상태에서도 혈역학적으로는 안정된 상태일 수도 있다. 원인 질환과 현재의 심박수에 따라 환자 상태가 달라질 수도 있음을 기억하자. 즉, 혈역학적 안정성 여부로 심실빈맥 여부를 섣불리 판단해서는 안 된다. 넓은 QRS파 빈맥인데, 혈역학적으로 안정된 상태라면 상심실성 빈맥으로 오진할 가능성이 있다. 넓은 QRS파 빈맥 환자는 항상 응급 상황으로 간주되어야 한다. 언제든지, 수초 안에 혈압이 떨어질 가능성이 있으며, 항상 주의를 기울여야 한다. 가장 중요한 것은 혈역학적으로 안정시키는 것이며, 심전도 진단은 그 다음이다. 심전도 진단이 확실하지 않다고 해서, 혈역학적으로 불안정한 환자에게 세세동 같은 즉각적인 치료가 지연되어서는 안 된다.

한 가지 더

상대적 저혈압

혈압은 우리 몸 장기에 혈류를 보내고, 생명을 유지하는데 중요하다. 일반적으로 혈압은 정상 범위를 유지해야 한다. 고혈압은 혈관 벽을 두껍게 하며, 반대로 높아진 혈압에서 혈류를 유지하려면 혈관 벽이 두꺼워야 한다. 혈관 벽이 두꺼워진 고혈압 환자에서는 혈류를 유지하기 위한 혈압이 정상인과 달리 보다 높아야 한다. 예를 들어, 120/80 mmHg 는 정상 혈압이지만, 오랫동안 고혈압 상태에 있어 혈관 벽이 두꺼워진 환자에게는 장기에 혈류를 유지하기에는 부족할 수 있다. 이러한 것이 상대적 저혈압의 개념이다. 상대적 저혈압은 혈압 수치와 같은 징후와 환자가 호소하는 저혈압 증상과의 차이를 설명한다. 우리는 혈압 수치가 아닌 환자를 치료해야 한다. 만약 환자가 저혈압 증상을 호소한다면, 비록 정상 혈압 수치를 보이더라도 평소에 고혈압을 가지고 있지는 않았는지 확인해야 한다. 환자가 평소에 높은 혈압 수치였는데, 지금 정상 수치를 보이고 저혈압 증상을 호소한다면, '상대적 저혈압' 상태인 것이다. 이러한 환자는 혈역학적으로 불안정하다고 간주하고 치료해야 한다.

넓은 QRS파 빈맥의 진단에 도움이 되는 것들

약물에 대한 반응

앞서도 많이 이야기했지만, 넓은 QRS파 빈맥의 진단에서 가장 위험한 것은 심실빈맥을 놓치는 것이다. 만약, 심실빈맥이나 부전도로에 의한 심방세동 환자에게 베라파밀, 딜디아젬, 디곡신 같은 약물을 투여한다면 심각한 저혈압이나 심실세동을 유발하여 환자를 위험에 빠뜨릴 수 있다. 이러한 약물들은 확실한 진단이 내려질 때까지 유보해야 한다. Ic 계열 항부정맥제도 마찬가지이다. 이것은 항부정맥제이기도 하지만, 오히려 부정맥을 유발하는 효과도 있다(proarrhythmic effect). 이러한 약물 역시 진단이 확실해지기 전까지는 사용을 유보해야 한다. 또한, QT 연장이 있는 환자도 매우 조심히 관찰해야 한다. Torsades 혹은 심실세동의 위험이 있기 때문이다. QT 연장을 유발할 수 있는 약제는 www.crediblemeds.org 에서 확인할 수 있다.

반면, 아데노신은 규칙적이고 같은 모양의 QRS파 빈맥의 경우에 진단 목적으로 유용하다. 아데노신은 반감기가 매우 짧아서 혈역학적으로 비교적 안전할 뿐 아니라, 발작성 상심실성 빈맥의 경우 종료시킬 수도 있다.

약물에 대한 반응에 있어서 가장 중요한 것은, 심실빈맥일 가능성을 항상 염두에 두는 것이다. 가장 나쁜 상황에 대비할 수 있으면, 최악은 피할 수 있다. 상심실성 빈맥의 치료에 관해서는 '2015 ACC/AHA/HRS Guideline for the Management of Adult Patients with Supraventricular Tachycardia' 를 참조하자.

전기생리학 검사

이것은 매우 전문적인 분야이기 때문에, 간략하게만 설명하고자 한다. 넓은 QRS파 빈맥의 진단이 조금이라도 애매하다면, 부정맥 전문의에게 의뢰해야 한다. 임상적으로 문제가 되는 빈맥이 전기생리학 검사 중에 유발이 되기만 한다면, 정확한 진단이 가능하다.

알고리즘들

넓은 QRS파 빈맥의 감별 진단에 대한 많은 알고리즘이 있다. 이 책에서는 그 중에서 흔히 사용되는 브루가다 기준과 Vereckei 기준을 소개한다. 두 알고리즘은 단계적인 질문으로 이루어져 있다. 만약 모두가 '아니오' 라면, 심실빈맥이 아닌 상심실성 빈맥일 가능성이 높은 것이다.

브루가다 기준

브루가다 기준은 1991년에 발표되었고, 넓은 QRS파 빈맥 감별진단에서 가장 많이 쓰이며, 4가지 질문으로 구성되어 있다.

1. 모든 전흉부 유도에서 RS파가 확인되는가?

전흉부 유도에서 RS파를 전혀 확인할 수 없다면, 거의 100% 심실빈맥이다.

만약 RS파가 하나의 유도에서라도 보인다면, 다음 단계로 넘어가자. 따라서, 모든 전흉부 유도를 꼼꼼히 관찰할 필요가 있다. 만약 히스-퍼킨지계를 통해 심실의 탈분극이 일부라도 이루어진다면, 전흉부 유도 하나에서라도 RS파가 관찰된다. 전흉부 유도가 정상 탈분극 방향으로 배열되어 있기 때문이다. 반면, 심실빈맥에서는 꼭 RS파를 만들어내지 않을 수 있다. 그래서, 전흉부 유도에서 RS파가 전혀 없다면, 거의 100% 심실빈맥을 의미한다. 역으로 심실빈맥의 15%에서는 RS파가 전혀 관찰되지 않는다. 지금까지 언급한 QRS파의 모양은, 단지 하나의 유도에서만이 아니라, 전흉부 유도 전체에 관한 것이다. 그리고 단지 하나의 RS파만이 관찰된다면, 이것은 심실 조기수축이나 편위전도이다.

2. RS파가 관찰된다면, R파의 시작에서 S파의 가장 낮은 곳까지의 시간을 측정하자(RS 간격). 이것이 어느 한 유도에서라도 0.1초가 넘는다면, 심실빈맥이다.

만약 모두 0.1초 이내라면, 다음 단계로 넘어가자.

RS 간격의 정의를, R파의 시작부터 S파의 끝까지 잘못 생각할 수 있지만, 정확하게는 S파의 가장 낮은 곳까지이다. 또한 여러 유도에서 측정을 해서, 가장 긴 것을 취해야 한다. 그리고, 당연하지만 RS파가 관찰되는 유도에서 RS 간격을 측정해야 한다. 간격을 측정할 때는, 눈대중으로 일단 훑어봐도 되지만, 정확한 것은 캘리퍼를 이용해야 한다.

어느 하나의 유도에서라도 RS 간격이 0.1초를 넘는다면 심실빈맥일 가능성은 98% 이다.

3. 방실해리가 있다면 심실빈맥이다.

없다면 다음 단계로 넘어가자.

방실해리가 있다면, 거의 100% 심실빈맥이다. 자세한 내용은 '32장 심실빈맥'편을 참조하자.

4. V$_{1-2}$와 V$_6$ 유도에서 심실빈맥의 특징을 찾자.

1부터 4까지의 모든 질문에 해당사항이 없다면, 상심실성 빈맥이다.

앞서 말한 4가지 기준에서 많은 것을 만족할수록 심실빈맥 진단의 정확성은 높아진다. 이해를 돕기 위해서 뒤에 나오는 '심화 학습'에 유용한 그림을 많이 사용하였다. 앞서 설명한 기준을 꼼꼼히 읽어본 후에 그림으로 정리하기를 바란다. 반복학습을 통해서 오래 기억될 수 있도록 노력하자.

브루가다 기준

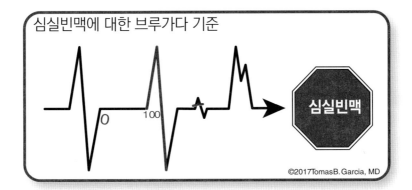

심실빈맥에 대한 브루가다 기준

심실빈맥

©2017 Tomas B. Garcia, MD

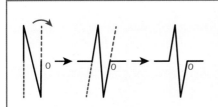

① 모든 전흉부유도에서 RS파를 전혀 관찰할 수 없다면 심실빈맥이다.

아니면, 2번 질문으로.

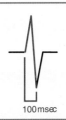

100 msec

② RS파에서 R파의 시작부터 S파의 가장 깊은 곳까지의 간격을 측정하자(RS 간격). 어느 하나의 유도에서라도 0.1초가 넘는다면 심실빈맥이다.

아니면, 3번 질문으로.

Atrio Ventricular

③ 방실해리가 관찰되면 심실빈맥이다.

아니면, 4번 질문으로.

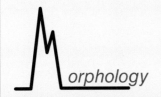

Morphology

④ V_{1-2} 와 V_6 에서 심실빈맥에 부합하는 QRS파 모양을 찾자.

없다면, 편위전도를 동반한 상심실성 빈맥이다.

Data from: Brugada P, Brugada J, Mont L, Smeets J, Andries EW. A new approach to the differential diagnosis of a regular tachycardia with a wide QRS complex. *Circulation.* 1991;83:1649-1659.

Vereckei aVR 알고리즘

Vereckei 알고리즘은 2007년에 처음 발표되었고, 좀더 간략화해서 2008년에 개정되었다. 2008년에 개정된 것은 'Vereckei aVR 알고리즘'으로 불리며, 훨씬 쉽고 임상적으로 유용하다. 브루가다 기준처럼, 4가지 질문 중 하나라도 해당사항이 있다면 심실빈맥이며, 모두 해당되지 않는다면 편위전도를 동반한 상심실성 빈맥이다. 이해를 돕기 위해 보다 간략하게 설명하고자 한다.

이 알고리즘의 단점 중 하나는 조기흥분(preexcitation)에 의한 상심실성 빈맥과 심실빈맥의 구별은 어렵다는 점이다. 하지만, 조기흥분에 의한 상심실성 빈맥은 매우 드물어서, 이런 단점이 크게 문제가 되는 경우는 없다. 이 알고리즘은 심장이 만들어내는 벡터에 기반하여 만들어 졌는데, 단지 aVR 유도 하나만 관찰해도 된다.

1. aVR에서 q파가 없이 R파로 시작되면 심실빈맥이다.

아니면 2번 질문으로.

이렇게 기억하자. 'aVR에서 큰 R파'.

어떻게 하면 aVR 유도에서 R파가 관찰될까? aVR은 aVL과 수직 평면을 기준으로 정확히 반대편에 있고, 대부분 벡터가 반대이다. 정상 동율동에서 대개 aVL은 양성이고, aVR은 음성이다. 심실빈맥에 의한 탈분극이 심실의 어느 한 점에서 시작되면, 대개 aVR 쪽으로 향하게 되고, 심전도에서 큰 R파를 만든다. 이러한 것은 심실빈맥에서 흔하게 관찰된다. 반면, 대부분의 상심실성 빈맥에서는 탈분극이 심실의 위에서 아래 방향으로 향한다. 역행성 방실회귀 빈맥에서는 심실의 아래에서 윗 방향으로 탈분극이 일어날 수도 있어서 이 기준으로는 구별이 어려울 수 있다.

2. aVR에서 QRS파의 시작이 작은 q파 이거나, R파의 넓이가 0.04초가 넘는다면, 심실빈맥이다.

아니면, 3번 질문으로.

심실빈맥에 의한 탈분극의 시작은, aVR을 기준으로

다가올 수도 있고 멀어질 수도 있다. 다가오는 방향이라면 R파로 시작할 것이고, 멀어지는 방향이라면 q파로 시작할 것이다. 심실빈맥에 의한 탈분극의 시작은 심실 근육 자체이며, 신호 전달은 세포 사이의 전도를 통해서 이루어짐을 기억하자. 따라서, R파의 간격이 넓어지는데, 기존 연구에 따르면 심실빈맥 여부를 가르는 기준은 0.04초이다. 1번과 2번 질문은 심실의 탈분극에 관한 것이다. 뒤에 나올 심화학습에 기억을 돕기 위한 그림을 첨부하였다.

3. aVR 유도에 QS파가 있고, 내려가는 파형에서 파임 (notch)이 관찰된다면 심실빈맥이다.

아니면, 4번 질문으로.

앞의 두 질문은, 심실의 아래쪽이나 첨부(apex)에서 심실빈맥이 시작되어 aVR에서 큰 R파가 생기는 경우에 대한 것이었다. 그 이외의 곳에서 심실빈맥이 시작된다면 어떻게 될까? 마찬가지로 세포 사이의 전도이기 때문에 연못에 던져진 돌에 의한 파형처럼, 심실빈맥의 탈분극도 동심원을 그리면 퍼져나가는 형태가 된다. 심실빈맥의 시작 위치에 따라, aVR에서 음성의 QS파가 관찰될 수도 있지만, 정상 전도가 아니기 때문에 느리거나, 절흔이 나타나게 된다.

4. V_t 가 V_i 보다 크다면 심실빈맥이다. 자세한 것은 심화학습에 있는 그림을 참조하자.

만약 이것까지 아니라면, 편위전도에 의한 상심실성 빈맥이다.

Vereckei aVR 알고리즘

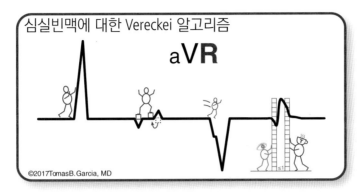

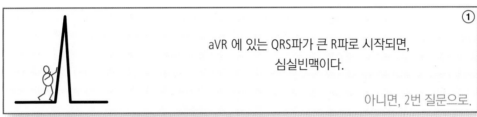

① aVR 에 있는 QRS파가 큰 R파로 시작되면,
심실빈맥이다.

아니면, 2번 질문으로.

② aVR의 QRS파가 작은 q파로 시작하거나 R파의 넓이가
0.04초가 넘는다면, 심실빈맥이다.

아니면, 3번 질문으로.

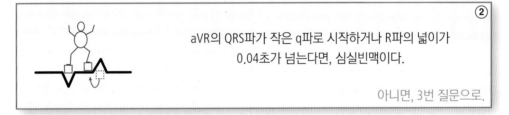

③ aVR에서 QS파이고, 내려가는 파형에서
절흔이 관찰된다면 심실빈맥이다.

아니면, 4번 질문으로.

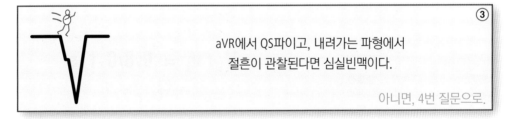

④ Vt가 Vi 보다 크다면, 즉 QRS파 종료
직전의 기울기가 시작 직후의 기울기
보다 크다면 심실빈맥이다.

모두가 아니라면, 편위전도에 의한
상심실성 빈맥이다.

Data from: Vereckei A, Duray G, Szenasi, G, Altemose GT, Miller JM. New algorithm using only lead aVR for differential diagnosis of wide QRS complex tachycardia. *Heart Rhythm*. 2008;5:89-98.

한 가지 더 심화

V_i/V_t 의 계산

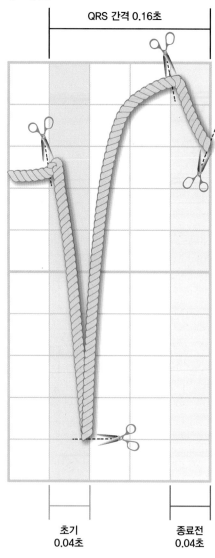

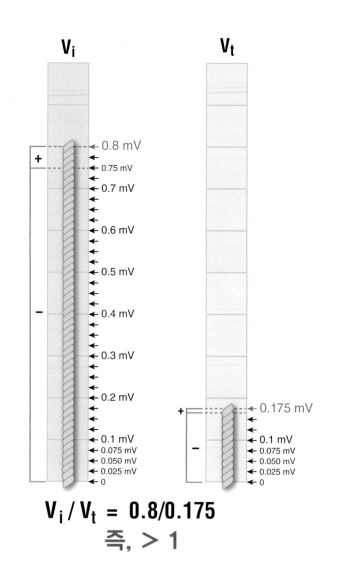

$$V_i / V_t = 0.8/0.175$$
$$즉, > 1$$

© Jones & Bartlett Learning.

QRS파를 밧줄로 생각하고, 각각 시작과 종료 0.04초 시점에서 잘라내자. 그리고, 방향에 상관없이 밧줄의 길이를 측정하자. 시작 부분을 초록색으로 종료 부분을 파란색으로 표시하였다. V_i을 계산해보자. 양성인 부분 0.05 mV에, 음성인 부분 0.75 mV를 더한, 0.8 mV이 된다. V_t 도 같은 방법으로 계산하면, 0.01 mV + 0.165 mV =

0.175 mV이다. V_i 보다 V_t 가 작으며, 따라서 $V_i/V_t > 1$이고, 상심실성 빈맥에 부합한다.

$V_i/V_t < 1$이라면, 심실빈맥을 의미한다. 즉, 큰 V_t 는 VT이다.

'심실 탈분극 속도 비(V_i/V_t)'는, aVR 유도에서 QRS파 시작 0.04초와 종료 0.04초 동안의 심실 탈분극 정도를 비율로 나타낸 것이다. 이 계산에서 음수, 양수 여부는 고려하지 않고 단지 숫자만 고려한다. V_i/V_t 값은 Vereckei aVR 알고리즘에 가장 중요한 요소이며, 심실빈맥의 감별 진단에 매우 유용하다. V_i 이나 V_t 값을 측정할 때, 단순한 직선인지 절흔이 있는 꺾인 선인지 여부는 중요하지 않으며, 단지 0.04초 동안 QRS파가 움직인 거리만을 측정한다. 상심실성 빈맥에서 심실의 초기 탈분극은 정상적인 히스-퍼킨지계를 통해 전도되기 때문에, 가파르다. 즉, V_i 가 상대적으로 크며, $V_i/V_t > 1$ 이다.

심실빈맥에서는 심실 초기 탈분극이 세포 사이의 전도를 통해 이루어지기 때문에 느리다. 즉, Vi가 작다. 탈분극의 후반부는 히스-퍼킨지계를 통해서 이루어질 수도 있으며, 전도 속도가 빠르고 가파르다. 즉, Vt가 크다. 그래서, $V_i/VT < 1$ 이 된다.

임 상 적 요 점

심실빈맥을 진단하는 마지막 알고리즘은 매우 간단명료하다.

$$\text{a big } V_t = VTach$$

Vt가 크면, VT 라고 기억하자.

Vereckei aVR 알고리즘의 장점은 단순하고, 임상적으로 쉽게 적용할 수 있다는 점이다. 특히 응급상황에서 효과를 발휘한다. 심실빈맥은 위중한 병이기 때문에, 진단에 신중을 기해야 한다.

요점 정리

- 환자가 안정적인 비응급 상황에서는 보다 철저한 진찰과 검사를 시작해야 한다.

- 환자의 혈역학 상태가 악화되지 않는지 잘 살펴보자. 치명적인 부정맥이 발생하여 응급 상황으로 악화되는 것은 한 순간이다.

- 심실빈맥 진단에 도움이 되는 병력과 진찰 소견이 있다. 관상동맥질환, 심근증, 심부전 등 기질적 심장 질환, 부정맥 과거력, 35세 이상, 돌연사 가족력.

- QRS파 모양이 이상하고 넓이가 0.14초를 넘는다면, 심실빈맥 가능성을 꼭 생각해야 한다. V₁에서 양성이면 우각차단 형태, 음성이면 좌각차단 형태로 구분한다.

- QRS파 모양이 매우 이상하고 넓이가 0.16를 넘는다면, 심실빈맥 이외의 다른 가능성(예를 들어, 고칼륨혈증, 약물 부작용, 인공심박동기 등)도 염두해 두자.

- 심실빈맥이라면 대부분 규칙적이기는 하지만, 항상 그런 것은 아니다.

- 방실해리는 심실빈맥의 모양과 규칙성에 영향을 줄 수 있다.

- R-on-T 현상은 심실빈맥 및 심실세동의 전조가 될 수 있다.

- 조셉슨 징후는 S파의 하강에서 관찰되는 절흔이며, 심실빈맥의 증거가 된다.

- 브루가다 징후는 QRS파의 시작부터 S파의 맨 아래점까지 걸리는 시간이 0.1초를 넘는 것을 말하며, 심실빈맥의 가능성을 높인다.

- 분류를 위해서, '좌각차단 형태', '우각차단 형태'라고 표현하지만, 실제 각차단이 있는 것은 아니다.

- V₁에서 QRS파가 RSR' 양상이며, 앞의 R파가 뒤의 R'파보다 크다면 심실빈맥일 가능성이 높다.

- V₆에서 S파가 R파보다 깊다면 (R/S < 1), 심실빈맥일 가능성이 높다.

- V₁₋₂에서 R파가 0.03초 이상이면 심실빈맥일 가능성이 높다. 또한, S파의 하강이 매우 느리거나, 파임(notch)이 있다면 심실빈맥을 시사한다. R파의 시작부터 S파의 가장 깊은 곳까지 0.07초가 넘는다면, 이 또한 심실빈맥일 가능성이 높다.

- V₆에 Q파가 있으면 심실빈맥일 가능성이 높다.

- 평소 심전도에서 관찰되는 심실 조기수축과 같은 모양의 QRS파를 보인다면, 심실빈맥일 가능성이 높다.

- 방실 해리는 심실빈맥의 가장 강력한 증거가 된다.

- 상심실성 빈맥에서는 방실해리가 나타나지 않는다.

- 융합이나 포획 박동은 방실해리의 간접적인 증거이다.

- 전흉부 유도에서 QRS파의 일치는 심실빈맥의 가능성을 높인다. 특히 음성 일치는 더욱 심실빈맥 가능성이 높다.

- 혈역학적 상태가 심실빈맥 판단 기준이 되어서는 안 된다.

- 이번 장에서 언급한 것 이외에도, 약물에 대한 반응 등 넓은 QRS파 빈맥 감별에 도움이 되는 내용들이 있다.

단원 복습

1. 다음 중 심실빈맥의 가능성을 높이는 병력이 아닌 것은?

   A. 관상동맥 질환 등 기질적 심질환 유무

   B. 35세 이상

   C. 심근경색증증의 가족력

   D. 심근증

   E. 심부전

2. 심근경색증증이나 기질적 심질환이 심실빈맥을 일으키는 기전은?

   A. 유발이 쉬운 부위 생성

   B. 새로운 허혈 부위 생성

   C. 일정하게 전기가 흘러갈 수 있는 회귀로가 생성

   D. 부정맥이 시작될 수 있는 흉터(scar) 부위 생성

   E. A 와 C

   F. B 와 D

3. QRS파의 넓이가 0.18초를 넘는 것은 좌각차단 형태인 경우에만 적용된다. (맞다 / 틀리다)

4. R-on-T 현상은, T파의 끝에 R파가 생성되는 것이며, 위험하지 않다. (맞다 / 틀리다)

5. 다음 중 심실빈맥에서 관찰되지 않는 것은?

   A. 조셉슨 징후

   B. 브루가다 징후

   C. 방실해리

   D. 가성 r' 파

   E. 포획박동

6. 다음 중 심실빈맥의 QRS파에 대한 설명으로 틀린 것은?

   A. 우각차단 형태의 넓은 QRS파 빈맥에서, 앞의 R파보다 뒤의 R' 파가 작다면, 심실빈맥일 가능성이 높다.

   B. V_6에서 R/S < 1 이면 심실빈맥일 가능성이 높다.

   C. 우각차단 형태에서 V_{1-2} 은 음성일 수 있다.

   D. 좌각차단 형태에서 V_6에 Q파가 있다면 심실빈맥일 가능성이 높다.

7. 좌각차단 형태에서, 심실빈맥을 시사하는 V_{1-2} 의 모양은?

   A. 초기 R파가 0.03초 이상

   B. S파가 느리게 하강하거나 절흔이 있을 때

   C. R파의 시작에서 S파의 맨 밑까지 0.07초 이상

   D. 모두 맞다.

   E. 모두 틀리다.

8. 심실 조기수축의 모양이 넓은 QRS파 빈맥과 비슷하거나 같을 수 있다. (맞다 / 틀리다)

9. 방실해리는 심실빈맥의 가장 강력한 증거이다. 다음 중 방실해리는 시사하는 소견은?

   A. 포획 박동

   B. PR 간격이 다양한 P파

   C. 융합 박동

   D. P파의 간격과 일치하는 곳에 발견되는 절흔

   E. A 와 C

   F. 모두 맞다.

10. 전흉부 유도에서 QRS파가 같은 방향 혹은 극성을 보일 때, 일치(concordance)라고 말한다. (맞다 / 틀리다)

11. 우측하방 전기축에 관한 설명으로 맞는 것은?

    A. 심실빈맥을 시사한다.

    B. 'no man's land' 라고 불린다.

    C. 비교적 흔한 전기축이다.

    D. 모두 맞다.

    E. 모두 틀리다.

12. 혈역학적 상태는 심실빈맥 진단에 사용될 수 있다. (맞다 / 틀리다)

참고 문헌

1. Stewart RB, Bardy GH, Greene HL. Wide complex tachycardia: misdiagnosis and outcome after emergent therapy. *Ann Intern Med*. 1986;104:766-771.

2. Steinman RT, Herrera C, Schuger CD, Lehmann MH. Wide QRS tachycardia in the conscious adult. Ventricular tachycardia is the most frequent cause. *JAMA*. 1989;261:1013-1016.

3. Baerman JM, Morady F, DiCarlo LA Jr, de Buitleir M. Differentiation of ventricular tachycardia from supraventricular tachycardia with aberration: value of the clinical history. *Ann Emerg Med*. 1987;16:40-43.

4. Tchou P, Young P, Mahmud R, Denker S, Jazayeri M, Akhtar M. Useful clinical criteria for the diagnosis of ventricular tachycardia. *Am J Med*. 1988;84:53-56.

5. Kindwall E, Brown J, Josephson ME. Electrocardiographic criteria for ventricular tachycardia in wide QRS complex left bundle-branch block morphology tachycardia. *Am J Cardiol*. 1988;61:1279-1283.

6. Garner JB, Miller JM. Wide complex tachycardia—ventricular tachycardia or not ventricular tachycardia, that remains the question. *Arrhythm Electrophysiol Rev*. 2013;2(1):23-29.

7. CredibleMeds website. www.crediblemeds.org. Accessed August 19, 2018.

8. Page RL, Joglar JA, Caldwell MA, et al. 2015 ACC/AHA/HRS guideline for the management of adult patients with supraventricular tachycardia: a report of the American College of Cardiology/American Heart Association Task Force on Clinical Practice Guidelines and the Heart Rhythm Society. *Circulation*. 2016;133:e506-e574.

9. Brugada P, Brugada J, Mont L, Smeets J, Andries EW. A new approach to the differential diagnosis of a regular tachycardia with a wide QRS complex. *Circulation*. 1991;83(5):1649-1659.

10. Vereckei A, Duray G, Szénasi G, Altemose GT, Miller JM. New algorithm using only lead aVR for differential diagnosis of wide QRS complex tachycardia. *Heart Rhythm*. 2008;5(1):89-98.

제 37 장

넓은 QRS파 빈맥

목표

1. 환자와 심전도를 평가할 때, 가능한 모든 감별 진단을 고려한다.
2. 넓은 QRS파 빈맥을 평가할 때 확인할 사항들을 나열한다.
3. 이 장에서 제시되는 다양한 환자들에 대한 임상적 평가를 하고, 최종 진단한다.
4. 제시되는 심전도에 맞춰서 환자를 평가하고 치료 계획을 수립한다.

들어가며

지난 34-36장에서 넓은 QRS파 빈맥의 진단과 치료에 대해 알아보았다. 이 장에서는 증례를 통해 넓은 QRS파 빈맥의 체계적인 접근법에 대해 알아보려고 한다. 부정맥 전반에 대한 일반적인 접근법은 40장에서 다룰 예정이다. 아무래도 복습하는 내용이 많기 때문에 익숙하다고 생각한다면 소개 부분은 건너뛰고, 바로 증례부터 시작해도 괜찮을 것 같다.

이 '최종 정리' 부분을 만든 이유는 무엇일까? '넓은 QRS파 빈맥' 여부를 알아내는 것은 간단하다. QRS파의 넓이가 0.12초 이상이며, QRS파가 100회/분 이상으로 빠르기만 하면 된다. 넓은 QRS파 빈맥은 치명적일 수도 있지만, 잘못 진단되고 치료되는 경우도 흔하다. 환자를 진료할 때에는 이러한 점에 각별히 유의해야 한다. 임상 상황에 따른 진단과 치료가 이루어져야 함을 기억하자. 응급 상황에서는 지체 없이 최악의 상황을 염두에 둔 치료가 필요하고, 응급 상황이 아니라면, 보다 자세한 검사와 점검을 통해서 정확한 감별진단에 중점을 두도록 한다.

증례 토의

수년 간의 경험으로 볼 때, 이 '증례 토의'는 일차 진료 의사들에게 아주 유용하다. 앞서 우리는 병력 청취, 과거력, 약물 복용력, 신체 검진, 심전도 판독, 검사 결과 확인 등이 진단에 얼마나 중요한 지에 대해서 살펴보았다. 현재 환자 상태에 맞는 가능한 모든 진단을 살펴볼 필요가 있다. 생각하지 않으면 진단할 수 없고, 진단하지 않으면 치료할 수 없다. 한 가지를 명심하자.

'심전도만으로 판단해서는 안 되고, 전반적인 임상 상황을 반드시 고려하자!'

심장과 부정맥에 관한 유용한 정보를 담은 증례를 제시하려고 노력하였다. 주어진 임상 상황을 잘 이해하고 증례에 접근한다면, 훨씬 더 유용할 것이다. 환자에 관한 초기 정보를 수집하고, 일차적인 감별진단을 수립했다면, 다음으로 필요한 일은 환자가 얼마나 응급한 지를 판단하는 것이다. 응급 여부에 맞춰 다음 진단 및 치료계획이 수립되어야 한다. 혈역학적으로 불안정한 상태라면, 보다 적극적으로 치료에 나설 필요가 있다. 마지막으로, 의학에 대한 나의 가장 중요한 신념을 소개하고 싶다. '당신의 직관을 무시하지 마라'. 직관, 느낌, 끌림……무엇이라고 부르든지 상관없다. 논리적으로 설명하기는 쉽지 않지만, 진료 현장에서 느끼는 것이 있다. 이러한 것도 환자 진료에 도움이 될 때가 있다.

목록

의대 학생 시절, 나는 병력 청취를 할 때 개방형 질문을 사용하였다. 전통적으로 이런 방법은, 환자들이 자신의 이야기를 보다 쉽게 하는데 도움이 된다. 하지만, 개방형 질문은 환자가 생각하기에 중요한 정보를 많이 말하게 되어, 실제 임상에서 중요한 정보를 놓치게 될 수도 있다. 이후에 나는 경험이 많은 선생님들이 체계적인 질문을 통해서 환자들에게 중요한 정보를 얻어내는 것을 보았다. 즉, 묻지 않으면 답을 얻을 수 없는 것이다. 환자들은 질문을 받은 것에만 대답하려는 경향이 있다. 정보가 부족하면 얻게 되는 것도 적다. 환자들에게 중요한 정보만을 얻어내기 위해 적절한 질문을 던져야 한다. 병력 청취의 시작은 개방형 질문으로 하되, 환자가 중요하지 않은 내용들을 말하기 시작한다면 적절하게 제지하고, 핵심으로 잘 유도해야 한다. 처음 보는 환자에게 적절한 질문을 하는 것도 쉽지 않은 일이다. 내가 병력 청취에 사용할 '확인 목록'을 만들어본 적도 있다. 이 목록은 일반적인 질문으로 시작했다. 답변에 따라서, 하위 질문으로 옮겨가는 식이었다. 이러한 확인 목록은 환자의 과거력을 알아내는데 도움이 되었고, 답변을 따라가다 보면 가능한 진단 목록에 접근하는 방식이었다. 넓은 QRS파 빈맥 환자에 대한 '확인 목록'을 **그림 37-1**에 제시하였다. 이 목록에 익숙해지면, 굳이 보지 않고서도 질문할 수 있게 될 것이고, 자신에게 맞는 더 적절한 목록을 만들 수 있게 될 것

저자 노트

다음의 임상 상황들은 특정한 목적을 두고 선택된 것이다. 어느 부정맥이 문제를 일으키는 주된 문제일 수도 있고, 또 어떤 경우에는 단지 합병증의 결과일 수도 있다. 중요한 것은 병력 청취와 신체 검진에서 많은 정보를 얻어내야 한다는 점이다. 어떤 경우에는 당신이 생각하는 것보다 어려울 수도 있지만, 차분하게 논리적으로 따라가다 보면, 정답을 유추해낼 수 있을 것이다. 이 과정이 필요없다고 생각하면, 넘어가도 괜찮지만, 한 번 시도해보길 권한다.

넓은 QRS파 빈맥 확인 목록

병력: ☐ 심근경색증증 과거력   ☐ 돌연 심장사 가족력
☐ 허혈성 혹은 기질적 심질환   ☐ 심근병증
☐ 부정맥 과거력   ☐ 심부전
☐ 35세 이상

혈역학적 상태: ☐ 불안정   ☐ 안정

QRS파 넓이: _____ sec

심박수: _____회/분   **심방:** _____회/분   **심실:** _____회/분

규칙성: ☐ 규칙적   ☐ 일부 규칙적   ☐ 완전히 불규칙

QRS파 모양: 우각차단 형태 V₁: ☐ rSR' ☐ RSr' ☐ qR ☐ 단형 R
우각차단 형태 V₆: ☐ R/S < 1
좌각차단 형태 V₁: ☐ 초기 R 0.03초 ☐ S파에 파임 ☐ R 시작부터 S파 맨 밑까지 〉 0.07
좌각차단 형태 V₆: ☐ Q 파
평소 관찰되는 심실 조기수축 모양: ☐ 같다 ☐ 다르다

방실해리: ☐ 있음   ☐ 없음   ☐ 포획박동   ☐ 융합박동

전흉부 유도에서 QRS파 일치: ☐ 있음 ☐ 없음

전기축 : ☐↑∣↑정상   ☐↑∣↓좌측 상방   ☐↓∣↑우측 하방   ☐↓∣↓우측 상방

브루가다 알고리즘

☐ 모든 전흉부 유도에서 RS파가 전혀 없다면, 심실빈맥이다.

☐ R파의 시작에서 S파의 맨 밑까지 0.1초가 넘는 유도가 하나라도 있다면, 심실빈맥이다.

☐ 방실해리가 있다면 심실빈맥이다.

☐ V₁₋₂ 와 V₆ 유도에서 앞서 언급한 심실빈맥 모양인지 살펴본다.

⬇ 아니오

☐ 모두 아니라면, 편위전도를 동반한 상심실성 빈맥이다.

Vereckei aVR 알고리즘

☐ 큰 R파로 시작하면, 심실빈맥이다.

☐ 작은 q파 혹은 0.04초가 넘는 넓은 r파로 시작하면, 심실빈맥이다.

☐ QS파 양상이며, 하강파에 절흔이 있으면 심실빈맥이다.

☐ Vₜ 가 크면 심실빈맥이다.

⬇ 아니오

☐ 편위전도를 동반한 상심실성 빈맥이다.

☐ 심실빈맥일 가능성이 높다.   ☐ 상심실성 빈맥일 가능성이 높다.

그림 37-1. 넓은 QRS파 빈맥 관련 확인 목록

Data from: Brugada P, Brugada J, Mont L, Smeets J, Andries EW. A new approach to the differential diagnosis of a regular tachycardia with a wide QRS complex. *Circulation.* 1991;83(5):1649-1659; and Vereckei A, Duray G, Szénási G, Altemose GT, Miller JM. New algorithm using only lead aVR for differential diagnosis of wide QRS complex tachycardia. *Heart Rhythm.* 2008;5(1):89-98.

이다. 이 목록은 진단 알고리즘이나 진료 세부 사항에 대한 것은 아니고, 진단 과정에만 집중되어 있다. 어느 지점에서 막히게 된다면 뒤로 다시 돌아가거나 그냥 넘어가자.

여기에 제시한 임상 상황들은 특정한 목적을 위해 만들어졌다. 부정맥이 임상적으로 가장 문제가 되는 원인일 수도 있고, 단지 다른 문제의 현상일 수도 있다. 다소 어려운 개념이 나올 수도 있지만, 흐름에 맞춰 따라가다 보면, 실력이 늘고 있음을 확인할 수 있을 것이다. 한 번 시도해보길 권한다.

증례 1

주소)

3-4일전부터 시작된 가래를 동반한 기침

현 병력)

38세 여자가 내원하였다. 2주전 감기 증상이 있었고, 10살 된 아들이 비슷한 시기에 같은 증상이 있었다. 해열제를 복용하였고, 5일 뒤 회복되었다. 내원 3-4일전, 누런 가래를 동반한 기침이 발생하였고, 호흡곤란, 숨을 들이쉴 때 흉통, 발열 및 오한, 두통이 있었다.

심장 관련 위험인자
- 흡연 + (하루 반 갑, 20년)
- 고혈압 –
- 이상지혈증 –
- 당뇨 –
- 관상동맥 가족력 –

사회력
- 흡연 +
- 음주 + (주말에 자주 마심)

과거력
- 어릴 적 천식. 다른 병력은 부인. 이전 심전도 없음

가족력
- 관상동맥질환, 돌연사 가족력 없음

약물
- 경구 피임약

알레르기
- 없음

계통적 문진
- 쉽게 피곤함.

그 외 다른 증상은 부인하였음.

신체 검진

외양:
- 호흡이 다소 불편해 보였으나, 호흡 보조근까지 이용하지는 않음. 빈호흡을 보임. 창백하거나 청색증을 보이지는 않았음.

혈압:
- 118/68 mmHg

심박수:
- 150회/분. 규칙적이며, 양쪽 팔다리에서 대칭적임.

산소포화도:
- 92%

폐:
- 호흡 시에 폐는 대칭적이었으나, 오른쪽 밑에 통증이 있었다. 압통은 없었다. 호흡음은 증가되어 있었다.

심장:
- 청색증, 곤봉지는 없었다. 내경정맥도 정상이었다. 심잡음은 들리지 않았다.

병력 청취와 신체 검진을 통한 일차 소견

환자가 주로 호소하는 증상은 2주에 걸친 폐렴을 시사한다. 세균의 중복감염에 의해 폐렴이 악화되어 병원을 내원한 것으로 보인다. 심장과 직접 관련된 병력은 없었지만,

150회/분으로 빈맥이 심하다면 심장과의 연관성을 생각해야한다. 젊고 건강했던 환자, 특히 어린이라면 심박수가 빠른 것에 잘 견딜 수도 있다. 이런 경우라도 일정 한계치를 넘으면 상황은 금방 악화될 수 있다. 절벽위를 걷는 심정으로 매우 조심해야 한다. 폐렴에 관한 문제는 잠시 뒤로 미루고, 심박수에 관해서 살펴보자. 우선 12 유도 심전도가 필수이지만, 환자의 기본 정보와 심박수만 가지고도 어느 정도 추정을 해볼 수도 있다. '150회/분'은 심방조동에서 2:1 방실전도를 보일 때 나타날 수 있는 숫자이다. 지금까지의 정보를 정리하면, 폐렴이 의심되는 젊은 여성이 150회/분의 빈맥을 보인다. '20장 심방세동' 편에서 살펴보았듯이, 심방세동 혹은 심방조동이 새롭게 발견되었을 경우, 다음과 같은 원인 질환을 감별해야 한다.

MAD RAT PPP

M = Myocardial infarction

A = Atherosclerotic heart disease

D = Drugs (especially digoxin)

R = Rheumatic heart disease

A = Alcoholic holiday heart syndrome

T = Thyrotoxicosis

P = Pulmonary embolus

P = Pericarditis

P = Pneumonia

환자의 병력을 감안하면, 음주, 심낭염(pericarditis), 폐렴(pneumonia)의 가능성이 남는다. 환자는 주말에 음주를 한다고 하였다. 심낭염의 직접 증거는 없었지만, 폐렴의 합병증으로 발생할 수도 있다. 폐렴에 의한 염증이 심낭을 직접 침범할 수도 있고, 패혈증에 의해 심근이 손상 받을 수도 있다.

심전도

심박수가 150회/분이며, QRS파의 넓이는 0.14초인 넓은 QRS파 빈맥이다(**그림 37-2**). 환자의 혈압은 유지되고 있는 것으로 보이지만, 심박수가 너무 빠르다.

넓은 QRS파 빈맥이므로, 일반적으로 80% 정도는 심실빈맥일 가능성이 있다. 만약 혈압이 유지되지 않는다면, 진단에 더 시간을 쓸 여유가 없다. 심실빈맥이라고 생각하고 전기적 동율동 전환술을 시행해야 한다. 하지만, 환자 상태가 비교적 안정적이므로 좀더 정확한 진단을 고민할 필요가 있다. 평소에 건강하던 젊은 여성 폐렴 환자라는 임상 정보를 감안하면, 심실빈맥보다는 상심실성 빈맥일 가능성이 있

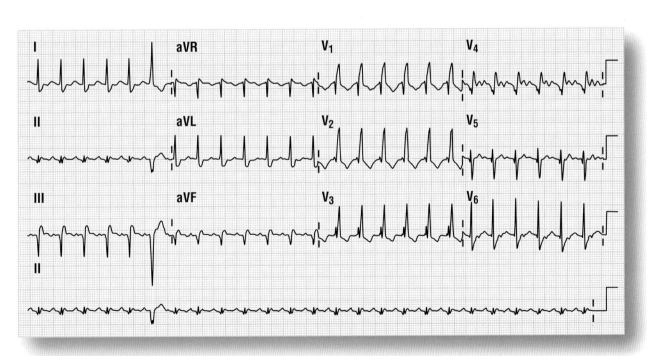

그림 37-2. 증례 1 환자의 심전도

From *Arrhythmia Recognition: The Art of Interpretation*, Second Edition, courtesy of Tomas B. Garcia, MD.

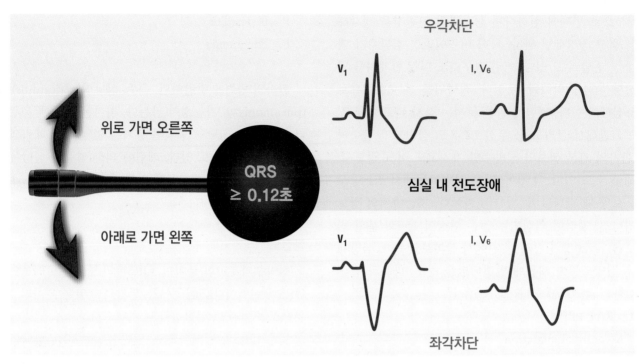

우각차단

V₁   I, V₆

QRS
≥ 0.12초

심실 내 전도장애

V₁   I, V₆

좌각차단

그림 37-3. 넓은 QRS파는, 좌각차단, 우각차단, 심실 내 전도 장애로 나눠 생각할 수 있다.

다. 거기에 심박수 150회/분을 감안하면, 심방조동을 가능성이 더 높아진다. 정확한 진단을 바탕으로 치료를 한다면, 당연히 합병증 발생 가능성이 줄어들 것이다. V_1 유도에서 QRS파는 양성이다. 즉, 우각차단 또는 우각차단 형태이다 (**그림 37-3**). 이 두 가지의 구분법에 대해서 앞선 장에서 많이 소개했다. 우각차단은 V_6에서 뭉툭한 S파를 보인다. 반면, 우각차단 형태에서는 V_1에서 양성인 점은 같지만 앞 부분 R파가 크며 (RSr'), V_6 유도에서 S파가 R파보다 깊다(R/S < 1).

'36장 넓은 QRS파 빈맥'에서 배웠던 진단기준을 떠올려보자. 기억이 나지 않는다면 확인 목록을 다시 살펴보자. 이것을 실제 진료에 적절하게 이용할 수 있어야 한다. 이번 증례를 적용해보자(**그림 37-4**).

확인 목록 중 병력 부분을 확인해보면, '35세 이상' 인 점을 제외하면 모두 상심실성 빈맥을 시사한다. 상심실성 빈맥이든 심실빈맥이든 혈역학적으로 안정될 수도 있고 불안정할 수도 있다. 일반적으로는 혈역학적으로 불안정하면 심실빈맥일 가능성이 상대적으로 높기는 하다.

심박수는 150회/분이다. QRS파 앞에 뚜렷한 P파가 관찰된다(**그림 37-5**). 캘리퍼로 P파 사이의 간격을 측정하면, 굵은 선을 기준으로 2칸, 즉 150회/분에 해당함을 알 수 있다. QRS파 바로 앞에서 관찰되는 P파의 중간 지점을 살펴보면, 또 다른 P파가 숨어있는 것이 보인다. 중간에 숨어있는 P파는 QRS파를 만들어내지 않는다. 방실 차단은 아니고, 2:1 방실전도이며 심방조동에서 가장 흔한 형태이다.

리듬을 잘 관찰할 수 있는 유도인 II를 살펴보자. QRS파 앞에 관찰되는 뚜렷한 P 혹은 F파에 파란색 화살표로 표시하자(**그림 37-6**). 그리고, 그 P파의 중간 지점인 QRS파형의 직후를 유심히 살펴보자. 또 다른 P파가 관찰되며, 빨간색 화살표로 표시하자. 캘리퍼로 화살표 사이의 간격을 측정해보면, 모두 같음을 알 수 있다. 이것이 2:1 방실 전도를 동반한 심방조동의 심전도이다. QRS파를 제외하고 보면 원래선이 일정한 양상을 가지고 반복되는 심방조동임을 확인할 수 있다. 어느 정도 정확한 진단에 이르렀지만, 좀더 확인해보자.

넓은 QRS파 빈맥 확인 목록

병력:
- ☐ 심근경색증 과거력
- ☐ 허혈성 혹은 기질적 심질환
- ☐ 부정맥 과거력
- ☑ 35세 이상
- ☐ 돌연 심장사 가족력
- ☐ 심근병증
- ☐ 심부전

혈역학적 상태: ☐ 불안정　　　　　☑ 안정

QRS파 넓이: ___0.14___ sec

심박수: ___150___ 회/분　**심방:** ___300___ 회/분　**심실:** ___150___ 회/분

규칙성: ☑ 규칙적　　☐ 일부 규칙적　　☐ 완전히 불규칙

QRS파 모양:
우각차단 형태 V_1: ☑ rSR' ☐ RSr' ☐ qR ☐ 단형 R
우각차단 형태 V_6: ☐ R/S < 1
좌각차단 형태 V_1: ☐ 초기 R 0.03초 ☐ S파에 파임 ☐ R 시작부터 S파 맨 밑까지 > 0.07
좌각차단 형태 V_6: ☐ Q 파
평소 관찰되는 심실 조기수축 모양: ☐ 같다 ☐ 다르다

방실해리: ☐ 있음　　☑ 없음　　☐ 포획박동　　☐ 융합박동

전흉부 유도에서 QRS파 일치: ☐ 있음　☑ 없음

전기축 : 　☐ ↑∣ ↑정상　　☑ ↑∣ ↓좌측 상방　　☐ ↓∣ ↑우측 하방　　☐ ↓∣ ↓우측 상방

브루가다 알고리즘

- ☐ 모든 전흉부 유도에서 RS파가 전혀 없다면, 심실빈맥이다.
- ☐ R파의 시작에서 S파의 맨 밑까지 0.1초가 넘는 유도가 하나라도 있다면, 심실빈맥이다.
- ☐ 방실해리가 있다면 심실빈맥이다.
- ☐ V_{1-2} 와 V_6 유도에서 앞서 언급한 심실빈맥 모양인지 살펴본다.

 아니오

- ☑ 모두 아니라면, 편위전도를 동반한 상심실성 빈맥이다.

Vereckei aVR 알고리즘

- ☐ 큰 R파로 시작하면, 심실빈맥이다.
- ☐ 작은 q파 혹은 0.04초가 넘는 넓은 r파로 시작하면, 심실빈맥이다.
- ☐ QS파 양상이며, 하강파에 절흔이 있으면 심실빈맥이다.
- ☐ V_t 가 크면 심실빈맥이다.

 아니오

- ☑ 모두 아니라면, 편위전도를 동반한 상심실성 빈맥이다.

☐ 심실빈맥일 가능성이 높다　　☑ 상심실성 빈맥일 가능성이 높다

그림 37-4. 증례 1 환자의 확인 목록

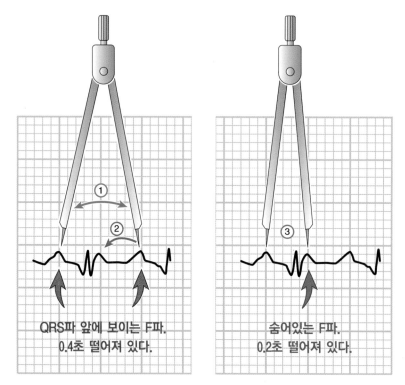

그림 37-5. 숨어있는 P파 OR F파 찾기

© Jones & Bartlett Learning.

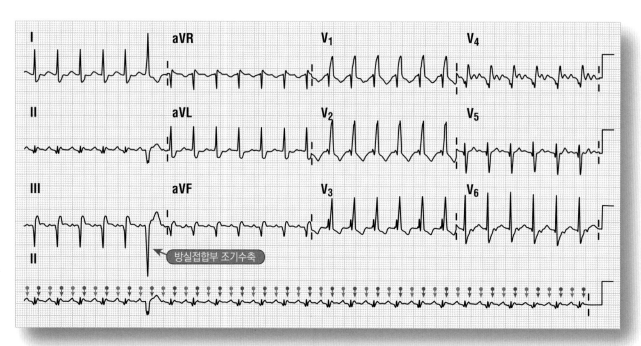

그림 37-6. 증례 1 환자의 심전도 분석.

From *Arrhythmia Recognition: The Art of Interpretation*, Second Edition, courtesy of Tomas B. Garcia, MD.

임 상 적 요 점

숨어있는 F파를 빨리 찾는 연습을 해보자.

유도 II 가 유용하다. QRS파 직후에 S파와 섞여있는 F파를 관찰할 수 있다. 다른 파와 섞여있지만, F파끼리는 모양이 너무 같아서 다른 파형과 구별이 가능할 것이다

규칙성의 관점에서 보면, 심방과 심실은 모두 매우 규칙적이다. 심실 조기수축에 의해서 심실의 규칙성이 한 번 깨어지기는 했지만(**그림 37-6**), F파에 영향을 주지는 않았다.

QRS파의 모양을 보면, 전형적인 우각차단의 모양이다. V$_1$ 유도에서 앞의 r파가 작고 뒤의 R' 파가 크다. 이미 우각차단이 있던 환자이거나, 심박수가 빨라지면서 발생한 편위 전도일 수도 있다. 반면, 심실빈맥의 경우에서는 심실 근육 어딘가에서 탈분극이 시작되어 세포 사이의 전도를 통해서 심실 전체로 전도되어 나가며, 심전도에서 '우각차단의 형태'로 나타난다.

이 심전도에서는 방실해리, 전흉부 유도에서 QRS파 일치의 소견은 없다. 이러한 점도 상심실성 빈맥을 시사한다. QRS파가 유도 I 에서 양성, 유도 aVF 에서 음성으로, 전기 축이 좌측 상방이다.

알고리즘으로 돌아가서, 브루가다 혹은 Vereckei 알고리즘에 맞는 기준이 하나도 없다. 즉, 상심실성 빈맥에 부합한다.

확인 목록을 입력하는 것보다 질문에 대한 답변을 읽는 것이 훨씬 시간이 많이 걸린다. 이 확인 목록에 익숙해지면, 정확한 심전도 진단을 하기까지 점차 빨라질 것이다.

흉부 X 선: 약간의 흉수를 동반한 우중엽 폐렴

최종 진단

앞선 내용을 종합하면, 2주전 감기 증상이 있었던 38세 여자가 최근 폐렴으로 악화되어 내원하였다. 분당 150회의 넓은 QRS파 빈맥을 보였고, 심전도에서 2:1 방실 전도를 동반한 심방조동으로 확인되었다.

증례 2

주소

30분 전부터 시작된 흉부 불편감

현 병력

58세 남자가 집에서 쉬던 중 갑작스런 흉부 불편감이 발생하였다. 증상은 목과 왼쪽 팔로 뻗치는 양상이었고 내원 30분 전부터 지속되었다. 빠르고 규칙적인 두근거림, 어지럼증, 호흡곤란이 동반되었다. 흉통 수분 전에 두근거림이 시작되었다고 하였다. 니트로글리세린을 5분 간격으로 3번 투여하였으나 효과가 없었다. 매우 불안해보였고, 죽을 것 같다고 표현하였다.

심장 관련 위험인자

■ 흡연 + (35 갑년, 5년 전 끊음)
■ 고혈압 +
■ 이상지혈증 +
■ 당뇨 −
■ 관상동맥 가족력 −
  (참고: 부모, 형제, 자녀 중 남성 55세 이하, 여성 65세 이하에서 관상동맥 질환이 있는 경우)

사회력

■ 흡연 +
■ 음주 + (하루 맥주 3-4잔)

과거력

■ 5년 전 심근경색증증 앓았으며, 당시 통증과 지금이 비슷함. 그 당시에는 두근거림 없었음. 25세 이후로 고혈압으로 투약 중. 콜레스테롤이 높다고 들었으나 수치는 기억 못함.

가족력

■ 아버지 60세, 삼촌 65세에 심근경색증증으로 사망.

약물

■ 항고혈압제, 아스피린.
■ 알레르기
■ 페니실린(부종, 가려움증)

- 계통적 문진
- 특이 소견 없음

신체 검진

외양:

- 불안해보이고 호흡이 가빠보이나, 호흡 보조근을 사용하지는 않음.

혈압:

- 110/64 mmHg

심박수:

- 138회/분. 불규칙, 촉지되는 맥박은 대칭적이나 약함.

호흡수:

- 24회/분.

산소 포화도:

- 94%.

폐:

- 약한 수포음

심장:

- 청색증, 창백 없음. 내경정맥압이 14 cmH$_2$O 로 다소 상승됨. 간혹 cannon A 파가 관찰됨. 사지 동맥은 대칭적임. 진전 및 심잡음 없음.

신경계:

- 특이소견 없음.

사지:

- 양쪽 하지에 약간의 부종 이외에 특이소견 없음.

병력 청취와 신체 검진을 통한 일차 소견

이 증례는 전형적인 급성 심근경색증증이라고 생각할 지 모른다. 하지만, 환자를 볼 때 반드시 염두에 두어야 할 것은, 마치 똑같은 지문이 없듯이 완전히 똑같은 증례도 없다는 점이다.

환자는 30분 전부터 시작된 흉통을 주소로 내원하였다. 이것은 심근 경색증에 아주 잘 부합하는 소견이다. 뿐만 아니라 환자는 예전에 경험했던 심근 경색증 때와 비슷한 통증이라고 말하였다. 이번에 다른 것은, 빠르고 규칙적인 두근거림과 어지럼증이 흉통 발생 수분 전부터 시작되었다는 점이다. 환자가 호소하는 증상은 모두 잘 귀담아 들어야 한다. 환자가 호소하는 규칙적인 두근거림은 빈맥이 생겼을 가능성을 시사한다. 그리고 환자는 두근거림과 함께 어지럼증이 동반되었다고 하였다. 저혈압 등으로 뇌에 혈류 공급이 충분하지 않으면, 어지럼증이 일어날 수 있다. 저혈압은 심근 허혈, 약물, 부교감 항진, 부정맥 등이 원인이 된다. 정확한 원인이 무엇인지 알아야 적절한 치료가 가능하다. 또한, 환자는 증상의 시작이 흉부 불편감이 아니라 두근거림이라고 말했다. 이것은 심근 허혈보다 부정맥이 앞선 원인일 가능성을 시사하며 위험한 신호이다. 환자 본인이 '죽을 것 같다'고 표현한 것에 주목하자. 의사가 환자에게 가장 듣지 않았으면 하는 말이지만, 절대 무시해서는 안된다.

임 상 적 　요 점

환자가 죽을 것 같다고 말하면, 정말 그럴 수 있다!

어지럼증에 대해서 다시 생각해보자. 환자의 혈압은 110/64 mmHg 으로 그다지 낮지 않았다. 내원하기 전에 복용한 니트로글리세린 때문에 낮아졌을 수도 있다. 이 정도의 혈압으로 어지럼증이 생길 가능성은 낮기 때문에, 다른 가능성을 고려해야 한다. 환자는 25세 이후로 고혈압을 앓고 있었다. 환자의 평소 혈압이 높았다면, 110/64 mmHg 은 상대적인 저혈압일 수도 있다. 고혈압을 오래 앓게 되면, 혈관 벽이 두꺼워진다. 혈관 벽이 두꺼워질수록 저항이 커지고 탄성이 떨어진다. 이러한 상태를 '상대적인 저혈압'이라고 말한다.

급성 심근경색증증 환자는 통증을 호소하지만, 움직임이 적다. 움직이면 통증이 더 심해지기 때문이다. 가슴을 움켜쥐고 가만히 앉아있다. 하지만, 이 증례의 환자는 어떤가? 침대에서 내려오려고 하는 등 매우 불안한 모습을 보였다. 일반적인 심근경색증증 환자와는 다른 양상이다.

상대적인 저혈압은 부정맥과 관련이 있을 수 있다. 신체 검진에서 cannon A 파가 내경정맥에서 관찰되었다. 이것을 정확하게 관찰하기 위해서는, 환자를 45도로 비스듬히 눕히고, 고개를 들게 한다. 그 다음 내경정맥에 피가 차오르는 것을 관찰한다(YouTube 동영상을 검색해봐도 좋겠다).

일반적으로 심박동에 따라 오르고 내림을 반복하는데,

cannon A 파는 갑작스런 상승을 말하며, 삼첨판막이 닫힌 상태에서 심방이 수축할 때 피가 역류되어 나타나는 현상이다. 즉, cannon A 파가 관찰된다는 것은 심방과 심실의 조화가 이루어지지 않는다는 의미이며, 방실 해리의 간접적인 증거가 된다. 환자가 빈맥이었음을 감안하면, 심실빈맥일 가능성이 높아지는 것이다.

심전도

심전도는 136회/분의 넓은 QRS파 빈맥이다(**그림 37-7**). 빠를 때는 143회/분도 관찰된다. 융합박동, 포획박동, QRS파와 상관없는 P파가 관찰된다 (P파의 속도는 94회/분). 모두 방실 해리의 소견이다. P파는 정상 축을 보여, 동율동으로 생각된다.

QRS파의 간격은 017-0.18초이며, V₁ 유도에서 양성인 '우각차단의 형태'이다. 확인 목록을 살펴보자(**그림 37-9**). 이미 주어진 정보만으로도 충분할 것이다.

앞서 말했듯이 QRS파의 모양은 우각차단의 형태이다.

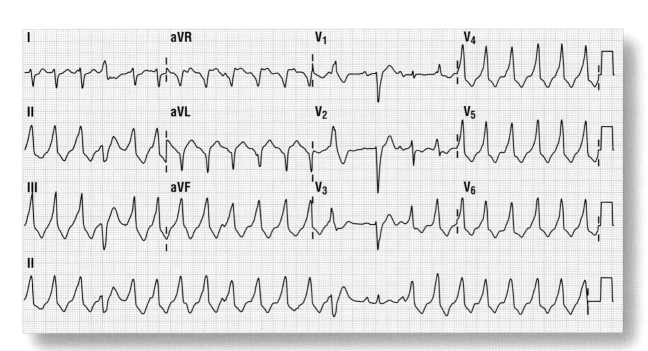

그림 37-7. 증례 2 환자의 심전도

From *Arrhythmia Recognition: The Art of Interpretation*, Second Edition, courtesy of Tomas B. Garcia, MD.

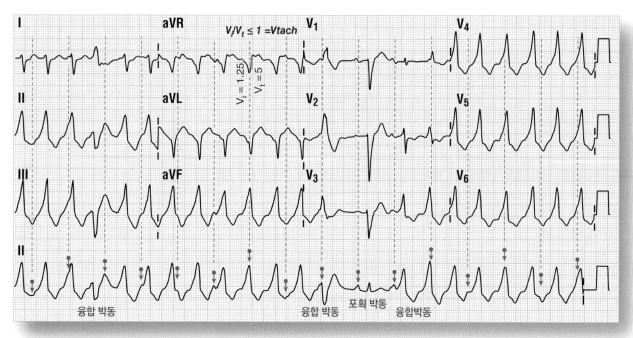

그림 37-8. 증례 2 환자의 심전도.

From *Arrhythmia Recognition: The Art of Interpretation*, Second Edition, courtesy of Tomas B. Garcia, MD.

V_1 유도를 보면, QRS파가 단형이다. 작은 R파가 관찰되는 rSR' 의 모양으로 보일 수도 있지만, 작은 R파는 자세히 보면 P파이다! 파란색 선으로 표시된 곳을 유심히 보면, 일정한 간격으로 관찰되는 P파를 관찰할 수 있다. 또한, 전흉부 유도에서 양성 일치를 보이는데, 심실빈맥에 부합하는 소견이다. 일치 여부를 확인할 때에는, 융합 혹은 포획 박동이 아닌 QRS파를 이용해야 한다. 우각차단 형태이며 전기축은 우측 편위인데, 심실빈맥의 발생 부위를 찾는데 필요하지만, 이것은 너무 전문적이므로 더 언급하지는 않을 것이다.

　RS파가 없이 양성 일치를 보이며, 방실 해리가 있는 것은 브루가다 알고리즘에 맞춰보면 심실빈맥에 합당한 소견이다. Vereckei aVR 알고리즘을 적용해도, 하강파의 절흔, Vi/V_t < 1 으로 심실빈맥에 부합한다.

흉부 X 선: 심장 음영이 다소 부은 것 이외에 특이소견 없음.

최종 진단

　환자의 심전도는 넓은 QRS파 빈맥이다. 니트로글리세린 투여에도 불구하고 흉부 불편감이 지속되고 있다. 이러한 정황만으로도 심실빈맥일 가능성을 가장 먼저 떠올려야 한다. 병력 청취, 신체 검진, 확인 목록 점검을 통해서, 심실

빈맥일 가능성이 더욱 굳어졌다. 심박수가 아주 높지 않고, 저명한 저혈압은 아니지만, 어지럼증 등 혈역학적으로 불안정한 상태임에 유의하자. 빈맥 자체가 문제이기도 하지만, 심실빈맥으로 방실 조화가 되지 않고, 심실 내 동조화도 효과적이지가 않아서 심박출량이 적어지기 때문이다. 따라서, 더 이상의 악화를 막기 위해 전기적 동율동 전환술 등 응급 치료가 즉각 시행되어야 한다. 심실빈맥의 원인이 급성 심근경색증증의 가능성도 염두에 두어야 하지만, 증상으로 미뤄보아 심실빈맥만 있을 가능성도 있으므로, 관상동맥 조영술 여부는 신중하게 결정해야 한다. 만약, 정상 동율동으로 회복되었음에도 불구하고 증상이 지속된다면 순환기내과 전문의에게 급히 의뢰를 해야 한다.

　어지럼증의 원인이라고 생각되는 상대적인 저혈압은 심장 리듬이 정상으로 회복된 이후에 재평가해야 한다. 심실빈맥을 교정하고 충분한 수액을 주는 것이 환자를 안정시킬 수 있다. 이러한 조치로도 환자의 어지럼증이 호전되지 않는다면, 뇌졸중 여부를 확인하기 위해 전산화 단층 촬영이 필요할 수 있다. 전문적인 치료를 위해서 순환기내과나 신경과에 급히 의뢰해야 한다.

넓은 QRS파 빈맥 확인 목록

병력: ☑ 심근경색증 과거력   ☐ 돌연 심장사 가족력
　　　　　　☑ 허혈성 혹은 기질적 심질환   ☐ 심근병증
　　　　　　☐ 부정맥 과거력   ☐ 심부전
　　　　　　☑ 35세 이상

혈역학적 상태: ☑ 불안정   ☐ 안정

QRS파 넓이: **0.18** sec

심박수: **136** 회/분   **심방:**   **94** 회/분   **심실:**   **143** 회/분

규칙성: ☐ 규칙적   ☑ 일부 규칙적   ☐ 완전히 불규칙

QRS파 모양: 우각차단 형태 V_1: ☐ rSR' ☐ RSr' ☐ qR ☑ 단형 R
　　　　　　우각차단 형태 V_6: ☐ R/S < 1
　　　　　　좌각차단 형태 V_1: ☐ 초기 R 0.03초 ☐ S파에 파임 ☐ R 시작부터 S파 맨 밑까지 > 0.07
　　　　　　좌각차단 형태 V_6: ☐ Q 파
　　　　　　평소 관찰되는 심실 조기수축 모양: ☐ 같다 ☐ 다르다

방실해리: ☑ 있음   ☐ 없음   ☑ 포획박동   ☑ 융합박동

전흉부 유도에서 QRS파 일치: ☐ 있음 ☑ 없음

전기축 :   ☐↑|↑정상   ☐↑|↓좌측 상방   ☑↓|↑우측 하방   ☐↓|↓우측 상방

브루가다 알고리즘

☑ 모든 전흉부 유도에서 RS파가 전혀 없다면, 심실빈맥이다.

☐ R파의 시작에서 S파의 맨 밑까지 0.1초가 넘는 유도가 하나라도 있다면, 심실빈맥이다.

☑ 방실해리가 있다면 심실빈맥이다.

☐ V_{1-2} 와 V_6 유도에서 앞서 언급한 심실빈맥 모양인지 살펴본다.

 아니오

☐ 모두 아니라면, 편위전도를 동반한 상심실성 빈맥이다.

Vereckei aVR 알고리즘

☐ 큰 R파로 시작하면, 심실빈맥이다.

☐ 작은 q파 혹은 0.04초가 넘는 넓은 r파로 시작하면, 심실빈맥이다.

☑ QS파 양상이며, 하강파에 절흔이 있으면 심실빈맥이다.

☑ V_1 가 크면 심실빈맥이다.

 아니오

☐ 모두 아니라면, 편위전도를 동반한 상심실성 빈맥이다.

☑ 심실빈맥일 가능성이 높다.   ☐ 상심실성 빈맥일 가능성이 높다.

그림 37-9. 증례 2 환자의 확인 목록

증례 3

주소

뜨거운 증기에 오른쪽 하지 화상

현병력

42세 남자가 오른쪽 하지 화상을 주소로 내원하였다. 차량에서 나온 뜨거운 증기가 오른쪽 하지를 거쳐 신발 안으로 스며들었다. 즉시 신을 벗고, 찬물을 부었다. 수포가 발생하였고, 통증이 심하였다. 이전에 건강하였고 다른 병력은 부인하였다.

심장 관련 위험인자

- 흡연 –
- 고혈압 –
- 이상지혈증 –
- 당뇨 –
- 관상동맥 가족력 –

사회력

- 흡연 –
- 음주 –

과거력

- 특이소견 없음.

가족력

- 이모가 34세에 유방암으로 사망.

약물

- 없음

알레르기

- 없음

계통적 문진

- 특이소견 없음.

신체 검진

외양:

- 특이소견 없음

혈압:

- 134/58 mmHg

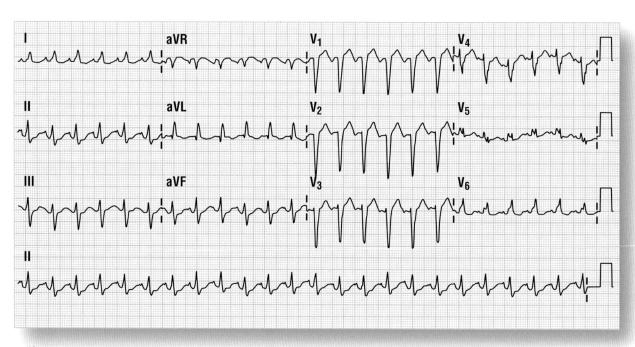

그림 37-10. 증례 3 환자의 심전도.

From *Arrhythmia Recognition: The Art of Interpretation*, Second Edition, courtesy of Tomas B. Garcia, MD.

심박수:

■ 140회/분. 규칙적이고 양쪽 사지에서 대칭적.

호흡수:

■ 20회/분

산소포화도:

■ 98%

폐:

■ 정상.

심장:

■ 정상.

사지:

■ 우측 하지에 작고 다양한 크기의 수포를 동반한 발적. 출혈, 감염 소견은 없음.

초기 진단

그다지 복잡하지 않은 증례이다. 환자는 즉각적으로 냉수를 붓는 처치를 한 덕분에 악화를 막을 수 있었다. 화상 이

외에 눈에 띄는 점은, 136회/분의 빈맥이다. 통증으로 인한 동빈맥은 흔하게 관찰될 수 있다. 하지만, 심전도 결과는 뜻밖이었다.

심전도

주의깊게 보지 않으면 틀리기 쉬운 심전도이다.

143회/분의 빈맥이며, 얼핏 보면 QRS파가 넓지 않아 보이지만, 자세히 보면 QRS 폭이 0.12초를 넘는 유도들이 있다. P파를 살펴보자. T파의 끝에 P파가 관찰된다(**그림 37-11**). **그림 37-12**에 P파를 파란색으로 QRS파를 빨간색으로 표시하였다.

I 과 V₅₋₆에서는 QRS파가 절흔을 동반하였지만 단형에

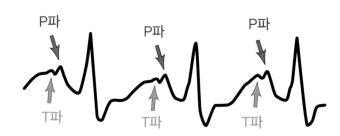

그림 37-11. T파 뒷 부분에 P파가 관찰된다.

© Jones & Bartlett Learning.

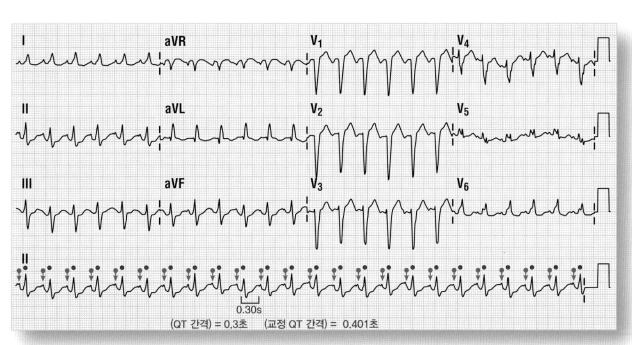

그림 37-12. P파(파란색)와 QRS파(빨간색)을 모든 유도에 걸쳐 유의해서 관찰하자.

From *Arrhythmia Recognition: The Art of Interpretation*, Second Edition, courtesy of Tomas B. Garcia, MD.

넓은 QRS파 빈맥 확인 목록

병력: ☐ 심근경색증 과거력 ☐ 돌연 심장사 가족력
☐ 허혈성 혹은 기질적 심질환 ☐ 심근병증
☐ 부정맥 과거력 ☐ 심부전
☑ 35세 이상

혈역학적 상태: ☐ 불안정 ☑ 안정

QRS파 넓이: __0.12__ sec

심박수: __143__ 회/분 **심방:** __143__ 회/분 **심실:** __143__ 회/분

규칙성: ☑ 규칙적 ☐ 일부 규칙적 ☐ 완전히 불규칙

QRS파 모양: 우각차단 형태 V_1: ☐ rSR' ☐ RSr' ☐ qR ☐ 단형 R
우각차단 형태 V_6: ☐ R/S <1
좌각차단 형태 V_1: ☐ 초기 R 0.03초 ☐ S파에 파임 ☐ R 시작부터 S파 맨 밑까지 > 0.07
좌각차단 형태 V_6: ☐ Q 파
평소 관찰되는 심실 조기수축 모양: ☐ 같다 ☐ 다르다

방실해리: ☐ 있음 ☑ 없음 ☐ 포획박동 ☐ 융합박동

전흉부 유도에서 QRS파 일치: ☐ 있음 ☑ 없음

전기축 : ☐↑ ↑ 정상 ☑↑ ↓ 좌측 상방 ☐↓ ↑ 우측 하방 ☐↓ ↓ 우측 상방

브루가다 알고리즘

☐ 모든 전흉부 유도에서 RS파가 전혀 없다면, 심실빈맥이다.

☐ R파의 시작에서 S파의 맨 밑까지 0.1초가 넘는 유도가 하나라도 있다면, 심실빈맥이다.

☐ 방실해리가 있다면 심실빈맥이다.

☐ V_{1-2} 와 V_6 유도에서 앞서 언급한 심실빈맥 모양인지 살펴본다.

⬇ 아니오

☑ 모두 아니라면, 편위전도를 동반한 상심실성 빈맥이다.

Vereckei aVR 알고리즘

☐ 큰 R파로 시작하면, 심실빈맥이다.

☐ 작은 q파 혹은 0.04초가 넘는 넓은 r파로 시작하면, 심실빈맥이다.

☐ QS파 양상이며, 하강파에 절흔이 있으면 심실빈맥이다.

☐ V_t 가 크면 심실빈맥이다.

⬇ 아니오

☑ 모두 아니라면, 편위전도를 동반한 상심실성 빈맥이다.

☐ 심실빈맥일 가능성이 높다. ☑ 상심실성 빈맥일 가능성이 높다.

그림 37-13. 확인 목록

가까우며, S파가 그다지 깊지 않다(R/S > 1). 좌각차단이며, 상심실성 빈맥에 부합하는 소견이다.

좀더 정확한 진단을 위해 확인 목록을 점검해보자(**그림 37-13**). 35세 이상인 점을 제외하고는 상심실성 빈맥을 시사한다. 혈역학적으로 그리 불안정하지 않고, QRS파의 넓이가 아주 넓지 않은 것도 상심실성 빈맥의 가능성을 높이는 소견이다. 평소 심전도에서 심실 조기수축이 기록된 적은 없어서, 참고가 되지 않았다. 심박수에 따라 QRS파의 모양이 바뀌는 것이 관찰되지 않아서, 편위 전도일 가능성도 떨어진다. 방실해리, 전흉부 유도에서의 일치 등 심실빈맥을 시사하는 소견은 관찰되지 않는다. 전기축은 정상 범위 이내이다. 브루가다 및 Vereckei aVR 기준도 모두 상심실성 빈맥에 부합한다.

PR 간격은 일정하며 정상적이다. 동빈맥일 수도 있지만, 심방조동의 가능성도 있다. P파의 모양이 정상인 것으로 보아서는, 방실회귀 빈맥일 가능성은 떨어지고, 동결절 근처에서 발생하는 심방빈맥일 수도 있다.

최종 진단

결론적으로, 가장 가능성 높은 최종 진단은 좌각차단을 동반한 동빈맥이다. 과거의 심전도를 참고할 수 있다면 도움이 될 것이지만, 이전에 심전도를 시행한 적이 없다고 하였다.

증례 4

주소
두근거림과 어지럼증

현 병력

52세 여자가 두근거림과 어지럼증을 주소로 내원하였다. 2시간 전에 피자를 먹인 이후 소화불량을 느꼈고, 제산제 복용 후 다소 호전되었다고 하였다. 15분 전부터 어지럼증과 두근거림이 시작되었다. 죽을 것 같은 불안감이 들어 구조대에 연락하였다. 두근거림은 지금도 지속되는데, 아주 빠르고, 규칙적이라고 하였고, 호흡 곤란을 동반하였다. 식은 땀, 오심, 구토, 흉통은 없었다.

심장 관련 위험인자
■ 흡연 + (30 갑년)

■ 고혈압 + (투약 중)
■ 이상지혈증 –
■ 당뇨 –
■ 관상동맥 가족력 –

사회력
■ 흡연 +
■ 음주 –

과거력
■ 특이 소견 없음. 과거 심전도 기록 없음.

가족력
■ 특이소견 없음.

약물
■ 없음.

알레르기
■ 없음

계통적 문진
■ 특이소견 없음.

신체 검진

외양:
■ 급성 병색은 없음.

혈압:
■ 110/60 mmHg

심박수:
■ 60~70회/분. 간혹 불규칙하고 약함.

호흡수:
■ 24회/분. 규칙적.

산소포화도:
■ 92%

폐:
- 원래부에서 약한 수포음.

심장:
- 내경정맥압 정상. 심잡음 없음. S3, S4 없음. 간혹 맥박 건너뜀.

사지:
- 청색증, 곤봉지 없음. 피부가 차고 축축함.

초기 진단

두근거림과 어지럼증은 꼭 부정맥이 아니어도 나타날 수 있는 비특이적인 증상이다. 좀더 유용한 정보를 얻기 위해 자세한 질문을 해야 한다. 빠른가? 느린가? 빠르면, 얼마나 빠른가? 환자에게 손가락으로 두근거림을 표현해보라고 하는 것도 유용하다.

소화불량은 의료진의 주의를 분산시키는 소견일 수 있지만, 심근 허혈으로 인한 증상일 수도 있다. 심근 경색증의 20%에서는 소화불량이 동반될 수 있다. 특히, 여성, 노인, 뇌질환을 동반한 경우에 더 흔하다. 제산제로 회복되었다는 점은 어떠한가? 이것 역시 비특이적인 소견이며, 심근 경색증증을 배제할 수 있는 것은 아니다. 발생학적으로 내부 장기의 통증과 심근경색증증으로 인한 통증은 같은 신경계통으로 발생하며, 증상에 혼동을 주는 경우가 많다. 제산제로 호전이 되었다고 해서, 심근경색증증 가능성을 배제해서는 안 된다. 고혈압과 흡연력이 있는 것도 관상동맥 질환 여부 판단에 고려해야 할 요소이다. 관상동맥 질환의 위험인자는, 고혈압, 흡연, 당뇨, 이상지혈증, 가족력이다. 어떤 항고혈압제를 복용했는지도 중요한 정보이다. 약제에 의해

부정맥이 오히려 발생하는 경우도 있다(proarrhythmogenic effect). 특히, 이뇨제나 안지오텐진 전환효소 억제제는 전해질 이상을 유발할 수도 있다. 두근거림은 빈맥인 경우에 느낄 수 있는데, 심근 허혈 상태에서 빈맥이 발생하면, 부하가 증가하기 때문에 더 위험해진다. 환자의 혈압은 정상인 것처럼 보이지만, 평소 혈압이 어떠했는지를 감안해야 한다. 고혈압 환자에게 낮은 혈압은, 심근 허혈로 인한 '상대적 저혈압' 상태일 수도 있음을 기억하자. 차고 축축한 피부 또한 상대적 저혈압에 부합하는 소견이다. 심박수는 다소 불규칙하였다. 손목에서 측정하는 심박수는 실제 심장의 박동과 다를 수 있기 때문에, 정확한 심박수는 청진을 통해서 얻어야 한다. 심장 박동이 너무 빠르면, 심실이 충분히 이완이 되지 않은 상태에서 수축이 반복되기 때문에, 실제 심실이 수축해도 심박출량이 충분치 않을 수 있다. 이렇게 되면 손목에서 맥박이 제대로 측정되지 않을 수 있다. 특히 심방세동이라면 더욱 그럴 가능성이 높다.

지금까지의 소견을 종합하면, 단순히 피자를 먹은 이후 소화불량과 미주신경 항진으로 인한 어지럼증이라기 보다는, 심근 허혈을 배제하기 어려운 상황이다. 고혈압, 흡연력의 위험인자가 있고, 어지럼증과 두근거림을 호소하였다. 진단을 확인하기 위해 심전도를 살펴보자.

심전도

넓은 QRS파 빈맥이다. 환자가 심장 질환을 이미 가지고 있다면 심실빈맥의 가능성이 80%까지 높아진다. 다행히 환자는 혈역학적으로 안정된 상태이므로, 정확한 진단을 위해 심전도를 자세히 살펴보자.

리듬은 비교적 규칙적이며, QRS파의 모양이 약간씩 변하고 있다(**그림 37-14**). ST 분절에 볼록 솟은 듯한 파형이

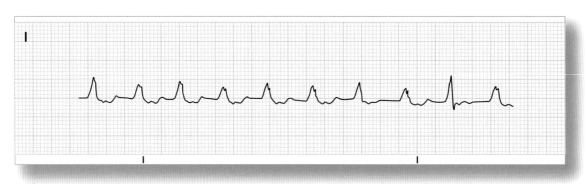

그림 37-14. 증례 4 환자의 심전도 리듬.

From *Arrhythmia Recognition: The Art of Interpretation*, courtesy of Tomas B. Garcia, MD.

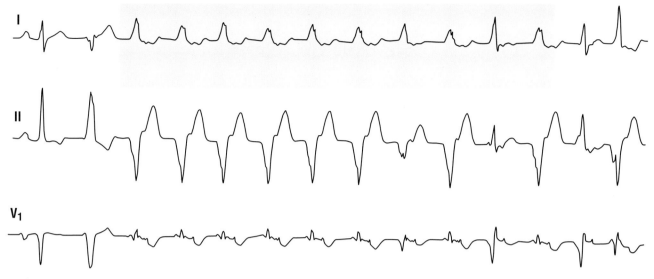

그림 37-15. 유도 I, II, V₁ 에서의 심전도 리듬.

From *Arrhythmia Recognition: The Art of Interpretation*, courtesy of Tomas B. Garcia, MD.

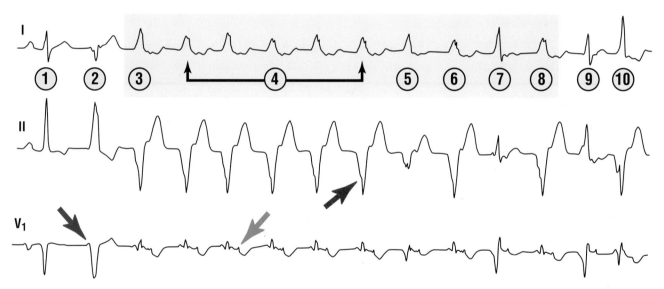

그림 37-16. 중요한 소견을 표시한 심전도. 자세한 설명은 본문 참조.

From *Arrhythmia Recognition: The Art of Interpretation*, courtesy of Tomas B. Garcia, MD.

관찰된다. QRS파 뒤에 나오는 것으로 보아 역행성 P파로 생각할 수도 있지만, 유도 I에서 양성인 것으로 보아, 역행서 P파의 가능성은 떨어지며, ST 분절의 일부로 보인다. 다른 유도에서도 관찰해보자(**그림 37-15**). 음영으로 표시된 부분이 **그림 37-14**에서 제시한 심전도 리듬이다. 일반적으로 유도 II 에서 가장 유용한 정보를 얻을 수 있지만, 이 환자의 경우처럼 V₁ 유도도 아주 유용할 때가 많다. 어떤 경우에

는 유도 III 도 유용할 때가 있다. 아무튼 가능한 12 유도 심전도를 얻는 것이 좋다.

그리고 가능한 길게 심전도를 얻자. 특히 넓은 QRS파 빈맥 심전도의 감별진단에 필요하다. 가능한 길게 찍으면, 융합, 포획 박동 등 중요한 정보를 얻을 확률이 높아진다. 그리고 부정맥은 계속 바뀔 수 있고, 발작적으로 나타나기 때문에, 길고 반복적인 심전도 시행이 필요할 수 있다. 일반적인

넓은 QRS파 빈맥 확인 목록

병력:　　□ 심근경색증증 과거력　　　　□ 돌연 심장사 가족력
　　　　　　□ 허혈성 혹은 기질적 심질환　□ 심근병증
　　　　　　□ 부정맥 과거력　　　　　　□ 심부전
　　　　　　☑ 35세 이상

혈역학적 상태:　□ 불안정　　　　　　　☑ 안정

QRS파 넓이:　　___???___ sec

심박수: __125__ 회/분　**심방:** __???__ 회/분　**심실:** __125__ 회/분

규칙성:　□ 규칙적　　☑ 일부 규칙적　　□ 완전히 불규칙

QRS파 모양:　우각차단 형태 V1: ☑ rSR' □ RSr' □ qR □ 단형 R
　　　　　　우각차단 형태 V6: □ R/S < 1
　　　　　　좌각차단 형태 V1: □ 초기 R 0.03초 □ S파에 파임 □ R 시작부터 S파 맨 밑까지 > 0.07
　　　　　　좌각차단 형태 V6: □ Q 파
　　　　　　평소 관찰되는 심실 조기수축 모양: □ 같다 □ 다르다

방실해리:　☑ 있음　　　□ 없음　　☑ 포획박동　　□ 융합박동

전흉부 유도에서 QRS파 일치: □ 있음 □ 없음

전기축 :　□ ↑ ↑ 정상　　　□ ↑ ↓ 좌측 상방　　□ ↓ ↑ 우측 하방　　□ ↓ ↓ 우측 상방

브루가다 알고리즘

□ 모든 전흉부 유도에서 RS파가 전혀 없다면, 심실빈맥이다.

□ R파의 시작에서 S파의 맨 밑까지 0.1초가 넘는 유도가 하나라도 있다면, 심실빈맥이다.

☑ 방실해리가 있다면 심실빈맥이다.

□ V1-2 와 V6 유도에서 앞서 언급한 심실빈맥 모양인지 살펴본다.

⬇ 아니오

□ 모두 아니라면, 편위전도를 동반한 상심실성 빈맥이다.

Vereckei aVR 알고리즘

□ 큰 R파로 시작하면, 심실빈맥이다.

□ 작은 q파 혹은 0.04초가 넘는 넓은 r파로 시작하면, 심실빈맥이다.

□ QS파 양상이며, 하강파에 절흔이 있으면 심실빈맥이다.

□ Vt 가 크면 심실빈맥이다.

⬇ 아니오

□ 모두 아니라면, 편위전도를 동반한 상심실성 빈맥이다.

☑ 심실빈맥일 가능성이 높다.　□ 상심실성 빈맥일 가능성이 높다.

그림 37-17. 증례 4 환자의 확인 목록

심전도는 단지 10초 동안의 심장 상태를 나타낼 뿐이다. 이 환자에서 시행된 좀 더 긴 심전도 리듬을 **그림 37-16**에 제시하였다. 1번 QRS파는 정상이고, 앞선 P파 역시 정상이다. T파는 유도 II에서 뒤집어져 있다. PR 간격은 다소 늘어나 있어 일도 방실 차단으로 생각된다. '28장 방실 차단'을 참조하자. 2번 QRS파는 약간 달라 보인다. 양성이기는 하지만, QRS파가 다소 넓어 보인다. ST 분절과 T파의 모양도 다르다. V₁에서 QRS파 직전에 P파로 보이는 것이 관찰된다(파란색 화살표). 방실 해리의 소견이고, 중간에 끼어든 심실 조기수축이다. 이후에 3번 QRS파가 시작되었는데, 다른 유도를 보아도, 완전히 새로운 리듬으로 생각된다. 새로운 리듬의 QRS파의 넓이는 0.14초로 넓어져 있다. 하강하는 S파에 작은 절흔이 관찰되며, Josephson 징후이다(빨간색 화살표). 심실빈맥에 부합하는 소견이다. 가능성은 높아지지만, 정확한 진단은 아직 이르다. aVF가 없지만, I에서 QRS파가 양성인 것으로 보아, 우측 상방 전기축(=no man's land)일 가능성은 떨어진다. 그렇지만, 정상 QRS파와 전기축이 반대 방향인 것은 심실빈맥의 가능성을 높이는 소견이다. 3번과 4번 QRS파들은 모양 약간 다르고, 빠르기도 약간 불규칙하지만, 심실빈맥의 초기에 관찰될 수 있는 소견이다. 5,7,9,10번 파형을 보자. 5번 QRS파는 앞선 QRS파와 모양이 약간 다르다. 7번 QRS파의 넓이는 비교적 좁고, 모양이 정상 QRS파인 1번과 비슷하다. 9번 파형은 5번과 7번 파형의 중간처럼 보인다. 모두 융합 박동에 의한 변화이다. 정상 QRS파(1번)와 완전히 같은 파형이라면, 포획 박동이라고 할 수 있을 테지만, 그러한 QRS파는 관찰되지 않는다. 이러한 모양의 변화는 유도 I에서 가장 뚜렷하다. 이 정도만 해도 심실빈맥을 진단하는데 큰 무리가 없지만, 확인 목록을 점검해보자(**그림 37-17**).

병력에서 심실빈맥을 시사하는 소견은 '35세 이상'이다. 환자는 125회/분의 빈맥이었지만, 혈역학적으로는 비교적 안정된 상태였다. V₁에서 QRS파의 모양은 우각차단 형태였으며, rsR' 모양이다. QRS파와 상관없는 P파가 관찰되며 융합 박동이 있어, 방실해리에 부합한다. 심실빈맥의 가장 강력한 증거이다. aVR 유도가 없어서, Vereckei 알고리즘은 적용할 수가 없다.

최종 진단

무엇보다 방실해리가 있어 심실빈맥에 부합한다. P파가 T파에 묻혀, 다른 T파와 다르게 보이는 것이 증거 중의 하나가 된다. T파 중간에 볼록 솟아 있는 파형을 관찰해보자(**그림 37-16**. 초록색 화살표). 융합 박동의 한 부분으로 나타나는 것일 수도 있다. 만약 그것이 P파의 흔적이라면, 융합 박동의 앞에 나타나야 한다. 정상 P파에 의한 심실 탈분극과 심실빈맥에 의한 탈분극이 합쳐지는 것이 융합 박동이기 때문이다.

이번 증례를 통해, 환자의 심전도 리듬뿐 아니라, 임상 상황과 같이 종합적으로 분석하였다. 이런 접근은 심전도 분석을 더 용이하게 해준다. 실제 환자를 접하게 된다면, 당황하지 말고 가능한 모든 정보를 종합해서 주어진 상황에 접근하자.

증례 5

주소

갑자기 시작되는 두근거림, 호흡곤란, 발한

현 병력

64세 남자가 몇 개월 전부터 시작된 두근거림을 주소로 내원하였다. 두근거림은 갑자기 시작되었고 빨랐으며, 일상 생활을 하기 어려울 정도로 불편하였다. 오늘은 쇼핑 중에 갑자기 두근거림이 시작되었으며, 빠르고 규칙적이었다. 호흡곤란과 발한을 동반하였다. 약간 메스꺼움을 느꼈다. 4년 전 심장이 타는 듯한 통증을 느낀 적이 있었다. 환자의 느낌으로는 협심증 같지는 않다고 하였다. 한 동안 통증이 없다가, 2주 전에 비슷한 증상이 재발하였다. 구조대원은 환자가 창백하고, 땀을 흘리고 있었으며, 호흡이 힘들어 보였다고 하였다. 환자는 앉아있는 상태였는데, 어찌할 바를 모르고 있었다. 청색증은 관찰되지 않았다. 혈압은 92/54 mmHg, 심박수는 120회/분으로 규칙적이었다. 맥박은 약했지만, 양쪽에서 대칭적이었다. 호흡수는 24회/분으로 빨랐으며, 호흡 보조근을 사용하고 있었다. 산소 포화도는 84%였다. 응급 처치가 진행되는 동안, 환자는 증상이 멈췄다고 말했고, 활력 징후도 회복되었다. 흉부 불편감은 남아있다고 하였다.

심장 관련 위험인자

- 흡연 + (40 갑년, 4년 전 끊음)
- 고혈압 −

- 이상지혈증 +
- 당뇨 −
- 관상동맥 가족력 + (삼촌이 심정지로 사망)

사회력

- 흡연 +
- 음주 +

과거력

- 특이소견 없음.

가족력

- 삼촌이 심정지로 사망

약물

- 특이소견 없음
- 알레르기
- 없음

계통적 문진

- 피곤, 양쪽 하지 부종.

신체 검진

외양:

- 셔츠가 땀으로 젖어 있음.

혈압:

- 118/68 mmHg. 평소에 비해 낮다고 하였음.

심박수:

- 60회/분 규칙적. 맥박 대칭적으로 정상.

호흡수:

- 16회/분. 호흡 보조근 사용 없음.

산소포화도:

- 산소 2 L/min 에서 98%.

폐:

- 양쪽 원래부에서 감소되어 있음.

심장:

- 특이소견 없음.

사지:

- 양쪽 하지 부종.

초기 진단

　과거력에서 전형적으로 발작성 부정맥을 의심할 만하다. 수년 전 흉통으로 입원할 당시 의사가 협심증은 아니라고 하였다. 옛날 기록을 볼 수 있다면 가장 좋겠지만, 자신의 생각을 먼저 구체화하는 것이 필요하다. 환자를 직접 보기 전에 의무기록으로 선입견을 가져서는 안 된다! 의무기록은 잘못 기록될 수도 있고, 잘못된 진단일 수도 있다. 이러한 잘못된 기록이 계속 반복되어서 복사될 수 있기 때문에 더 위험할 수 있다. 환자는 하지 부종 등 심부전 증상이 있었고, 발작성 부정맥을 의심할 만한 두근거림이 있었다. 부정맥으로 인한 빈번한 빈맥이 심장 기능을 악화시켰을 수도 있다. 차량에 빗대어 생각해보자. 차량의 시동을 끈다면 엔진은 더 이상 연료를 소비하지도 않고 열이나 에너지를 발생시키지도 않을 것이다. 시동을 켜면, 연료가 소비되고 열과 에너지도 발생시킨다. 쉬지 않고 계속 엔진을 무리해서 돌리기만 한다면, 고장이 날 것이다. 심장도 마찬가지이다.

　심부전을 유발할 수 있는 지속성 빈맥은 심방세동, 심방빈맥, 방실접합부 재귀성 빈맥 등이 있다. 환자가 64세라는 점을 감안하면 가장 가능성이 높은 것은 심방세동과 심방빈맥이다. 환자는 2주 정도에 걸친 심부전 증상이 있었는데, 부정맥도 이와 비슷한 시기에 있었을 가능성이 높다.

　이 책은 부정맥을 처음 시작하는 사람들을 위해 쓰여졌다. 부정맥에 대한 인식뿐 아니라 임상가로써의 판단을 돕는 것이 목적이다.

　이번에 발생한 증상이 4년 전 것과 비슷하다고 하더라도, 차이가 하나 있다. 이전까지는 두근거림이 없어지면 다른 증상이 같이 소실되었다고 하였다. 그런데, 이번에는 두근거림이 없어졌음에도 불구하고 흉부 불편감이 남아있었다. 흉부 불편감, 발한, 호흡곤란, 두근거림, 오심 등은 심근경색증증을 의심할 만한 증상들이다. 단지 발한을 제외하고는 모두 주관적인 것이라는 점에 유의하자. 발한은 심근경색증증에서 교감신경이 항진되었을 때 나올 수 있는 증상이

다. 부정맥 때문에 발한이 생긴 것이라면, 셔츠를 적실 정도
는 아니었을 것이다.

관상동맥 도류증후군(coronary steal syndrome)은 혈류가
허혈 부위를 도류하여, 즉 우회하여 허혈이 더 악화되는 현

상을 말한다. 이 증례를 다시 살펴보자, 환자의 증상은 빈맥
으로 인해서 혈류와 산소 요구량이 급격히 증가되면서 시작
되었다. 좁아진 혈관이 있었다면 저항이 더 높기 때문에 정
상 혈관보다 혈류 공급이 더욱 줄어들었을 것이다. 혈류는

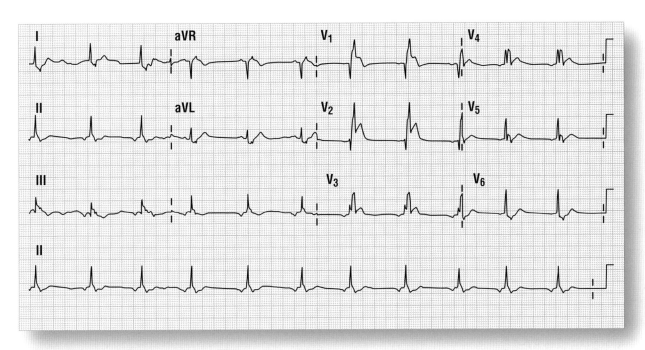

그림 37-18. 증례 5 환자의 첫 번째 심전도

From *Arrhythmia Recognition: The Art of Interpretation*, Second Edition, courtesy of Tomas B. Garcia, MD.

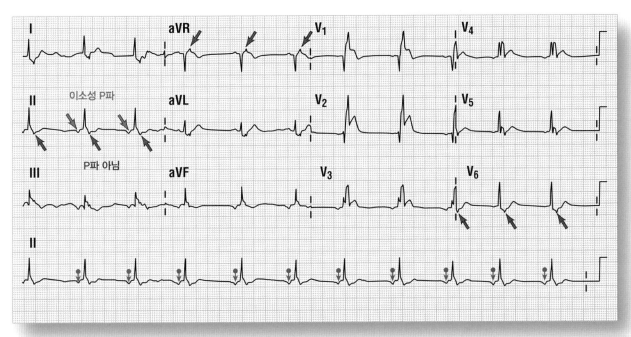

그림 37-19. 파란색 화살표는 뒤집어진 P파를 가리키며, 이소성 심방율동에 부합한다. 빨간색 화살표는 QRS파 안에서 관찰되는 파형
의 변이를 가리킨다. P파가 아니다.

From *Arrhythmia Recognition: The Art of Interpretation*, Second Edition, courtesy of Tomas B. Garcia, MD.

항상 저항이 적은 곳으로 더 잘 흐른다. 따라서, 허혈이 더욱 악화되고 심근경색증으로 진행할 수 있다. 구조대원에게 처음 발견되었을 때, 혈역학적으로 불안정한 상태였다. 이러한 점으로 미루어 다음과 같은 가능성들이 있다.

1. 지속적인 빈맥이 심부전을 악화시켰다.
2. 부정맥에 의해서 심근경색증이 합병되었다.
3. 두 가지가 한꺼번에 발생하였다.

심전도

응급실에서 처음 시행된 심전도는 '**그림 37-18**' 이다. 심박수는 단지 63회/분으로 빈맥이 아니다. 몇 가지 흥미로운 것이 관찰된다. 첫 째는 QRS파가 0.14초로 넓다. 넓은 QRS파를 보면, 우각차단, 좌각차단, 혹은 심실내 전도 장애로 구분할 수 있어야 한다. V₁에서 QRS파가 양성이고, I 와 V₆에서는 움푹 패인 것 같은 S파가 관찰된다. 우각차단 양상에 합당한 소견이다. 그 다음 허혈성 변화 여부를 위해 ST-T 분절을 살펴보자. V₁₋₅에서 ST 분절의 상승이 있고, 반대편인 II, III, aVF 에서는 ST 하강이 있다. 급성 심근경색증증의 소견이다. 보다 자세한 해석은 자매 서적인 '12-Lead ECG: The Art of Interpretation'을 참조하자.

P파를 살펴보자. **그림 37-18** 에서 보면 II, III, aVF 에서

뒤집힌 P파가 관찰됨, PR 간격은 정상이다. 이 P파가 QRS파에 의한 역행성 P파일 수 있을까? 너무 간격이 멀어서 그럴 가능성은 떨어진다. 그렇다면, 다음 가능성은 이소성 심방율동이다. 이해를 돕기 위해서 **그림 37-19**에 파란색과 빨간색 화살표로 표시하였다.

첫 번째 심전도에서, 이소성 심방율동과 급성 심근경색증이 관찰되었다. 급성 심근경색증에 대한 응급 치료를 위해 순환기내과 시술팀에게 급히 연락해야 한다. 시술팀이 도착하기 전에 심전도 리듬이 변하였고, 환자는 두근거림과 호흡곤란을 호소하였다. 활력 징후는 안정적이었으나, 심박수가 125회/분으로 증가하였다. 다시 심전도를 시행하였고, 넓은 QRS파 빈맥이 관찰되었다. QRS파의 넓이는 0.17초였고, 심박수는 125회/분이었다. QRS파의 모양은 다소 변

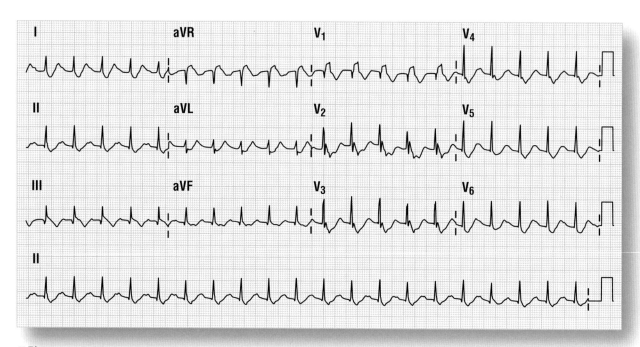

그림 37-20. 증례 환자의 두 번째 심전도.

From *Arrhythmia Recognition: The Art of Interpretation*, Second Edition, courtesy of Tomas B. Garcia, MD.

하였지만, 전기축은 변하지 않고 정상이었다. QRS파의 넓이와 QT 간격은 각각 파란색과 초록색으로 표시하였다(**그림 37-21**).

빈맥 이외에 가장 큰 변화는 P파의 위치이다. 계속 뒤집어진 형태였지만, 이제 T파의 끝에 뚜렷하게 관찰된다(**그림 37-21**). 이에 따라서 PR 간격이 늘었다. 이제 P파는 QRS파 사이에서 관찰된다.

리듬은 어떠한가? 이 심전도처럼 두 QRS파의 중간에 P파가 관찰될 때에는, QRS파 직전이나 직후에 또다른 P파

는 없는 지 확인할 필요가 있다('Bix 규칙'). **그림 37-22**에서 파란색 화살표는 뒤집어진 P파를 나타낸다. 파란색 화살표의 중간 지점을 살펴보면(초록색 화살표), 유도 II 에서 R파가 하강하는 지점에 숨어있는 P파로 생각되는 파형이 관찰된다. 이 P파를 기준으로 심방의 빠르기를 측정하면 250회/분이며, 2:1 방실 전도하고 있다. 250회/분은 심방조동 혹은 심방빈맥의 빠르기로 흔하게 관찰되며, 또한 곧잘 2:1 방실 전도한다. 이 심전도는 심방조동이나 심방빈맥이 뚜렷해 보이지는 않지만, T파 중간에 관찰되는 뒤집어진 P파, 등전

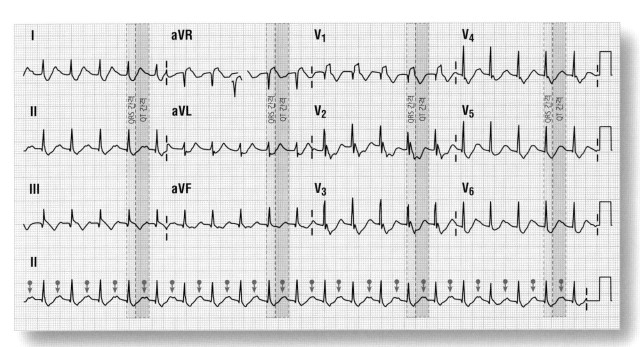

그림 37-21. 파란색 화살표는 두 QRS파 중간에 관찰되는 숨어있는 P파이다. 파란색, 초록색 음영은 각각 QRS 간격과 QT 간격을 나타낸다

From *Arrhythmia Recognition: The Art of Interpretation*, Second Edition, courtesy of Tomas B. Garcia, MD.

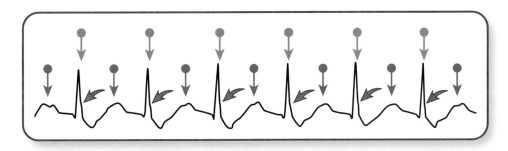

그림 37-22. II 에서 관찰되는 뒤집어진 P파(파란색 화살표). Bix 규칙을 적용해서, P파(파란색 화살표)을 절반으로 나눈 지점(초록색 화살표) 부근을 유심히 살펴보자. QRS파 직전을 살펴보면, 숨겨진 P파가 또한 관찰된다(빨간색 화살표).

From *Arrhythmia Recognition: The Art of Interpretation*, Second Edition, courtesy of Tomas B. Garcia, MD.

넓은 QRS파 빈맥 확인 목록

병력: ☑ 심근경색증 과거력 ☑ 돌연 심장사 가족력
☑ 허혈성 혹은 기질적 심질환 ☐ 심근병증
☑ 부정맥 과거력 ☐ 심부전
☑ 35세 이상

혈역학적 상태: ☐ 불안성 ☑ 안정

QRS파 넓이: __0.17__ sec

심박수: _____ 회/분 **심방:** __250__ 회/분 **심실:** __125__ 회/분

규칙성: ☑ 규칙적 ☐ 일부 규칙적 ☐ 완전히 불규칙

QRS파 모양: 우각차단 형태 V_1: ☐ rSR' ☐ RSr' ☑ qR ☐ 단형 R
우각차단 형태 V_6: ☐ R/S < 1
좌각차단 형태 V_1: ☐ 초기 R 0.03초 ☐ S파에 파임 ☐ R 시작부터 S파 맨 밑까지 > 0.07
좌각차단 형태 V_6: ☐ Q 파
평소 관찰되는 심실 조기수축 모양: ☐ 같다 ☐ 다르다

방실해리: ☐ 있음 ☑ 없음 ☐ 포획박동 ☐ 융합박동

전흉부 유도에서 QRS파 일치: ☑ 있음 ☐ 없음

전기축 : ☑ ↑ ↑ 정상 ☐ ↑ ↓ 좌측 상방 ☐ ↓ ↑ 우측 하방 ☐ ↓ ↓ 우측 상방

브루가다 알고리즘

☐ 모든 전흉부 유도에서 RS파가 전혀 없다면, 심실빈맥이다.

☐ R파의 시작에서 S파의 맨 밑까지 0.1초가 넘는 유도가 하나라도 있다면, 심실빈맥이다.

☐ 방실해리가 있다면 심실빈맥이다.

☐ V_{1-2} 와 V_6 유도에서 앞서 언급한 심실빈맥 모양인지 살펴본다.

⬇ 아니오

☑ 모두 아니라면, 편위전도를 동반한 상심실성 빈맥이다.

Vereckei aVR 알고리즘

☐ 큰 R파로 시작하면, 심실빈맥이다.

☐ 작은 q파 혹은 0.04초가 넘는 넓은 r파로 시작하면, 심실빈맥이다.

☐ QS파 양상이며, 하강파에 절흔이 있으면 심실빈맥이다.

☐ Vt가 크면 심실빈맥이다.

⬇ 아니오

☑ 모두 아니라면, 편위전도를 동반한 상심실성 빈맥이다.

☐ 심실빈맥일 가능성이 높다.   ☑ 상심실성 빈맥일 가능성이 높다.

그림 37-23. 증례 5 환자의 두 번째 심전도 확인 목록

위선의 존재 등은 심방빈맥의 가능성을 좀더 높이는 소견이다. 이 증례처럼, 250회/분 정도의 심방 빠르기를 보이는 심전도를 확실히 진단하기는 쉽지 않으며, 결국 전기생리학 검사가 필요한 경우가 있다. 확인 목록을 점검해보자.

확인 목록을 보면, 어떤 것은 상심실성 빈맥을 어떤 것은 심실빈맥에 부합한다. 우선 병력 부분부터 살펴보자. 7개 중 5개의 질문이 심실빈맥에 부합한다. 환자의 실제 병력이나 신체 검진 소견은 심부전에 부합하지만, 환자에게 하지 부종은 없었다. 이런 경우 흉부 X선, 심초음파가 심부전 진단에 도움이 된다. 환자는 증상이 있는 빈맥이었지만, 혈역학적으로는 비교적 안정된 상태였으며, 이것은 상심실성 빈맥에 부합한다. 심전도 리듬은 계속 규칙적이었다. V1에는 qR파의 양상이다. 첫 번째 심전도에서 심근경색증증 양상이었던 ST-T 분절 상승은 두 번째 심전도에서는 보이지 않는다. 방실해리의 소견은 없다. 전기축은 변화하지 않았다. 두번째 심전도는 넓은 QRS파 빈맥으로 변하기는 하였지만, 모양과 전기축은 크게 변하지 않았다. 이러한 점은 편위전도를 동반한 상심실성 빈맥에 부합하는 소견이다. 브루가다와 Vereckei aVR 알고리즘의 결과도 상심실성 빈맥을 가리킨다. 환자의 혈역학적 상태는 비교적 안정적이다. 급성 심근경색증증이 있기도 하고, 국소성 심방빈맥은 아데노신에 대한 반응이 좋지 않다는 점에서, 아데노신 투여가 시도되지는 않았다. 불행히도, 추가적인 치료가 시작되기 전에 환자의 증상과 혈역학적 상태가 악화되었다. 또다시 심전도 리듬이 변하였으며, 세 번째 심전도를 시행하였다(**그림 37-24**). 우각차단 형태를 보이는 넓은 QRS파 빈맥이다. 전기축은 좌측으로 이동하는데, 이전 심전도와 비교했을 때 큰 변화이다. 그리고, 리듬은 매우 규칙적이다. 넓어진 QRS파가 쉼없이 연결되어 있으며, Q, R, S파 각각의 모양을 구분할 수 없어 확인 목록을 적용하기도 어렵다. 이러한 모양은 심실빈맥에 부합하는 소견이다. 그리고, 뚜렷한 P파는 관찰되지 않는다. II 와 V1 에서 QRS파 직전에 P파로 의심되는 것이 있기는 하다. 역행성 방실회귀 빈맥일 가능성도 있지만, 임상 상황에 맞춰보면 가능성이 떨어진다.

최종 진단

환자는 4년 전 심방빈맥으로 추정되어 치료받은 적이 있었던 것으로 보인다. 수 개월 전부터 두근거리는 증상과 함께 심부전 증상이 악화된 것으로 미루어, 빈맥이 심부전의 악화요인이었을 가능성이 있다. 이러한 지속적인 빈맥은 허혈성 심질환을 악화시켜 심근 손상을 유발했을 것이다. 응급실에 내원한 날, 이러한 허혈성 심질환이 심근경색증증으

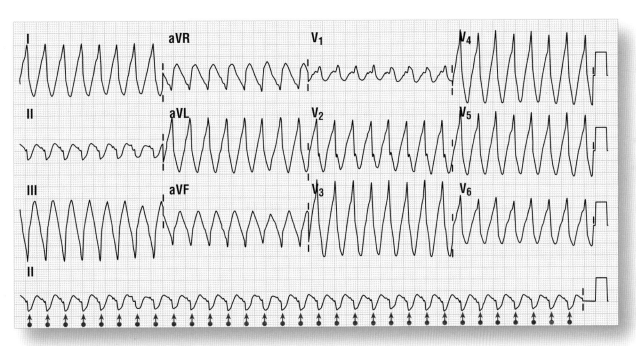

그림 37-24. 증례 5 환자의 세 번째 심전도.

로 악화되었다. 급성 심근경색증증은 부정맥으로 유발되기도 하였고, 또한 악화되기도 하였을 것이다. 이런 과정이 반복, 누적되어 혈역학적 상태가 불안정해졌다. 부정맥이 소실되자 혈역학적 상태는 일시적으로 회복되었다. 다행히도 환자는 너무 늦지 않게 응급실에 도착하였고, 심실빈맥에 대해서 응급으로 전기적 동율동 전환술을 시행받았다. 환자는 즉시 관상동맥 조영술을 시행하였고, 다혈관 질환이 발견되어 스텐트 삽입술을 시행받았다. 심초음파에서 국소적 벽운동 장애를 동반한 수축기능 부전(EF 35%)이 진단되었다.

참고 문헌

1. Stewart RB, Bardy GH, Greene HL. Wide complex tachycardia: misdiagnosis and outcome after emergent therapy. *Ann Intern Med*. 1986;104(6):766-771.

2. Steinman RT, Herrera C, Schuger CD, Lehmann MH. Wide QRS tachycardia in the conscious adult. Ventricular tachycardia is the most frequent cause. *JAMA*. 1989;261(7):1013-1016.

3. Baerman JM, Morady F, DiCarlo LA Jr, de Buitleir M. Differentiation of ventricular tachycardia from supraventricular tachycardia with aberration: value of the clinical history. *Ann Emerg Med*. 1987;16(1):40-43.

4. Tchou P, Young P, Mahmud R, Denker S, Jazayeri M, Akhtar M. Useful clinical criteria for the diagnosis of ventricular tachycardia. *Am J Med*. 1988;84(1):53-56.

5. Garner JB, Miller JM. Wide complex tachycardia—ventricular tachycardia or not ventricular tachycardia, that remains the question. *Arrhythm Electrophysiol Rev*. 2013;2(1):23-29.

제 38 장

심실세동과 무수축

목표

1. 심실세동의 정의 및 진단기준을 설명한다.

2. 심실세동의 발생 기전 및 제세동의 역할을 설명한다.

3. 무수축의 정의 및 진단기준을 설명한다.

4. 무수축에서 전기 동율동 전환술의 필요성을 논의한다.

5. 임종 리듬의 정의 및 진단기준을 설명한다.

6. 리듬 기록지에서 심실세동, 무수축 및 임종 리듬을 구분한다.

심실세동

심실세동(Vfib)은 빠르고, 완전히 무질서한 심실율동이다. 이 부정맥의 심전도적인 특징은 다양한 모양과 크기의, 어떤 구별되는 P, QRS, 혹은 T파도 없는 파동치는 율동이다(**그림 38-1**). 이 파동은 1분에 150~500회까지 일어날 수 있다. 우리는 이 파동을 박동이라고 표현하지 않을 것이다. 이것은 심실세동에서 심장의 어떠한 형태로든지 조직화된 박동이 없기 때문이다.

어떤 저자들은 미세하거나 거친 심실세동이 있다고 언급하였다(**그림 38-2**). 우리는 20장에서 똑같은 미세하고 거친 심방세동을 살펴보았다. 이러한 두 개의 심전도적인 해석의 실제적인 의미 혹은 중요성은 불명확하다. 하지만 이러한 두 가지 변이를 보여주게 될 것이다. 명심할 것은, 가끔씩 미세한 심실세동이 무수축으로(혹은 리듬이 없는 것으로) 오인되는 경우가 있다. 이 두 가지를 감별하기 위해서는 유도를 바꾸어 주는 것이 극단적으로 중요하다. 다른 유도에서 여전히 전형적인 세동의 형태가 나타난다면 이때 제세동이 여전히 유효할 것이다.

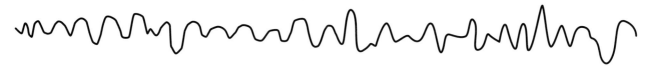

그림 38-1. 심실세동. 어떤 형태의 반복되는 패턴도 없다는 것을 주목하자. 이것은 심실이 완전히 혼란스럽게 수축되고 있음을 반영하는 완전히 혼란스러운 심전도 표현이다.

© Jones & Bartlett Learning.

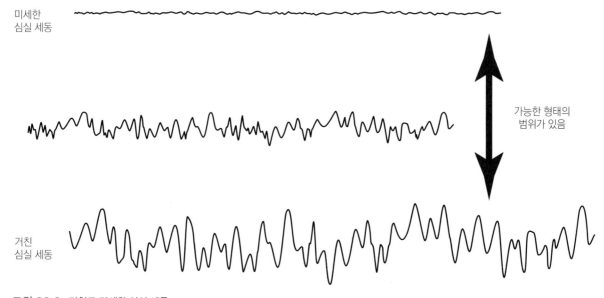

그림 38-2. 거칠고 미세한 심실 세동

© Jones & Bartlett Learning.

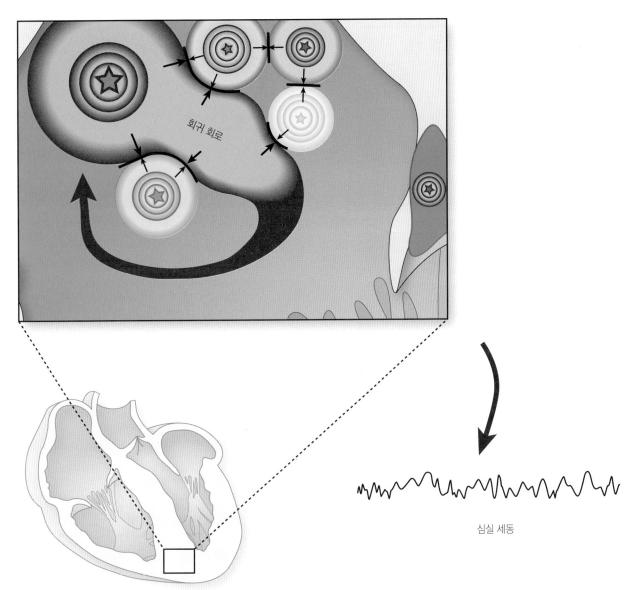

그림 38-3. 심실 조직에서 아주 많은 개별적인 이소성 초점이 동시에 이소성 심박동기로 작용하고 있다. 심실 내의 이러한 조그만 탈분극 섬들은 대부분 서로와 상쇄된다. 그러나 이소성 심박동들은 작은 벡터들을 형성하게 되고, 심전도 기록지에 여러 가지 크기와 형태를 가진 파동으로 기록된다. 거기에 동시에 여러 가지의 회귀 회로가 형성되고 기능하게 된다. 결과적으로 완전히 혼란스러운 심실탈분극이 나타난다. 이 혼란스러운 탈분극은 기계적인 수축을 본질적으로 무력화한다.

© Jones & Bartlett Learning.

심실세동은 전형적으로 여러 개의 이소성 심실 심박동기의 증가된 자동능에 의해서 유발된다(**그림 38-3**). 거기에다가 수많은 제 각각의 회귀 회로가 생성되고, 심실 내에서 동시에 작동한다. 결과적으로 전 심실을 통틀어서 의미있는 탈분극파가 존재하지 않는다. 각각의 작은 구역이 수축하지만 지역적인 수축과 탈분극의 혼란은 본질적으로 심실을 작동불능 상태에 이르게 한다. 기계적인 수축이 없을 경우 심박출량이 없다. 이것은 생존에 적합하지 않은 조건이다.

임상적으로 심실세동은 정상 심장을 가진 환자에서 자발적으로 일어날 수 있다. 이것은 또한 심실빈맥이 악화되어 심실세동이 될 수도 있다. 하지만 이 부정맥의 가장 흔한 원인은 급성 심근경색증이다. 운이 없는 수많은 환자에게 이러한 치명적인 부정맥은 급성 심근경색증의 첫 번째 징후이다. 심실빈맥과 함께 이 두 빈맥은 심혈관 질환과 관련된 사망 원인의 50 % 이상을 차지한다.

심실세동은 치명적인 부정맥이다. 빈맥의 자발적인 종료는 발생하지 않는다.

만일 여러분이 이 부정맥을 겪는다면 사망할 것이다. 유

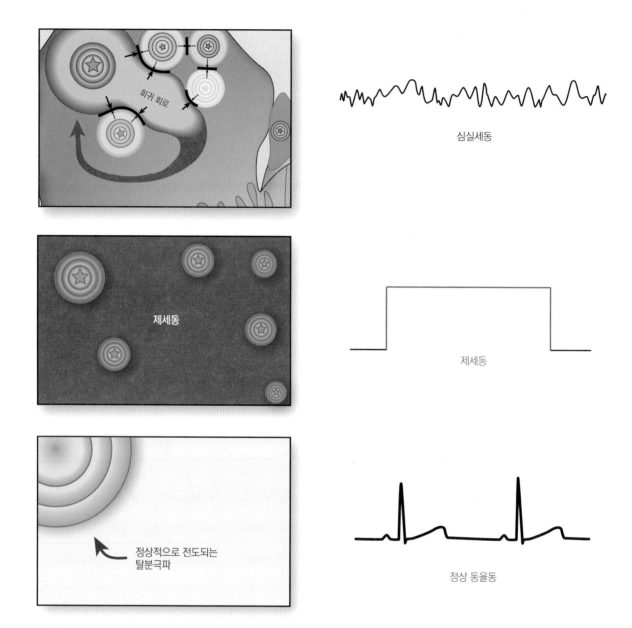

그림 38-4. 심실의 혼란스런 탈분극은 심실세동을 일으킨다. 제세동은 모든 심근세포가 동시에 탈분극하도록 한다. 이것은 모든 심장세포를 재설정하게 된다. 여기서 기대하는 것은 정상 심박동기가 조율 기능을 장악하여, 탈분극파가 재설정(reset)된 전기 전도 시스템과 심근 세포로 전달되는 것이다.

© Jones & Bartlett Learning.

일한 삶의 기회는 즉시 치료하는 것뿐이다. 심박출이 멈춘 지 10-20초 이내에 생명을 위협하는 부작용들이 시작되기 시작한다. 무엇이 심실세동의 가장 효과적인 치료 방침인가? 즉각적인 제세동이다.

제세동을 시행하는 동안 정확히 어떤 작용이 일어나는가? 응급 제세동에 의해서 주어진 전기 자극은 모든 심실세포의 즉각적이고 동시적인 탈분극을 만들어낸다(**그림 38-4**).

이때 심장은 본질적으로 외부에서 자극되고 탈분극 된 다음 자체적으로 작동하도록 내버려두게 된다. 운 좋게도 심근세포는 오직 마지막 전기적인 탈분극만을 기억한다. 시간적으로 같은 시점에 모든 회귀성 회로와 이소성 심박동기의 작동을 중단시킨 다음, 원래의 심박동기가 전기 자극을 동기화(synchronized)하고 정상적인 전도를 통하여 심장의 조율을 장악하게 된다. 핵심은 우리는 심장이 정상으로 돌아오는 것을 기대하면서 심장을 일시적으로 멈추게 된다.

한 가지 더

심실세동인가 허상(Artifact)인가?

임상적 경고 : 항상 환자를 치료하라, 부정맥을 치료하는 것이 아니다! 많은 경우에 유도나 환자의 움직임이나 환자의 떨림은 율동 이상의 잘못된 진단을 내릴 수 있게 한다(**그림 38-5~8**). 허상은 심실빈맥, 심실세동, 무수축과

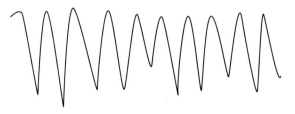

그림 38-5. 이 환자는 아이들과 레슬링을 하고 있다. 의사는 유도의 움직임 때문에 심실빈맥 상태에 있다고 생각하였다. 리듬은 환자가 움직임을 멈추고 잠시 후 정상으로 회복되었다.

© Jones & Bartlett Learning.

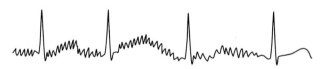

그림 38-6. 이것은 심방세동이 아니다. 율동은 규칙적이다. 방에 있던 전기 기구에 의한 간섭이 이 허상(artifact)의 원인이다. 기계를 끄자 율동은 정상으로 돌아왔다.

© Jones & Bartlett Learning.

닮았다. 환자를 보고, 상식적으로 생각하라. 만일 당신이 심실세동으로 보이는 심전도를 보고 있는데, 환자가 화장실로 걸어간다면, 그는 심실세동 상태가 아니다.

반대로 심실세동으로 보이는 심전도의 환자가 자고 있다면, 그를 흔들어서 깨워보라. 이것이 고급심장생 명구조법(advanced cardiac life support, ACLS)의 첫걸음이다. 그리고 여기에는 이유가 있다. 만일 환자를 흔들어서 깨울 수 없다면 그는 심장 마비 상태인 것이다. 이러한 토론이 여러분의 지식을 무시하는 것일 수도 있지만 우리는 경험이 많은 임상의들이 심폐소생술(CPR)을 시작하고, 환자가 갑자기 그의 등을 때리기 시작하는 것을 보아왔다. 모니터가 아닌 환자를 치료하라.

그림 38-7. 이 환자는 심실세동의 심장 마비가 아니다. 환자가 겉옷을 갈아입을 때 유도가 움직였다.

© Jones & Bartlett Learning.

그림 38-8. 이 환자는 무수축의 심장 마비가 아니다. 부착된 유도가 가슴에서 떨어졌다.

© Jones & Bartlett Learning.

무수축

무수축은 어떠한 전기적인 심장의 활동도 없는 것을 의미한다(**그림 38-9**). 심전도에서 일직선 혹은 거의 일직선으로 기록지에 나타난다. 일직선은 어떠한 탈분극파도, 벡터도 없음을 의미한다. 기록지 어디에서도 P, QRS, 혹은 T파가 보이지 않는다. 생각하기 좋은 방법은 … 만일 심전도 용지에 4살 정도의 아이가 그린 것처럼 보이는 직선이 있으면 그것은 아마도 무수축일 것이다.

짐작할 수 있듯이, 이 시점이면 임상적으로 사망한 것이다. 어떠한 전기적이나 기계적인 활동이 없다. 그러나 이런 상태로 환자가 그대로 머물러 있어야 하는 것은 아니다. 임상적으로 적응증이 되면 반드시 무수축 심장 마비에 대한 ACLS 지침을 따라 심폐 소생술을 시작하여야 한다. 언제 CPR을 시작하거나 언제 끝내야 할지는 주관적인 것이다. 그리고 이러한 결정에 어떠한 규칙도 없다. 미세 심실세동과 완전히 등전위 유도가(드물게 있음) 아닌 것을 확인하기 위해 반드시 여러 유도를 확인하여야 한다. 만일 3개 이상의 유도에서 일직선을 보게 된다면 무수축으로 진단한다.

그림 38-9. 무수축

© Jones & Bartlett Learning.

여기 임상적 진주가 있다. 심율동 전환이나 제세동은 심장을 시작하게(kick- start) 하지는 못한다. 오히려 심장을 차디차게 멈춘다. 이렇게 말하는 것은 완전 무수축 환자에게 제세동이나 심율동 전환은 금기라는 것을 기억해야 한다는 것이다.

정상적으로 심장을 제세동하거나 율동 전환을 하는 이유는 심장의 모든 전기적 활동을 멈추게 함으로써 정상적인 심장 조율기가 역할을 하게 하기 위해서이다. 그러나 진짜 무수축에서는 우선 어떠한 전기적인 신호도 없다. 외부 전류를 가해도 효과적이지 않으며, 심근세포에 해를 주어서, 만약에 결국에 정상적인 율동으로 돌아오는 상황이었다면 치료를 더욱 어렵게 만든다. 무수축 심장마비에서 경정맥 혹은 경흉부 체외 박동기 사용은 한편으로 훌륭한 선택이 될 것이다.

임종 리듬

임종 리듬은 일상의 환자 치료 중에서 임상의들이 가끔씩 사용하는 무수축에 대한 다른 용어이다(**그림 38-10**). 임종 리듬은 기본적으로 가끔씩 P파나 QRS군을 가지는 무수축 리듬이다. 만일 QRS군이 존재한다면 아주 넓고, 이상한 모양을 가지게 될 것이다. 그것들은 이소성 심실 박동군의 기준에서 볼 때도 아주 이상하다.

임종 리듬은 생의 마지막에 나타나는 사건이다. 그래서 임상적으로는 무수축과 동일하게 다루어져야 한다. 가끔씩 나타나는 박동군은 죽어가는 심장의 마지막 노력이다. 심실 박동수가 20회/분 이하로 내려가는 것은 전형적인 심실고유 이탈율동에서 잘 볼 수 없다.

그림 38-10. 임종 리듬

© Jones & Bartlett Learning.

심전도 스트립

심전도 1

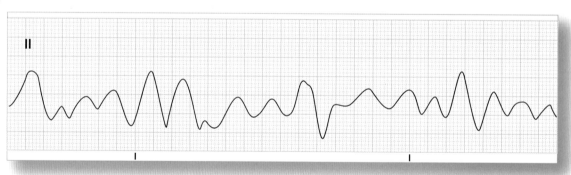

From *Arrhythmia Recognition: The Art of Interpretation*, courtesy of Tomas B. Garcia, MD.

박동수 :	없음	PR 간격 :	없음
규칙성 :	없음	QRS 폭 :	넓음
P파 :	없음	그룹화 :	심실 박동군들
형태 :	없음		
축 :	없음	탈락 박동 :	없음
P:QRS 비 :	없음	리듬 :	심실세동(Ventricular fibrillation)

이 기록지의 파형은 P, QRS, 또는 T파를 나타내는 규칙성이 없는 완전히 혼란스러운 리듬이다. 파동(undulation)은 다양한 간격과 다양한 진폭과 극성이 있는 형태를 보인다. 이것은 심실세동의 전형적인 예이다. 환자와의 임상적 연관과 다양한 유도의 기록을 얻어 허상(artifact)과 감별하여야 한다.

심전도 2

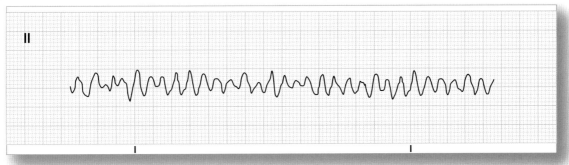

From *Arrhythmia Recognition: The Art of Interpretation*, courtesy of Tomas B. Garcia, MD.

박동수 :	없음	PR 간격 :	없음
규칙성 :	없음	QRS 폭 :	정상
P파 : 　형태 : 　축 :	없음 없음 없음	그룹화 :	없음
		탈락 박동 :	없음
P:QRS 비 :	없음	리듬 :	심실세동 (Ventricular fibrillation)

이 심전도의 파동(undulation)은 **그림 38-1**의 형태보다 더 좁지만, 앞서 말한 것들과 같은 특징들이 적용될 수 있다. 이것은 심실세동의 한 예이다.

환자에 대한 임상적 연관과 다양한 유도의 형태를 관찰하여 허상과 감별하여야 한다.

심전도 3

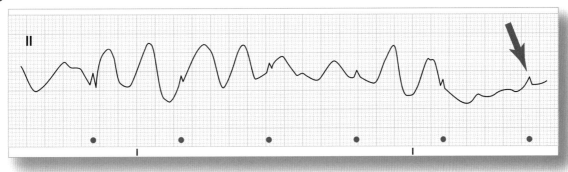

From *Arrhythmia Recognition: The Art of Interpretation*, courtesy of Tomas B. Garcia, MD.

박동수 :	분당 약 65회	PR 간격 :	명확치 않음
규칙성 :	규칙적	QRS 폭 :	명확치 않음
P파 : 　형태 : 　축 :	명확치 않음 없음 없음	그룹화 :	없음
		탈락 박동 :	없음
P:QRS 비 :	명확치 않음	리듬 :	아래 설명 참조

우선, 푸른 화살표에 의해 표시된 곳을 살펴보자. 이 페이지의 다른 파동과는 달리 날카롭고 뾰족한 형태를 보인다. 좀 더 세심한 관찰을 해보면 기록지 전방에 걸쳐 비슷한 꼭 지점을 볼 수 있다.

이것은 심실세동에서 나타나는 파동을 의미하는 것일 수 있다. 여러 유도들과 환자와의 임상적 연관성을 확인한 후, 환자는 정상동율동을 가지며, 이것은 단지 유도 II의 허상인 것으로 판명되었다.

심전도 4

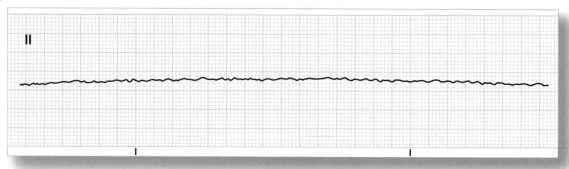

From *Arrhythmia Recognition: The Art of Interpretation*, courtesy of Tomas B. Garcia, MD.

박동수 :	없음	PR 간격 :	없음
규칙성 :	없음	QRS 폭 :	정상
P파 : 　형태 : 　축 :	없음 없음 없음	그룹화 :	없음
		탈락 박동 :	없음
P:QRS 비 :	없음	리듬 :	심실세동(Ventricular fibrillation)

　기록지를 가로지르는 매끈한 선을 관찰할 수 있다. 이 기록지는 미세(fine) 심실세동 또는 무수축(asystole)을 시사한다. 다른 유도들을 관찰해 보면 미세 심실세동이 확실해진다.

　항상 허상을 배제하기 위해 환자의 임상적 연관과 여러 유도를 참고하는 것을 잊어서는 안 된다.

심전도 5

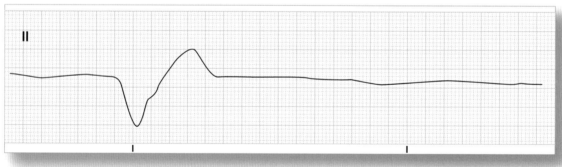

From *Arrhythmia Recognition: The Art of Interpretation*, courtesy of Tomas B. Garcia, MD.

박동수 :	없음	PR 간격 :	없음
규칙성 :	없음	QRS 폭 :	정상
P파 : 　형태 : 　축 :	없음 없음 없음	그룹화 :	없음
		탈락 박동 :	없음
P:QRS 비 :	없음	리듬 :	임종리듬 혹은 무수축

　위의 기록지는 일직선의 원래선에서 매우 넓고 이상한 모양의 박동군이 하나 보인다. 이 율동은 살아 있는 상태와

맞지 않으며 심실고유 이탈율동에서 예측되는 것보다 느린 박동수를 보인다. 이것은 임종 리듬의 한 예이다.

| 심전도 6

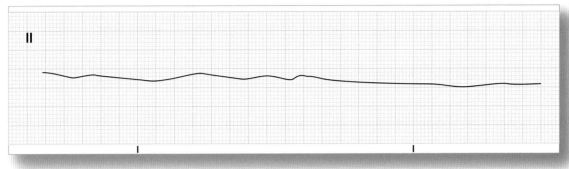

From *Arrhythmia Recognition: The Art of Interpretation*, courtesy of Tomas B. Garcia, MD.

박동수 :	없음	PR 간격 :	없음
규칙성 :	없음	QRS 폭 :	정상
P파 :	없음	그룹화 :	없음
형태 :	없음		
축 :	없음	탈락 박동 :	없음
P:QRS 비 :	없음	리듬 :	무수축

이 선은 약간의 파동을 가진 일직선을 보여준다. 선의 어디에도 파형처럼 보이는 것은 없다. 이것은 무수축 기록지의 한 예이다.

환자와의 임상적 연관과 허상에 의한 것인지를 감별하기 위한 다양한 유도를 관찰할 필요가 있다.

단원복습

1. 심실세동은 빠르고 완전히 혼란스러운 심실리듬을 말한다. (맞다 / 틀리다)

2. 심실세동은 심전도 상에서 150-500회/분의 파동이 존재한다. (맞다 / 틀리다)

3. _____ 심실세동은 종종 무수축으로 오인된다.

4. 가장 흔한 심실세동의 원인은 _____이다.

5. 심실세동의 가장 효과적인 치료는 응급 _____이다.

6. 전기적인 제세동은 정확히 같은 시각에 심장의 모든 심근세포들의 동시 탈분극을 유발시킨다. 심장의 심박동기가 '조용한(silent)' 심장에서 조율 기능을 장악하기를 희망하는 것이다. (맞다 / 틀리다)

7. 율동이 무수축이란 것을 확인하기 위해서는 적어도 3개 이상의 유도에서 세동 소견을 확인하여야 한다. (맞다 / 틀리다)

8. _____은 가끔씩 P파와 QRS파가 나타나지만 기본적으로 무수축이다.

5편 자율 학습

점검: 심전도 1

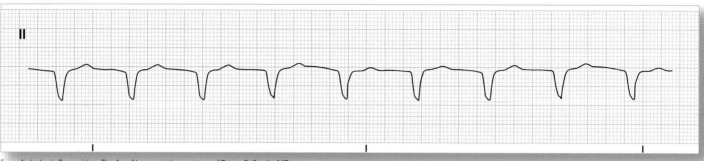

From *Arrhythmia Recognition: The Art of Interpretation*, courtesy of Tomas B. Garcia, MD.

박동수 :	PR 간격 :	설명
규칙성 :	QRS 폭 :	
P파 : 　형태 : 　축 :	그룹화 :	
	탈락 박동 :	
P:QRS 비 :	리듬 :	

점검: 심전도 2

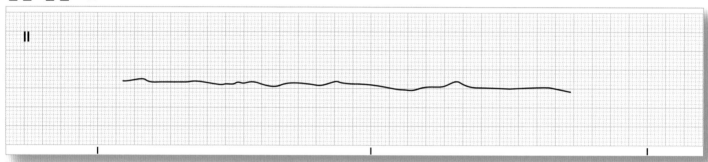

From *Arrhythmia Recognition: The Art of Interpretation*, courtesy of Tomas B. Garcia, MD.

박동수 :	PR 간격 :	설명
규칙성 :	QRS 폭 :	
P파 : 　형태 : 　축 :	그룹화 :	
	탈락 박동 :	
P:QRS 비 :	리듬 :	

점검: 심전도 3

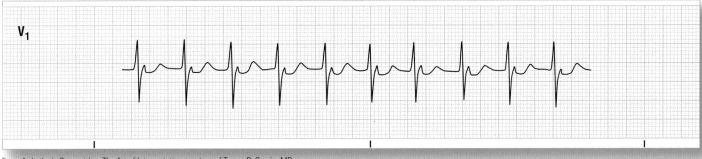

V₁

From *Arrhythmia Recognition: The Art of Interpretation*, courtesy of Tomas B. Garcia, MD.

박동수 :	PR 간격 :	설명
규칙성 :	QRS 폭 :	
P파 : 　형태 : 　축 :	그룹화 :	
	탈락 박동 :	
P:QRS 비 :	리듬 :	

점검: 심전도 4

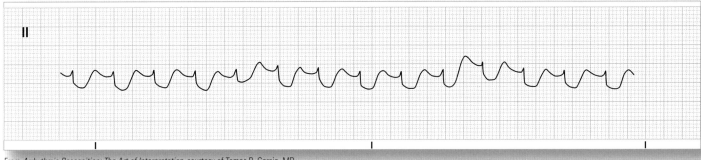

II

From *Arrhythmia Recognition: The Art of Interpretation*, courtesy of Tomas B. Garcia, MD.

박동수 :	PR 간격 :	설명
규칙성 :	QRS 폭 :	
P파 : 　형태 : 　축 :	그룹화 :	
	탈락 박동 :	
P:QRS 비 :	리듬 :	

점검: 심전도 5

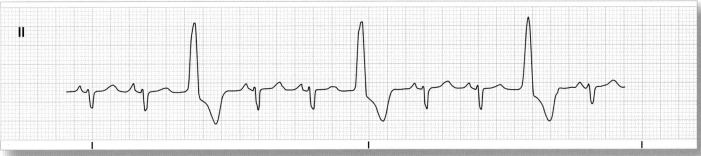

II

From *Arrhythmia Recognition: The Art of Interpretation*, courtesy of Tomas B. Garcia, MD.

박동수 :	PR 간격 :	설명
규칙성 :	QRS 폭 :	
P파 : 　형태 : 　축 :	그룹화 :	
	탈락 박동 :	
P:QRS 비 :	리듬 :	

점검: 심전도 6

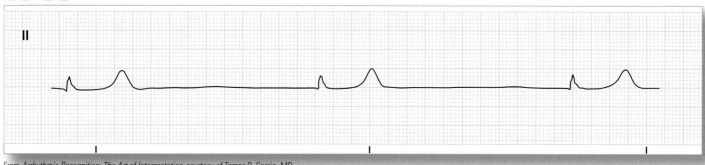

From *Arrhythmia Recognition: The Art of Interpretation*, courtesy of Tomas B. Garcia, MD.

				설명
박동수 :		PR 간격 :		
규칙성 :		QRS 폭 :		
P파 : 　형태 : 　축 :		그룹화 :		
		탈락 박동 :		
P:QRS 비 :		리듬 :		

점검: 심전도 7

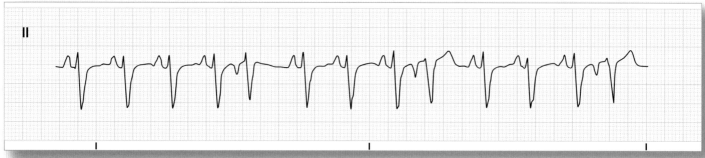

From *Arrhythmia Recognition: The Art of Interpretation*, courtesy of Tomas B. Garcia, MD.

				설명
박동수 :		PR 간격 :		
규칙성 :		QRS 폭 :		
P파 : 　형태 : 　축 :		그룹화 :		
		탈락 박동 :		
P:QRS 비 :		리듬 :		

점검: 심전도 8

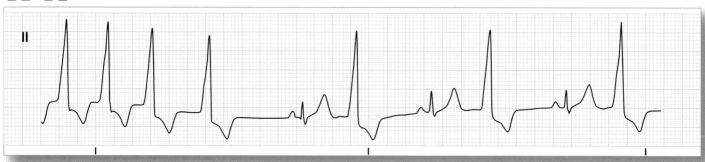

From *Arrhythmia Recognition: The Art of Interpretation*, courtesy of Tomas B. Garcia, MD.

				설명
박동수 :		PR 간격 :		
규칙성 :		QRS 폭 :		
P파 : 　형태 : 　축 :		그룹화 :		
		탈락 박동 :		
P:QRS 비 :		리듬 :		

점검: 심전도 9

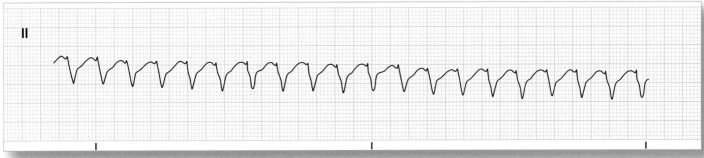

From *Arrhythmia Recognition: The Art of Interpretation*, courtesy of Tomas B. Garcia, MD.

박동수 :	PR 간격 :	설명
규칙성 :	QRS 폭 :	
P파 : 　형태 : 　축 :	그룹화 :	
	탈락 박동 :	
P:QRS 비 :	리듬 :	

점검: 심전도 10

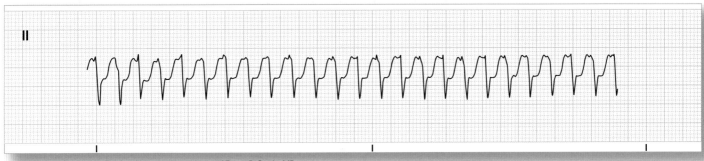

From *Arrhythmia Recognition: The Art of Interpretation*, courtesy of Tomas B. Garcia, MD.

박동수 :	PR 간격 :	설명
규칙성 :	QRS 폭 :	
P파 : 　형태 : 　축 :	그룹화 :	
	탈락 박동 :	
P:QRS 비 :	리듬 :	

점검: 심전도 11

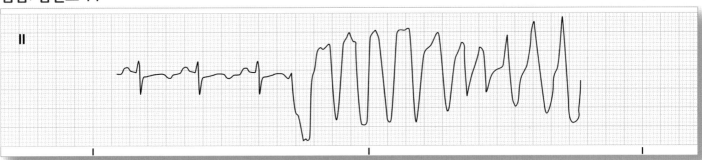

From *Arrhythmia Recognition: The Art of Interpretation*, courtesy of Tomas B. Garcia, MD.

박동수 :	PR 간격 :	설명
규칙성 :	QRS 폭 :	
P파 : 　형태 : 　축 :	그룹화 :	
	탈락 박동 :	
P:QRS 비 :	리듬 :	

점검: 심전도 12

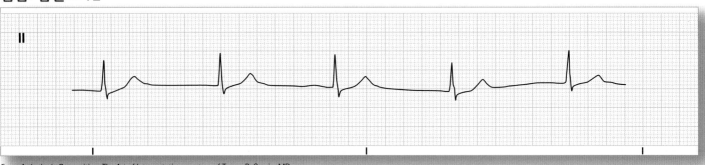

From *Arrhythmia Recognition: The Art of Interpretation*, courtesy of Tomas B. Garcia, MD.

		설명
박동수 :	PR 간격 :	
규칙성 :	QRS 폭 :	
P파 : 형태 : 축 :	그룹화 :	
	탈락 박동 :	
P:QRS 비 :	리듬 :	

점검: 심전도 13

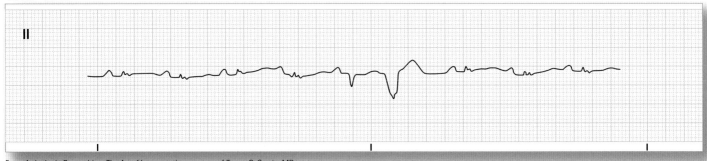

From *Arrhythmia Recognition: The Art of Interpretation*, courtesy of Tomas B. Garcia, MD.

		설명
박동수 :	PR 간격 :	
규칙성 :	QRS 폭 :	
P파 : 형태 : 축 :	그룹화 :	
	탈락 박동 :	
P:QRS 비 :	리듬 :	

점검: 심전도 14

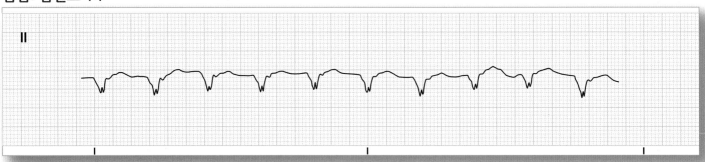

From *Arrhythmia Recognition: The Art of Interpretation*, courtesy of Tomas B. Garcia, MD.

		설명
박동수 :	PR 간격 :	
규칙성 :	QRS 폭 :	
P파 : 형태 : 축 :	그룹화 :	
	탈락 박동 :	
P:QRS 비 :	리듬 :	

점검: 심전도 15

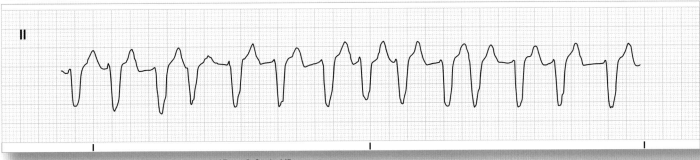

From *Arrhythmia Recognition: The Art of Interpretation*, courtesy of Tomas B. Garcia, MD.

박동수 :	PR 간격 :	설명
규칙성 :	QRS 폭 :	
P파 : 　형태 : 　축 :	그룹화 :	
	탈락 박동 :	
P:QRS 비 :	리듬 :	

점검: 심전도 16

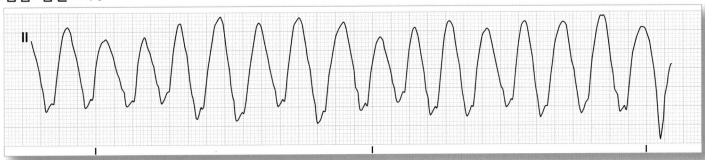

From *Arrhythmia Recognition: The Art of Interpretation*, courtesy of Tomas B. Garcia, MD.

박동수 :	PR 간격 :	설명
규칙성 :	QRS 폭 :	
P파 : 　형태 : 　축 :	그룹화 :	
	탈락 박동 :	
P:QRS 비 :	리듬 :	

점검: 심전도 17

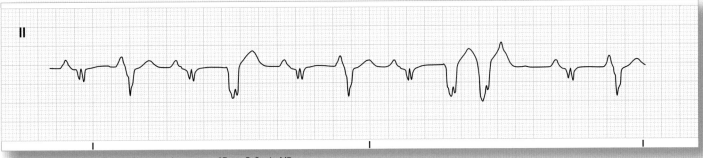

From *Arrhythmia Recognition: The Art of Interpretation*, courtesy of Tomas B. Garcia, MD.

박동수 :	PR 간격 :	설명
규칙성 :	QRS 폭 :	
P파 : 　형태 : 　축 :	그룹화 :	
	탈락 박동 :	
P:QRS 비 :	리듬 :	

점검: 심전도 18

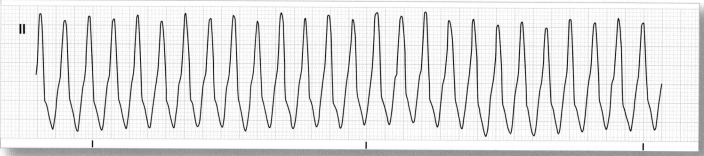

From *Arrhythmia Recognition: The Art of Interpretation*, courtesy of Tomas B. Garcia, MD.

박동수 :	PR 간격 :	설명
규칙성 :	QRS 폭 :	
P파 : 형태 : 축 :	그룹화 :	
	탈락 박동 :	
P:QRS 비 :	리듬 :	

점검: 심전도 19

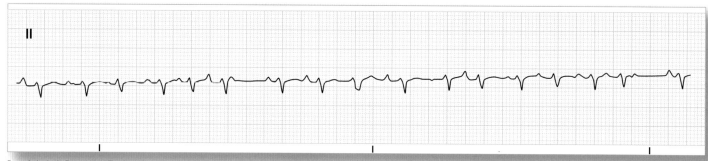

From *Arrhythmia Recognition: The Art of Interpretation*, courtesy of Tomas B. Garcia, MD.

박동수 :	PR 간격 :	설명
규칙성 :	QRS 폭 :	
P파 : 형태 : 축 :	그룹화 :	
	탈락 박동 :	
P:QRS 비 :	리듬 :	

점검: 심전도 20

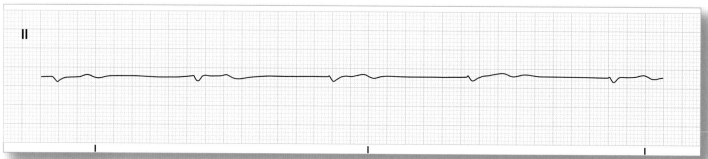

From *Arrhythmia Recognition: The Art of Interpretation*, courtesy of Tomas B. Garcia, MD.

박동수 :	PR 간격 :	설명
규칙성 :	QRS 폭 :	
P파 : 형태 : 축 :	그룹화 :	
	탈락 박동 :	
P:QRS 비 :	리듬 :	

5편 자율 학습 해설

점검: 심전도 1

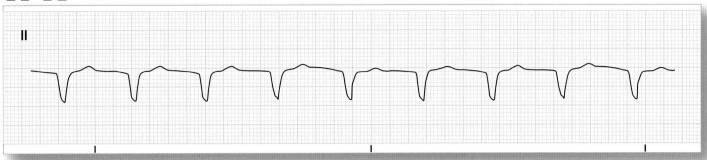

From *Arrhythmia Recognition: The Art of Interpretation*, courtesy of Tomas B. Garcia, MD.

박동수 :	분당 약 76회	PR 간격 :	적용할 수 없음
규칙성 :	규칙적	QRS 폭 :	넓음
P파 : 　형태 : 　축 :	없음 없음 없음	그룹화 :	없음
		탈락 박동 :	없음
P:QRS 비 :	적용할 수 없음	리듬 :	가속성 심실고유리듬

토의:

이 리듬 기록지에는 76회/분 정도의 넓은 QRS파의 규칙적인 리듬이 기록되어 있다. 기록지 전체에서 분명한 P파는 보이지 않으며, 심박동수와 이 리듬의 기원이 심실이라는 것으로 생각하면 가속성 심실고유 리듬으로 진단할 수 있다.

점검: 심전도 2

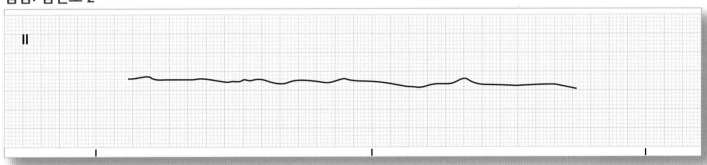

From *Arrhythmia Recognition: The Art of Interpretation*, courtesy of Tomas B. Garcia, MD.

박동수 :	없음	PR 간격 :	적용할 수 없음
규칙성 :	적용할 수 없음	QRS 폭 :	적용할 수 없음
P파 : 　형태 : 　축 :	없음 없음 없음	그룹화 :	없음
		탈락 박동 :	없음
P:QRS 비 :	적용할 수 없음	리듬 :	무수축

토의:

이 기록지 어디에도 저명한 파형은 나타나지 않는다. 이는 무수축의 예제이다. 완벽을 기하기 위해, 다양한 유도를 확인하여 지금 나타나는 것이 무수축이며, 허상이나, 등전 위 유도가 아니라는 것을 확실히 할 필요가 있다는 것을 기억해야 한다. 또한 어떠한 리듬 기록지라도 환자의 임상적 정보에 기초하여 판독해야 한다는 것을 기억해야 한다.

점검: 심전도 3

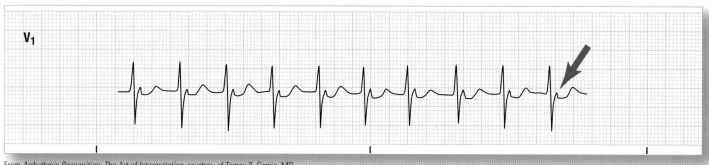

From *Arrhythmia Recognition: The Art of Interpretation*, courtesy of Tomas B. Garcia, MD.

박동수:	분당 약 115회	PR 간격:	적용할 수 없음
규칙성:	규칙적	QRS 폭:	정상
P파:	있음, 인공 R 파	그룹화:	없음
형태:	적용할 수 없음		
축:	적용할 수 없음	탈락 박동:	없음
P:QRS 비: 1:1		리듬:	가속성 방실접합부리듬

토의:

심박동수 115회/분 정도의 좁은 QRS파 빈맥이다. QRS파 앞에 관련된 P파가 발견되지 않는다. 그러나 R'파가 가성 R'파(파란 화살표)의 존재와 합당한 소견을 보여준다. 가성 R'파는 V₁ 유도에서 QRS군 속에 묻혀 있는 상향의 P파에 의해서 발생하며 이것은 R' 또는 r' 꼭지점(peak)으로 나타난다는 것을 기억하자. 그것은 접합부, 가속성 접합부 혹은 방실결절회귀성빈맥 등에서 나타날 수 있다.

점검: 심전도 4

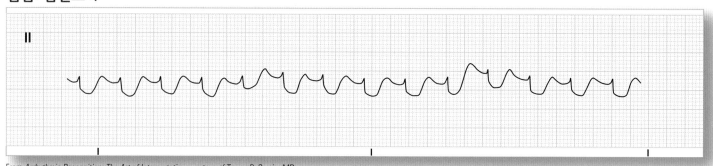

From *Arrhythmia Recognition: The Art of Interpretation*, courtesy of Tomas B. Garcia, MD.

박동수:	분당 약 133회	PR 간격:	적용할 수 없음
규칙성:	규칙적	QRS 폭:	정상
P파:	없음	그룹화:	없음
형태:	없음		
축:	없음	탈락 박동:	없음
P:QRS 비: 적용할 수 없음		리듬:	단형 심실빈맥

토의:

이 기록지는 심실빈맥을 가진 많은 환자들을 분석하는 경우의 전형적인 문제점을 보여준다. 유도 II의 작은 전압이 바로 그것이다. 우리는 거의 틀림없이 심실성임을 나타내는 큰 QRS파를 동반한 심실빈맥의 사례들에 익숙해있다. 문제는 심실빈맥이 우각 차단의 형태를 띠고 있을 때 발생한다. 전형적으로 유도 II는 작은 전압을 나타내며 이는 상향(positive) 혹은 하향(negative)일 수 있다.

우각차단은 심실빈맥의 흔한 형태이다. 이것은 양성(benign)으로 보이기 때문에 임상적으로 가볍게 여기는 경향이 있다. 방실해리의 동반여부와 관계없이 넓은 QRS 리듬은 항상 심실빈맥으로 간주되어야 한다. 이 환자의 12 유도 심전도는 심실빈맥과 좌심실의 측벽부허혈을 동반한 급성 전중격부 심근경색증이 둘 다 존재하고 있음을 보여주었다. 이 심전도의 ST 분절 하강은 심근 경색의 상대변화(reciprocal change)에 의한 것이다.

점검: 심전도 5

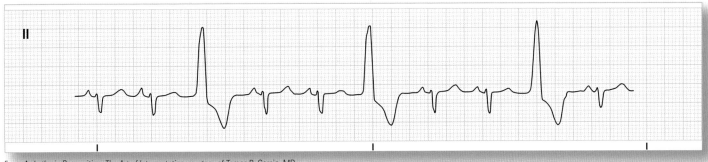

From *Arrhythmia Recognition: The Art of Interpretation*, courtesy of Tomas B. Garcia, MD.

박동수:	분당 약 98회	PR 간격:	정상, 사건은 제외하고
규칙성:	규칙적으로 불규칙	QRS 폭:	정상, 사건은 제외하고
P파: 　형태: 　축:	있음 정상 정상	그룹화:	있음
		탈락 박동:	있음
P:QRS 비:	1:1, 사건은 제외하고	리듬:	심실삼단맥을 동반한 동 리듬

토의:

　이 기록지는 동율동에 동반한 단형의 심실 조기수축이며, 세 번째 박동마다 반복되는 것을 보여준다. 이것은 심실 삼단맥(ventricular trigeminy)의 예제이다. 기록지의 두 번째 P파는 다른 P파와 약간 다른 형태를 띄고 있으나 이것은 예정대로 나타났으며 다른 P파와 PR 간격이 같으므로 심방 조기수축은 아니다. 이는 동결절 내부의 상이한 심박동기에서 유발되었기 때문이거나 혹은 약간의 인위적인(artifactual) 차이일 수 있다. PVC와 연관된 휴지는 예상하는 바와 같이 완전한 보상적이다.

점검: 심전도 6

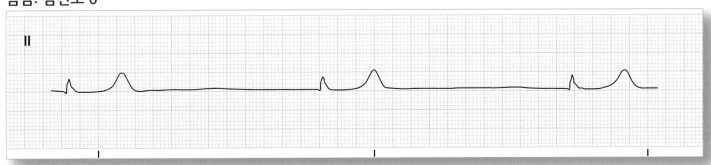

From *Arrhythmia Recognition: The Art of Interpretation*, courtesy of Tomas B. Garcia, MD.

박동수:	분당 20회 미만	PR 간격:	적용할 수 없음
규칙성:	규칙적	QRS 폭:	넓음
P파: 　형태: 　축:	없음 없음 없음	그룹화:	없음
		탈락 박동:	없음
P:QRS 비:	적용할 수 없음	리듬:	임종 리듬

토의:

　이 리듬 기록지는 매우 느린 속도로 나타나는 심실 박동군을 보여준다. 이 속도는 전형적인 심실 고유율동의 최저 심박수보다 더 느리다. 이것은 임종 리듬의 한 예다. 일반적으로 환자의 임종 시 심장 율동이라는 것을 기억하자. 만약 어떤 환자가 이런 리듬을 보인다면, 환자에게 남겨진 시간은 많지 않다.

　생명유지에 필요한 심박출량을 유지하고 심박수를 높이기 위해 atropine 같은 약물뿐만 아니라 외부 혹은 경정맥 심박조율이 응급으로 필요하다. 이런 경우에 epinephrine이 역시 도움이 될 수 있지만 조심스럽게 사용을 고려해야 한다.

점검: 심전도 7

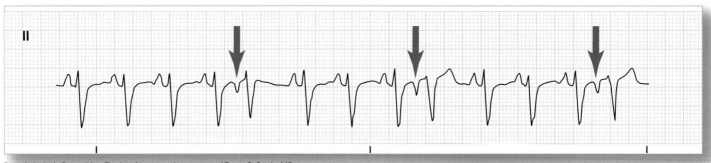

From *Arrhythmia Recognition: The Art of Interpretation,* courtesy of Tomas B. Garcia, MD.

박동수 :	분당 약 120회	PR 간격 :	정상, 사건을 제외
규칙성 :	규칙적으로 불규칙	QRS 폭 :	정상
P파 :	있음	그룹화 :	없음
형태 :	정상, 사건을 제외		
축 :	정상, 사건을 제외	탈락 박동 :	아래의 토의를 참고
P:QRS 비 : 1:1		리듬 :	빈번한 심방 조기수축을 동반한 동 빈맥

토의:

기록지는 원래의 약 120회/분의 박동수를 가진 동 빈맥을 보여준다. 이 동 빈맥은 간헐적인 심방 조기수축에 의해 깨어진다. 이 PVC들은 역위성 P파와 정상 PR 간격을 가진다.

이런 형태는 조기수축군이 심방의 이소성 위치에서 기원한다는 것과 접합부 위치는 아니라는 것을 시사한다. 특이하게도 완전한 대상성 휴지기를 보이며 이는 심방 조기수축에서 드물게 나타나는 소견이다.

점검: 심전도 8

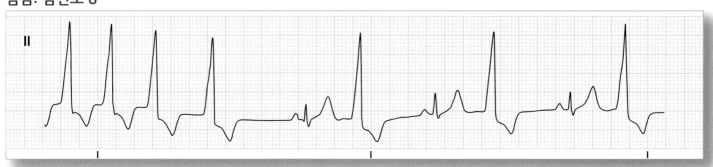

From *Arrhythmia Recognition: The Art of Interpretation,* courtesy of Tomas B. Garcia, MD.

박동수 :	다양한 박동수	PR 간격 :	아래의 토의를 참고
규칙성 :	규칙적으로 불규칙	QRS 폭 :	아래의 토의를 참고
P파 :	기록지 후반에 존재	그룹화 :	없음
형태 :	정상		
축 :	정상	탈락 박동 :	있음
P:QRS 비 : 아래의 토의를 참고		리듬 :	단형 심실빈맥이 심실이단맥을 동반한 동율동으로 전환됨

토의:

이 심전도는 심실빈맥의 종료 시점에서 나타나는 사건의 예이다. 기록지의 시작 부분은 박동수 125회/분의 단형 심실빈맥이다. 리듬에 약간의 불규칙성을 보이며 이것은 심실빈맥의 시작과 종료시점에서 흔하게 볼 수 있는 소견이다.

빈맥 이후의 환자의 리듬 심실 이단맥(bigeminy)을 동반한 동율동이다. 단형 심실빈맥의 심전도군들의 형태와 심실 조기수축의 형태가 같은 것을 확인할 수 있다. 이 환자에 대한 후 속 평가를 위해서 임상적인 상황과 전체 12-유도 심전도를 확인하여야 한다.

점검: 심전도 9

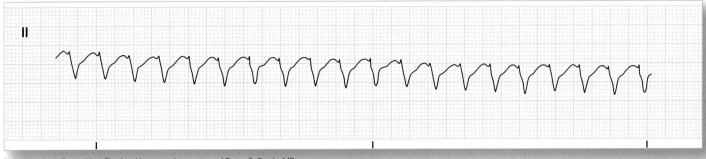

From *Arrhythmia Recognition: The Art of Interpretation*, courtesy of Tomas B. Garcia, MD.

박동수 :	분당 약 185회	PR 간격 :	적용할 수 없음
규칙성 :	규칙적	QRS 폭 :	넓음
P파 :	없음	그룹화 :	없음
형태 :	없음		
축 :	없음	탈락 박동 :	없음
P:QRS 비 :	적용할 수 없음	리듬 :	단형 심실빈맥

토의:

　이것은 분석하기 쉽지 않은 기록지이다! 왜냐하면 방실 결절 회귀성빈맥, 방실회귀성빈맥, 심실빈맥에서 나타날 수 있는 몇 가지 소견들이 있기 때문이다. P파가 없으며 방실 해리의 증거도 없다. 심실빈맥을 시사하는 조셉슨 징후, 브루가다 징후가 관찰된다. 확실한 한 가지는 규칙적인 넓은 QRS파 빈맥이라는 것이다. 그렇다면 이제 무엇을 해야 하는가? 반복해서 강조하지만, 이것을 심실빈맥으로 추정하고 치료해야 한다. 전체 12-유도 심전도에서 이 환자는 심실빈맥임을 확인하였다. 그리고 급성 심근경색증이 동반되어 있었다. 계속해 왔던 것과 같이, 임상적관련성과 12 유도 심전도가 진단을 더욱 명확하게 하였다.

점검: 심전도 10

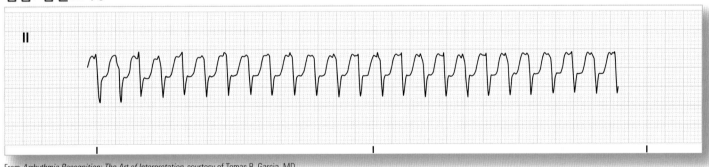

From *Arrhythmia Recognition: The Art of Interpretation*, courtesy of Tomas B. Garcia, MD.

박동수 :	분당 약 275회	PR 간격 :	적용할 수 없음
규칙성 :	규칙적	QRS 폭 :	정상
P파 :	없음	그룹화 :	없음
형태 :	없음		
축 :	없음	탈락 박동 :	없음
P:QRS 비 :	적용할 수 없음	리듬 :	방실회귀성빈맥(역방향)

토의:

　이것이 과연 심실빈맥 환자의 작은 QRS파의 또 다른 예인가? 대답은 '아니요'이다. 이 기록지의 중요한 진단적 특징은 매우 빠른 심박동수이다. 275회/분 정도의 박동수는 심실빈맥으로는 너무 빠르다. 이런 박동수의 심실조동은 구분할 수 있는 QRS나 T파가 없는 거의 싸인(sinusoidal) 파형이어야 한다. 이 기록지에는 명백하게 구별되는 QRS군과 T파를 볼 수 있다. 박동수가 250회/분을 초과하는 경우는 부전도로를 통한 전기전도로 인한 리듬을 먼저 생각하라고 한 것을 기억하자. 이 경우 나타나는 넓은 QRS파의 빈맥은 역방향 방실회귀빈맥일 가능성이 높다.

점검: 심전도 11

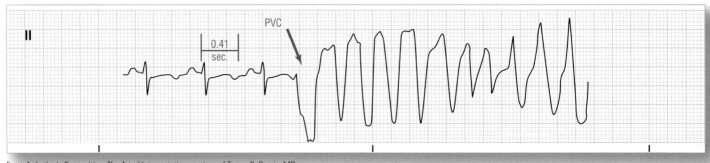

From *Arrhythmia Recognition: The Art of Interpretation*, courtesy of Tomas B. Garcia, MD.

박동수 :	분당 약 93회	PR 간격 :	정상, 리듬이 바뀌기 전까지
규칙성 :	아래의 토의를 참고	QRS 폭 :	정상, 리듬이 바뀌기 전까지
P파 : 　형태 : 　축 :	있음 정상 정상	그룹화 :	없음
		탈락 박동 :	있음
P:QRS 비 :	1:1, 리듬이 바뀌기 전까지	리듬 :	동율동 → Torsades

토의:

이 리듬 기록지의 초반부는 93회/분의 박동수를 가지는 동리듬을 보여준다. 그러나 이 기록지에서 QT 간격은 0.41초로 명백한 QT 연장을 보이며, QTc는 0.51(QTc=QT/(초 단위로 측정한 R-R 간격의 제곱근)로 현저하게 연장되어 있다. QTc는 심박동수 때문에 QT 간격에 발생하는 생리적인 변화를 보정하여 나타내는 값이다. 이 환자는 심실 조기수축이 이전 심전도군의 T파에 떨어지는 양상(R-on-T 현상)을 보여주며, 파동이 있고, 불규칙하며, QRS의 극(polarity)의 변화를 동반하는 넓은 QRS파 빈맥을 촉발한다. 이 새로운 리듬은 Torsades이다.

점검: 심전도 12

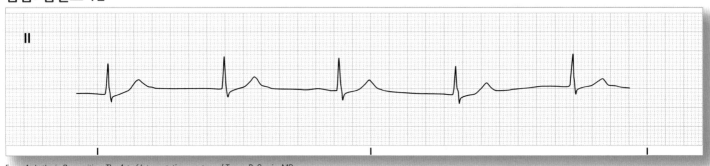

From *Arrhythmia Recognition: The Art of Interpretation*, courtesy of Tomas B. Garcia, MD.

박동수 :	분당 약 47회	PR 간격 :	적용할 수 없음
규칙성 :	규칙적	QRS 폭 :	정상
P파 : 　형태 : 　축 :	없음 없음 없음	그룹화 :	없음
		탈락 박동 :	없음
P:QRS 비 :	적용할 수 없음	리듬 :	방실접합부리듬

토의:

이 리듬 기록지는 느리며 좁은 QRS파 리듬을 보이고 규칙적이다. 기록지 전체를 통해 명백한 P파는 관찰되지 않는다. 이것은 방실접합부리듬의 예이다.

점검: 심전도 13

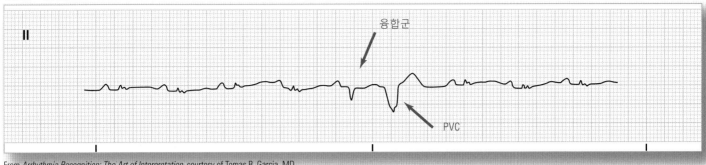

융합군

PVC

From *Arrhythmia Recognition: The Art of Interpretation*, courtesy of Tomas B. Garcia, MD.

박동수 :	분당 약 94회	PR 간격 :	정상, 사건에서 제외
규칙성 :	규칙적으로 불규칙	QRS 폭 :	정상, 사건에서 제외

P파 :
  형태 :
  축 :
	있음, 사건에서 제외
	정상
	정상
		그룹화 :	없음

		탈락 박동 :	있음
P:QRS 비 :	1:1, 사건에서 제외	리듬 :	Ventricular couplet을 동반한 동 리듬

토의:

이 리듬 기록지의 QRS파는 그 전압이 매우 작다. 원래 리듬은 동 리듬이다. 다섯 번째 P파 이후에 두 개의 다른 QRS파들이 보인다. 두 번째는 명백한 PVC이다. 그러나 이것들 중 첫 번째는 정상 QRS와 PVC와는 완전히 다른 형태를 보인다.

다섯 번째 군의 PR 간격은 다른 군과는 다르지만 P파는 똑같고, R-R간격은 변하지 않았다. 이 QRS파는 정상적으로 전도된 심실상성 자극과 심실 조기수축과의 융합 박동일 가능성이 가장 크다.

점검: 심전도 14

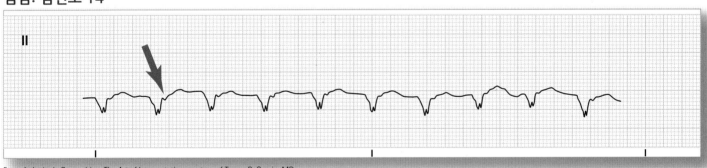

From *Arrhythmia Recognition: The Art of Interpretation*, courtesy of Tomas B. Garcia, MD.

박동수 :	분당 약 102회	PR 간격 :	아래의 토의를 참고
규칙성 :	규칙적	QRS 폭 :	넓음

P파 :
  형태 :
  축 :
	아래의 토의를 참고
	아래의 토의를 참고
	아래의 토의를 참고
		그룹화 :	없음

		탈락 박동 :	없음
P:QRS 비 :	아래의 토의를 참고	리듬 :	가속성 심실고유리듬

토의:

이 심전도는 박동수 102회/분의 넓은 QRS 빈맥을 보여주고 있다. 리듬은 규칙적이고 하나의 형태를 띤다. 이것은 가속성 심실 고유율동(accelerated idioventricular rhythm)의 예이다.

파란 화살표는 ST 분절내의 음의 굴절을 가리키고 있다. 이것은 역위된 P파로, 이 역위된 P파는 심실자극이 심방으로의 역행(retrograde)전도 때문에 발생한다.

점검: 심전도 15

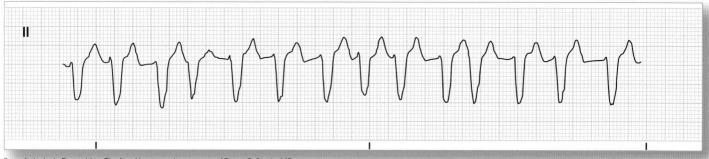

From *Arrhythmia Recognition: The Art of Interpretation*, courtesy of Tomas B. Garcia, MD.

박동수 :	분당 약 140회	PR 간격 :	적용할 수 없음
규칙성 :	완전히 불규칙함	QRS 폭 :	넓음
P파 : 형태 : 축 :	없음 없음 없음	그룹화 :	없음
		탈락 박동 :	없음
P:QRS 비 : 적용할 수 없음		리듬 :	심방세동

토의:

이 리듬 기록지는 대단히 헷갈리기 쉽고 잘못 판단할 수 있는 예이다. 우선 140회/분의 빠른 박동을 보인다. 리듬이 규칙적인가, 규칙적으로 불규칙한가, 혹은 완전히 불규칙한가? 잘 살펴보면 리듬이 완전히 불규칙함을 알 수 있다. 완전히 불규칙한 3개의 리듬은 심방세동, 유주 성심방조율, 다소성 심방빈맥이다. 리듬 기록지에서 P파를 발견할 수 있는가? 기록지에 어디에도 P파는 관찰되지 않으므로 가장 가능성 높은 진단은 심방세동이다.

그렇다면 왜 이 QRS파가 0.12초보다 넓은 간격을 가지고 있을까? 이 경우에 넓은 QRS파의 발생 원인은 선행하는 좌각차단이다. 이 기록지는 좌각차단이 이미 존재하고 있었던 환자에서 심박수가 조절되지 않는 심방세동의 한 예이다. 이 환자에서 진단의 핵심은 넓은 QRS들의 존재 자체가 아니라, R-R간격의 불규칙성을 주목함으로써 답을 찾을 수 있다.

점검: 심전도 16

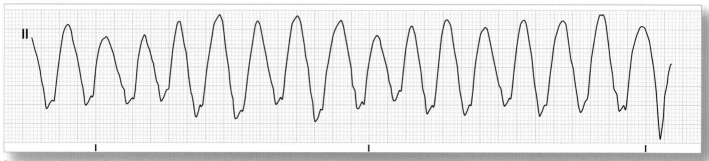

From *Arrhythmia Recognition: The Art of Interpretation*, courtesy of Tomas B. Garcia, MD.

박동수 :	분당 약 100회	PR 간격 :	적용할 수 없음
규칙성 :	아래의 토의를 참고	QRS 폭 :	넓음
P파 : 형태 : 축 :	없음 없음 없음	그룹화 :	없음
		탈락 박동 :	없음
P:QRS 비 : 적용할 수 없음		리듬 :	다형성 심실빈맥

토의:

이 리듬 또한 매우 불규칙하다. 그러나 이전 문제의 기록지와 비교해 봤을 때 명백한 QRS군들이나 T파들이 보이지 않는다. 기록지 전반에 걸쳐서 QRS군들의 크기에 물결과 같은 파동이 나타난다. 또한 파동은 작은 그룹을 형성하는 다수의 군들을 포함하고 있다. 이것은 매우 느린 다형 심실빈맥의 한 예이다. 이 환자의 임상적 소견은 급성 심근경색증이었다.

점검: 심전도 17

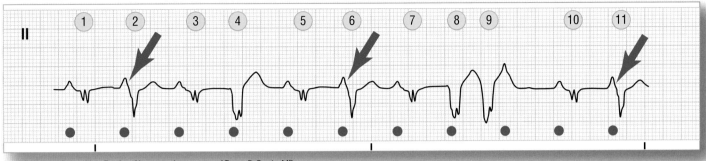

From *Arrhythmia Recognition: The Art of Interpretation*, courtesy of Tomas B. Garcia, MD.

박동수:	분당 약 100회	PR 간격:	아래의 토의를 참고
규칙성:	규칙적으로 불규칙	QRS 폭:	정상, 사건에서 제외
P파:	있음, 사건에서 제외	그룹화:	없음
형태:	정상		
축:	정상	탈락 박동:	있음
P:QRS 비:	아래의 토의를 참고	리듬:	빈번한 심실 조기수축과 couplet을 동반한 동 빈맥

토의:

　복잡한 이 리듬 기록지를 차근차근 분석해보자! QRS파들을 더 쉽게 구별하기 위해 번호를 표시하였고, P파는 파란 원을 사용해 표시하였다. #1로 표시된 QRS파의 형태는 정상적으로 전도된 군이다. 기록지의 원래 리듬은 동 빈맥이다. #2, 6과 11은 정상적으로 전도된 상심실성군과 심실조기수축에 의해서 만들어진 융합 박동들이다. #4, 8, 그리고 9는 심실 조기수축이다.

　심실상성 리듬이 기록지 전반에 걸쳐 특별한 변화없이 진행하고 있으며 P파와 심실 조기수축들의 융합이 발생하여 융합군들을 형성하는 것을 잘 살펴보아야 한다. 결국 #2, 6와 11군에 포함되어 있는 P파들은 그들 각각의 해당 심실 융합박동의 시작과 융합된다(파란 화살표). 모든 것을 다 종합해볼 때, 매우 혼란스러운 리듬 기록지이다.

점검: 심전도 18

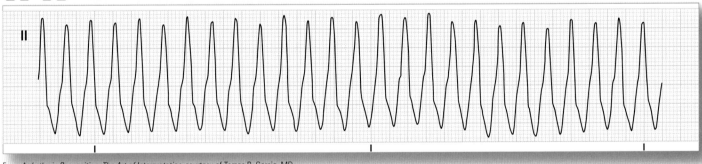

From *Arrhythmia Recognition: The Art of Interpretation*, courtesy of Tomas B. Garcia, MD.

박동수:	분당 약 220회	PR 간격:	적용할 수 없음
규칙성:	규칙적	QRS 폭:	넓음
P파:	없음	그룹화:	없음
형태:	없음		
축:	없음	탈락 박동:	없음
P:QRS 비:	적용할 수 없음	리듬:	심실조동

토의:

　이 심전도는 QRS파와 T파에 의한 일정한 사인파 형태(sinusoidal)의 넓은 QRS파 빈맥을 보여준다. 이것은 심실조동의 한 예이다.

　다형성 심실빈맥과 비교했을 때, 심실조동은 QRS파의 극(polarity)의 변화가 없다는 것이 차이점이다.

점검: 심전도 19

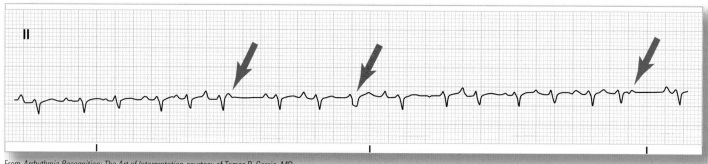

From *Arrhythmia Recognition: The Art of Interpretation*, courtesy of Tomas B. Garcia, MD.

박동수 :	분당 약 140회	PR 간격 :	다양함
규칙성 :	완전히 불규칙적	QRS 폭 :	정상
P파 : 형태 : 축 :	있음 다양 정상	그룹화 :	없음
		탈락 박동 :	아래의 토의를 참고
P:QRS 비 :	1:1	리듬 :	다소성 심방빈맥

토의:

계속 반복하지만, 완전히 불규칙한 리듬에는 심방세동, 유주성심방조율기, 다소성 심방빈맥, 이렇게 세 가지가 있다. 이 심전도에서 P파가 명백히 보이는가? 그렇다. 이것은 극히 드문 경우를 제외하고, 이 율동은 유주성심빙조율기 혹은 다소성 심방빈맥일 것이다. 빈맥이기 때문에 다소성 심방빈맥이 가장 유력한 후보가 될 것이다. 그렇다면 적어도 3가지 이상의 서로 다른 P파가 있는가? 그렇다.

이와 관련하여 각기 다른 PR 간격을 보이는가? 그렇다. 이제 진단은 확실하게 다소성 심방빈맥이다. 기록지 전반에 걸쳐서 다른 파형에 묻혀 있는 P파들이 많이 있으며, 이것은 빠른 다소성 심방빈맥에서 충분히 나타날 수 있는 현상이다. 게다가 두 개의 차단된 P파들도 있다(파란 화살표). 마지막으로 빨간 화살표로 표시된 QRS 하나는 편위전도를 동반한 방실접합부 조기수축 혹은 등전위 P파를 가지는 편위 전도를 동반한 심방 조기수축일 수 있다.

점검: 심전도 20

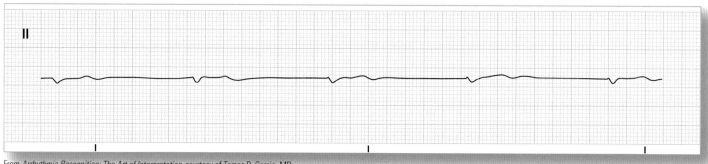

From *Arrhythmia Recognition: The Art of Interpretation*, courtesy of Tomas B. Garcia, MD.

박동수 :	분당 약 39회	PR 간격 :	적용할 수 없음
규칙성 :	규칙적	QRS 폭 :	넓음
P파 : 형태 : 축 :	없음 없음 없음	그룹화 :	없음
		탈락 박동 :	없음
P:QRS 비 :	적용할 수 없음	리듬 :	심실 고유리듬

토의:

이 심전도는 박동수 39회/분인 일련의 넓은 QRS 리듬을 보여준다. P파는 어디에도 보이지 않는다. 이 기록지는 편위 전도를 가지는 접합부율동, 넓은 QRS파를 유발시키는 선

행하는 상태(예. 각차단), 심실고유리듬 등에 의해서 발생할 수 있으며, 가장 가능성이 높은 것은 심실고유리듬일 것이다. 12 유도 심전도와 임상관련 정보가 정확한 진단을 하기 위해 필요하다.

그 밖의 심전도

제 39 장

인공적으로 조율된 리듬

목적

1. 인공 심박동기의 정의를 설명한다.
2. 인공적으로 조율된 리듬의 정의 및 확인 방법을 설명한다.

중급

3. Intersociety Commission for Heart Disease의 심박동기의 5자리 code를 열거한다.
4. 인공 심박동기의 종류를 열거한다.
5. 심방요구 박동기(atrial demand pacemaker)의 정의를 설명한다.
6. 심실요구 박동기(ventricular demand pacemaker)의 정의를 설명한다.
7. 방실순차조율(atrioventricular sequential pacemaker)의 정의를 설명한다.

심화

8. DDD 심박동기의 원리를 설명한다.

9. 심전도에서 인공 조율 리듬의 구분을 설명한다.

총론

이 장에서 우리는 임시, 혹은 영구적인 인공 심박동기에 의해 인공적으로 발생하는 특별한 리듬에 대해 살펴볼 것이다. 이 장에서 살펴볼 것은 심박동기 율동의 존재 유무를 판별할 수 있게 하기 위함이며, 실제 환자들에게 발생할 수 있는 진단적 문제에 대한 깊이 있는 논의를 하는 것은 아니다. 심장박동기와 관련된 문제-해결 과정 혹은 진단적 과제의 복잡성은 어려운 문제이기 때문에, 이 부정맥 중급 교과서의 수준을 훌쩍 넘어선다. 더구나, 일반적으로 발생하는 진단적 문제들 이외에도 각각의 심박동기는 제조사나 심박동기 모델에 따라서 많은 개별적 다양성을 가지고 있기 때문에 문제를 더욱 복잡하게 만든다.

내부 삽입형 심박동기는 특징적으로 2개의 구성 성분으로 이루어져 있다(**그림 39-1**). 박동 생성기(pulse generator)와 유도선(lead)이 그것이다. 박동 생성기는 발전 소스(주로 리튬 이온 배터리), 파형 및 전압 증폭기(분석 기능 포함), 의사에게 정보를 전송하는 전송시스템, 기계를 프로그램을 할 수 있고, 박동 속도와 내징 시계를 변환할 수 있게 해 주는 리시버, 또한 센서 등을 포함하는 작은 컴퓨터이다. 박동 생성기는 심박동기의 심장이자 영혼이다. 유도선은 심장과 박동기 사이의 전기적 신호를 수신하고 전달하는 전기적인 "전선"이다. 전선은 본질적으로 양극성 혹은 단극성일 수 있다. 단극성 유도는 박동 생성기로부터 심장으로 신호를 전달하는 한 개의 전선으로만 이루어져 있다. 이런 전기적 작용에는 회로가 필요하기 때문에, 발생한 전기는 회로를 완성시키기 위해 인체의 조직들을 경유하여 심박동기로 돌아오게 된다. 양극성 유도선(bipolar leads)은 2개의 내부 전기선들로 이루어져 있다. 한 전기선은 유도의 끝 부분에서 끝나며 심장으로 신호를 전달하는데 이용된다. 다른 전기선은 유도 말단 약 1 cm 정도에서 끝나는데, 박동생성기로 전기를 전달하여 회로를 완성한다. 양극성 유도에서 만들어지는 회로는 너비 1 cm 정도 밖에 되지 않는다. 이미 한 개의 이소성 세포로도 탈분극파형을 충분히 만들 수 있다는 것을 알고 있기 때문에, 이 짧은 회로도 탈분극파형을 만들기에 충분하다.

중급

심박동기 code

인공 심박동기들은 심실 또는 심방, 혹은 양쪽 모두를 감지(sense), 탈분극, 심박조율을 순서대로 진행시킬 수 있다. 또한 인공 심박동기는 특정하게 정해놓은 시간 동안 자동적인 반응을 유발하거나 억제하는 방향으로 기능할 수 있다. 심박동기의 억제 기전은, 어떤 전기적 활동이 내부 알람시계를 작동시키면, 특정한 시간 기간 동안 박동(complex)을 만들지 않게 하는 기능이다. 또한 인공 심박동기는 빈맥성 부정맥이 존재할 경우 특정 기능을 할 수 있도록 그리고 다르게 반응하도록 프로그램 할 수 있다. 심장박동기의 다양한 기능들을 쓰기에 편리한 시스템으로 조직화하기 위해, Intersociety Commission for Heart Disease; ICHD가 현재까지 사용되는 시스템을 도입하였다. 이 시스템은 각각의 글자들이 특정한 기능을 대표하는 5-글자 코드를 채택하고 있다(**그림 39-2**). 코드의 첫 글자는 조율 장소를 의미한다-대개 심박동기는 심방(atria; A), 심실(ventricle; V), 양쪽(D for dual(이중), both), 혹은 어느 것도 아닌 것(O; none)을 조율한다. 만약 심박동기가 심실, 심방 양쪽을 같이 조율하면, 여러 심장의 방들의 기계적 수축 작용을 최대한 정상화시키기 위해 순차적으로 발생한다.

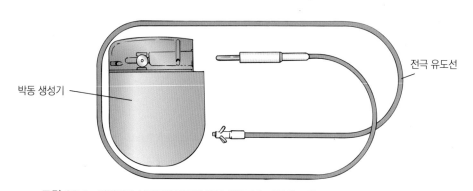

그림 39-1. 전형적인 심박동기 단위인 박동 생성기와 전극 유도선

박동 생성기

전극 유도선

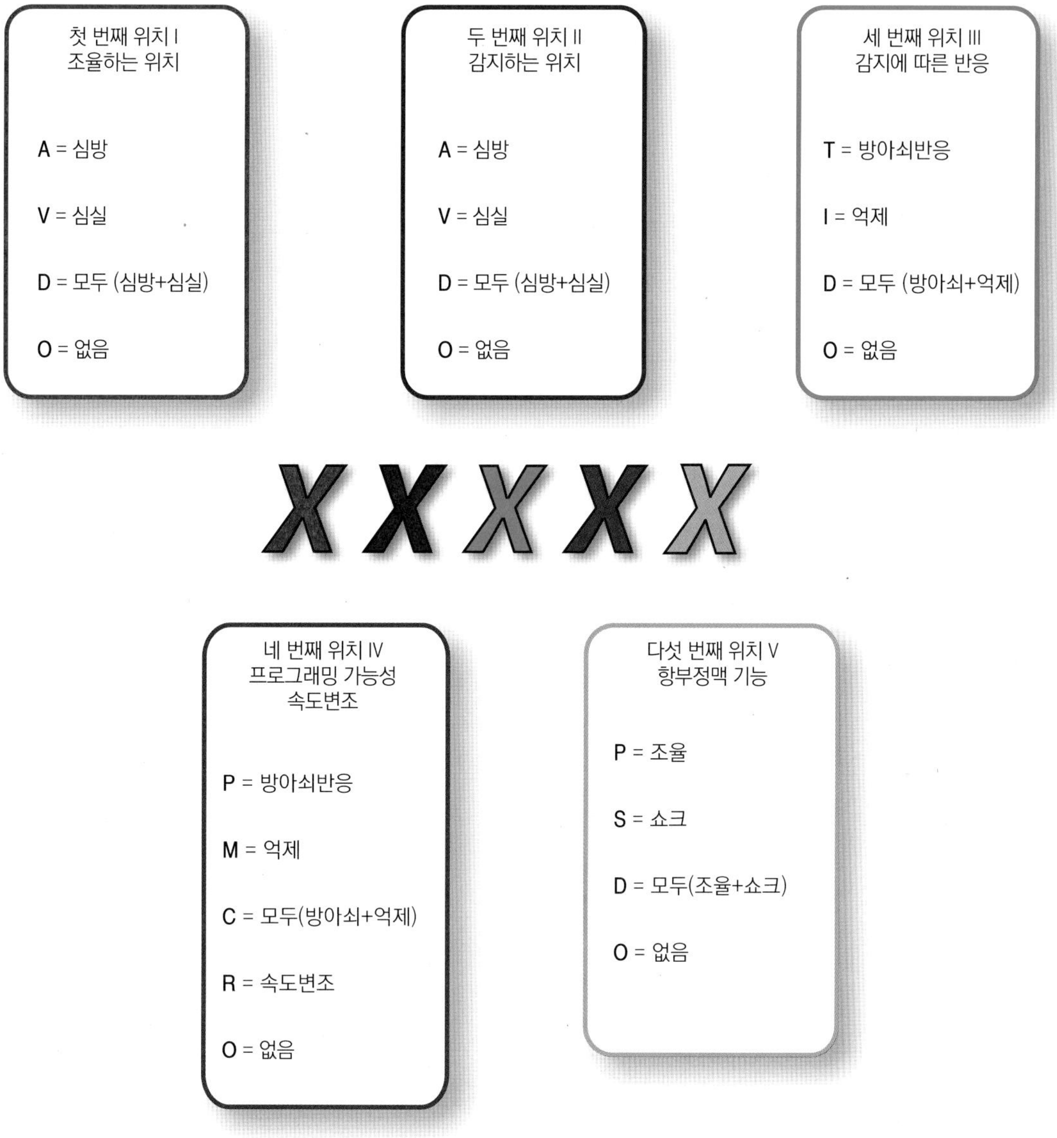

첫 번째 위치 I
조율하는 위치

A = 심방

V = 심실

D = 모두 (심방+심실)

O = 없음

두 번째 위치 II
감지하는 위치

A = 심방

V = 심실

D = 모두 (심방+심실)

O = 없음

세 번째 위치 III
감지에 따른 반응

T = 방아쇠반응

I = 억제

D = 모두 (방아쇠+억제)

O = 없음

X X X X X

네 번째 위치 IV
프로그래밍 가능성
속도변조

P = 방아쇠반응

M = 억제

C = 모두(방아쇠+억제)

R = 속도변조

O = 없음

다섯 번째 위치 V
항부정맥 기능

P = 조율

S = 쇼크

D = 모두(조율+쇼크)

O = 없음

그림 39-2. ICHD 심박동기 코드

© Jones & Bartlett Learning.

코드의 두 번째 글자는 감지하는 방(chamber)을 나타낸다. 즉 박동 생성기가 자발적인 탈분극을 감시하는 장소를 뜻한다. 감지하는 방은 심방(A), 심실(V), 둘 다(D)이거나 감지장소가 없는 경우(O)이다.

코드의 세 번째 글자는 심박동기가 사건을 감지했을 때 취하는 반응을 의미한다. 방아쇠(triggered, T) 반응은 박동기가 감지한 사건에 대해 탈분극파형을 만드는 반응이다. 예를 들면, 박동기가 심방의 탈분극을 감지한 이후 심실로 자극을 보내는 경우이다.

억제(inhibited, I)반응은 박동기가 사건을 감지한 후

일정 시간 동안 전기 자극을 만들지 않게 대응하는 반응이다. 이 반응은 얼핏 보기에는 비직관적이다. 박동기는 사건에 대한 반응을 멈추게 하려고 프로그램된 것처럼 보인다. 그러나 실제로 이 반응은 내재성 심박동기와의 인공 박동기 사이의 경쟁을 막는 안정장치이다.

심방 탈분극을 감지한 박동기가 있다고 가정해보자(**그림 39-3**). 박동기는 자동적으로 심실이 심방 신호에 응답하기를 기다리면서 심실 이탈 간격(Ventricular Escape Interval, VEI)이라고 알려진 기간을 설정할 것이다. 박동기는 심방 신호가 방실결절과 전기적 전도 시스템을 무

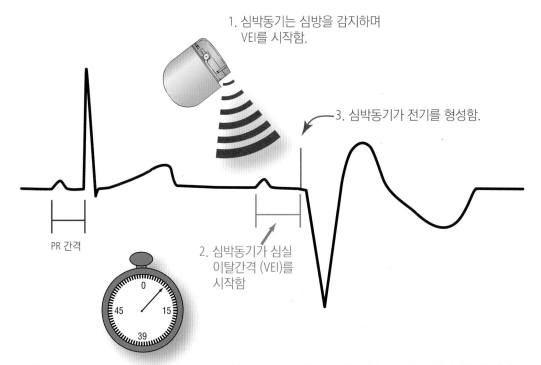

1. 심박동기는 심방을 감지하며 VEI를 시작함.

3. 심박동기가 전기를 형성함.

2. 심박동기가 심실 이탈간격 (VEI)를 시작함

PR 간격

그림 39-3. 사건에 대한 억제 반응. 박동기가 심방의 탈분극(그림 1을 보라) 을 감지하면, 그것은 스톱와치를 작동시킨다. 스톱와치는 이전에 설정된 박동기가 작동하지 않는 시간을 측정하기 시작한다. 이 시간은 VEI라고 한다. 만약 VEI가 끝나 고, 심실반응이 없으면, 박동기는 박동기 스파이크를 만들어서, 심실을 탈분극시킨다.

© Jones & Bartlett Learning.

사히 통과해서 심실 탈분극을 유발하기를 기다린다.

VEI는 대부분의 경우 전도 경로를 통한 정상 전기 전도가 발생하고 끝날 수 있도록 정상 PR 간격보다 약간 길다. VEI가 끝나면, 만약 방실차단이나 다른 여러 이유에 의해서 심실반응을 만드는데 실패하는 경우, 혹은 체내에 있는 이소성 심실 박동기에서 박동 생성이 안 되는 경우에는 인공 박동 생성기에서 자극을 형성하게 된다.

세 번째 가능성은 Dual (D) 반응이 일어나는 것이다. 이것은 박동 생성기가 특정 프로그램이 된 경우에는 방아쇠 반응을, 다른 먼저 프로그램 된 사건의 경우에는 억제 반응을 하는 것을 나타내는 것이다.

마지막으로, 네 번째 가능성은 사건에 대한 반응이 없는 것(O; none)이다. 이 경우 박동 생성기는 사건에 대해 방아쇠 반응 혹은 억제 반응을 만들지 않는다.

박동기 코드의 네 번째와 다섯 번째 글자들은 특정 박동 생성기들의 진보한 기능을 의미한다. 이 글자들의 의미를 여기서 다루는 것은 이 책의 범위를 넘어서는 것이기 때문에, 인공 심장박동기들에 대한 좀 더 심도있는 책이나 특정 박동기 모델에 대한 회사들의 추가 정보를 찾

아보도록 권한다.

박동기 스파이크

어떤 인공 조율 율동을 관찰할 때 가장 중요한 진단적 소견은 박동기 스파이크(pacemaker spike)의 유무이다. 심전도상에서 박동기 스파이크는 원래선에서 조율 심전도군의 바로 앞에 나타나는 매우 짧고, 매우 빠른 파동으로 나타난다 (**그림 39-4**). 이 스파이크는 양성(positive), 음성(negative), 혹은 이단성(biphsic)일 수 있으며 항상 날카롭고 빠르다.

박동기 스파이크는 박동 생성기가 심장을 뛰게 할 목적으로 짧고 날카로운 전기를 만들어낼 때 나타난다. 이 전기방사는 곧 전선 혹은 유도를 통해 심방 또는 심실의 심근으로 전달된다. 전기 방사가 심근에 실질적으로 도달하면 심전도에서는 갑작스런 전기적 충격이 감지되어 전형적인 스파이크 형태를 만들어 낸다.

전기적 맥박은 조율 전선 혹은 유도와 접촉하는 심방이나 심실 부위에 즉각적인 국소 탈분극을 일으킨다. 이런 조

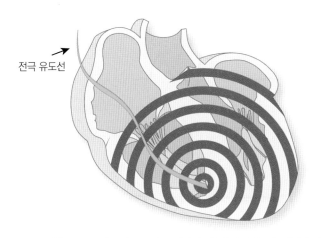

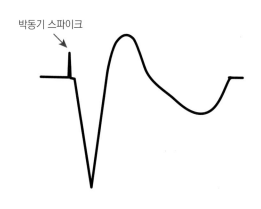

박동기 스파이크

전극 유도선

그림 36-4. 전기 신호는 박동 생성기로부터 나와서 조율 전선을 거쳐 심실로 전달된다. 신호는 심전도에서 원래 선에 나타나는 빠르고, 날카로운 굴절(deflection)로 보인다. 신호는 탈분극을 유도하고, 이는 심실 내에서 세포 대 세포 간 전달을 통해 퍼져나간다.

© Jones & Bartlett Learning.

율 전선 바로 직하부의 매우 국소적인 탈분극 영역은 이소성 심박동기와 매우 유사하게 작용하며, 탈분극파를 유발시켜서 다른 심근으로의 전파가 세포 대 세포의 직접적인 전달로 일어나게 한다. 이전에 보았듯이, 이 느리고 직접적인 세포 대 세포 간의 탈분극파는 심실 조기수축(PVC)과 모양이 비슷한, 넓고, 이상한 QRS군을 만들게 한다.

박동기 스파이크가 모든 유도에서 다 보이지 않을 수 있다는 사실을 인식하고 있어야 한다! 파형들이 다른 유도에서 상이하게 보이는 것과 같이, 박동기 스파이크도 어떤 유도에서는 더 현저하게 나타나거나 어떤 유도에서는 아예 나타나지 않을 수 있다(**그림 39-5**). 만약 심실리듬을 포함한 복잡 부정맥을 보게 되면, 항상 여러 개의 유도들이나 전체 12 유도 심전도를 얻도록 하라. 다른 유도들을 관찰함으로 스파이크를 잘 발견할 수 있을 것이다.

조율된 박동에서 QRS의 형태

그림 39-4에서 볼 수 있듯, 조율 율동에서 QRS군의 형태는 매우 넓고 이상하다. 이 형태는 직접적인 세포 대 세포간의 자극 전달에 의해 생성된 느린 심실 탈분극파에 의한 것이다. 앞에서 언급했듯이 QRS의 형태는 심실율동에서 나타나는 모양과 유사하다.

조율군들의 모양은 이소성 심실율동과 어떤 측면에서 유사하다. 복합체의 모양은, 이들이 어디에서 시작되었고 그리고 심실이 탈분극되면서 어떤 벡터를 생성했느냐에 따라 달라진다. 조율 유도를 삽입하는 가장 흔한 장소는 우심실

이기 때문에, 많은 조율 율동은 좌각차단의 형태로 나타난다. 하지만 이것은 모든 경우에 그런 것은 아니다. 어떤 조율율동은 우각차단의 형태를 띄기도 한다.

이 책이 부정맥 교과서이기는 하지만, 모든 인공 조율 율동에서 방실 확장이나 비대, 전기축에 대해서 언급하면 안된다. 인공 조율 율동에서 심근 경색에 대한 진단 기준들이 있지만, 심전도에 매우 경험이 많은 경우가 아니면 판독에 있어서 주의가 요구된다. 심전도에 숙련되어 있지 않으면, 환자의 율동만을 정확하게 평가하기 위해서라도 12 유도 심전도와 여러 개의 유도를 이용할 것을 권장한다.

흔한 박동기 모드

임상적으로 흔히 사용되는 박동기 유형들이 몇 가지 있다. 각각의 박동기는 장점과 단점이 있어서 특정 상황에 이상적으로 맞게 만들어져 있다. 이 책에서 우리는 가장 흔히 쓰이는 타입들을 살펴보고 각각의 증례에 대해 보여줄 것이다. 또한 이전과 같이 우리는 단원 끝 부분에 다양한 임상 기록지를 제시할 것이다.

심방요구심박동기

만일 환자가 서맥과 관련된 증상을 가지고 있으면서 방실결절 기능이 정상적이라면 심방 요구 박동기(AAI)가 아마도 이상적인 해결책이 될 것이다. AAI 박동기는 심방을 감지하고 같은 심방을 억제하는 형태로 조율한다.

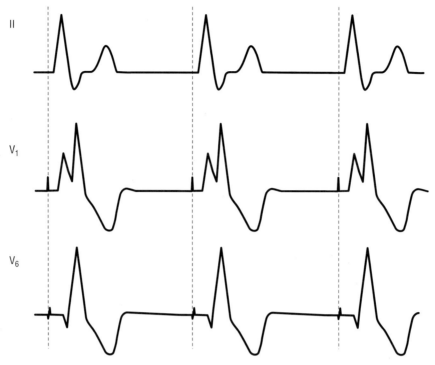

그림 39-5. 심박동기 스파이크는 특정 유도에서 좀 더 잘 볼 수 있다. 그 유도는 환자들 사이에 차이가 있을 수 있으며 관찰이 잘되는 정해진 유도는 없다. 이런 이유로 전체 12 유도 심전도 혹은 여러 개의 유도들이 인공 조율 율동의 진단에 도움이 된다.

© Jones & Bartlett Learning.

기본적으로, 박동 생성기는 심방의 자발적인 활동을 감지한다. 만약 특정 기간 즉 심방 이탈 간격(Atrial Escape Interval, AEI)동안 어떤 자발적 활동도 감지하지 못한다면, 박동기는 심방 탈분극파를 방사할 것이다. 심방 탈분극파는 심방의 나머지 부분, 방실결절, 그리고 심실까지 퍼져 나갈 것이다. 만약 자발적 활동이 감지되면 박동기는 발사를 멈추고 정상적인 심방군이 진행을 방해하지 않게 된다(**그림 39-6**).

삼실요구박동기

심실 요구 박동기(VVI)는 위에서 논의된 AAI를 심실에 적용한 것이다. 이 유형의 박동기는 오직 심실만을 감지하고 억제하는 방식으로 심실을 조율한다. 박동기는 어떠한 형태의 심실의 자발적 활동도 감지한다. 활동이 감지되면 박동기는 일정 기간 동안 작동을 멈춘다(심실 이탈 간격, ventricular escape interval; VEI 이전에 언급하였다).

만일 VEI 동안 심실의 어떤 자발적 활동도 감지되지

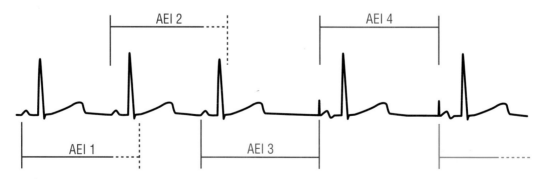

그림 39-6. AAI 박동기는 심방군을 감지하고, 일정기간(AEI1)동안 작동을 멈추는 것을 시작한다. 이 기간은 정상적으로 일어나는 P파에 의해 끝나며, 다시 AEI#2로 다시 시작한다. AEI3과 4는 다시 시작하지(reset) 않았으며, 박동기는 심방탈분극 신호를 방전한다. * AEI, atrial escape interval(심방이탈간격)

© Jones & Bartlett Learning.

않는다면, 박동기는 심실 탈분극파를 발사한다. 만약 자발적 심실 박동이 감지되면 박동기는 심실 탈분극파의 발사를 억제하여 정상적인 신호가 방해받지 않고 진행하도록 한다(**그림 39-7**).

심방의 활동은 VVI 박동기의 작용을 방해하지 않는다. 만약 P파 발생하지만 심실로 전도되지 않는다면, 박동기는 영향을 받지 않고 재시작되지도 않는다. 오직 심실의 작용만 감지하고, 심실 박동만 조율한다. 이것이 VVI 박동기의 주요 기능적 특징이다.

전술된 주요 특징들은 이런 종류의 심박동기에서 발생하는 합병증인 소위 심박동기 증후군(pacemaker syndrome)이라는 이상의 원인이 된다. 심실 충만에 대한 심방의 지원 소실, 여러 형태의 힘든 일이나 운동을 할 때 심박동기가 보상적으로 작용하지 못하기 때문에 심박출량의 감소, 저혈압 등과 동반된 피로, 현기증, 실신, 호흡곤란, 운동 능력의 저하, 울혈성 심부전, 심근 허혈에 의한 협심증 등을 호소할 수 있다.

방실 연속조율

방실 연속조율 혹은 DVI 박동기는 심방과 심실의 동시성(synchrony)을 유지하기 위한 첫 시도이다. DVI는 방전 시 심방과 심실을 차례로 조율한다(**그림 39-8**). 심방이 먼저 탈분극되고 몇 millisecond 후 심실을 자극한다. 이 방식은 심실의 충만을 돕고 더 능률적이며 효과적으로 심박출량을 유지할 수 있게 한다. 이 방식은 심박동기 증후군의 위험성을 줄여주지만 다음에 언급할 DDD

박동기보다는 못하다.

DVI 박동기는 심실의 모든 자발적 활동을 감지한 다음 억제하는 방식으로 심실을 조율한다. 만약 자발적 심실 박동이, 특정 환자에 맞추어 설정된 VEI 동안 박동기에 감지된다면 박동기는 신호를 발사하지 않는다. 만약 박동기가 VEI 동안 자발적 활동을 감지하지 못한다면 심방과 심실 탈분극의 순서로 신호를 발사한다. DVI 박동기는 어떤 방식으로든 심방활동을 감지하지 않는다. 마찬가지로, 상심실성 활동이 심실 복합체를 유발하지 않는 한 상심실성 복합체의 신호 또한 박동기에 의해서 완전히 무시하게 된다. 이것이 DVI 박동기의 주요 단점이다. 상심실성 복합체를 무시함으로써 박동기는 어떤 경우 정상적인 박동들과 경쟁하게 된다. 심실 조기수축들(PVCs)과 접합부 조기수축(PJCs)은 감지되며 박동기에서 전기자극이 나가지 못하도록 억제시킨다.

심화

자동 심박동기

자동 혹은 DDD 박동기는 인공심박동기 중 최고의 모델이다. DDD 박동기는 심실과 심방 모두를 감지한다(**그림 39-9**). 또한 심방, 심실, 또는 둘 다 연속으로 조율할 수도 있다. DDD 박동기는 이중 감지/이중 조율 유도들이 있기 때문에 기본적으로 AAI, VVI, DVI 박동기의 혼합체이다.

이 박동기의 장점은 심방과 심실성 복합체의 신호도 감지할 수 있다는 점이다.

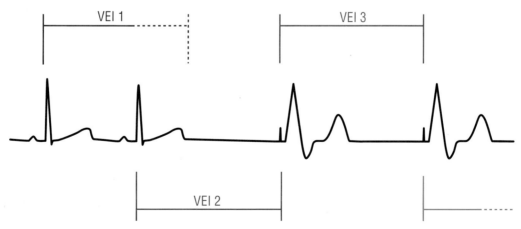

그림 39-7. VVI 박동기는 심실의 자발적 활동을 감지한다. 만약 심실박동이 감지되면, 어떠한 심실파도 박동기에 의해 발사되지 않는다(VEI1). 만약 VEI 동안에 심실박동이 감지되지 않으면(VEI#2 and VEI #3), 박동기는 발사되고, 심실 수축을 일으킨다. * VEI, ventricular escape interval(심실이탈간격)

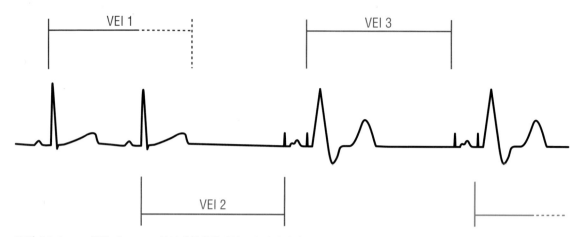

그림 39-8. DVI 박동기는 VEI#1 동안에 발생한 심실군에 의해 다시 시작된다. VEI#2 동안에는 자발적인 심실파가 없어서, 박동기는 심방군과 심실군을 연속적으로 생성한다. VEI#3도 마찬가지다. * VEI, ventricular escape interval(심실이탈간격)

© Jones & Bartlett Learning.

만약 어느 신호도 감지하지 못한다면 박동기는 심방을 자극하기 위해 상심실성의 신호를 보낸다. 박동기는 이후 상심실성 전기자극이 심실로 전도되는 일정 기간 동안을 기다린다. 만일 이것이 일어나지 않는다면 심실 유도가 심실을 순차적으로 조율하게 된다.

PAC가 발생하면 그것이 감지되어 심방 자극을 억제할 것이다. 그러나 분리된 심실의 감지 혹은 조율은 억제하지 못한다. 만약 PAC가 심실로 전도되지 않는다면 박동기는 순차적으로 정해진 시간에 전기적으로 자극할 것이다. 접합부 조기수축과 PVC도 감지되어 심방반응과

심실반응을 모두 억제한다.

심방과 심실 모두를 조율할 수 있는 DDD 박동기의 탁월한 능력은 다른 경쟁 모델에 비해 엄청난 임상 기능을 나타낸다. DDD 박동기는 환자가 불안하거나, 열이 나거나, 운동 시 생리적으로 발생하는 동 빈맥(sinus tachycardia)을 감지하여 심실 박동이 가의 정상에 가까운, 순차적인 형태로 따라 가도록 해준다. 생리적 반응에 응답하는 이러한 능력은 심박동기 증후군에서 나타나는 대부분의 증상을 없애주며 거의 정상적인 기능을 하도록 해준다. 이러한 장점들로 대부분의 환자에게 DDD 박동

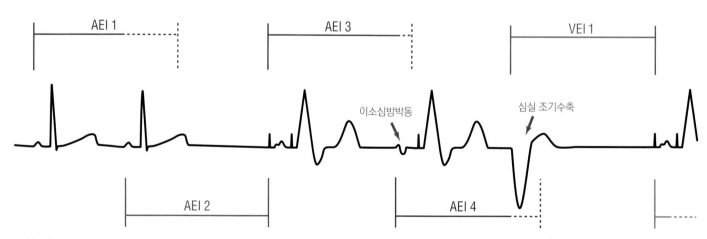

그림 39-9. DDD형 박동기는 AEI#1 동안에 자발적인 심방과 심실파를 감지하여 박동기에 의한 맥박을 생성하지 않는다. AEI#2 동안에는 자발적인 심방파가 없어 박동기가 작동하여 조율 심방군을 만들게 된다. 그 후 박동기는 일정 시간 동안 기다려서 심실로 전달되는 어떤 파형이 있는지 감지하지만 나타나지 않는다. 그러면 박동기는 순차적인 심실군을 생성하게 된다. AEI#3 동안에는 박동기가 자발적 심방 신호를 감지하며 심방을 조율하지 않는다. 그러 나 심실로 전도가 되지 않았기 때문에 박동기에 의한 순차적인 심실군이 생성되게 된다. 전도된 PACs, PJCs와 PVCs는 박동기를 다시 시작하게 한다. 이것은 AEI#4 동안에 일어나는 것이며, PVC가 타이머를 다시 시작하게 한다. 이 순서는 계속 반복하게 된다.

© Jones & Bartlett Learning.

기가 선택된다.

환자를 가능한 재앙에서 보호하기 위한 방어적 수단으로, 상심실성 빈맥 시 심실에 전도하는 심박동수의 최대 한계치가 설정되어야 한다는 것을 알아야 한다. 예를 들어 환자가 심방조동이면서 1:1 심실 전도비를 가지고 있다면 300회/분의 심실 반응이 나타나게 된다.

이런 심박수는 환자의 생명을 위협할 수 있는 것이다. 이러한 이유 때문에, 의사들이 전도율의 최대치를 박동 생성기에 설정할 수 있어서, 정상 상태에서 최대의 생리적 효과를 제공하게 된다.

임상적 요점

인공적으로 조율된 율동에 관한 가장 중요한 것은 그것을
인지하는 것이다!

심전도 스트립

심전도 1

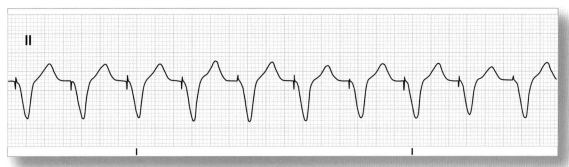

From *Arrhythmia Recognition: The Art of Interpretation*, courtesy of Tomas B. Garcia, MD.

박동수 :	분당 약 100회	PR 간격 :	없음
규칙성 :	규칙적	QRS 폭 :	넓음

P파 :
  형태 :
  축 :
	없음
	없음
	없음
		그룹화 :	없음

		탈락 박동 :	없음
P:QRS 비 : 없음		리듬 :	조율리듬

심전도 1은 100회/분의 박동수로 심실을 조율하는 것을 보여준다. 리듬은 인공 박동기에서 예상하듯이 아주 규칙적이다. 심박동기 파형은 심실 파형 바로 앞에 아주 명확하게 관찰된다.

이 심전도에서 문제가 있다면 너무 빠르게 세팅되어 있는 분당 100회의 심박동수이다. 이것은 박동기가 제대로 작동을 하지 않는다는 것을 나타낸다. 임상적인 고려가 필요하다.

설명

심전도의 초심자라면, 먼저 조율로 인한 스파이크를 찾는데 주력하라. 그 후, 조율모드가 무엇인지 파악하기 위한 노력을 해라.

심전도 2

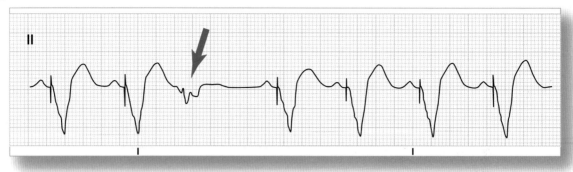

From *Arrhythmia Recognition: The Art of Interpretation*, courtesy of Tomas B. Garcia, MD.

박동수 :	분당 약 72회	PR 간격 :	없음
규칙성 :	규칙적으로 불규칙	QRS 폭 :	넓음
P파 : 　형태 : 　축 :	없음 없음 없음	그룹화 :	없음
		탈락 박동 :	없음
P:QRS 비 : 없음		리듬 :	조율리듬

심전도 2는 분당 72회 정도의 동율동을 보여준다. 이것은 같은 모양의 P파가 일정하게 나오는 점에서 명확하다. P파의 심실로의 전도는 명확하게 차단되었다.

왜냐하면 박동기가 대부분의 경우에서 순차적으로 심실을 조율하고 있기 때문이다. 세 번째 QRS는 심실 조기수축이나(파란색 표시).

심전도 3

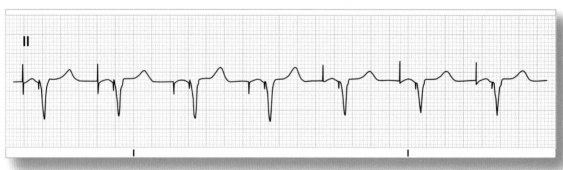

From *Arrhythmia Recognition: The Art of Interpretation*, courtesy of Tomas B. Garcia, MD.

박동수 :	분당 약 72회	PR 간격 :	없음
규칙성 :	규칙적	QRS 폭 :	넓음
P파 : 　형태 : 　축 :	없음 없음 없음	그룹화 :	없음
		탈락 박동 :	없음
P:QRS 비 : 없음		리듬 :	박동리듬

진단을 확신할 수 없다면, 어떤 종류의 박동기 율동도 그냥 간단히 박동기 리듬이라고 부르는 것에 익숙해져라. 어떤 형태의 심박동기인지 알아내는 것은 별로 중요하지 않다. 이 리듬 기록지는 심방과 심실을 순차적으로 조율하는

것을 보여준다. 박동기는 정상적으로 기능하는 것으로 보인다. 조율된 QRS파가 좁게 보이지만, 등전압 구간을 함께 포함하면 넓어질 것이다. 왜냐하면 이것은 인공적으로 조율되었기 때문이다.

심전도 4

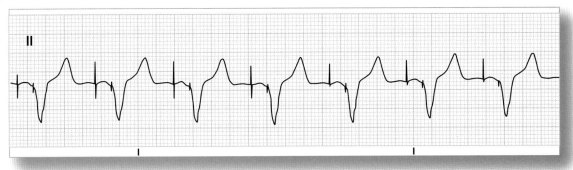

From *Arrhythmia Recognition: The Art of Interpretation*, courtesy of Tomas B. Garcia, MD.

박동수 :	분당 약 70회	PR 간격 :	없음
규칙성 :	규칙적	QRS 폭 :	넓음
P파 :	없음	그룹화 :	없음
형태 :	없음		
축 :	없음	탈락 박동 :	없음
P:QRS 비 :	없음	리듬 :	조율박동

심전도 4 역시 심방과 심실이 순차적으로 조율된 리듬을 잘 보여 준다. 박동기는 정상적으로 기능 하는 것으로 보인다.

심전도 5

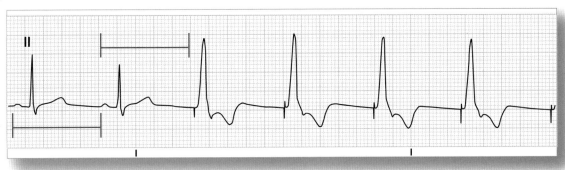

From *Arrhythmia Recognition: The Art of Interpretation*, courtesy of Tomas B. Garcia, MD.

박동수 :	분당 약 62회	PR 간격 :	없음
규칙성 :	규칙적	QRS 폭 :	아래의 토의를 참고
P파 :	없음	그룹화 :	없음
형태 :	없음		
축 :	없음	탈락 박동 :	없음
P:QRS 비 :	없음	리듬 :	동리듬과 조율리듬

심전도 5는 동율동을 보여주다가, 갑자기 조율 심실 박동으로 바뀐다. 첫 번째 P-P간격을 재어서 두 번째와 세 번째 QRS들 사이의 P-P간격으로 옮겨보면, 0.05초의 여분의 시간이 지나면 미리 설정해 둔 심실의 이탈간격이 끝나고 심박동기가 조율을 하게 된다는 것을 보여준다. 이 심박동기는 정상적으로 작동한다.

심전도 6

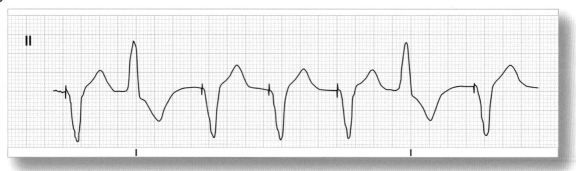

From *Arrhythmia Recognition: The Art of Interpretation*, courtesy of Tomas B. Garcia, MD.

박동수 :	분당 약 80회	PR 간격 :	없음
규칙성 :	규칙적	QRS 폭 :	넓음
P파 :	없음	그룹화 :	없음
형태 :	없음		
축 :	없음	탈락 박동 :	없음
P:QRS 비 :	없음	리듬 :	조율리듬과 심실 조기수축

심전도 6은 명백한 조율 심실율동을 보여준다. 이 유도에서 심박동기 스파이크는 아주 명백하게 보이고, 진단을 쉽게 할 수 있다.

두 번째와 여섯 번째 복합체는 PVCs이다.

PVC는 조율 율동과 비교해서 다른 극성(polarity)을 가진다. 박동기는 PVCs에 의해서 억제되기 때문에 명백하게 억제형이다.

심전도 7

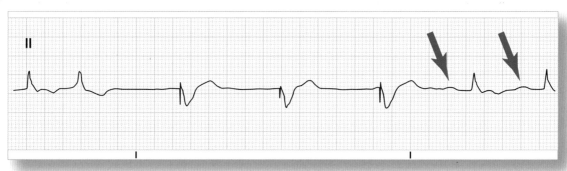

From *Arrhythmia Recognition: The Art of Interpretation*, courtesy of Tomas B. Garcia, MD.

박동수 :	분당 약 55회	PR 간격 :	없음
규칙성 :	규칙적	QRS 폭 :	넓음
P파 :	없음	그룹화 :	없음
형태 :	없음		
축 :	없음	탈락 박동 :	없음
P:QRS 비 :	없음	리듬 :	조율리듬

이 기록지에서 첫 번째 QRS를 정확하게 알아내는 것은 어렵다. 그러나 두 번째 QRS 역시 확인 가능한 P파를 가지고 있지 않고, 기록지에서 첫 번째 것, 여섯 번째, 그리고 일곱 번째 QRS들과 같은 모양을 나타낸다. 이것은 아마도 방실접합부 조기수축일 것이다.

세 번째에서 다섯 번째 QRS는 명백하게 조율 리듬이다. 여섯 번째와 일곱 번째는 아주 평평한 P파를 가진 정상 동율동을 보인다. 여러 유도들을 이용하면 이런 융기와 같은 모양이 P파인 것을 확인할 수 있을 것이다.

심전도 8

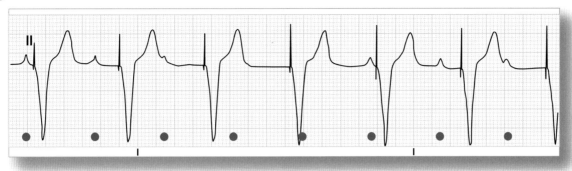

From *Arrhythmia Recognition: The Art of Interpretation*, courtesy of Tomas B. Garcia, MD.

박동수 :	분당 약 65회	PR 간격 :	없음
규칙성 :	규칙적	QRS 폭 :	넓음
P파 : 　형태 : 　축 :	없음 없음 없음	그룹화 :	없음
		탈락 박동 :	없음
P:QRS 비 : 없음		리듬 :	조율리듬

이 기록지는 조율된 심실리듬을 보여준다. 재미있는 것은 QRS들 사이에 P파들(푸른색 점)이 살짝 보인다는 것이다. 이러한 P파는 규칙적인 패턴으로 일어나고, 일정한 P-P간격을 가진다.

명백하게 심박동기는 심방 박동군을 전혀 감지하지 못하고 있다. 병력 상에서 VVI 심박동기로 확인되었다.

심전도 9

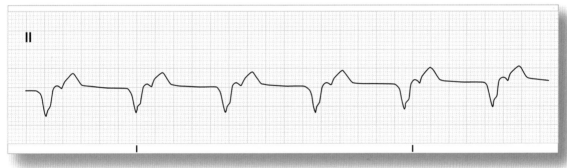

From *Arrhythmia Recognition: The Art of Interpretation*, courtesy of Tomas B. Garcia, MD.

박동수 :	분당 약 62회	PR 간격 :	없음
규칙성 :	규칙적	QRS 폭 :	넓음
P파 : 　형태 : 　축 :	없음 없음 없음	그룹화 :	없음
		탈락 박동 :	없음
P:QRS 비 : 없음		리듬 :	아래의 토의를 참고

우리는 약간의 진단적인 딜레마를 가지고 이 장을 끝내려 한다. 이 율동은 심실 이탈 리듬, 예를 들면 가속 심실 고유리듬인가? 이것은 이전의 각차단이나 편위전도를 동반한 접합부율동인가?

P파는 이 유도에서 등전압성인가? 만일 그렇다면, 이것은 각차단을 동반한 동율동일 수 있는가? 이러한 질문들은 대답하기 어렵다. 진단을 위해서는 몇 개의 다른 유도가 필요하다.

심전도 10

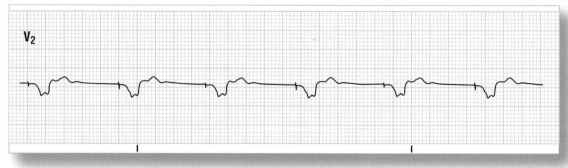

From *Arrhythmia Recognition: The Art of Interpretation*, courtesy of Tomas B. Garcia, MD.

박동수 :	분당 약 62회	PR 간격 :	없음
규칙성 :	규칙적	QRS 폭 :	넓음

P파 :
  형태 :
  축 :
	없음
	없음
	없음
		그룹화 :	없음

		탈락 박동 :	없음
P:QRS 비 :	없음	리듬 :	조율리듬

이 기록지는 심전도 9와 같은 환자에서 얻은 것으로써 12 유도 심전도의 V₂ 유도에서 박동기 스파이크가 가장 잘 보였다. 여기서 보면 이 율동이 박동기 율동이라는 것이 명확하다.

복잡한 부정맥의 가능성이 있을 경우에는 다수의 유도를 얻는 것이 중요하다. 이것은 환자가 가지고 있지 않은 리듬 이상에 대해 부적절한 치료를 시행하게 된 환자의 증례이다.

단원복습

1. 박동기 율동을 검사할 때 어떤 형태의 심박동기인지를 알기 위해 노력하는 것보다는 진단을 위해 실제 조율된 심전도군을 평가하는 것이 필요하다. (맞다 / 틀리다)

2. 박동기의 전선이나 유도는?
   A. 단극성(unipolar)
   B. 여러 가지로 프로그램 할 수 있는(mutiprogrammable)
   C. 양극성(bipolar)
   D. A 그리고 C
   E. 위의 모두 다

3. 심박동기의 기능과 능력을 표현하기 위해 사용되는 코드의 첫 번째 철자는 무엇을 의미하는가?
   A. 항부정맥 기능
   B. 감지하는 장소
   C. 감지에 대한 반응
   D. 조율하는 장소
   E. 프로그램 가능성

4. 심박동기의 기능과 능력을 표현하기 위해 사용되는 코드의 두 번째 철자는 무엇을 의미하는가?
   A. 항부정맥 기능
   B. 감지하는 장소
   C. 감지에 대한 반응
   D. 조율하는 장소
   E. 프로그램 가능성

5. 심박동기의 기능과 능력을 표현하기 위해 사용되는 코드의 세 번째 철자는 무엇을 의미하는가?
   A. 항부정맥 기능
   B. 감지하는 장소
   C. 감지에 대한 반응
   D. 조율하는 장소
   E. 프로그램 가능성

6. 넓고, 이상한 형태의 심전도 군이나 율동을 발견할 경우 항상 심박동기 스파이크를 찾아라. 이러한 경우 여러 개의 유도들 혹은 전체 12 유도 심전도는 매우 유용하다. (맞다 / 틀리다)

제 40 장

종합

목표

이 장의 공부를 마치면, 학생들은 다음을 알 수 있어야 한다.

1. 환자의 IQ point을 나열하고 설명한다.
2. 리듬분석시 사용하는 10가지 질문을 나열하고 설명한다.
3. 다음 질문을 염두하기: "내가 금맥을 채굴하였는가?"
4. 리듬기록지 또는 심전도 상의 부정맥을 정확히 식별한다.

들어가며

율동 기록지를 읽는 방법을 책의 마지막 장에 넣은 것이 다소 이상할지 모른다. 이 장이 마지막에 서술된 이유는, 부정맥 인식이나 율동 자체에 대한 굳건한 기초를 갖추기 전에는 어떻게 기록지를 판독하는지에 대한 우리들의 모든 조언을 완벽하게 이해하기가 어렵기 때문이다.

부정맥을 판독하는 것은 난해하며 의사들은 개개인의 시스템에 기초하여 평가한다. 심박동수를 확인하거나 규칙성을 찾는 것과 같이 모두가 일상적으로 하는 몇 개의 원칙들이 있다. 그러나 율동 판독에 정말로 능숙한 의사들은 몇몇 주관적 원칙들을 실행하며 이것은 기록지마다 변하게 된다. 짐작할 수 있듯이 이러한 기술들을 가르치는 것은 매우 어렵다. 그리고 이것을 책에 기술하는 것은 더더욱 어려운 일이다.

우리는 독자들에게 부정맥을 전반적으로 살펴볼 기회를 제공하고자 한다. 어떤 정보들은 매우 직설적일 것이다. 또 어떤 정보들은 어느 정도의 상상력을 요구할 것이다. 얼마나 많이 습득하는가는 어러분에게 달려 있다.

우리는 율동 기록지 혹은 12 유도 심전도에서 부정맥을 분석하기 위한 접근을 몇 개의 기본 개념으로 좁혀왔다. 이 개념들은 기억을 돕는 방법을 이용하여 종합될 수 있다. 항상 환자의 IQ 점수를 주목하라(**그림 40-1**). 이 장의 나머지 부분은 개념들에 대한 짧은 설명들이고, 개개의 적용에 대해서는 다음에 논의할 것이다. 환자의 율동 기록지이기 때문에 이것에 접근할 때 "환자의"라는 단어를 항상 당신의 가슴 속에 새겨 두어야 한다. 환자들이 호소하는 임상적 증상들, 혈역학적 상태들, 병력(과거와 현재), 이학적 검사, 환자의 기타 정보들의 임상적 연관성은 율동 기록지의 판독 시 필수적으로 알아야 한다.

"I"는 인상, 느낌(impression)을 나타낸다. 항상 다음 단계로 넘어가기 전에 기록지에 대한 즉석 느낌을 만들어야 한다는 것을 기억하자. 그러나 이것은 미리 선입견을 세우고 절대로 초기의 태도를 고수하라는 의미는 아니다. 절대적으로 반대의 태도가 필요하다. 언제나 간단한 문제들을 해결해 나가면서 인상을 배제하거나 받아들이는 과정을 진행시켜야 한다(**그림 40-2**).

그림 40-2에서, 전형적인 심전도 군의 여러 부분들과 관련된 질문들을 보자. 예를 들어, 심박동수는 대부분의 경우 그것을 빠르게 혹은 느리게 함으로써 TP 분절에 영향을 미친다. 질문 7, 8, 9는 모두다 QRS파들과 연관되어 있다. 우리는 이런 방식으로 질문을 설정하여 어떠한 QRS파를 관찰할 때에도 쉽게 기억할 수 있도록 하였다. 당신은 이것을 어떤 순서 세트로 기억하거나 혹은 그림 자체를 암기할 필요는 없지만 많은 이들은 주목해야 할 시각적 신호로 익힘으로써 임상 상황에서 보다 쉽게 기억하려 한다.

기억술의 마지막 부분은 약간의 확장(stretch)이다. "포인트들(points)"은 12 유도 심전도나 여러 개의 유도들을 예전의 오래된 심전도와 비교하는 것을 의미한다. "포인트들"인가? 왜냐면 당신은 환자의 이전 기록지와 새 기록지 사이의 파형 혹은 포인트(지점)를 서로 비교하기 때문이다.

항상 생각해야 할 것은...

환자의

Impression (인상)

Questions (질문)

Points!

그림 40-1. 리듬 기록지 분석에 접근할 때 기억해야 하는 것

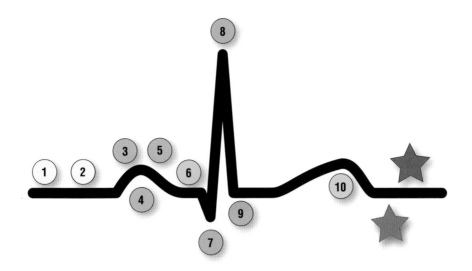

그림 40-2. 리듬 기록지를 분석할 때 체크해야 할 중요한 10가지 질문들

© Jones & Bartlett Learning.

"환자의"

부정맥은 환자의 정보가 아무것도 없는 상태에서 판독할 수 없다. 이와 관련된 논의를 시작할 때 매우 간단하지만 자주 빠뜨리는 사실이다: 환자를 보고, 만지고, 들어야 한다.

당신이 처음으로 어떤 리듬 기록지에 접근할 때 이 기록지가 누구에게서 측정한 것인지 그리고 그것이 얻어진 임상적 시나리오는 무엇인지 알아야 한다. 만일 리듬에 어떠한 이상한 점이라도 감지되면 환자의 상태를 즉시 검진해야만 한다(혹은 이 환자와 관련된 사람에게 정보를 알려줘야 한다). 왜 그러한가? 그것은 절대로 부정맥이 위험하지 않다고 단언할 수 없기 때문이다.

심실 이단맥이 있는 환자의 기록지를 관찰했다고 가정하자. 이단맥은 진단하기 쉽고, 기록지에 명확하게 나타날 것이다. 당신은 진단을 내렸고 스스로 흡족해한다. 환자는 괜찮을 것이다. 이단맥은 통상적으로 양성의 리듬이니까. 그러나 여기서의 키워드는 "통상적으로"이다. 문제는 환자는 양성의 율동을 가졌다는 것을 모른다는 것이다. 대신 그녀는 심실 조기수축 시에는 심장의 실질적인 수축이 일어나지 않는다. 이러한 이단맥 현상은 실질적으로 환자가 분당 30회의 심박동수로 체크된다는 것이다. 그녀는 심장성 쇼크 상태이며 생명을 보존하기 위해 혹은 적어도 심각한 합병증을 최소화하기 위해, 즉각적인 치료가 필요하였다.

전에 언급했듯이 우리는 이 책에서 임상적 치료에 대해 의도적으로 다루지 않았다. 이유는 이 책이 1~2년보다 더 오랫동안 읽히기 바라기 때문이다. 부정맥 판독과 관련된 원칙은 수년간 상당한 변화가 없겠지만, 치료는 그렇지 않다. 현대 의학이 이런 속도로 발전한다면, 많은 책들이 출판되는 즉시 낡은 지식이 될 것이다. 혈역학적으로 불안정한 부정맥에 대한 응급 처치는 미국 심장학회의 전문심장 소생술 프로그램(American Heart Association's Advanced Cardiac Life Support program)이나 이런 환자들의 치료를 위한 증명된 지침을 따라야 한다. 혈역학적으로 안정한 부정맥에 대한 치료는 가장 최신의 지식을 가지고 치료하고 있다는 것을 확신하기 위해서 1년마다 신판이 나오는 책들, 인터넷, 기타 최근에 갱신된 매체들을 참조하기 바란다.

만일 환자가 혈역학적으로 불안정한 부정맥을 앓고 있다면 즉시 응급조치를 시행해야 한다. 일이 악화될 때까지 기다려서는 안된다. 때때로 환자들은 식은 땀이 나거나 현기증이 나거나 혈압이 낮아지는 등 매우 미미한 증상만을 보일 수 있다. 그리고 몇 초 후 그들은 바로 의식을 잃는다. 초기의 예방과 치료(제세동과 동율동전환)가 재난을 막을 수 있다. 응급 상황에서 필요한 모든 약제와 기구들을 모으는 것은 시간이 걸린다는 것을 항상 기억하자. 절대로 상황이 완전히 악화된 다음 조치를 취하려고 하지 말아야 한다.

The History

이 책은 판독에 도움을 주는 환자의 병력에 대한 중요한 부분들을 모두 다루지는 못 한다. 따라서 우리는 가장 중요한 몇 가지 포인트만을 살펴볼 것이다. 훌륭한 병력 청취와 임상적 검사는 철저하고 조직적인 방식을 통해 가능하다. 여러분은 환자들의 병력에 대해서 셜록 홈즈와 같은 방법으로 접근해야 한다. 어떠한 부분도 간과되어서는 안 된다. 때때로 사소한 것에서 중요한 정보를 얻을 수 있다.

먼저 대부분의 환자들의 평가에서 병력 청취가 가장 중요한 방법이다. 병력은 과거 또는 현재의 병력을 포함하여

야 하며, 이것은 감별진단의 범위를 좁혀준다. 직전의 사건들에 주의를 기울이면서 시작하여야 한다. 환자가 느낀 첫 증상은 무엇인가? 증상들이 어떠한 순서로 발생했는가? 증상들이 얼마나 심각했는가? 증상이 얼마나 지속하였나? 첫 번째 증상이 발생하기 직전의 느낌은 어땠나 혹은 무엇을 하고 있었나? 그녀가 기절했었는가? 호흡곤란이 왔는가? 흉통이나 어떠한 형태의 고통이 발생했는가? 어지러웠나? 발한이 발생하였나? 통증이나 불편함이 다른 곳으로 전파되었나? 가슴이 두근거렸나? 두근거림은 얼마나 빨랐나? 두근거림이 규칙적이었는가? (환자의 다리나 다른 표면에 손으로 가볍게 두드리게 하라. 이렇게 하면 두근거림의 속도나 규칙성을 파악할 수 있다) 독성 물질이나 알레르기 유발물질에 노출되었나? 어떤 종류의 마약을 복용하였나? 흡연을 하는가? 이런 질문들은 환자들을 파악하기 위해 질문이여야 하는 다수의 질문들이다.

과거의 정보들은 과거에 발생한 사건 예를 들면, 실신과 빈맥 등과 같은 일련의 사건들을 포함한다. 또한 부정맥이 발생할 수 있는 선행 상태들을 포함하여야 한다. 예를 들어, 과거의 심근경색증이나 울혈성 심부전은 심계항진이나 실신의 원인으로 심실빈맥을 의심하게 한다. 만성 혹은 급성 신장 질환은 전해질 이상에 의한 부정맥 발생 가능성을 높인다. 만성 폐쇄성 폐질환은 다소성 심방빈맥을 의심하게 한다. 자동차 여행 후에 다리가 붓는다면 폐색전증이 의심되며, 이것과 동반된 부정맥 합병증이 발생할 수 있다. 가능성은 무궁무진하다. 모든 환자는 각자의 특이성을 지니므로 항상 환자들에게 접근할 때는 깊은 주의를 기울여야만 한다.

많은 부정맥들의 평가에서 가족력이 매우 중요하다. 가족력은 많은 가능성에 초점을 맞추어야 한다. 가족 중 한 명이 어린 나이에 갑자기 사망한 경우, 65세 이전에 심장병을 앓은 가족력, 갑자기 종종 의식을 잃거나 기절하는 가족력, 선천적 청각 장애(QT 연장 증후군과 Jervell 그리고 Lange-Nielsen 증후군)의 가족력, 부정맥이나 부정맥과 연관된 증상들을 보이는 가족력 등이 주요 관찰 대상이다.

환자가 받는 약물 치료는 부정맥의 진단에 도움을 줄 수 있다. 많은 약제들이 QT간격을 연장시킬 수 있다, 이들 중에는 구토억제제 등이 포함된다. 많은 약들이 위장관 출혈, 신장이나 간 합병증을 일으킬 수 있고, 따라서 전해질 이상을 유발할 수 있다. 약물은 이전에 진단되지 않았던 특정한 유전병이나 효소 이상을 드러나게 할 수 있다. 마지막으로, 여러 약물들은 원하지 않는 부정맥을 일으키는 약물간 상호

작용을 유발할 수 있다.

환자에게 질문하는 것을 두려워하지 말라. 당신의 시간을 낭비하거나 환자를 지루하게 하는 것이 아니다. 우리를 믿어라, 환자는 본인의 문제에 대한 원인을 알고 싶어한다. 만약 환자로부터 어떠한 병력도 듣지 못했다면, 곁에 있는 가족이나 친구에게 물어보자. 많은 경우에 그들은 환자가 부끄러워서 알려주기 어려웠던 정보들을 제공해줄 수 있다. 만약 환자가 본인의 약물들을 기억하지 못한다면, 집에 전화해서 가족 중 누군가에게 약품 수납함에 가보라고 부탁하자. 종합하면, 답을 얻기 위해 가능한 모든 수단을 동원해야만 한다.

이학적 검사

이학적 검사에서 가장 먼저 봐야 할 것은 활력징후(vital sign)이다. 심박수는 심장 박동수와 율동에 의해 생성되는 기계적 수축의 신체적 표현이다. 그러나 많은 경우에 실제 심박수와 모니터 상의 심박수가 일치하지 않는다. 전기적 자극은 기계적 수축이나 효과적인 기계적 수축을 일으키지 않기 때문이다. 모니터 상의 심박수와 실제 심박수를 이중으로 측정하는 것을 습관화해야 한다.

간단한 기계적 심박동수 외에도, 맥박은 부정맥이 장기의 관류에 영향을 미쳤는지 여부를 알려줄 수 있다. 약한 맥박은 대개 심박출량의 저하와 관계가 있다. 차갑고 끈적끈적한 피부는 피부로의 혈류 저하의 신호이다. 모세혈관 재충전(capillary refill)은 손톱 바닥(nail bed)이 하얗게 될 때까지 손톱을 압박하면 알 수 있다. 빠르게 압박을 풀고, 정상적인 분홍색으로 돌아오기까지의 시간을 측정한다. 정상 환자의 경우 모세혈관 재충전은 2초 이내이어야 한다.

맥박은 또한 율동의 규칙성에 대해 많은 것을 알려줄 수 있다. 맥박을 측정함으로써 기타의 박자(규칙적인, 규칙적으로 불규칙한, 완전히 불규칙적)를 쉽게 구분할 수 있다. 조기수축과 같은 현상들을 맥박 측정함으로써 알아낼 수 있다. 그러나 맥박을 촉진함으로써 심방, 방실접합부, 심실 조기수축 사이의 차이를 알아낼 수는 없다.

생명 징후에서 다음으로 평가할 것은 혈압이다. 빈맥성 부정맥이든 서맥성 부정맥이든지 심각한 부정맥 환자 대부분이 혈압에 약간의 변화를 가질 것이다. 심방 반동(atrial kick)의 상실은 종종 심실 구혈율을 변화시킴으로써 혈압에 영향을 미친다.

환자에 대한 간단한 육안적 관찰은 심혈관 상태에 관한 즉각적인 아이디어를 준다. 만약 환자가 극단적인 상태에 있으

면(심각하게 아프게 보인다), 명백한 증상들이 나타날 것이다. 환자는 발한 증상과 과호흡을 할 것이며 대개 공황 상태로 보이며, 얼굴에 죽음의 그림자가 드리워져 있다(임상적 요점: 중심성 청색증은 낮은 산소 농도 때문에 코와 몸의 중심부가 푸르스름하게 보인다. 여러 류마티즘 관련 질병들은 말초혈관의 수축에 의한 말초성 청색증을 유발한다).

경정맥파(Jugular venous wave) 또한 원래 부정맥에 대한 중요한 단서를 제공한다. 환자의 방실해리(AV dissociation)일 때는 심방과 심실이 순차적이지 않고 서로 동떨어진 채로 수축하게 된다. 심방이 방실 판막이 아직 닫혀있는 동안에 수축하게 되는 경우에 심방에 의해 펌프질된 혈액은 목의 정맥으로 역류한다. 심방수축으로 인한 갑작스러운 압력과 부피의 파동에 의해 갑작스럽고 매우 큰 정맥 박동이 생기게 될 것이고 이를 거대 A파(cannon A wave)라 한다. 거대 A파는 또한 본질적으로 방실해리를 가지고 있는 다른 리듬에서도 관찰된다(심실 고유율동(idioventricular), 가속심실 고유율동(accelerated idioventricular), 심실빈맥).

이학적 검사는 또한 율동 장애와 관련된 원래 질병 진행에 대한 기초적인 실마리를 제공할 수 있다. 울혈성 심부전, 심근증, 심근경색증, 선천성 심장병, 다운 증후군, 마르판(Marfan) 증후군, 만성 신장 장애 환자들의 동정맥 단락(arteriovenous shunt) 등이 그 예이다. 여기에 작은 임상적 요점이 또 하나가 있다. 만약 원인불명으로 실신하였고 쓰러지면서 얼굴에 큰 열상이 생긴 환자가 있다면, 그 환자가 심장질환으로 의식을 잃었을 가능성이 높은가, 아니면 간질 발작일 가능성이 높은가? 이러한 방법으로 생각해보자. 부정맥은 빠르게 발생하지만 의식을 즉각적으로 잃지는 않는다. 환자들은 대개 쓰러지면서 바닥이 가까이 다가왔던 것을 기억하고 있고, 얼굴이 바닥을 치는 것을 손으로 막을만한 충분한 시간이 있다. 그럼에도 불구하고 열상이 생길 수 있지만 이렇게 의식을 잃을 때에는 그 가능성이 낮아진다. 간질 발작일 때 신경 반응은 즉각적이고, 바로 온 몸의 조절 능력을 잃을 것이다. 이러한 조절 능력의 즉각적인 상실은 발작이 일어날 때 땅바닥에 심하게 부딪힐 가능성이 훨씬 더 높다.

"Impression"

리듬 기록지의 분석을 시작하기 전에, 몇 초 동안 어떤 일들이 발생했고 주된 문제점은 무엇인지에 대한 전반적인 인상을 얻어야 한다. 기록지의 주요 문제점들이 하나의 사건

인가? 여러 개의 사건인가? 방실 차단에서처럼 하나 이상의 율동 이상을 다루고 있는 것은 아닌가? 양성 혹은 악성의 느낌이 나는가? 많은 경우에 국지적인 파형에 얽매인 나머지 전반적인 인상을 파악하는 것을 잊어버리는 일이 발생한다. 즉, 여러 작은 파형들은 파악할 수 있지만 명백한 진단을 놓치게 된다는 것이다. 나무만 보아서는 숲 전체를 볼 수 없다. 전반적인 인상을 먼저 파악함으로써, 숲을 먼저보고, 그 숲 안에 소나무, 떡갈나무, 자작나무가 있다는 사실을 자연스럽게 알게 되는 것이다.

원래의 인상을 정립한다는 것은, 완고하게 고집스러운 의견을 만든다는 의미가 아니다. 전반적인 인상은 기본적으로 그저 인상일 따름이다. 인상은 좀 더 순차적인 분석에 의해 얻어지는 자료에 의해서 바뀔 수 있다. 혹은 처음의 인상이 이런 분석적 정보에 의해서 맞는 것으로 증명될 수도 있다.

첫 번째로 자신에게 물어보자. 이 환자는 내가 긴급하게 돌보아야 할 환자인가? 이 관점에서, 단지 기록지만을 쳐다봄으로써 위험한 리듬인지 혹은 무시하고 지나가도 되는 리듬인지를 구별할 수 있어야 한다. 다른 유도들이 더 필요한가? 어떤 리듬인지 실마리가 없는 경우는 도움을 요청해야 한다. 일찍 도움을 요청하는 것이 좋다. 도움을 요청하기 전에 너무 오래 기다리면 그 동안 여러분이 느끼는 시간은 아주 느리게 흘러갈 것이다. 매초가 영원히 느껴질 것이다. 자신의 한계를 파악하고 도움을 청하는 것을 두려워하지 말라!

둘째로, 분석하고 있는 파형을 머릿속에서 완벽한 정상 파형과 비교해야 한다. 차이점들에 주목하자. 만일 P파에 문제점이 발견되면 이 부분에 분석의 초점을 맞추고 상심실성 병변을 의심해 보아야 한다. 만약 넓은 QRS파와 관련된 문제인 경우, 심실율동이나 상심실성 리듬이 선행하는 이상(각차단 등), 전해질 이상, 편위전도(예를 들면, Ashman 현상) 현상들과 동반된 것을 생각해야 한다. 그 후 몇 가지 2차 질문들이 이어질 수 있다. 만약 각차단(bundle branch block)처럼 보인다면, 어떤 것인가? 편위전도를 생각한다면, 심박동수 의존성 편위전도(rate-related aberrancy)인가 혹은 이 군들과 관련된 특별한 사항들이 있는가?(편위전도와 관련된 차단에서는 우각차단이 더 흔히 나타난다)

마지막으로, 파형을 머릿속으로 다시 한 번 비교해 본다. 그러나 이번에는 의심하고 있는 완전한 부정맥 파형과 비교해 보아야 한다. 예를 들어 율동 이상이 2:1 전도를 하는 심방조동이라고 가정하자. 머릿속으로, 분석하고 있는 파형을 이때까지 공부했던 2:1 전도의 심방조동의 파형과 비교해

본다. 심박동수는 어떠한가? 비슷하게 보이는가? 묻혀진 F파형을 볼 수 있는가?

이제 여러분은 일반적인 인상을 정립시켰다. 이제 아래와 같은 특정한 질문들을 할 수 있게 되었다. 이제 다음 질문들을 살펴보자.

Top 10 "질문들"

1. 리듬이 빠른가 느린가?

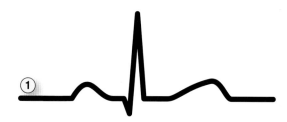

© Jones & Bartlett Learning.

이 시점에서 박동수 계산은 여러분에게 매우 간단하며 4장에서 계산법을 복습할 수 있을 것이다. 그러나 박동수 계산이 단순하다는 것은 이것이 유용하지 않다거나 중요하지 않다는 의미는 아니다. **표 40-1**에서 보듯이 박동수는 문제의 율동을 규명하기 위한 방향을 잡는 데에 크게 기여할 수 있다. 임상적으로 박동수를 계산할 때 분당 약간의 박동수 차이는 중요하지 않다. 그러므로 이 책에서 우리는 "대략 - 회/분"이라고 표시하였다. 만약 심박수가 85회/분이라고 계산했는데 실제로 87회/분이라고 하면 문제가 있을까? 그렇지 않다. 우리가 집중해야 할 주된 요소는 맥박이 느린지, 정상인지 또는 빠른지의 여부이다. 그러나 완벽함을 위해 실제 수치에 가능한 한 가깝게 박동수를 계산하는데 익숙해져야 한다(저자의 노트: 주된 결정 요소에서 정확함이 매우 필요한 경우는 60회/분과 100회/분 근처이다. 이 두 구간에서는 분당 2-3개 정도의 박동 차이가 각각 율동이 서맥 또는 정상 여부인지를 구분하거나, 율동이 정상 또는 빈맥인지 여부를 구분한다).

느리거나 정상, 빠른 심실 반응을 유발하는 잠재적인 부정맥 리스트는 각 범주 안에 제한되어 있다(**표 40-1**). 이 한 단계가 잠재적인 부정맥 리스트를 엄청나게 축소시켜주며, 좀 더 초점을 맞춘 형태로 주의를 집중할 수 있게 한다.

한 기록지에서 두 개의 분리된 율동을 가질 수 있음을 기억하자. 이는 같은 기록지에서 한 율동에서 다른 율동으로 변할 때나 방실해리 혹은 3도 심장 차단일 때 일어난다. 여

표 40-1 심박수에 따른 부정맥의 감별

느림	정상I	빠름	빠르거나 느리거나 정상이거나
동서맥 방실접합부 보충 리듬 심실 보충 리듬 심실 고유 리듬 유주심방조율기	정상 동율동 가속성 리듬 • 방실접합부 • 심실고유 유주심방조율기	동빈맥 가속성 • 방실접합부 • 심실고유 심실빈맥 방실결절 회귀빈맥 방실회귀성빈맥 다소성 심방빈맥 편위전도한 상심실성 빈맥	심방세동 심방조동 1도 방실 차단 3도 방실 차단 심방 조기수축 방실접합부 조기수축 심실 조기수축

© Jones & Bartlett Learning.

표 40-2 심실반응의 규칙성에 근거한 감별진단

규칙적	규칙적으로 불규칙(Regularly Irregular)	완전히 불규칙적(Irregularly Irregular)
정상 동율동 동빈맥 동서맥 이소성 심방리듬 이소성 심방빈맥 심방조동 방실접합부 리듬 가속성 방실접합부 리듬 방실접합부 빈맥 방실결절 회귀빈맥 방실회귀성빈맥 심실고유리듬 가속성 심실고유 단형 심실빈맥	동부정맥 조기수축* • 심방 • 방실접합부 • 심실 보충수축* • 심방 • 방실접합부 • 심실 심방조동(다양한 방실전도비율) 동휴지* 동차단* 동정지*	유주심방조율기 다소성심방빈맥 심방세동 심방조동(다양한 방실전도비율) 다형성 심실빈맥 Torsade de pointes

* 이들은 사실 단일 사건이지만 기록지는 보통 규칙적으로 불규칙하다고 간주한다.

© Jones & Bartlett Learning.

러분이 방실해리 또는 3도의 심장 차단을 다루게 되면 심방의 박동수와 심실의 박동수를 분리해서 언급하는 것이 필수적이다.

2. 리듬이 규칙적인가 불규칙적인가?

이 질문은 실제로 다음과 같이 질문해야 한다: 리듬이 규칙적인가 불규칙적인가? 리듬이 불규칙하다면 그것은 규칙적으로 불규칙한가, 아니면 완전히 불규칙한가? 우리가 이 책을 통해 보아왔듯이 이 질문은 여러 부정맥을 진단하는데 필수적이다. 다시 한 번 강조하지만, 이 한 질문의 대답을 기반으로, 감별진단은 매우 줄어들 수 있다(**표 40-2**). 이제, 앞선 질문의 대답으로 얻은 목록을 모두 종합하면, 감별진단의 목록은 더 줄어들 것이다.

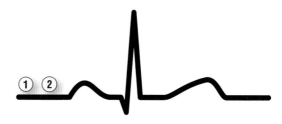

© Jones & Bartlett Learning.

규칙적인 리듬은 전형적으로 박동을 만드는데 단 하나의 조율기만 가지고 있다. 규칙적으로 불규칙한 리듬은, 이탈 기전 혹은 증가된 자동성이나 회귀 등에 의해 동시에 움직이는 두 개 또는 그 이상의 조율기들을 가지게 된다. 이것이 발생하는 것은 리듬이 따로 존재하는 것이 아니라 어떤 원래 리듬이 있고 다른 사건들이 원래 리듬의 규칙성을 파괴할 때 발생한다. 완전히 불규칙적 율동은 세 개 또는 그 이상의 조율기들 혹은 방실결절을 통한 상심실성 자극의 병적 전달에 기인한다.

　단지 3개의 주요 완전히 불규칙한 율동만이 있다는 사실을 기억하자. 유주심방조율기(wandering atrial pacemaker), 다소성 심방빈맥(multifocal atrial tachycardia), 그리고 심방세동(atrial fibrilation)이 그것이다. 만약 P파를 발견한다면 WAP나 MAT일 것이다. 만약 P파가 발견되지 않는다면 심방세동일 것이다. 다른 율동들이 불규칙적으로 불규칙한 율동일 수 있는가? 그렇다. 예를 들어, 다양한 차단을 동반한 심방조동, 다형심실빈맥(polymorphic VT), Torsades 등이 간혹 완전히 불규칙한 율동일 수 있다. 그러나 그 빈도가 낮은 부정맥이다. 가장 많은 3가지 경우만 생각해도 아주 높은 비율로 진단을 맞출 것이다.

3. P파가 관찰되는가?

4. P파의 모양이 모두 같은가?

5. P파가 II유도에서 상향인가?

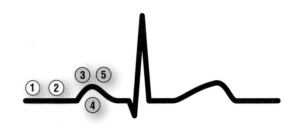

© Jones & Bartlett Learning.

　헨리 J. L. 메리어트 박사는 독자에게 "P파를 주시하리"고 주문했다. 우리는 똑같은 개념을 다루지만 다소 확장시켰다. 우리는 감히 말한다. "죽을 때까지 P를 두들겨라(Beat the P's to death)!" 각각의 P파에 내포되어 있는 모든 정보들을 유심히 분석하여야 한다. 10개의 질문 중 4개가(질문 3, 4, 5, 그리고 10)이 P파와 직접적으로 관련이 있다는 사실을 상기하자. 우리가 이 책에서 계속 살펴보았듯, 아마도 P파는 부정맥을 평가하는데 있어서 가장 중요하게 확인해야 할 요소일 것이다.

　QRS파 이전에 나타나는 P파들은 심전도군이 상심실성 기원임을 뜻한다. P파들은 동결절에서 생성될 수 있고, 이소성 심방조율기, 혹은 방실 방실접합부 조율에 의해서도 발생하지만 어쨌든 상심실성 부위에서 생성된다(유일한 예외는 이소성 심실율동에 의해 심방으로 신호가 전도되는 역행전도이다). 이 작은 정보는 상심실성 율동에 대한 감별진단의 범위를 유의하게 좁혀줄 것이다(**표 40-3**).

　동결절에서 생성되는 P파들은 유도 II에서 양성(positive)으로 나타난다. 역위된 P파들, 혹은 유도 II에서 음성(negative)으로 나타난 경우는 이소성 P파들, 방실접합부 군

표 40-3 P파에 따른 감별진단		
P파가 존재하며 상(上)향인 경우	**P파가 존재하고 역위된 경우**	**P파가 존재할 수 있으나 역위된 경우**
정상 동율동	이소성 심방율동*	방실접합부 율동
동빈맥	이소성 심방빈맥*	가속성 방실접합부
동서맥	유주심방조율기*	경계성 빈맥
동부정맥	다소성 심방빈맥*	방실결절회귀성 빈맥
이소성 심방율동*		방실회귀성빈맥
이소성 심방빈맥*		
유주심방조율기*		
다소성 심방빈맥*		
심방 조기수축*		
이탈 심방박동*		

방실 차단은 원래 율동에 따라 P파가 상향이나 역위일 수 있다.

*P파는 이런 율동에서 상향이거나 역위일 수 있다.

© Jones & Bartlett Learning.

들, 역행전도 등에서 나타난다. 역위된 P파들의 발생 장소는, PR 간격을 살펴보면 발생 장소를 더욱 좁힐 수 있다(질문 6). 요약하자면, 정상 혹은 연장된 PR 간격은 이소성 심방 P파와 연관되어 있고, 짧은 PR 간격은 방실접합부 박동군(junctional complexes)과 연관되어 있다.

다른 형태의 P파들이 같은 율동 기록지 위에 나타난다면 진단에 유의하다. 만약 P파의 모양이 다르고 불규칙적이며 조기에 나타나는 군이 있다면, 조기 심방수축을 다루고 있는 것이다. 만약 이상과 같은 박동이 심전도 주기에 늦게 나타난다면, 심방 이탈 군들(atrial escape complexes)을 다루고 있는 것이다. 만약 완전히 불규칙한 율동을 가지며, 3개 이상의 상이한 P파들의 형태를 가지고, PR 간격도 다르다면, 그 심박동수에 유주심방조율기 또는 다소성 심방빈맥이라고 진단할 수 있다.

때때로 P파에 대한 대부분의 정보를 얻기 위해 유도를 바꿔야 하는 경우가 발생한다. 일반적으로 V_1 유도는 P파를 연구하기 가장 좋은 유도이다. 그러나 환자들은 각각의 특성을 지니고 있어서, 어떤 경우에는 P파가 V_5 혹은 aVL 유도에서 가장 잘 관찰되는 경우도 있다. P파의 형태나 존재에 대한 의문이 있는 경우 전체 12 유도 심전도를 얻어야만 한다. P파를 가장 잘 나타내는 유도가 어디인지를 알고 나면, 필요한 경우 이 특정 유도에서 긴 리듬 기록지를 얻어야 한다. 한 번 완벽한 P파의 형태를 습득한다면, 필요한 경우 특정한 유도를 사용하여 나타난 P파도 쉽게 분석할 수 있을 것이다(특정 유도에서 역위된 P파는 정상일 수도 있다는 것을

기억하라. 이런 경우 P파는 이소성 병소에서 생성된 것이 아니라 유도에서 관측하는 각도에 따라 발생한 것이다).

묻혀진 P파를 찾도록 하자. P파는 어디서나 묻힐 수 있지만 통상적으로 이전의 T파 안에 묻히는 경우가 많다. 묻혀진 P파에 대해 이야기하자면, 심실 박동수가 150회/분인 경우, 몇몇 박동을 관찰한 후, 심방조동의 2:1 차단에 대해 생각하여야 한다. 이 관계에 대한 생각은 직관적일 필요성이 있으며, 깊이 생각할 필요도 없다. 150회/분의 심박동수를 보면 QRS파들이 가장 작은 유도를 관찰하여 묻혀진 P파들을 찾도록 노력해야 한다.

6. PR 간격이 정상이며 일정한가?

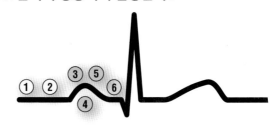

PR 간격은 심방과 방실결절을 포함하는 전기 전도계를 통과하는 전기 전도를 반영한다. PR 간격의 측정은 리듬기록지 판독의 기본적인 과정이다. 이전에 언급했듯이 PR 간격은 P파의 시작점에서부터 QRS파의 시작까지 측정하며, 짧거나 정상이거나 연장될 수 있다(**표 40-4**).

정상적인 PR 간격은 0.12~0.20초 사이이다. 정상적인

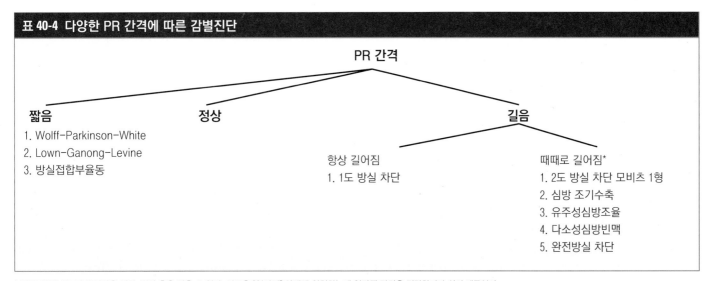

표 40-4 다양한 PR 간격에 따른 감별진단

PR 간격

짧음
1. Wolff-Parkinson-White
2. Lown-Ganong-Levine
3. 방실접합부율동

정상

길음

항상 길어짐
1. 1도 방실 차단

때때로 길어짐*
1. 2도 방실 차단 모비츠 1형
2. 심방 조기수축
3. 유주성심방조율
4. 다소성심방빈맥
5. 완전방실 차단

* 이따금씩의 PR 간격 연장은 연장, 정상 혹은 짧을 수 있다. 이들은 "연장된" 아래에 위치하는데 연장된 간격은 진단하기가 쉽기 때문이다.

PR 간격은 모든 동율동에서 나타난다(정상 동율동, 동서맥, 동빈맥, 동부정맥 등). 또한 방실결절에서 적당한 거리에 있는 이소성 심방조율기에서도 발견된다. "적당한 거리"란 방실결절에서 너무 멀리도, 너무 가까이도 위치하지 않은 거리를 뜻한다. 만약 이소성 심박동기가 방실결절에 너무 가깝다면 방실결절에 도달하기 위해서 진행하여야 하는 전기 자극의 이동 거리가 짧아지기 때문에 PR 간격은 더 짧아진다. 만약 박동기가 방실결절에서 멀리 떨어져 있다면 자극이 방실결절에 다다르기 위해 세포 대 세포 간 직접 전달에 의해서 전달되는 거리를 합하여야 하기 때문에 PR 간격은 연장될 것이다.

PR 간격이 만약 0.11초 이하면 짧다고 판단한다. 짧은 PR 간격은 하부 이소성 심방(low ectopic atrials) 그리고 방실접합부율동의 두 가지 가능성이 있다. 위 단락에서 언급했듯이 방실결절에 가까운 이소성 심방조율기는 자극이 방실결절에 도달하기 위해 짧은 거리만을 이동하게 된다. 방실결절 방실접합부 조율기는 심방과 심실 모두에서 동시에 자극을 발생시키며 PR 간격을 매우 짧게 만들거나, 전혀 만들지 않게 된다.

이제 PR 간격을 P파형과 연관지어 논의해 보자. 상향이거나 역위된 P파와 짧은 PR 간격이 동반된 것을 관찰할 수 있을 것이다. 짧은 PR 간격을 가지면서, 상향인 P파는 매우 드물고 오직 2가지 경우에만 존재한다: Lown-Ganong-Levine (LGL)증후군이나 WPW이다. LGL은 방실결절을 우회하는 작은 다발로 인해 발생하는 드문 질병이다. 이 다발은 전기 신호가 방실결절의 생리적 차단을 피하게 하여 짧은 PR 간격을 유발하게 된다. 그러나 LGL에서 QRS파들은 심실 탈분극이 정상 전도계를 통해 일어나기 때문에 좁다. WPW는 26장에서 다루었다. 이는 짧은 PR 간격 그리고 델타파와 융합에 의한 넓은 QRS파가 특징이다.

짧은 PR 간격을 지닌 역위된 P파는 매우 아래쪽의 이소성 심방 혹은 방실접합부 박동군들과 관련이 있다. 이 둘을 구분하려면 비싸고 비실용적인 침습적 전기생리학 검사가 필요하다. 단순한 체표면 심전도만으로는 차이점을 구분하기 힘들다. 이런 이유에서, 역위된 P파와 짧은 PR간격이 관련된 모든 심전도군은 방실접합부 박동군으로 생각해야 한다. 이렇게 생각하는 것으로 어떠한 심각한 임상적 문제도 발생하지 않는다. 연장된 PR간격(0.20초 이상)은 1도 방실 차단의 특징이다. 28장에서 볼 수 있듯이, 1도 방실 차단은

실제 차단이 아니고, 방실결절 기능부전 혹은 다른 질환들에 의한 지연이다. 1도 방실 차단의 지연은 꼭 방실결절에서만 일어나는 현상은 아니며, 전기 전도 시스템의 심실 부분에서도 발생할 수 있다. **표 40-4**에서, 연장된 PR 간격은 일정하게 연장된 경우(기록지의 모든 PR 간격이 연장)와 가끔씩 연장된 경우(리듬 기록지의 일부는 정상이고 일부는 연장)로 나누어 진다.

7. P:QRS 비율은 어떠한가?

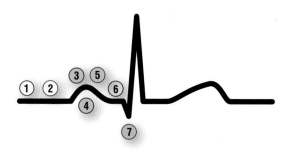

© Jones & Bartlett Learning.

이 질문은 모든 방실 차단에 해당된다. 일반적으로 한 개의 상심실성 자극(P파)에 대해 오직 하나의 심실 탈분극(QRS파)만 일어나기 때문에 P:QRS 비율은 1:1이다. 그러나 여러 개의 P파들이 하나의 QRS와 같이 나타나면 어떤 종류의 방실 차단이 일어났다고 의심할 수 있다. 방실 차단은 빠른 상심실성 박동에 대해 정상적인 생리적 반응으로도 발생한다. 이 경우 상심실성 수축은 매우 빨라서 만일 1:1의 전도를 유지한다면 심실이 제대로 작동하지 못해 혈역학적 문제나 심하면 심혈관계의 허탈(cadiovascular collapse)까지 발생할 수 있다. 이런 이유로 방실결절은 1:1 전도를 유지하지 못하게 하고 심실의 반응을 느리게 하여 심장을 보호하는 안정장치 역할을 한다. 이런 기능적 차단의 예는 이소성 심방빈맥이나 심방조동에서 찾아볼 수 있다. 이러한 방실 차단이 어떤 비율로 발생하는가는 아직 확실히 말할 수 없다. 어떤 환자들에서는 상심실성 박동이 200회/분 대의 중간 혹은 낮은 심박동수에서 발생할 수 있다. 그러나 차단은 200회/분 대 이상, 특히, 300회/분 이상에서 발생한다. 가장 흔한 경우는 2:1 차단이다. 이 말은 심방 박동수가 300회/분일 때 심실 박동수가 150회/분이라는 의미이다. 이 수치를 기억해두자. 앞서 언급하였듯이 150회/분의 심실 박동은 다음과 같은 본능적인 질문을 하게 할 것이다. 내가 심방

조동을 대하고 있는가? 자주 "그렇다"라는 대답을 얻게 되는데 놀라게 될 것이다. 방실 차단은 2도나 3도 방실 차단으로 진행될 수 있는 병리적 기전을 지니고 있다. 1:1과 다른 전도율 및 집단화(grouping)는 2도 방실 차단의 특징이다. Wenckebach 또는 Mobitz I형의 2도 방실 차단은 N:(N-1) 비율을 나타낸다. 이 말은 각각의 그룹에 항상 QRS파보다 하나 더 많은 P파가 존재한다는 것을 의미한다. Mobitz II형의 2도 방실 차단은 PR 간격의 연장 없이 탈락한 QRS파들과 연관이 있다.

마지막으로 심방과 심실 사이에 전도가 전혀 일어나지 않을 수 있다. 이 경우는 3도 방실 차단이나 완전 방실 차단의 경우 발생할 수 있다. 이 경우 심방과 심실은 제각기 각자의 조율기에 의해 박동한다.

8. QRS파가 좁은가? 넓은가?

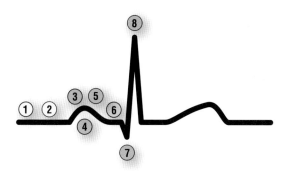

© Jones & Bartlett Learning.

일반적으로 상심실성 율동은 0.12초보다 좁은 QRS파를 동반하고, 심실율동은 0.12초 이상의 넓은 QRS파를 동반한다. 그러나 몇 가지 예외가 있다. 먼저, 상심실성 QRS파는 각차단이 있는 경우 넓게 나타날 수 있다. 또한 어떤 이유에서든 심실로의 편위전도가 일어나는 경우도 넓어진다. 심방과 심실을 통하여 부적절한 생화학적 전도가 발생하는 전해질 이상이 있는 경우에도 일어난다.

박동군의 형태를 비정상적으로 넓어 보이게 하는 몇 가지 요인들이 더 있다. 이런 가능성 중 하나는 융합(fusion)이다. 다른 심전도 군들과 파형들의 융합은 비정상적으로 넓어 보이는 QRS파를 유도할 수 있다. 융합은 WPW의 델타파의 발생 원인이기도 하다(우회로를 통한 자극의 전달과 정상 전기 전도계를 통한 자극 전달의 융합).

설명

가끔 실질적으로 심실에서 발생한 율동이지만 좁은 QRS파가 발생하는 매우 드문 경우가 있다. 심실율동의 경우 심실 전도 의대부분은 탈분극파의 전달이 세포 대 세포를 통한 전도에 의해서 발생하기 때문에 넓은 QRS파로로 나타난다. 매우 드문 경우에, 심실빈맥이 각(bundle) 중 하나에서 발생하여 각을 통해서 빠르게 전달되기 때문에 좁은, 혹은 예상되는 것 보다 좁은 QRS파를 만들게 된다. 이런 경우에는 정상 전기 전도계를 통한 탈분극파의 부분 전도가 발생하기 때문이다. 빠른 전도는 좁은 QRS파와 같다고 생각하면 된다. 이런 경우는 매우 드물기 때문에 아마도 임상에서 직접 경험하기 힘들 것이다. 이런 경우가 발생할 수 있고 존재한다는 것만 알고 있으면 된다.

9. QRS파가 그룹을 짓고 있는가? 혹은 그렇지 않은가?

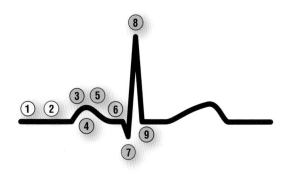

© Jones & Bartlett Learning.

그룹을 이루는 심전도 군들은 다른 것으로 증명되기 전까지 방실 차단의 일종이다. 그룹화는 Mobitz I 2도 방실 차단에서 가장 흔하게 볼 수 있다. 그러나 Mobitz II형 2도 방실 차단, 2:1 방실 차단, 진행된 2도 방실 차단이나 가끔 심박동수가 맞아 떨어지는 경우 3도 방실 차단에서도 관찰할 수 있다. 심방조동에서 발생하는 매우 빠른 상심실성 박동 때문에 생리학적 차단이 일어날 수 있으며 차단이 동반된 이소성 심방빈맥 또한 그룹의 모양을 만들게 된다. 이 경우 묻혀진 F파들이나 P파들을 찾으면 정확한 진단을 내릴 수 있을 것이다.

그룹 형태를 나타내는 또 다른 흔한 경우는 조기수축이다: 자주 나타나는. 심방 조기수축, 방실접합부 조기수축, 심실 조기수축에서 그룹의 형태를 나타낸다. 특히 경우 이단맥, 삼단맥, 사단맥, 혹은 다른 숫자로 나타나는 경우 등등에서 나타난다. 이러한 원래 율동의 박자 혼란은 그룹 형태의 원인이 된다. 이런 경우에 있어, P파의 비정상 형태와 시점, PR 간격, P파의 부재는 방실 차단 보다는 조기 박동을 시사한다.

10. 이탈 박동(Dropped beats)이 존재하는가?

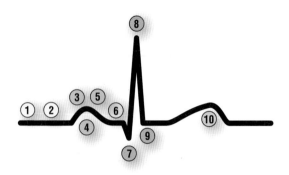

© Jones & Bartlett Learning.

빠지는 박동이 발생하는 데에는 여러 이유가 있다. 이전 박동으로 인한 불응기에 P파가 발생하여, 그 전기자극이 심실로 전도되지 못하면서 독립적으로 발생할 수도 있고 또는 원래 있는 방실 차단의 일환으로도 발생할 수 있다.

⭐ 금맥을 채굴했는가?

중요한 정보를 알아내었는가? 라는 질문을 할 시점에서 무엇을 얻었는지 리듬 기록지의 파형을 매우 조심스럽게 관찰하라. 어떠한 작은 비정상적인 형태도 간과하지 말라. "금맥"이 있는 곳이 쉽게 간과될 수 있기 때문이다. 많은 경우 이 작고 어두운 부분이 최종 진단을 내리게 하는 열쇠를 쥐고 있다. 일반적으로 2가지 기본적인 원리에 주목하라. (1) 비정상 소견에 집중하라. (2) 동반 소견들을 잘 살펴

보자. 처음에는 마음속으로, 나중에는 캘리퍼(caliper)를 사용하여, 간격과 파형을 비교하라. 차이점이 어디에 있는가? 없어진 것은 어떤 심전도군이 나타날 시점인가? 파형이 정상보다 넓은가, 좁은가, 높은가, 낮은가? 파형의 형태적 차이점이 있는가? 모든 간격은 항상 같은가? 있어서는 안 될 굴곡이 있지는 않은가? 이러한 작은 비정상들을 발견했다면 답을 얻기 전까지 결코 자리를 뜨지 말라. 때때로 그저 기계적 실수에 의한 것일 수도 있지만, 대부분의 경우 황금을 찾을 것이다.

묻혀진 P파는 우리가 "심봤다"라고 말할 수 있는 좋은 예가 된다. 일반적으로 묻혀진 P파는 앞의 T파를 좀 더 크고 빠르게 만들며, 기울기는 완화시킨다. 이 T파는 기록지의 다른 것들과 비교하면 아픈 엄지손가락처럼 두드러져 보일 것이며, 이것은 조기수축과 관련이 있다. 만약 P파가 심실로 전도되는 과정에서 차단되었다면 오직 비정상적인 T파(숨겨진 P파와 함께)만이 나타날 것이다. 이 차단되고 묻힌 P파는 심실로 전도되지 않고 어떤 QRS파나 T파도 만들지 못한다.

Henry J.L. Marriot 박사는 그의 책 "Practical Electrocardiography"에서 빅스의 법칙(Harold Bix 박사의 이름을 딴)에 대해 언급했다. 이 법칙은, 만약 상심실성 빈맥 환자의 2개의 QRS파 사이의 중앙에 P파를 발견한다면 항상 QRS파들 속에 숨어있는 묻혀진 P파를 찾아야 한다는 것이다(**그림 40-3**). 이것은 매우 중요한 법칙이며 많은 부정맥에서 사용되며, 빈맥에서만 사용하는 것은 아니다. 실제로 PR 간격이 상당히 연장되어 0.60초까지 연장될 수도 있지만 이런 경우는 매우 드물다. 만약 심하게 연장된 PR 간격이 자주 발생한다면 묻혀진 P파와 방실 차단에 대해서 고려할 필요가 있다. 그러면 확률은 확실히 여러분의 편일 것이다. 이런 경우, 연

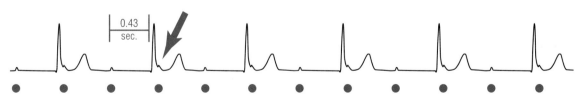

그림 40-3. Bix 법칙. PR 간격이 0.43초이다. 이것은 상당히 연장된 PR 간격으로 희귀하게 발생한다. 파란 화살표는 QRS파의 튀어나온 부분을 표시하고 있다. 이것은 QRS의 일부분일까 아니면 묻힌 P파일까? 이것은 묻혀 있는 P파이고 Bix 법칙의 한 증례이다. 파란 점들은 기록지 상의 P파의 발생 시점을 표시한 것이다.

© Jones & Bartlett Learning.

장된 PR 간격이나 Bix 법칙의 예를 다루고 있을 때 조금만 자세히 보면 진단을 명확하게 할 수 있다.

R-R간격들의 차이도 확인하여야 한다. R-R간격들의 비정상적인 불규칙성은 동빈맥에 의한 것일 수 있지만, 가능성이 높기는 다른 병변과 연관이 있을 경우가 많다. 조기수축, 이탈박동, 차단된 심방 조기수축나 방실 차단들 등 모든 것이 R-R간격을 바꿀 수 있다.

상이한 R-R간격이나 휴지기의 바로 전후에 일어났던 일들을 잘 살펴보아야 한다. 이곳이 "황금"이 많이 발견되는 지역이기 때문이다. 자주 PR 간격의 차이는 Wenckebach 방실 차단에 의해 나타나는 것을 확인할 수 있다. 앞에서 언급한 것과 같이 차단된 심방 조기수축은 종종 이전 T파의 형태를 변화시킨다.

때때로 굴곡이나 처짐이 묻힌 P파라고 생각하겠지만 실제로는 QRS파 형태의 일부이다. 이것이 방실결절 회귀빈맥의 가성-S파와 가성-R파라면 확실히 맞다. 다른 P파와의 규칙성을 파악하여 의문스러운 굴곡이 있는 부위가 규칙성 내에 있는지 확인하라. 만약 규칙성 내에 있다면 아마도 그것은 P파일 것이다. 그렇지 않다면 P파가 아닐 것이다. **그림 40-3**에서 그 예를 찾아볼 수 있다. 상심실성 율동의 박자가 QRS파의 굴곡에 정확하게 떨어지며, PR 간격이 현저하게 연장되어 있다. 이 경우 왜 굴곡이 아니고 묻혀진 P파라는 것을 확신할 수 있는가? 그것은 동반 소견들 때문이다.

이것은 황금을 캐는 다른 큰 원리인 동반 소견들에 대한 이야기이다. "동반 소견을 확인하라"라는 이야기를 할 때, 이 법칙은 어머니가 당신에게 늘 하시던 말씀인 "친구를 보면 그 사람을 알 수 있다"나, "끼리끼리 모인다"는 속담과도 같은 것이다. 동반 소견이라는 것은 비정상 소견 주위의 사건들을 의미한다. **그림 40-3**에서 묻혀진 P파라는 것은 굴곡 때문만이 아니라, 굴곡이 아주 연장된 PR 간격과의 관련성이 희귀하다는 것에 의해서도 확신할 수 있다. 추가적으로, 상심실성 리듬의 박자는 완벽히 그 간격이 들어맞는다. 진단은 한 요소만으로 이루어지지 않았고 소견과 "동반"되는 "소견들"에 의해서 내려진다.

명백한 이상을 다룰 때에는 주변의 모든 것들을 지극히 자세히 살펴야 한다. 해결되지 않은 질문을 남겨두지 말라. 황금을 캐기 위해서는 끈질기게 계속할 필요가 있으며, 그렇게 하면 보상을 받을 것이다.

어떻게 이 모든 것을 종합할 것인가?

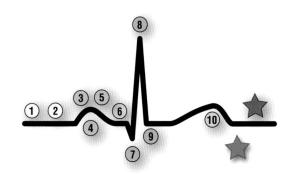

© Jones & Bartlett Learning.

질문을 하지 않는다면 대답도 얻을 수 없다. 여기에서 우리가 하는 질문은 당신이 부정맥에 접근하면서 하게 되는 질문의 완벽한 근거가 될 것이다. 문제는, 대부분의 사람들이 전혀 질문을 하지 않는 데 있다. 그 결과 율동의 작은 것에 집착하다가 큰 그림을 보지 못하기 때문에 진단을 놓치게 된다.

증거가 필요한가? 이 책 마지막 장의 문제를 풀 때, 몇몇 애매한 파형들이 등장할 것이다. 기록지에 있는 소견들을 관찰하겠지만 그것을 종합할 수 없을 것이다. 만약 해답을 먼저 보았다면 명쾌하게 진단에 접근할 것이고 진단이 확실하다는 것을 알 것이다. 왜 그런가? 큰 그림을 보았기 때문이다.

선다형 질문의 경우, 보기 자체가 여러 조각들을 종합하여 생각하도록 만들어서, 정답을 맞힐 가능성을 가지게 된다. 불행하게도, 실제 임상에서는, 책으로 돌아가서 답을 찾을 수 없으며 심전도 모니터는 기록지의 끝에 다지선다를 제공하지 않는다. 그래서 우리는 무엇을 하여야 하나? 다음과 같은 큰 질문을 해야 한다. 이 모든 것을 어떻게 통합시킬 것인가?

조금 다른 관점에서 비유를 해보자. 조각그림 맞추기(jigsaw puzzle)를 어떻게 완성하는가? 우선 박스의 바깥에 그려져 있는 "큰 그림"에 먼저 주목할 것이다. 그 후 모서리부터 맞추어 나가기 시작한다. 바깥쪽 조각들을 찾아서 큰 틀을 짠다. 그리고 가지고 있는 조각들을 색깔별로 분리한다. 마지막으로 작업이 끝난 것을 보면서, "큰 그림"과 똑같은 모양인지를 확인한다. 이제 박스의 그림을 보지 않고 퍼즐을 맞추는 상황을 생각해보자. 이는 매우 힘든 작업이 될 것이다. 그러나 이 방법이 우리가 심전도나 리듬 기록지를 분석할 때 하는 일이다. 우리는 큰 그림을 보지 못한 채 각각의 조각들을 맞추어 나가야 한다.

어떤 기록지나 심전도를 분석하기 위해서는 기록지의 첫

인상을 정립하여야 한다. 이는 퍼즐을 만들기 전에 어떤 그림일까를 상상하는 것과 같다. 그리고 각각의 조각들을 관찰한 후 위에서 언급한 10가지 질문에 답을 하자. 그리고 잠시 뒤로 물러서서 완성된 그림을 보자. 모든 조각이 잘 맞는가? 남은 조각들은 없는가?

마지막 질문(남은 조각이 있는가?)이 중요하다. 왜냐면 많은 경우 맞는 곳이 없어 보이는 한 조각이 남기 때문이다. 진단에 맞지 않는 경우 이를 쉽게 무시하게 된다. 이것이 중대한 실수이다. 일반적으로 모든 것은 대부분 맞아떨어진다. 만약 그렇지 않다면 잘못된 그림을 보고 있는 것이다. 모든 정보들이 들어맞는 해결책을 찾아야 한다. 누누이 말하지만, 맞지 않다면 절대로 그만두면 안 된다.

이 모든 것을 종합하는 것은 환자의 병력과 이학적 검사를 포함한다. 만일 청색증이 있고, 식은 땀을 흘리는 저혈압 환자가 있다고 하자. 리듬 기록지가 정상 동율동에 분당 65회의 심박동수를 나타낸다고 하자. 이 퍼즐 조각이 적합한가? 아니다. 이 환자는 낮은 혈압을 보상하기 위해 최소한 빈맥이 있어야 한다. 이학적 검사를 하지 않고, 환자는 정상 동율동이며, 심박동수는 전혀 문제가 되지 않는다고 말할 수 있는가, 혹은 빨리 상태를 확인하고, 이 정보가 전체 그림에 어떻게 맞는지를 확인하여야 하는가? 당연히 상태를 확인하고, 모든 것을 종합하여야 한다. 이 특별한 증례에서 심박수가 분당 65회 밖에 되지 않는 이유는, 베타 차단제 복용에 의해 대량 위장관내 출혈로 발생한 저혈압에 대한 보상적 빈맥이 발생하는 것이 차단되었기 때문이다. 이제 모든 퍼즐 조각이 들어맞게 되었다.

위대한 의사와 돌팔이를 구분하는 중요한 요소는 조각들을 잘 종합하는 능력의 차이라고 할 수 있다. 세심하게, 시간을 들인다면 우리 모두는 모든 조각들을 다 모을 수 있다. 조각을 하나로 맞추는 것은 예술의 형태이다. 이 책의 제목도 "부정맥 인식-판독의 예술"이다. 종합하는 것은 예술이다. 우리 모두가 할 수 있다. 우리는 그저 질문을 하면 된다. "왜 그럴까?"

"포인트"

"포인트"라는 단어는 여러 개의 유도나 12 유도 심전도의 추가적 포인트를 의미한다. 이 책 전체에서 여러 개의 유도를 사용하지 않고는 알아내지 못하는 많은 부정맥 증례들을 보았을 것이다. 또한 우리는 다른 유도를 이용함으로써

감별진단의 범위를 몇 개의 가능성으로 좁히고 최종진단을 내릴 수 있다. 유도는 카메라와 같다. 이들은 다양한 각도에서 같은 정보를 촬영한다. 이렇게 얻어지는 다른 시각들이 병리적 현상들을 더 잘 밝혀낼 수 있게 해준다. 모든 심방 조기수축을 볼 때 마다 확인을 위해 심전도를 찍어야 하나? 아니다, 이것은 과하다. 그러나 소견이나 율동, 사건 등에 대해 질문이 발생하면 반드시 심전도를 얻어야 한다. 무엇이 리듬을 변화시켰는지 알아내기 위해, 리듬이 변화할 때에도 심전도를 얻는 게 좋다. 전체 12 유도 심전도는 어떤 변화가 발생하였는지를 분명하게 해준다.

이전의 심전도는 부정맥 판독에 있어 큰 도움이 된다. 기록지에 나타난 형태가 원래 환자가 가지고 있는 것과 같은지, 아니면 새로운 문제에 의해 발생한 것인지를 감별하게 해준다. 새로운 문제점들은 위험할 수 있다. 왜 새로운 문제가 발생하였는지 밝히는 것은 언제나 의미가 있다.

심근경색증, 심근비대나 다른 병적인 심전도 사항을 리듬 기록지 단독으로 결론내리지 마라. 리듬 기록지는 증폭(gain)이나 다른 변수들이 모니터에서 너무나 쉽게 변하기 때문에 형태를 제대로 파악하기에 좋지 않다. 모니터 상에 보이는 심전도군의 모양은 실제 형태를 반영하지 못하며 실제 형태의 전자적으로 수정된 복사본이다. 심전도 기기는 "조정"할 필요가 없다. 심전도에 어떤 변화가 있다면 기록지 끝에 있는 보정 막대(calibration bar)에 변화를 나타낸다. 심전도 기기는 표준화되어 있으나 모니터는 그렇지 않다.

여기에 바탕이 되는 생각은 만약 리듬 기록지에서 의심스러운 형태가 나타나면 전체 12 유도 심전도를 검사해야 한다는 것이다. 유도 II의 ST 하강은 하벽 허혈(inferior ischemia)이거나 모니터에 나타나는 허상(artifact)일 것이다. 또한 심한 외측벽의 경색에 의한 상대 변화일 수 있다. 12 유도 심전도는 차이점을 알아내는데 도움을 준다. 자신에게 유용한 모든 방법을 사용하자. 심전도 기기는 그 중 하나이다.

마지막 충고: 만약 부정맥 판독에 있어서 문제가 있으면, 심전도 사용과 판독법을 배워야 한다. 이것은 당신이 전문가가 되어야 한다는 것은 아니다. 그러나 최소한 이런 방법에 의해 도움을 받게 될 것이다. 12 유도 심전도와 부정맥은 심전도학의 모든 것이다. 양쪽에 관여하는 원칙은 같으며 서로 교차하여 통한다. 마찬가지로, 하나를 공부하면서 다른 것을 공부하지 않는다고 생각하는 것은 현실적이지 않다. 12 유도 심전도 입문서를 공부하면 부정맥 인식 능력이 현저하게 향상될 것이다. 이 책에서 우리는 다른 대부분의

책들보다 상호작용에 대해 심도있게 설명하여 장벽을 넘으려고 애를 썼다. 이런 관계를 잘 살펴보았기 바라며 다가오는 미래에 노력의 결과를 계속 보게 되기를 소망한다.

예제를 살펴보자.

그림 40-4에 있는 기록지를 보자. 만약 바로 진단을 내릴 수 있다면 여러분은 매우 잘 하고 있는 것이다. 그래도 이 장에서 보여주었던 논리에 의해서 연습을 계속할 예정이기 때문에 계속 읽도록 하자.

우리의 "환자의 IQ 포인트"에서 제일 처음 살펴보아야 할 것은 환자이다. 이 논의를 위해, 환자는 혈역학적 상태가 안정되어 있으며 다소의 두근거림 증상을 경험하였기 때문에 내원했다고 할 것이다. 말초 동맥의 심박수는 분당 150회이다. 앗? 이 수치가 낯익어 보인다.

리듬에 대한 전반적인 인상

우리는 율동이 빠른 것을 볼 수 있다. QRS파들은 작고 폭이 좁으며 원래선에 많은 파동이 존재한다. 여러분이 깨달아야 할 첫 인상은, 좁은 QRS파 빈맥이 분당 150회의 박동수를 가진다는 것이다. 분당 150회는 심방조동을 떠올려야 한다. 맞는가? 계속 가보자.

질문 1: 박동이 빠른가 느린가?

답: 명백히 빠르다. 심실 박동은 분당 약 150회이다. **그림 40-5**를 보자. 이 하나의 질문에 대한 해답으로 벌써 분홍색 블록에 나열된 항목으로 감별진단 항목들이 현저하게 줄었다. 가능한 질환은 21개에서 11개로 줄었다.

질문 2: 박동이 규칙적인가, 불규칙적인가?

답: 심실 반응은 규칙적이다. 분홍색 리스트를 다시 좁혀서, 이번에는 가능한 율동이 푸른색으로 표시된 7개가 된다.

질문 3: P파를 관찰할 수 있는가?

답: 보다 답변하기 어려운 질문이다. QRS파 직전에 음의 값을 가진 파형이 무엇인가? 역위된 P파들인가, 혹은 이전 박동의 T파들인가? 만약 이전 박동의 T파이면 QT간격이 엄청나게 늘어나 있는 것이다. 이런 일들은 일어날 가능성은 있지만 이렇게 빠른 심실 박동수를 가지는 경우에 긴 QT간격을 가지는 것은 흔한 것이 아니다. 역위된 파형이 F파들인가? 이것은 다시 심방조동이다. 계속 진행하자.

질문 4: 모든 P파들이 동일한가?

답: QRS파 이전에 나타나는 P파는 모두 동일하다. 이것이 역위된 P파인가, F파인가? 아직 확실하지 않다. 계속 진행하자.

질문 5: P파가 유도 II에서 상향인가?

답: 아니다. 만일 파형이 P파라면, 이들은 역위된 것일 것이다. F파들은 대개 유도 II에서 역위되어 있다. 확실하다고 말할 수는 없다. 그러나 역위된 P파나 F파 중 하나이다. 이것이 감별진단의 범위를 보라색 박스의 4가지 율동으로 줄일 수 있다.

질문 6: PR 간격이 정상인가, 변화가 없는가?

답: 간격은 확실하게 일정하다. 그래도 아직 P파들인지 확실하지 않다.

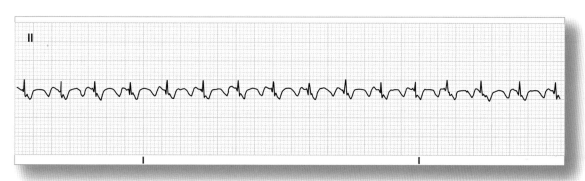

그림 40-4. 이 리듬은 무엇인가?

From *Arrhythmia Recognition: The Art of Interpretation*, courtesy of Tomas B. Garcia, MD.

그림 40-5. 그림 40-4에 있는 율동의 감별진단이 몇 개의 간단한 질문에 대한 답으로 좁혀진다.

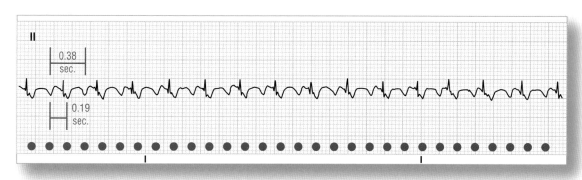

그림 40-6. 추정되는 P-P간격은 대략 0.38초이다. 그것의 반은 0.19초가 될 것이다. 캘리퍼 핀을 사용하여 길이를 측정하며, 파란색 점으로 표시되는 반복되는 역위된 파형들 사이로 옮겨보자. 이것은 차단을 동반된 EAT이거나, 심방조동일 수도 있다.

From *Arrhythmia Recognition: The Art of Interpretation*, courtesy of Tomas B. Garcia, MD.

질문 7: P:QRS 비율은 어떠한가?

답: 이는 매우 중요한 관점을 제시한다. 우리는 이 부정맥의 중요 분지점에 도달해있다. 만약 우리가 이 파형이 역위된 P파라고 생각하면 전도 비율은 1:1이어야 한다. 만일 F파라고 가정한다면 전도 비율은 2:1이 될 것이다. 우리가 한 번 더 고려해야 할 사항이 있다. 차단을 동반한 이소성 심방빈맥(EAT)이다. 만약 이것이 차단을 동반한 EAT라면 전도 비율은 어떻게 되는가? 심방조동의 경우와 같이 2:1이다.

기록지를 다른 측면에서 자세히 보자(**그림 40-6**). QRS파 이전에 위치한 역위된 파형의 바닥에 캘리퍼의 한쪽 끝을 위치시키자. 다른 끝은 다음 QRS파 앞에 있는 역위된 파에 둔다. 전도비율을 1:1로 가정할 경우, P-P간격으로 추정되는 간격은 0.38초이다. 전도율이 2:1이라고 가정하면 P-P간격이나 F-F간격은 어떨까? 캘리퍼로 측정한 값의 1/2 혹은 0.19초 일 것이다. 캘리퍼를 0.19초로 설정하고 역위된 파형으로 돌아가 보자. 캘리퍼의 반대쪽 끝이 다른 역위된 파형의 영역으로 들어가는가? 그렇다! 이는 감별진단의 목록을 두 가지 가능성으로 좁혔다는 것을 뜻한다. 심방조동이나 차단을 동반한 EAT의 경우이다. 이것은 약간의 황금을 캐낸 것이다. 계속 진행하자.

질문 8: QRS파들이 넓은가 좁은가?

답: QRS파들은 좁다. 이 질문은 여기서는 그렇게 큰 도움을 주지 못한다.

질문 9: 박동군들이 그룹을 이루고 있는가 혹은 아닌가?

답: 그룹을 이루고 있지 않다. Mobitz I, II 2도 방실 차단 혹은 3도 방실 차단의 어떠한 징후도 보이지 않는다.

질문 10: 빠지는 박동(Dropped beats)이 존재하는가?

답: 그렇다. 7번 질문에서 P:QRS 비율은 P파이든 F파이든 간에 2:1임을 보았다. 감별진단 항목도 이소성심방빈맥과 심방조동으로 간소화시켜 놓았다. 이 질문에 답을 하는 것이 이 리듬기록지를 분석하는데 더 큰 정보를 주지는 않지만 기존에 알게 된 사항을 좀더 분명하게 해준다.

⭐ 내가 금맥을 채굴했는가?

답: 이 질문은 기록지의 분석에 있어서 또 하나의 중요 포인트이다. 이제까지, 심실 박동수가 분당 150회라는 사실을 알아냈고, 전도율은 2:1이며 따라서 심방 박동수는 분당 300회라는 사실도 밝혀냈다. 당연히 심방조동처럼 보인다. 문제는 차단을 동반한 이소성 심방빈맥에서 드물지만 이렇게 빠른 박동을 만들 수 있다는 것이다. 이 둘 사이의 차이점을 구분하는 키포인트는 원래선이다. P파 사이에 등전압(isoelectric) 부분이나 평편한 분절이 보이면 차단이 동반된 이소성 심방빈맥이다. 만약 연속적인 물결치는 패턴이 나타난다면 심방조동이다. 자, 어떻게 해결할 것인가? 숨겨진 단서를 찾자. **그림 40-7** 기록지의 윗부분을 살펴보자. 그리고 QRS파들을 지워 보아라. QRS파들이 매우 작게 나타나기 때문에 지우는 것은 쉬울 것이다. 그 후 **그림 40-7**의 아랫부분과 같이 연속적으로 물결치는 패턴을 관찰할 수 있을 것이다. 최종 진단은 심방조동이다.

이런 훈련을 거치는 것이 과장되어 보일 수도 있다. 그러나 절대로 그렇지 않다. 조직화된 접근법이 부정맥을 판별해내는 데 가장 효과적이다. 시간과 노력을 투자한다면, 결국에는 몇 초 내에 이 과정들을 시행할 수 있을 것이다. 그러

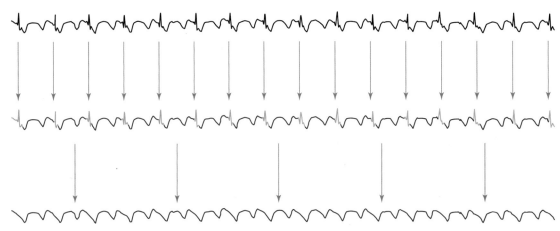

그림 40-7. 리듬 기록지에서 QRS파들을 마음속으로 제거하여 원래 상심실성 율동을 확인하는 것이 이 기록지에서 황금을 캐는 것이다. 파란색 기록지(밑 부분)에서 명확히 볼 수 있듯이, 이것은 F파들에 의해서 원래선이 지속적으로 파동을 치기 때문에 심방조동이다.

© Jones & Bartlett Learning.

나 아직은 배우는 단계이다. 먼저 시스템에 익숙해져야 한다. 그리고 어떤 시스템을 사용하기로 결정하든, 기초를 튼튼히 다져야 한다. 이 단원이 도움이 되었기를 바라며, 여기에서 배운 내용을 잘 기억하여 임상 생활에 항상 지니고 있기를 기원한다. 이제 남은 것은 반복적인 연습이다.

단원복습

1. 기록지를 평가할 때 반드시 당신의(mnemonic; 기억을 돕는 방법) _____를 생각해야 한다.

2. 만일 환자의 기록지를 봤을 때 이것이 자주 발생하는 단소성의 심방 조기수축들이며 심박수가 분당 70회라면, 환자는 안정적이고 리듬은 양성(benign)일 것이라고 추측할 수 있다. (맞다 / 틀리다)

3. 항상 환자가 최대한 많은 정보를 말하도록 해야 한다. 하지만 가끔씩 여러분이 질문을 해야할 경우가 있다. 이것은 특별히 환자가 흥분되어 있거나 무서워할 때 필요하다. 질문을 하는 것을 두려워하지 마라. (맞다 / 틀리다)

4. 만일 환자의 활력 징후가 혈역학적으로 안정된 부정맥이지만, "죽을 것 같다"라고 말한다면, 환자가 좋아질 것이라고 예측할 수 있다. (맞다 / 틀리다)

5. 여러분은 항상 모니터 상의 심박수와 환자의 심박수를 같이 검사하는 습관을 가져야 한다. (맞다 / 틀리다)

6. ___파들의 유무는 가끔 어떤 리듬 이상을 평가할 때 결정적일 수 있다.

7. PR 간격은 반드시 ___와 ___초 넓이에 있어야 한다.

8. 상향의 P파와 짧은 PR 간격을 가진 율동은 매우 드물고, ___에서 발견된다(맞는 것을 다 고르시오).

   A. 동빈맥

   B. 방실접합부율동

   C. WPW 증후군

   D. 방실회귀빈맥

   E. LGL (Lown-Ganong-Levine) 증후군

   F. 가속심실고유리듬

9. 금맥을 찾을 때 항상 2가지 기본 원칙을 생각해야 한다. 1. 이상 소견에 집중하라. 2. "_____"

10. 일반적으로, 여러분이 발견한 모든 소견들은 하나의 부정맥에 맞아 떨어진다. (맞다 / 틀리다)

참고 문헌

1. Marriott HJL. Marriott's Practical Electrocardiography. 8th ed. Philadelphia, PA: Williams and Wilkins Publishers; 1988.

최종 점검

이 최종 점검은 여러분의 사고력과 함께 새로 습득한 지식을 모두 사용하여 도전하도록 만들었다. 모든 심전도를 다 맞추지 못했다고 해서 걱정할 필요는 없다. 어려운 점검이 될 것이고, 어떤 심전도의 경우 당신의 한계까지 몰아붙일 것이다. 많은 경우 정확한 진단보다는 감별 진단의 범위를 줄이는 것만 가능할 수도 있다. 실제 상황을 연습하는 것이기 때문에 이러한 것도 중요하다. 좁혀진 감별 진단에서 최종 진단까지 좁혀 나가는 것은 임상 상황, 12 유도 심전도 검사 혹은 이전 심전도와의 비교를 통해 이루어진다. 지금은 100점을 맞는 것보다 그런 과정에 집중하자.

어려운 심전도를 보면, 시간을 가지고 숨을 깊게 들이쉬고, 당황하지 말자. 40장에서 배운대로 천천히 순서대로 리듬을 천천히 그리고 단계별로 분석해라. 밝혀진 모든 정보들이 감별 진단의 목록을 줄여줄 것이다. 결국에는 해답이 명확해질 것이다.

우리는 부정맥의 대부분을 포함하기 위해 노력했지만, 보다 흔한 부정맥에 중점을 두었다.

또한 우리가 각각의 장에서 보여주었던 주요한 핵심사항에 대해서 다시 강조하기 위하여 몇 개의 기록지를 사용하였다. 점검을 마쳤다면 해답으로 가서 우리가 심전도에 어떻게 접근하였는지 분석하자. 여러분이 사용한 방법과 같지 않을 수도 있지만, 크게 상관없다. 같은 해답에 도달하는 길은 여러 방법이 있다. 점검의 목적은 연관된 추론과정을 시험하는 것이다. 만약 특정한 부정맥이 자주 기억나지 않는 것을 발견했다면 돌아가서 그 부분을 다시 공부하자. 연습은 부정맥에 대한 이해를 완벽하게 한다.

만일 복습을 모두 하고 본인의 능력에 대해 확신이 선다면 한동안 책을 멀리 두도록 하자. 몇 달 후에 다시 책을 다시 찾아서 한 번 더 시험을 보도록 하자(아마, 대부분의 해답을 기억하지 못할 것이다!). 하지만, 이것은 부정맥의 판독에 대한 임상적 지식과 이해를 강화해 줄 것이다. 임상 업무에서 할 수 있는 한 많은 심전도를 매일 판독하자. 시간이 지나면 본인이 아주 익숙해져 있다는 것을 알게 될 것이고 어떠한 상황에서도 필요한 확신을 가지게 될 것이다. "네 자신을 알라."는 옛말이 기억난다. 심전도 해석에 확신이 없다면 도움을 청하는 것을 두려워하지 말자.

최종 점검 1

최종 점검 1: 심전도 1

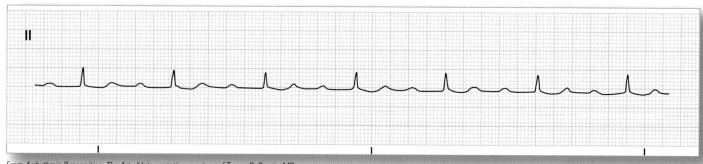

From *Arrhythmia Recognition: The Art of Interpretation*, courtesy of Tomas B. Garcia, MD.

박동수 :	PR 간격 :	참고
규칙성 :	QRS 폭 :	
P파 : 　형태: 　축:	그룹화 :	
	탈락 박동 :	
P:QRS 비 :	리듬 :	

최종 점검 1: 심전도 2

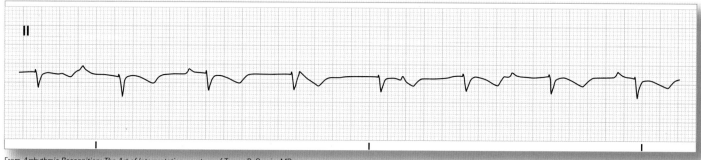

From *Arrhythmia Recognition: The Art of Interpretation*, courtesy of Tomas B. Garcia, MD.

박동수 :	PR 간격 :	참고
규칙성 :	QRS 폭 :	
P파 : 　형태: 　축:	그룹화 :	
	탈락 박동 :	
P:QRS 비 :	리듬 :	

최종 점검 1: 심전도 3

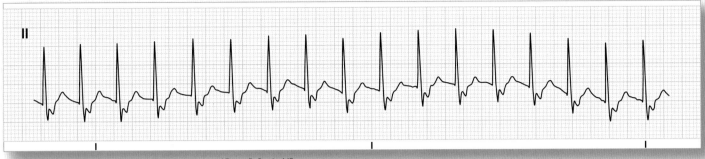

From *Arrhythmia Recognition: The Art of Interpretation*, courtesy of Tomas B. Garcia, MD.

박동수 :	PR 간격 :	참고
규칙성 :	QRS 폭 :	
P파 : 형태: 축:	그룹화 :	
	탈락 박동 :	
P:QRS 비 :	리듬 :	

최종 점검 1: 심전도 4

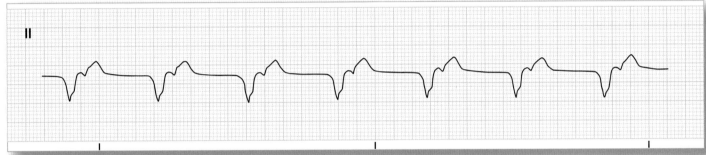

From *Arrhythmia Recognition: The Art of Interpretation*, courtesy of Tomas B. Garcia, MD.

박동수 :	PR 간격 :	참고
규칙성 :	QRS 폭 :	
P파 : 형태: 축:	그룹화 :	
	탈락 박동 :	
P:QRS 비 :	리듬 :	

최종 점검 1: 심전도 5

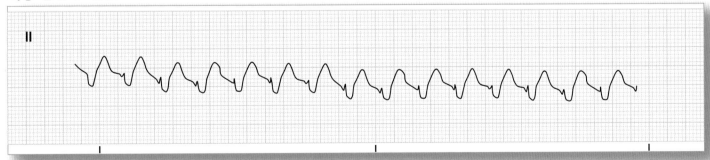

From *Arrhythmia Recognition: The Art of Interpretation*, courtesy of Tomas B. Garcia, MD.

박동수 :	PR 간격 :	참고
규칙성 :	QRS 폭 :	
P파 : 형태: 축:	그룹화 :	
	탈락 박동 :	
P:QRS 비 :	리듬 :	

최종 점검 1: 심전도 6

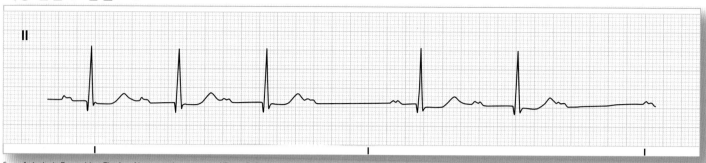

From *Arrhythmia Recognition: The Art of Interpretation*, courtesy of Tomas B. Garcia, MD.

박동수 :	PR 간격 :	참고
규칙성 :	QRS 폭 :	
P파 : 형태: 축:	그룹화 :	
	탈락 박동 :	
P:QRS 비 :	리듬 :	

최종 점검 1: 심전도 7

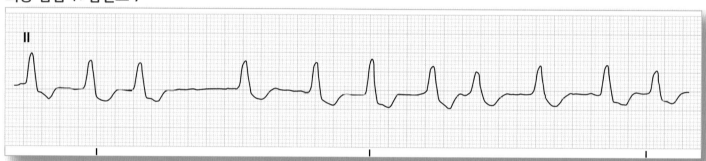

From *Arrhythmia Recognition: The Art of Interpretation*, courtesy of Tomas B. Garcia, MD.

박동수 :	PR 간격 :	참고
규칙성 :	QRS 폭 :	
P파 : 형태: 축:	그룹화 :	
	탈락 박동 :	
P:QRS 비 :	리듬 :	

최종 점검 1: 심전도 8

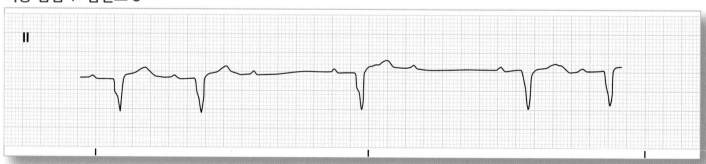

From *Arrhythmia Recognition: The Art of Interpretation*, courtesy of Tomas B. Garcia, MD.

박동수 :	PR 간격 :	참고
규칙성 :	QRS 폭 :	
P파 : 형태: 축:	그룹화 :	
	탈락 박동 :	
P:QRS 비 :	리듬 :	

최종 점검 1: 심전도 9

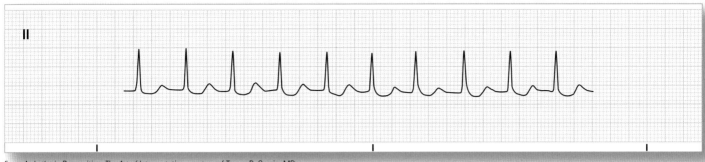

From *Arrhythmia Recognition: The Art of Interpretation*, courtesy of Tomas B. Garcia, MD.

박동수 :	PR 간격 :	참고
규칙성 :	QRS 폭 :	
P파 : 　형태: 　축:	그룹화 :	
	탈락 박동 :	
P:QRS 비 :	리듬 :	

최종 점검 1: 심전도 10

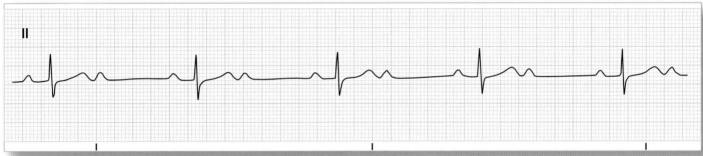

From *Arrhythmia Recognition: The Art of Interpretation*, courtesy of Tomas B. Garcia, MD.

박동수 :	PR 간격 :	참고
규칙성 :	QRS 폭 :	
P파 : 　형태: 　축:	그룹화 :	
	탈락 박동 :	
P:QRS 비 :	리듬 :	

최종 점검 1: 심전도 11

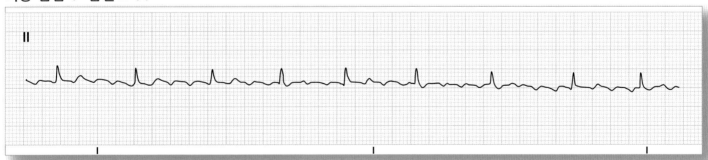

From *Arrhythmia Recognition: The Art of Interpretation*, courtesy of Tomas B. Garcia, MD.

박동수 :	PR 간격 :	참고
규칙성 :	QRS 폭 :	
P파 : 　형태: 　축:	그룹화 :	
	탈락 박동 :	
P:QRS 비 :	리듬 :	

최종 점검 1: 심전도 12

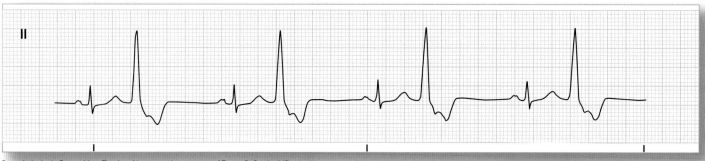

From *Arrhythmia Recognition: The Art of Interpretation*, courtesy of Tomas B. Garcia, MD.

박동수 :	PR 간격 :	참고
규칙성 :	QRS 폭 :	
P파 : 　형태: 　축:	그룹화 :	
	탈락 박동 :	
P:QRS 비 :	리듬 :	

최종 점검 1: 심전도 13

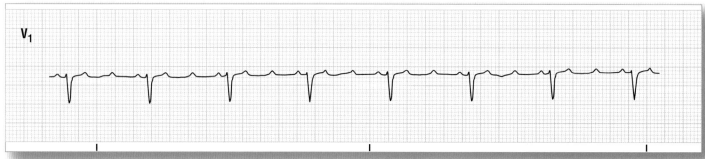

From *Arrhythmia Recognition: The Art of Interpretation*, courtesy of Tomas B. Garcia, MD.

박동수 :	PR 간격 :	참고
규칙성 :	QRS 폭 :	
P파 : 　형태: 　축:	그룹화 :	
	탈락 박동 :	
P:QRS 비 :	리듬 :	

최종 점검 1: 심전도 14

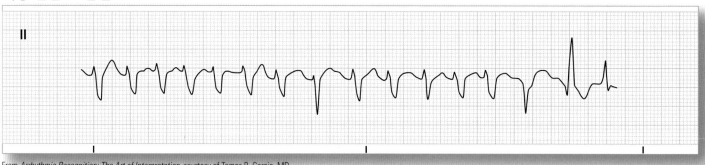

From *Arrhythmia Recognition: The Art of Interpretation*, courtesy of Tomas B. Garcia, MD.

박동수 :	PR 간격 :	참고
규칙성 :	QRS 폭 :	
P파 : 　형태: 　축:	그룹화 :	
	탈락 박동 :	
P:QRS 비 :	리듬 :	

최종 점검 1: 심전도 15

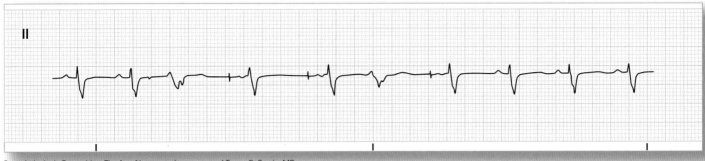

From *Arrhythmia Recognition: The Art of Interpretation*, courtesy of Tomas B. Garcia, MD.

박동수 :	PR 간격 :	참고
규칙성 :	QRS 폭 :	
P파 : 　형태: 　축:	그룹화 :	
	탈락 박동 :	
P:QRS 비 :	리듬 :	

최종 점검 1: 심전도 16

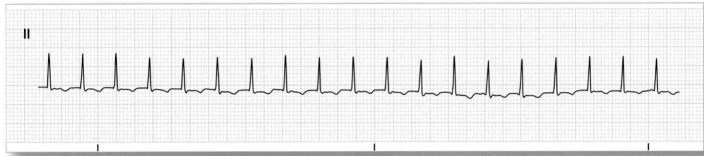

From *Arrhythmia Recognition: The Art of Interpretation*, courtesy of Tomas B. Garcia, MD.

박동수 :	PR 간격 :	참고
규칙성 :	QRS 폭 :	
P파 : 　형태: 　축:	그룹화 :	
	탈락 박동 :	
P:QRS 비 :	리듬 :	

최종 점검 1: 심전도 17

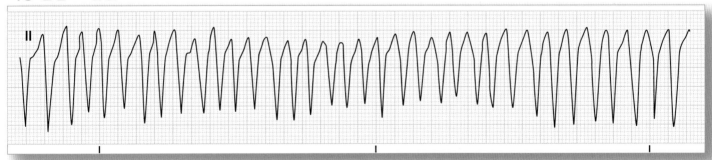

From *Arrhythmia Recognition: The Art of Interpretation*, courtesy of Tomas B. Garcia, MD.

박동수 :	PR 간격 :	참고
규칙성 :	QRS 폭 :	
P파 : 　형태: 　축:	그룹화 :	
	탈락 박동 :	
P:QRS 비 :	리듬 :	

최종 점검 1: 심전도 18

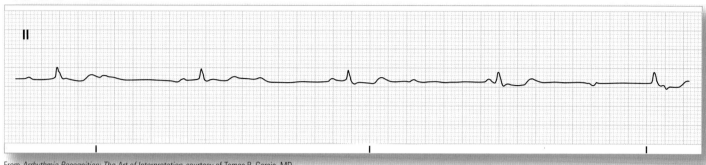

From *Arrhythmia Recognition: The Art of Interpretation*, courtesy of Tomas B. Garcia, MD.

박동수 :	PR 간격 :	참고
규칙성 :	QRS 폭 :	
P파 : 　형태: 　축:	그룹화 :	
	탈락 박동 :	
P:QRS 비 :	리듬 :	

최종 점검 1: 심전도 19

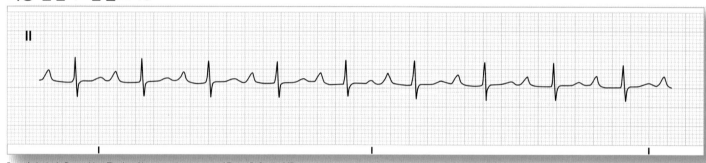

From *Arrhythmia Recognition: The Art of Interpretation*, courtesy of Tomas B. Garcia, MD.

박동수 :	PR 간격 :	참고
규칙성 :	QRS 폭 :	
P파 : 　형태: 　축:	그룹화 :	
	탈락 박동 :	
P:QRS 비 :	리듬 :	

최종 점검 1: 심전도 20

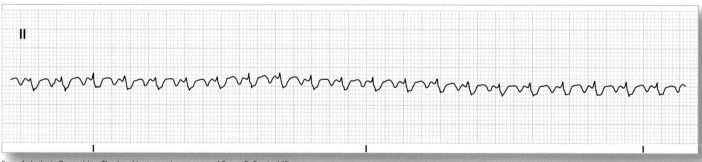

From *Arrhythmia Recognition: The Art of Interpretation*, courtesy of Tomas B. Garcia, MD.

박동수 :	PR 간격 :	참고
규칙성 :	QRS 폭 :	
P파 : 　형태: 　축:	그룹화 :	
	탈락 박동 :	
P:QRS 비 :	리듬 :	

최종 점검 1: 심전도 21

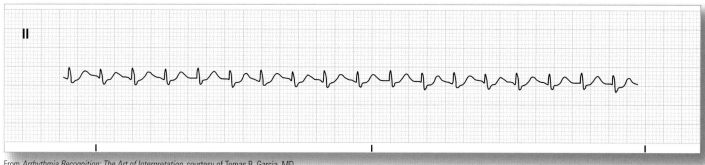

From *Arrhythmia Recognition: The Art of Interpretation*, courtesy of Tomas B. Garcia, MD.

박동수 :	PR 간격 :	참고
규칙성 :	QRS 폭 :	
P파 : 형태: 축:	그룹화 :	
	탈락 박동 :	
P:QRS 비 :	리듬 :	

최종 점검 1: 심전도 22

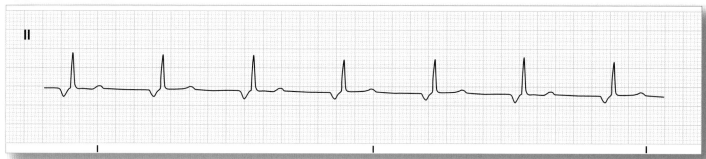

From *Arrhythmia Recognition: The Art of Interpretation*, courtesy of Tomas B. Garcia, MD.

박동수 :	PR 간격 :	참고
규칙성 :	QRS 폭 :	
P파 : 형태: 축:	그룹화 :	
	탈락 박동 :	
P:QRS 비 :	리듬 :	

최종 점검 1: 심전도 23

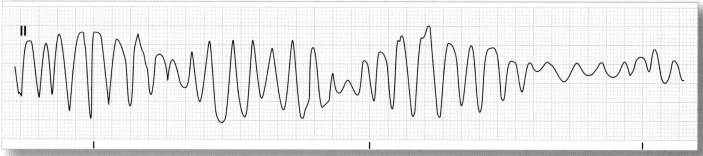

From *Arrhythmia Recognition: The Art of Interpretation*, courtesy of Tomas B. Garcia, MD.

박동수 :	PR 간격 :	참고
규칙성 :	QRS 폭 :	
P파 : 형태: 축:	그룹화 :	
	탈락 박동 :	
P:QRS 비 :	리듬 :	

최종 점검 1: 심전도 24

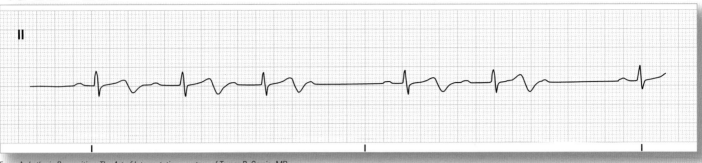

From *Arrhythmia Recognition: The Art of Interpretation*, courtesy of Tomas B. Garcia, MD.

박동수 :	PR 간격 :	참고
규칙성 :	QRS 폭 :	
P파 : 　형태: 　축:	그룹화 :	
	탈락 박동 :	
P:QRS 비 :	리듬 :	

최종 점검 1: 심전도 25

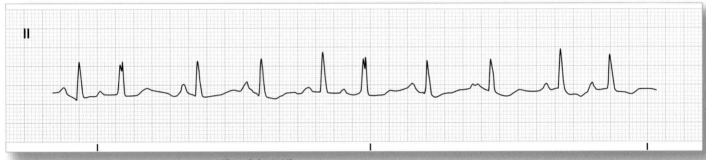

From *Arrhythmia Recognition: The Art of Interpretation*, courtesy of Tomas B. Garcia, MD.

박동수 :	PR 간격 :	참고
규칙성 :	QRS 폭 :	
P파 : 　형태: 　축:	그룹화 :	
	탈락 박동 :	
P:QRS 비 :	리듬 :	

최종 점검 1: 심전도 26

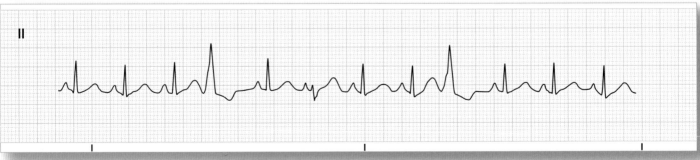

From *Arrhythmia Recognition: The Art of Interpretation*, courtesy of Tomas B. Garcia, MD.

박동수 :	PR 간격 :	참고
규칙성 :	QRS 폭 :	
P파 : 　형태: 　축:	그룹화 :	
	탈락 박동 :	
P:QRS 비 :	리듬 :	

최종 점검 1: 심전도 27

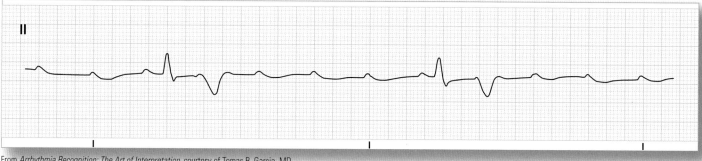

From *Arrhythmia Recognition: The Art of Interpretation*, courtesy of Tomas B. Garcia, MD.

박동수 :	PR 간격 :	참고
규칙성 :	QRS 폭 :	
P파 : 　형태: 　축:	그룹화 :	
	탈락 박동 :	
P:QRS 비 :	리듬 :	

최종 점검 1: 심전도 28

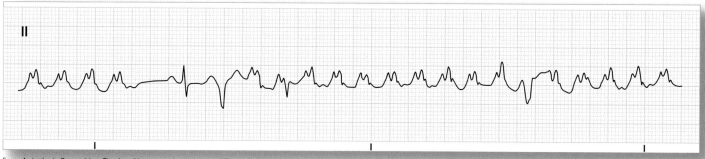

From *Arrhythmia Recognition: The Art of Interpretation*, courtesy of Tomas B. Garcia, MD.

박동수 :	PR 간격 :	참고
규칙성 :	QRS 폭 :	
P파 : 　형태: 　축:	그룹화 :	
	탈락 박동 :	
P:QRS 비 :	리듬 :	

최종 점검 1: 심전도 29

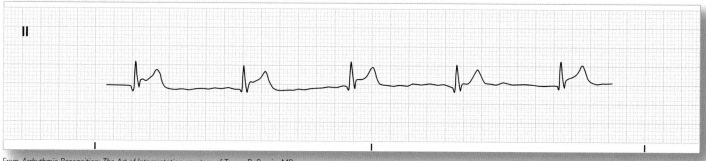

From *Arrhythmia Recognition: The Art of Interpretation*, courtesy of Tomas B. Garcia, MD.

박동수 :	PR 간격 :	참고
규칙성 :	QRS 폭 :	
P파 : 　형태: 　축:	그룹화 :	
	탈락 박동 :	
P:QRS 비 :	리듬 :	

최종 점검 1: 심전도 30

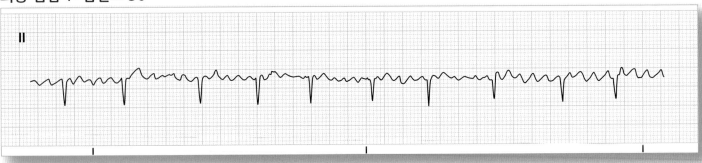

From *Arrhythmia Recognition: The Art of Interpretation*, courtesy of Tomas B. Garcia, MD.

박동수 :	PR 간격 :	참고
규칙성 :	QRS 폭 :	
P파 : 형태: 축:	그룹화 :	
	탈락 박동 :	
P:QRS 비 :	리듬 :	

최종 점검 1: 심전도 31

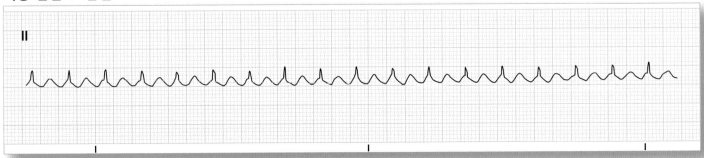

From *Arrhythmia Recognition: The Art of Interpretation*, courtesy of Tomas B. Garcia, MD.

박동수 :	PR 간격 :	참고
규칙성 :	QRS 폭 :	
P파 : 형태: 축:	그룹화 :	
	탈락 박동 :	
P:QRS 비 :	리듬 :	

최종 점검 1: 심전도 32

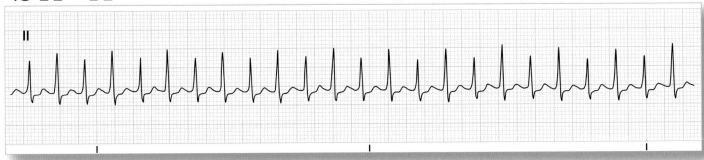

From *Arrhythmia Recognition: The Art of Interpretation*, courtesy of Tomas B. Garcia, MD.

박동수 :	PR 간격 :	참고
규칙성 :	QRS 폭 :	
P파 : 형태: 축:	그룹화 :	
	탈락 박동 :	
P:QRS 비 :	리듬 :	

최종 점검 1: 심전도 33

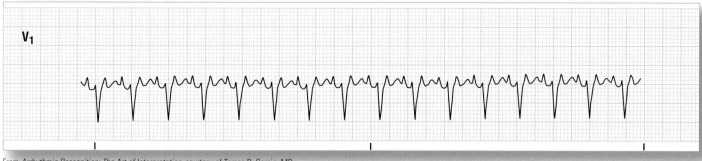

From *Arrhythmia Recognition: The Art of Interpretation*, courtesy of Tomas B. Garcia, MD.

		참고
박동수 :	PR 간격 :	
규칙성 :	QRS 폭 :	
P파 : 　형태: 　축:	그룹화 :	
	탈락 박동 :	
P:QRS 비 :	리듬 :	

최종 점검 1: 심전도 34

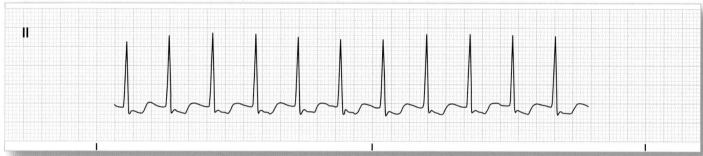

From *Arrhythmia Recognition: The Art of Interpretation*, courtesy of Tomas B. Garcia, MD.

		참고
박동수 :	PR 간격 :	
규칙성 :	QRS 폭 :	
P파 : 　형태: 　축:	그룹화 :	
	탈락 박동 :	
P:QRS 비 :	리듬 :	

최종 점검 1: 심전도 35

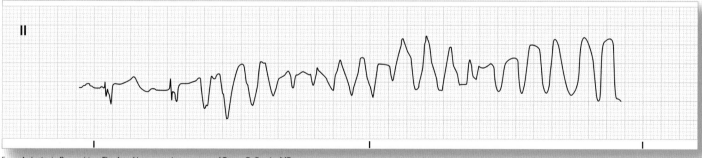

From *Arrhythmia Recognition: The Art of Interpretation*, courtesy of Tomas B. Garcia, MD.

		참고
박동수 :	PR 간격 :	
규칙성 :	QRS 폭 :	
P파 : 　형태: 　축:	그룹화 :	
	탈락 박동 :	
P:QRS 비 :	리듬 :	

최종 점검 1: 심전도 36

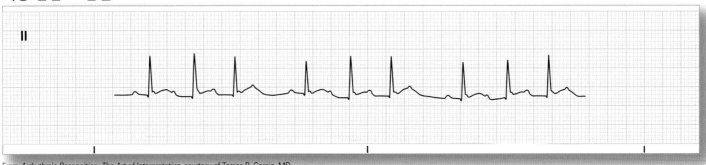

From *Arrhythmia Recognition: The Art of Interpretation*, courtesy of Tomas B. Garcia, MD.

박동수 :	PR 간격 :	참고
규칙성 :	QRS 폭 :	
P파 : 　형태: 　축:	그룹화 :	
	탈락 박동 :	
P:QRS 비 :	리듬 :	

최종 점검 1: 심전도 37

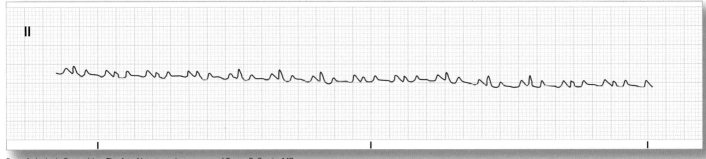

From *Arrhythmia Recognition: The Art of Interpretation*, courtesy of Tomas B. Garcia, MD.

박동수 :	PR 간격 :	참고
규칙성 :	QRS 폭 :	
P파 : 　형태: 　축:	그룹화 :	
	탈락 박동 :	
P:QRS 비 :	리듬 :	

최종 점검 1: 심전도 38

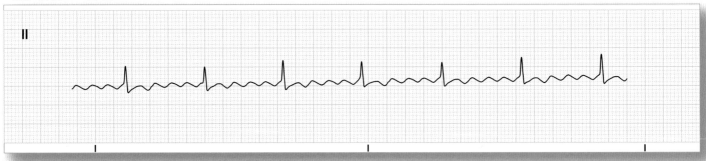

From *Arrhythmia Recognition: The Art of Interpretation*, courtesy of Tomas B. Garcia, MD.

박동수 :	PR 간격 :	참고
규칙성 :	QRS 폭 :	
P파 : 　형태: 　축:	그룹화 :	
	탈락 박동 :	
P:QRS 비 :	리듬 :	

최종 점검 1: 심전도 39

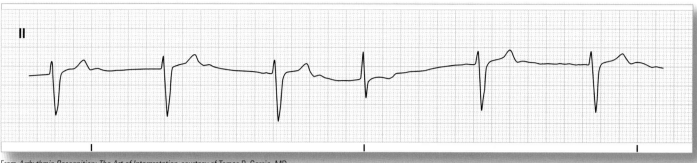

From *Arrhythmia Recognition: The Art of Interpretation*, courtesy of Tomas B. Garcia, MD.

박동수 :	PR 간격 :	참고
규칙성 :	QRS 폭 :	
P파 : 　형태: 　축:	그룹화 :	
	탈락 박동 :	
P:QRS 비 :	리듬 :	

최종 점검 1: 심전도 40

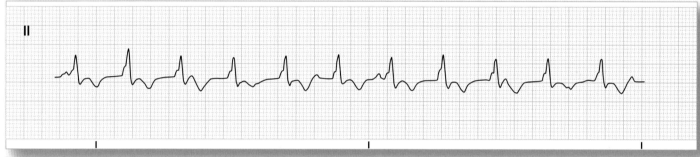

From *Arrhythmia Recognition: The Art of Interpretation*, courtesy of Tomas B. Garcia, MD.

박동수 :	PR 간격 :	참고
규칙성 :	QRS 폭 :	
P파 : 　형태: 　축:	그룹화 :	
	탈락 박동 :	
P:QRS 비 :	리듬 :	

최종 점검 1: 심전도 41

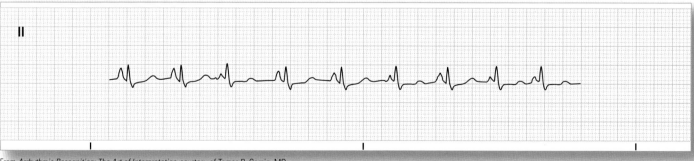

From *Arrhythmia Recognition: The Art of Interpretation*, courtesy of Tomas B. Garcia, MD.

박동수 :	PR 간격 :	참고
규칙성 :	QRS 폭 :	
P파 : 　형태: 　축:	그룹화 :	
	탈락 박동 :	
P:QRS 비 :	리듬 :	

최종 점검 1: 심전도 42

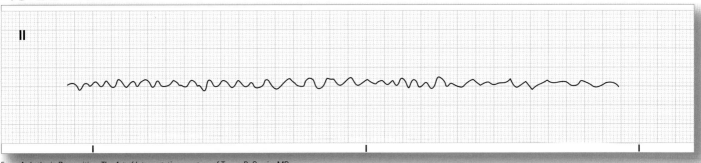

From *Arrhythmia Recognition: The Art of Interpretation*, courtesy of Tomas B. Garcia, MD.

박동수 :	PR 간격 :	참고
규칙성 :	QRS 폭 :	
P파 : 　형태: 　축:	그룹화 :	
	탈락 박동 :	
P:QRS 비 :	리듬 :	

최종 점검 1: 심전도 43

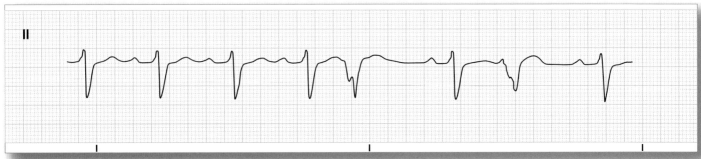

From *Arrhythmia Recognition: The Art of Interpretation*, courtesy of Tomas B. Garcia, MD.

박동수 :	PR 간격 :	참고
규칙성 :	QRS 폭 :	
P파 : 　형태: 　축:	그룹화 :	
	탈락 박동 :	
P:QRS 비 :	리듬 :	

최종 점검 1: 심전도 44

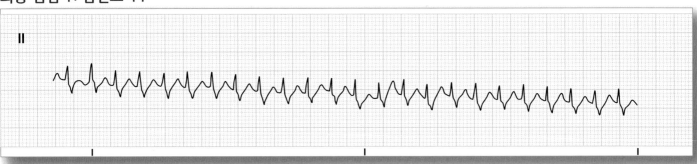

From *Arrhythmia Recognition: The Art of Interpretation*, courtesy of Tomas B. Garcia, MD.

박동수 :	PR 간격 :	참고
규칙성 :	QRS 폭 :	
P파 : 　형태: 　축:	그룹화 :	
	탈락 박동 :	
P:QRS 비 :	리듬 :	

최종 점검 1: 심전도 45

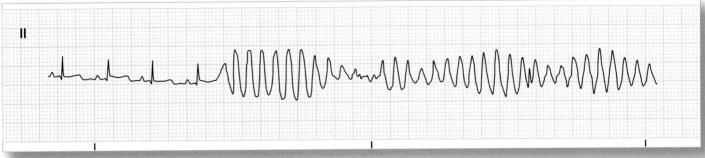

From *Arrhythmia Recognition: The Art of Interpretation*, courtesy of Tomas B. Garcia, MD.

박동수 :	PR 간격 :	참고
규칙성 :	QRS 폭 :	
P파 : 　형태: 　축:	그룹화 :	
	탈락 박동 :	
P:QRS 비 :	리듬 :	

최종 점검 1: 심전도 46

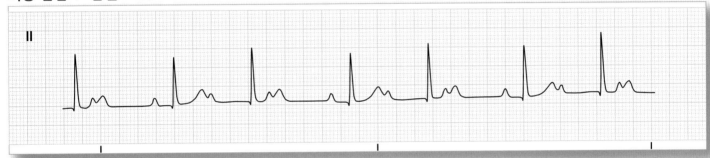

From *Arrhythmia Recognition: The Art of Interpretation*, courtesy of Tomas B. Garcia, MD.

박동수 :	PR 간격 :	참고
규칙성 :	QRS 폭 :	
P파 : 　형태: 　축:	그룹화 :	
	탈락 박동 :	
P:QRS 비 :	리듬 :	

최종 점검 1: 심전도 47

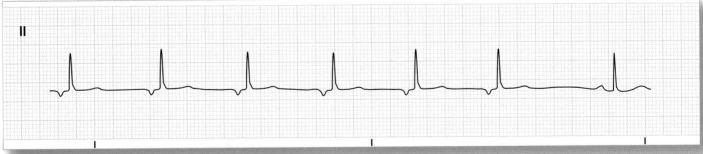

From *Arrhythmia Recognition: The Art of Interpretation*, courtesy of Tomas B. Garcia, MD.

박동수 :	PR 간격 :	참고
규칙성 :	QRS 폭 :	
P파 : 　형태: 　축:	그룹화 :	
	탈락 박동 :	
P:QRS 비 :	리듬 :	

최종 점검 1: 심전도 48

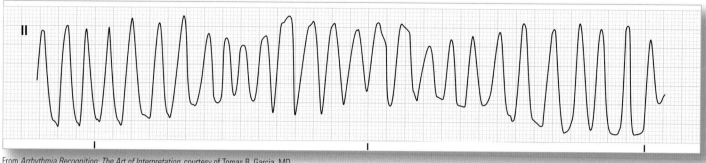

From *Arrhythmia Recognition: The Art of Interpretation*, courtesy of Tomas B. Garcia, MD.

박동수 :	PR 간격 :	참고
규칙성 :	QRS 폭 :	
P파 : 　형태: 　축:	그룹화 :	
	탈락 박동 :	
P:QRS 비 :	리듬 :	

최종 점검 1: 심전도 49

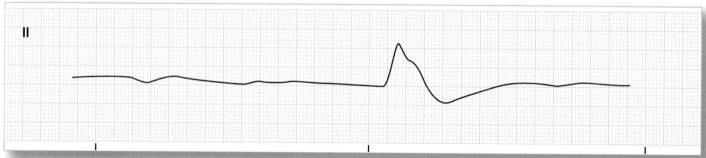

From *Arrhythmia Recognition: The Art of Interpretation*, courtesy of Tomas B. Garcia, MD.

박동수 :	PR 간격 :	참고
규칙성 :	QRS 폭 :	
P파 : 　형태: 　축:	그룹화 :	
	탈락 박동 :	
P:QRS 비 :	리듬 :	

최종 점검 1: 심전도 50

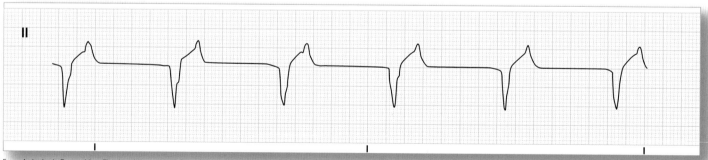

From *Arrhythmia Recognition: The Art of Interpretation*, courtesy of Tomas B. Garcia, MD.

박동수 :	PR 간격 :	참고
규칙성 :	QRS 폭 :	
P파 : 　형태: 　축:	그룹화 :	
	탈락 박동 :	
P:QRS 비 :	리듬 :	

최종 점검 1: 심전도 51

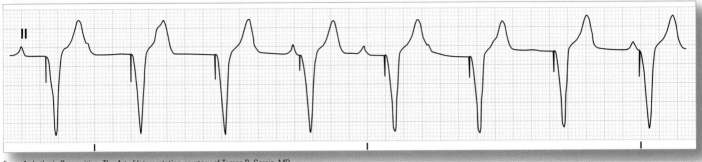

From *Arrhythmia Recognition: The Art of Interpretation*, courtesy of Tomas B. Garcia, MD.

박동수 :	PR 간격 :	참고
규칙성 :	QRS 폭 :	
P파 : 　형태: 　축:	그룹화 :	
	탈락 박동 :	
P:QRS 비 :	리듬 :	

최종 점검 1: 심전도 52

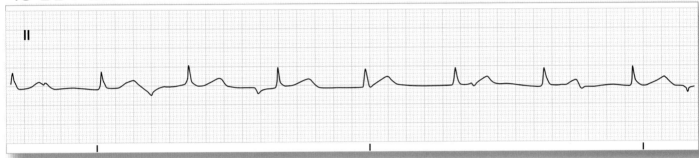

From *Arrhythmia Recognition: The Art of Interpretation*, courtesy of Tomas B. Garcia, MD.

박동수 :	PR 간격 :	참고
규칙성 :	QRS 폭 :	
P파 : 　형태: 　축:	그룹화 :	
	탈락 박동 :	
P:QRS 비 :	리듬 :	

최종 점검 1: 심전도 53

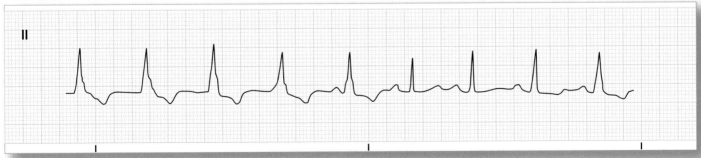

From *Arrhythmia Recognition: The Art of Interpretation*, courtesy of Tomas B. Garcia, MD.

박동수 :	PR 간격 :	참고
규칙성 :	QRS 폭 :	
P파 : 　형태: 　축:	그룹화 :	
	탈락 박동 :	
P:QRS 비 :	리듬 :	

최종 점검 1: 심전도 54

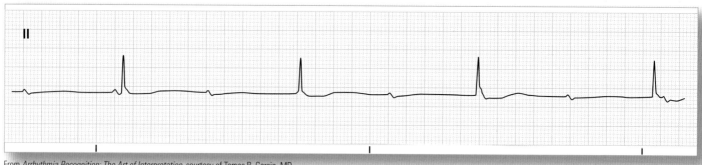

박동수 :	PR 간격 :	참고
규칙성 :	QRS 폭 :	
P파 : 　형태: 　축:	그룹화 :	
	탈락 박동 :	
P:QRS 비 :	리듬 :	

최종 점검 1: 심전도 55

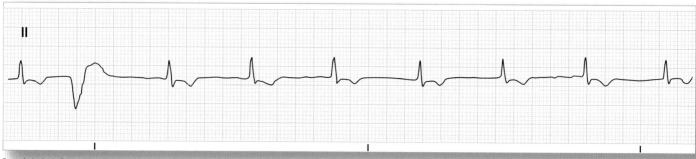

박동수 :	PR 간격 :	참고
규칙성 :	QRS 폭 :	
P파 : 　형태: 　축:	그룹화 :	
	탈락 박동 :	
P:QRS 비 :	리듬 :	

최종 점검 1: 심전도 56

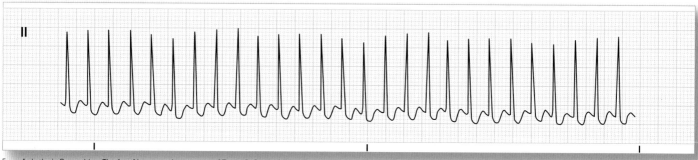

박동수 :	PR 간격 :	참고
규칙성 :	QRS 폭 :	
P파 : 　형태: 　축:	그룹화 :	
	탈락 박동 :	
P:QRS 비 :	리듬 :	

최종 점검 1: 심전도 57

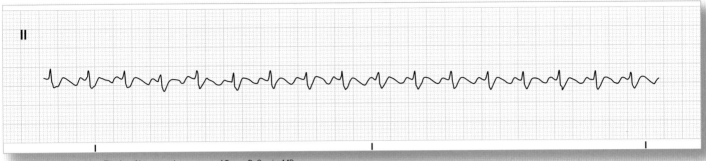

From *Arrhythmia Recognition: The Art of Interpretation*, courtesy of Tomas B. Garcia, MD.

박동수 :	PR 간격 :	참고
규칙성 :	QRS 폭 :	
P파 : 　형태: 　축:	그룹화 :	
	탈락 박동 :	
P:QRS 비 :	리듬 :	

최종 점검 1: 심전도 58

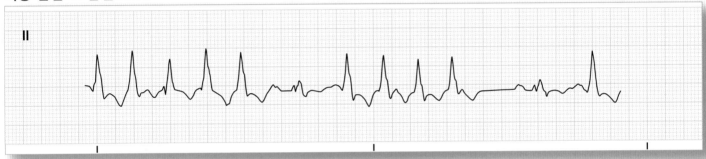

From *Arrhythmia Recognition: The Art of Interpretation*, courtesy of Tomas B. Garcia, MD.

박동수 :	PR 간격 :	참고
규칙성 :	QRS 폭 :	
P파 : 　형태: 　축:	그룹화 :	
	탈락 박동 :	
P:QRS 비 :	리듬 :	

최종 점검 1: 심전도 59

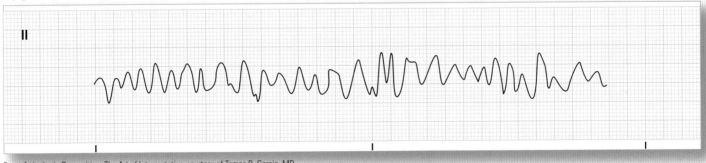

From *Arrhythmia Recognition: The Art of Interpretation*, courtesy of Tomas B. Garcia, MD.

박동수 :	PR 간격 :	참고
규칙성 :	QRS 폭 :	
P파 : 　형태: 　축:	그룹화 :	
	탈락 박동 :	
P:QRS 비 :	리듬 :	

최종 점검 1: 심전도 60

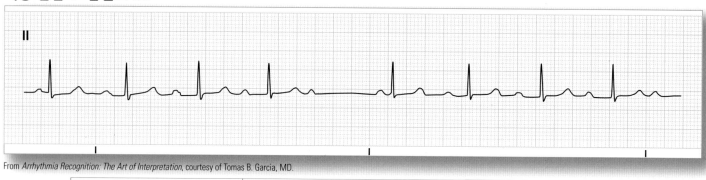

From *Arrhythmia Recognition: The Art of Interpretation*, courtesy of Tomas B. Garcia, MD.

박동수 :	PR 간격 :	참고
규칙성 :	QRS 폭 :	
P파 : 형태: 축:	그룹화 :	
	탈락 박동 :	
P:QRS 비 :	리듬 :	

최종 점검 1: 심전도 61

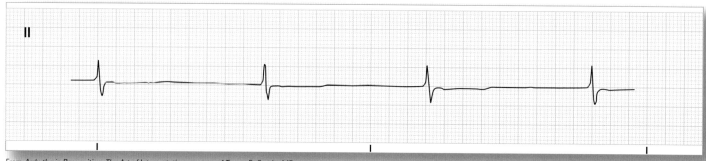

From *Arrhythmia Recognition: The Art of Interpretation*, courtesy of Tomas B. Garcia, MD.

박동수 :	PR 간격 :	참고
규칙성 :	QRS 폭 :	
P파 : 형태: 축:	그룹화 :	
	탈락 박동 :	
P:QRS 비 :	리듬 :	

최종 점검 1: 심전도 62

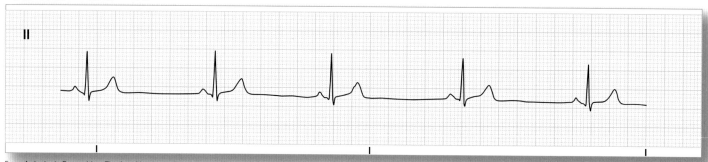

From *Arrhythmia Recognition: The Art of Interpretation*, courtesy of Tomas B. Garcia, MD.

박동수 :	PR 간격 :	참고
규칙성 :	QRS 폭 :	
P파 : 형태: 축:	그룹화 :	
	탈락 박동 :	
P:QRS 비 :	리듬 :	

최종 점검 1: 심전도 63

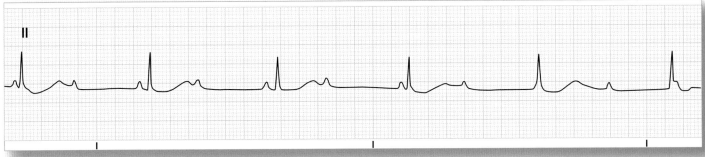

박동수 :	PR 간격 :	참고
규칙성 :	QRS 폭 :	
P파 : 　형태: 　축:	그룹화 :	
	탈락 박동 :	
P:QRS 비 :	리듬 :	

최종 점검 1: 심전도 64

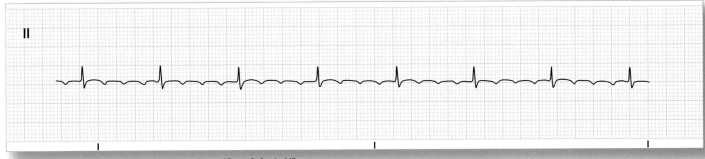

박동수 :	PR 간격 :	참고
규칙성 :	QRS 폭 :	
P파 : 　형태: 　축:	그룹화 :	
	탈락 박동 :	
P:QRS 비 :	리듬 :	

최종 점검 1: 심전도 65

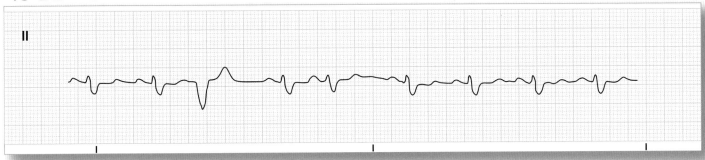

박동수 :	PR 간격 :	참고
규칙성 :	QRS 폭 :	
P파 : 　형태: 　축:	그룹화 :	
	탈락 박동 :	
P:QRS 비 :	리듬 :	

최종 점검 1: 심전도 66

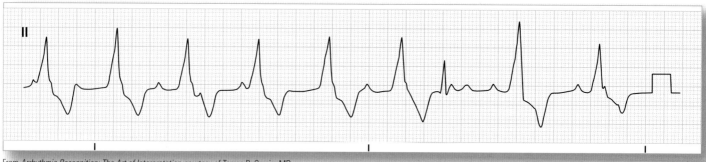

From *Arrhythmia Recognition: The Art of Interpretation*, courtesy of Tomas B. Garcia, MD.

박동수 :	PR 간격 :	참고
규칙성 :	QRS 폭 :	

P파 :
  형태:
  축:
	그룹화 :	

	탈락 박동 :	
P:QRS 비 :	리듬 :	

최종 점검 1: 심전도 67

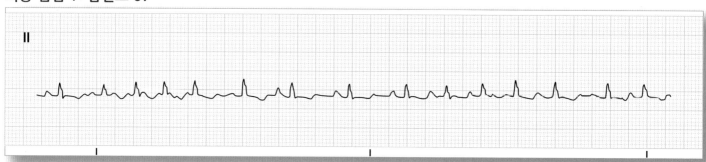

From *Arrhythmia Recognition: The Art of Interpretation*, courtesy of Tomas B. Garcia, MD.

박동수 :	PR 간격 :	참고
규칙성 :	QRS 폭 :	

P파 :
  형태:
  축:
	그룹화 :	

	탈락 박동 :	
P:QRS 비 :	리듬 :	

최종 점검 1: 심전도 68

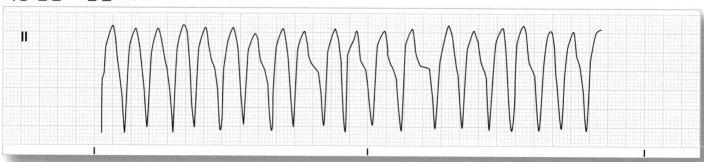

From *Arrhythmia Recognition: The Art of Interpretation*, courtesy of Tomas B. Garcia, MD.

박동수 :	PR 간격 :	참고
규칙성 :	QRS 폭 :	

P파 :
  형태:
  축:
	그룹화 :	

	탈락 박동 :	
P:QRS 비 :	리듬 :	

최종 점검 1: 심전도 69

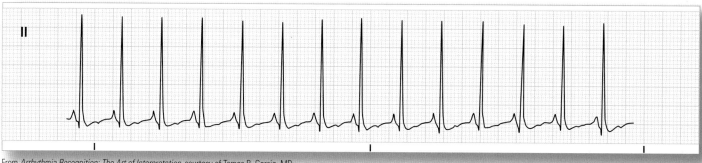

From *Arrhythmia Recognition: The Art of Interpretation*, courtesy of Tomas B. Garcia, MD.

박동수 :	PR 간격 :	참고
규칙성 :	QRS 폭 :	
P파 : 　형태: 　축:	그룹화 :	
	탈락 박동 :	
P:QRS 비 :	리듬 :	

최종 점검 1: 심전도 70

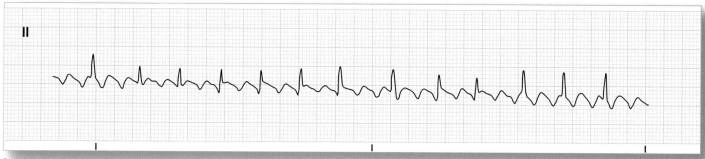

From *Arrhythmia Recognition: The Art of Interpretation*, courtesy of Tomas B. Garcia, MD.

박동수 :	PR 간격 :	참고
규칙성 :	QRS 폭 :	
P파 : 　형태: 　축:	그룹화 :	
	탈락 박동 :	
P:QRS 비 :	리듬 :	

최종 점검 1: 심전도 71

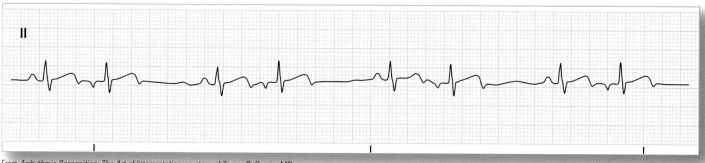

From *Arrhythmia Recognition: The Art of Interpretation*, courtesy of Tomas B. Garcia, MD.

박동수 :	PR 간격 :	참고
규칙성 :	QRS 폭 :	
P파 : 　형태: 　축:	그룹화 :	
	탈락 박동 :	
P:QRS 비 :	리듬 :	

최종 점검 1: 심전도 72

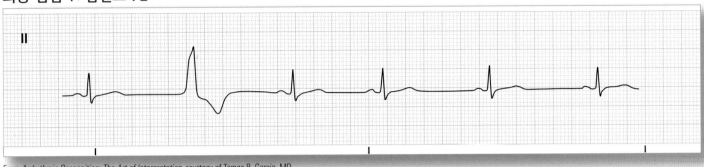

From *Arrhythmia Recognition: The Art of Interpretation*, courtesy of Tomas B. Garcia, MD.

박동수 :	PR 간격 :	참고
규칙성 :	QRS 폭 :	
P파 : 　형태: 　축:	그룹화 :	
	탈락 박동 :	
P:QRS 비 :	리듬 :	

최종 점검 1: 심전도 73

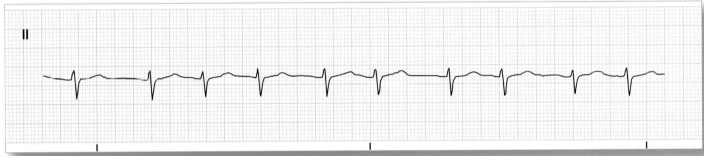

From *Arrhythmia Recognition: The Art of Interpretation*, courtesy of Tomas B. Garcia, MD.

박동수 :	PR 간격 :	참고
규칙성 :	QRS 폭 :	
P파 : 　형태: 　축:	그룹화 :	
	탈락 박동 :	
P:QRS 비 :	리듬 :	

최종 점검 1: 심전도 74

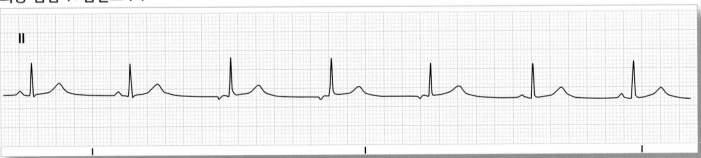

From *Arrhythmia Recognition: The Art of Interpretation*, courtesy of Tomas B. Garcia, MD.

박동수 :	PR 간격 :	참고
규칙성 :	QRS 폭 :	
P파 : 　형태: 　축:	그룹화 :	
	탈락 박동 :	
P:QRS 비 :	리듬 :	

최종 점검 1: 심전도 75

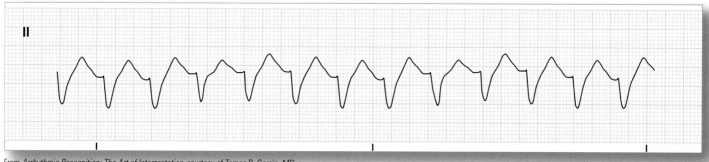

II

From *Arrhythmia Recognition: The Art of Interpretation,* courtesy of Tomas B. Garcia, MD.

박동수 :	PR 간격 :	참고
규칙성 :	QRS 폭 :	
P파 : 　형태: 　축:	그룹화 :	
	탈락 박동 :	
P:QRS 비 :	리듬 :	

최종 점검 해답

최종 점검 1: 심전도 1

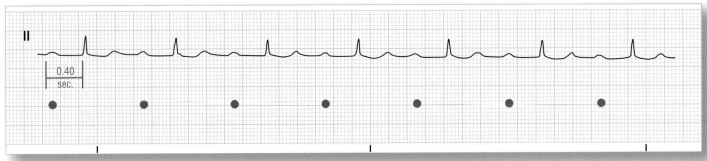

From *Arrhythmia Recognition: The Art of Interpretation*, courtesy of Tomas B. Garcia, MD.

박동수 :	60회/분	PR 간격 :	넓음
규칙성 :	규칙적	QRS 폭 :	정상
P파 : 　형태 : 　축 :	있음 정상 정상	그룹화 :	없음
		탈락 박동 :	없음
P:QRS 비 :	1:1	리듬 :	1도 방실차단과 동율동

해설

이 심전도에 접근할 때 가장 중요한 것은 비슷하게 생긴 P파와 T파를 명확히 구별하는 것이다(P파는 파란 점으로 표시). 다른 유도의 기록지가 있다면 모두 검토해봐야 하며, 가능한 12 유도 심전도 모두를 검토하는 것이 좋다. P파는 0.40초로 연장되어 있고 일정한 PR 간격을 가지고 있으며, 동성 리듬을 가진 1도 방실차단을 의미한다.

P파가 QRS파에 묻혀버렸다고 혼동할 수도 있다. 그러나, 그것이 맞다면 아마도 R파 시작의 불분명함(slurring) 혹은 느린 상향파가 보일 것이다. 이 심전도에서 R파는 날카롭게 나타나기 시작하고 어떠한 묻힌 P파의 흔적도 없어서, P파가 QRS파에 묻혀있다면, PP 간격은 무리를 지으면서 불규칙한 양상이다. 이러한 것도 QRS파에 P파가 묻혀있지 않은 증거가 된다.

최종 점검 1: 심전도 2

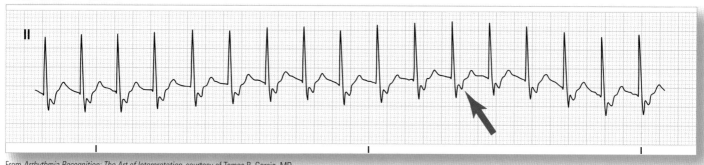

From *Arrhythmia Recognition: The Art of Interpretation*, courtesy of Tomas B. Garcia, MD.

박동수 :	심방 : 분당 약 50회 심실 : 분당 약 64회	PR 간격 :	해설 참조
규칙성 :	정상	QRS 폭 :	정상

P파 :
  형태 :
  축 :
	있음
	정상
	정상
		그룹화 :	없음

		탈락 박동 :	없음
P:QRS 비 :	해설 참조	리듬 :	3도 방실차단

해설:

QRS파 앞에 관찰되는 P파는 2개가 있지만(파란 화살표), 더 자세히 보면 우리는 일정한 간격을 가지고, 묻혀진 P파와 일치되는 QRS파 위의 약간의 형태 변화를 볼 수 있다 (심방 심박수가 50회/분, 파란점을 보라.) P파는 유도 Ⅱ에서 명확히 상향이지만 QRS파와는 완전히 분리되어 있다. 연관된 P파가 없고 좁고 일정한 약 64회/분 심박수의 심실 반응은 가속성 접합부 심실 반응과 일치한다. 모든 것을 종합해볼 때, 원래의 동 서맥과 가속성 접합부 이탈리듬을 동반한 완전 또는 3도 방실차단이다.

최종 점검 1: 심전도 3

From *Arrhythmia Recognition: The Art of Interpretation*, courtesy of Tomas B. Garcia, MD.

박동수 :	분당 약 150회/분	PR 간격 :	적용할 수 없음
규칙성 :	규칙적	QRS 폭 :	정상

P파 :
  형태 :
  축 :
	있음
	역위
	적용할 수 없음
		그룹화 :	없음

		탈락 박동 :	없음
P:QRS 비 :	1:1	리듬 :	방실 회귀 빈맥혹은 비전형 방실결절 회귀 빈맥

해설:

150회/분의 심박수의 좁은 QRS파 빈맥을 보았을 때 가장 먼저 확인해야 하는 것은 심방조동 여부이다. 이 심전도는, 조동파도 없으며 2:1 방실전도 형태도 아니기 때문에, 심방조동은 아니다. QRS파는 폭이 좁고 매우 규칙적이다. 역위된 것으로 보이는 곳(파란색 표시)은 아마도 역행성 P파이다. 방실회귀 빈맥일 가능성이 있다. 또한, 느린 역행성를 가지는 비전형 방실결절 회귀 빈맥일 수도 있다.

최종 점검 1: 심전도 4

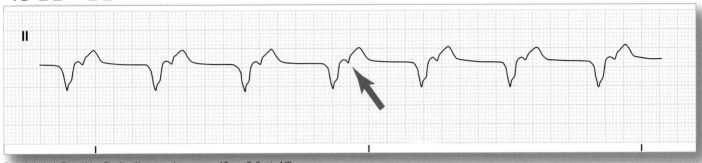

From *Arrhythmia Recognition: The Art of Interpretation*, courtesy of Tomas B. Garcia, MD.

박동수 :	분당 약 61회	PR 간격 :	적용할 수 없음
규칙성 :	규칙적	QRS 폭 :	넓음
P파 : 　형태: 　축:	있음 역위 적용할 수 없음	그룹화 :	없음
		탈락 박동 :	없음
P:QRS 비 : 1:1		리듬 :	가속성 심실 고유율동

해설:

　4번 심전도는 심실에서 시작된 것으로 보이는 형태를 가진 넓은 QRS 리듬을 보여준다. 심박수는 61회/분이고, 전형적인 심실성 리듬에 비해 조금 빠르지만 가속성 심실 고유율동(accelerated idioventricular rhythm)에 부합한다. 파란 화살표는 ST 분절 위에 뒤집어진, 역행성으로 전도된 P파를 가리킨다. 긴 RP 간격이 존재하는 것을 주의하자. 이것은 아마도 심실에서 기원한 탈분극파가 심방으로 가기 위해 긴 통과 시간이 걸리기 때문이다.

최종 점검 1: 심전도 5

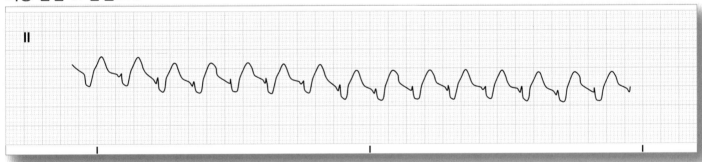

From *Arrhythmia Recognition: The Art of Interpretation*, courtesy of Tomas B. Garcia, MD.

박동수 :	분당 약 150회	PR 간격 :	없음
규칙성 :	규칙적	QRS 폭 :	넓음
P파 : 　형태: 　축:	없음 없음 없음	그룹화 :	없음
		탈락 박동 :	없음
P:QRS 비 : 없음		리듬 :	단형 심실빈맥

해설:

　5번 심전도는 어려운 문제이다. 이것은 약 150회/분의 심박수의 넓은 QRS 빈맥이다. 이것은 심실빈맥, 심방조동, 방실결절 회귀성빈맥, 방실 회귀빈맥 등에서 보일 수 있다. 이 기록지만 보고 이러한 가능성들을 배제하는 것은 불가능하다. 이런 이유로 환자를 심실빈맥과 같이 다루어야 한다. 만약 환자가 불안정하다면 전기 충격을 시행해야 한다. 그렇지 않다면 전체 12 유도를 보는 것이 도움이 될 것이다.

　유도 Ⅱ는 QRS파가 작아지는 경향 있어 주의해야 한다. 그러므로 이런 환자들에게서 단형 심실빈맥은 작은 QRS파를 가지며, 방실해리가 없을 경우에 감별 진단은 더 어렵다. 이런 경우 가장 나쁜 것(심실빈맥)을 가정하는 것이 안전하다.

최종 점검 1: 심전도 6

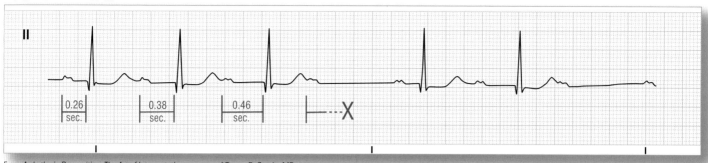

From *Arrhythmia Recognition: The Art of Interpretation*, courtesy of Tomas B. Garcia, MD.

박동수 :	분당 약 55회	PR 간격 :	해설 참조
규칙성 :	불규칙	QRS 폭 :	정상
P파 : 　형태 : 　축 :	있음 정상 정상	그룹화 :	있음
		탈락 박동 :	있음
P:QRS 비 :	해설 참조	리듬 :	Mobitz Ⅰ 2도 방실차단

해설:

QRS들이 무리를 짓고 있으며, 이는 Wenchebach 형 방실차단의 특징 중의 하나이다. 첫 번째 그룹이 4:3 방실전도, 두 번째 그룹이 3:2 방실전도를 보이며, 이러한 숫자는 크게 중요하지 않다. P파를 관찰하자. 모든 P파가 같은 모양을 가지고 있지만 PR 간격은 다양하다. PR 간격은 하나의 P파가 완전히 전도 차단될 때까지 길어진다. 이것은 이도 방실차단 중 Mobitz 1형(=Wenchebach 형)의 특징이다. Mobitz 1 형에서 R-R간격은 점차 좁아지는 것이 보통이나, 이 심전도의 경우 일정하다. 예외없는 규칙은 없다.

최종 점검 1: 심전도 7

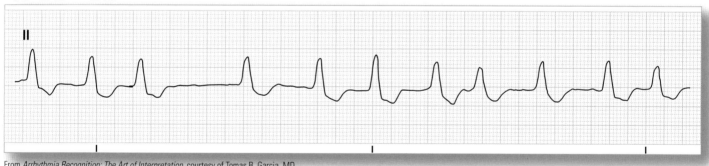

From *Arrhythmia Recognition: The Art of Interpretation*, courtesy of Tomas B. Garcia, MD.

박동수 :	분당 약 95회	PR 간격 :	없음
규칙성 :	완전히 불규칙	QRS 폭 :	넓음
P파 : 　형태 : 　축 :	없음 없음 없음	그룹화 :	없음
		탈락 박동 :	없음
P:QRS 비 :	없음	리듬 :	심방세동

해설:

심전도 7은 넓은 QRS파를 보이며 어떠한 규칙성도 없이 완전히 불규칙한 리듬이다. 이러한 경우 감별진단은, 심방세동, 유주 심방율동, 다소성 심방빈맥이다. 검사지에서 명확한 P파가 없으므로 유주 심방율동과 다소성 심방빈맥은 가능성이 떨어진다. 심방세동이 넓은 QRS을 보일 수 있을까? QRS파를 넓이를 결정하는 것은 방실결절 이하의 문제이다. 심방이 어떻게 탈분극하는 지는 사실 연관이 없다. 따라서, 이미 존재하는 각차단이 있거나 편위전도가 발생한다면, 심방세동이라도 넓은 QRS파가 만들어질 수 있다. 이전 심전도와 비교를 해보면 이 환자가 넓은 QRS을 보이는 좌각차단이 이전에 존재했음을 알 수 있다. 단형 심실빈맥은 거의 대부분 심박수가 일정하다는 것을 기억하자.

최종 점검 1: 심전도 8

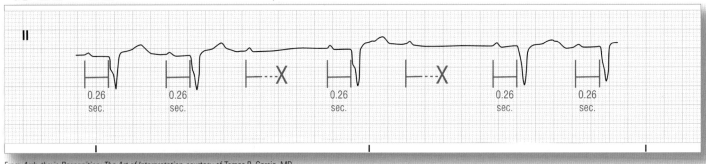

From *Arrhythmia Recognition: The Art of Interpretation*, courtesy of Tomas B. Garcia, MD.

박동수 :	분당 약 50회	PR 간격 :	연장
규칙성 :	불규칙적	QRS 폭 :	정상

P파 :
  형태 :
  축 :
	있음
	정상
	정상
		그룹화 :	있음

		탈락 박동 :	있음
P:QRS 비 :	없음	리듬 :	Mobitz II, 2도 방실차단

해설:

얼핏 QRS파는 넓어보이지만 정확히 재어보면 정상 범위 내에 있다. P파가 관찰되는데, QRS파가 안 보이는 부분이 있다. 방실차단이다. 방실전도가 될 때에는 PR 간격이 0.26초로 일정하다. 간간히 방실차단이 발생하는 이도방실차단이며, 방실전도가 이루어질 때에는 PR 간격이 일정한 Mobitz t 2형이다.

최종 점검 1: 심전도 9

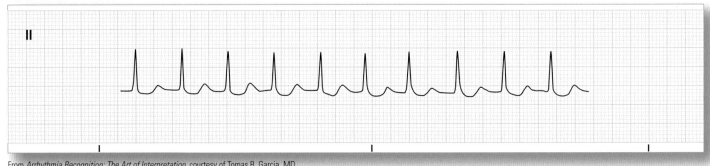

From *Arrhythmia Recognition: The Art of Interpretation*, courtesy of Tomas B. Garcia, MD.

박동수 :	분당 약 115회	PR 간격 :	없음
규칙성 :	규칙적	QRS 폭 :	정상

P파 :
  형태 :
  축 :
	없음
	없음
	없음
		그룹화 :	없음

		탈락 박동 :	없음
P:QRS 비 :	없음	리듬 :	방실접합부 빈맥 혹은 방실결절 회귀빈맥

해설:

이것은 115회/분의 심박수의 P파가 보이지 않는 규칙적인 좁은 QRS 빈맥이다. 방실접합부 빈맥일 가능성이 있으며, 방실결절 회귀 빈맥에서 P파가 QRS파에 완전히 묻혀서 안 보이는 경우일 수도 있다.

최종 점검 1: 심전도 10

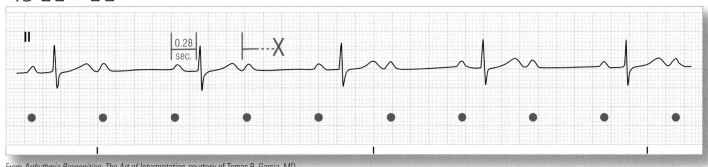

From *Arrhythmia Recognition: The Art of Interpretation*, courtesy of Tomas B. Garcia, MD.

박동수 :	심방 : 분당 약 76회	PR 간격 :	해설 참조
	심실 : 분당 약 38회		
규칙성 :	규칙적	QRS 폭 :	정상
P파 :	있음	그룹화 :	있음
형태:	정상		
축:	정상	탈락 박동 :	있음
P:QRS 비 : 2:1		리듬 :	2:1 방실차단

해설:

이 기록지는 정상적으로 전도되는 P파와 0.16초의 PR 간격을 보여준다. 그리고 다른 P파는 차단되었고 전도되지 않았다. 방실 전도율은 2:1이므로, 이도방실차단 중에서도 2:1 전도를 보이는 심전도이다.

최종 점검 1: 심전도 11

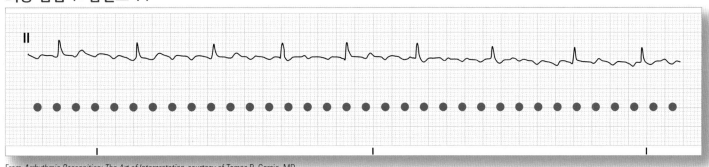

From *Arrhythmia Recognition: The Art of Interpretation*, courtesy of Tomas B. Garcia, MD.

박동수 :	심방 : 분당 약 300회	PR 간격 :	적용할 수 없음
	심실 : 분당 약 70회		
규칙성 :	불규칙	QRS 폭 :	정상
P파 :	F파가 존재	그룹화 :	없음
형태:	적용할 수 없음		
축:	적용할 수 없음	탈락 박동 :	없음
P:QRS 비 : 다양함		리듬 :	심방조동

해설:

QRS파를 제외한 원래선을 살펴보면, 톱니같은 모양이 반복되는 심방조동이며, 심방은 300회/분으로 빠르다. 심방조동의 심실 심박수는 전형적으로 2:1 혹은 4:1 의 방실전도 비율을 보이지만, 다양하게 일어날 수 있다.

최종 점검 1: 심전도 12

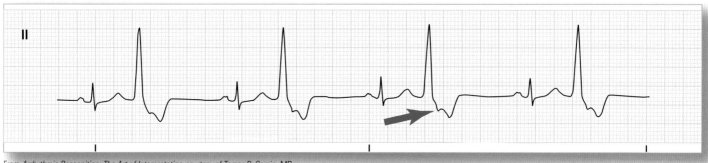

From *Arrhythmia Recognition: The Art of Interpretation*, courtesy of Tomas B. Garcia, MD.

박동수 :	해설 참조	PR 간격 :	정상, 일정
규칙성 :	불규칙	QRS 폭 :	해설 참조
P파 :	있음	그룹화 :	없음
형태:	정상		
축:	정상	탈락 박동 :	해설 참조
P:QRS 비 :	해설 참조	리듬 :	심실 이단맥을 동반한 동율동

해설:

심실 이단맥(bigeminy)의 좋은 예이다. 하나의 정상 전도된 박동과 하나의 심실 조기수축이 반복되는 패턴을 보인다. 파란 화살표는 정상의 P파를 나타낸다. 앞에 보이는 P파와 같이 유도 II 에서 양성이며, PP 간격이 거의 일정하다.

만약 P파의 모양이 다르다면, 특히 유도 II에서 음성이고, PP 간격이 일정하지 않다면, 조기 심실수축에 의한 역행성 P파일 가능성이 있다. 조기심실수축에 의해서 심실이 탈분극이 일어난 직후라서, 방실전도가 이루어지지 못했다.

최종 점검 1: 심전도 13

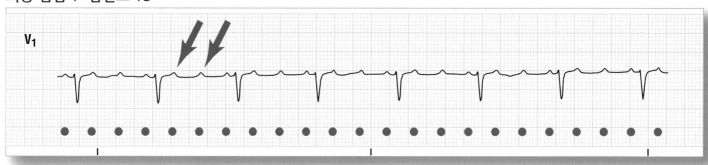

From *Arrhythmia Recognition: The Art of Interpretation*, courtesy of Tomas B. Garcia, MD.

박동수 :	심방 : 분당 약 200회	PR 간격 :	해설 참조
	심실 : 분당 약 68회		
규칙성 :	규칙적	QRS 폭 :	정상
P파 :	있음	그룹화 :	없음
형태:	정상		
축:	정상	탈락 박동 :	있음
P:QRS 비 :	3:1	리듬 :	차단을 동반한 이소성 심방빈맥

해설:

QRS파들은 정상 모양이다. P파들 사이에 정상적인 등전압성의 구간이 보여서, 심방조동의 가능성이 있는데, 다른 유도에서는 어떠한지 12 유도 심전도로 확인해봐야 한다.

심방빈맥일 가능성이 있으며, 심방조동일 수도 있다. 특히, 전형적 심방조동의 경우, V₁에서 이 심전도처럼 뚜렷한 P파가 보일 수 있다.

최종 점검 1: 심전도 14

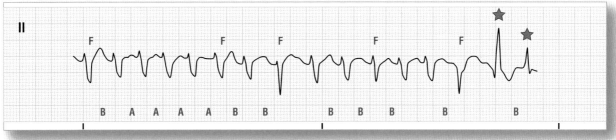

From *Arrhythmia Recognition: The Art of Interpretation*, courtesy of Tomas B. Garcia, MD.

박동수 :	분당 약 160회	PR 간격 :	적용할 수 없음
규칙성 :	불규칙	QRS 폭 :	넓음
P파 : 형태: 축:	없음 없음 없음	그룹화 :	없음
		탈락 박동 :	없음
P:QRS 비 : 적용할 수 없음		리듬 :	단형 심실빈맥

해설:

160회/분의 심박수를 가진 넓은 QRS파 빈맥이다. R-R 간격이 규칙적인 부분도 일부 관찰된다. 규칙적인 R-R간격은 심방세동인 경우에는 관찰되기 어렵다. 또한, 융합박동이 관찰된다(F로 표시).

빨간별로 표시된 마지막 두 QRS파는 무엇일까? 첫 번째 QRS파는 원래의 QRS파이고, 두 번째 QRS파는 일종의 융합박동일 수 있다. 정확한 것은 12 유도 심전도가 필요하다.

최종 점검 1: 심전도 15

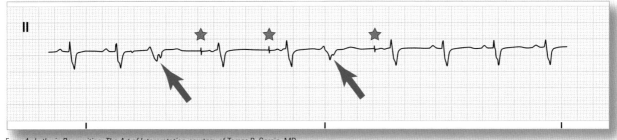

From *Arrhythmia Recognition: The Art of Interpretation*, courtesy of Tomas B. Garcia, MD.

박동수 :	분당 약 90회	PR 간격 :	해설 참조
규칙성 :	불규칙	QRS 폭 :	해설 참조
P파 : 형태: 축:	해설 참조 해설 참조 해설 참조	그룹화 :	없음
		탈락 박동 :	없음
P:QRS 비 : 해설 참조		리듬 :	동율동과 간헐적인 심실조기박동들과 심방조율

해설:

첫 번째 파란색 화살표로 표시된 QRS파는 넓다. 앞에는 조기 심방수축으로 생각되는 P파가 보인다. 따라서, 조기 심방수축에 의한 편위전도로 생각된다. 빨간색 별표는 순간적으로 발생한 파형이며(pacing blip), 그 뒤에는 P파로 생각되는 것이 관찰된다. 인공 심박동기에 의한 심방조율이다. 두 번째 파란색이 가리키는 QRS파의 앞에는 P파가 관찰되지

않는다. 또한 심박동기에 의한 것이라고 생각되는 blip도 관찰되지 않는다. 인공심박동기 blip이 관찰되면 항상 P파가 따라나오는 것으로 봐서, 인공심박동기의 조율 기능은 정상이다. 또한, 환자의 P파 혹은 QRS파가 잘 나올 때에는 blip이 나타나지 않는 것으로 봐서, 인공심박동기의 감지 기능이 정상임을 알 수 있다.

최종 점검 1: 심전도 16

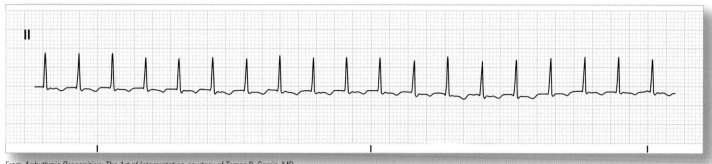

From *Arrhythmia Recognition: The Art of Interpretation*, courtesy of Tomas B. Garcia, MD.

박동수 :	분당 약 162회	PR 간격 :	적용할 수 없음
규칙성 :	규칙적	QRS 폭 :	정상
P파 : 형태 : 축 :	Pseudo-S 파의 가능성 적용할 수 없음 적용할 수 없음	그룹화 :	없음
		탈락 박동 :	없음
P:QRS 비 : 적용할 수 없음		리듬 :	방실결절 회귀 빈맥

해설:

심전도 16은 심박수 162회/분의 빠르고 좁은 QRS 빈맥을 보인다. QRS파 끝에 작은 굴절은 정상적인 QRS 모양일 수도 있고 pseudo-S 파일 수도 있다. 예전 결과지나 빈맥이 종료된 이후 심전도와의 비교가 대답을 해줄 것이다. 이 기록지에 나타난 것은 방실결절 회귀 빈맥이며 pseudo-S파는 빈맥이 끝난 뒤 사라졌다.

최종 점검 1: 심전도 17

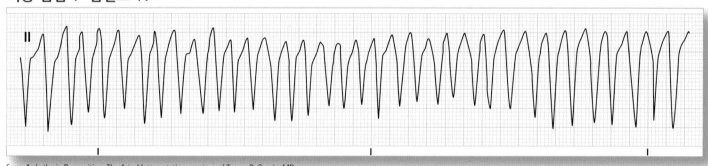

From *Arrhythmia Recognition: The Art of Interpretation*, courtesy of Tomas B. Garcia, MD.

박동수 :	분당 약 300회	PR 간격 :	없음
규칙성 :	완전히 불규칙	QRS 폭 :	넓음
P파 : 형태 : 축 :	없음 없음 없음	그룹화 :	없음
		탈락 박동 :	없음
P:QRS 비 : 없음		리듬 :	WPW 증후군에 동반된 심방세동

해설:

심전도 17은 흔히 오진되는 리듬이다. 이 기록지를 보았을 때 대부분의 임상의들의 첫 번째 인상은 심실빈맥이거나 심실조동이다. 심박수가 매우 빨라서, 구분하기 어렵지만, QRS파가 분명히 불규칙하다. WPW 증후군에 동반된 심방세동일 가능성이 가장 높다.

이제, 심박수 자체에 대해 논의해 보자. 상심실성 리듬에서 방실결절을 통해서는 심실의 심박수가 250회/분을 넘기어렵다. 부전도로 역시 이렇게 빠른 전도는 드물지만, 가능하기도 하며, 이런 경우 심실세동으로 이어질 수 있기 때문에 매우 위험하다. 어떤 연구에 의하면, 상심실성 빈맥에서 250회/분이 넘은 심박수는 85%의 경우에서 부전도의 존재와 관련이 있었다. 300회/분의 심박수에서 부전도로를 통한 전도의 가능성은 97% 정도다.

모든 것을 종합했을 때, 심전도 17은 300회/분의 심박수로 부전도로를 통해 전도를 하는 매우 빠른 심방세동이다.

최종 점검 1: 심전도 18

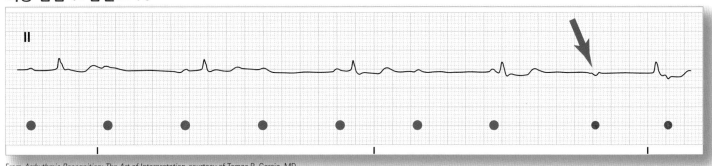

From *Arrhythmia Recognition: The Art of Interpretation*, courtesy of Tomas B. Garcia, MD.

박동수 :	심방 : 분당 약 70회 심실 : 분당 약 37회	PR 간격 :	적용할 수 없음
규칙성 :	불규칙	QRS 폭 :	넓음
P파 : 형태: 축:	있음 정상 정상	그룹화 :	없음
		탈락 박동 :	있음
P:QRS 비 :	해설 참조	리듬 :	3도 방실차단

해설:

이 검사지는 점진적으로 각각의 QRS파 앞에서 짧아지는 PR 간격을 보여준다. Wenckebach는 점진적으로 넓어지는 PR 간격을 보이므로 답이 아니다. QRS파는 0.12초보다 넓고 37회/분 정도로 매우 느리며, 무엇보다 R-R 간격이 일정하다. 이에 비해, P-P 간격 역시 일정하며, PR 간격은 어떠한 규칙성도 없다. 완전 방실차단의 심전도 이다.

파란 화살표는 이 지점 이후의 P파의 모양과 시간의 변화를 보여준다. P파의 모양이 다른 것으로 보아서, 이소성 심방조율이다. 이 새롭고 빠른 심박수는 검사지 아래에 붉은 점으로 표시되어 있다.

최종 점검 1: 심전도 19

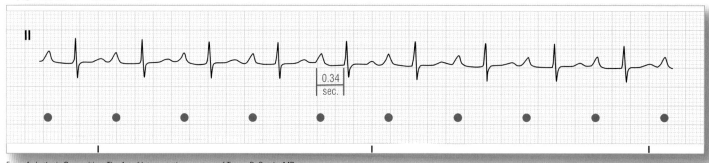

박동수 :	분당 약 80회	PR 간격 :	연장
규칙성 :	규칙적	QRS 폭 :	정상
P파 : 　형태 : 　축 :	있음 정상 정상	그룹화 :	없음
		탈락 박동 :	없음
P:QRS 비 :	1:1	리듬 :	1도 방실차단을 동반한 동율동

해설:

심전도 19는 각각의 QRS파들 앞에 명백한 P파를 가지는 동율동을 보인다. P파는 높지만 어쨌든 정상이고, 유도 II 에서 양성이다. PR 간격은 일정하지만 0.34초로 연장되어 있다. 1도 방실차단이다.

최종 점검 1: 심전도 20

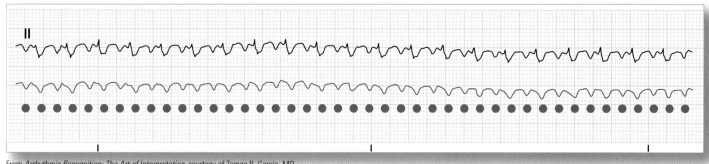

박동수 :	심방 : 분당 약 350회 심실 : 분당 약 135회	PR 간격 :	없음
규칙성 :	규칙적	QRS 폭 :	해설 참조
P파 : 　형태 : 　축 :	없음, F파가 있음 없음 없음	그룹화 :	없음
		탈락 박동 :	없음
P:QRS 비 :	2:1	리듬 :	심방조동

해설:

심전도 20은 135회/분의 심박수를 보이는 빈맥이다. 우리는 F파나 조동파의 톱니 패턴을 명확하게 보기 위해 기록지에서 QRS파를 제거하자(분홍색 선). 심방조동이 의심될 때마다 지금처럼 QRS파를 마음 속으로 지워나가는 습관을 가져야 한다.

QRS파들이 넓은가 좁은가? 이 검사지를 보고 말하는 것은 실제로 어렵다. F: QRS 비가 2:1이기 때문에 심방조동의 F파와 작은 전압의 QRS파를 명확하기 구분하기 어렵다. 12 유도 심전도가 필요하다.

최종 점검 1: 심전도 21

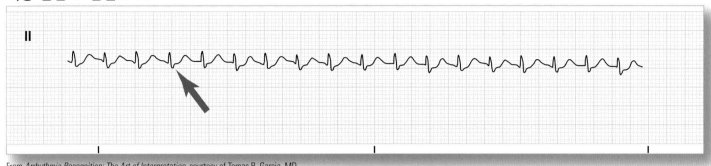

From *Arrhythmia Recognition: The Art of Interpretation*, courtesy of Tomas B. Garcia, MD.

박동수 :	분당 약 175회	PR 간격 :	짧은 RP간격
규칙성 :	규칙적	QRS 폭 :	정상
P파 : 형태: 축:	Pseudo-S파가 있음 적용할 수 없음 적용할 수 없음	그룹화 :	없음
		탈락 박동 :	없음
P:QRS 비 : 1:1		리듬 :	방실결절 회귀빈맥

해설:

유도 Ⅱ에서 pseudo-S 파(파란색 화살표)를 가진 빠르고 좁은 QRS 빈맥으로 보아 방실결절 회귀빈맥일 가능성이 높다.

최종 점검 1: 심전도 22

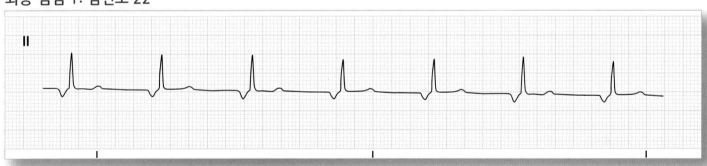

From *Arrhythmia Recognition: The Art of Interpretation*, courtesy of Tomas B. Garcia, MD.

박동수 :	분당 약 61회	PR 간격 :	정상, 일정
규칙성 :	규칙적	QRS 폭 :	정상
P파 : 형태: 축:	있음 역위 비정상	그룹화 :	없음
		탈락 박동 :	없음
P:QRS 비 : 1:1		리듬 :	이소성 심방리듬

해설:

22번 심전도 문제는 각각의 QRS파들 전에 정상적인 PR 간격을 보이는 뒤집어진 P파가 있다. 일반적으로, 뒤집어진 P파는 심방 아래쪽에서 발생하는 이소성 심방조율 혹은 접합부 조율이다. 구별하는 법의 하나는 PR 간격의 넓이이다. 정상이거나 연장된 PR 간격은 이소성 심방조율일 가능성이 많다. 짧은 PR 간격은 접합부 조율일 가능성이 많은데, 심실 전도까지 시간이 짧게 걸리기 때문이다. 이 환자는 정상적인 PR 간격을 보이므로, 리듬은 이소성 심방율동일 가능성이 다소 높다.

최종 점검 1: 심전도 23

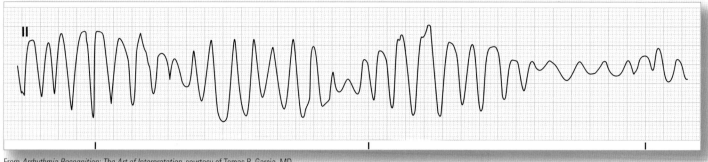

From *Arrhythmia Recognition: The Art of Interpretation*, courtesy of Tomas B. Garcia, MD.

박동수 :	분당 약 260~280회	PR 간격 :	없음
규칙성 :	완전히 불규칙	QRS 폭 :	넓음
P파 : 형태: 축:	없음 없음 없음	그룹화 :	있음
		탈락 박동 :	없음
P:QRS 비 : 4:3에서 3:2로		리듬 :	다형성 심실빈맥

해설:

이것은 계속해서 모양이 변화하는 넓은 QRS파 빈맥이다. 리듬은 완전히 불규칙하며 진폭과 극성의 변화에 있어서 물결 패턴을 보인다. 다형성 심실빈맥이며, QT 연장에 의한 Torsades일 가능성이 있다.

동율동 시 QT간격과 임상 상황을 고려해야 한다.

최종 점검 1: 심전도 24

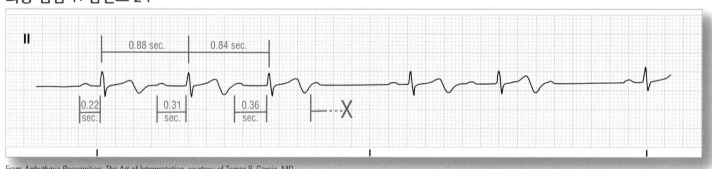

From *Arrhythmia Recognition: The Art of Interpretation*, courtesy of Tomas B. Garcia, MD.

박동수 :	분당 약 50회	PR 간격 :	다양함
규칙성 :	불규칙	QRS 폭 :	정상
P파 : 형태: 축:	있음 정상 정상	그룹화 :	있음
		탈락 박동 :	있음
P:QRS 비 : 4:3 그리고 3:2		리듬 :	Mobitz Ⅰ형 2도 방실차단

해설:

24번 심전도는 Mobitz I형 2도 방실차단의 특징이 모두 있다.

0.22초에서부터 0.31초, 0.36초까지 점진적인 PR 간격의 연장이 있다가 박동이 빠지게 된다. 전형적인 경우에서 예상되는 것과 같이 0.88초에서 0.84초까지 R-R간격은 감소한다. 관찰되는 2개의 그룹에서 전도율은 첫 번째 그룹의 4:3에서 두 번째 그룹의 3:2까지 다양하다. 가장 짧은 PR 간격은 0.20초로 조금 연장되어 있다(1도 차단과 2도 차단이 한 환자에게서 동시에 나타날 수 있다).

최종 점검 1: 심전도 25

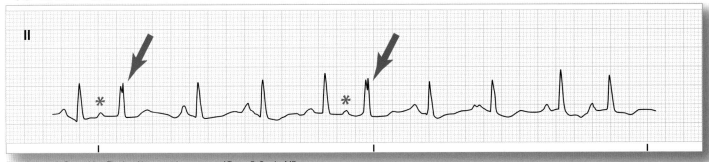

From *Arrhythmia Recognition: The Art of Interpretation*, courtesy of Tomas B. Garcia, MD.

박동수 :	분당 약 100회	PR 간격 :	다수의
규칙성 :	완전히 불규칙	QRS 폭 :	정상

P파 :
  형태:
  축:
	있음
	다수의
	정상
		그룹화 :	없음

		탈락 박동 :	없음
P:QRS 비 : 1:1		리듬 :	다소성 심방빈맥

해설:

6초의 검사지에 10개의 QRS파가 있다. 이것은 전체적 심박동 수가 정확히 100회/분 이라는 것을 의미한다. P파는 적어도 3개 이상의 다양한 모양과 PR 간격을 가지며 규칙성이 관찰되지 않는다. 다소성 심방빈맥이다. 이 기록지를 통해 두 개의 묻혀 있는 P파를 볼 수 있다(파란 별표를 보라). 파란 화살표는 편위전도된 두 개의 QRS파를 가리킨다. 이것은 Ashman 현상이다. 심박수가 불규칙한 심방세동 및 다소성 심방빈맥에서 긴 RR간격 후에 짧은 R-R 간격이 생기면, 직후의 QRS파는 편위전도 경향을 말한다.

최종 점검 1: 심전도 26

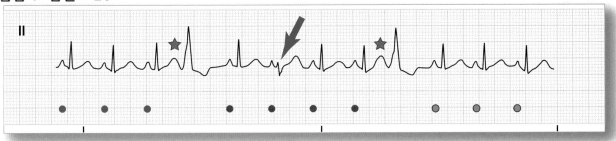

From *Arrhythmia Recognition: The Art of Interpretation*, courtesy of Tomas B. Garcia, MD.

박동수 :	분당 약 110회	PR 간격 :	정상, 사건은 제외
규칙성 :	불규칙	QRS 폭 :	정상, 사건은 제외

P파 :
  형태:
  축:
	있음
	정상
	정상
		그룹화 :	없음

		탈락 박동 :	없음
P:QRS 비 : 1:1		리듬 :	동빈맥과 다수의 심방 조기수축s와 방실접합부 조기수축

해설:

　네 번째와 아홉 번째 QRS파는 확연히 다르다. 그들이 심실 조기수축인가? 아니다. 그들은 편위전도된 심방 조기수축이다. 두 개의 넓은 QRS파 이전의 T파의 형태에 주목하자. 그것은 먼저 발생하여 숨겨진 P 때문에 다른 것보다 크고 넓다. 일찍 도착한 심방 조기수축이 그들을 정상적으로 전도할 준비가 덜되어 있는 우각에 도착하기 때문에 이 심방 조기수축의 QRS파들은 편위전도하게 된다. 두 심방 조기수축s의 휴지는 비보상적 휴지로써 원래의 동박동을 초기화(reset)한다(빨간 점과 녹색 점을 보라).

　만약 제대로 관찰했다면 파란 화살표가 있는 복합체를 주목했을 것이다. 이 복합체는 무엇인가? 좁고, 정상적으로 전도되는 QRS들과 같은 방향으로 시작되나 약간은 조기박동이다. 이것이 방실접합부 조기수축이다. 방실접합부 조기수축은 예상치보다 아주 조금 일찍 도착하고 짧은 PR 간격이 있는 것 같은 착시를 보이게 한다는 사실에 주목하자. 왜 이것이 자신의 PR 간격을 가진 심방 조기수축이 아닌가? P파가 조기박동하지 않았고 주변과 같은 모양으로 생겨서이다. 항상 기록지의 모든 부분을 살펴봐야 한다는 것을 명심하자. 간혹 이러한 조그마한 변화가 유용한 정보를 제공하게 된다.

최종 점검 1: 심전도 27

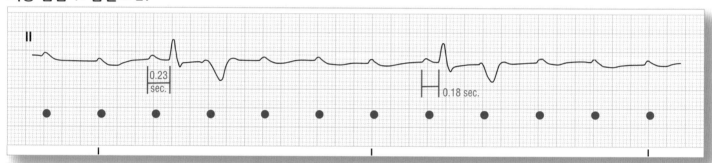

From *Arrhythmia Recognition: The Art of Interpretation,* courtesy of Tomas B. Garcia, MD.

박동수 :	심방 : 분당 약 100회 심실 : 분당 약 20회	PR 간격 :	적용할 수 없음
규칙성 :	불규칙	QRS 폭 :	넓음
P파 : 　형태 : 　축 :	있음 정상 정상	그룹화 :	없음
		탈락 박동 :	있음
P:QRS 비 :	없음	리듬 :	3도 방실차단

해설:

　이 기록지는 분명한 방실차단을 보여준다. 심방 심박수는 100회/분이어서 심방 리듬을 동빈맥이나 심방빈맥으로 만들게 한다. 심실 심박수는 20회/분이어서, 심실 반응은 심실성 이탈리듬이다. 첫눈에 심실QRS들의 직전 PR 간격은 동일해 보인다. 그러나 이 경우에는 그렇지 않다. 첫 번째 PR 간격은 0.23초인 반면 두 번째는 0.18초이다. 이것은 진행된 2도 방실차단이 아니라 완전 혹은 3도 방실차단이다.

최종 점검 1: 심전도 28

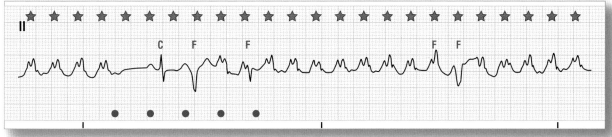

From *Arrhythmia Recognition: The Art of Interpretation*, courtesy of Tomas B. Garcia, MD.

박동수 :	분당 약 200회	PR 간격 :	해설 참조
규칙성 :	불규칙	QRS 폭 :	넓음
P파 :	있음, 간헐적인	그룹화 :	없음
형태 :	정상	탈락 박동 :	없음
축 :	정상		
P:QRS 비 :	해설 참조	리듬 :	단형 심실빈맥

해설 :

　심전도 28은 단형 심실빈맥의 전형적인 예이다. 우선 200회/분 정도의 넓은QRS 빈맥이다. 한 개의 정상적으로 전도된 포획박동이 있으며(C로 표시됨) 방실해리의 증거인 여러 개의 융합 박동(F 로 표시됨)이 있다. P파가 짧은 간격으로 표시되어 있다(파란 점을 보라). 나머지 P파는 넓은 QRS파에 묻혀서 잘 보이지 않는다.

　이 교과서에서 단형 심실빈맥이 규칙적인 리듬이라는 것을 자주 보았을 것이다. 포획박동과 융합박동에 의해 타이밍이 붕괴된 것처럼 보이지만, 초반부 잠깐을 제외하고는 규칙적인 모습이다(기록지 상단의 빨간 별 참조). 빨간 별의 시점은 빈맥을 유발한 심실의 회귀성 회로가 포획박동이나 융합박동에 의해 방해되지 않았음을 보여준다. 다시 말해서 리듬의 박자는 초기화되지 않았다. 그것은 시계처럼 규칙적으로 남아있다.

최종 점검 1: 심전도 29

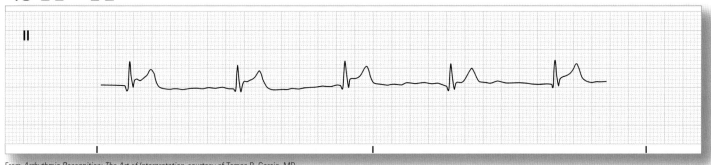

From *Arrhythmia Recognition: The Art of Interpretation*, courtesy of Tomas B. Garcia, MD.

박동수 :	분당 약 51회	PR 간격 :	없음
규칙성 :	규칙적	QRS 폭 :	정상
P파 :	없음	그룹화 :	없음
형태 :	없음	탈락 박동 :	없음
축 :	없음		
P:QRS 비 :	없음	리듬 :	심방세동 및 완전방실차단

해설 :

　이 환자는 51회/분의 좁은 QRS 리듬을 가진다. P파가 보이지 않고 리듬은 규칙적이다. 이것은 방실 접합부 리듬인데 두 가지를 유의하자. 우선, 파도치는 원래선 때문에 심방세동으로 착각하지 말고 리듬의 규칙성을 주목하자. 심방세동일 때, 심방은 300~600회/분으로 매우 빠르고 불규칙하다. 이러한 심방의 탈분극은 방실결절에서 상당수 걸러지고 심실로 전달되지만, 결국 박동의 기원은 불규칙한 심방의 탈분극이다. 따라서, 심방세동의 QRS파가 규칙적일 확률은 극히 희박하다. 만약, 심방세동에서 QRS파가 규칙적이라면, 방실차단에 의한 이탈 율동이라고 보는 것이 타당하다. 두 번째로, ST 분절의 상승이 꽤 저명하다. ST 분절 상승에 대한 평가를 위해서 이러한 기록지를 사용하면 안 되며, 반드시 12 유도 심전도를 얻어야 한다. 심근경색증의 가능성이 있다.

최종 점검 1: 심전도 30

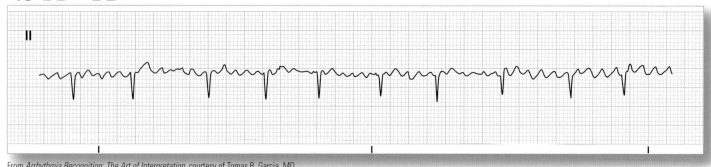

From *Arrhythmia Recognition: The Art of Interpretation*, courtesy of Tomas B. Garcia, MD.

박동수 :	분당 약 95회	PR 간격 :	없음
규칙성 :	완전히 불규칙	QRS 폭 :	정상
P파 : 　형태: 　축:	없음 없음 없음	그룹화 :	없음
		탈락 박동 :	없음
P:QRS 비 :	없음	리듬 :	심방세동

해설:

이 심전도 기록지는 매우 거친 원래선을 가진 불규칙한 리듬을 보인다. 이것이 심방세동이다.

이런 환자에게서 중요한 것은 P파가 거친 원래선 밑에 숨어 있지 않는 것을 확인하기 위하여 여러 유도의 심전도를 얻는 것이다.

최종 점검 1: 심전도 31

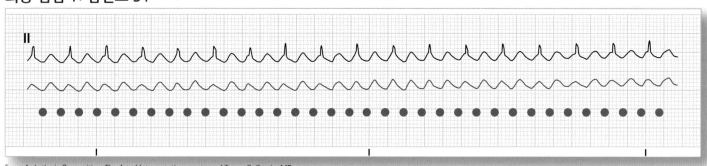

From *Arrhythmia Recognition: The Art of Interpretation*, courtesy of Tomas B. Garcia, MD.

박동수 :	심방 : 분당 약 300회 심실 : 분당 약 150회	PR 간격 :	적용할 수 없음
규칙성 :	규칙적	QRS 폭 :	정상
P파 : 　형태: 　축:	F파들 적용할 수 없음 적용할 수 없음	그룹화 :	없음
		탈락 박동 :	없음
P:QRS 비 :	2:1	리듬 :	심방조동

해설:

이 환자는 150회/분의 심실 심박수를 가진다. 이러한 형태는 심방조동의 조동 파형을 즉시 찾도록 해야 한다. 만약

이 기록지에서 QRS파를 지우면 심방조동에 합당한 300회/분의 심박수를 가진 분명한 톱니 패턴을 볼 수 있다(분홍 선을 보라).

최종 점검 1: 심전도 32

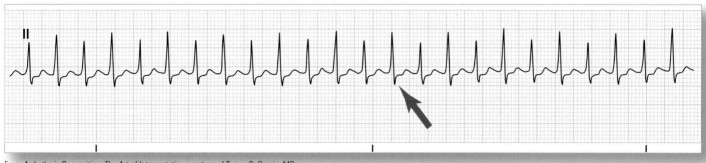

From *Arrhythmia Recognition: The Art of Interpretation*, courtesy of Tomas B. Garcia, MD.

박동수 :	분당 약 200회	PR 간격 :	적용할 수 없음
규칙성 :	규칙적	QRS 폭 :	정상
P파 : 형태: 축:	pseudo S wave 역위 적용할 수 없음	그룹화 :	없음
		탈락 박동 :	없음
P:QRS 비 : 1:1		리듬 :	방실결절 회귀 빈맥

해설:

이 기록지는 200회/분의 좁은 QRS 빈맥을 보인다. pseudo S파로 볼 수 있는 QRS파 끝의 작은 음성 편위가 있다. 추정 진단은 방실결절 회귀 빈맥이다. 임상적인 연관과 빈맥 지속 동안 그리고 12 유도 심전도가 방실결절 회귀 빈맥의 확진에 도움이 될 것이다.

최종 점검 1: 심전도 33

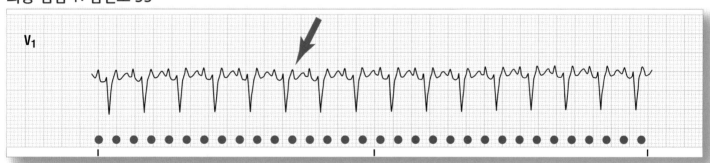

From *Arrhythmia Recognition: The Art of Interpretation*, courtesy of Tomas B. Garcia, MD.

박동수 :	심방 : 분당 약 300회 심실 : 분당 약 150회	PR 간격 :	적용할 수 없음
규칙성 :	불규칙	QRS 폭 :	정상
P파 : 형태: 축:	있음 적용할 수 없음 적용할 수 없음	그룹화 :	없음
		탈락 박동 :	없음
P:QRS 비 : 2:1		리듬 :	심방조동

해설:

우선 이 기록지를 V₁유도에서 얻었음을 주목하자. QRS파 이전에 분명한 P파가 있으나 QRS 뒤에도 분명하지는 않지만 다른 하나가 더 있다(파란 화살표를 보라). 심방 심박수는 300회/분이고 전도율은 2:1이어서 150회/분의 심실리듬을 만든다. 이 숫자가 또 언급된다. 다시 말하자면 150회/분의 심박수를 보면 심방조동을 생각하자. 확진을 위해 다양한 유도 혹은 전체 12 유도의 심전도를 얻어야 한다. 그러나 많은 경우에 유도 II에서 아무것도 보지 못하고 유일하게 심방의 활동을 볼 수 있는 유도는 V₁이 유일할 것이다. 다시 정리하면 전형적으로 심방 활동을 가장 보기 좋은 유도는 V₁이다.

최종 점검 1: 심전도 34

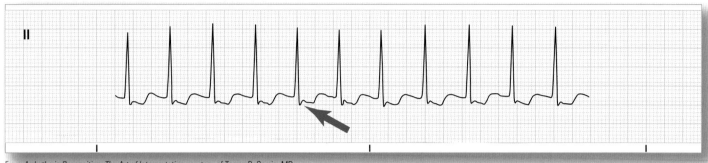

From *Arrhythmia Recognition: The Art of Interpretation*, courtesy of Tomas B. Garcia, MD.

박동수 :	분당 약 128회	PR 간격 :	적용할 수 없음
규칙성 :	규칙적	QRS 폭 :	정상
P파 : 　형태: 　축 :	pseudo S 역위 적용할 수 없음	그룹화 :	없음
		탈락 박동 :	없음
P:QRS 비 :	1:1	리듬 :	접합부 빈맥

해설:

이 기록지는 pseudo S파를 가지는 빠르고 좁은 QRS 빈맥을 보인다(파란 화살표). 128회/분의 심박수는 방실 접합부 빈맥의 범주에 속한다. 130회/분 이상의 심박수는 방실 결절 회귀 빈맥에서 비교적 흔하다.

최종 점검 1: 심전도 35

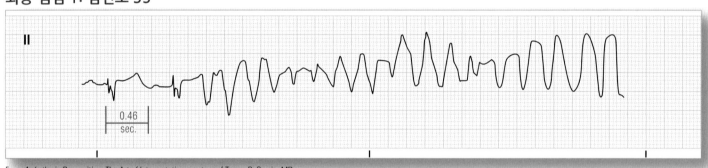

From *Arrhythmia Recognition: The Art of Interpretation*, courtesy of Tomas B. Garcia, MD.

박동수 :	해설 참조	PR 간격 :	해설 참조
규칙성 :	해설 참조	QRS 폭 :	해설 참조
P파 : 　형태: 　축 :	해설 참조 해설 참조 해설 참조	그룹화 :	해설 참조
		탈락 박동 :	없음
P:QRS 비 :	해설 참조	리듬 :	동율동이 de pointes로 전환

해설:

이 기록지의 시작은 0.46초의 QT 간격을 가지는 동율동이다. 이 동율동은 약 84회/분이다. 환자는 그 후 심실 조기수축 같은 사건이 발생하게 되고, 이것은 240~280회/분의 Torsades을 유발하게 된다. 이 유도의 첫 심실 조기수축은 이후의 심실 QRS들과 형태가 분명히 구분되지는 않지만 ST-T파 구역의 상대적 불응기에 떨어졌다. Torsades의 파도치는 모양과 극성의 변화는 기록지의 중 후반부에서 저명하다.

최종 점검 1: 심전도 36

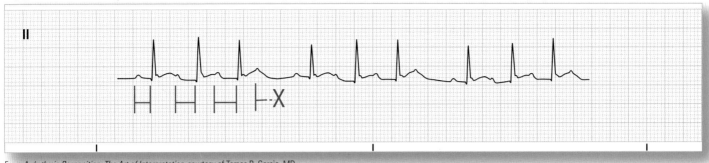

From *Arrhythmia Recognition: The Art of Interpretation*, courtesy of Tomas B. Garcia, MD.

박동수	분당 약 110회	**PR 간격 :**	다양함
규칙성	불규칙	**QRS 폭 :**	정상
P파	있음	**그룹화 :**	있음
형태 :	정상		
축 :	정상	**탈락 박동 :**	있음
P:QRS 비 :	4:3	**리듬 :**	Mobitz 1 2도 방실차단

해설 :

이 심전도는 4:3의 전도비율로 전도되는 일련의 그룹을 보여준다. 각 QRS들에서 PR 간격은 점진적으로 늘어나고 있으며, R-R 간격은 줄어들고 있다. 각 그룹의 마지막 P파는 전도되지 않았다.

각 그룹에서 가장 긴 PR 간격은 탈락 박동 직전이고 가장 짧은 것은 휴지 직후의 것이다. 이것은 Wenckebach 혹은 Mobitz 1형 2도 방실차단의 특징이다.

최종 점검 1: 심전도 37

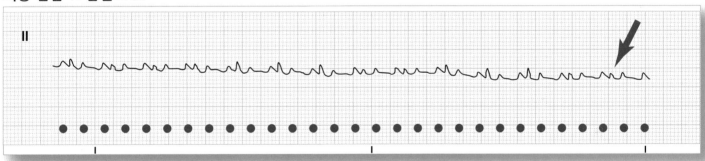

From *Arrhythmia Recognition: The Art of Interpretation*, courtesy of Tomas B. Garcia, MD.

박동수	심방 : 분당 약 280회	**PR 간격 :**	해설 참조
	심실 : 분당 약 140회		
규칙성	규칙적	**QRS 폭 :**	정상
P파 :	있음	**그룹화 :**	없음
형태 :	정상		
축 :	정상	**탈락 박동 :**	없음
P:QRS 비 :	2:1	**리듬 :**	차단을 동반한 이소성 심방빈맥

해설 :

이번 리듬 기록지는 첫 눈에 보기에는 아주 속기 쉽다. 이유는 R파의 높이가 아주 낮아서 그것을 둘러싼 P파와 거의 같은 크기이기 때문이다(파란 화살표는 QRS파의 낮은 진폭을 나타낸다). 각각의 QRS파를 둘러싼 2개의 P파가 존재하며 이것은 중간에 QRS파를 가지고 있는 반복되는 2:1 전도를 형성하고 있다. 다시 한 번 말하지만, 당신이 이 기록지에서 QRS파를 머릿속으로 제거할 수 있다면 심방빈맥임을 알 수 있을 것이다. 하지만, 심방조동과 비교할 때 P파 사이에 등전압 간격이 있다. 이러한 등전압 간격은 이 리듬을 차단을 동반한 이소성 심방빈맥일 가능성을 높인다.

최종 점검 1: 심전도 38

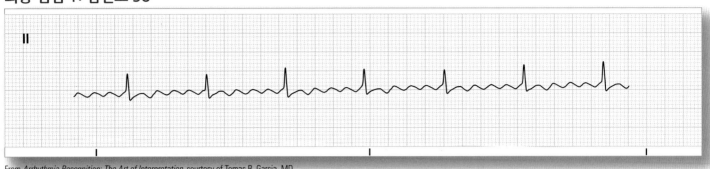

From *Arrhythmia Recognition: The Art of Interpretation*, courtesy of Tomas B. Garcia, MD.

박동수 :	심방 : 분당 약 300회 심실 : 분당 약 70회	PR 간격 :	적용할 수 없음
규칙성 :	불규칙	QRS 폭 :	정상
P파 : 　형태: 　축:	F파들 적용할 수 없음 적용할 수 없음	그룹화 :	없음
		탈락 박동 :	없음
P:QRS 비 :	5:1	리듬 :	심방조동

해설:

원래 F파들의 톱니 패턴은 이 기록지에서 저명하다. 이 리듬의 전도율은 5:1이다. 비율을 추정하는 쉬운 방법은 QRS파 사이의 분명히 보이는 음성의 F파 수를 세는 것이며 그 수에 하나를 더하는 것이다. 이전의 QRS파 안에 묻힌 하나의 F파가 있기 때문에 항상 하나를 더해야 한다. 이 예에서 우리는 네 개의 F파들을 쉽게 찾을 수 있고 묻힌 하나가 더 있어서 5:1의 전도비율을 보인다.

최종 점검 1: 심전도 39

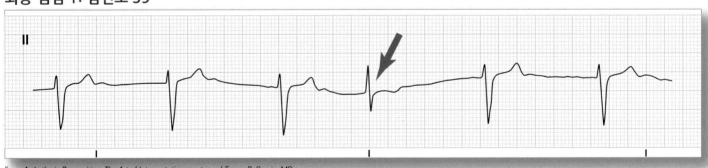

From *Arrhythmia Recognition: The Art of Interpretation*, courtesy of Tomas B. Garcia, MD.

박동수 :	분당 약 60회	PR 간격 :	없음
규칙성 :	사건을 동반한 규칙적	QRS 폭 :	넓음
P파 : 　형태: 　축:	없음 없음 없음	그룹화 :	없음
		탈락 박동 :	없음
P:QRS 비 :	없음	리듬 :	가속성심실고유율동

해설:

심전도 39는 60회/분의 넓은 QRS파 리듬을 보여준다. 기록지 어디에도 분명한 P파는 보이지 않는다. T파 끝의 작은 양성 편향은 P파가 아니라 U파이다. 이 지점에서 우리는 가속성 심실 고유율동(accelerated idioventricular rhythm)이나 이전에 각차단을 가지고 있는 환자에서 발생한 접합부 리듬의 가능성을 생각할 수 있다.

파란 화살표는 좁고 일찍 발생한 QRS파를 가리킨다. 방실접합부 조기수축이라고 할 수 있는가? 그럴 수 있다. 그러나 기존의 각차단에 의한 넓은 QRS파 접합부리듬을 가지면서 정상적으로 전도되는 좁은 방실접합부 조기수축을 가

질 가능성은 없는가? 꽤 작다. 무엇이 두 번째로 가능한 것인가? 30장에서 언급했던 가속성 심실고유 율동을 돌이켜 보자. 우리는 가속성 심실고유 율동에서 방실해리가 흔하다는 것을 언급했다. 그러면 이 좁은 QRS파가 포획 박동을 의미하는가? 그럴 수 있다. 이 진단은 P파가 보이지 않는 넓은 QRS파와, 기록지 중간의 좁은 QRS파가 존재할 수 있다. 그다지 어렵지 않다. 자 이제 어떻게 증명할 수 있을까?

12 유도 심전도 소견을 가지고 과거의 것과 비교하면 추정 진단에 필요한 증거를 제공받을 수 있을 것이다. 이 정보는 쉽게 얻을 수 있어서 가속성 심실고유 율동이 확인되었다.

최종 점검 1: 심전도 40

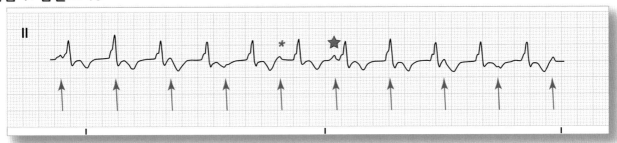

From *Arrhythmia Recognition: The Art of Interpretation*, courtesy of Tomas B. Garcia, MD.

박동수 :	분당 약 102회	PR 간격 :	없음
규칙성 :	규칙적	QRS 폭 :	넓음
P파 : 　형태: 　축:	있음 정상 정상	그룹화 :	없음
		탈락 박동 :	없음
P:QRS 비 :	해설 참조	리듬 :	단형 심실빈맥

해설:

이것은 넓은 QRS파 리듬이다. 게다가 102회/분의 심박수를 가지면 규칙적인 빈맥이다. 위의 두 가지의 정보만으로 우선 심실빈맥을 생각해야만 한다. 이제 그것을 증명하든지 반증해 보자. 가장 먼저 찾아야 할 것은 방실해리의 증거이다. P파처럼 보이는 것이 있는가? 붉은 별 아래의 파형을 보라. 이것은 분명한 P파이다. 그 주위에서 P파처럼 보이

는 편향을 찾을 수 있는가?

별표(*) 모양 아래를 보면 이전 QRS의 T파 후에 나타나는 또 다른 P파를 볼 수 있다. 자 이제 캘리퍼를 가지고 거리를 측정해보자. 기록지 앞뒤로 거리를 재보면 이러한 정확한 위치에 불규칙성을 알게 될 것이다(얇은 파란 화살표를 보라). 이것은 묻힌 P파이며, 이것은 방실해리의 직접적인 증거이다. 그래서 이 리듬은 심실빈맥이다.

최종 점검 1: 심전도 41

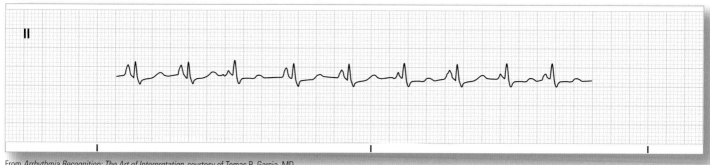

From *Arrhythmia Recognition: The Art of Interpretation*, courtesy of Tomas B. Garcia, MD.

박동수 :	분당 약 110회	PR 간격 :	다양함
규칙성 :	완전히 불규칙	QRS 폭 :	정상
P파 : 형태: 축:	있음 정상, 그러나 다양함 다양함	그룹화 : 탈락 박동 :	없음 없음
P:QRS 비 : 1:1		리듬 :	다소성 심방빈맥

해설:

이것은 P파를 동반한 불규칙한 리듬이다. 이것에 대한 두 가지 가능성이 있다. 다소성 심방빈맥과 유주 심방 율동이다. 이 기록지에서 심박수는 110회/분이며 다소성 심방빈맥

이 가장 가능한 진단이다. 자 이제 우리의 진단을 확인해보자. 적어도 세 개의 다른 P파의 모양이 보이며 각각 다른 PR 간격을 가지는가? 그렇다. 최종진단으로 다소성 심방빈맥을 확진할 수 있다.

최종 점검 1: 심전도 42

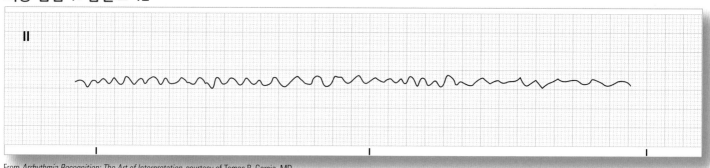

From *Arrhythmia Recognition: The Art of Interpretation*, courtesy of Tomas B. Garcia, MD.

박동수 :	적용할 수 없음	PR 간격 :	없음
규칙성 :	없음	QRS 폭 :	없음
P파 : 형태: 축:	없음 없음 없음	그룹화 : 탈락 박동 :	없음 없음
P:QRS 비 : 없음		리듬 :	심실세동

해설:

이 리듬 기록지는 완전히 혼란한 심실 반응을 보여준다. 이것은 전형적으로써 두 가지 가능성이 있다. 심실세동과 인공 파형(artifact)이다. 환자를 보라. 만일 그가 의식이 없

거나 반응이 없으면 그것은 심실세동이다. 만일 그가 대화하고 편안하다면 허상이다. 또 한 가지 임상적으로 더 중요한 점은 치명적인 부정맥을 놓치지 않도록 모니터의 유도를 재빨리 바꾸어 주어야 한다는 것이다.

최종 점검 1: 심전도 43

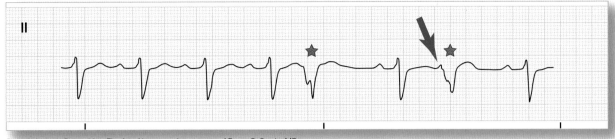

박동수 :	분당 약 74회	PR 간격 :	연장
규칙성 :	빈번한 사건을 동반한 규칙적	QRS 폭 :	정상
P파 : 　형태: 　축:	있음 정상 정상	그룹화 :	없음
		탈락 박동 :	없음
P:QRS 비 : 1:1		리듬 :	빈번한 심실 조기수축과 1도 방실차단을 동반한 동율동

해설:

이 기록지는 원래의 동율동과 길어진 PR 간격에 의한 1도 방실 차단이 있는 환자이다. 환자는 두개의 심실 조기수축(빨간 별 QRS들을 보라)를 가지며 완전 대상성 휴지기를 가지고 있다. 파란 화살표는 두 번째 심실 조기수축이 생길 때 시작되는 정상적으로 발생된 P파를 가리킨다.

결과적으로 심실 조기수축에 P파가 묻혔으며 모양이 약간 바뀌었다. 다른 연결간격(이전의 QRS과 심실 조기수축 시작 사이의 거리)에도 불구하고 두 개의 심실 조기수축은 한 곳에서 발생하는 것일 가능성이 높다.

최종 점검 1: 심전도 44

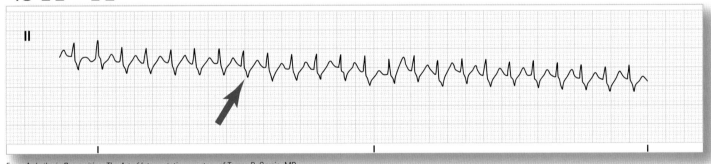

박동수 :	분당 약 215회	PR 간격 :	해설 참조
규칙성 :	규칙적	QRS 폭 :	넓음
P파 : 　형태: 　축:	해설 참조 해설 참조 해설 참조	그룹화 :	없음
		탈락 박동 :	없음
P:QRS 비 : 해설 참조		리듬 :	방실 회귀빈맥

해설:

심전도 44는 진단의 딜레마가 있다. 215회/분의 넓은 QRS 빈맥이다. QRS파는 심실 기원에서 기대되는 것보다는 약간 좁지만 심실빈맥은 여전히 감별진단에 들어간다. S파 바닥에 편향이 있으며 이것은 편위전도의 특징적 모양 혹은 긴 RP 간격을 가진 역위된 P파를 나타낼 수도 있다. 이 하나의 기록지를 바탕으로 심실빈맥, 편위전도를 동반한 방실결절 회귀빈맥 혹은 역방향성 방실 회귀빈맥을 구분하기는 어렵다.

12 유도 심전도가 감별진단에 무엇보다 중요하다. 역위된 P파처럼 보이는 것은 모든 유도에서 독립된 구조 요소로 보이며 긴 RP간격으로 인해 역방향 방실 회귀 빈맥의 가능성을 높인다. 만일 이용할 수 있다면 병력 역시 중요한 결정 요소이다.

이 기록지의 교훈은 간혹 완전히 리듬의 진단을 좁히지

못할 수 있다는 것이다. 그러한 경우 여러분은 합리적 결론에 도달하기 위한 모든 방법을 동원해야 한다는 것이다. 이 경우 환자가 심실빈맥을 가지고 있다는 가정 하에 치료하면서 부전도로가 있을 수 있고, 방실 회귀빈맥일 수도 있다고 강력하게 의심해야 한다. 만일 환자가 불안정하다면 이 두 경우에서 모두 직류 심리듬 전환이 필요하다.

최종 점검 1: 심전도 45

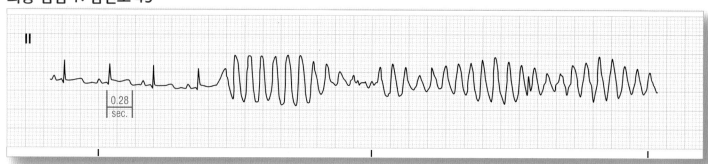

From *Arrhythmia Recognition: The Art of Interpretation*, courtesy of Tomas B. Garcia, MD.

박동수 :	시작 지점에서 분당 약 110회	PR 간격 :	시작 지점에서 정상
규칙성 :	해설 참조	QRS 폭 :	시작 지점에서 정상
P파	시작 지점에서 존재	그룹화 :	있음, 기록지의 끝 지점에서
형태:	시작 지점에서 정상		
축:	시작 지점에서 정상	탈락 박동 :	없음
P:QRS 비 : 시작 지점에서 1:1		리듬 :	동빈맥이 Torsades으로 전환

해설:

이 기록지는 동빈맥이 Torsades로 변하는 것을 보여준다. Torsades는 R on T 심실 조기수축에 의해 생성된다. QRS파

의 계속적인 모양과 극성의 변화를 확인하자.

최종 점검 1: 심전도 46

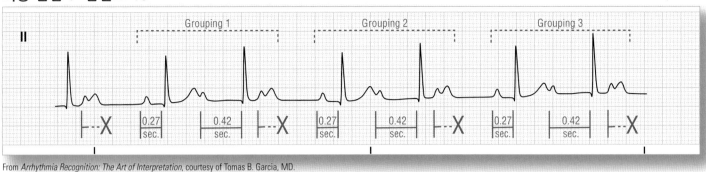

From *Arrhythmia Recognition: The Art of Interpretation*, courtesy of Tomas B. Garcia, MD.

박동수 :	분당 약 70회	PR 간격 :	다양함
규칙성 :	불규칙	QRS 폭 :	정상
P파 : 　형태: 　축:	있음 정상 정상	그룹화 :	있음
		탈락 박동 :	있음
P:QRS 비 : 3:2		리듬 :	Mobitz 1형 2도 방실차단

해설:

　심전도 46은 매우 현혹당할 수 있는 경우로써 리듬은 첫 눈에 단순한 3도 방실차단 같아 보인다. 그러나 자세한 관찰과 몇 가지 측정은 이 처음의 진단을 빠르게 바꾼다. 시작하기 전에 리듬이 일정한가? 아니다. 그것은 불규칙하다. 이 사실이 3도 방실차단을 완전히 배제하는데 심실에서 탈분극한 모든 이탈리듬은 그것이 접합부이던 심실성이던 간에 항상 일정하기 때문이다. 그룹이 있는가? 그렇다. 그러나 지적하기 어렵다. 전 기록지에서 두개의 다른 R-R 간격이 있다. 하나는 0.84초이고 하나는 1.08초이며 전 기록지를 통해서 번갈아가며 반복된다.

　이 시점에서 PR 간격으로 주의를 돌려보자. 두 개의 측정 가능한 PR 간격이 있다. 0.27초와 0.42초이다. 이제 돌아가서 위 문단에서 분리했던 그룹들을 살펴보자. 우선 PR 간격이 0.27초인 P파가 있다.

　그리고 0.42초의 PR 간격이 있다. 그 다음 비전도된 P파가 있다. 이것은 각 그룹에서 반복적인 형태로 나타나며 Wenckebach나 Mobitz 1형 2도 방실차단일 가능성이 가장 높다.

　이 리듬 기록지의 해석을 난해하게 하는 것은 두 R-R 간격 사이의 작은 차이 때문이다. 일반적으로 그룹들 사이에는 좀 더 큰 차이가 있으며 이것들은 탈락 박동을 반영한다. 그러나 단순히 그룹들이 예상보다 가까워질 수 있기 때문이며 여전히 Wenckebach이다. 위에서 언급했듯 3도 방실차단은 규칙적인 이탈 리듬이 나타난다. 대부분 첫 인상이 맞지만 이 기록지에서 증명되는 것과 같이 다를 수도 있다.

최종 점검 1: 심전도 47

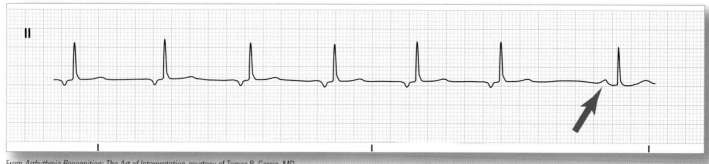

From *Arrhythmia Recognition: The Art of Interpretation*, courtesy of Tomas B. Garcia, MD.

박동수 :	분당 약 62회	PR 간격 :	해설 참조
규칙성 :	해설 참조	QRS 폭 :	정상
P파 : 형태: 축:	있음 해설 참조 해설 참조	그룹화 :	없음
		탈락 박동 :	없음
P:QRS 비 : 1:1		리듬 :	이소성 심방리듬(세부 사항을 위해 해설 참조)

해설:

심전도 47은 두 가지 다른 규칙적인 리듬 사이의 이행기를 보여준다. 첫 째는 62회/분의 이소성 심방리듬이다. 기록지의 앞 쪽 끝에서 보이는 이소성 심방 심박동기와 일치되는 정상적인 PR 간격에 역위된 P파를 주목하자. 그러나 파란 화살표로 보이는 P파는 이전의 R-R 간격보다 더 긴 휴지기 후에 나타난다. 게다가 P파는 상향이며 다른 PR 간격을 가진다. 이 P파는 심방 이탈QRS 혹은 동율동으로의 변화로 생각할 수 있으며, 심지어 다른 이소성 심박리듬일 수도 있다(다른 이소성 심박동기에 의해서 나타나는). 통계적으로 심방 이탈리듬보다는 새로운 리듬일 가능성이 많다. 하지만 이러한 변화를 확인하기 위해서는 좀 더 긴 기록지가 필요하다.

최종 점검 1: 심전도 48

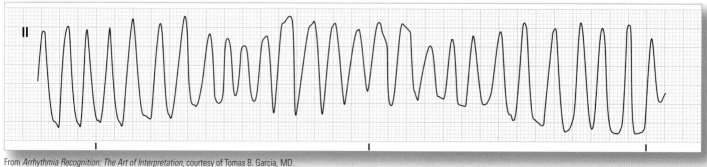

From *Arrhythmia Recognition: The Art of Interpretation*, courtesy of Tomas B. Garcia, MD.

박동수 :	분당 약 220~260회	PR 간격 :	없음
규칙성 :	완전히 불규칙	QRS 폭 :	넓음
P파 : 형태: 축:	없음 없음 없음	그룹화 :	해설 참조
		탈락 박동 :	없음
P:QRS 비 : 없음		리듬 :	다형 심실빈맥 혹은 Torsades

해설:

심전도 48은 다형 심실빈맥 혹은 Torsades의 전형적인 물결치는 형태이다. 어느 것이 최종 진단인지는 동율동인 시기에 환자의 원래 QT 간격에 달려 있다. 이 기록지에서 QRS파의 크기, 형태, 극성의 지속적 변화에 주목하라. 이러한 변화에 의해 야기된 파도치는 형태의 그룹을 가지게 한다.

최종 점검 1: 심전도 49

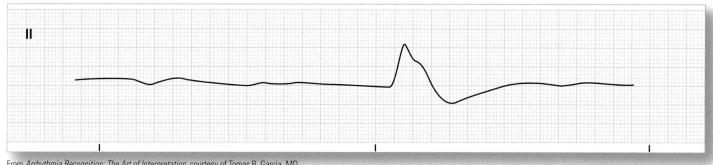

From *Arrhythmia Recognition: The Art of Interpretation*, courtesy of Tomas B. Garcia, MD.

박동수 :	분당 10회 보다 느림	PR 간격 :	없음
규칙성 :	해설 참조	QRS 폭 :	넓음
P파 :	없음	그룹화 :	없음
형태:	없음		
축:	없음	탈락 박동 :	없음
P:QRS 비 :	없음	리듬 :	임종 리듬(agonal rhythm)

해설:

심전도 49는 임종 리듬(agonal rhythm)을 보여준다. QRS 복합체의 넓이와 완전 비정상적이고 기이한 모습의 하나의 복합체에 주목해라. 임종 리듬은 종말 사건이고 완전 무수축의 전구단계이다. 대부분의 경우에서 심실탈분극은 전기적 사건에만 그치고 결과적인 기계적 수축은 없다.

최종 점검 1: 심전도 50

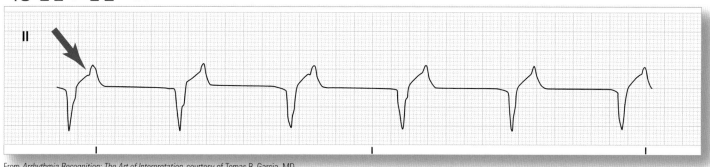

From *Arrhythmia Recognition: The Art of Interpretation*, courtesy of Tomas B. Garcia, MD.

박동수 :	분당 약 50회	PR 간격 :	없음(RP)
규칙성 :	규칙적	QRS 폭 :	넓음
P파 :	있음	그룹화 :	없음
형태:	역위		
축:	적용할 수 없음	탈락 박동 :	없음
P:QRS 비 :	1:1	리듬 :	가속성 심실고유율동

해설:

심전도 50은 넓고 기이하게 보이는 리듬을 보여주고 있으며, 이는 분명히 심실 기원이다. QRS파들 이전에 어떠한 P파들도 보이지 않으며 T파 정점 근처의 역위된 P파가 있다(파란화살표를 보라). 매우 연장된 RP간격은 심실리듬에서 역행 전도된 P파에서 흔히 보인다.

최종 점검 1: 심전도 51

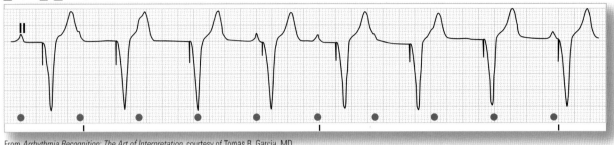

From *Arrhythmia Recognition: The Art of Interpretation*, courtesy of Tomas B. Garcia, MD.

박동수 :	심방 : 분당 약 80회 심실 : 분당 약 64회	PR 간격 :	적용할 수 없음
규칙성 :	규칙적	QRS 폭 :	넓음
P파 : 　형태: 　축:	있음 정상 정상	그룹화 :	없음
		탈락 박동 :	없음
P:QRS 비 : 적용할 수 없음		리듬 :	심실 조율 리듬

해설:

심전도 51은 인공 심박동기에 의한 유발된 각각의 심실 QRS들 직전의 날카로운 스파이크를 보여준다. 박동기는 원래 심방리듬을 완전히 무시하는 양상을 보여준다(파란 점을 보라). 이 기록지에는 심방의 감지나 조율의 증거가 없으므로 이 리듬은 VVI 박동기와 일치한다.

최종 점검 1: 심전도 52

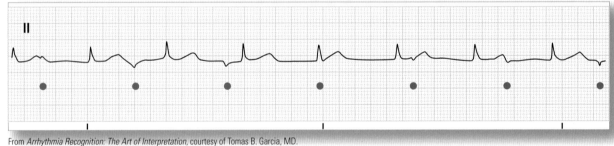

From *Arrhythmia Recognition: The Art of Interpretation*, courtesy of Tomas B. Garcia, MD.

박동수 :	심방 : 분당 약 51회 심실 : 분당 약 61회	PR 간격 :	적용할 수 없음
규칙성 :	규칙적	QRS 폭 :	정상
P파 : 　형태: 　축:	있음 역위 비정상	그룹화 :	없음
		탈락 박동 :	없음
P:QRS 비 : 적용할 수 없음		리듬 :	3도 방실차단

해설:

심실 반응은 규칙적이며 대략 61회/분이다. 심방리듬은 51회/분으로 확실하게 더욱 더 느리다, 약간의 역위된 P파가 보이며, QRS파들과의 연관성은 없다. 역위된 P파들과 QRS파들, 그리고 ST 분절과 T파가 복합되어 나타나는 형태적인 변화를 주목하라. 이것은 가속성 접합부 이탈율동(accelerated junctional escape rhythm)과 심방리듬을 동반한 3도 방실차단이다.

최종 점검 1: 심전도 53

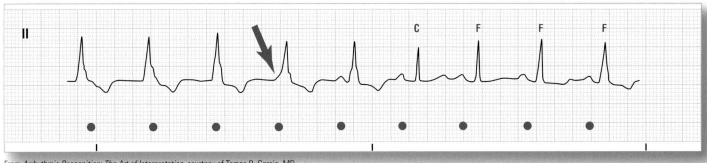

From *Arrhythmia Recognition: The Art of Interpretation*, courtesy of Tomas B. Garcia, MD.

박동수 :	심방 : 분당 약 90회 심실 : 분당 약 80회	PR 간격 :	적용할 수 없음
규칙성 :	불규칙	QRS 폭 :	넓음
P파 : 형태: 축:	있음 정상 정상	그룹화 :	없음
		탈락 박동 :	없음
P:QRS 비 :	적용할 수 없음	리듬 :	가속성 심실 고유율동

해설:

심전도 53은 90회/분의 심실 박동 속도를 가진 넓은QRS 리듬을 보여준다. 기록지의 시작 부분은 저명하게 심실 기원의 다소 넓고 이상한 모양의 박동 QRS들이 보인다. 이후에 좁은 포획 박동이 P파와 함께 보인다("C"로 명명된 QRS). 그 후 여러 개의 융합 QRS들이 이어진다("F"로 명명된 QRS). 이것들은 방실해리의 간접 증거이다. 전체 기록지에서 P파의 위치를 파악하면 심실 QRS들과 융합을 유발하

고 있다. 예를 들어 파란 화살표로 표시된 부분을 보자.

이 부위는 심실 QRS과 P파의 융합에 의해서 위로 느리게 시작하고 있다. 이것이 방실해리의 간접 증거이다.

100회/분보다 심박수가 느리기 때문에 이는 심실빈맥이 아니다. 대신에 느린 심박수는 이러한 리듬을 가속성 심실 고유율동으로 진단하게 한다. 심실고유 리듬, 가속성 심실 고유율동 그리고 심실빈맥은 모두 방실해리를 가진다는 것을 기억하자.

최종 점검 1: 심전도 54

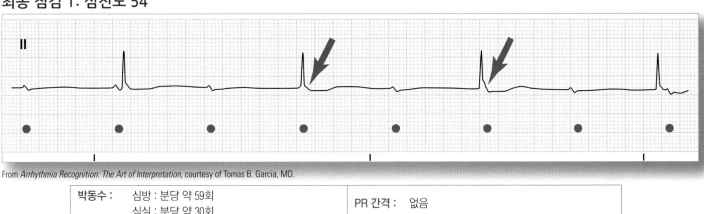

From *Arrhythmia Recognition: The Art of Interpretation*, courtesy of Tomas B. Garcia, MD.

박동수 :	심방 : 분당 약 59회 심실 : 분당 약 30회	PR 간격 :	없음
규칙성 :	규칙적	QRS 폭 :	정상
P파 : 형태: 축:	있음 이상성의(biphasic) 정상	그룹화 :	없음
		탈락 박동 :	없음
P:QRS 비 :	없음	리듬 :	3도 방실차단

해설:

54번 심전도는 매우 느린 접합부 이탈리듬과 동서맥을

동반한 완전 혹은 3도 방실차단을 보여주고 있다. 파란 화살표들은 QRS에 묻혀있는 P파를 나타내고 있다.

최종 점검 1: 심전도 55

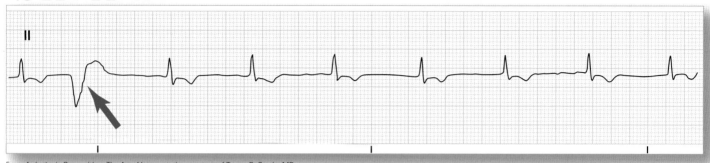

From *Arrhythmia Recognition: The Art of Interpretation*, courtesy of Tomas B. Garcia, MD.

박동수 :	분당 약 66회	PR 간격 :	없음
규칙성 :	사건을 동반한 규칙적	QRS 폭 :	정상
P파 :	없음	그룹화 :	없음
형태:	없음		
축:	없음	탈락 박동 :	없음
P:QRS 비 :	없음	리듬 :	심실 조기수축을 동반한 가속성 접합부리듬

해설:

　심전도 55은 66회/분의 심박수를 가지는 좁은 QRS 리듬을 보여주고 있다. 여기에는 P파가 보이지 않는다. 아마 pseudo-S파가 QRS파의 마지막 부분에 있을 수도 있다. 그러나 이것은 정상적인 형태의 QRS파 중 하나로 보일 수도 있다. 기록지의 시작 부위(파란 화살표)에 한 개의 심실 조

기수축이 보인다. 전체 12 유도의 심전도는 pseudo-S파의 유무 판별에 도움을 줄 것이다. 어느 경우이던 간에 심실 조기수축을 동반한 가속성 접합부 리듬(accelerated junctional rhythm)으로 진단하는 데 있어서는 pseudo-S파의 확인은 필요하지 않다.

최종 점검 1: 심전도 56

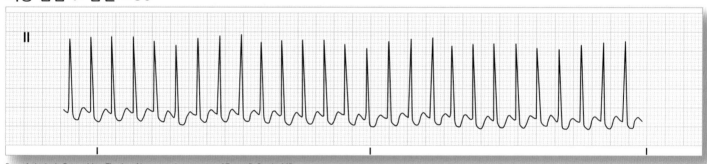

From *Arrhythmia Recognition: The Art of Interpretation*, courtesy of Tomas B. Garcia, MD.

박동수 :	분당 약 270회	PR 간격 :	없음
규칙성 :	규칙적	QRS 폭 :	정상
P파 :	없음	그룹화 :	없음
형태:	없음		
축:	없음	탈락 박동 :	없음
P:QRS 비 :	없음	리듬 :	방실 회귀 빈맥

해설:

　심전도 56은 아주 빠르고 P파가 없는, 좁은 QRS 빈맥을 보여 준다. 리듬은 매우 규칙적이다. 약간의 전기적 교대(electrical alternans)가 보이며, 대다수의 빠른 빈맥에서 예상되는 것이다. 이 리듬은 방실결절 회귀 빈맥으로써는 너

무 빠르다. 오직 다른 논리적인 가능성은 순방향성 방실 회귀 빈맥이다. 환자가 안정되어 있다면 전체 12 유도의 심전도와 임상적 연관성이 이 환자에게 강력하게 필요하다. 이런 환자들은 조심스럽게 치료하여야 하며 부전도로를 가진 환자 일 가능성이 매우 높다는 것을 명심해야 한다.

최종 점검 1: 심전도 57

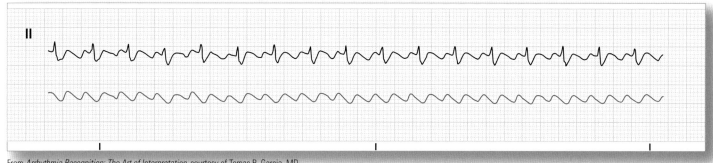

From *Arrhythmia Recognition: The Art of Interpretation*, courtesy of Tomas B. Garcia, MD.

박동수 :	심방 : 분당 약 300회 심실 : 분당 약 150회	PR 간격 :	적용할 수 없음
규칙성 :	규칙적	QRS 폭 :	해설 참조

P파 :
  형태:
  축:
	F파들
	없음
	없음
		그룹화 :	없음

		탈락 박동 :	없음
P:QRS 비 : 2:1		리듬 :	심방조동

해설:

　심실 심박수는 150회/분이며 이것은 즉각적으로 심방조동을 생각해야 한다. 이런 가능성을 포함시켜야 하는가? 그렇다. 기록지를 주시하고 QRS파들을 마음속으로 제거해보자. 결과는 위의 푸른색 선이다. 이 수정된 선에는 명백한 톱니모양의 패턴이 보인다. 하지만, 이러한 톱니바퀴 모양은 QRS파가 넓게 보이기 때문에 원래의 선에서는 약간 위장된 모양으로 보인다. 우리는 넓게 보인다고 말했다. 왜냐하면, 이것이 이 유도에서 원래의 QRS파와 f파의 융합에 의해서 생긴 환영일지 확신할 수 없기 때문이다. 전체 12유도 심전도에서 다른 유도를 관찰해 보면 좀 더 명확해질 것이다. 이 경우에 12 유도 심전도에서 QRS파가 좁은 명백한 증거를 보여주고 있으므로, 위에서 언급한 환영이 실제로 일어나고 있음을 알 수 있다.

최종 점검 1: 심전도 58

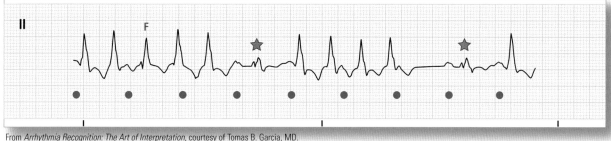

From *Arrhythmia Recognition: The Art of Interpretation*, courtesy of Tomas B. Garcia, MD.

박동수 :	심방 : 분당 약 90회 심실 : 분당 약 145회	PR 간격 :	적용할 수 없음
규칙성 :	불규칙	QRS 폭 :	넓음

P파 :
  형태:
  축:
	있음
	정상
	정상
		그룹화 :	없음

		탈락 박동 :	없음
P:QRS 비 : 적용할 수 없음		리듬 :	단형 심실빈맥

해설:

　이 기록지는 또 다른 어려운 문제이다. 여기서 중요한 것은 초기 논리이다. 이것은 넓은 QRS 빈맥이며 따라서 심실빈맥이 감별 진단 목록의 1순위가 될 것이다. 마지막 두 QRS들은 첫 인상의 초기 단서를 가지고 있다. 왜냐하면 그곳에는 명백한 P파가 QRS파들 바로 전에 나타나기 때문이다. 당신의 캘리퍼로 이것들의 거리를 재고, 이 거리를 나머지 기록지에 비교함으로써 기록지의 불규칙성이 묻혀있던

P파들을 확인할 수 있을 것이다. 이것은 방실해리의 직접적인 증거이다. 방실해리를 동반한 넓은 QRS 빈맥은 심실빈맥이다.

붉은 별에 의해 표시되는 QRS들이 선행하는 각차단을 가진 환자에서 발생한 포획박동인지 혹은 융합박동인지는 불명확하다. 통계적으로 그럴 가능성이 가장 많기 때문에 이것은 융합박동이어야 한다. 하지만 이렇게 판단하기 이전에 이를 확인하기 위해 예전 기록지가 필요하다. "F"라고 적혀진 QRS은 확실한 융합박동 QRS이다.

최종 점검 1: 심전도 59

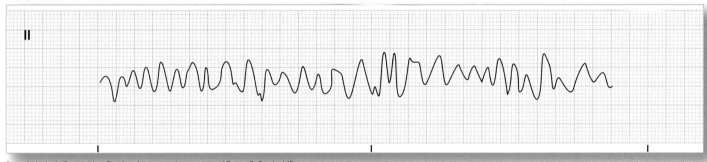

From *Arrhythmia Recognition: The Art of Interpretation*, courtesy of Tomas B. Garcia, MD.

박동수 :	없음	PR 간격 :	없음
규칙성 :	없음	QRS 폭 :	없음

P파 :
  형태:
  축:
	없음
	없음
	없음
		그룹화 :	없음

		탈락 박동 :	없음
P:QRS 비 :	없음	리듬 :	심실세동

해설:

이 심전도는 완전하게 무질서한 심실 반응을 나타내고 있다. 오직 유일한 가능성은 심실세동이다. 다시 한 번 허상(artifact)을 배제하기 위해 임상적인 연관이 필요하다.

최종 점검 1: 심전도 60

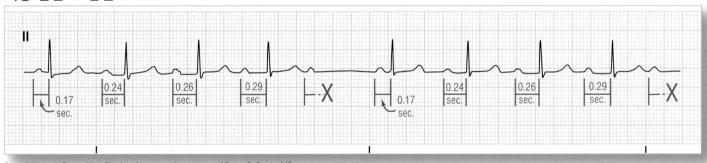

From *Arrhythmia Recognition: The Art of Interpretation*, courtesy of Tomas B. Garcia, MD.

박동수 :	분당 약 80회	PR 간격 :	다양함
규칙성 :	불규칙	QRS 폭 :	정상

P파 :
  형태:
  축:
	있음
	정상
	정상
		그룹화 :	있음

		탈락 박동 :	있음
P:QRS 비 :	5:4	리듬 :	Mobitz I형 2도 방실차단

해설:

심전도 60은 네 개의 심실 QRS들과 그 후 한 번의 휴지기를 가지는 그룹이 명백하게 나타난다. P파는 형태에서 모두 비슷하게 보이지만 PR 간격은 각각의 QRS들마다 다르다. PR 간격은 Wenckebach 또는 Mobitz I형 2도 방실차단에서 보이는 전형적으로 길어지는 패턴을 보인다. PR 간격이 가장 넓게 늘어나는 변화는 첫 번째와 두 번째 QRS 사이에서 발생하였다. 그리고 휴지기 이후 뒤따라오는 PR 간격은 가장 짧았으며 그 휴지기 전의 PR 간격은 가장 길었다.

결국 예상한 것처럼 R-R간격은 그룹 내에서 점점 짧아졌다. 최종 진단은 Mobitz I형 2도 방실차단이다.

최종 점검 1: 심전도 61

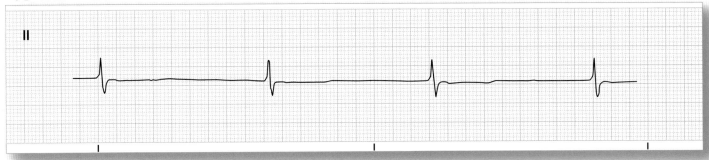

From *Arrhythmia Recognition: The Art of Interpretation*, courtesy of Tomas B. Garcia, MD.

박동수 :	분당 약 33회	PR 간격 :	없음
규칙성 :	규칙적	QRS 폭 :	정상
P파 :	없음	그룹화 :	없음
형태 :	없음		
축 :	없음	탈락 박동 :	없음
P:QRS 비 :	없음	리듬 :	접합부 리듬

해설:
　이것은 매우 느린 접합부 리듬을 볼 수 있다, 접합부 박동은 일반적으로 40~60회/분이다. 그러나 때에 따라 더 느려질 수도 있다. 이것이 그러한 경우 중 하나이다. 이 환자의

심심박수가 왜 이렇게 느려졌는지 알아보는 것은 중요하다. 심박수를 낮추는 원인들 중에서 약물사용 혹은 중독이나, 뇌혈관 사고, 허혈, 또는 전해질의 문제 등을 알아보는 것이 임상적으로 필요하다.

최종 점검 1: 심전도 62

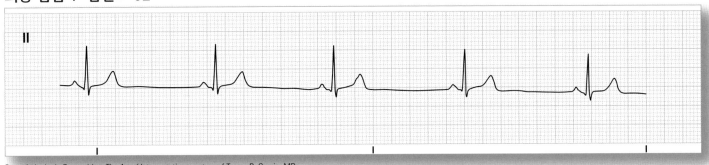

From *Arrhythmia Recognition: The Art of Interpretation*, courtesy of Tomas B. Garcia, MD.

박동수 :	분당 약 44회	PR 간격 :	정상, 일정
규칙성 :	규칙적	QRS 폭 :	정상
P파 :	있음	그룹화 :	없음
형태 :	정상		
축 :	정상	탈락 박동 :	없음
P:QRS 비 :	1:1	리듬 :	동서맥

해설:
　이 기록지는 전형적인 동서맥을 보여준다. P파가 각각의 QRS 바로 앞에 존재하는 것을 명심하라. P파는 같은 형태

를 가지고 있으며 PR 간격도 같다. QRS파는 매우 좁으며 따라서 기록지 전반에 걸쳐 큰 이상이나 불규칙성은 없는 것으로 보인다.

최종 점검 1: 심전도 63

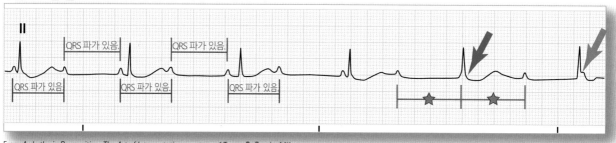

From *Arrhythmia Recognition: The Art of Interpretation*, courtesy of Tomas B. Garcia, MD.

박동수 :	심방 : 분당 약 90회 심실 : 분당 약 50회	PR 간격 :	적용할 수 없음
규칙성 :	규칙적	QRS 폭 :	정상
P파 : 　형태: 　축:	있음 정상 정상	그룹화 :	없음
		탈락 박동 :	없음
P:QRS 비 :	적용할 수 없음	리듬 :	Ventriculophasic AV dissociation

해설:

이 기록지에서 방실차단을 알아내는 것은 쉽다. 그러나 이것은 전형적인 3도 방실 차단이 아니라는 것을 주목하라. 심실리듬은 좁고, 일정한 접합부 이탈리듬과 합당한 소견을 가진다. 심방 리듬은 다른 문제이다. 이 심전도의 시작부분에서 두 개의 다른 P-P간격을 볼 수 있다. 하나는 QRS파가 양측 P파들 사이에 나타나면서 보이는 P-P 간격이며, 다른 하나는 양측 P파 사이에 QRS파가 없는 P-P간격이다. 이러한 기록지의 부분은 ventriculophasic 방실해리라고 불리는

고전적인 예가 되겠다(자세한 것은 500 페이지를 참조).

정확한 P-P간격은 어떠한 이유로 기록지의 중간에서 나타나기 시작한다. 빨간 별로 표시된 두 개의 P-P간격은 P파가 QRS파 중간에 정확하게 떨어짐으로써 정확하게 똑같다(첫 번째 파란 화살표). 초록색 화살표는 또한 묻혀진 P파를 나타내고 있다. 그러나 이 순간 QRS파는 P-P간격에 영향을 주게 되어 약간 좁게 만들게 된다. 이러한 ventriculophasic 한 영향이 전 기록지에 영향을 미치기는 하지만, 기록지의 후반부 절반에서는 좀 더 전형적이지 않다는 것을 주지하자.

최종 점검 1: 심전도 64

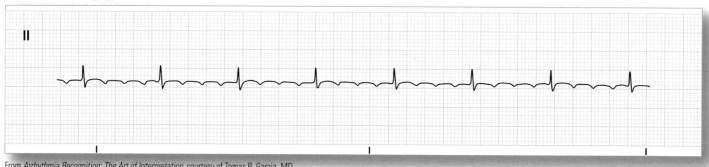

From *Arrhythmia Recognition: The Art of Interpretation*, courtesy of Tomas B. Garcia, MD.

박동수 :	심방 : 분당 약 280회 심실 : 분당 약 70회	PR 간격 :	적용할 수 없음
규칙성 :	규칙적	QRS 폭 :	정상
P파 : 　형태: 　축:	F파들 없음 없음	그룹화 :	없음
		탈락 박동 :	없음
P:QRS 비 :	4:1	리듬 :	심방조동

해설:

이 리듬은 원래 선을 따라서 심방조동의 명백한 톱니모

양의 패턴이 보인다. 4:1의 비율로 전도되고 있으며 심방리듬은 280회/분이며, 심실은 70회/분으로 반응하고 있다.

최종 점검 1: 심전도 65

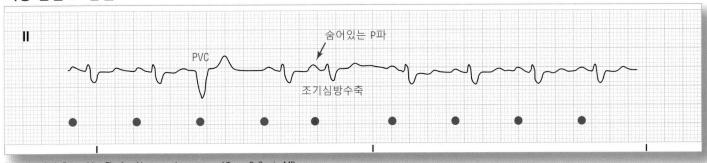

From *Arrhythmia Recognition: The Art of Interpretation*, courtesy of Tomas B. Garcia, MD.

박동수 :	분당 약 85회	PR 간격 :	정상, 일정
규칙성 :	사건을 동반한 규칙적	QRS 폭 :	넓음

P파 :
   형태:
   축:
	있음
	 정상
	 정상
		그룹화 :	없음

		탈락 박동 :	없음
P:QRS 비 :	1:1	리듬 :	심실 조기수축과 심방 조기수축을 동반한 동율동

해설:

심전도 65는 원래의 동율동이 심실 조기수축과 심방 조기수축에 의해 파괴되고 있음을 보여준다. 심실 조기수축과 심방 조기수축은 둘 다 보상적 휴지기와 연관되어 있다. 이

것은 원래의 심방리듬 박자는 이 두 가지에 의해 영향 받지 않는다는 것을 의미한다. 다르게 말하면 동결절이 심실 조기수축이나 심방 조기수축에 의해서 초기화되지 않는다는 것이다. 심방 조기수축은 묻혀진 P파와 관련되어 있다.

최종 점검 1: 심전도 66

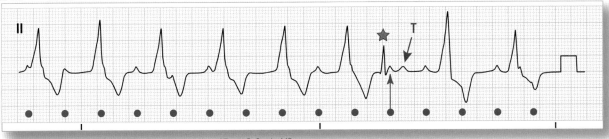

From *Arrhythmia Recognition: The Art of Interpretation*, courtesy of Tomas B. Garcia, MD.

박동수 :	심방 : 분당 약 125회 심실 : 분당 약 74회	PR 간격 :	적용할 수 없음
규칙성 :	불규칙	QRS 폭 :	넓음

P파 :
   형태:
   축:
	있음
	 정상
	 정상
		그룹화 :	없음

		탈락 박동 :	없음
P:QRS 비 :	적용할 수 없음	리듬 :	가속성 심실 고유율동

해설:

심전도 66은 넓은 QRS의 리듬이 하나의 좁은 QRS에 의해서 파괴되고 있다(붉은 별 참조). 이것은 포획 박동이며 방실해리의 간접적인 증거이다. 우리가 기록지의 나머지를 보게될 때 어떤 P파들이 전체에 산재해 있음을 알게 된다. 이러한 P파들은 125회/분의 빈맥 심박수를 나타내고 있다 (파란 점을 보라). 이러한 P파 중의 하나가 포획박동의 QRS

파 직후에 떨어진다(파란 화살표를 보시오). 심실 심박수가 74회/분이기 때문에, 이 리듬은 가속성 심실고유 리듬이다. 이 기록지에 다른 특별한 소견이 보이는가? 위의 기록지는 크기 기준이 반으로 줄어져 있다(half-standard로 찍힌 것이다 기록지의 끝에 있는 보정 마크를 참고). 이는 전체의 파형이 여기에 나타난 것보다 두 배 더 크다는 것을 의미한다. 진짜로 큰 파형이다!

최종 점검 1: 심전도 67

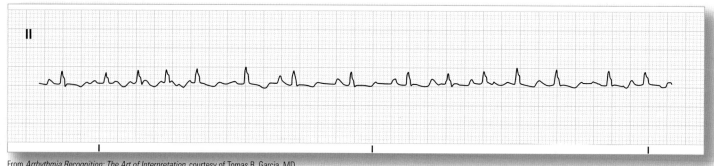

From *Arrhythmia Recognition: The Art of Interpretation*, courtesy of Tomas B. Garcia, MD.

박동수 :	분당 약 135회	PR 간격 :	다양함
규칙성 :	완전히 불규칙	QRS 폭 :	정상
P파 : 　형태 : 　축 :	있음 다양함 다양함	그룹화 :	없음
		탈락 박동 :	없음
P:QRS 비 : 1:1		리듬 :	다소성 심방빈맥

해설:

심전도 67은 불불규칙하며 빠르고 좁은 QRS을 가진 빈맥을 보여주고 있다. P파가 있는가? 그렇다. 그렇다면 이것은 아마도 다소성 심방빈맥일 것이다. 적어도 세 종류의 다른 P파 형태가 각각의 PR 간격을 가지며 존재하는가? 그렇다. 그렇다면 그것은 확실히 다소성 심방빈맥이다.

최종 점검 1: 심전도 68

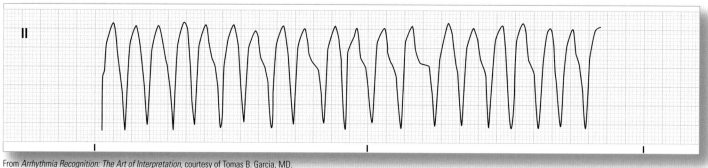

From *Arrhythmia Recognition: The Art of Interpretation*, courtesy of Tomas B. Garcia, MD.

박동수 :	분당 약 220회	PR 간격 :	없음
규칙성 :	완전히 불규칙	QRS 폭 :	넓음
P파 : 　형태 : 　축 :	있음 없음 없음	그룹화 :	없음
		탈락 박동 :	없음
P:QRS 비 : 없음		리듬 :	심방세동

해설:

이것은 넓은 QRS파 빈맥이다. 그러나 불규칙한 넓은 QRS파 빈맥이다. 이것이 심방세동이다. 너무 빠르게 박동하므로 부전도로를 다루고 있을 수도 있다는 사실을 생각해야 한다(일반적으로 심박수가 200회/분 이상일 경우 심방세동과 부전도로에 대해서 생각해야 한다). 이것을 심실빈맥이나 심실조동으로 생각하는 우를 범하지 말자! 이 두 리듬은 규칙적이다(리듬의 아주 초기를 제외하고는).

최종 점검 1: 심전도 69

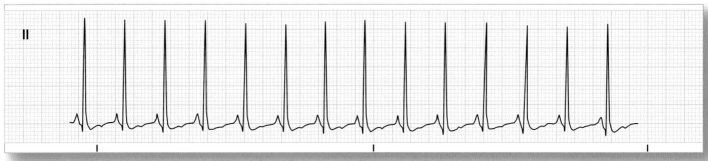

From *Arrhythmia Recognition: The Art of Interpretation,* courtesy of Tomas B. Garcia, MD.

박동수 :	분당 약 135회	PR 간격 :	정상, 일정
규칙성 :	규칙적	QRS 폭 :	정상
P파 :	있음	그룹화 :	없음
형태:	정상		
축:	정상	탈락 박동 :	없음
P:QRS 비 : 1:1		리듬 :	동빈맥

해설:

QRS파의 크기에 속지 말자. 이것은 각각의 QRS파 이전에 P파를 가지고 있는 빠르고, 규칙적인 좁은 QRS파 빈맥이다. P파는 모두 같으며 모든 PR 간격에서 일정하다. 이것은 동빈맥이다.

최종 점검 1: 심전도 70

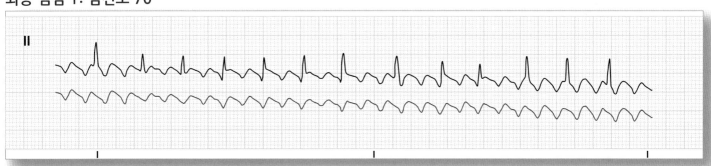

From *Arrhythmia Recognition: The Art of Interpretation,* courtesy of Tomas B. Garcia, MD.

박동수 :	심방 : 분당 약 280회	PR 간격 :	적용할 수 없음
	심실 : 분당 약 125회		
규칙성 :	불규칙	QRS 폭 :	정상
P파 :	F파	그룹화 :	없음
형태:	적용할 수 없음		
축:	적용할 수 없음	탈락 박동 :	없음
P:QRS 비 : 다양함		리듬 :	다양한 차단을 동반한 심방조동

해설:

심전도 70은 좁은 QRS 빈맥과 함께 125회/분의 심실 반응을 보이고 있다. 리듬은 대부분의 기록지에서 자주 반복되는 특별한 R-R간격이 있는 불규칙한 양상을 보인다. 다시 한 번 마음속으로 이 기록지에서 QRS파를 제거해보자. 아마 남은 것은 분홍색의 기록지일 것이다. 톱니모양의 패턴이 이 기록지에서 명확하다. 이것은 다양한 차단을 동반한 심방조동이다.

최종 점검 1: 심전도 71

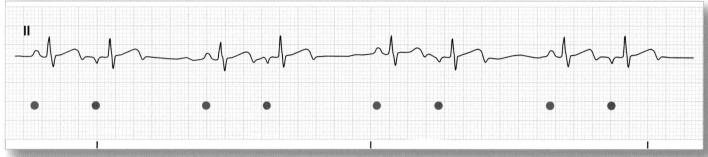

From *Arrhythmia Recognition: The Art of Interpretation*, courtesy of Tomas B. Garcia, MD.

박동수 :	분당 약 70회	PR 간격 :	다양함
규칙성 :	불규칙	QRS 폭 :	정상
P파 : 형태: 축:	있음 다양함 다양함	그룹화 :	있음
		탈락 박동 :	없음
P:QRS 비 : 1:1		리듬 :	상심실성 이단맥

해설:

심전도 71은 정상적인 상향의 P파가 있는 박동 QRS 하나에 이어서 역위된 P파가 있는 박동 QRS이 있다. 이것은 무리짓는 QRS파 하는 양상으로 발생하게 된다. 그러나 지금은 방실차단에 의한 것이 아니다. 이것은 상심실성 이단맥이라고 알려진 리듬이다. 이것은 이단맥인데 왜냐하면 하나 걸러서 다른 조기성 박동이 있기 때문이다. 그리고 상심실성인 이유는 조기 박동이 심방 조기수축이기 때문이다. 만약 상심실성 이단맥이라는 용어를 기억하지 못한다면, 이것을 다발성

심방 조기수축을 동반한 동율동이라고 해도 괜찮다. 이것은 심방 조기수축이 물리적 수축을 일으키는 한에는 대부분 안정적인 리듬이다. 이 기록지에서 보이는 것과 똑같은 형태로 환자의 맥박이 잡힐 때 답이 나올 수 있을 것이다. 이것을 치료하기 위해서는 원인을 밝혀야 하며 그 원인을 치료해야 한다. 이는 과다한 카페인 섭취나 약물들(합법적 그리고 불법적), 불안하거나 저산소증, 그리고 여러 가지 원인들로 발생할 수 있다. 훌륭한 과거력 청취와 이학적 검사, 그리고 전체 12유도 심전도가 원인 병소를 찾도록 도와줄 것이다.

최종 점검 1: 심전도 72

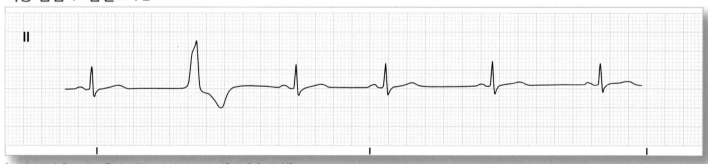

From *Arrhythmia Recognition: The Art of Interpretation*, courtesy of Tomas B. Garcia, MD.

박동수 :	분당 약 55회	PR 간격 :	정상, 일정
규칙성 :	사건을 동반한 규칙적	QRS 폭 :	정상, 사건을 제외
P파 : 형태: 축:	있음 정상 정상	그룹화 :	없음
		탈락 박동 :	없음
P:QRS 비 : 1:1, 특별한 경우를 제외하곤.		리듬 :	심실 이탈 QRS을 동반한 동서맥

해설:

심전도 72에서 문제가 되는 사건은 명백한 심실 QRS이다. 그러나 이것이 심실 조기수축인가? 아니다. 이것은 예상 시점보다 빨리 도착하지 않는다. 이것은 예상 시점보다 늦

게 도착한다. 동결절이 점화하는데 너무 오래 걸리므로 심실은 이중 경보 시스템과 같은 원리로 점화하게 된다. 이것이 심실 이탈박동이다. 원래 리듬은 55회/분으로 동서맥이다.

최종 점검 1: 심전도 73

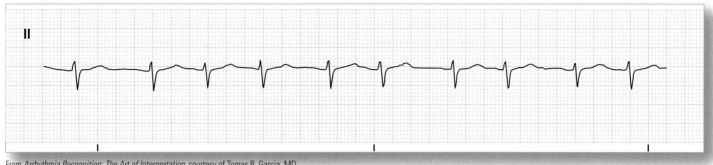

From *Arrhythmia Recognition: The Art of Interpretation*, courtesy of Tomas B. Garcia, MD.

박동수 :	분당 약 90회	PR 간격 :	없음
규칙성 :	완전히 불규칙	QRS 폭 :	정상
P파 : 　형태: 　축:	없음 없음 없음	그룹화 :	없음
		탈락 박동 :	없음
P:QRS 비 :	없음	리듬 :	심방세동

해설:

심전도 73은 명백하지 않은 P파와 함께 완전히 불규칙한 리듬을 보이고 있다. 이 리듬은 심방세동이다. QRS파는 좁고 심박수는 90회/분이다.

최종 점검 1: 심전도 74

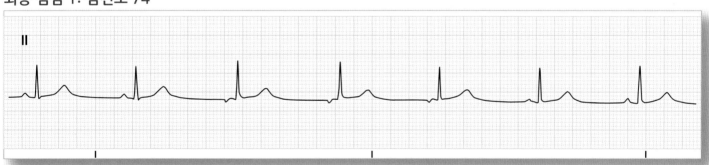

From *Arrhythmia Recognition: The Art of Interpretation*, courtesy of Tomas B. Garcia, MD.

박동수 :	분당 약 55회	PR 간격 :	다양함
규칙성 :	불규칙	QRS 폭 :	정상
P파 : 　형태: 　축:	다양함 다양함 다양함	그룹화 :	없음
		탈락 박동 :	없음
P:QRS 비 :	1:1	리듬 :	유주 심방율동

해설:

이 기록지에서 P파는 천천히 상향이다가 역위가 되고 다시 돌아오는 양상의 연속적인 패턴을 보이는 리듬이다. 이것은 유주성 심방조율기의 특징이다.

최종 점검 1: 심전도 75

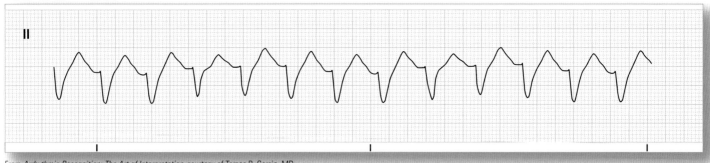

From *Arrhythmia Recognition: The Art of Interpretation*, courtesy of Tomas B. Garcia, MD.

박동수 :	분당 약 115회	PR 간격 :	없음
규칙성 :	규칙적	QRS 폭 :	넓음
P파 : 　형태: 　축:	없음 없음 없음	그룹화 :	없음
		탈락 박동 :	없음
P:QRS 비 :	없음	리듬 :	단형 심실빈맥

해설:

이 기록지는 넓은 QRS의 빈맥이 115회/분의 심박수를 보이고 있다. 박동 QRS은 일정하며 같은 형태를 가지고 있다. 방실해리의 간접, 직접적인 증거는 보이지 않는다. 이러한 리듬에서 감별신난은 적다. 단형 심실빈맥이거나 QRS파가 넓어지는 원래 조건을 가진 환자에서 발생한 접합부 빈맥일 수도 있다. 통계적으로 두 번째 경우는 매우 드물다. 따라서 당연히 단형 심실빈맥이라고 부를 수 있다.

만약 측정할 시간이 있다면, 전체 12 유도의 심전도는 진단을 확정하는데 도움을 줄 수 있다. 조셉슨 징후, 브루가다 징후, 전흉부 유도에서의 일치(concordance)의 유무를 확인할 수 있다. 또한 방실해리의 증거를 다른 유도에서 관찰할 수 있을 것이다. 대체로 환자의 상태가 임상적으로 안정하다면 이런 정보들을 얻어낼 가치가 있다.

최종 점검 2

최종 점검 2: 심전도 1

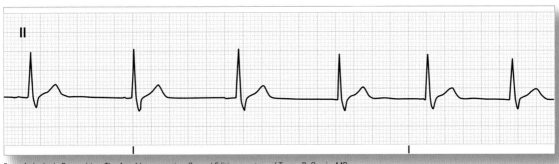

From *Arrhythmia Recognition: The Art of Interpretation, Second Edition,* courtesy of Tomas B. Garcia, MD.

박동수 :	PR간격 :	참고
규칙성 :	QRS 폭 :	
P파 : 　형태: 　축:	그룹화 :	
	탈락 박동 :	
P:QRS 비 :	리듬 :	

최종 점검 2: 심전도 2

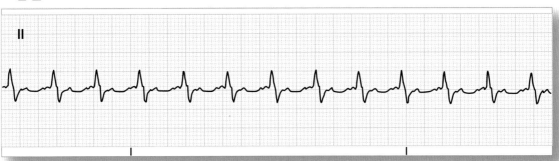

From *Arrhythmia Recognition: The Art of Interpretation, Second Edition,* courtesy of Tomas B. Garcia, MD.

박동수 :	PR간격 :	참고
규칙성 :	QRS 폭 :	
P파 : 　형태: 　축:	그룹화 :	
	탈락 박동 :	
P:QRS 비 :	리듬 :	

최종 점검 2: 심전도 3

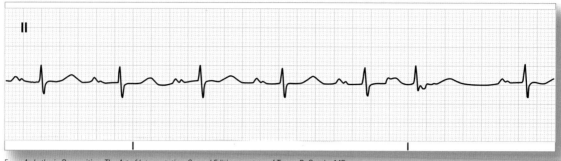

From *Arrhythmia Recognition: The Art of Interpretation, Second Edition,* courtesy of Tomas B. Garcia, MD.

박동수 :	PR간격 :	참고
규칙성 :	QRS 폭 :	
P파 : 　형태: 　축:	그룹화 :	
	탈락 박동 :	
P:QRS 비 :	리듬 :	

최종 점검 2: 심전도 4

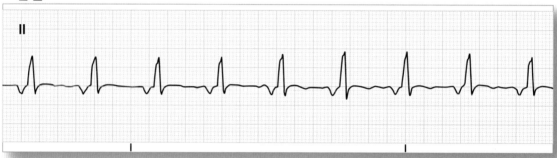

From *Arrhythmia Recognition: The Art of Interpretation, Second Edition,* courtesy of Tomas B. Garcia, MD.

박동수 :	PR간격 :	참고
규칙성 :	QRS 폭 :	
P파 : 　형태: 　축:	그룹화 :	
	탈락 박동 :	
P:QRS 비 :	리듬 :	

최종 점검 2: 심전도 5

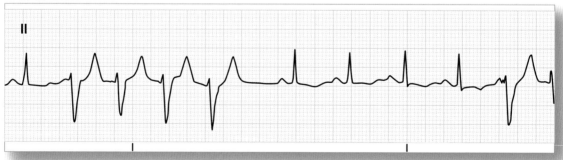

From *Arrhythmia Recognition: The Art of Interpretation, Second Edition,* courtesy of Tomas B. Garcia, MD.

박동수 :	PR간격 :	참고
규칙성 :	QRS 폭 :	
P파 : 　형태: 　축:	그룹화 :	
	탈락 박동 :	
P:QRS 비 :	리듬 :	

최종 점검 2: 심전도 6

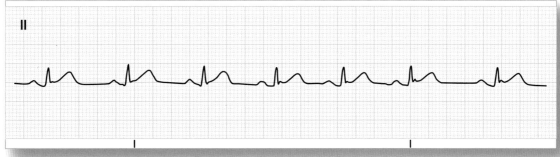

From *Arrhythmia Recognition: The Art of Interpretation, Second Edition,* courtesy of Tomas B. Garcia, MD.

박동수 :	PR간격 :	참고
규칙성 :	QRS 폭 :	
P파 : 　형태: 　축:	그룹화 :	
	탈락 박동 :	
P:QRS 비 :	리듬 :	

최종 점검 2: 심전도 7

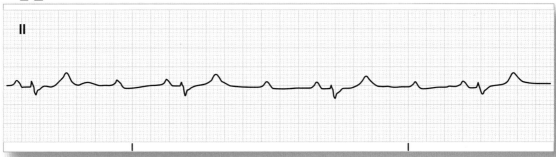

From *Arrhythmia Recognition: The Art of Interpretation, Second Edition,* courtesy of Tomas B. Garcia, MD.

박동수 :	PR간격 :	참고
규칙성 :	QRS 폭 :	
P파 : 　형태: 　축:	그룹화 :	
	탈락 박동 :	
P:QRS 비 :	리듬 :	

최종 점검 2: 심전도 8

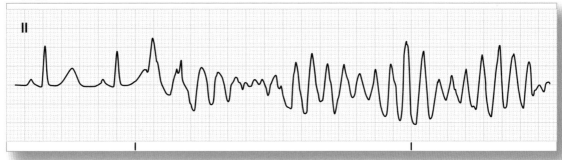

From *Arrhythmia Recognition: The Art of Interpretation, Second Edition,* courtesy of Tomas B. Garcia, MD.

박동수 :	PR간격 :	참고
규칙성 :	QRS 폭 :	
P파 : 　형태: 　축:	그룹화 :	
	탈락 박동 :	
P:QRS 비 :	리듬 :	

최종 점검 2: 심전도 9

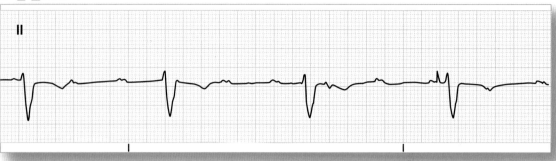

From *Arrhythmia Recognition: The Art of Interpretation, Second Edition,* courtesy of Tomas B. Garcia, MD.

박동수 :	PR간격 :	참고
규칙성 :	QRS 폭 :	
P파 : 　형태: 　축:	그룹화 :	
	탈락 박동 :	
P:QRS 비 :	리듬 :	

최종 점검 2: 심전도 10

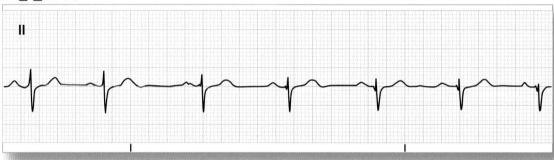

From *Arrhythmia Recognition: The Art of Interpretation, Second Edition,* courtesy of Tomas B. Garcia, MD.

박동수 :	PR간격 :	참고
규칙성 :	QRS 폭 :	
P파 : 　형태: 　축:	그룹화 :	
	탈락 박동 :	
P:QRS 비 :	리듬 :	

최종 점검 2: 심전도 11

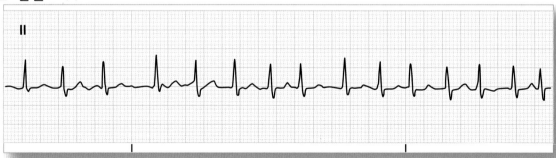

From *Arrhythmia Recognition: The Art of Interpretation, Second Edition,* courtesy of Tomas B. Garcia, MD.

박동수 :	PR간격 :	참고
규칙성 :	QRS 폭 :	
P파 : 　형태: 　축:	그룹화 :	
	탈락 박동 :	
P:QRS 비 :	리듬 :	

최종 점검 2: 심전도 12

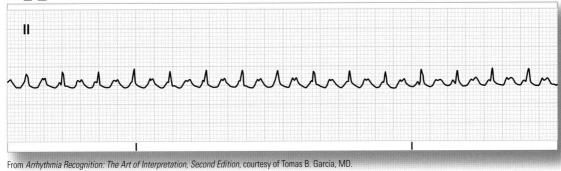

From *Arrhythmia Recognition: The Art of Interpretation, Second Edition,* courtesy of Tomas B. Garcia, MD.

박동수 :	PR간격 :	참고
규칙성 :	QRS 폭 :	
P파 : 　형태: 　축:	그룹화 :	
	탈락 박동 :	
P:QRS 비 :	리듬 :	

최종 점검 2: 심전도 13

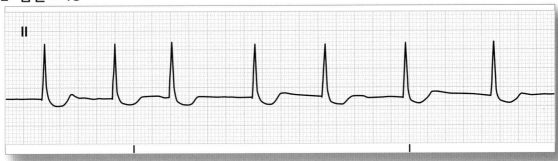

From *Arrhythmia Recognition: The Art of Interpretation, Second Edition,* courtesy of Tomas B. Garcia, MD.

박동수 :	PR간격 :	참고
규칙성 :	QRS 폭 :	
P파 : 　형태: 　축:	그룹화 :	
	탈락 박동 :	
P:QRS 비 :	리듬 :	

최종 점검 2: 심전도 14

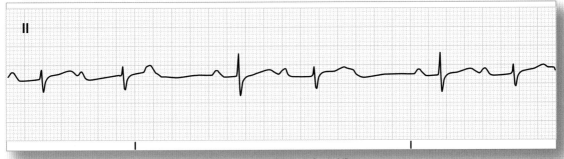

From *Arrhythmia Recognition: The Art of Interpretation, Second Edition,* courtesy of Tomas B. Garcia, MD.

박동수 :	PR간격 :	참고
규칙성 :	QRS 폭 :	
P파 : 　형태: 　축:	그룹화 :	
	탈락 박동 :	
P:QRS 비 :	리듬 :	

최종 점검 2: 심전도 15

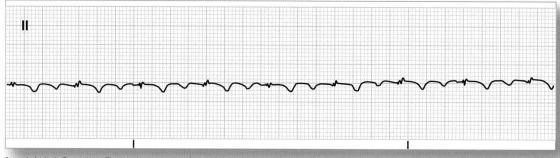

From *Arrhythmia Recognition: The Art of Interpretation, Second Edition,* courtesy of Tomas B. Garcia, MD.

박동수 :	PR간격 :	참고
규칙성 :	QRS 폭 :	
P파 : 　형태: 　축:	그룹화 :	
	탈락 박동 :	
P:QRS 비 :	리듬 :	

최종 점검 2: 심전도 16

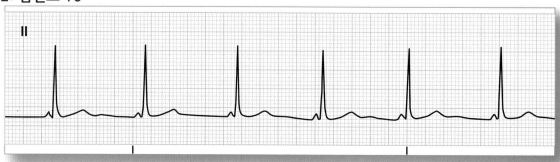

From *Arrhythmia Recognition: The Art of Interpretation, Second Edition,* courtesy of Tomas B. Garcia, MD.

박동수 :	PR간격 :	참고
규칙성 :	QRS 폭 :	
P파 : 　형태: 　축:	그룹화 :	
	탈락 박동 :	
P:QRS 비 :	리듬 :	

최종 점검 2: 심전도 17

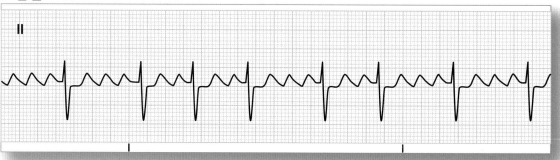

From *Arrhythmia Recognition: The Art of Interpretation, Second Edition,* courtesy of Tomas B. Garcia, MD.

박동수 :	PR간격 :	참고
규칙성 :	QRS 폭 :	
P파 : 　형태: 　축:	그룹화 :	
	탈락 박동 :	
P:QRS 비 :	리듬 :	

최종 점검 2: 심전도 18

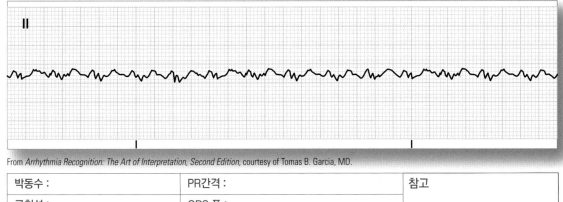

From *Arrhythmia Recognition: The Art of Interpretation, Second Edition,* courtesy of Tomas B. Garcia, MD.

		참고
박동수 :	PR간격 :	
규칙성 :	QRS 폭 :	

P파 :
  형태:
  축:
	그룹화 :
	
	탈락 박동 :	

P:QRS 비 :	리듬 :	

최종 점검 2: 심전도 19

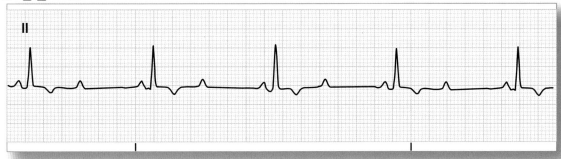

From *Arrhythmia Recognition: The Art of Interpretation, Second Edition,* courtesy of Tomas B. Garcia, MD.

		참고
박동수 :	PR간격 :	
규칙성 :	QRS 폭 :	

P파 :
  형태:
  축:
	그룹화 :
	
	탈락 박동 :	

P:QRS 비 :	리듬 :	

최종 점검 2: 심전도 20

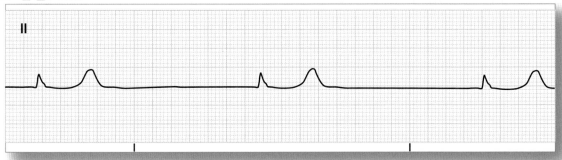

From *Arrhythmia Recognition: The Art of Interpretation, Second Edition,* courtesy of Tomas B. Garcia, MD.

		참고
박동수 :	PR간격 :	
규칙성 :	QRS 폭 :	

P파 :
  형태:
  축:
	그룹화 :
	
	탈락 박동 :	

P:QRS 비 :	리듬 :	

최종 점검 2: 심전도 21

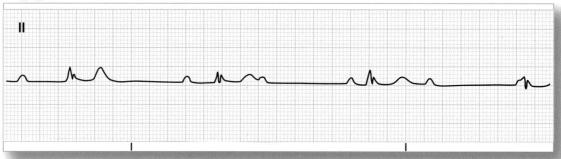

From *Arrhythmia Recognition: The Art of Interpretation, Second Edition*, courtesy of Tomas B. Garcia, MD.

박동수 :	PR간격 :	참고
규칙성 :	QRS 폭 :	
P파 : 　형태: 　축:	그룹화 :	
	탈락 박동 :	
P:QRS 비 :	리듬 :	

최종 점검 2: 심전도 22

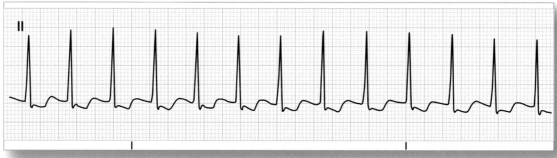

From *Arrhythmia Recognition: The Art of Interpretation, Second Edition*, courtesy of Tomas B. Garcia, MD.

박동수 :	PR간격 :	참고
규칙성 :	QRS 폭 :	
P파 : 　형태: 　축:	그룹화 :	
	탈락 박동 :	
P:QRS 비 :	리듬 :	

최종 점검 2: 심전도 23

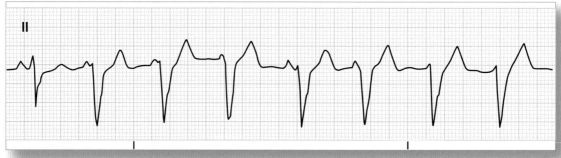

From *Arrhythmia Recognition: The Art of Interpretation, Second Edition*, courtesy of Tomas B. Garcia, MD.

박동수 :	PR간격 :	참고
규칙성 :	QRS 폭 :	
P파 : 　형태: 　축:	그룹화 :	
	탈락 박동 :	
P:QRS 비 :	리듬 :	

최종 점검 2: 심전도 24

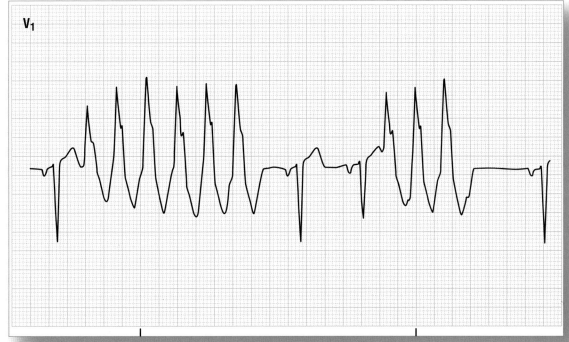

From *Arrhythmia Recognition: The Art of Interpretation, Second Edition,* courtesy of Tomas B. Garcia, MD.

박동수 :	PR간격 :	참고
규칙성 :	QRS 폭 :	
P파 : 　형태: 　축:	그룹화 :	
	탈락 박동 :	
P:QRS 비 :	리듬 :	

최종 점검 2: 심전도 25

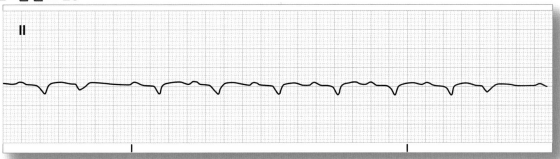

From *Arrhythmia Recognition: The Art of Interpretation, Second Edition,* courtesy of Tomas B. Garcia, MD.

박동수 :	PR간격 :	참고
규칙성 :	QRS 폭 :	
P파 : 　형태: 　축:	그룹화 :	
	탈락 박동 :	
P:QRS 비 :	리듬 :	

최종 점검 2: 심전도 26

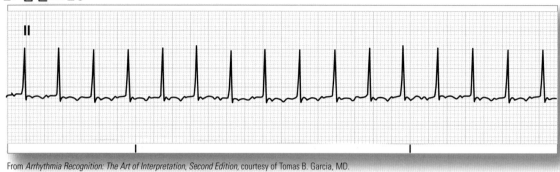

From *Arrhythmia Recognition: The Art of Interpretation, Second Edition*, courtesy of Tomas B. Garcia, MD.

박동수 :	PR간격 :	참고
규칙성 :	QRS 폭 :	
P파 : 　형태: 　축:	그룹화 :	
	탈락 박동 :	
P:QRS 비 :	리듬 :	

최종 점검 2: 심전도 27

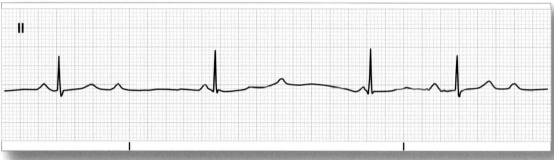

From *Arrhythmia Recognition: The Art of Interpretation, Second Edition*, courtesy of Tomas B. Garcia, MD.

박동수 :	PR간격 :	참고
규칙성 :	QRS 폭 :	
P파 : 　형태: 　축:	그룹화 :	
	탈락 박동 :	
P:QRS 비 :	리듬 :	

최종 점검 2: 심전도 28

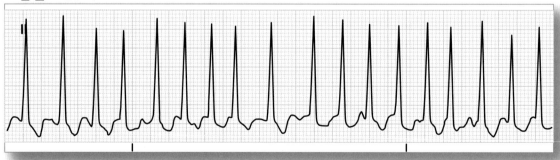

From *Arrhythmia Recognition: The Art of Interpretation, Second Edition*, courtesy of Tomas B. Garcia, MD.

박동수 :	PR간격 :	참고
규칙성 :	QRS 폭 :	
P파 : 　형태: 　축:	그룹화 :	
	탈락 박동 :	
P:QRS 비 :	리듬 :	

최종 점검 2: 심전도 29

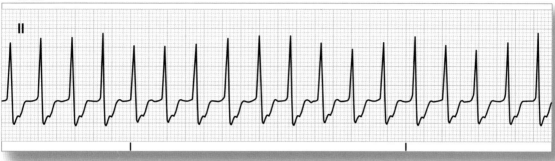

From *Arrhythmia Recognition: The Art of Interpretation, Second Edition*, courtesy of Tomas B. Garcia, MD.

		참고
박동수 :	PR간격 :	
규칙성 :	QRS 폭 :	
P파 : 　형태: 　축:	그룹화 :	
	탈락 박동 :	
P:QRS 비 :	리듬 :	

최종 점검 2: 심전도 30

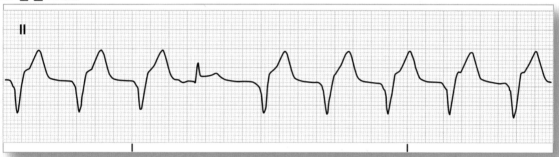

From *Arrhythmia Recognition: The Art of Interpretation, Second Edition*, courtesy of Tomas B. Garcia, MD.

		참고
박동수 :	PR간격 :	
규칙성 :	QRS 폭 :	
P파 : 　형태: 　축:	그룹화 :	
	탈락 박동 :	
P:QRS 비 :	리듬 :	

최종 점검 2: 심전도 31

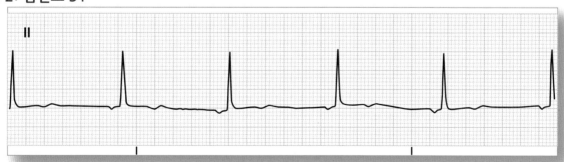

From *Arrhythmia Recognition: The Art of Interpretation, Second Edition*, courtesy of Tomas B. Garcia, MD.

		참고
박동수 :	PR간격 :	
규칙성 :	QRS 폭 :	
P파 : 　형태: 　축:	그룹화 :	
	탈락 박동 :	
P:QRS 비 :	리듬 :	

최종 점검 2: 심전도 32

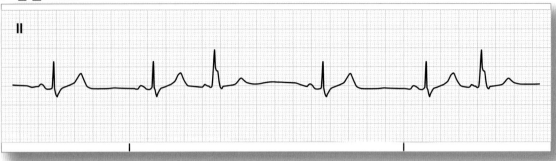

From *Arrhythmia Recognition: The Art of Interpretation, Second Edition,* courtesy of Tomas B. Garcia, MD.

박동수 :	PR간격 :	참고
규칙성 :	QRS 폭 :	
P파 : 　형태: 　축:	그룹화 :	
	탈락 박동 :	
P:QRS 비 :	리듬 :	

최종 점검 2: 심전도 33

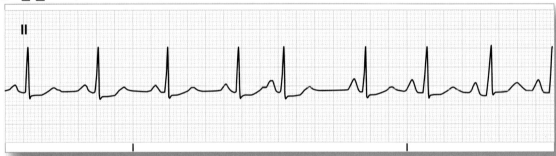

From *Arrhythmia Recognition: The Art of Interpretation, Second Edition,* courtesy of Tomas B. Garcia, MD.

박동수 :	PR간격 :	참고
규칙성 :	QRS 폭 :	
P파 : 　형태: 　축:	그룹화 :	
	탈락 박동 :	
P:QRS 비 :	리듬 :	

최종 점검 2: 심전도 34

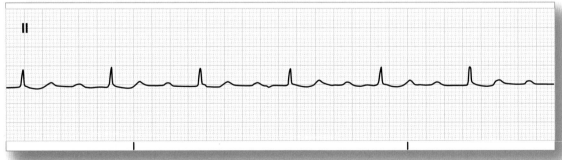

From *Arrhythmia Recognition: The Art of Interpretation, Second Edition,* courtesy of Tomas B. Garcia, MD.

박동수 :	PR간격 :	참고
규칙성 :	QRS 폭 :	
P파 : 　형태: 　축:	그룹화 :	
	탈락 박동 :	
P:QRS 비 :	리듬 :	

최종 점검 2: 심전도 35

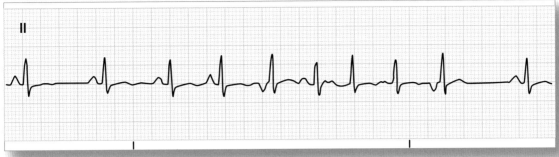

From *Arrhythmia Recognition: The Art of Interpretation, Second Edition,* courtesy of Tomas B. Garcia, MD.

박동수 :	PR간격 :	참고
규칙성 :	QRS 폭 :	
P파 : 　형태: 　축:	그룹화 :	
	탈락 박동 :	
P:QRS 비 :	리듬 :	

최종 점검 2: 심전도 36

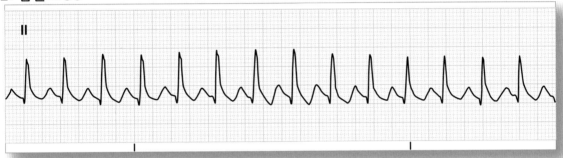

From *Arrhythmia Recognition: The Art of Interpretation, Second Edition,* courtesy of Tomas B. Garcia, MD.

박동수 :	PR간격 :	참고
규칙성 :	QRS 폭 :	
P파 : 　형태: 　축:	그룹화 :	
	탈락 박동 :	
P:QRS 비 :	리듬 :	

최종 점검 2: 심전도 37

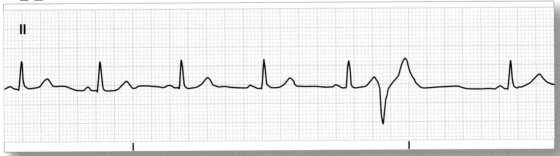

From *Arrhythmia Recognition: The Art of Interpretation, Second Edition,* courtesy of Tomas B. Garcia, MD.

박동수 :	PR간격 :	참고
규칙성 :	QRS 폭 :	
P파 : 　형태: 　축:	그룹화 :	
	탈락 박동 :	
P:QRS 비 :	리듬 :	

최종 점검 2: 심전도 38

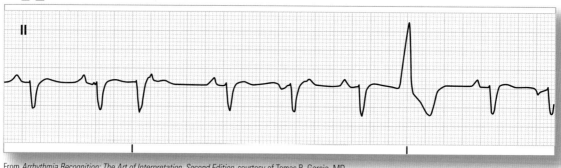

From *Arrhythmia Recognition: The Art of Interpretation, Second Edition*, courtesy of Tomas B. Garcia, MD.

박동수 :	PR간격 :	참고
규칙성 :	QRS 폭 :	
P파 : 　형태: 　축:	그룹화 :	
	탈락 박동 :	
P:QRS 비 :	리듬 :	

최종 점검 2: 심전도 39

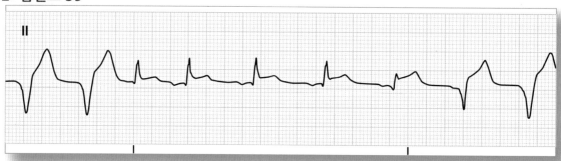

From *Arrhythmia Recognition: The Art of Interpretation, Second Edition*, courtesy of Tomas B. Garcia, MD.

박동수 :	PR간격 :	참고
규칙성 :	QRS 폭 :	
P파 : 　형태: 　축:	그룹화 :	
	탈락 박동 :	
P:QRS 비 :	리듬 :	

최종 점검 2: 심전도 40

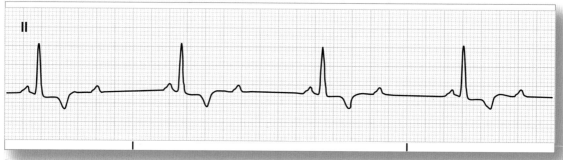

From *Arrhythmia Recognition: The Art of Interpretation, Second Edition*, courtesy of Tomas B. Garcia, MD.

박동수 :	PR간격 :	참고
규칙성 :	QRS 폭 :	
P파 : 　형태: 　축:	그룹화 :	
	탈락 박동 :	
P:QRS 비 :	리듬 :	

최종 점검 2: 심전도 41

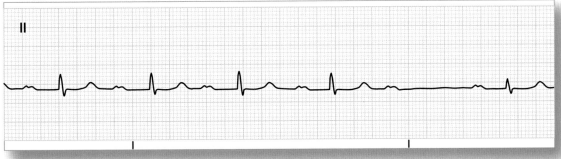

From *Arrhythmia Recognition: The Art of Interpretation, Second Edition,* courtesy of Tomas B. Garcia, MD.

박동수 :	PR간격 :	참고
규칙성 :	QRS 폭 :	
P파 : 　형태: 　축:	그룹화 :	
	탈락 박동 :	
P:QRS 비 :	리듬 :	

최종 점검 2: 심전도 42

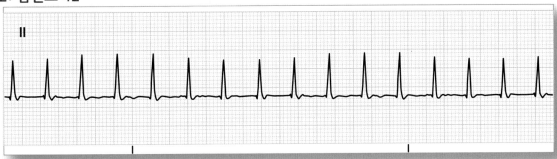

From *Arrhythmia Recognition: The Art of Interpretation, Second Edition,* courtesy of Tomas B. Garcia, MD.

박동수 :	PR간격 :	참고
규칙성 :	QRS 폭 :	
P파 : 　형태: 　축:	그룹화 :	
	탈락 박동 :	
P:QRS 비 :	리듬 :	

최종 점검 2: 심전도 43

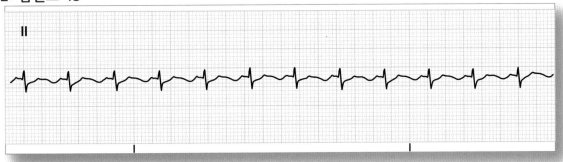

From *Arrhythmia Recognition: The Art of Interpretation, Second Edition,* courtesy of Tomas B. Garcia, MD.

박동수 :	PR간격 :	참고
규칙성 :	QRS 폭 :	
P파 : 　형태: 　축:	그룹화 :	
	탈락 박동 :	
P:QRS 비 :	리듬 :	

최종 점검 2: 심전도 44

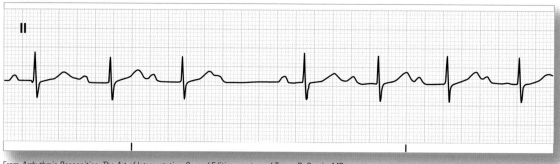

From *Arrhythmia Recognition: The Art of Interpretation, Second Edition,* courtesy of Tomas B. Garcia, MD.

박동수 :	PR간격 :	참고
규칙성 :	QRS 폭 :	
P파 : 　형태: 　축:	그룹화 :	
	탈락 박동 :	
P:QRS 비 :	리듬 :	

최종 점검 2: 심전도 45

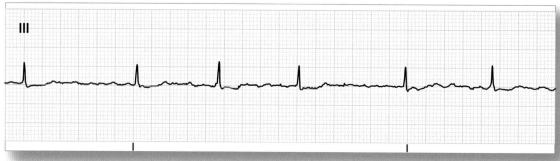

From *Arrhythmia Recognition: The Art of Interpretation, Second Edition,* courtesy of Tomas B. Garcia, MD.

박동수 :	PR간격 :	참고
규칙성 :	QRS 폭 :	
P파 : 　형태: 　축:	그룹화 :	
	탈락 박동 :	
P:QRS 비 :	리듬 :	

최종 점검 2: 심전도 46

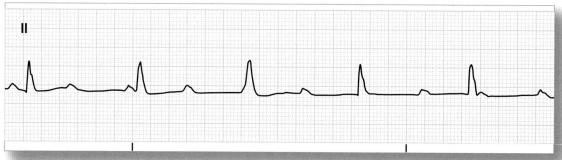

From *Arrhythmia Recognition: The Art of Interpretation, Second Edition,* courtesy of Tomas B. Garcia, MD.

박동수 :	PR간격 :	참고
규칙성 :	QRS 폭 :	
P파 : 　형태: 　축:	그룹화 :	
	탈락 박동 :	
P:QRS 비 :	리듬 :	

최종 점검 2: 심전도 47

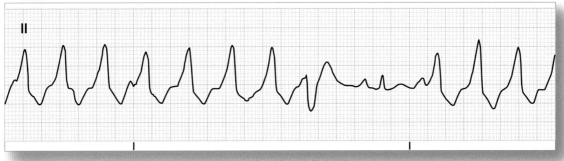

From *Arrhythmia Recognition: The Art of Interpretation, Second Edition,* courtesy of Tomas B. Garcia, MD.

박동수 :	PR간격 :	참고
규칙성 :	QRS 폭 :	
P파 : 형태: 축:	그룹화 :	
	탈락 박동 :	
P:QRS 비 :	리듬 :	

최종 점검 해답
최종 점검 2: 심전도 1

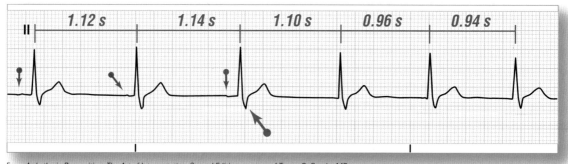

From *Arrhythmia Recognition: The Art of Interpretation, Second Edition*, courtesy of Tomas B. Garcia, MD.

박동수 :	분당 약 60회	PR간격 :	설명 참조
규칙성 :	불규칙	QRS 폭 :	설명 참조
P파 : 　형태: 　축:	설명 참조 설명 참조 정상	그룹화 :	없음
		탈락 박동 :	없음
P:QRS 비 :	1:1	리듬 :	설명 참조

저자노트

인내심을 가지고 1번 문제의 해설을 처음부터 끝까지 주의깊게 읽어보기 바란다. 특히 교훈부분을 잘 읽어주기 바란다. 이 설명이 실제 임상상황에 대해 여러분의 눈을 뜨게 해줄 수 있다면 좋겠다.

해설:

최종 테스트 심전도 1을 보자. 세 가지 점을 관찰할 수 있다.

1. 심박수는 완전히 규칙적이지는 않으며, 점차 빨라지는 양상이다(짧아지는 연결간격을 확인하자).
2. 분명하지는 않지만, 처음 3개의 QRS파 앞에 P파로 생각되는 파형이 관찰된다(빨간색 화살표).
3. QTS파 뒤에 가성의 S파로 보이는 것이 관찰된다.

이 세 가지 점을 염두에 두고, 본격적으로 심전도 판독을 시작하자.

1. 맥박이 빠른가? 느린가?

심박수가 다소 불규칙하기 때문에 정확하게 평가하기가 어렵지만, 대략의 심박수는 60회/분으로 생각된다(6회 × 10초 = 60회/분).

2. 맥박이 규칙적인가? 불규칙적인가?

이 맥박은 시간이 지남에 따라 다소 빨라지며, 따라서 불규칙하다. 빨라지는 정도는 아주 미세하며, 호흡에 따른 변화에 부합하는 것으로 보인다. 호흡 주기에 따라 흉강내 압력과 혈류가 변화한다. '심박출량 = 심박수 × 1회 박출량'

이며, 신체 순환은 폐쇄회로 안에서 이루어지므로, 일회 박출량은 정맥 환류량 관련이 있다. 흡기 시에는 흉강내 압력이 떨어져서, 정맥 환류량이 늘어난다. 늘어난 정맥 환류량은 압력수용체와 자율신경계를 통해서, 심박수를 빨라지게 한다. 빨라진 심박수가 늘어난 정맥 환류량을 처리할 수 있게 한다. 호기 시에는 이러한 현상이 반대가 된다.

3. P파가 관찰되는가?

자세히 보면, P파의 모양과 PR 간격은 약간 다르다(빨간색 화살표).

4. QRS파는 좁은가? 넓은가?

QRS파의 넓이는 0.11초로 좁으며, 상심실성에 부합한다. 가성의 S파형이 없었다면 더 좁았을 것이다. 보다 정확한 판단을 위해서는 12 유도 심전도가 필요하다.

5. 심전도 파형이 그룹을 만들고 있는가?

그렇지 않다.

6. 빠지는 박동이 있는가?

없다.

결론. 만약 P파가 실제가 아니고 인공적인 것이라면, 좁은 QRS파로 미루어보아 방실접합부 율동에 부합하는 심전도라고 말할 수 있다. 심박수가 60회/분으로 그다지 빠르지 않고, 가성의 S파는 심방의 탈분극이 역위 전도하여 발생할 수 있다는 점도 방실접합부 율동에 부합한다. 또한, 마지막 세 QRS파형 앞에는 P파가 관찰되지 않고, 호흡에 따른 변화가 깨지지 않고 유지된다. 이러한 점으로 미뤄보아, 심전도 진단은 호흡에 따른 심박수 변이를 보이는 방실접합부 율동이다.

교훈

학창 시절, 비슷하지만 정확하지는 않은 시험답안을 낸 적이 있다. 나는 선생님에게 "비슷한데, 부분 점수라도 주시면 안 되나요?" 라고 여쭈었다. 선생님께서는 "말발굽과 수류탄만큼 비슷하구나" 라고 말씀하셨다. 이것은 내 인생에 아주 큰 교훈이 되었다. 나는 이 책의 독자들이, 단순히 심전도 모양을 보고 정답을 맞추는 것보다 원리를 이해하고 정확한 해석을 할 수 있게 되길 바란다. 완전히 똑같은 심전도는 없으며, 아주 작은 해석의 차이가 큰 결과를 만들 수 있다. 즉, 비슷한 정답은 없으며, 아주 작은 차이도 구분해 낼 줄 알아야 한다.

다시 돌아가서 심전도를 다시 보자. 처음 3개의 QRS파 앞에 있는 파형은 왜 뒷부분에서는 사라지는가? 여러 가지 설명이 가능하지만, 유도 II에서 호흡의 변화에 따라서 P파

가 등전위가 되어서 특정 부분에서 나타났다가 다시 나타날 수도 있고, 심장 박동과는 상관없는 인공 파형(artifact)일 수도 있다.

심전도 판독을 할 때, 우리는 많은 가정을 할 수도 있고, 12 유도 심전도나 좀더 긴 기록지를 얻음으로써 정확한 답을 얻는데 도움을 받을 수 있다.

왜 우리는 우리의 원래 스트립의 마지막 3개의 콤플렉스에서 가능한 P파 변화를 보지 못했을까? 심장의 위치와 방향은 호흡 중에 계속 변화한다. 이러한 해부학적 변화는 심장 전기축을 움직일 수 있다. 최종 진단은 우각차단이 있는 환자에서 호흡에 따라 심박수가 변하는 동부정맥이다. '항상 예상치 못한 것에 집중하라. 이것이 자물쇠를 여는 열쇠가 될 가능성이 높다'. 영화 언터처블에 나오는 숀 코너리의 말이며, 이번 장의 교훈이다.

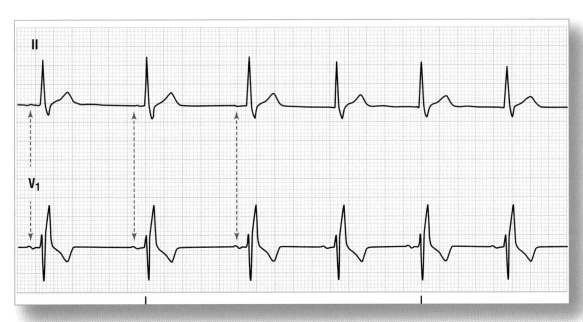

그림 1. V1 유도에서 관찰된 분명한 P파가 II 유도에서도 항상 관찰되는 것은 아니다.

From *Arrhythmia Recognition: The Art of Interpretation, Second Edition,* courtesy of Tomas B. Garcia, MD.

저자 노트

원래 문제에서는 일부러 두 번째 심전도는 보여주지 않았다. 이것은 실제 임상 상황을 반영한다. 처음부터 항상 모든 자료가 주어지는 것은 아니다. 하나의 심전도 만으로는 잘못 진단할 수도 있는데, 이러한 일은 항상 실제 임상 환경에서 발생한다. 반대로 보다 정확한 진단을 위해서는 여러 심전도를 다같이 검토하고, 12 유도 심전도를 얻기 위해 노력해야 한다.

최종 점검 2: 심전도 2

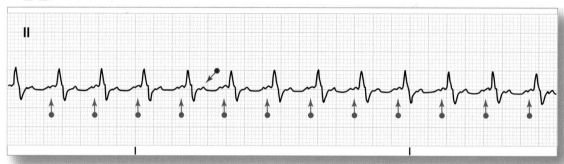

From *Arrhythmia Recognition: The Art of Interpretation, Second Edition*, courtesy of Tomas B. Garcia, MD.

박동수 :	125회/분	PR간격 :	0.12초
규칙성 :	규칙적	QRS 폭 :	넓음
P파 : 　형태 : 　축 :	있음 상향 in II, 움푹 파임 정상	그룹화 :	없음
		탈락 박동 :	없음
P:QRS 비 :	2:1	리듬 :	심방빈맥

해설:

이 심전도는 125회/분으로 빠르고 규칙적이며 넓은 QRS 파형을 보인다. P파는 움푹 파인 모양이며(파란색 화살표), QRS파 앞에 위치하고, PR 간격은 일정하다.

ST 및 T파 부분은 다소 복잡해 보인다. 특히, T파는 움푹 파인 모양을 보이는데, 이는 일반적이 T파에서 관찰되는 것은 아니며, 자세히 보면 P파와 모양이 거의 같다는 점을 알 수 있다. T파 위에 P파가 얹혀있는 것이며, 이를 포함하여 P파의 속도를 계산하면, 250회/분이다. QRS파의 2배이며, 2:1 방실전도를 하고 있다. 등전위 선이 관찰되는 것으로 보아서, 심방조동일 가능성은 다소 떨어진다. 또한, 움푹 파인 형태의 P파도 심방조동에서는 드물다. 유도 II만 있기 때문에, 확실하지는 않지만, 넓고 깊은 S파로 보아 우각차단이 있을 가능성이 있다.

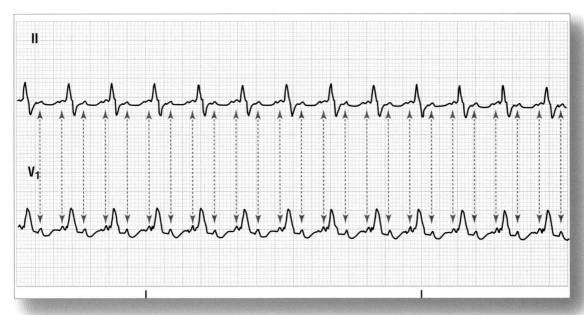

그림 2. 두 개의 P파가 관찰된다. 하나는 QRS파로 전도가 되지만(파란색 화살표), 하나는 전도가 되지 않는다(빨간색 화살표).

From *Arrhythmia Recognition: The Art of Interpretation, Second Edition,* courtesy of Tomas B. Garcia, MD.

최종 점검 2: 심전도 3

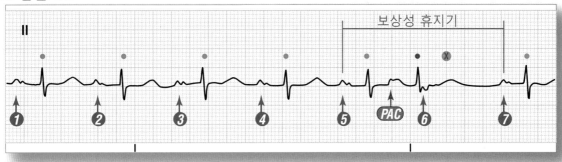

From *Arrhythmia Recognition: The Art of Interpretation, Second Edition,* courtesy of Tomas B. Garcia, MD.

박동수 :	분당 약 60회	PR간격 :	다소 지연됨. 0.28초
규칙성 :	조기수축 1개를 제외하면 규칙적	QRS 폭 :	정상
P파 :	있음	그룹화 :	없음
형태 :	두 개의 봉우리		
축 :	정상	탈락 박동 :	없음
P:QRS 비 :	1:1	리듬 :	심방 조기수축 및 일도 방실 차단

해설:

첫 부분의 P파를 먼저 관찰해보자(파란색 화살표). 같은 모양과 PR 간격을 보이며, 또한 P-P 간격도 같다. PR 간격이 늘어나있는 일도 방실 차단의 소견이다. 여섯 번째 P' 파는 T파 위에 얹혀져 있으며(빨간색 화살표), 모양이 앞서 나오는 P파와는 다르다. 예상되는 시간보다 빨리 나오며, 동결절이 아닌 다른 곳에서 생기는 심방 조기수축이다.

P파의 간격을 자세히 관찰하자. 심방 조기수축의 P' 파 이후의 P파가 발생한 시간은 예상되는 시간과 정확히 일치한다. 이것을 보상성 휴지기라고 말한다. P파를 발생시키는 동결절이 심방 조기수축에 의해 영향을 받지 않았다는 것을 의미한다.

여섯 번째 P파는 방실전도가 되지않아서, QRS파를 만들어내지 못했다(초록색 큰 점과 빨간색 X표).

최종 점검 2: 심전도 4

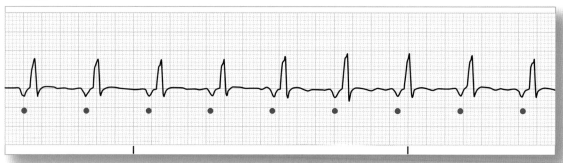

From *Arrhythmia Recognition: The Art of Interpretation, Second Edition*, courtesy of Tomas B. Garcia, MD.

박동수 :	분당 약 88회	PR간격 :	0.16초
규칙성 :	규칙적	QRS 폭 :	0.12초
P파 :	있음	그룹화 :	없음
형태	뒤집힌 P파		
축:	유도 II 에서 뒤집힌 P파	탈락 박동 :	없음
P:QRS 비 : 1:1		리듬 :	이소성 심방율동

해설:

유도 II에서 뒤집힌 P파가 관찰된다. QRS 폭은 0.12초로 다소 넓으며, 각차단, 심실율동, 편위전도의 가능성이 있다. 심박수가 88회/분로 다소 느리기 때문에 편위전도의 가능성은 다소 낮다. T파는 비특이적으로 평평하며, 박동에 따라 다소 변화하는 것으로 보인다. 이렇게 등전위를 보이는 유도에서는 심장 움직임에 따른 전기축의 변화가 더 잘 나

타난다. T파의 전압이 낮고 변화가 있어서 QT 간격을 측정하기가 어렵다. 정확한 측정을 위해서는 12 유도 심전도가 필요하다.

결론적으로, 유도II에서 역위된 P파가 관찰되고 약 88회의 심박수로 볼 때 이소성 심방율동이며, 원래 각차단이 동반되었을 수 있다.

최종 점검 2: 심전도 5

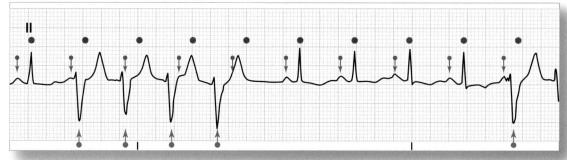

From *Arrhythmia Recognition: The Art of Interpretation, Second Edition*, courtesy of Tomas B. Garcia, MD.

박동수 :	분당 약 102회	PR간격 :	정상
규칙성 :	규칙성이 일부 관찰됨	QRS 폭 :	넓음
P파 :	있음	그룹화 :	없음
형태:	상향		
축:	정상	탈락 박동 :	없음
P:QRS 비 : 다양함		리듬 :	동빈맥, 비지속성 심실빈맥

해설:

두 가지 QRS 모양이 관찰된다. 좁은 QRS파의 심박수는

102회/분이며, 그 앞에는 P파가 관찰된다. P파의 간격은 일정하며, 1:1 방실전도의 소견이다(파란색 화살표). 이에 반

해서 넓은 QRS파의 앞에는 P파가 관찰되지 않는다(초록색 화살표). 방실해리의 소견이다. 1) 넓은 QRS파의 폭은 0.13 초이다. 2) 넓은 QRS파와 좁은 QRS파의 시작 부위는 비슷해 보인다. 이러한 두 가지 소견은 편위전도일 가능성을 다소 높이는 것이지만, 방실해리가 훨씬 강력한 심실빈맥의 증거이다. 이렇듯 증거의 우선 순위는 편위전도와 심실빈맥을 감별할 때, 항상 유념해야 한다.

저자 노트

넓은 QRS파 빈맥의 감별진단은, 심실빈맥, 각차단, 편위전도, 조기흥분증후군(preexcitation syndrome)이다. 임상적으로 가장 위험한 것은 심실빈맥이다. 따라서, 넓은 QRS파 빈맥의 감별진단이 명확하지 않을 때는, 심실빈맥으로 간주하고 대처해야 한다. 실제 임상상황에서는 심전도 판독을 위해 충분한 시간이 없는 경우가 많다. 이런 경우, 환자에게 가장 위험한 상황을 간주하여 대처해야 한다. 루이 파스퇴르의 말을 기억하자. '기회는 준비된 자에게 온다'.

최종 점검 2: 심전도 6

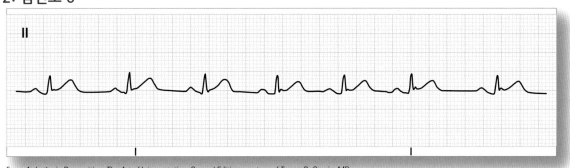

From *Arrhythmia Recognition: The Art of Interpretation, Second Edition,* courtesy of Tomas B. Garcia, MD.

박동수 :	분당 약 70회	PR간격 :	0.20초
규칙성 :	규칙성이 일부 관찰됨	QRS 폭 :	0.10초
P파 : 형태 : 축 :	있음 유도 II 에서 상향 정상	그룹화 :	없음
		탈락 박동 :	없음
P:QRS 비 :	1:1	리듬 :	동부정맥

해설:

QRS 간격이 서서히 빨라졌다가 느려지는 양상이며, 호흡에 따른 동부정맥에 부합하는 소견이다. PR 간격이 약간 늘어나있어, 일도 방실 차단의 소견이다.

심전도 파형을 좀더 자세히 살펴보면, PR 분절은 약간 저하되어 있고, QRS파의 끝에는 뾰족하게 튀어나온 J파가 관찰되며, ST 분절은 약간 상승되어 있다. 조기재분극의 심전도 소견이기도 하지만, 심낭염인 경우에도 관찰될 수가 있다. 12 유도 심전도와 임상 양상으로 구분해야 한다.

최종 점검 2: 심전도 7

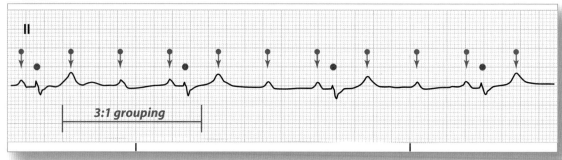

From *Arrhythmia Recognition: The Art of Interpretation, Second Edition*, courtesy of Tomas B. Garcia, MD.

박동수 :	심방: 분당 약 110회 심실: 분당 약 36회	PR간격 :	0.20초
규칙성 :	규칙성이 일부 관찰됨	QRS 폭 :	0.14초
P파 : 　형태 : 　축:	있음 유도 II 에서 상향 정상	그룹화 :	있음
		탈락 박동 :	있음
P:QRS 비 :	3:1	리듬 :	고도 방실 차단

　　P파 3번마다 QRS파가 1번 관찰되는, 고도 방실 차단이다. 방실전도가 있는 경우도, PR 간격은 0.20초로 늘어나 있다. QRS파는 0.14초로 넓어져 있다. QRS파의 기원을 찾기 위해서는 12유도 심전도를 추가적으로 시행해볼 필요가 있다. 2:1 이상의 방실 차단이 있는 경우, 고도 방실 차단이라고 부르며, 대개는 이번 증례처럼 심실 박동수도 느려서 임상적으로 불안정한 경우가 많다. 심방과 심실이 조화롭게 박동할 수 없고 그로 인해 심박출량이 줄어들기 때문이다.

임 상 적   요 점

이러한 고도 방실 차단 환자는 항상 조심해야 한다. 임시 박동기 혹은 심정지에 대비한 투약을 준비해야 한다. 보이스카우트의 모토를 항상 기억하자. '항상 준비된 상태를 유지하자!'

최종 점검 2: 심전도 8

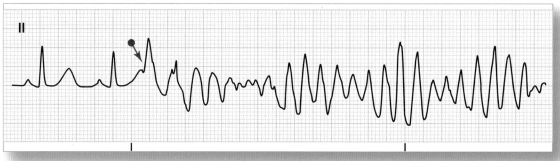

From *Arrhythmia Recognition: The Art of Interpretation, Second Edition*, courtesy of Tomas B. Garcia, MD.

박동수 :	시작지점에서 75회/분	PR간격 :	시작지점에서 0.16초
규칙성 :	해설 참조	QRS 폭 :	시작지점에서 0.10초
P파: 　형태: 　축:	처음에는 있음 유도 II 에서 상향 정상	그룹화 :	없음
		탈락 박동 :	없음
P:QRS 비 :	시작지점에서 1:1 이후에 없어짐	리듬 :	Torsades

해설:

심박수에 대해서 QT 간격을 교정하는 바젯 공식을 사용하면($QT_c = QT/\sqrt{RR}$), 처음 부분에 관찰되는 파형의 QT_c는, '0.48초 / $\sqrt{0.9}$초 = 0.54초' 로 계산된다. 정상 QT_c 는 남자 < 0.44초, 여자 < 0.46초 이다. 이 심전도 첫 부분을 보면, 저명하게 늘어나 있는 QT가 확인된다. 두 번째 T파 위에 R파가 없던 것이 관찰되며(R-on-T 현상), 직후에 다형성 심실빈맥, 즉 Torsades (=Twisting of points)가 발생하였다. 응급 치료가 필요하다.

최종 점검 2: 심전도 9

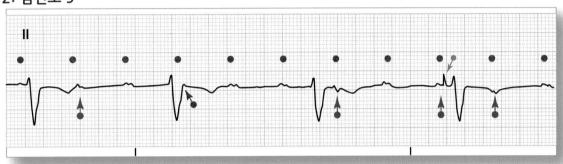

From *Arrhythmia Recognition: The Art of Interpretation, Second Edition*, courtesy of Tomas B. Garcia, MD.

박동수 :	심방: 분당 약 104회 심실: 분당 약 36회	PR간격 :	해설 참조
규칙성 :	규칙성이 일부 관찰됨	QRS 폭 :	0.17초
P파 : 형태 : 축 :	있음 두 개의 봉우리 모양, 유도 II 에서 상향 정상	그룹화 : 탈락 박동 :	없음 없음
P:QRS 비 :	구할 수 없음	리듬 :	완전 방실 차단 및 이탈 율동, 동빈맥

해설:

정확한 진단을 위해, 각각의 파형을 나눠서 분석해보자.

P파부터 관찰하면, 유도 II 에서 2개의 봉우리 모양이며, 상향이다. 유도 II 에서 P파가 상향인 것은 동결절에 의해 심방이 탈분극 되었음을 뜻한다. 동결절이 우심방에 있기 때문에 심방의 탈분극은 우심방 -> 좌심방의 순서이다. 따라서, P파의 봉우리가 두 개로 분리되어 보이는 것은, 좌심방의 탈분극이 늦어진다는 의미이며, 대개는 좌심방 비대의 소견인 경우가 많다. P파는 QRS파와 중복되어 가성의 r' 파 혹은 s' 파를 만들기도 하며, T파와 중복되어 보이기도 한다 (파란색 화살표). 초록색 심전도는 인공 파형(artifact) 이다. PR 간격은 규칙성이 없이 완전히 달라서, 방실해리를 뜻하며, 방실 차단에 부합하는 소견이다.

QRS파를 보면, 우선 0.17초로 늘어나 있고, 정상적인 전도로가 아닌 심실에서 기원할 가능성이 높다. 심박수가 36회/분인 것 또한 심실에서 기원하는 이탈 율동에 부합하는 소견이다.

최종 점검 2: 심전도 10

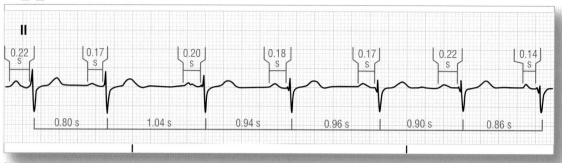

From *Arrhythmia Recognition: The Art of Interpretation, Second Edition,* courtesy of Tomas B. García, MD.

박동수 :	분당 약 70회	PR간격 :	일정하지 않음
규칙성 :	불규칙	QRS 폭 :	0.10초
P파 :	있음	그룹화 :	없음
형태	일정하지 않음		
축	평가할 수 없음	탈락 박동 :	없음
P:QRS 비 : 1:1		리듬 :	유주 심방율동(Wandering atrial pacemaker)

해설:

우선 심박수가 불규칙하며, P파의 모양과 PR 간격이 일정하지 않다. P파의 모양은 최소 3개 이상이며, PR 간격도 각각 다르다. 불규칙한 심박수를 보일 때, 감별할 것은 심방세동, 유주 심방유동, 다소성 심방빈맥이다. 뚜렷한 모양의

P파가 있기 때문에, 심방세동은 아니다. 심박수가 다소 느리기 때문에, 심방빈맥보다는 유주 심방율동이 적절한 진단이다.

최종 점검 2: 심전도 11

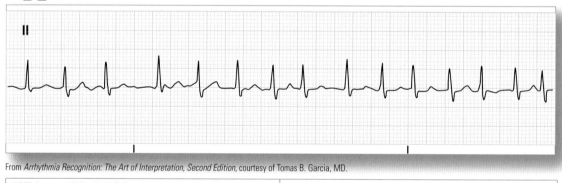

From *Arrhythmia Recognition: The Art of Interpretation, Second Edition,* courtesy of Tomas B. García, MD.

박동수 :	대략 150회/분	PR간격 :	다양함
규칙성 :	불규칙	QRS 폭 :	0.12초 이내에서 다양함
P파 :	있음	그룹화 :	없음
형태	다양함		
축	평가하기 어려움	탈락 박동 :	간혹 전달이 되지않는 것으로 보임
P:QRS 비 : 해설 참조		리듬 :	다소성 심방빈맥 혹은 심방세동

해설:

무엇보다 P파가 분명하지 않으며, 모양이 계속 변화하는 것으로 보인다. 정확한 진단을 위해서 12 유도 심전도가 필요하다. P파가 뚜렷하지 않다면 심방세동의 가능성이 높고,

모양이 계속 바뀌는 것이라면 다소성 심방빈맥일 가능성이 높다. 하지만, 임상적으로 이 두 가지 진단과 치료에 큰 차이가 없고, 발생 기전으로도 비슷한 경우가 많고, 한 환자에서 심방세동과 심방빈맥이 같이 나타나는 경우도 흔하다. 다

소성 심방빈맥에서 심박수는 대개 100~150회/분이나, 250회/분에 이르는 경우도 드물게 있다. 이번 증례의 경우, 대략 150회/분이다(6초 동안 15회 박동).

다소성 심방빈맥은 폐질환 환자에서 잘 나타나며, 폐질환에 의한 우심실 및 우심방 비대 소견이 동반되는 경우가 있다. 심방세동(뚜렷한 P파가 없음)뿐 아니라, 동빈맥(유도 II에서 상향인 P파가 지속), 심방조동(일부 유도에서는 등전위선이 없는 F파 관찰)을 감별해야 한다.

최종 점검 2: 심전도 12

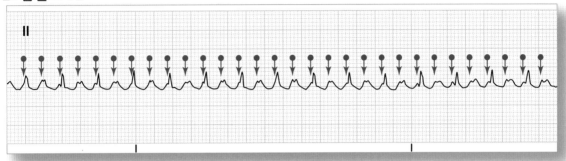

From *Arrhythmia Recognition: The Art of Interpretation, Second Edition,* courtesy of Tomas B. Garcia, MD.

박동수 :	심방: 분당 약 300회 심실: 분당 약 150회	PR간격 :	구할 수 없음
규칙성 :	규칙적	QRS 폭 :	좁음
P파 : 　형태: 　축:	F파 F파 유도 II 에서 상향	그룹화 :	2:1
		탈락 박동 :	없음
P:QRS 비 :	해설 참조	리듬 :	심방조동, 2:1 전도

해설:

QRS파는 빠르고 규칙적이며 좁다(150회/분). QRS파를 제외한 파형을 살펴보자. 등전위선이 없이 파형이 부드럽게 물결치는 듯 보인다. 심방조동에 부합하는 소견이다. 흡사 톱니같이 보인다(saw-tooth appearance). T파의 봉우리는 움푹 파인 형태인데, 일반적인 T파에서는 관찰되지 않는 소견이다. 또한, 움푹 파인 각 파형의 중간 지점은 QRS파의 바로 앞인데, 비슷하게 움푹 파인 파형이 관찰된다. 이것까지 포함하여 관찰하면, 같은 간격을 가진 파형이 있음을 알

수 있다(파란색 화살표). 종합하면, 심방조동 및 2:1 전도에 부합하는 소견이다. 심방빈맥의 가능성도 있지만, 심방빈맥이라고 하기에는 심방 율동이 너무 빠르다(300회/분). 심방조동과 심방빈맥의 구분이 뚜렷하지 않고, 한 환자에서 같이 나타나는 경우도 있다. 전기생리학 검사를 해야 정확한 진단이 가능한 경우도 있다. 심전도를 보고 심방조동이라고 생각했지만, 실제는 심방빈맥인 경우가 많았다. 심전도 진단에는 가능하면 여러 가지 기준을 적용하는 노력이 필요하다. 어떠한 소견들도 무시하지 말아야 한다

최종 점검 2: 심전도 13

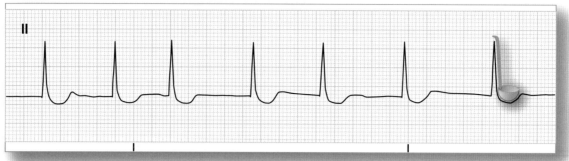

From *Arrhythmia Recognition: The Art of Interpretation, Second Edition*, courtesy of Tomas B. Garcia, MD.

박동수 :	70회/분		PR간격 :	적용할 수 없음
규칙성 :	불규칙		QRS 폭 :	0.08초
P파 : 　형태: 　축:	없음 적용할 수 없음 적용할 수 없음		그룹화 :	없음
			탈락 박동 :	없음
P:QRS 비 :	없음		리듬 :	심방세동, 디곡신 중독

해설:

　먼저 관찰되는 것이 뚜렷한 P파가 보이지 않는다는 점이다. 그리고, QRS파는 어떠한 규칙성도 없이 불규칙하다 (irregularly irregular). 이 두 가지는 심방세동의 중요한 진단 기준이다. 심실의 심박수는 70회/분이다(총 6초 간의 리듬 기록지에서 7개의 QRS파가 있으므로 7 × 10 = 70회/분).

　ST 분절은 국자 모양으로 움푹하다(그림 참조). 디곡신 중독인 경우에 전형적으로 관찰되는 모양이다. 결론적으로 이 리듬기록지는 디곡신 중독이 동반된 약 분당 70회의 심박수를 보이는 심방세동이다.

한 가지 더

　디곡신 중독의 또다른 심전도 소견은 심방빈맥이다. 최근 들어 디곡신은 부작용이 많고, 생존율 개선에 도움이 되지 않는다는 이유로 사용이 줄었지만, 여전히 많이 처방되는 약제이다. 심전도에서 디곡신 중독이 의심되면, 약제 농도를 반드시 확인해봐야 한다.

최종 점검 2: 심전도 14

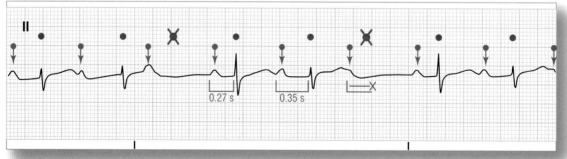

From *Arrhythmia Recognition: The Art of Interpretation, Second Edition*, courtesy of Tomas B. Garcia, MD.

박동수 :	심방: 분당 약 80회 심실: 분당 약 60회	PR간격 :	다양함
규칙성 :	규칙성이 일부 관찰됨	QRS 폭 :	0.09초
P파 : 　형태: 　축:	있음 정상 유도 Ⅱ에서 상향	그룹화 :	3:2
		탈락 박동 :	있음
P:QRS 비 :	해설 참조	리듬 :	Wenckebach 혹은 Mobitz I 이도 방실 차단

해설:

　QRS파가 무리지어 나타나며, 방실전도의 비율은 3:2 이다. P파는 규칙적이며, 무리를 짓는 3개의 P파 중 마지막은 방실전도가 되지 않는다(빨간색 점 및 X표). 방실전도가 되는 두 번째 QRS파는 전압이 다소 낮으며, 이것은 Wenchebach 현상에서 흔히 관찰되고 일종의 편위전도에 의한 현상이다.

　심전도 밑에 표시한 붉은 색 괄호는 PR 간격을 나타내며, 늘어나다가 세 번째에서는 방실 차단이 된다. Wehchebach 현상에서는 R-R 간격이 점차 줄어드는 것이 전형적이지만, 이 심전도에서는 R-R 간격이 하나밖에 없기 때문에 관찰할 수가 없다. 방실전도가 되는 첫 번째 PR 간격도 늘어나 있다(0.27초). 일도 방실 차단의 소견인데, 이 증례처럼 보다 심한 방실 차단이 있는 경우, 심한 것을 기준으로 진단을 하는 것이 일반적이다.

최종 점검 2: 심전도 15

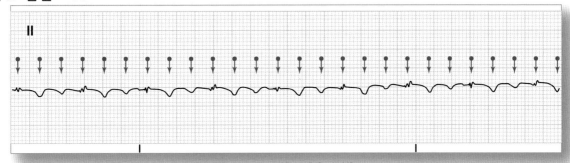

From *Arrhythmia Recognition: The Art of Interpretation, Second Edition,* courtesy of Tomas B. Garcia, MD.

박동수 :	심방: 분당 약 250회 심실: 분당 약 84회	PR간격 :	해설 참조
규칙성 :	규칙적	QRS 폭 :	0.08초
P파 : 　형태 : 　축 :	있음 뒤집힘 유도 II 에서 음성	그룹화 :	3:1
		탈락 박동 :	있음
P:QRS 비 :	3:1	리듬 :	심방빈맥 혹은 심방조동(3:1 방실전도)

해설:

　심전도 전체에 걸쳐서, 물결 모양의 뒤집힌 P파가 관찰된다(파란색 화살표). 간간히 QRS파로 생각되는 것이 보인다. PR 간격은 0.28초로 늘어나 있다.

　두 개의 QRS파 정중앙을 살펴보자. 아무런 P파도 관찰되지 않는다(그림 3). 두개의 QRS파를 3등분하여 살펴보자. P파가 관찰된다(그림 4). P파 사이의 간격은 0.23초임을 알 수 있다(파란색 화살표). P파 사이에 등전위선이 관찰되는 것으로 보아, 심방빈맥의 가능성이 있지만, 심방조동을 감별하기 위해서는 12 유도 심전도가 필요하다.

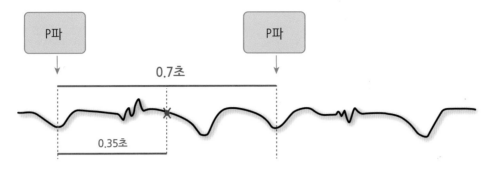

두 개의 QRS파 정중앙 위치에 P파가 관찰되지 않는다.

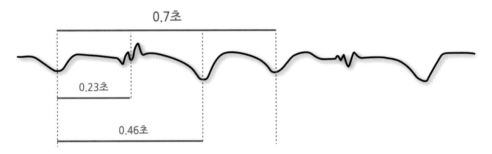

두 개의 QRS파 1/3 위치에 P파가 관찰된다.

그림 3. 숨어있는 P파 찾기

© Jones & Bartlett Learning.

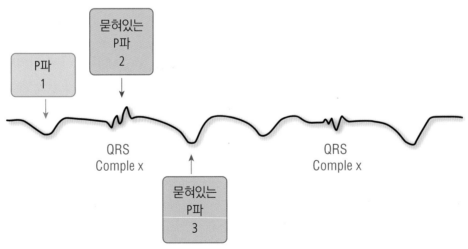

그림 4. 심방빈맥 혹은 심방조동에서 숨어있는 P파 찾기

© Jones & Bartlett Learning.

최종 점검 2: 심전도 16

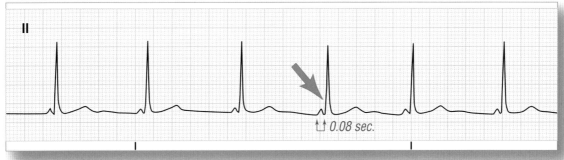

From *Arrhythmia Recognition: The Art of Interpretation, Second Edition,* courtesy of Tomas B. Garcia, MD.

박동수 :	분당 약 64회	PR간격 :	0.08초
규칙성 :	규칙적	QRS 폭 :	0.09초
P파 : 　형태 : 　축 :	있음 상향 정상	그룹화 :	없음
		탈락 박동 :	없음
P:QRS 비 : 1:1		리듬 :	동율동

해설:

　P파 축이 정상인 동율동이다. PR 간격은 0.08초로 매우 짧다. 이렇게 PR 간격이 짧은 심전도에서, 넓은 QRS와 델타파가 보인다면 WPW 증후군의 가능성을 확인해야 한다. 이 증례의 경우 그러한 소견은 관찰되지 않는다. 이런 심전도를 보이는 환자가 만약, 갑작스런 빈맥이 있거나 의심된다면, 조기흥분증후군의 일종인 Lown-Ganong-Levine 증후군으로 간주할 수 있다. 방실결절 안에서 'James 속' 이라는

전도속도가 매우 빠른 부전도로에 의한 것이다. 빈맥의 병력이 없다면, 그냥 정상 변이라고 생각해도 좋다.

　QRS파 시작 부분에 약간의 전도 속도 저하가 관찰된다 (초록색 화살표). 델타파라고 하기에는 너무 미약한 정상 변이의 일종이다. QRS파의 시작부터 R파의 정상까지의 시간을 Intrinsicoid deflection 시간이라고 하며, 탈분극이 심내막에서 심외막까지 전달되는 시간이다. 심실 비대가 있으면, 0.045초 이상으로 늘어나는 경우가 많다.

최종 점검 2: 심전도 17

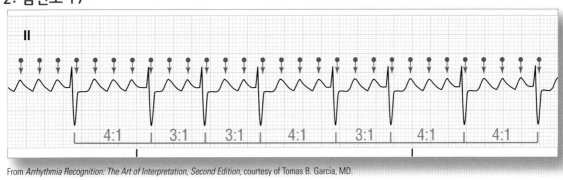

From *Arrhythmia Recognition: The Art of Interpretation, Second Edition,* courtesy of Tomas B. Garcia, MD.

박동수 :	심방: 분당 약 300회 심실: 분당 약 80회	PR간격 :	적용할 수 없음
규칙성 :	불규칙	QRS 폭 :	0.08초
P파 : 　형태 : 　축 :	없음 없음 적용할 수 없음	그룹화 :	3:1 혹은 4:1 conduction
		탈락 박동 :	적용할 수 없음
P:QRS 비 : 변화함		리듬 :	심방조동

해설:

톱니 모양 혹은 물결이 치는 듯한 파형이 관찰된다. F파이며, 심방조동의 소견이다(파란색 화살표). QRS 와 T파를 제외하고 보면 더욱 분명하다(그림 5). 심방조동은 3:1 혹은 4:1 로 방실전도하고 있다(초록색 괄호).

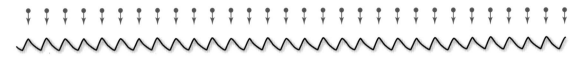

그림 5. QRS파를 제외하고 관찰한 심방조동의 파형(F파).

© Jones & Bartlett Learning.

최종 점검 2: 심전도 18

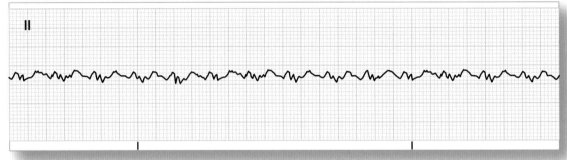

From *Arrhythmia Recognition: The Art of Interpretation, Second Edition*, courtesy of Tomas B. Garcia, MD.

박동수 :	심방: 분당 약 280회 심실: 분당 약 140회	PR간격 :	0.07초
규칙성 :	규칙적	QRS 폭 :	0.09초
P파 : 형태: 축:	있음 상향 유도 II 에서 양성	그룹화 :	있음
		탈락 박동 :	있음
P:QRS 비 : 2:1		리듬 :	심방빈맥, 2:1 방실전도

해설:

QRS 전압이 낮아서 얼핏 봐서는 명확하게 구분하기가 쉽지 않다. 확대하여 살펴보면, QRS파 뒤에 T파로 생각되는 것이 있고, T파 위에 P파가 얹혀있는 것으로 보인다. 이러한 양상이 계속 반복되고 있다(그림 6). 이러한 심전도 진단에 있어, 다른 유도를 확인하는 것이 무엇보다 중요하다.

유도 V₁을 동시에 보여주는 그림 7을 보면, 감별진단이 훨씬 쉬워진다. 심방의 심박수는 280회/분이고, 심실의 심박수는 140회/분으로, 2:1 방실전도이다.

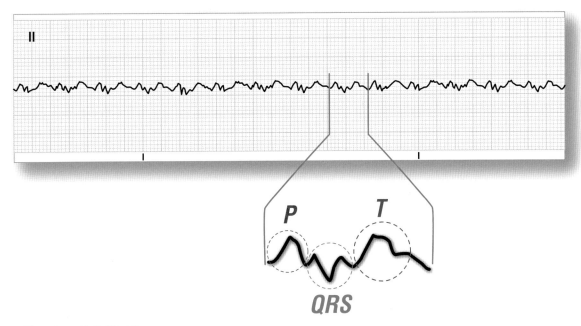

그림 6. 유도 II 를 확대한 그림.

From *Arrhythmia Recognition: The Art of Interpretation, Second Edition,* courtesy of Tomas B. Garcia, MD.

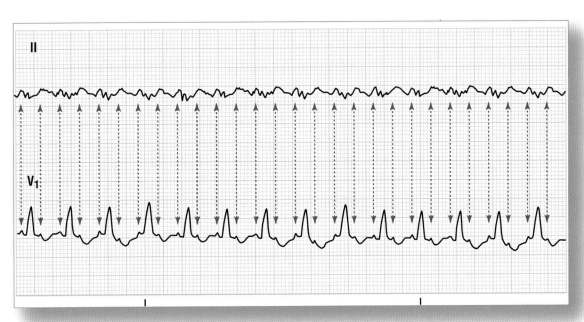

그림 7. 유도 II 와 V1 을 같이 분석한 그림. 유도 II 에서는 분명하지 않던, P파와 QRS파가 선명하게 구분된다.

From *Arrhythmia Recognition: The Art of Interpretation, Second Edition,* courtesy of Tomas B. Garcia, MD.

최종 점검 2: 심전도 19

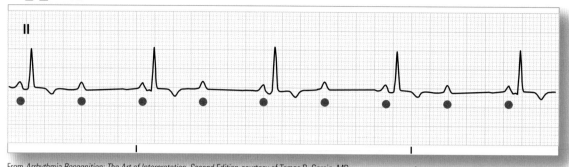

From *Arrhythmia Recognition: The Art of Interpretation, Second Edition,* courtesy of Tomas B. Garcia, MD.

박동수 :	심방: 분당 약 90회 심실: 분당 약 45회	PR간격 :	0.15초
규칙성 :	규칙적인 QRS파	QRS 폭 :	0.07초

P파 :
  형태:
  축:
	있음
	정상
	유도 II 에서 양성
		그룹화 :
		
		탈락 박동 :
			2:1 방실전도
			
			있음

P:QRS 비 : 2:1		리듬 :	2:1 방실 차단

해설:

2개의 P파 다음에 QRS파가 관찰된다. QRS 앞에 관찰되는 P파와 QRS파의 간격은 항상 일정하다. 즉, 방실전도가 된다고 생각할 수 있다. 반면, 다른 P파 다음에는 QRS파가 관찰되지 않는다. 방실 차단의 소견이다.

최종 점검 2: 심전도 20

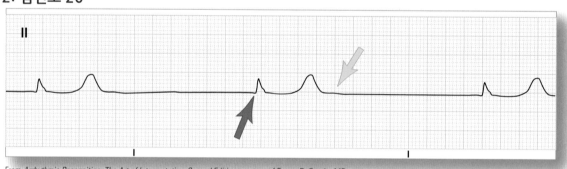

From *Arrhythmia Recognition: The Art of Interpretation, Second Edition,* courtesy of Tomas B. Garcia, MD.

박동수 :	분당 약 30회	PR간격 :	적용할 수 없음
규칙성 :	규칙적	QRS 폭 :	0.13초

P파 :
  형태:
  축:
	없음
	없음
	적용할 수 없음
		그룹화 :
		
		탈락 박동 :
			없음
			
			없음

P:QRS 비 : 해설 참조		리듬 :	이탈 율동

해설:

P파가 보이지 않으며, QRS파의 심박수는 30회/분으로 매우 느리다. QRS파의 간격은 0.13초로 다소 늘어나 있다. QT 간격은 0.75초 이며, R-R 간격은 2초 이므로, 교정한 QT 간격(=QTc)는 0.595초 으로 매우 늘어나 있다.

QRS파를 자세히 보면, 작은 Q파(파란색 화살표)와 U 파 (노란색 화살표)가 관찰되는데, 임상적 의미는 없다.

P파가 관찰되지 않는 것으로 보아, 동기능 부전이며, 이로 인해서 이탈 율동이 발생하는 것으로 보인다. QRS파가 넓은 것으로 보아, 이탈 율동의 발생 위치는 방실결절을 기준으로 심실 쪽 밑 부분인 것으로 보인다.

최종 점검 2: 심전도 21

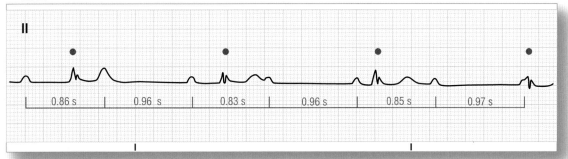

From *Arrhythmia Recognition: The Art of Interpretation, Second Edition*, courtesy of Tomas B. Garcia, MD.

박동수 :	심방: 분당 약 70회 심실: 분당 약 40회	PR간격 :	다양함
규칙성 :	QRS파는 규칙적	QRS 폭 :	대략 0.14초
P파 : 형태 축 :	있음 상향 정상 유도 II 에서 상향	그룹화 : 탈락 박동 :	없음 없음, 해설 참조
P:QRS 비 : 해설 참조		리듬 :	완전 방실 차단 및 Ventriculophasic 현상

해설:

QRS파(빨간색 점)에 앞서는 P파와의 간격을 살펴보면 전혀 규칙성이 없다. 또한, QRS파는 완전히 규칙적이다. 완전 방실 차단의 심전도 소견이다.

이상한 점은 PP 간격이다. 일정한 듯 보이지만, 간혹 짧아진다(빨간색 숫자). 짧아질 때를 유심히 관찰하면, 모두

QRS파가 나올 때임을 알 수 있다.

이러한 것을 'ventriculophasic 현상'이라고 한다. 흡사 QRS파가 P파를 자석처럼 당기는 것으로 보인다.

그림 8은 P파와 QRS파를 나눠서 분석한 것이다. 간간히 두 파가 합쳐진 양상도 관찰되며, QRS파 다음에 나오는 P파는 간격이 다소 짧아져 있다.

표1 Wenckebach 현상과의 비교	
Wenckebach 현상	**이번 증례**
1. 무리짓는 QRS 군이 있음. P파보다 QRS파의 개수가 하나 적다. X : (X - 1). 예) 2:1, 3:2, 4:3 등등	1. 무리짓는 QRS 군이 없다.
2. P-P 간격은 일정하다.	2. 두 종류의 P-P 간격이 반복된다.
3. R-R 간격은 짧아진다.	3. R-R 간격은 일정하다.
4. 마지막 P파에서 방실전도가 이루어지지 않을 때까지, PR 간격은 계속 늘어난다.	4. PR 간격은 QRS파와 상관이 없다.
5. 방실 차단이 생긴 이후의 PR 간격이 가장 짧다.	5. 가장 짧은 PR 간격은 규칙성이 없다.
6. 방실 차단 직전의 PR 간격이 가장 길다.	6. 가장 긴 PR 간격도 규칙성이 없다.
7. PR 간격이 가장 많이 늘어나는 것은 첫 번째 방실전도 직후이다.	7. PR 간격이 증가되는 것도 규칙성이 없다.

심실 이탈 율동

정상 동율동

Ventriculophasic
AV dissociation

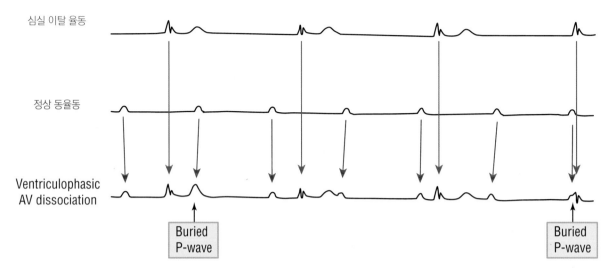

그림 8. 이 증례의 심전도를 P파와 QRS파에 따라서 둘로 나눠서 분석해보자. 맨 위 심전도는 QRS파만 표시한 하였고, 두 번째 심전도는 P파만을 표시하였다. 세 번째 심전도는 두 가지를 합친 이 증례의 심전도이다. 심실 이탈율동은 일정하며, P파는 일정한 듯 보이지만, QRS파 다음에 나오는 P파는 당겨진 양상이다.

© Jones & Bartlett Learning.

최종 점검 2: 심전도 22

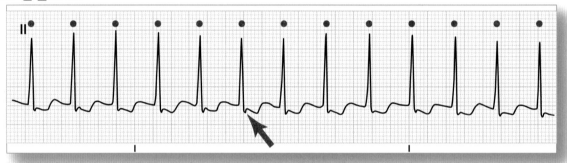

From *Arrhythmia Recognition: The Art of Interpretation, Second Edition*, courtesy of Tomas B. Garcia, MD.

박동수 :	분당 약 140회	PR간격 :	적용할 수 없음
규칙성 :	규칙적	QRS 폭 :	0.10초
P파 :	가성 S파의 모양?	그룹화 :	없음
형태 :	뒤집힌 상태로, QRS파 끝에 묻힘	탈락 박동 :	없음
축 :	유도 II 에서 음성		
P:QRS 비 :	해설 참조	리듬 :	방실결절 회귀 빈맥

해설:

빠르고 좁은 QRS파 빈맥이다. 심박수는 140회/분이다. QRS파 앞에 뚜렷한 P파가 관찰되지 않지만, QRS파 끝 부분에 가성 S파의 형태로 관찰된다(빨간 색 화살표). 이것은 전기신호가 역행성으로 실방전도하여 심방이 탈분극될 때 관찰되는 현상으로, 방실접합부 빈맥, 방실결절 회귀빈맥에 부합하는 소견이다. 심실에 전도된 이후에 역행성으로 전기신호가 심방에 전달될 때까지의 시간이 짧기 때문에, QRS파와 P파 사이의 간격이 짧다(=RP 간격이 짧다). 방실결절 회귀빈맥은 대개 150~250회/분이지만, 이 증례처럼 다소 느릴 수도 있다.

최종 점검 2: 심전도 23

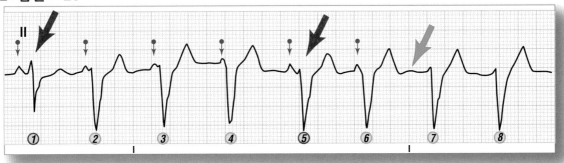

From *Arrhythmia Recognition: The Art of Interpretation, Second Edition*, courtesy of Tomas B. Garcia, MD.

박동수 :	심방: 분당 약 78회 심실: 분당 약 84회	PR간격 :	다양함
규칙성 :	규칙적	QRS 폭 :	0.13초
P파 　형태: 　축:	있음 정상. 상당수는 QRS파에 묻힘 유도 II 에서 상향	그룹화 :	없음
		탈락 박동 :	없음
P:QRS 비 :	해설 참조	리듬 :	가속성 심실고유 리듬

해설:

　QRS파는 넓고(노란색 점), PR 간격은 규칙성이 없다(파란색 점). 첫 번째 QRS파는 다른 QRS파와 모양이 다르고 다소 좁다(빨간색 화살표). 첫 번째 QRS파 앞에는 P파도 관찰된다. 이 QRS파는 정상 전도된 박동과 심실에서 기원한 박동이 합쳐진 융합박동이다. 넓은 QRS파가 계속되는 심전도에서 이러한 융합박동이 관찰되면, 넓은 QRS파의 기원이 심실임을 뜻한다. 즉, 심실빈맥 또는 가속성 심실고유 리듬이다. 같은 상황에서 좁은 QRS파가 관찰된다면, 이것은 포획박동이며, 임상적 의미는 융합박동과 같다. 융합 혹은 포획박동은 방실해리를 뜻하며 넓은 QRS파 감별진단에 매우 중요한 소견이며, 이를 관찰하기 위해서는 심전도를 가능한 길게 찍고, 12 유도 심전도를 얻어서 확인하는 노력이 필요하다. 이 같은 리듬에서 심박수가 빠르면 심실빈맥이라 한다. 심박수가 느리면 '느린 심실빈맥' 이라고 하기도 하지만, 모순되는 용어이다. '가속성 심실고유리듬'이 보다 일반적인 용어이다.

최종 점검 2: 심전도 24

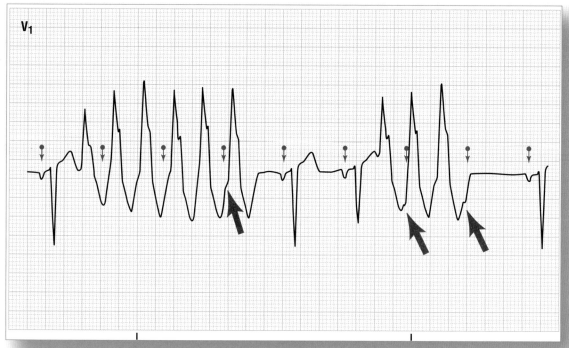

From *Arrhythmia Recognition: The Art of Interpretation, Second Edition*, courtesy of Tomas B. Garcia, MD.

박동수 :	심방: 분당 약 90회 심실: 분당 약 230회	PR간격 :	0.13초
규칙성 :	규칙성이 일부 관찰됨	QRS 폭 :	다양함

P파 :
  형태
  축
	있음
	유도 V₁ 에서 음성
	유도 V₁ 에서 음성
		그룹화 :	없음

		탈락 박동 :	없음
P:QRS 비 :	해설 참조	리듬 :	비지속성 심실빈맥

해설:

P파는 V₁에서 음성이다(파란색 화살표). 첫 번째 QRS파는 좁고 정상적이다. 세 번째부터 넓은 QRS파가 잇달아 관찰된다. 두 번째 QRS파는 첫 번째와 세 번째 QRS파를 섞어 놓은듯한 모양이며, 융합박동이다. 넓은 QRS파의 감별 진단에서 융합박동은 심실빈맥 혹은 가속성 심실고유 리듬의 특징적인 소견이며, 이 증례처럼 심박수가 빠른 경우 심실빈맥이다. 넓은 QRS파 중간에 P파가 얹혀져 있는 것으로 보인다(빨간색 화살표). 이러한 P파는 넓은 QRS파와 연관성이 없으며, 이 또한 방실해리의 소견이고, 심실빈맥에 부합하는 소견이다. 심실빈맥의 QRS파 모양이 V₁ 에서 양성

인 것으로 보아, 심실빈맥의 기원은 좌심실일 것이다.

우각차단일 경우, 좌각에 의해서 좌심실의 탈분극이 먼저 발생하고, 우심실은 심근 근육을 통해서 서서히 전달되는 전기신호에 의해서 탈분극되어 보다 큰 R파를 만든다. 결과적으로 QRS파의 뒷 부분이 커지는 rSR'의 양상을 보인다.

이에 반해서, 각차단이 아니라 좌심실에서 심실빈맥의 전기신호가 시작되는 경우, 느린 탈분극이 QRS파의 시작부터 나타나서, 큰 R파를 만든다. 이번 증례와 같은 rSR' 양상이다.

최종 점검 2: 심전도 25

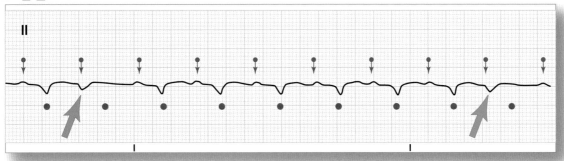

From *Arrhythmia Recognition: The Art of Interpretation, Second Edition,* courtesy of Tomas B. Garcia, MD.

박동수 :	92회/분	PR간격 :	0.26초
규칙성 :	규칙성이 일부 관찰됨	QRS 폭 :	0.10초
P파 :	있음	그룹화 :	없음
형태:	정상	탈락 박동 :	없음
축:	유도 II에서 양성		
P:QRS 비 :	1:1	리듬 :	1도 방실 차단, 심실 조기수축

해설:

파란색 화살표는 P파를, 빨간색 점은 QRS파를 가리킨다. PR 간격은 다소 늘어나 있으나 일정하며, 방실전도가 이루어짐을 나타낸다. 초록색 화살표로 표시된 파형은 QRS파로 생각되는데, 다른 QRS파와는 모양이 다르다. P파와는 연관성이 없어서, 편위전도보다는 심실 조기수축일 가능성이 높다. PP 간격에 영향을 주지 않는다는 점(=보상성 휴지기) 또한, 심실 조기수축에 부합하는 소견이다.

최종 점검 2: 심전도 26

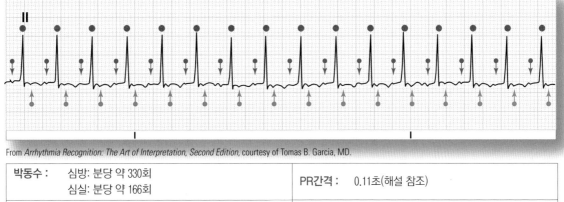

From *Arrhythmia Recognition: The Art of Interpretation, Second Edition,* courtesy of Tomas B. Garcia, MD.

박동수 :	심방: 분당 약 330회 심실: 분당 약 166회	PR간격 :	0.11초(해설 참조)
규칙성 :	규칙적	QRS 폭 :	0.06초
P파 :	있음	그룹화 :	없음
형태:	작고 뒤집혀 있음	탈락 박동 :	없음
축:	유도 II 에서 음성		
P:QRS 비 :	2:1	리듬 :	심방조동 혹은 심방빈맥

해설:

좁은 QRS파 빈맥이다. P파를 관찰하기 위해 원래선을 살펴보면, 작은 파형이 관찰된다. 얼핏 보면 인공 파형(artifact)으로 오인할 수도 있다. 인공 파형인지 여부를 확인하려면, 일정하게 반복되는 지를 살펴봐야 한다. QRS파 앞에 관찰되는 P파는 파란색으로 표시하였고, 뒤에 관찰되는 P파는 초록색으로 표시하였다. 두 P파를 합쳐서 보아도, 간격이 일정함을 알 수 있다.

종합해보면, 2개의 P파 다음에 QRS파가 방실전도됨을 알 수 있다. 심방조동 혹은 심방빈맥 2:1 방실전도의 소견이며, 보다 정확한 진단을 위해서는 12 유도 심전도가 필요하다.

최종 점검 2: 심전도 27

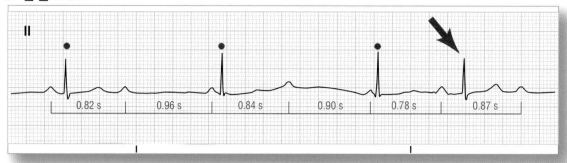

From *Arrhythmia Recognition: The Art of Interpretation, Second Edition*, courtesy of Tomas B. Garcia, MD.

박동수 :	심방: 분당 약 40회 심실: 분당 약 70회	PR간격 :	다양함
규칙성 :	규칙성이 일부 관찰됨	QRS 폭 :	0.07초
P파 : 형태: 축:	있음 정상 유도 Ⅱ에서 상향	그룹화 :	없음
		탈락 박동 :	없음
P:QRS 비 :	해설 참조	리듬 :	고도 방실 차단, 이탈율동

해설:

처음 3번째 QRS파까지는(빨간색 점) P파와 어떠한 연관성도 없으며, QRS파는 규칙적이다. 방실 차단에 부합하는 소견이다. 네 번째 QRS파(빨간색 화살표)는 앞선 QRS파와 전혀 다른 간격을 보인다. 이것은 완전 방실 차단에 맞지 않는 소견이다. 완전 방실 차단에서 관찰되는 이탈율동은 거의 모두 규칙적이기 때문이다. 따라서, 네 번째 QRS파는 이

탈율동이 아니라, 방실전도가 이루어진 QRS파로 보는 것이 적절하다. PR 간격이 늘어나 있다. 보다 정확한 진단을 위해서는 12 유도 심전도와 보다 길게 심전도 리듬을 확인하는 것이 필수적이다. P-P 간격은 대부분 일정하나, QRS파 뒤에 나오는 P파는 당겨져 있으며, ventriculophasic 현상이다.

최종 점검 2: 심전도 28

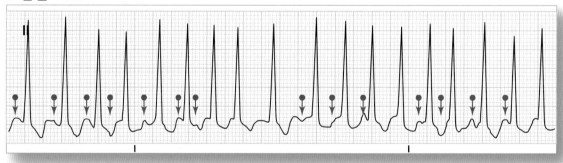

From *Arrhythmia Recognition: The Art of Interpretation, Second Edition*, courtesy of Tomas B. Garcia, MD.

박동수 :	분당 약 180회	PR간격 :	적용할 수 없음
규칙성 :	불규칙	QRS 폭 :	0.08초
P파 : 형태: 축:	없음 적용할 수 없음 적용할 수 없음	그룹화 :	없음
		탈락 박동 :	없음
P:QRS 비 :	해설 참조	리듬 :	다소성 심방빈맥

해설:

　좁은 QRS파 빈맥이며, R-R 간격은 불규칙하다. 이러한 경우 감별진단은 심방세동; 다소성 심방빈맥, 유주 심방율동이다.

　자세히 보면, P파가 관찰된다(파란색 화살표). P파는 비교적 뚜렷한 양상이어서, 심방세동의 가능성은 다소 떨어진다. 맥박이 빠르며, 심방의 여러 곳에서 기원하는 다소성 심방빈맥이다.

　맥박이 빠른 다소성 심방빈맥은, 심방 반동(atrial kick)과 심실 과충만이 떨어지기 때문에 심장 박출량이 감소하여, 혈역학적으로 불안정해질 수 있다. 심방빈맥은 만성 폐질환 환자에서 잘 발생한다. 빈맥의 원인을 제거하고, 혈압을 유지시키는 치료가 필요하다.

저자 노트

심전도만으로는 심방빈맥과 심방세동의 구분이 어려운 경우도 많다. 부정맥 발생 기전으로도 구분이 어려울 수 있다. 심전도를 충분히 관찰하고 임상 상황과 잘 접목하여 판단하는 것이 중요하다.

최종 점검 2: 심전도 29

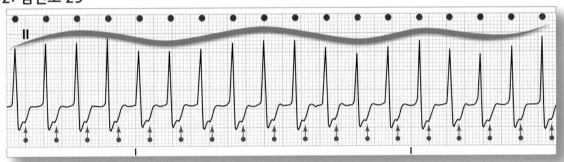

From *Arrhythmia Recognition: The Art of Interpretation, Second Edition,* courtesy of Tomas B. Garcia, MD.

박동수 :	176회/분	PR간격 :	해설 참조
규칙성 :	규칙적	QRS 폭 :	0.12초
P파 :	있음	그룹화 :	없음
형태:	역행성으로 뒤집힘		
축:	유도 II 에서 음성	탈락 박동 :	없음
P:QRS 비 :	1:1	리듬 :	역행성 방실 회귀빈맥 혹은 편위전도를 동반한 방실결절 회귀빈맥

해설:

　넓은 QRS파 빈맥이다. 감별진단은 심실빈맥, 편위전도를 포함한 각차단 그리고 조기흥분증후군이다. 이 중 임상적으로 가장 위험한 것은 심실빈맥이다. 따라서, 넓은 QRS파 감별진단이 명확해지기 전까지는 심실빈맥일 가능성을 염두에 두고 환자를 봐야 한다.

　QRS파는 빠르지만, 규칙적이다(빨간색 점). QRS파 앞에는 뚜렷한 P파가 관찰되지 않고, QRS파 뒤에 관찰된다. 유도 II 에서 뒤집힌 모양인 것으로 보아, 역행성 실방전도(retrograde ventriculoatrial conduction)일 가능성이 있다. RP 간격은 비교적 늘어나 있다. 이것은 역행성 실방전도가 부전도로이거나 방실결절의 느린 전도로(slow pathway)일

가능성이 있다.

　QRS파의 전압을 살펴보자. 변이가 관찰된다(electrical alternance. 초록색 파). 구조적인 심장질환이 없는 경우에 상심실성 빈맥에서 이러한 변이는 맥박이 빠른 경우에 흔하며, 따라서 방실 회귀빈맥에서 보다 흔하게 나타나지만, 방실결절 회귀빈맥에서도 보일 수 있다.

　환자의 평소 심전도에서 델타파 등 조기흥분 증후군의 증거가 있다면, 방실 회귀빈맥일 가능성을 높인다. 따라서, 병력 청취와 함께 가능한 많은 심전도를 검토하는 것이 도움이 된다.

　이와 같은 소견으로 최종적인 감별진단은, 역행성 방실 회귀빈맥 혹은 편위전도를 동반한 방실결절 회귀빈맥이다.

역행성 방실 회귀빈맥은 심실의 탈분극이 정상 전도로를 통하지 않기 때문에, 심박출량이 좀더 낮을 수 있다. '역행' 하는 것은 항상 불안정하고 위험하다. 따라서, 좀더 위험한 경우를 항상 감안해야 하지만, 임상적으로 역행성 방실 회귀빈맥은 매우 드물다는 점도 기억하자.

최종 점검 2: 심전도 30

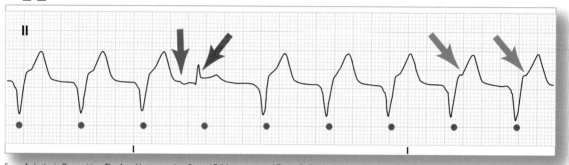

From *Arrhythmia Recognition: The Art of Interpretation, Second Edition*, courtesy of Tomas B. Garcia, MD.

박동수 :	88회/분	PR간격 :	해설 참조
규칙성 :	규칙적	QRS 폭 :	0.13초
P파 　형태: 　축:	해설 참조 적용할 수 없음 적용할 수 없음	그룹화 :	없음
		탈락 박동 :	없음
P:QRS 비 :	해설 참조	리듬 :	가속성 심실 고유율동

해설:

이 심전도에서 대부분의 QRS파는 넓다. 심실에서 기원하는 박동일 수도 있고, 상심실성 박동이지만, 각차단, 조기흥분증후군에 의해 QRS파가 넓어진 것일 수도 있다. 중간부분에서 좁은 QRS파가 관찰되며(빨간색 화살표), 그 QRS파 앞에는 P파로 생각되는 파형이 관찰된다(파란색 화살표). 포획박동의 소견이며, 포획박동 이외의 QRS파는 방실 해리에 의한 것이라는 강력한 증거가 된다. 심전도를 유심히 살펴보면, P파로 생각되는 파형이 QRS파와 상관없이 관찰된다(초록색 화살표). 이러한 소견 또한 방실 해리의 증거이다. 따라서, 넓은 QRS파는 심실에서 기원하는 것이며, 심박수가 빠르다면 심실빈맥에 합당하지만, 심박수가 대략 88회/분으로 느리기 때문에 심전도 진단은 가속성 심실 고유율동이다. 가속성 심실 고유율동은 방실 차단 환자에서, 이탈 율동이 심실 부위에서 발생하는 경우에 관찰될 수 있다. 이탈 율동이 심실 부위라는 것은, 심실의 박동이 불안정할 가능성이 높은 것이며, 임상적으로 주의가 필요하다.

최종 점검 2: 심전도 31

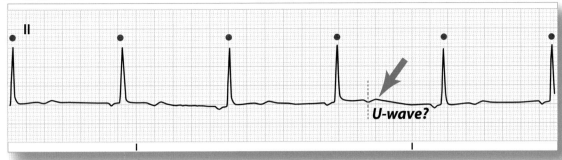

From *Arrhythmia Recognition: The Art of Interpretation, Second Edition*, courtesy of Tomas B. Garcia, MD.

박동수 :	52회/분		PR간격 :	0.12초
규칙성 :	규칙적		QRS 폭 :	0.08초
P파 : 　형태: 　축:	있음 뒤집힘 유도 II 에서 음성		그룹화 :	없음
			탈락 박동 :	없음
P:QRS 비 : 1:1			리듬 :	이소성 심방율동

해설:

QRS파 앞에 P파가 관찰되지만, 유도 II에서 음성이다. 즉, 심방의 탈분극이 유도 II 와는 반대 방향인, 오른쪽 윗 방향으로 진행됨을 뜻한다. 정상 동율동이 아니다. 심방의 아래 부분에서 전기 신호가 시작되는 이소성 심방율동이다. 이러한 경우, 동결절이 아니기 때문에 심박수가 느린 것이 보통이다.

T파를 살펴보자. T파는 두 개의 봉우리를 가지고 있다. 첫 번째 봉우리는 QRS파와 일정한 간격을 가지고 규칙적으로 관찰되는 것으로 보아, 의심의 여지가 없는 T파이다. 두 번째 봉우리는 무엇일까? 이행성(biphasic) T파의 뒷 부분일 수도 있고, U파일 수도 있다. 일반적으로 U파는 이 증례처럼 앞선 T파에 비해 전압이 매우 낮다. 보다 정확한 심전도 진단을 위해서는 12 유도 심전도가 필요하다.

최종 점검 2: 심전도 32

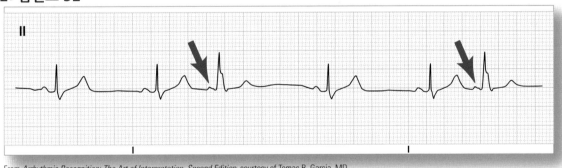

From *Arrhythmia Recognition: The Art of Interpretation, Second Edition*, courtesy of Tomas B. Garcia, MD.

박동수 :	54회/분		PR간격 :	0.15초
규칙성 :	규칙적		QRS 폭 :	0.10초
P파 : 　형태: 　축:	있음 정상 유도 II 에서 양성		그룹화 :	없음
			탈락 박동 :	없음
P:QRS 비 : 1:1			리듬 :	동서맥, 편위전도를 동반한 심방 조기수축

해설:

주된 리듬은, 정상의 P파이지만 느린, 동서맥이다. 예상되는 P파의 발생 위치보다 빠르게 다른 모양의 P파가 관찰된다(파란색 심전도). 정상과 다른 모양의 P파가 뜻하는 것은, 동결절이 아닌 곳에서 시작된다는 것이며, 예상보다 빠르게 발생하는 것으로 보아, 심방 조기수축이다. 심방 조기수축 다음에는 일정한 PR 간격을 가지는 QRS파가 관찰되는데, 다른 QRS파와는 달리 넓다. 심방 조기수축에 의한 편위전도의 전형적인 소견이다.

최종 점검 2: 심전도 33

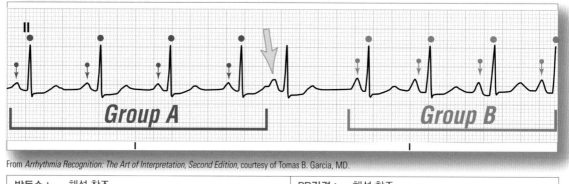

From *Arrhythmia Recognition: The Art of Interpretation, Second Edition*, courtesy of Tomas B. Garcia, MD.

박동수 :	해설 참조	PR간격 :	해설 참조
규칙성 :	규칙적	QRS 폭 :	0.09초
P파 : 　형태 　축:	있음 해설 참조 유도 II 에서 상향	그룹화 :	없음
		탈락 박동 :	없음
P:QRS 비 :	해설 참조	리듬 :	동율동과 심방 조기수축

해설:

그룹 A에 관찰되는 리듬은 정상의 P파와 PR 간격을 보이며, 좁은 QRS파인 정상 동율동이다. 노란색 화살표는 다른 모양의 P파이며, 예상되는 P파 보다 앞서있는 심방 조기수축의 소견이다.

이후에 그룹 B에서 관찰되는 P파는, 그룹 A에 비해 전압이 뚜렷하게 높다. 이것은 전기신호의 시작 위치가 처음보다 윗 방향으로 옮겨졌음을 의미할 수 있다.

최종 점검 2: 심전도 34

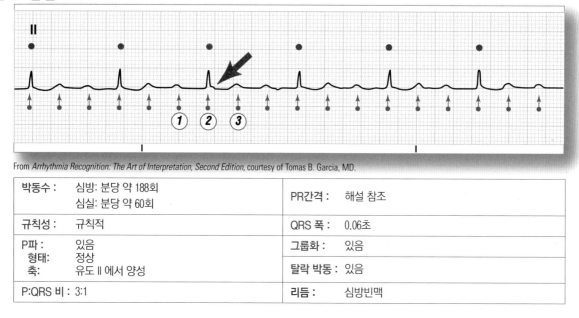

From *Arrhythmia Recognition: The Art of Interpretation, Second Edition*, courtesy of Tomas B. Garcia, MD.

박동수 :	심방: 분당 약 188회 심실: 분당 약 60회	PR간격 :	해설 참조
규칙성 :	규칙적	QRS 폭 :	0.06초
P파 : 　형태 　축:	있음 정상 유도 II 에서 양성	그룹화 :	있음
		탈락 박동 :	있음
P:QRS 비 :	3:1	리듬 :	심방빈맥

해설:

P파를 먼저 살펴보자(파란색 화살표). 간격은 약간 불규칙, 매우 빠른 심방빈맥의 소견이다. QRS파 바로 앞에서 측정한 PR 간격은 일정하지만 다소 늘어나 있다. 일도 방실 차

단이라고 말할 수도 있지만, 심박수가 매우 빠른 상태이기 때문에 방실결절 기능이 좋지 않다고 단정하기는 어렵다.

최종 점검 2: 심전도 35

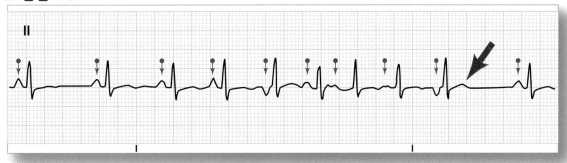

From *Arrhythmia Recognition: The Art of Interpretation, Second Edition*, courtesy of Tomas B. Garcia, MD.

박동수 :	분당 약 100회	PR간격 :	적용할 수 없음
규칙성 :	규칙성이 일부 관찰됨	QRS 폭 :	좁으면서 다양함
P파 :	있음	그룹화 :	없음
형태:	다양함		
축:	다양함	탈락 박동 :	해설 참조
P:QRS 비 :	1:1	리듬 :	다소성 심방빈맥

해설:

  P파를 살펴보면, PP 간격이 불규칙하고 빠르면서, 모양이 다르다. 다소성 심방빈맥이다.

  PR 간격도 일정하지 않다. 빨간색 화살표가 가리키는 T 파는 다른 것에 비해 전압이 높은데, P파가 숨어있을 가능성이 있다.

  QRS파의 모양도 각기 다르다. 이것은 P파와 중복되어 보이는 결과일 수도 있고, 편위전도일 수도 있다.

최종 점검 2: 심전도 36

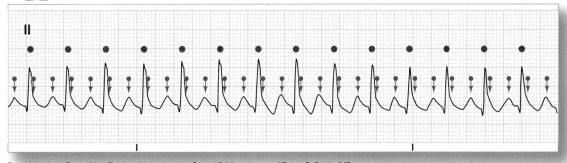

From *Arrhythmia Recognition: The Art of Interpretation, Second Edition*, courtesy of Tomas B. Garcia, MD.

박동수 :	F파: 분당 약 300회	PR간격 :	적용할 수 없음
	심실: 분당 약 150회		
규칙성 :	규칙적	QRS 폭 :	적용할 수 없음
P파 :	없음	그룹화 :	없음
형태:	적용할 수 없음		
축:	적용할 수 없음	탈락 박동 :	없음
P:QRS 비 :	2:1	리듬 :	심방조동

해설:

  이 심전도에서 QRS와 T파를 제외한 모양을 상상해보자(그림 10). 물결 혹은 톱니 모양의 파형이 관찰된다(파란색 화살표). 심전도에서 심실의 탈분극 및 재분극을 나타내는 QRS와 T파를 제외한다면, 심방의 탈분극을 나타내는 파형이다. 이렇게 심방의 파형이 등전위선을 보이지 않고 물 결 혹은 톱니 모양을 보이는 것을 심방조동파(F파)라고 한다. 두 개의 F파 다음에 QRS파가 관찰되는 2:1 방실전도의 소견이다. QRS파의 앞부분에는 q파가 관찰되지만, 넓이가 0.04초 미만으로 심근경색증일 가능성은 낮으며, F파에 의해서 정확히 평가하기 어렵다. 또한 심방조동에서는 F파로 인해서 ST 분절의 상승 및 하강을 평가하기 어렵다.

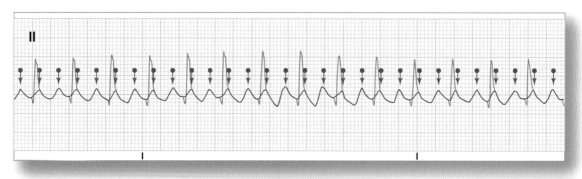

그림 10. QRS파를 제외한 심전도이다. F파를 보다 선명하게 관찰할 수 있다.

From *Arrhythmia Recognition: The Art of Interpretation, Second Edition*, courtesy of Tomas B. Garcia, MD.

최종 점검 2: 심전도 37

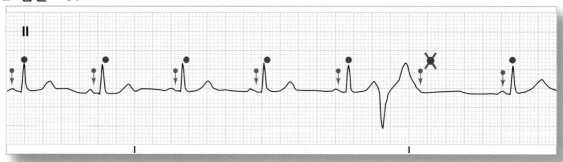

From *Arrhythmia Recognition: The Art of Interpretation, Second Edition*, courtesy of Tomas B. Garcia, MD.

박동수 :	69회/분	PR간격 :	0.16초
규칙성 :	규칙성이 일부 관찰됨	QRS 폭 :	0.10초 in the native complexes
P파 :	있음	그룹화 :	없음
형태 :	정상		
축:	유도 Ⅱ 에서 양성	탈락 박동 :	있음
P:QRS 비 : 1:1		리듬 :	동부정맥, 심실 조기수축

해설:

앞부분은 정상 P파, PR 간격, QRS파를 보이는 정상 동율동이다. 다섯 번째 T파 위에, 다른 모양의 QRS파가 얹혀져 있다. 그것과 상관없이 P파는 예상되는 시간에 발생하였다(대상성 휴지기). 심실 조기수축으로 인해서, 직후의 방실전도는 되지 않았다(빨간색 X 표).

심실 조기수축이 T파 중간에 발생하여, R-on-T 양상이다. 이것은 Torsades의 위험이 있어 임상적으로 주의가 필요하다.

최종 점검 2: 심전도 38

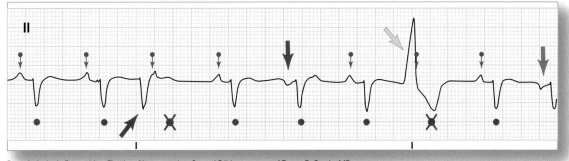

From *Arrhythmia Recognition: The Art of Interpretation, Second Edition*, courtesy of Tomas B. Garcia, MD.

박동수 :	83회/분	PR간격 :	0.18초
규칙성 :	규칙성이 일부 관찰됨	QRS 폭 :	0.10초
P파 :	있음	그룹화 :	없음
형태	해설 참조		
축:	해설 참조	탈락 박동 :	해설 참조
P:QRS 비 :	해설 참조	리듬 :	심방 조기수축, 심실 조기수축

해설:

　파란색 화살표는 정상 P파를 가리킨다. 세 번째 QRS파(빨간색 화살표)는 P파와 상관없이 발생한 심실 조기수축이며, QRS파의 모양이 정상 QRS파와 거의 비슷한 것으로 보아, 방실결절 근처에서 발생한 것으로 보인다. 방실결절 근처에서 발생하였지만, 거의 동시에 동결절에 의한 심방의 탈분극이 발생하였기 때문에, 심방으로 전도가 되지 못했고, 동시에 세 번째 P파는 방실전도가 되지 못했다(빨간색 X표). 갈색, 초록색 화살표는 다른 모양의 P파를 가리키며, 심방 조기수축이다. 직후에 발생한 QRS파와의 PR 간격이 변화한 것도 심방 조기수축에 부합하는 소견이다. 노란색 화살표는 P파와 상관없이 나타난 심실 조기수축이다.

최종 점검 2: 심전도 39

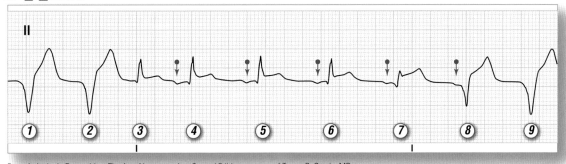

From *Arrhythmia Recognition: The Art of Interpretation, Second Edition*, courtesy of Tomas B. Garcia, MD.

박동수 :	분당 약 90회	PR간격 :	적용할 수 없음
규칙성 :	규칙성이 일부 관찰됨	QRS 폭 :	다양함
P파 :	있음	그룹화 :	없음
형태:	뒤집힘		
축:	유도 II 에서 음성	탈락 박동 :	없음
P:QRS 비 :	해설 참조	리듬 :	가속성 심실 고유율동, 이소성 심방유동

해설:

　3-7번째 QRS파는 비교적 좁고, PR 간격이 일정하지만, P파는 정상 모양이 아니다. 이소성 심방율동에 부합하는 소견이다. 1, 2, 9번째 QRS파는 선행하는 P파가 없고 매우 넓어져 있으나, 빠르지는 않다. 가속성 심실 고유율동에 부합하는 소견이다. 8번째 QRS파는 융합박동이며, 방실해리를 뜻하고 이 또한 가속성 심실 고유율동에 부합한다.

최종 점검 2: 심전도 40

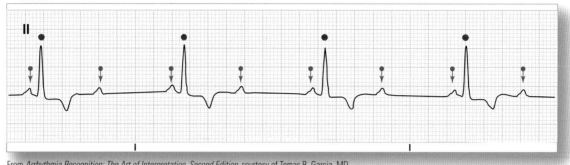

From *Arrhythmia Recognition: The Art of Interpretation, Second Edition*, courtesy of Tomas B. Garcia, MD.

박동수 :	40회/분	PR간격 :	0.16초
규칙성 :	규칙성이 일부 관찰됨	QRS 폭 :	0.08초
P파 :	있음	그룹화 :	있음
형태 :	상향		
축 :	유도 II 에서 양성	탈락 박동 :	있음
P:QRS 비 :	2:1	리듬 :	2:1 방실 차단

해설:

정상 모양의 P파가 일정한 간격으로 관찰된다. P파가 2번 나온 후에 QRS파가 관찰된다. QRS파가 관찰될 때의 PR 간격은 일정하여 방실전도가 이루어짐을 알 수 있다. P파 2번에, QRS파가 1번 방실전도 되는 2:1 방실 차단의 소견이다.

최종 점검 2: 심전도 41

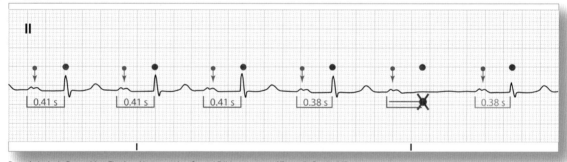

From *Arrhythmia Recognition: The Art of Interpretation, Second Edition*, courtesy of Tomas B. Garcia, MD.

박동수 :	62회/분	PR간격 :	0.38-0.41초
규칙성 :	규칙성이 일부 관찰됨	QRS 폭 :	0.08초
P파 :	있음	그룹화 :	없음
형태 :	두개의 봉우리(P-mitrale)		
축 :	유도 II 에서 상향	탈락 박동 :	있음
P:QRS 비 :	1:1	리듬 :	일도 방실 차단, 모비츠 II형 방실 차단

해설:

먼저, 처음 세 P-QRS 군을 살펴보자. PR 간격이 길지만 일정하여, 방실전도가 이루어짐을 알 수 있다. 일도 방실 차단의 소견이다. P파는 두 개의 봉우리 형태이다. P파는 심방이 탈분극할 때 만들어지면, 동결절이 우심방쪽에 있기 때문에, P파의 앞부분은 우심방, 뒷부분은 좌심방에 의한 파형이다. 이 증례처럼 P파가 두개의 봉우리로 나뉘어져 있는 경우, 좌심방의 탈분극이 늦어지는 것을 의미하며, 좌심방 비대에 부합하는 소견이다. 승모판 협착증이 있을 때 관찰된다고 하여, 전통적으로 'P mitrale' 라고 부른다.

다섯 번째 QRS파가 예상되는 위치에서 관찰되지 않았다. P파만 관찰되고 이후에 QRS파가 없는 일종의 방실 차단의 소견이다(빨간색 X표). 방실전도가 간혹 이루어지지 않는 것이기 때문에 이도 방실 차단이며, 그 중에서도 앞선 PR 간격이 일정하다가 갑자기 방실 차단이 되었기 때문에 모비츠 II 형 방실 차단이다.

최종 점검 2: 심전도 42

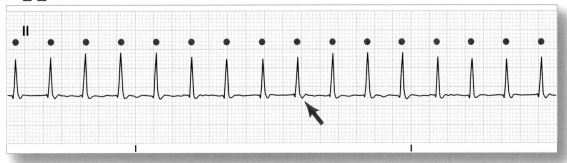

From *Arrhythmia Recognition: The Art of Interpretation, Second Edition*, courtesy of Tomas B. Garcia, MD.

박동수 :	153회/분	PR간격 :	없음
규칙성 :	규칙적	QRS 폭 :	해설 참조
P파 :	해설 참조	그룹화 :	없음
형태:	해설 참조		
축:	해설 참조	탈락 박동 :	없음
P:QRS 비 :	해설 참조	리듬 :	방실결절 회귀빈맥

해설:

좁은 QRS파 빈맥이며, 매우 규칙적이다. QRS파 앞에는 뚜렷한 P파가 관찰되지 않으며, QRS파 직후에 가성의 S파가 의심된다. P파가 역행전도한 결과일 가능성이 있다. 이 또한 방실결절 회귀빈맥에 부합하는 소견이다. 심박수가 아주 빠르지 않고, 140회/분인 것도 방실결절 회귀빈맥에 부합한다. 방실접합부 빈맥일 가능성도 있다. 이 두 가지의 구분은 심전도만으로 쉽지 않은 경우가 많다.

방실결절 회귀빈맥은 회귀 기전이다. 대부분 심방 조기 수축에 의해 시작되며, 시작과 종료가 갑작스럽게 나타나는 것이 특징이다. 이와 비교해서, 방실접합부 빈맥의 기전은 자동능(automaticity)이며, 시작과 종료가 다소 점진적인 경우가 많다.

최종 점검 2: 심전도 43

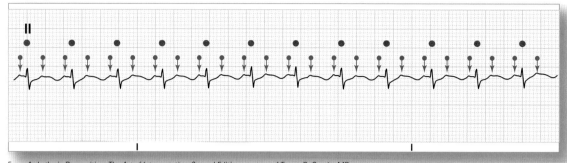

From *Arrhythmia Recognition: The Art of Interpretation, Second Edition,* courtesy of Tomas B. Garcia, MD.

박동수 :	심방: 분당 약 250회 심실: 분당 약 125회	PR간격 :	적용할 수 없음
규칙성 :	규칙적	QRS 폭 :	좁음

P파 :
  형태:
  축:
	F파
	적용할 수 없음
	적용할 수 없음
		그룹화 :
		
		탈락 박동 :
			없음
			
			없음

P:QRS 비 : 2:1		리듬 :	심방조동

해설:

얼핏 보면, 정상의 P파를 보이는 동빈맥으로 잘못 볼 수 있다. QRS파 앞에 보이는 P파의 정중앙 부위를 유심히 관찰하며, T파 위에 얹혀져 있는 P파를 관찰할 수 있다. 이것까지 포함해서 생각하면, P파가 매우 빠르지만 일정한 속도로 반복된다는 것을 알 수 있다. 그리고, 등전위선이 분명하지 않아서, 심방빈맥보다는 심방조동에 부합하는 소견이다.

앞에서도 이야기했지만, 심방조동과 심방빈맥은 심전도 유도 하나로 구별하기는 어렵고, 12 유도 심전도를 잘 관찰해도 구별하기 어려울 수 있다. 심지어는 전기생리학 검사를 해도 어려운 경우도 있다! 심전도 판독을 할 때에는 가능한 여러 감별진단을 고려하는 것이 중요하다. '당신이 그 가능성을 생각할 때만이 진단할 수 있다'

최종 점검 2: 심전도 44

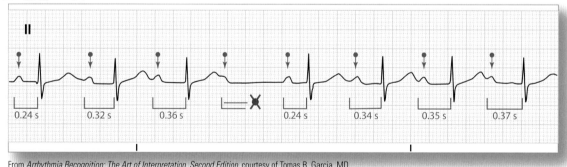

From *Arrhythmia Recognition: The Art of Interpretation, Second Edition,* courtesy of Tomas B. Garcia, MD.

박동수 :	심방: 분당 약 80회 심실: 분당 약 70회	PR간격 :	해설 참조
규칙성 :	규칙성이 일부 관찰됨	QRS 폭 :	0.08초

P파 :
  형태:
  축:
	있음
	정상
	양성
		그룹화 :
		
		탈락 박동 :
			있음
			
			있음

P:QRS 비 : 해설 참조		리듬 :	Wenckebach 형(=모비츠 I형) 방실 차단

해설:

정상 모양의 P파가 일정한 간격, 적절한 속도로 반복되는

동율동이다. PR 간격은 점차 늘어나다가, 네 번째 P파 다음에 QRS파가 관찰되지 않는다. 심방은 탈분극되었지만, 심

실은 탈분극되지 않는 방실 차단의 소견인데, P-R 간격이 늘어나다가 방실 차단이 발생하였으므로, 모비츠 I형 방실 차단이다.

방실전도가 되는 R-R 간격은 점차 줄어드는 것을 관찰할 수 있다. P-R 간격은 늘어나지만, 늘어나는 정도는 줄어들기 때문이며, 모비츠 I형 방실 차단의 특징적인 소견이다.

최종 점검 2: 심전도 45

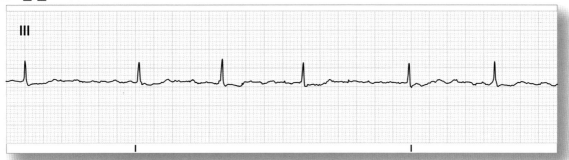

From *Arrhythmia Recognition: The Art of Interpretation, Second Edition,* courtesy of Tomas B. Garcia, MD.

박동수 :	분당 약 60회	PR간격 :	적용할 수 없음
규칙성 :	불규칙	QRS 폭 :	0.09초
P파 :	없음	그룹화 :	없음
형태:	적용할 수 없음		
축:	적용할 수 없음	탈락 박동 :	없음
P:QRS 비 :	없음	리듬 :	심방세동

해설:

　뚜렷한 모양의 P파가 관찰되지 않고, R-R 간격은 어떠한 규칙성도 없이 불규칙한 심방세동의 심전도이다.

최종 점검 2: 심전도 46

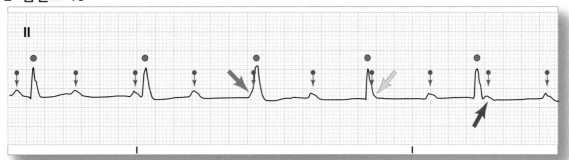

From *Arrhythmia Recognition: The Art of Interpretation, Second Edition,* courtesy of Tomas B. Garcia, MD.

박동수 :	심방: 분당 약 97회 심실: 분당 약 55회	PR간격 :	적용할 수 없음
규칙성 :	규칙적	QRS 폭 :	0.14초
P파 :	있음	그룹화 :	없음
형태:	P-mitrale 양상		
축:	유도 II 에서 양성	탈락 박동 :	없음
P:QRS 비 :	해설 참조	리듬 :	완전 방실 차단, 이탈 율동

해설:

P파는 다소 넓어져 있지만, 축은 정상이며, 일정한 간격을 가지고 반복되고 있다(파란색 화살표). 좌심방 비대의 가능성이 있지만, 동율동으로 생각할 수 있다. QRS파는 다소 넓어져 있지만, 역시 일정하다(빨간색 점). PR 간격은 아무런 규칙성이 없는 완전 방실 차단의 심전도이다. P파는 간혹 QRS파에 묻혀 있다(초록, 노랑, 빨간색 화살표). PP 간격을 염두에 두고 보면, 델파파, J파가 아님을 알 수 있다.

최종 점검 2: 심전도 47

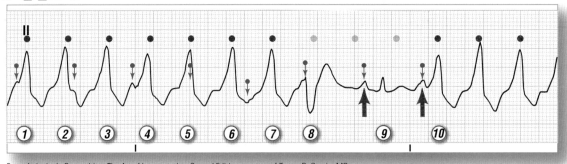

From *Arrhythmia Recognition: The Art of Interpretation, Second Edition*, courtesy of Tomas B. Garcia, MD.

박동수 :	심방: 분당 약 96회 심실: 분당 약 142회	PR간격 :	적용할 수 없음
규칙성 :	규칙성이 일부 관찰됨	QRS 폭 :	0.18초
P파 : 형태 축	있음 정상 유도 Ⅱ에서 양성	그룹화 :	없음
		탈락 박동 :	없음
P:QRS 비 :		리듬 :	심실빈맥

해설:

이제 마지막 심전도이다. 넓은 QRS파 빈맥이다(빨간색 점). 중간에 유심히 살펴보면, P파로 생각되는 것이 있다(파란색 표시). P파가 아니면 무엇이겠는가? QRS 혹은 T파의 모양이 저렇게 작은 부위에서 계속 바뀔 가능성은 적다. P파로 간주하고, P-P 간격을 측정해본다면, 예상되는 지점에서 지속적으로 관찰됨을 알 수 있다. 인공 파형에서는 보기 힘든 소견이다. P파와 QRS파가 어떠한 관성도 보이지 않는 방실해리의 소견이다. 이와는 달리 아홉 번째 QRS파는 폭이 좁고, 선행하는 P파가 관찰된다. 포획박동이다. 열 번째 QRS파는 정상 QRS 와 넓은 QRS파의 중간 모양이며, 역시 선행하는 P파가 있다. 융합박동이다. 이상의 모든 소견이, 넓은 QRS파 빈맥이 심실빈맥임을 나타낸다.

1편:
부정맥에 대한 소개

제1장: 해부와 기본 생리

1. 맞다
2. 틀리다
3. C
4. C
5. E
6. F
7. A
8. D
9. B
10. C

제2장: 전기 생리

1. B
2. 틀리다
3. 틀리다
4. D
5. 틀리다
6. C
7. 맞다
8. 틀리다
9. A
10. 맞다
11. 자율신경계
12. 교감, 부교감
13. 증가, 증가, 감소, 감소
14. 에피네프린
15. 아세틸콜린
16. 에피네프린
17. 아세틸콜린

제3장: 심전도 종이, 도구와 계산 방법

1. D
2. A
3. D
4. A
5. B
6. C
7. B
8. 맞다

9. B
10. C
11. C

제4장: 벡터와 기본 파

1. C
2. 맞다
3. D
4. 맞다
5. C
6. 틀리다
7. 틀리다
8. C
9. B
10. C
11. 맞다
12. 맞다
13. 틀리다
14. 맞다

제5장: 12유도 심전도의 소개

1. D
2. 맞다
3. C
4. D
5. A
6. C
7. 틀리다
8. D
9. 틀리다
10. A

제6장: 그 밖의 심전도 소견들

1. 틀리다
2. B, D, E
3. 맞다
4. C
5. 맞다
6. E
7. 맞다
8. 맞다
9. E
10. 맞다
11. C

12. 맞다
13. 틀리다
14. 맞다

제7장: 리듬 스트립을 어떻게 판독할 것인가?

1. 맞다
2. E
3. D
4. B
5. 맞다
6. 맞다
7. A
8. 틀리다
9. 맞다
10. C
11. 맞다
12. 틀리다
13. C
14. D
15. E

2편: 동율동

제8장: 정상 동율동

1. 동방
2. A, C
3. 60회/분 미만
4. 60회, 100회/분
5. 100회/분 이상
6. 맞다
7. C
8. II, III, aVF
9. C
10. 맞다
11. 맞다
12. B
13. 틀리다
14. 맞다
15. 맞다
16. A
17. A, B, C, D
18. 1, 5

19. 맞다
20. D

제9장: 동서맥

1. A
2. 미만
3. 맞다
4. 틀리다
5. D
6. 맞다
7. D
8. II, III, aVF
9. 맞다
10. 틀리다! 혈역학적으로 불안정한 부정맥은 항상 응급으로 치료해야 한다.

제10장: 동빈맥

1. 100회/분
2. 100, 160, 200, 220 이상
3. 220
4. 틀리다
5. 맞다
6. PR
7. 전압 높이
8. 틀리다
9. E
10. E
11. TP
12. 맞다
13. 원인 질환 치료
14. 감소, 감소, 감소
15. F
16. 맞다
17. 맞다
18. 틀리다
19. 틀리다!
20. 틀리다. 전기적 동율동 전환술을 할 수 있다. 동빈맥은 정상 맥박이 단지 빠를 뿐이다.

제11장: 동부정맥

1. 맞다
2. 맞다
3. E
4. B
5. 맞다
6. A
7. F
8. 틀리다

제12장: 동방 차단, 동휴지, 동정지

1. P
2. atrial
3. 틀리다
4. P-P 간격
5. 틀리다
6. D
7. 동휴지(sinus pause)
8. 동정지(sinus arrest)
9. 맞다
10. 맞다

3편: 심방 율동

제13장: 심방 조기수축

1. 심방
2. 틀리다
3. D
4. 맞다
5. P파 축
6. 양성
7. 음성
8. 틀리다
9. 맞다
10. C
11. 맞다
12. 맞다
13. reset
14. A
15. C
16. 맞다
17. B
18. 틀리다
19. 맞다
20. 맞다

제14장: 이소성 심방율동

1. 틀리다
2. 틀리다
3. D
4. D
5. 맞다
6. 맞다
7. 틀리다
8. E
9. A
10. B

제15장: 국소성 심방빈맥

1. E
2. 맞다

3. 맞다
4. C
5. 틀리다
6. 맞다
7. 맞다
8. 틀리다
9. 틀리다
10. E

제16장: 차단을 동반한 국소성 심방빈맥

1. D
2. 틀리다
3. E
4. 맞다
5. 틀리다
6. A
7. 맞다
8. 맞다
9. 틀리다
10. 틀리다!

제17장: 유주 심방 박동기

1. 완전히 불규칙칙
2. A, C, D
3. 맞다
4. Three
5. C
6. 맞다
7. 틀리다
8. E
9. 혼돈
10. 미만

제18장: 다소성 심방빈맥

1. 심방세동, 유주 심방율동, 다소성 심방빈맥
2. 맞다
3. 틀리다
4. 맞다
5. 틀리다
6. C
7. 오른쪽
8. 맞다
9. 틀리다
10. 맞다

제19장: 심방조동

1. 맞다
2. C
3. A

4. 조동파
5. 틀리다
6. 대회귀 (macroreentry), 오른쪽
7. 맞다
8. E
9. 틀리다
10. MAD RAT PPP

제20장: 심방세동

1. 완전히 불규칙 / P파
2. B, D
3. D
4. 맞다
5. 틀리다
6. 맞다
7. 100회/분 보다 빠르다
8. 틀리다
9. 맞다
10. 길다/짧다

4편: 방실접합부 율동

제21장: 방실접합부 율동 소개

1. 틀리다
2. 방실접합부
3. 맞다
4. D
5. 더 짧은
6. RP
7. 이소성 심방, 방실접합부
8. 60
9. 60 and 100
10. 100

제22장: 방실접합부 조기수축

1. 좁은, 0.12초
2. 뒤집힌
3. 맞다
4. 틀리다
5. B
6. E
7. T
8. A
9. 틀리다
10. 맞다

제23장: 접합부 리듬

1. 맞다
2. B, D
3. E

4. 이탈
5. 틀리다
6. 틀리다
7. 맞다
8. 틀리다
9. 디곡신
10. E

제24장: 빠른 접합부 리듬

1. 맞다
2. 맞다
3. 60-100회/분
4. 100-200회/분
5. 맞다

제25장: 방실결절 회귀빈맥

1. D
2. 급속(fast), 완속(slow)
3. 급속
4. 맞다
5. PR 간격
6. 맞다
7. C
8. 직전, 직후, 묻힌
9. 틀리다
10. 맞다

제26장: 방실 회귀빈맥

1. 방실결절 / 부전도로
2. 맞다
3. E
4. 맞다
5. A
6. B
7. E
8. 틀리다
9. 불현 전도
10. 정방향
11. 역방향
12. 맞다
13. 맞다
14. 틀리다
15. 맞다

제27장: 좁은 상심실성 빈맥

1. B
2. 집중
3. 틀리다
4. A. 심방세동
    B. 다소성 심방빈맥
    C. 심방조동

5. 틀리다
6. 심방세동
7. 맞다
8. 방실결절 회귀빈맥
9. 틀리다
10. E. 전기적 동율동 전환술은 동빈 맥에서는 해당 없다. 원인 질환을 찾아서 해결하는 것이 중요하다.

제28장: 방실 차단

1. 불완전 혹은 완전
2. 1도
3. 2도
4. 3도 혹은 완전
5. E
6. 0.20
7. 맞다
8. 틀리다
9. D
10. A
11. C
12. F
13. B
14. E
15. 틀리다
16. 맞다
17. 틀리다
18. B
19. 좁은
20. E
21. 맞다
22. 좁은 혹은 넓은
23. 맞다
24. 틀리다. 포획과 융합 박동은 방실 해리의 증거이며, 방실 차단의 증거는 아니다.
25. 맞다

5편: 심실

제29장: 심실 리듬

1. 맞다
2. 0.12
3. E
4. 틀리다
5. E
6. 틀리다
7. 맞다. 간격은 모든 유도 전극에서 측정되어야 한다. 어떤 유도에서는 등전위선 때문에 잘못 판독될 수 있다.

8. 뒤집힌
9. 맞다
10. 3도

제30장: 심실 조기수축

1. D
2. E
3. 틀리다
4. 맞다
5. P파
6. 보상성
7. 틀리다
8. 이단맥
9. couplet
10. E

제31장: 심실 이탈율동과 심실 고유율동

1. 3
2. 틀리다
3. 심실
4. C
5. E
6. D
7. 급성 심근경색증
8. 맞다
9. 틀리다
10. 가속성 심실 고유율동

제32장: 심실빈맥

1. 3, 100
2. 100, 200
3. 심실 조동
4. 단형
5. 비지속성
6. 지속성
7. D
8. D
9. E
10. 틀리다
11. 맞다
12. D
13. 50%
14. B
15. 급성 심근경색증

제33장: 다형 심실빈맥과 Torsades de pointes

1. 맞다
2. 맞다
3. normal
4. 연장된
5. E (Torsades 가 아니라 다형 심실빈맥에 대한 질문임을 생각하자)
6. 맞다
7. 150-300회/분
8. 틀리다
9. 맞다
10. D

제34장: 넓은 QRS파 빈맥: 기본

1. E. 정방향 방실 회귀빈맥은 보통 좁은 QRS 파이지만, 편위전도가 발생하면 넓은 QRS 파를 보일 수도 있다.
2. 틀리다. 가장 흔한 편위전도는 빠른 심박수와 관련된 것이다.
3. 우각
4. E
5. 좌
6. 틀리다
7. 틀리다. 0.12 초 '이상'이다. QRS 간격이 0.12 초인 것도 넓은 QRS 파로 간주한다.
8. C
9. 심실빈맥
10. 맞다

제35장: 넓은 QRS파 빈맥: 접근

1. E
2. D
3. B. 의식이 없는 환자에서 가장 시급한 처치는 혈액 순환, 호흡, 기도 확인이다. 이 환자는 상기도 폐쇄가 의심된다. 따라서, 기도를 막고 있는 물질을 제거하는 것이 가장 중요하다.
4. 틀리다. 잘못된 일이지만, 생각보다 자주 발생한다.
5. 80%, 90%
6. 틀리다
7. E. 혈압이 매우 불안정한 환자이다. 전문가에게 자문을 구할 시간조차 없다. 빨리 처치를 시작해야 한다.
8. 맞다

9. 맞다
10. 맞다

제36장: 넓은 QRS파 빈맥: 진단 기준

1. C
2. E
3. 틀리다. QRS 폭이 0.16 초가 넘는 것은 좌각차단에 부합한다. QRS 가 매우 넓고 모양이 이상할 경우, 고칼륨혈증, 약물 부작용 등의 가능성을 생각해야 한다.
4. 틀리다
5. D
6. C
7. D
8. 맞다
9. F
10. 맞다
11. C. 우축 편위이며, 아주 비정상적인 것은 아니다.
12. 혈압이 아주 불안정한 환자는 심실빈맥일 가능성이 높지만, 이것만으로 판단할 수는 없다.

제37장: 넓은 QRS파 빈맥

없음

제38장: 심실세동과 무수축

1. 맞다
2. 맞다
3. Fine
4. 급성 심근경색증
5. 제세동
6. 맞다
7. 맞다
8. 죽음의

6편: 그 밖의 심전도

제39장: 인공적으로 조율된 리듬

1. 맞다!
2. D
3. D
4. B
5. C
6. 맞다

제40장: 종합

1. 기억력
2. 틀리다
3. 맞다
4. 틀리다. 만약 환자가 '죽을 것 같다'고 말한다면, 환자의 말을 믿어야 한다.
5. 맞다
6. P
7. 0.12/0.20
8. C, E
9. 동반된 소견을 살펴라
10. 맞다

ㄱ

각(bundle branch) – 전기 전도계의 일부. 방실결절에서 시작하여, 좌 우각에서 끝난다.

각 차단(bindle branch block) – 전기 전도계의 왼쪽이나 오른쪽 각의 생리적인 차단

간극접합(gap junction) – 신경의 말단과 근육 조직이 만나는 작은 부위. 결합 부위의 세포외액 간격으로 분비되는 신경전도 물질에 의해 세포 간 교통이 일어난다.

간입성 PVC (interpolated PVC) – 두 개의 동성 박동군 사이에 정확하게 떨어지는 PVC로서 어떤 방법으로든 율동의 순서를 바꾸지는 않는다.

거대 A파(cannon A waves) – 닫힌 방실 판막(승모판 혹은 삼첨판)을 향해서 심방이 수축하게 될 때 경정맥계로 역류하여 생기게 되는 여분의 혈류에 의한 경정맥의 아주 크고 저명한 확장.

거친 심방세동(coarse atrial fibrillation) – 기저선이 전체적으로 크게 보이는 세동파(f)의 형태를 가지는 심방세동의 형태. 거친 세동파(f)는 가끔씩 심방조동으로 착각되기도 한다.

결절간 경로(internodal pathway) – 심방 내에서 발견되는 동결절에서 방실결절로의 전도로로 3개의 경로가 있다.

경로(tract) – 방실결절에 관련하여 언급할 때 접근로 혹은 회로는 방실결절로 이르는 길이다(역시 접근로라고 알려져 있음).

고칼륨혈증(hyperkalemia) – 혈중 칼륨농도의 상승

교감 신경 유사작용(sympathomimetic) – 교감 신경계의 자극에 의해서 생기는 것과 비슷한 효과. 예를 들자면 환자에게 에피네프린을 주사할 경우 보이는 효과

교감 신경계(sympathetic nervous system) – 투쟁과 도피(fight or flight) 반응을 책임지고 있는 신경계의 일부. 화학적인 매개체로 에피네프린이나 노르에피네프린을 사용한다.

교감신경차단의(sympatholytic) – 교감 신경계로부터 나오는 자극의 효과를 방해하거나 억제하는

구심성 신경(afferent nerve) – 중추 신경계로 정보를 전달하는 신경

근위의(proximal) – 해부학적으로 중심으로 부터의 거리와 방향을 기술하기 위한 용어. 물체가 근위에 있다면 원위에 있는 것에 비해 중심에 가까이 있다는 것이다. 팔꿈치는 손보다 근위에 있다.

근육원섬유(myofibrils) – 개개의 근육세포를 지칭하는 또 다른 용어

끊임없는 심실빈맥(incessant ventricular tachycardia) – 대부분의 시간에 지속되는 심실빈맥

ㄴ

넓은 군 빈맥(wide QRS tachycardia) – QRS의 넓이가 0.12 초보다 넓은 빈맥

노르에피네프린(norepiniphrine) – 교감신경계에서 사용되는 화학적인 신경 전달 물질

ㄷ

다소성 PVCs (multifocal PVCs) – 심실의 다른 이소성 초점에서 시작되거나, 다른 탈분극 경로를 통해서 전달되기 때문에 상이한 형태를 가지고 있는 조기 심실 수축들

단초점성 PVCs (unifocal PVCs) – 동일한 이소성 초 점에서 발생하기 때문에 같은 형태를 가지거나 하나만 발생한 PVC

단형의(monomorphic) – 하나의 모양을 가진

대상성 휴지(compensatory pause) – 조기 박동 후 즉시 따라오는 휴지기로 2개의 정상 박동 사이의 간격보다 길어, 조기 박동 주위로, 주기 변화 없이 율동이 진행할 수 있게 한다. 본질은 휴지기가 조기 박동 이후의 짧은 간격을 보상하여 율동이 예정대로 진행하게 한다.

동기능 부전 증후군(sick sinus syndrome) – 동방 결절의 병변으로 여러 가지 이상 율동을 이끌어 내게 된다. 이러한 병적인 상태에서 율동은 빈맥과 서맥 사이에서 빠르게 교차될 수도 있으며, 심방조동과 세동이 흔하다.

동맥들(arteries) – 혈액을 심장에서부터 가지고 나 오는 순환계의 혈관들

동결절(sinoatrial node) – 심장의 주된 심박동기. 해부학적으로 우심방에 위치한다.

동조된(synchronized) – 모든 사건이 동시에 일어나는

등전압(isoelectric) – 파형에 대해서 기술할 때 양극이나 음극이 아닌 것을 말한다. 유도에 대해서 기술할 경우. 관련 유도가 전기 축에 정확히 90도를 이루는 경우이다. 대개 가장 작은 진폭을 가지고 하향이나 상향 모두 아닌 것에 가깝다.

디지탈리스 효과(digitalis effect) – 디곡신을 복용하거나 디곡신과 비슷한 약제를 복용한 환자에서 국자(scooped) 모양의 ST 분절과 T파의 모양

ㅁ

말초 신경(peripheral nerves) –.중추 신경의 밖에 있으면서 중추신경계로 정보를 전달하거나 혹은 중추신경계에서 정보를 받는 신경들

모세혈관 재충전(capillary refill) – 모세혈관 재충전은 손톱 바닥이 하얗게 될 때까지 손톱을 아래로 눌러 확인할 수 있다. 그리고 그때 압력을 풀게 되면 정상적인 분홍색의 색깔이 돌아오는데 걸리는 시간을 측정하게 된다. 모세혈관 재충전은 정상적인 환자에서는 2초 이내여야 한다. 이것은 저관류 심장 혈관 상태의 징후이다.

미세 측부순환(microcollateral circulation) – 심장의 동맥 사이에서 일어나는 동맥 관류의 공유 지역. 다른 말로 어느 부분은 여러 개의 다른 동맥 혹은 세동맥에 의해서 관류된다.

미세 심방세동(fine atrial fibrillation) – 원래선이 매우 작은 세동파로 이루어진 형태학적인 모양의 심방세동. 거친 세동파는 가끔씩 심방이 완전히 없는 것으로 착각될 수 있다.

미오신(myosin) – 수축 성분의 일부인 근육의 단백질

미주성 신경(vagus nerve) – 부교감 신경계의 주된 신경 혹은 경로

밀집 지구(compact zone) – 방실결절의 중앙 혹은 핵심 부위. 이 부위는 동결절에서 보이는 세포들과 조직학적으로 그리고 기능적으로 매우 유사한 세포들로 구성되어 있다.

ㅂ

박동수(rate) – 분당 박동수

방실결절(atrioventricular node) – 전기 전도계의 일부분. 심방에서 심실로의 전기 전도를 심장의 수축이 충분히 일어날 동안 지연시키는데 그 역할이 있다. 이 지연은 심방이 심실을 가득 차게 해서 최상의 심박출량을 확보하게 한다.

방실 경계부(AV junction) – 방실결절을 구성하고, 바로 근처를 둘러싸고 있는 부위

방실해리(AV dissociation) – 불완전한 방실 차단으로 인한 심방과 심실의 독립적인 수축, 심방의 전기 신호의 일부가 심실의 심박동수를 최소한 조절한다. 방실 해리에서 심방 박동수는 심실 박동 수와 같거나 거의 비슷하다.

벡터(vector) – 전기 자극의 크기와 방향을 나타낼 때 사용하는 도식적인 용어

보정 상자(calibration box) – 심전도가 기본 형식에 맞는지 확인하는데 사용하는 심전도 끝에 있는 심전도 기준선의 상자나 계단 모양의 변위. 기본 보정 상자는 높이가 10 mm 이고 넓이가 0.20 초 이다. 이 보정 상자는 높이를 측정하기 위해 기본 의 1/2 이나 2배로 설정할 수 있고 넓이를 측정하기 위해 25 mm 나 50 mm 기본으로 설정할 수 있다.

부교감 신경계(parasympathetic nervous system) – 느리게 하고 조용하게 만드는 신경계의 일부. 그것을 주된 화학적인 전도체는 아세틸 콜린이다.

부전도로(accessory pathway) – 심방에서 심실로의 자극이 전도되는 방실결절을 제외한 경로

부정맥(arrhythmia) – 심장의 비정상적인 율동. dysrhythmia 라고도 불림.

부정맥 유발성(arrhythmogenic) – 부정맥을 발생 시키는

불응상태(refractory state) – 탈분극 직후의 짧은 시간. 심근 세포가 재분극이 되지 않는 상태여서, 세포가 자극을 만들거나 자극을 전달하지 못하는 상태

비대상성 심방세동(decompensated atrial fibrillation) – 100에서 200 사이의 심박수를 가지는 심방세동(조절이 되지 않는 심방세동으로 알려져 있음)

비대상성 휴지(noncompensatory pause) – 조기 박동 직후의 휴지기로 조기 박동 후에 주기를 바꾸거나 조율기를 초기 상태로 돌려서(reset) 리듬을 변화시킨다. 본질적으로 조기 박동후의 짧은 간격을 보상하지 못하여 박동수는 사건이 발생한 후 완전히 바뀌게 된다.

비동조의(asynchronous) – 사건이 동시에 일어나지 않는다.

비지속성 심실빈맥(non-sustained ventricular tachycardia) – 30초 이하로 지속되는 심실 빈맥

빈맥(tachycardia) – 빠른 율동(분당 100회 이상)

빠른 충만기(rapid filling phase) – 조기 이완기 동안에 나타나는 심장의 충만기의 일부. 이것은 방실 판막이 열리면서 혈액이 심실을 채우기 위해서 밀고 들어오면서 시작된다. 시기의 끝은 심방이 수축하면서 끝나게 된다. 대부분의 혈액은 이 시기 동안 심실로 들어오게 된다.

ㅅ

사단맥(quadrigeminy) – 조기 군이 매 네 박자마다 나타나는 것. 군은 상심실성 혹은 심실성일 수 있다.

사분면(Quadrants) – 6개 축 시스템은 크게 4개의 사분면으로 나누어진다. 정상, 좌, 우, 극우 사분 면이다. 각각은 6축 시스템의 90도를 의미한다.

사지유도(limb leads) – 6개 축 시스템을 구성하는 유도로 심장을 관상면으로 전방과 후방의 구역으로 나눈다. 여기에는 I, II, III, aVR, aVL, aVF 가 있다.

산성화(acidosis) – pH 균형에서 산성인 상태

삼단맥(trigeminy) – 매 3개의 박동마다 하나의 조기군이 있는 것. 이군은 상심실성일 수도 있으며 심실성일 수도 있다.

상대적인 불응기(relative refractory period) – 세포를 재시동하여 다른 자극을 점화하게 만들수는 있지만 어려운 세포 점화 단계의 시기. 이러한 경우에 탈분극파에 의해서 생기는 형태는 비정상적이다.

상심실성의(supraventricular) – 심실의 상부에서 기원하는 율동 혹은 자극을 의미한다.

상대적인 저혈압(relative hypotension) – 고혈압 환자에서 이들의 더 높은 관류압에 대한 필요 때문에 생기는 상대적 저관류 상태. 상대적이라는 용어는 실제적인 압력은 대부분의 환자에서 정상이라고 간주된다는 것을 말한다.

생리적인 차단(physiological block) – 방실결절에 의해서 발생되는 전기적 신호의 전도에 있어서의 정상적인 지연 기간. 이것은 심방과 심실이 순차적(synchronons)으로 수축하게끔 만들게 된다.

서맥(bradycardia) – 느린 율동(60회/분 이하)

세동파(fibrillation (f) waves) – 심방세동에서 작은 탈 분극파에 의해서 발생되는 미세하거나 거친 파형.

순방향 전도(anterograde conduction) – 방실결절을 통한 심방에서 심실로의 전기적 신호의 정상적인 전도

신경 지배(innervation) – 전기적 자극에 심근세포가 활성화되는 것

심근(myocardium) – 심장의 근육 조직을 설명하는 특별한 용어

심근경색증(myocardial infarction) – 괴사한 심근의 조직이 생기거나 존재하는 것에 의한 특징을 가지고 있는 급성 혹은 만성의 과정

심근 세포(myocyte) – 개개의 심장 근육 세포

심낭(pericardium) – 심장의 바깥쪽 표면이나 바깥막 심내막(endocardium) 심방과 심실벽의 내막 심내막 허혈(endocardial ischemia) – 상대적 혹은 절대적인 심장의 내막의 저산소증

심박동기 증후군(pacemaker syndrome) – 심방의 심실 충만에 대한 역할이 없어지며, 심박수가 어떠한 형태의 노력이나 운동을 보상할 수 없음에 의해서 발행되는 임상적인 증상을 말한다. 이것들은 심박출량의 감소와 저혈압에 따른 여러 임상적인 증상을 낳게 된다. 피로, 가벼운 두통, 실신, 호흡곤란, 운동 부전, 심부전, 그리고 심근 허혈에 따른 협심증 증상을 유발하게 된다.

심박수(heart rate) – 심장이 1분간 뛰는 수

심박출량(cardiac output) – 심장이 좌심실 혹은 우 심실에서부터 분당 뿜어내는 피의 양. 심박출량 = 1회 박출량 × 심박수

심방(atria) – 심장의 작고 얇은 벽을 가진 방, 심실을 위한 시동의 펌프로써 작용하게 된다. 우심방, 좌심방 2개가 있다(단수는 atrium).

심방(atrium) – 심장의 작고 얇은 벽을 가진 방, 심실을 위한 시동의 펌프로써 작용하게 된다. 우심방, 좌심방 2개가 있다(복수는 atria).

심실(ventricle) – 심장의 크고 두꺼운 근육으로 구성된 방으로 주 펌프 기능을 하는 방이다. 좌심실, 우심실의 2개가 있다.

심실 이탈간격(ventricular escape interval) – 심박동기기가 다음의 자극을 유발하기 전의 유지기 인 시간의 간격

심전도(electrocardiogram ECG) – 심장과 그 율동을 평가하기 위하여 사용되는 12 유도의 심전도 기록

심박동기(pacemaker) – 심장의 탈분극을 시작하게 하고 심장의 박동 주기의 속도를 지시하는 장소이다. 모든 심장 근육세포는 이러한 기능을 할 수 있지만, 심박동기 기능은 대개 전기 전달계의 세포에 의해서 이루어진다. 심조율기는 심장 내부의 일부분일 수도 있으며 외부의 요소에 의할 수도 있다.

심한 우측 편위(extreme right quadrant) – 6개의 축 시스템에서 -90~180도 사이의 사분면

ㅇ

아세틸콜린(acetylcholine) – 부교감 신경에서 사용되는 화학적인 신경전달 물질

애쉬만 현상(ashman's phenomenon) – 오랜 휴지 기간 이후에 군이 미리 도달할 경우에 군이 편위 전도하려는 경향. 다시 말해서 만일 긴 휴지기가 있고, 짧은 휴지기(조기군)가 있다면 짧은 휴지기의 군은 편위 전도하게 된다.

액틴(actin) – 수축 요소의 하나인 근육 단백질

억제 반응(inhibited response) – 심박동기가 감지 되는 사건에 반응하여, 어떤 시간의 간격 (VEI) 동안 반응을 나타내지 않는 것

에피네프린(epinephrine) – 교감 신경계에 의해서 사용되는 화학적인 신경전달 물질.

역방향 전도(antidromic conduction) – WPW 증후군을 가진 환자에서 전기적인 신호가 Kent bundle을 지나 내려가서 방실결절을 통해 다시 심방으로 재진입하는 전기적 자극의 원형 운동. QRS군의 넓은 모양을 이끌어내게 된다.

역방향 전도(retrograde conduction) – 전기적 자극의 전달이 방실결절을 통해 반대 방향으로 일어나는 것으로, 심실 혹은 방실결절에서 심방으로 전단되는 것.

역치 전위(threshold potential) – 활동 전위가 유발되는 전기적인 값

완전 차단(complete block) – 방실결절을 통하는 모든 전도의 완전한 차단. 결과는 심방과 심실이 완전히 전기적으로 분리되어 기능하게 된다.

외벽(lateral wall) – 좌측을 따라 있는 심장의 바깥벽

우각(right bundle branch) – 오른쪽으로 분지하게 되는 각. 우각은 심실사이 중격의 오른쪽과 우심 실의 탈분극을 책임지게 된다.

우각차단(right bundle branch block) – 우각의 생리적 차단에 의해서 발생하는 QRS군이 0.12 초 이상, 유도 I V6의 slurred S파, 그리고 V$_1$에서의 RSR' 양상을 특징으로 하는 심전도의 소견

원위(distal) – 해부학적으로 중앙에서 방향과 상대적 거리가 먼 것을 기술하는 용어이다. 손은 팔꿈치 보다 원위에 있다는 것과 같이 원위부는 중앙에서 근위부보다 멀리 위치한다.

원형 운동(circus movement) – 자가 증식적이고, 계속적인 회로 형태의 자극 전달의 형태로서 탈분극파가 계속적으로 자기 자신을 자극시키는 것을 말한다.

유도(lead) – 1. 심장의 생체 전기적 활동을 기록하기 위해 사용하는 전극이나 도선. 2. 전극 부착 부위에 따른 심장 전기 활동의 실제적 반영. 카메라 앵글과 비슷한 말이다.

유도 위치(lead placement) – 심전도 유도를 부착하는 정확한 신체 부위

유발된 반응(triggered response) – 심박동기가 탈 분극파를 자극시키거나, 감작된 사건을 점화시킨다.

율동 기록지(rhythm strip) – 환자의 리듬을 분석하기 위해 사용되는 단일 유도의 심전도 기록지

융합군(fusion complex) – 각기 다른 조율기에서 기인한 2개의 박동이 합쳐져서 정상도 아니고 이 탈박동도 아닌 파형을 형성한 것을 말한다. 주로 이탈군, 심실빈맥, 심실고유율동, 그리고 다소성 심방빈맥에서 주로 볼 수 있다.

융합 박동(fusion beat) – 각기 다른 조율기에서 기 인한 2개의 박동이 합쳐져서 정상도 아니고 이탈 박동도 아닌 파형을 형성한 것을 말한다. 심실빈맥에서 주로 볼 수 있다.

이단맥(bigeminy) – 매 두 번째 군마다 나타나는 조기군. 군은 상심실성이거나, 혹은 심실성일 수 있다.

이상성, 이중성(biphasic) – 음성 요소와 양성 요소를 모두 가지고 있는 파형을 나타낼 때 쓰는 용어. 일반적으로 P파와 T파에서 사용된다.

이온(ion) – 전기적 전하를 띄고 있는 원자 혹은 물질

이완기(diastole) – 심장이 적극적으로 수축하고 있지 않을 때 심장이 정상적으로 쉬고 있는 시기

이완말 PVCs (end-diastole PVCs) – PVC가 바로 다음의 정상적으로 발생하는 동성 P파 이후에 떨어질 경우. 이러한 PVC들은 이완기말 PVC 라고 알려져 있다. 왜냐하면, 이전 박동군의 늦은 이완기 동안에 발생하기 때문이다.

이중 반응(dual response) – 전기 자극 생성기 혹은 심박동기의 반응의 형태로서 기기가 어떠한 프로그램 된 경우에는 자극을 하는 방법으로 반응을 하고, 또 다른 프로그램된 사건에는 억제하는 방향으로 반응을 하는 것.

이탈군(escape complex) – 정상 조율기에서의 자극 형성이 실패했을 때 발생하는 박동. 이 경우 R-R간격이 좀 더 길다.

이행 세포 지대(transitional cell zone) – 방실결절의 끝을 둘러싸는 조그마한 조직의 부분. 이 지대는 자율 신경계로 차있으며 부정맥을 잘 일으킨다.

일치(concordance) – 같은 방향으로의 굴절.

ㅈ

자동능(automaticity) – 심박동기가 재분극시키고, 자동적으로 그것에 의한 다른 간격을 만들어 내는 능력

자율신경계(automatic nervous system) – 무의식적이고, 불수의적인 신체 기능을 담당하는 (예를 들어 심박동수) 일부의 신경계

작은 파(wavelet) – 심방세동에서 발견되는 작은 탈분극파

잠복 전도 회로(concealed conduction pathway) – delta 파를 만들지 않는 부전도로를 통한 전도. 이러한 형태의 전도는 심전도 상에서 보이지 않으며 이러한 잠복된 전도 회로를 알려 줄 수 있는 방법(전기 생기학적인 검사가 없으면)이 없다. 이러한 경우에 맥박과 이상 전도의 가능성을 주목해야 한다. 이러한 형태의 전도가 부전도로를 가진 환자에서 가장 흔한 임상 양상이다.

재관류 부정맥(reperfusion arrhythmia) – 급성 심근 경색을 가진 환자에서 혈전 용해 혹은 외 부 기구에 의해서 막혀 있는 혈관을 다시 뚫리면서 발생하게 되는 부정맥

재분극(repolarization) – 세포가 좀 더 음성으로 되는 상태로써 세포외액과 평형 상태에서 멀어지는 상태로 이동하게 된다. 이것은 적극적인 과정이다.

저마그네슘혈증(hypomagnesemia) – 혈중 마그네슘 농도의 저하

저산소증(hypoxemia) – 혈중내 산소 농도의 저하

저칼슘 혈증(hypocalcemia) – 혈중 칼슘 농도의 저하

전극(electrode) – 심장의 생체 전기 활동을 기록하기 위해 흉부에 부착하는 전기 센서

전기 전도계(electrical conduction system) – 심장의 생체 전기적 활동을 통과하기 위해 특수화된 세포군. 전기 신호의 시작과 전도에 관여한다. 또 한 효과적인 심박출을 위해 심방과 심실의 순차를 조정한다.

전기 축(electrical axis) – 심실 근육세포의 활동기 동안 각각의 벡터의 총합

전기적 교대맥(electrical alterans) – 심실의 전기 축이 2개 이상의 박동에서 요동치는 소견을 말한다. 대개 많은 양의 심낭 삼출액과 동반한다.

전도(conduction) – 생체전기가 심근 조직 내로 전파되어 가는 과정. 이것은 세포들이 성공적으로 자극되어 전기적 전위를 만들어 내는 것이다.

전벽(anterior wall) – 심장의 해부학적인 앞면을 따라 있는, 다시 말해서 앞쪽 흉곽에 가장 가까운 수직의 면

전위(electrical potential) – 세포벽 안과 밖의 전하자. 근육세포의 휴지기 전위는 -70에서 -90 mV 이다.

전해질(electrolyte) – 전기적인 전위를 일으킬 수 있는 화학적인 약물 혹은 물질

전향의(anterior) – 이전 혹은 앞쪽을 향하는

전흉부 시스템(precordial system) – 흉부 유도를 묘사하는 다른 용어. V$_1$에서 V$_6$로 부호화 되어 있다 이것은 심장을 시상면으로 나눈다.

전흉부 유도(precordial lead) – 흉부 유도를 묘사하는 다른 용어. V$_1$에서 V$_6$로 부호화되어 있다. 이것은 심장을 시상면으로 나눈다.

절대 불응기(absolute refractory period) – 세포내에 다른 전기 자극을 만들어 내도록 재자극하는 것이 불가능한 세포내의 자극 형성 사이클

접근(approach) – 방실결절에 연관되어, 접근로 혹은 경로는 방실결절에 이르게 되는 길이다. (tract 이라고도 알려져 있음)

정방향 전도(orthodromic conduction) – WPW 증후군에서 발견되는 전기적인 자극의 원형의 운동으로써, 자극이 정상적으로 방실결절

을 따라서 아래로 내려가게 되고, Kent 섬유 속을 통하여 심방으로 다시 들어오게 되는 것을 말한다.

정상 4분면(normal quadrant) – 6개의 축 시스템에서 0도에서 90도로 대표되는 사분면

조기 군(premature complexes) – 심장 율동의 순서에서 예상되는 것보다 조기에 도착하는 군

조동-세동 형태(flutter-fibrillation pattern) – 심방 조동과 심방세동을 왔다 갔다 하는 율동 패턴

조동파(flutters waves) – 심방조동에서 발견되는 원형 운동에 의해 형성되는 톱날 모양의 파형들. 이것들은 양성일 수도 있고 음성의 방향일 수도 있다.

조절되지 않는 심방세동(uncontrolled atrial fibrillation) – 심박수가 100~200 사이인 심방세동(비보상성 심방세동으로도 알려져 있음)

조절된 심방세동(controlled atrial fibrillation) – 정상 박동수의 심방세동

좌각(left bundle branch) – 좌심실을 지배하는 전기 전도계의 일부. 히스속에서 기시하여 좌전섬유속과 좌우섬유속으로 나뉜다.

좌각차단(left bundle branch block) – 좌각의 생리적인 차단으로 QRS군이 0.12 초 이상 확장되어 있으며, V1의 단형의 S파와 유도 I 과 V6에서 단형의 R파가 심전도상의 특징이다.

좌전 섬유속(left anterior fascicle) – 전기 전도계의 일부. 좌심실의 전방과 상방의 전도를 담당한다. 퍼킨지 세포에서 끝나는 한 줄기의 다발이다.

좌후 섬유속(left posterior fascicle) – 전도계의 일부. 좌심실의 후방과 하방을 지배한다. 이것은 광범위하게 펼쳐져 있고 퍼킨지 세포에서 끝나는 부채꼴 모양의 구조이다.

중격(septum) – 근육성 혹은 섬유성의 벽으로써 심방 혹은 심실을 나누게 된다. 이것 자체의 의미로 사용될 경우 일반적으로 심실중격을 의미하게 된다.

중추 신경계(CNS) – 뇌와 척수

증폭 사지 유도(augmented limb leads) – aVR, aVL, aVF의 사지유도

지속적 심실빈맥(sustained VT) – 30초 이상 지속되는 심실빈맥 혹은 그 이하이더라도 종식시키기 위해 전기적으로 혹은 약물적인 중재가 필요한 심실빈맥

진폭(amplitude) – 어떤 파나 군의 전체적인 높이

ㅊ

차단(block) – 자극의 흐름 혹은 탈분극파의 흐름의 막힘

체신경계(somatic nervous system) – 의식적이고 조절 가능한 근육의 움직임과 기능을 책임

지고 있는 신경계의 일부

초속 표지(second marks) – 시간 간격을 나타내는 심전도의 하단의 작은 표지. 기기에 따라 3초나 6초마다 표시한다. 25 mm 표준 심전도에서 큰 상자 5개는 1초를 의미한다.

캘리퍼(caliper) – 뾰쪽한 끝의 똑같은 2개의 다리로 이루어진 도구로 거리를 측정하는데 쓰인다. 심전도나 건축, 항해에 쓰인다.

측부순환(collateral circulation) – 심장의 동맥 사이에서 일어나는 동맥 관류의 공유 지역. 다른 말로 어느 부분은 여러 개의 다른 동맥 혹은 세동맥에 의해 관류된다.

E

탈분극(depolarization) – 세포가 보다 양성에 이르는 상태로써 세포외액과 평형을 이루는 쪽으로의 이동. 탈분극은 휴지기의 뒷부분에서 이루어지며 활동 전위에 의한 활성화되는 동안 완성된다.

토끼 귀(rabbit ear) – 우각차단 시 V1에서 발견되는 전형적인 RSR' 형태에 대한 속어

ㅍ

파(wave) – 기준선에서부터 상향 혹은 하향의 굴절, 심주기의 전기적 활동을 의미한다.

퍼킨지 시스템(purkinje system) – 심장의 전기 전 도계의 마지막 단계로 작용하는 특수화된 세포. 직접적으로 심실세포를 자극한다.

편위 전도(abberancy) – 심장 내의 전기적 신호의 비정상적인 전도. 이 편위 전도는 정상적인 경로를 지나가는 군들과는 형태학적으로 다른 넓은 군을 만들어 낸다.

포획박동(capture beat) – 방실해리의 경우 가끔 P파가 심실로 전도될 수 있다. 이 군은 정상적인 전도로를 통해 전기 자극이 전도된 것이기 때문에 정상파와 비슷하거나, 가깝게 나타나며, 이탈 심실 박동보다 좁은 모양이다.

ㅎ

하벽(inferior wall) – 해부학적으로 횡격막에 놓이게 되는 심장의 아래쪽 벽

한 쌍(couplet) – 두 개의 PVC가 연속적으로 일어나는 것

혈량 저하증(hypovolemia) – 혈액내 혹은 순환계 내의 부족한 수액량

형태학(morphology) – 어떤 파형이나 군의 외형적인 형태

활동 전위(action potential) – 수축을 일으키게 하는 심근세포의 전기적인 점화. 네 가지의 단

계로 나뉘어져 있음

후벽(posterior wall) – 해부학적으로 가슴이나 흉곽의 후벽에 가깝게 위치하는 심장의 수직벽

기타

1회 심박출량(stroke volume) – 한 번의 심실 수축에 의해서 심실에서 박출되는 혈액의 양

6개 축 시스템(hexaxial system) – 사지 유도(I, II, III, aVR. aVL. aVF에)서 얻어진 관상면을 기술하기 위한 시스템

Bachman 각(Bachman bundle) – 심장 전기 전도계의 일부분으로 심방중격을 통과하는 전기 신호를 전달

브루가다 징후(brugada sign) – 정의에 의해 이 것은 0.10초 이상의 R파에서 S파의 끝까지의 비 정상적으로 연장되어 있는 간격을 말한다. 이것은 비정상 소견으로, 만약 이것이 존재하면, 넓은 QRS 빈맥에서 심실빈맥과 편위전도를 가진 상심 실성 빈맥을 감별할 수 있다.

Delta파(delta wave) – WPW 증후군에서 QRS 군의 처음의 상승이 두리 뭉실하게 보이는 것.

Intrinsicoid deflection – 심내막의 퍼킨지 시스템에서 심외막으로 진기 자극이 전도되는데 소요되는 시간. 주로 Q파가 없는 유도에서 측정되며, QRS군의 시작에서 R파의 하향이 시작되는 점까지 측정된다.

Josephson's sign – 심실빈맥에서 볼 수 있는 S파 아랫부분의 작은 절흔

Kent 다발(kent bundle) – WPW 증후군에서 발견되는 부전도로

Lown-ganong-Levine 증후군 – 짧은 PR간격과 정상 QRS군을 특징으로 하는 증후군

P파(P wave) – 심방의 탈분극을 보여주는 데 사용되는 편향. 이것은 박동이나 군의 첫 번째 파이다.

P파 축(P wave Axis) – P파의 계산된 전기적인 축

P-P간격(P-P interval) – 두 연속하는 P파 사이의 간격

PR간격(PR interval) – P파의 시작점부터 QRS군의 시작점까지 사이의 시간 간격

PR 분절(PR segment) – P파의 끝에서 QRS군의 시작점까지의 분절

인공 R'파 – P파가 다른 군의 QRS군과 합쳐져서 R파의 모양으로 나타나게 되는 것

인공 R파 – 인공 R'파를 참고

Q파(Q wave) – QRS군의 첫 번째 하향파

QRS간격(QRS interval) – QRS군에 의해서 점유되는 시간의 간격

QRS군(QRS complex) – 심실 탈분극을 의미하

는 파의 복합체. 이것은 단일의 혹은 다수의 파형이 연속하여 구성되며, 여러 형태의 조합으로 나타난다. Q파, R파, S파,

QT 간격(QT interval) – QRS군의 시작부터 T파 끝까지의 시간 간격. 심박동수에 따라서 달라질 수 있다.

QTc 간격(QTc interval) – QT 간격을 심박동수에 대해 수학적으로 교정한 것

R'파(R' wave) – QRS군에서의 두 번째 양성파

R파(R wave) – QRS군의 첫 양성파

R-on-T 현상 – 조기 심실 수축군이 이전 군의 T파 에 떨어질 때

R-R간격(R-R interval) – 두 개의 연속된 R파 사이의 거리고 표시되는 간격

S'파(S' wave) – QRS군의 3번째 하향파(첫 번째 는 Q wave 가 되면 다음이 S파가 되며, 다음의 파가 S'파가 된다.).

S파(S waves) – QRS군의 두 번째 하향파(첫 번째는 Q wave가 되면 다음이 S파가 된다.)

Salvo – 3개 혹은 더 이상의 PVC 들이 순서대로 일어날 경우. 일반적으로 심실빈맥이 있을 때 사용하게 된다.

Slurred S파 – 우각 차단 시에 유도 I과 V₆에서 보이는 S파의 느린 상승. slurred S파는 여러 가지 모양을 가질 수 있다.

ST 분절(ST segment) – QRS군의 끝에서 T파의 시작까지의 분절. 전기적으로 심실 탈분극과 재분극 사이의 비활동 기간을 의미한다. 기계적으로 심근 세포가 수축을 지속하고 있는 시간을 의미한다.

T파 – 심실의 재분극을 의미하는 파

T-파 교대(T wave alterans) – 심전도나 율동 기록지에서 볼 수 있는 양성과 음성 사이의 T파 극성 교대 현상

TP분절(TP segment) – T파의 끝에서 다음 P파의 시작까지의 기준선. 한 TP분절과 다음 박동의 TP분절까지 선을 그리면 이것이 심전도의 진정한 기준선이 된다.

TP파(Tp wave) – 심방의 재분극을 의미하는 파. 매우 빠른 빈맥에서 PR의 하강이나 ST 분절의 하강으로 나타난다.

Triplet – 3개의 PVC가 연속적으로 나타남.

U파 – T파 이후에 차기 P파 이전에 가끔씩 보이는 작고 평평한 파. 이것은 심실의 후탈분극과 심내막의 재분극을 의미한다.

Wolf-parkinson-White pattern – 짧은 PR간격, 델타 파, 비특이적인 ST-T파의 변화 그리고 발작성 빈맥의 발생이 특징인 심전도의 형태

WPW syndrome – 짧은 PR간격, 델타 파, 비특이적인 ST-T파의 변화 그리고 발작성 빈맥의 발생이 특징인 증후군.

Index